O NOVO
testamento

O NOVO
testamento

ΚΑΤΑ ΜΑΘΘΑΙΟΝ
ΚΑΤΑ ΜΑΡΚΟΝ
ΚΑΤΑ ΛΟΥΚΑΝ
ΚΑΤΑ ΙΩΑΝΝΗΝ
ΠΡΑΞΕΙΣ

Tradução de Haroldo Dutra Dias

Copyright © 2013 *by*
FEDERAÇÃO ESPÍRITA BRASILEIRA – FEB

1ª edição – 16ª impressão – 2 mil exemplares – 5/2025

ISBN 978-85-7328-785-1

Tradução do grego para o português
Haroldo Dutra Dias

Todos os direitos reservados. Nenhuma parte desta publicação pode ser reproduzida, armazenada ou transmitida, total ou parcialmente, por quaisquer métodos ou processos, sem autorização do detentor do *copyright*.

FEDERAÇÃO ESPÍRITA BRASILEIRA – FEB
SGAN 603 – Conjunto F – Avenida L2 Norte
70830-106 – Brasília (DF) – Brasil
www.febeditora.com.br
editorial@febnet.org.br
+55 61 2101 6161

Pedidos de livros à FEB
Comercial
Tel.: (61) 2101 6161 – comercial@febnet.org.br

Adquirindo esta obra, você está colaborando com as ações de assistência e promoção social da FEB e com o Movimento Espírita na divulgação do Evangelho de Jesus à luz do Espiritismo.

Dados Internacionais de Catalogação na Publicação (CIP)
(Federação Espírita Brasileira – Biblioteca de Obras Raras)

D541n	Dias, Haroldo Dutra (Trad.), 1971– O novo testamento/tradução de Haroldo Dutra Dias. – 1. ed. – 16. imp. – Brasília: FEB, 2025. 608 p.; 21 cm Tradução do Novo Testamento, incluindo os quatro Evangelhos e o livro Atos dos Apóstolos, com notas linguísticas e de tradução histórico-cultural. Inclui bibliografia ISBN 978-85-7328-785-1 1. Bíblia. I. Federação Espírita Brasileira. II. Título CDD 225 CDU 225 CDE 20.00.00

sumário

introdução   15

mateus

CAPÍTULO 1   25
   Os ascendentes de Jesus; Anúncio do nascimento

CAPÍTULO 2   41
   Visita dos magos; A fuga para o Egito; Retorno a Nazaré

CAPÍTULO 3   44
   Ministério do precursor, O ensino de João Batista, Descrição do Cristo;
   João mergulha Jesus no Jordão

CAPÍTULO 4   46
   A tentação no deserto; Início da proclamação do reino pela Galileia;
   Os primeiros quatro discípulos

CAPÍTULO 5   **49**
  O sermão do monte – Bem-aventuranças; Missão dos discípulos; A lei, a justiça e o reino; Seis contrastes na interpretação da lei

CAPÍTULO 6   **55**
  Três "obras de justiça" e a oração "Pai Nosso"; Três proibições

CAPÍTULO 7   **59**
  Três proibições (continuação); Três advertências; Reação das turbas

CAPÍTULO 8   **62**
  Cura de um leproso; Cura do servo do centurião; Cura da sogra de Pedro; Diversas curas; Os desafios do discipulado; A tempestade acalmada; Os endaimoniados gadarenos

CAPÍTULO 9   **66**
  Cura de um paralítico; Chamado de Mateus; Refeição com publicanos e pecadores; Acerca do jejum; Ressurreição da filha de Jairo e cura da mulher com fluxo de sangue; Cura de dois cegos; Cura de um endaimoniado mudo; A situação da multidão

CAPÍTULO 10   **71**
  Sermão para os doze discípulos – Missão dos doze; Perseguições; Divisões; A recepção

CAPÍTULO 11   **75**
  A recepção (final); Indagações de João Batista e testemunho de Jesus a seu respeito; Julgamento das cidades do lago; Descanso para a alma

CAPÍTULO 12   **79**
  Espigas arrancadas no sábado; Cura do homem com as mãos atrofiadas; O servo do Senhor; Jesus e Beelzebul; A árvore e seus frutos; O sinal de Jonas; A verdadeira família de Jesus

CAPÍTULO 13   **85**
  Discurso em parábolas – Introdução; Parábola do semeador;
  Explicação da parábola do semeador; Parábola do trigo e do joio;
  Parábola do grão de mostarda; Parábola do fermento;
  Explicação da parábola do trigo e do joio; Parábola do tesouro e da pérola;
  Parábola da rede; Visita a Nazaré

CAPÍTULO 14   **92**
  Herodes; Primeira multiplicação dos pães; Jesus caminha sobre as águas; Curas em Genesaré

CAPÍTULO 15   **96**
  Tradição dos fariseus; Cura da filha de uma cananeia; Curas junto ao lago; Segunda multiplicação dos pães

CAPÍTULO 16   **100**
  Sinal do céu; O fermento dos fariseus e saduceus; A revelação de Pedro; O anúncio do calvário; Requisitos para seguir Jesus

CAPÍTULO 17   **104**
  A transfiguração; A vinda de Elias; O endaimoniado epilético; Segunda previsão do calvário; Jesus e Pedro pagam o tributo

CAPÍTULO 18   **108**
  Pequenos e grandes no reino dos céus; O escândalo; Parábola da ovelha perdida; Erro e perdão; Parábola do devedor implacável

CAPÍTULO 19   **113**
   Ensino sobre o divórcio; Ensino sobre os eunucos; As crianças e o reino dos céus;
   O jovem rico; As posses e reino dos céus;

CAPÍTULO 20   **117**
   Parábola dos trabalhadores da vinha; Terceira previsão do calvário;
   Pedido da mulher de Zebedeu; O grande servidor; Os dois cegos de Jericó

CAPÍTULO 21   **120**
   Entrada do Messias em Jerusalém; Expulsão dos vendilhões do templo; A figueira estéril;
   A autoridade de Jesus; Parábola dos dois filhos na vinha; Parábola dos vinhateiros homicidas

CAPÍTULO 22   **125**
   Parábola do grande banquete; O tributo a César; A ressurreição dos mortos;
   O maior mandamento; O Messias, filho e Senhor de Davi

CAPÍTULO 23   **129**
   Ensino e prática; Os sete "ais"; Lamento por Jerusalém

CAPÍTULO 24   **134**
   O sermão profético – Grandes tribulações; Parábola da figueira; Tempo de vigilância;
   Parábola do servo vigilante

CAPÍTULO 25   **139**
   Parábola das dez virgens; Parábola dos talentos; O último julgamento

CAPÍTULO 26   **143**
   Conspiração para matar Jesus; A unção em Belém; Judas negocia a entrega de Jesus;
   Os preparativos para a Páscoa; A última ceia pascal; A predição da negação de Pedro;
   No Getsêmani; A prisão de Jesus; Jesus diante do Sinédrio; As três negações de Pedro

CAPÍTULO 27   **152**
   Condução de Jesus ao governador; Morte de Judas; Jesus diante de Pilatos;
   Martírio e crucificação; Morte de Jesus; O sepultamento; A guarda do túmulo

CAPÍTULO 28   **158**
   As mulheres visitam o túmulo; O suborno dos soldados; Aparição de Jesus na Galileia

marcos

CAPÍTULO 1   **163**
   Ministério do precursor; Descrição do Cristo; João mergulha Jesus no Jordão;
   A tentação no deserto; Início da proclamação do reino pela Galileia;
   Os primeiros quatro discípulos; Cura do endaimoniado na sinagoga de Cafarnaum;
   Cura da sogra de Pedro; Oração e peregrinação na Galileia; Cura de um leproso

CAPÍTULO 2   **169**
   Cura de um paralítico; Chamado de Mateus; Refeição com publicanos e pecadores;
   Acerca do jejum; Espigas arrancadas no sábado

CAPÍTULO 3   **173**
   Cura do homem com a mão atrofiada; A multidão se aglomera em torno de Jesus;
   A escolha dos doze; Jesus e Beelzebul; A verdadeira família de Jesus

CAPÍTULO 4   **177**
Discurso em parábolas – Introdução; Parábola do semeador;
Explicação da parábola do semeador; A candeia; Parábola do crescimento da semente;
Parábola do grão de mostarda; Ensino por parábolas; A tempestade acalmada

CAPÍTULO 5   **182**
O endaimoniado geraseno; Ressurreição da filha de Jairo e cura da mulher com fluxo de sangue

CAPÍTULO 6   **186**
Visita a Nazaré; Missão dos doze; Herodes; Primeira multiplicação dos pães;
Jesus caminha sobre as águas; Curas em Genesaré

CAPÍTULO 7   **192**
Tradição dos fariseus; Cura da filha de uma cananeia; Cura de um surdo-gago na Galileia

CAPÍTULO 8   **197**
Segunda multiplicação dos pães; Sinal do céu; O fermento dos fariseus e de Herodes;
Cura de um cego em Betsaida; A revelação de Pedro; O anúncio do calvário;
Requisitos para seguir Jesus

CAPÍTULO 9   **202**
Introdução; A transfiguração; A vinda de Elias; O endaimoniado epilético;
Segunda previsão do calvário; Pequenos e grandes no reino dos céus;
Contra e a favor do Cristo; O escândalo

CAPÍTULO 10   **208**
Ensino sobre o divórcio; As crianças e o reino dos céus; O jovem rico; As posses e reino dos céus;
Terceira previsão do calvário; Pedido dos filhos de Zebedeu; O grande servidor; O cego de Jericó

CAPÍTULO 11   **214**
Entrada do Messias em Jerusalém; A figueira estéril; Expulsão dos vendilhões do templo;
A figueira estéril (continuação); A autoridade de Jesus

CAPÍTULO 12   **218**
Parábola dos vinhateiros homicidas; O tributo a César; A ressurreição dos mortos;
O maior mandamento; O Messias, filho e Senhor de Davi; Ensino e prática; O óbolo da viúva

CAPÍTULO 13   **224**
Grandes tribulações; Parábola da figueira; Tempo de vigilância

CAPÍTULO 14   **228**
Conspiração para matar Jesus; A unção em Betânia; Judas negocia a entrega de Jesus;
Os preparativos para a Páscoa; A última ceia pascal; A predição da negação de Pedro;
No Getsêmani; A prisão de Jesus; Jesus diante do Sinédrio; As três negações de Pedro

CAPÍTULO 15   **237**
Jesus diante de Pilatos; Martírio e crucificação; Morte de Jesus; O sepultamento

CAPÍTULO 16   **242**
As mulheres visitam o túmulo; Aparições de Jesus

lucas

CAPÍTULO 1 248
Prólogo; Anúncio do nascimento de João Batista; Anúncio do nascimento de Jesus;
Visita de Maria a Elisabet; Cântico de Maria; Nascimento de João Batista; Cântico de Zacarias

CAPÍTULO 2 258
Nascimento de Jesus; Louvor dos anjos e testemunho dos pastores;
Apresentação de Jesus no templo; Cântico de Simeão e testemunho de Ana;
Retorno a Nazaré; Jesus no templo – primeira Páscoa

CAPÍTULO 3 263
Ministério do precursor; O ensino de João Batista; Descrição do Cristo;
João mergulha Jesus no Jordão; Os ascendentes de Jesus

CAPÍTULO 4 266
A tentação no deserto; Início da proclamação do reino pela Galileia; Visita a Nazaré;
Cura do endaimoniado na sinagoga de Cafarnaum; Cura da sogra de Pedro;
Oração e peregrinação na Galileia

CAPÍTULO 5 272
Os primeiros quatro discípulos; Cura de um leproso; Cura de um paralítico;
Chamado de Mateus; Refeição com publicanos e pecadores; Acerca do jejum

CAPÍTULO 6 278
Espigas arrancadas no sábado; Cura do homem com as mãos atrofiadas; A escolha dos doze;
A multidão se aglomera em torno de Jesus; Bem-aventuranças; Amor aos inimigos;
Proibição de julgar os outros; Advertências

CAPÍTULO 7 284
Cura do servo do centurião; A ressurreição do filho da viúva de Naim;
Indagações de João Batista e testemunho de Jesus a seu respeito;
Jesus na casa de Simão, o fariseu

CAPÍTULO 8 289
As mulheres que acompanhavam Jesus; Parábola do semeador;
Explicação da parábola do semeador; A candeia; A verdadeira família de Jesus;
A tempestade acalmada; O endaimoniado geraseno;
Ressurreição da filha de Jairo e cura da mulher com fluxo de sangue

CAPÍTULO 9 297
Missão dos doze; Herodes; Primeira multiplicação dos pães; A revelação de Pedro;
O anúncio do calvário; A transfiguração; O endaimoniado epilético; Segunda previsão do calvário;
Pequenos e grandes no reino dos céus; Contra e a favor do Cristo; A rejeição dos samaritanos;
Os desafios do discipulado

CAPÍTULO 10 306
A missão dos setenta {e dois}; Julgamento das cidades do lago; A volta dos setenta {e dois};
A alegria de Jesus; Parábola do bom samaritano; Jesus visita Marta e Maria

CAPÍTULO 11   312
    A oração "Pai Nosso"; Jesus e Beelzebul; A volta do espírito impuro; A bem-aventurança verdadeira;
    O pedido de um sinal; A candeia do corpo; Ensino e prática

CAPÍTULO 12   319
    O fermento dos fariseus e saduceus; Perseguições; Confessar e negar Jesus;
    Parábola do rico insensato; Preocupação e ansiedade; Parábola do servo vigilante; Divisões;
    Sinal do céu; Reconciliação com o inimigo

CAPÍTULO 13   327
    Exortação ao arrependimento; Parábola da figueira infrutífera; Cura da mulher encurvada;
    Parábola do grão de mostarda e do fermento; A porta estreita; Lamento por Jerusalém

CAPÍTULO 14   331
    A cura do hidrópico; Humildade e hospitalidade; Parábola do grande banquete;
    Condições para seguir Jesus; O sal insípido

CAPÍTULO 15   335
    Parábola da ovelha perdida; Parábola da dracma perdida; Parábola dos dois filhos

CAPÍTULO 16   339
    Parábola do administrador infiel; A lei e o reino de Deus; Parábola do rico e de Lázaro

CAPÍTULO 17   344
    Ensino e obediência; Jesus cura dez leprosos; A vinda do reino

CAPÍTULO 18   348
    A parábola da viúva e do juiz; Parábola do fariseu e do publicano; As crianças e o reino dos céus;
    O jovem rico; As posses e reino dos céus; Terceira previsão do calvário; O cego de Jericó

CAPÍTULO 19   353
    Jesus e Zaqueu; Parábola das minas; Entrada do Messias em Jerusalém; Lamento por Jerusalém;
    Expulsão dos vendilhões do templo

CAPÍTULO 20   358
    A autoridade de Jesus; Parábola dos vinhateiros homicidas; O tributo a César;
    A ressurreição dos mortos; O Messias, filho e Senhor de Davi; Ensino e prática

CAPÍTULO 21   363
    O óbolo da viúva; Grandes tribulações; Parábola da figueira; Necessidade de vigiar

CAPÍTULO 22   368
    Conspiração para matar Jesus; os preparativos para a Páscoa;
    A última ceia pascal; O grande servidor; A predição da negação de Pedro;
    Bolsa, alforge e espada; No Getsêmani; A prisão de Jesus; As três negações de Pedro;
    Jesus diante do Sinédrio

CAPÍTULO 23   376
    Jesus diante de Pilatos e Herodes; Martírio e crucificação; Morte de Jesus; O sepultamento

CAPÍTULO 24   382
    As mulheres visitam o túmulo; No caminho de Emaús; Aparição de Jesus na Galileia

joão

CAPÍTULO 1   **391**
Prólogo; O testemunho de João Batista; Os primeiros discípulos de Jesus; Jesus chama Filipe e Natanael

CAPÍTULO 2   **397**
As bodas em Caná da Galileia; Expulsão dos vendilhões do templo; Jesus conhece os homens

CAPÍTULO 3   **400**
Jesus e Nicodemos; Jesus e João Batista; Aquele que vem do alto

CAPÍTULO 4   **404**
Jesus e a mulher samaritana; Cura do servo do centurião

CAPÍTULO 5   **408**
A cura do enfermo no tanque de Bethzatha; Discurso sobre a obra do filho

CAPÍTULO 6   **412**
Primeira multiplicação dos pães; Jesus caminha sobre as águas; O pão da vida – Ensino na sinagoga de Cafarnaum; Palavras de vida eterna

CAPÍTULO 7   **417**
Jesus na festa dos tabernáculos

CAPÍTULO 8   **421**
A mulher adúltera; O testemunho de Jesus; Jesus e Abraão

CAPÍTULO 9   **426**
A cura do cego de nascença

CAPÍTULO 10   **429**
O bom pastor; A identidade de Jesus

CAPÍTULO 11   **433**
A ressurreição de Lázaro; Conspiração para matar Jesus; A Páscoa

CAPÍTULO 12   **437**
A unção em Belém; O plano para matar Lázaro; Entrada do Messias em Jerusalém; A glorificação do filho do homem

CAPÍTULO 13   **442**
Jesus lava os pés dos discípulos; A última ceia pascal; O novo mandamento; A predição da negação de Pedro

CAPÍTULO 14   **446**
Jesus é o caminho, e a verdade e a vida

CAPÍTULO 15   **448**
Jesus, a videira verdadeira; Os discípulos e o mundo

CAPÍTULO 16   **450**
Os discípulos e o mundo (continuação); O paracleto

CAPÍTULO 17   **453**
A oração de Jesus

CAPÍTULO 18   **455**
   A prisão de Jesus; Jesus diante do Sinédrio e as negações de Pedro; Jesus diante de Pilatos
CAPÍTULO 19   **460**
   Jesus diante de Pilatos (continuação); Martírio e crucificação; Morte de Jesus; O sepultamento
CAPÍTULO 20   **465**
   As mulheres visitam o túmulo; Aparições de Jesus; Jesus e Tomé
CAPÍTULO 21   **468**
   Jesus aparece a sete discípulos; Jesus e Pedro; Jesus e o discípulo amado

atos

CAPÍTULO 1   **475**
   Prólogo; Ascensão de Jesus; A substituição de Judas
CAPÍTULO 2   **479**
   Pentecostes; A vida dos primeiros cristãos
CAPÍTULO 3   **484**
   A cura de um coxo; O discurso de Pedro
CAPÍTULO 4   **488**
   Pedro e João diante do Sinédrio; Oração dos apóstolos na perseguição; A primeira comunidade cristã; Barnabé
CAPÍTULO 5   **493**
   A fraude de Ananias e Safira; Sinais e prodígios pelos apóstolos; Os apóstolos diante do Sinédrio
CAPÍTULO 6   **498**
   Os sete auxiliares dos apóstolos; A prisão de Estêvão
CAPÍTULO 7   **500**
   A defesa de Estêvão; A morte de Estêvão
CAPÍTULO 8   **507**
   Saulo persegue a igreja; Filipe anuncia o evangelho na Samaria; Filipe e o eunuco etíope
CAPÍTULO 9   **511**
   A conversão de Saulo; Saulo em Damasco; Saulo em Jerusalém; As curas de Pedro em Lida e Jope
CAPÍTULO 10   **517**
   Pedro na casa do centurião Cornélio
CAPÍTULO 11   **522**
   O relatório de Pedro em Jerusalém; A igreja de Antioquia
CAPÍTULO 12   **525**
   A morte de Tiago e a prisão de Pedro; Pedro é libertado; A morte de Herodes Agripa I
CAPÍTULO 13   **528**
   A escolha de Barnabé e Saulo; Em Antioquia da Psídia
CAPÍTULO 14   **534**
   Paulo e Barnabé em Icônio; Em Listra; O retorno para Antioquia da Síria

CAPÍTULO 15   **538**
   A reunião em Jerusalém; A carta aos gentios; A separação de Paulo e Barnabé

CAPÍTULO 16   **543**
   Timóteo associa-se a Paulo e Silas; O chamado para a Macedônia;
   A conversão de Lídia em Filipos; A prisão de Paulo e Silas em Filipos

CAPÍTULO 17   **548**
   Paulo e Silas em Tessalônica; Paulo e Silas em Bereia; Paulo em Atenas

CAPÍTULO 18   **553**
   Paulo em Corinto; A volta para Antioquia da Síria; Apolo em Éfeso

CAPÍTULO 19   **558**
   Paulo em Éfeso; Os sete filhos de Ceva; Tumulto em Éfeso

CAPÍTULO 20   **564**
   Paulo na Macedônia e na Grécia; Paulo em Trôade; De Trôade a Mileto;
   Paulo despede-se dos anciãos de Éfeso

CAPÍTULO 21   **569**
   A viagem para Jerusalém; O encontro com Tiago menor; A prisão de Paulo no templo;
   A defesa em hebraico

CAPÍTULO 22   **574**
   A defesa em hebraico (continuação); Paulo e a cidadania romana; Paulo diante do Sinédrio

CAPÍTULO 23   **578**
   Paulo diante do Sinédrio (continuação); O plano para matá-lo;
   Paulo é enviado ao governador Félix

CAPÍTULO 24   **583**
   O processo diante de Félix; A manutenção da prisão em Cesareia

CAPÍTULO 25   **586**
   O apelo para César; Paulo diante de Agripa e Berenice

CAPÍTULO 26   **589**
   Discurso de Paulo perante o rei Agripa

CAPÍTULO 27   **593**
   A viagem para Roma; Tempestade e naufrágio no mar

CAPÍTULO 28   **599**
   Na ilha de Malta; Paulo em Roma

bibliografia   605

introdução

O mercado editorial conta com inúmeras traduções do Novo Testamento, cada qual concebida e executada segundo necessidades do público leitor. Há aquelas elaboradas em linguagem popular, ao lado de outras elaboradas em estilo mais clássico, mas todas elas estribadas em pressupostos linguísticos, teológicos e pastorais específicos, ainda que não explicitados.

Apresentar um novo projeto de tradução nesse rico panorama exige explicações.

Inicialmente, urge destacar que o presente trabalho não pretende diminuir ou invalidar o esforço e o primor das traduções existentes. Respeita as iniciativas precedentes e almeja dialogar com todas elas, no intuito de enriquecer o leitor, o estudioso e o pesquisador bíblico com ferramentas diferenciadas, conquanto complementares.

As mais renomadas traduções disponíveis em língua portuguesa, entre elas a *Bíblia de Jerusalém*, a *Bíblia do Peregrino*, a *Tradução Ecumênica da Bíblia (TEB)*, João Ferreira de Almeida, *Nova Versão Internacional (NVI)*, constituem projetos que nasceram na Europa Continental e nos Estados Unidos da América, e só posteriormente foram traduzidos e adaptados ao público falante deste idioma.

Nesse caso, uma tradução projetada e implementada integralmente em língua portuguesa, não obstante eventuais deficiências, representa um esforço de contribuir para o aprimoramento dos estudos bíblicos, convidando todos os leitores, estudiosos e especialistas desta área a oferecerem seu contributo.

Foi utilizado o texto crítico dos manuscritos gregos.

Cabe frisar, desse modo, que foram consideradas todas as recentes propostas da crítica textual contemporânea, incluindo o impacto causado pelas descobertas de manuscritos ao longo do século XX. Por esta razão, aqueles versículos atualmente considerados como inserções tardias foram colocados entre parênteses, acompanhados da respectiva nota explicativa.

É oportuno destacar, também, que as maiores descobertas de manuscritos gregos do Novo Testamento ocorreram entre 1780 e 1948, razão pela qual na segunda metade do século vinte foram reunidas renomadas comissões bíblicas a fim de lançarem novas traduções alinhadas com os recentes avanços da pesquisa bíblica.

Nesta primeira edição, o leitor encontrará a tradução dos evangelhos de Mateus, Marcos, Lucas e João bem como do livro Atos dos Apóstolos, devendo aguardar futura edição completa, na qual estarão presentes os demais livros que compõem o chamado Novo Testamento.

O projeto adota certas premissas metodológicas que carecem ser explicitadas a fim que não pairem dúvidas quanto aos objetivos almejados, às estratégias adotadas e aos instrumentos utilizados em sua execução.

As recentes teorias da tradução postulam que elas podem ser classificadas em *source oriented* e *target oriented*, ou seja, orientadas para o texto fonte ou para o texto de destino. Essa classificação diz respeito aos dois caminhos que podem ser adotados pelo tradutor: levar o leitor a se identificar com determinada época e ambiente (texto fonte), ou tornar essa época e esse ambiente acessíveis ao leitor da língua e da cultura do texto traduzido, mediante estratégias de adaptação.

Esse projeto de tradução deve ser classificado como *source oriented*, na medida em que pretende despertar o leitor para as características culturais da Palestina do primeiro século da era cristã.

Dito de outro modo, nosso objetivo é transportar o leitor ao cenário no qual Jesus viveu, agiu e ensinou, a fim de que escute suas palavras, seus ensinamentos como se fosse um morador daquela região. Ouvir a voz do Mestre Galileu em toda a sua originalidade, vigor, riqueza cultural, para compartilhar com ele a pureza genuína dos sentimentos espirituais superiores, eis nossa meta.

Naturalmente, textos modernos reclamam estratégias distintas, conferindo ao tradutor maior flexibilidade no processo de adaptação do texto para torná-lo mais acessível ao entendimento do leitor. Nesse caso, é permitido o sacrifício do original para facilitar a compreensão.

Em nosso caso, a questão é inteiramente diversa.

Nosso esforço se concentra na recuperação do sentido original das palavras, expressões idiomáticas, referências e inferências do texto. Trata-se de uma espécie de "arqueologia linguística e cultural" que busca resgatar a multiplicidade de dados que conformaram o ambiente no qual nasceram os livros que compõem o Novo Testamento.

É indiscutível que esses livros podem ser lidos a partir da nossa experiência atual, levando-se em conta vinte séculos de tradição religiosa. Nessa perspectiva, a história da interpretação desses livros assume papel preponderante, descortinando as inúmeras abordagens e conteúdos que se sobrepuseram ao texto.

Nossa proposta é percorrer caminho diverso. Imitando o arqueólogo, cuidadosamente e pacientemente, tentamos retirar as dezenas de camadas que se sobrepuseram ao texto grego do Novo Testamento, ao longo de vinte séculos de interpretação, para contemplá-lo o mais de perto possível.

A todo momento procurávamos responder a duas questões: Como esse texto seria lido por um habitante da Galileia, da Judeia, das regiões banhadas pelo Mediterrâneo, no primeiro século da nossa era? Quais referências e inferências o texto despertaria no ouvinte daquela época e região, considerando-se o ambiente linguístico, cultural, religioso, político e econômico da época?

Figuremos um exemplo singelo: o verbo grego "bapto" (mergulhar, imergir, lavar), pelos processos de derivação das palavras, é responsável pela formação do substantivo "baptismo" (mergulho, imersão, o ato de lavar). Ao se traduzir esse substantivo por batismo, é impossível que o leitor moderno não associe o vocábulo aos temas teológicos ligados ao sacramento do batismo.

Todavia, urge reconhecer que essas teologias não existiam ao tempo em que os livros do Novo Testamento foram redigidos, ou melhor, não existiam nem mesmo igrejas nos moldes das atuais. Não possuímos sequer registros seguros de que os judeus, sistemática e institucionalmente, utilizavam a imersão em água como ritual para conversão de prosélitos.

Nesse caso, foi necessário escavar, aprofundar para recuperar o frescor original do termo, possibilitando ao leitor moderno o acesso a essa prática do cristianismo nascente sem as camadas interpretativas que se formaram ao longo dos séculos.

Não temos a intenção, cumpre frisar, de desmerecer, condenar ou polemizar a respeito dos dogmas, teologias e crenças das várias escolas do pensamento cristão. Nosso intuito é, antes de tudo, possibilitar o acesso dos indivíduos não especializados em pesquisa bíblica aos elementos originais da tradição cristã, sem o colorido interpretativo posteriormente conferido a cada um deles.

Manter a coerência e a fidelidade a esta proposta exigiu a farta utilização de notas de rodapé contendo esclarecimentos sobre os vocábulos gregos, as tradições judaicas, os aspectos históricos e geográficos, os elementos culturais circundantes, de modo a tornar claras as premissas e as opções do tradutor em cada versículo.

Nesse caso, as notas de rodapé se transformaram, ao mesmo tempo, em fonte de esclarecimento e material de suporte para a leitura, complementando informes impossíveis de serem transmitidos com a simples tradução do texto grego.

É o caso das unidades de medida. Mantivemos a terminologia utilizada no original grego, mas explicamos o significado de cada uma delas nas notas, inclusive com a conversão para o sistema métrico-decimal adotado internacionalmente.

Assim, os nomes de pessoas, lugares, objetos, medidas, costumes foram preservados da forma mais fiel possível, tal como se encontram no texto grego do Novo Testamento, embora estejamos conscientes de que o leitor experimentará certa estranheza.

Estamos, porém, convencidos da impossibilidade de se recuperar o ambiente no qual foram produzidos esses textos sem um esforço do leitor. Deslocar-se em direção ao texto implica desconforto, estranhamento, mas representa uma jornada rica e intrigante de encontro com a mensagem genuína de Jesus e de seus colaboradores diretos.

A tradução segue a convenção bíblica internacional, que divide o texto do Novo Testamento em capítulos e versículos dada a inconveniência de se alterar procedimento editorial adotado desde o século XVII. Ressalte-se apenas que os textos constantes dos manuscritos gregos não apresentam capítulos, versículos nem separação entre as palavras – as letras são escritas uma ao lado da outra, sem espaço, sem vírgula, sem acentos ou divisões de qualquer natureza.

Os capítulos também foram divididos em perícopes, vulgarmente chamadas de passagens bíblicas. Adotamos o sistema utilizado nas edições conhecidas, fruto de convenções internacionais, mas com algumas alterações.

Sendo assim, algumas perícopes foram agrupadas, sobretudo quando tratavam do mesmo assunto, com vistas a uma apresentação mais criteriosa e didática do conteúdo.

As mudanças mais significativas residem nos títulos das perícopes. É natural que cada confissão religiosa procure nomear as passagens de acordo com seus conceitos teológicos e dogmáticos, valendo-se desse expediente para reforçar seus pontos doutrinários.

Por esta razão revisamos sistematicamente cada título buscando a máxima neutralidade, de preferência aproveitando elementos integrantes da própria perícope para nomeá-la. Nesse caso, os títulos perdem seu colorido teológico e assumem um caráter estritamente textual.

As notas de rodapé, por sua vez, são numeradas a cada nova passagem bíblica, facilitando-se o processo de consulta e conferindo--lhes o merecido destaque, já que representam o elemento diferencial deste projeto.

Nas futuras edições, pretendemos incorporar outros elementos, tais como introdução separada para cada livro, referências bíblicas nas margens, ampliação das notas, mapas, gráficos, índices.

As notas de rodapé oferecem diversos conteúdos que podem ser classificados em duas grandes categorias: linguísticos e culturais. Não é fato incomum que determinada nota contenha simultaneamente os dois elementos, razão pela qual essa divisão é puramente esquemática, tendo caráter eminentemente didático.

Os elementos linguísticos dizem respeito a esclarecimentos relativos aos vocábulos gregos, expressões idiomáticas, formação de palavras, hebraísmos e aramaísmos, questões sintáticas, estilo literário dos evangelistas, estrutura literária dos livros, em suma todos os aspectos relacionados ao texto propriamente dito.

Por elementos culturais entendemos todas as questões relacionadas ao ambiente no qual os textos do Novo Testamento foram produzidos, tais como história, geografia, antropologia, características do Império Romano (economia, exército, administração, justiça, legislação), dados culturais dos países banhados pelo Mar Mediterrâneo, sobretudo a Grécia, religiões pagãs, hábitos, costumes e tradições dos galileus e, principalmente, tradição religiosa judaica.

O Novo Testamento está repleto de inferências e referências à tradição religiosa do povo hebreu. Nunca é demais lembrar que todos os redatores dos livros neotestamentários eram hebreus, com exceção do evangelista Lucas. No entanto, mesmo no caso dele, destacam-se os traços da cultura judaica, em razão da influência exercida por Paulo de Tarso em sua obra.

A busca da verdade constitui nosso alvo e o respeito à verdade deve pairar sobre a reverência a homens e a doutrinas. Por isso apreciamos o debate, o diálogo fraterno, sem abrir mão do espírito cristão que determina a cada um de nós agir com caridade e máximo respeito ao nosso semelhante, principalmente nas divergências e diferenças.

As notas de rodapé, portanto, consubstanciam o que de melhor podemos oferecer neste singelo trabalho. Nas futuras edições, essas notas poderão ser ampliadas, multiplicadas e aprimoradas.

Rogamos a Deus permita a continuidade e o aprimoramento do empreendimento ora iniciado.

Belo Horizonte, 02 de abril de 2010.

Haroldo Dutra Dias
Tradutor

mateus

KATA MAΘΘΑΙΟΝ

OS ASCENDENTES DE JESUS[1]

1:1 Livro da genealogia[2] de Jesus[3] Cristo[4], filho de David, filho de Abraão. **1:2** Abraão[5] gerou[6] Isaac[7], Isaac gerou Jacob[8], Jacob gerou Judá[9] e seus irmãos[10], **1:3** Judá gerou Fares[11] e Zara[12], de Tamar[13]; Fares gerou Esrom[14], Esrom gerou Aram[15], **1:4** Aram gerou Aminadab[16], Aminadab gerou Naasson[17], Naasson gerou Salmon[18], **1:5** Salmon gerou Boez[19], de Rakhab[20], Boez gerou Jobed[21], de Ruth[22], Jobed gerou Jessé[23], **1:6** Jessé gerou o Rei David[24], David gerou Salomão[25], da {mulher} de Urias[26]. **1:7** Salomão gerou Roboam[27], Roboam gerou Abias[28], Abias gerou Asa[29], **1:8** Asa gerou Josafat[30], Josafat gerou Joram[31], Joram gerou Ozias[32], **1:9** Ozias gerou Joatam[33], Joatam gerou Akhaz[34], Akhaz gerou Ezequias[35], **1:10** Ezequias gerou Manassés[36], Manassés gerou Amós[37], Amós gerou Josias[38], **1:11** Josias[39] gerou[40] Jekhonias[41] e seus irmãos[42] por ocasião do exílio[43] na Babilônia. **1:12** Depois do exílio na Babilônia, Jekhonias gerou Salathiel[44], Salathiel gerou Zorobabel[45], **1:13** Zorobabel gerou Abiud[46], Abiud gerou Eliaquim[47], Eliaquim gerou Azor[48], **1:14** Azor gerou Sadoc[49], Sadoc gerou Akhim[50], Akhim gerou Eliud[51], **1:15** Eliud gerou Eleazar[52], Eleazar gerou Mathan[53], Mathan gerou Jacob[54], **1:16** Jacob gerou José[55], marido de Maria, de quem foi gerado[56] Jesus, chamado Cristo. **1:17** Dessa forma, há no total catorze[57] gerações de Abraão a Davi; catorze gerações, de Davi ao exílio na Babilônia; quatorze gerações, do exílio na Babilônia ao Cristo.

1. As genealogias do mundo antigo pretendiam muito mais do que simplesmente repassar informação histórico-biológica. A função primordial da genealogia era definir a relação do personagem principal com o passado, no intuito de destacar sua importância para o presente. Na versão de Mateus, a histórica bíblica é novamente narrada e interpretada de uma perspectiva ou agenda que revela seletividade e parcialidade. A cadeia de eventos, personagens e cenários (história) são apresentados dentro de uma estrutura, forma de expressão, apresentação de conteúdo, ponto de vista (Discurso) que refletem um propósito teológico, uma função sóciopastoral e uma contribuição do narrador à compreensão da história bíblica passada, presente e futura. A genealogia coloca a origem de Jesus e, por conseguinte, a de seus seguidores, no centro dos planos de Deus. Cada nome mencionado evoca estágios desse plano, demonstrando que as promessas divinas, a vontade soberana do Altíssimo se sobrepõem à fragilidades e iniquidades humanas. Os propósitos de Deus, que envolvem a formação de um povo, são amplos e inclusivos, já que se estendem pelo território judaico (Israel, Judá) e pagão (Ur dos Caldeus, Babilônia), incluem homens e mulheres (Mt 1:3,5,16), pagãos e Judeus, gigantes da tradição (Abraão e Davi) e anônimos esquecidos, poderosos e oprimidos. As personagens não são selecionadas

MATEUS 1

como modelos de fidelidade e virtude, visto que a maioria conhece a fidelidade e a infidelidade, a virtude e o vício. No entanto, os propósitos divinos, embora ameaçados pelo mal e pela inconstância do ser humano, não são frustrados. Jesus, "filho de Abraão, filho de Davi" (Mt 1:1), é o Messias, comissionado para concretizar as promessas divinas num mundo em que a elite e os poderosos teimam em resistir aos propósitos de Deus. Os seguidores do Cristo vivem num mundo abençoado, no qual Deus opera incessantemente, mas conturbado, já que seus propósitos nem sempre são acolhidos. A comunidade cristã é marginalizada por estruturas políticas, culturais, sociais e religiosas (Templo Judaico, Sinagoga e Império Romano), mas sua identidade é forjada e fortalecida na crença de que vivem segundo os propósitos do "Deus de Israel".

2. βίβλος γενέσεως *(bíblos genéseos)* – lit. "rolo (livro) da geração (origem)"; genealogia, lista de descendentes – expressão formada pela junção de βίβλος (bíblos – caule fibroso do papiro; rolo, livro, escrito; documento, carta) + γένεσις (génesis – gênese, origem; geração, descendência). A expressão hebraica סֵפֶר תּוֹלְדֹת (sêfér toledot – livro das gerações), encontrada em Gn 5:1, foi traduzida na LXX (Versão dos Setenta) por βίβλος γενέσεως (bíblos genéseos). O evangelista, fortemente influenciado pela cultura e pelos textos do judaísmo, como também pela tradução grega das escrituras hebraicas (Versão dos Setenta – LXX), emprega o modelo das genealogias ou listas de gerações presentes naqueles livros. O exame das ocorrências, na bíblia hebraica, do vocábulo תּוֹלְדֹת (toledot – gerações, descendentes) com o sentido de: **1)** descendentes, gerações (Gn 10:1-32, 11:10-27; Nm 1; Rt 4:18; Ecl 41:5), **2)** genealogia, árvore genealógica (Gn 5:1; Ex 6:16; 1Cr 1:29, 5:7, 7:2-4, 8:28, 9:9), **3)** história (Gn 2:4, 37:2; Nm 3:1) é prova da influência desses modelos literários na composição do prólogo do evangelho de Mateus. Alguns exegetas afirmam que a expressão grega γένεσις (génesis – gênese, origem; geração, descendência), encontrada nesse versículo, evoca o Livro das origens (Gn 1-4, 5:1), sugerindo uma nova criação.

3. Ἰησοῦς *(Iesús)* – Jesus (forma grega e/ou transliteração do nome hebreu Josué/Jeshua) – Sub *(150-908)*, derivado do vocábulo hebraico יֵשׁוּעַ (Ieshúa – Jesus), forma tardia de יְהוֹשׁוּעַ (Iehoshúa – Josué). Trata-se de nome antigo formado pela justaposição das palavras יְ (abreviatura do Tetragrama – nome de Deus na bíblia hebraica) + יָשַׁע (iasha – salvar). A forma יֵשׁוּ (Ieshu), utilizada predominantemente no Talmud, era típica do dialeto galileu do aramaico (aramaico do Tiberíades), que costumava omitir a consoante final ע (ayin) na pronúncia das palavras. Na LXX (Versão dos Setenta – Septuaginta), tanto a forma mais antiga quanto a mais recente são traduzidas uniformemente como Ἰησοῦς (Iesús – Jesus). O historiador Flávio Josefo menciona, em seus escritos, aproximadamente 19 pessoas com o nome "Jesus", sendo que metade deles eram contemporâneos de "Jesus, chamado Cristo" (Antiguidades 20, 9, 1). Há ocorrências dessa palavra, também, em numerosos escritos judaicos do período, em túmulos e ossuários da vizinhança de Jerusalém, demonstrando que esse nome era extremamente comum naquela época.

4. Χριστός *(Khristós)* – objeto ou pessoa ungida, untada com azeite, óleo, cosmético, tinta, cal; Ungido, Cristo – Adj Verb *(17-529)*, derivado do verbo χρίω (khrío – ungir, untar, perfumar, esfregar levemente, espalhar uma substância). No grego clássico, a expressão descreve processos corriqueiros tais como "esfregar levemente" ou "espalhar" cosméticos (azeite, óleos) no corpo, após o banho; preparar as flechas para batalha, aplicando veneno nas pontas; aplicar tinta, cal em alguma superfície ou objeto. Na LXX (Versão dos Setenta), tanto a palavra hebraica מָשִׁיחַ (mashîah – messias, aquele que é ungido), quanto o vocábulo aramaico מְשִׁיחָא (meshîah – messias) são traduzidas por Χριστός (Khristós), ao passo que o

verbo hebraico מָשַׁח (mashah – ungir, espalhar um líquido) foi traduzido pelo verbo grego χρίω (khrío – ungir), todos remetendo ao ato de untar com azeite, óleo ou gordura. Esse padrão de tradução utilizado na LXX serviu de modelo para os escritores do Novo Testamento, razão pela qual é aconselhável priorizar o sentido hebraico (semítico) desses termos para uma melhor compreensão do vocábulo "Cristo". Empregado de forma rotineira ou cotidiana, o verbo "ungir" poderia se referir à ação de aplicar óleo ao corpo (Am 6:6), passar óleo em um escudo (Is 21:5), ou pintar uma casa (Jr 22:14). No contexto do ritual religioso judaico, "ungir" envolvia a aplicação cerimonial de óleo no tabernáculo, no altar ou na bacia (Ex 40:9-11), ou até mesmo a aplicação de óleo sobre o animal que serviria de oferta pelo pecado (Ex 29:36). No contexto da administração, o verbo "ungir" designava a investidura cerimonial em cargos de liderança, uma atividade que envolvia o derramamento do óleo que estava num chifre sobre a cabeça da pessoa investida no cargo. A unção em Israel, no âmbito religioso, indicava uma separação oficial para o serviço divino (Ex 29:36; Lv 8:12; 1Sm 15:17; 2Sm 12:7). No entanto, o título de Messias não evocava um catálogo fixo de atividades, deveres ou obrigações, antes, propunha a questão de se saber para qual atividade aquele ungido específico foi comissionado. Essa missão divina podia assumir diversas formas: **1)** Deus unge ou comissiona Reis para representá-lo e para concretizar, na Terra, seu reinado divino de justiça, retidão e paz (Sl 2; 72); 2) Sacerdotes são ungidos para dirigir o culto (Lv 4: 3-16); **3)** Profetas são ungidos para comunicar a vontade de Deus e para combater práticas consideradas pecaminosas (1Rs 19:16). É desconcertante o caso do rei pagão da Pérsia, Ciro, nomeado nas escrituras hebraicas como "ungido" ou "messias", já que Deus lhe entregou a tarefa de libertar os exilados hebreus, residentes na Babilônia no século VI a.C. Essa história reforça a ideia de que não há um rol taxativo das tarefas típicas de um "messias", ao contrário, demonstra que mesmo um pagão pode ser comissionado para uma missão divina. A genealogia de Mateus se propõe a responder a seguinte questão: Para qual atividade, tarefa, papel ou missão especial Deus "ungiu" ou designou Jesus? A resposta permeia toda a narrativa evangélica, incluindo a genealogia, mas a passagem encontrada em Mt 1:21-23 pode representar um significativo resumo.

5. Ἀβραὰμ *(Abraám)* – **Abraão (forma grega e/ou transliteração do nome hebreu Abraham) – *Sub (7-73)*, derivado do vocábulo hebraico** אַבְרָהָם **(Abraham – Abraão), resultado da modificação do nome mais curto** אַבְרָם **(Abram – Abrão). No primeiro caso, trata-se de nome antigo formado pela justaposição das palavras** אַב **(ab – pai) +** רָהָם **(raham – multidão; numeroso). No segundo caso, refere-se ao nome composto pelas palavras** אַב **(ab – pai) +** רָם **(rûm – alto; exaltado).** A narrativa bíblica (Gn 11:27 – 12:8) apresenta Abraão como o primeiro dos Patriarcas, o ancestral do povo de Israel. Personagem emblemática que exprime a mais profunda experiência profética daquele povo, visto que, renunciando integralmente sua segurança pessoal, atendeu ao chamado de Deus, confiando na promessa divina de uma posteridade abundante. A história evoca o tema da graça e solicitude de Deus, que chamou um pagão, na cidade de Ur dos Caldeus, a fim de, por seu intermédio, abençoar todas as nações da terra (Gn 12:3, 18:18). A genealogia conecta Jesus a essa imponente figura do passado de Israel, buscando salientar o fato de que, como descendente de Abraão, Jesus promulga, em definitivo, a bênção de Deus sobre todas as nações da Terra. Dito de outra forma, o texto sugere que em Jesus se concretiza a promessa feita a Abraão.

6. ἐγέννησεν *(egénnesen)* – **gerar (ser ou tornar-se pai de alguém); dar à luz; causar, produzir – Verb. Indicativo Aoristo Ativo (44-97), conjugação do verbo** γεννάω **(gennáo – gerar; dar à luz; causar).** O foco predominantemente masculino desta genealogia reflete a cultura patriarcal

MATEUS
1

daquelas sociedades, e reflete o emprego de modelos encontrados na bíblia hebraica (Rt 4:18-22; 1Cr 2:10-15). Assim, a linha descritiva não menciona, com raras exceções, as mães (Sara, Agar), mas também não segue a primogenitura (Ismael, Esaú), nem exige perfeição de caráter da pessoa incluída na lista (Jacó roubou o direito de primogenitura).

7. Ἰσαάκ *(Isaác)* – **Isaac (forma grega e/ou transliteração do nome hebreu Yitshaq)** – *Sub (3-20)*, nome hebraico יִצְחָק (Yitshaq – Isaac), derivado do verbo צָחַק (Tsahaq – rir), significando literalmente "ele riu". Esse verbo aparece pela primeira vez (grau Qal) na bíblia hebraica descrevendo as reações de Abraão (Gn 17:17) e de sua esposa Sara (Gn 18:12-13), que riram incredulamente da promessa divina de que teriam um filho. Após o cumprimento da promessa, Sara exclamou: "Deus me deu motivo de riso e todo aquele que ouvir isso vai rir-se juntamente comigo (yitshaq-lî)" (Gn 21:6), razão pela qual o nome da criança passou a ser Isaac.

8. Ἰακώβ *(Iakób)* – **Jacó (forma grega e/ou transliteração do nome hebreu Y'aqov)** – *Sub (5-27)*, nome hebraico יַעֲקֹב (Y'aqov – Jacó), derivado dos substantivos עָקֵב ('aqeb – calcanhar; casco; retaguarda; pegadas) e עָקֵב ('aqeb – aquele que vence em astúcia), que por sua vez dão origem ao verbo עָקַב ('aqab – pegar pelo calcanhar; suplantar). Partindo da idéia literal de calcanhar, esses vocábulos apresentam um desdobramento semântico, descrevendo "cascos de cavalo", "a parte de trás de alguma coisa", "as nádegas", "a retaguarda de uma tropa", "os passos de alguém". O emprego metafórico da expressão "levantar o calcanhar" ou "iniquidade no meu calcanhar" inclui ideias tais como a de um traidor que demonstra infidelidade ou de alguém que persegue impiedosamente. Jacó, segundo filho de Isaac, neto de Abraão, nasceu "segurando o calcanhar" de seu irmão Esaú (Gn 25:26). Quando Jacó adquiriu o direito de primogenitura (Gn 25:29-34), ao roubar a benção proferida por Isaac (Gn 27:1-29), seu irmão Esaú, injustamente preterido, exclamou: "Não é com razão que se chama ele Jacó? Pois já duas vezes me enganou: tirou-me o direito de primogenitura e agora usurpa a bênção que era minha" (Gn 27:36). Esse nome, quando empregado como um coletivo, refere-se às tribos de Israel que descenderam dos 12 filhos de Jacó.

9. Ἰούδας *(Iúdas)* – **Judá (forma grega e/ou transliteração do nome hebreu Yehudáh)** – *Sub (10-44)*, nome hebraico יְהוּדָה (Yehudáh – Judá), que origina o verbo יָהַד (Yahad – tornar-se judeu). Perdeu-se o sentido original da raiz, embora tenha sido sugerido que o termo deriva do verbo יָדָה (Yadah – louvar, glorificar; celebrar), considerando-se as referências bíblicas (Gn 29:35, 49:8) sobre o assunto. Todavia, alguns nomes dos filhos de Jacó devem ser considerados como "trocadilho" hebraico. Nesse caso, a explicação oferecida pelo texto bíblico não pretende fixar uma etimologia do termo, nem oferecer uma informação precisa sobre a origem do vocábulo, mas somente reforçar ou explicitar o "jogo de palavras". Diz a narrativa bíblica (Gn 29:35) que Lia, primeira mulher de Jacó, deu nome ao seu quarto filho, dizendo: "Desta vez, louvarei a IHWH; por isso lhe chamou Judá". Noutra passagem (Gn 49:8), Jacó, ao abençoar seu filho Judá, utiliza o "jogo de palavras" de forma clara: "Judá, teus irmãos te louvarão". Esse nome próprio é utilizado para referir-se a pessoas e a um território. Na história dos patriarcas, Judá foi o nome do quarto filho de Jacó, nascido de Lia. A benção de Jacó prometeu-lhe liderança, vitória e reinado (Gn 49:8-12), não obstante seu papel secundário na narrativa bíblica. De fato, Davi, nascido em Belém da Judeia, foi ungido Rei sobre Judá e, posteriormente, sobre todo Israel (2Sm 2:4), confirmando a bênção paterna. O Messias prometido é visto como alguém que viria de Belém, da Judeia, da linhagem de Davi (2Sm 7:12-16; Sl 89:1-5, Sl 110; Mq 5:1-2).

10. ἀδελφοὺς *(adelphús)* – **irmão, filho do mesmo ou dos mesmos genitores; parente, consanguíneo, afim; compatriota, da mesma tribo; correligionário, irmão de fé** – *Sub (38-343)*,

acusativo plural do vocábulo ἀδελφός (adelphós – irmão), formado pela junção da partícula α (a – copulativo) + δελφύς (delphús – útero), significando, etimologicamente, "do mesmo útero". Na LXX (Versão dos Setenta), ἀδελφός (adelphós – irmão) traduz a palavra hebraica אָח ('ah – irmão). Esse vocábulo semítico, conquanto tenha o sentido básico de "irmão", apresenta nuances semânticas semelhantes àquelas indicadas pelo termo grego. Nesse sentido, pode significar filho de uma mesma mãe, filho de um mesmo pai, os descendentes remotos de um ancestral comum (sobrinhos, primos), os membros de uma mesma tribo. O significado também inclui todos os filhos de Israel, descendentes de Abraão, Isaac e Jacó. Neste versículo, a expressão "Judá e seus irmãos" evoca os doze filhos de Jacó: Rúben, Simeão, Levi, Judá, Issacar, Zabulon, Benjamim, Dã, Neftali, Gad, Aser e José (Ex 1:1-5).

11. Φάρες (Fáres) – **Farés (forma grega e/ou transliteração do nome hebreu Perets)** – *Sub (2-3)*, nome hebraico פֶּרֶץ (Perets – brecha; fenda; lacuna; Farés), que se origina do verbo פָּרַץ (Parats – arrebatar; derrubar; transbordar; irromper; insistir, instar). A etimologia desse nome guarda certa relação com a história do nascimento de Farés (Gn 38:27-30). Reza a narrativa bíblica que Tamar estava grávida de gêmeos. Durante o parto, uma das crianças coloca a mão para fora, e a parteira ata nessa "mãozinha" um fio escarlate, dizendo: "Foi este que saiu primeiro". Todavia, a criança recolheu a mão e seu irmão acabou nascendo antes dele, levando a parteira a exclamar: "Que brecha te abriste!", motivo pelo qual recebeu o nome de **Farés**. Com exceção das referências genealógicas (1Cr 2:9-11; Rt 4:20-21; Mt 1:3-5), pouco se sabe acerca das personagens entre Farés e Salmon. Seus nomes evocam, no entanto, uma história maior de perda de direitos civis no Egito (escravidão), derrota do Faraó, libertação do impotente dos poderes do opressor, fidelidade de Deus às suas promessas relativas à terra de Canaã.

12. Ζάρα (Zára) – **Zara (forma grega e/ou transliteração do nome hebreu Zerah)** – *Sub (1-1)*, nome hebraico זֶרַח (Zerah – aurora; brilho) derivado do verbo (zarah – levantar-se, erguer-se; subir; brilhar). O fio escarlate foi atado no punho de Zara, que colocou a "mãozinha" para fora, dando a entender que nasceria primeiro (Gn 38:27-30). Esse incidente envolvendo o nascimento de **Zara** sugere a etimologia do seu nome.

13. Θαμάρ (Thamár) – **Tamar (forma grega e/ou transliteração do nome hebreu Tamar)** – *Sub (1-1)*, nome hebraico תָּמָר (Tamar – palma; palmeira: árvore e seus ramos). Judá casou-se com a filha de um cananeu, que lhe deu três filhos: Er, Onã e Selá (Gn 38:1-5). O filho primogênito de Judá (Er) casou-se com Tamar, mas não tiveram filhos. Após seu falecimento, seu irmão Onã, em virtude da lei do Levirato (Dt 25:5-6), desposou Tamar, no entanto, também faleceu antes que ela concebesse. Judá prometeu que seu filho Selá se casaria com Tamar, assim que se tornasse homem. A promessa não foi cumprida, levando Tamar a se disfarçar de prostituta para seduzir seu próprio sogro. Judá confunde sua nora Tamar, viúva de Er, com uma prostituta cultual. Ela concebe os gêmeos **Farés** e **Zara** (Gn 38:6-26).

14. Ἐσρώμ (Esróm) – **Esrom (forma grega e/ou transliteração do nome hebreu Hetsron)** – *Sub (2-3)*, nome hebraico חֶצְרוֹן (Hetsron), derivado da raiz חצר (Htsr – estreitar, apertar, atar; afligir; sitiar, enclausurar). A etimologia do nome sugere a ligação dessa personagem com a escravidão e libertação de Israel descrita no livro de Êxodo. Esrom está associado com o cativeiro de José no Egito (Gn 46:8-12 e 27), já que seu nome foi mencionado entre as setenta pessoas que acompanhavam o patriarca Jacó.

15. Ἀράμ (Arám) – **Aram (forma grega e/ou transliteração do nome hebreu Aram)** – *Sub (2-3)*, nome hebraico אֲרָם (Aram). Não há maiores informações a respeito desse descendente dos Patriarcas, além daquelas constantes das listas genealógicas (Gn 46:8-12; 1Cr 2:9-11; Rt 4:20-21).

Há diferentes tradições textuais sobre o número de filhos de Hesron. O texto hebraico de 1Cr 2:9 menciona três filhos, ao passo que a LXX (Versão dos Setenta) menciona quatro. Enquanto o TM (Texto Massorético) de 1Cr 2:9 estabelece Ram como sendo o segundo filho, a LXX (Versão dos Setenta) nomeia Ram como o segundo filho e **Aram**, pai de Aminadab, como o quarto. Por sua vez, a LXX de Rt 4:19 também apresenta **Aram** como filho de Hesron. Esse nome foi usado pela primeira vez pelo rei da Babilônia Naram-Sin (2254-2218 a.E.C), que derrotou Harshamadki, senhor de Aram e de Am. O livro de Gênesis menciona lugares chamados Paddam-Aram (Gn 25:20, 31:18, 33:18, 35:9) e Aram-Naharaim (Gn 24:10; Dt 3:25), embora não haja referências diretas ao povo Arameu (Aramaico) até o séc XI a.E.C, quando o soberano Tiglat Falasar I (1115-1103 a.E.C) deparou com eles na sua expedição militar ao longo do rio Eufrates, local onde viviam. As origens do povo arameu são obscuras, embora sejam considerados como um grupo de semitas ocidentais, tribos de língua aramaica que chegaram ao Crescente Fértil por volta de 1500-1250 a.E.C. Sua região de origem foi provavelmente o deserto sírio-árabe, expandindo-se, posteriormente, para a Alta Mesopotâmia (noroeste). Narra a bíblia hebraica que Abraão é irmão de Naor e avô de Aram (Gn 22:20-21). Tanto Isaac (Gn 25:20) quanto Jacó (Gn 28:5) casaram-se com mulheres araméias. O próprio Jacó é descrito como um "arameu estrangeiro" (Dt 26:5).

16. Ἀμιναδάβ (Aminadáb) – **Aminadab (forma grega e/ou transliteração do nome hebreu 'Ammînâdab)** – Sub (2-3), nome hebraico עַמִּינָדָב ('Ammînâdâb) que possivelmente deriva da junção das palavras עַמִּי ('Ammî – meu povo) + נָדָב (nâdâb – incitar, impelir; nobre). Não há informações detalhadas a respeito desse descendente de Judá. Sabe-se, apenas, que era filho único de Aram (Rt 4:19; 1Cr 2:10), e que seu nome, indiretamente, foi associado à travessia do deserto pelo povo de Israel, sob o comando de Moisés (Nm 1:7).

17. Ναασσών (Naassōn) – **Naasson (forma grega e/ou transliteração do nome hebreu Nahshwon)** – Sub (2-3), nome hebraico נַחְשׁוֹן (Nahshwon) derivado da raiz נחש (nhsh – serpente, cobra; adivinhar; adivinhação; cobre). A etimologia desse nome nos remete ao episódio da serpente de bronze, feita por Moisés (Nm 21:4-9), também mencionada no Novo Testamento (João 3:14; Fp 2:7). Ao contrário do seu pai Aminadáb, Naasson está diretamente ligado à travessia do deserto (Nm 1:7). No início da peregrinação do povo hebreu, Moisés e Aarão designaram um homem de cada tribo para exercer a função de liderança ou chefia da casa patriarcal. Esses doze líderes tinham a atribuição de recrutar, em suas próprias tribos, homens com idade mínima de 21 anos, hábeis para ir à guerra (Nm 1:1-4). Naasson foi nomeado líder da tribo de Judá. Há um vínculo familiar entre essa personagem e o sacerdote de Moisés, já que Aarão desposou a filha de Aminadáb, chamada Isabel, irmã de Naasson (Ex 6:23).

18. Σαλμών (Salmón) – **Salmon (forma grega e/ou transliteração do nome hebreu Shalmōn)** – Sub (2-3), nome hebraico שַׁלְמוֹן (Shalmōn – recompensa; suborno) derivado do verbo שָׁלֵם (shâlēm – terminar ou completar algo; estar completo, sadio; entrar num estado de integridade e unidade). O vocábulo שָׁלוֹם (shâlôm – paz) também deriva deste verbo. Pode-se explicar a visível diversidade de significados dessas palavras levando-se em conta as peculiaridades das sociedades antigas do Oriente Médio, da Mesopotâmia e do Egito. Nesse contexto, a restauração da paz se fazia por meio do pagamento de tributo a um conquistador (Js 10:1), da restituição de algo, como forma de reparar a lesão causada (Ex 21:36) ou do simples pagamento e finalização de uma transação comercial (2Rs 4:7). O pagamento de um voto (Sl 50:14), de uma promessa ou obrigação selava o acordo, de sorte que ambas as partes eram conduzidas ao estado de paz. Salmon é o bisavô de Jessé, pai de David (1Cr 2:11-13; Rt 4:21-22).

19. Βόες *(Bóes)* – **Booz (forma grega e/ou transliteração do nome hebreu Bō'az)** – *Sub (2-3)*, nome hebraico בְּעֹז *(Bō'az)* formado pela junção da preposição בְּ (b – em, dentro de; por meio de) + עֹז ('oz – força). A etimologia desse nome nos remete ao verso do salmista "Na tua força, SENHOR, o rei se alegra!" (Sl 21:1). Esse vocábulo semítico é traduzido para o grego de duas maneiras diferentes, ora como Bo,ej (Bóes), ora como Bo,oj (Bóos). Booz era um rico proprietário de terras em Belém (Rt 2:1-3) que, exercendo a função de resgatador (Nm 35:19), casou-se com Rute, nora de Noemi e de Elimelec. Rute, a estrangeira, não apenas acompanhou sua sogra (Rt 2:11), mas também assegurou a perpetuidade da família de Elimelec, aceitando casar-se com Booz, gerando Obed, avô do Rei David. A generosidade de Rute e de Booz fez Noemi, a viúva, uma antepassada de David.

20. Ῥαχάβ *(Rakháb)* – **Raab (forma grega e/ou transliteração do nome hebreu Rāhāv)** – *Sub (1-1)*, nome hebraico רָחָב *(Rāhāv)* derivado do verbo רָחַב *(Rāhāv – portar-se com orgulho; ser orgulhoso)*. Esse vocábulo semítico é traduzido para o grego de duas maneiras diferentes, ora como Ραχαβ (Rakháb), ora como Ρααβ (Raab).Raab foi a prostituta cananeia que deu proteção aos espiões de Josué, no muro da cidade de Jericó (Js 2). É muito improvável que Salmon e Raab tenham gerado Booz, pois mais de um século os separa. Salmon é o bisavô de Jessé, pai de David (1Cr 2:11-13; Rt 4:21-22), ao passo que Raab viveu na época da invasão e ocupação de Jericó (Js 2). A ausência de Raab nas listas genealógicas de Rute e Crônicas demonstra que o foco do evangelista reside na legitimação teológica e social, ficando em segundo plano a informação histórica.

21. Ἰωβήδ *(Iōbēd)* – **Jobed (forma grega e/ou transliteração do nome hebreu 'Ōbed)** – *Sub (2-3)*, nome hebraico עוֹבֵד ('Ōbed) derivado do verbo עָבַד ('āvad – trabalhar; servir; tornar-se escravo). O vocábulo עֶבֶד ('eved – escravo; servo) também deriva deste verbo. Não há informações detalhadas a respeito desse descendente de Booz e Rute. Sabe-se, apenas, que foi o avô do Rei David (Rt 4:17-22; 1Cr 2:12).

22. Ῥούθ *(Ruth)* – **Rute (forma grega e/ou transliteração do nome hebreu Rût)** – *Sub (1-1)*, nome hebraico רוּת *(Rût)* derivado do substantivo רְעוּת (R'ût – companheira; ave que forma casal com outra). Rute, a pobre viúva estrangeira (moabita), resolve acompanhar sua sogra Noemi (Rt 2:11), também viúva, no retorno à Judeia. Em razão da extrema penúria em que viviam, é forçada a respigar (Lv 19:19; Dt 24:19) nos campos, mas acaba persuadindo o rico e poderoso Booz, proprietário daquelas terras, a exercer o papel legal de resgatador (Nm 35:19), casando-se com ela. Dessa união nasce Jobed, herdeiro legal das terras de Maalon, Elimelec e Booz, e avô de David.

23. Ἰεσσαί *(Iessai)* – **Jessé (forma grega e/ou transliteração do nome hebreu Yishay)** – *Sub (2-5)*, nome hebraico יִשַׁי *(Yishay)*, de derivação incerta. Jessé, neto do próspero belemita Boaz e de sua esposa Rute, era morador de Belém de Judá e teve oito filhos (1Sm 16:1-13, 17:12), incluindo o Rei David. Na linguagem profética, o futuro Messias e Rei de Israel é chamado de "raiz de Jessé" (Is 11:10; Rm 15:12), sendo conhecida a profecia: "Do tronco de Jessé sairá um rebento, e das suas raízes um renovo" (Is 11:1).

24. Δαυὶδ *(Dauid)* – **Davi (forma grega e/ou transliteração do nome hebreu Dawid)** – *Sub (16-59)*, nome hebraico דָּוִיד *(Dawîd)*, possivelmente derivado do vocábulo דּוֹד (dôd – amado), pois há dúvidas quanto a essa etimologia. Davi, filho caçula de um agricultor de Belém (Jessé), foi ungido Rei pelo profeta Samuel (1Sm 16:13), de forma inusitada. Sua vida costuma ser divida em quatro períodos: nos primeiros anos, após ser ungido, ganha acesso à corte de Saul (primeiro Rei de Israel), inicialmente, em virtude de seus dotes musicais, pois acalmava

o espírito perturbado do Soberano com sua música. Posteriormente, ao derrotar o guerreiro filisteu (Golias), casa-se com a filha única do Rei (Micol). Nos anos do exílio, tempo em que foi perseguido pelo Rei Saul, Davi refugia-se como um proscrito no deserto da Judeia, aliando-se aos filisteus na luta contra seu próprio sogro, e estabelece um poderio militar independente, consolidando seu controle sobre grande parte de Judá. Durante sete anos reina sobre Judá, estabelecendo Hebron como capital, e estendendo cada vez mais sua influência sobre o Reino do Norte. Por fim, durante trinta e três anos governa sobre todo o território de Israel (Norte e Sul), expandindo as fronteiras do Reino, com guerras vitoriosas, promovendo a centralização administrativa e religiosa em Jerusalém, que se torna a capital e centro do culto. Seu reinado alcança prosperidade material, estabilidade política e religiosa, além de crescente influência no mundo da sua época. Os livros de Samuel, Crônicas e Reis contam sobre sua vida e reinado. Todavia, em virtude da natureza idealizada de sua pessoa e reinado, bem como da aliança messiânica evocada no ato da sua unção, há referências ao Rei Davi em Salmos, Provérbios, Eclesiastes, Cantares, Isaías, Jeremias, Ezequiel, Oséias, Amós e Zacarias.

25. Σολομὼν *(Solomon)* – **Salomão (forma grega e/ou transliteração do nome hebreu Shelomoh) – *Sub* (5-12), nome hebraico** שְׁלֹמֹה **(Shelomoh), derivado do verbo** שָׁלֵם **(shãlêm – terminar ou completar algo; estar completo, sadio; entrar num estado de integridade e unidade) e do vocábulo** שָׁלוֹם **(shãlôm – paz).** Salomão, segundo filho de Davi e Bat-Seba, reinou sobre Israel durante longo período (962-922 a.C), marcado por prosperidade, prestígio, projetos de construção grandiosos, além de considerável transformação cultural, na qual a centralização administrativa sobrepujou a antiga organização tribal. A opulência do seu reinado acarretou o aumento excessivo dos tributos, o agravamento das desigualdades sociais, inclusive com a imposição de trabalhos forçados aos Israelitas, que culminaram com a dissolução da monarquia unida, após sua morte. Do ponto de vista religioso, seu principal projeto foi a construção do Templo. Suas façanhas são descritas em 1Reis, 1Crônicas e 2Crônicas, sobretudo o célebre caso das duas mães que disputavam o filho. Não obstante os aspectos controvertidos do seu reinado, Salomão passou à tradição como o sábio por excelência, a quem foram atribuídas inúmeras obras: Salmos, Odes, Provérbios, Cântico dos Cânticos, Eclesiastes e Sabedoria de Salomão.

26. Οὐρίας *(Urías)* – **Urias (forma grega e/ou transliteração do nome hebreu Uriah) – *Sub* (1-1), nome hebraico** אוּרִיָּה **('Uriah – luz do "Eterno"), composto pelos vocábulos** אוֹר **('Or – luz) e** יָהּ **(Yãh – abreviatura do Tetragrama).** Urias, marido de Bat-Seba, era hitita (2Sam 23:23-39) e compunha a tropa de elite do exército real, no reinado de Davi. Esse grupo de heróis guerreiros, chamados coletivamente "os trinta", era formado de mercenários estrangeiros. Sua esposa Bat-Seba era filha de Eliã, que também integrava o grupo dos "trinta" guerreiros de Davi. Com o objetivo de encobrir seu adultério com Bat-Seba, o Rei Davi determinou que o guerreiro Urias fosse colocado em posição extremamente perigosa, durante uma batalha, o que lhe acarretou a morte. Nesse versículo, o Evangelista faz uma referência indireta a Bat-Seba, "mulher de Urias", bem como ao adultério que culminou no nascimento do Rei Salomão.

27. Ῥοβοάμ *(Roboam)* – **Roboão (forma grega e/ou transliteração do nome hebreu Rehavãm) – *Sub* (2-2), nome hebraico** רְחַבְעָם **(Rehavãm – ampliação/aumento do povo), composto pelos vocábulos** רָחָב **(Rãhav – ser largo, usado para terra ou objeto) e** עָם **('ãm – povo).** Após a morte de Salomão (931 a.C), os israelitas, liderados por Jeroboão, apelam para o sucessor do trono de Salomão (Roboão), a fim de que ele reduza os impostos e conceda um tratamento igualitário entre as tribos do Norte e do Sul. Insensível aos apelos do povo, Roboão promete represálias consistentes no agravamento dos impostos, acarretando uma rebelião que

culmina com a divisão do Reino em duas partes: o Reino do Norte e o Reino do Sul, tendo como soberanos, respectivamente, Jeroboão (931-910 a.C) e Roboão (931-913 a.C). Os primeiros anos do reinado de Roboão foram marcados pela construção e fortificação de muitas cidades pertencentes ao território das tribos de Judá e Benjamim.

28. ’Αβιὰ (Abia) – **Abias (forma grega e/ou transliteração do nome hebreu 'ăviyāh)** – Sub (2-3), nome hebraico אֲבִיָה ('ăviyāh – meu pai é o Eterno), composto pelos vocábulos אָב ('āv – pai) e יָהּ (Yāh – abreviatura do Tetragrama). Abias (913-911 a.C), neto de Salomão e filho de Roboão, foi o segundo Rei de Judá (1Cr 3:10), levando adiante o programa político do seu genitor (1Rs 15:1-8; 2Cr 13:1-22), intensificou a hostilidade entre o Reino do Norte e o Reino do Sul, e permitiu a adoração de divindades estrangeiras, dentro do sincretismo religioso (idolatria) dos seus ascendentes.

29. ’Ασάφ (Asaph) – **Asa (forma grega e/ou transliteração do nome hebreu 'āsāf)** – Sub (2-2), nome hebraico אָסָף ('āsāf), derivado do verbo אָסַף ('āsaf – reunir, recolher, remover uma colheita). Na bíblia hebraica (1Rs 15:9), o nome desse rei é grafado como אָסָא ('ās'ā – curar, no idioma caldeu). Ao que tudo indica, houve um erro dos copistas ao grafarem o nome desse Monarca, o que explicaria a divergência entre os manuscritos do Novo Testamento. Todavia, alguns eruditos postulam que não se trata do Rei de Judá, mas do salmista Asaf (1Cr 16:5-37; 2Cr 29:30). Essa interpretação é bastante controvertida, pois introduz uma quebra na genealogia, que segue claramente a linhagem dos Reis de Judá. Na tradução, adotou-se a grafia original do nome, tal como aparece nas Escrituras Hebraicas. Asa, filho de Abias, foi o terceiro Rei de Judá (911-870 a.C). O reinado de Asa foi marcado pela retomada do monoteísmo, com a destruição de altares estrangeiros, a derrubada de estátuas e imagens de deuses locais. A vitória na guerra contra os etíopes conferiu-lhe estabilidade econômica, permitindo a fortificação de várias cidades de Judá e o aumento do exército.

30. ’Ιωσαφάτ (Iōsaphat) – **Josafá (forma grega e/ou transliteração do nome hebreu Yehōshāfāt)** – Sub (2-2), nome hebraico יְהוֹשָׁפָט (Yehōshāfāt – o Eterno é juiz/ o Eterno julga, governa), composto pelos vocábulos יָהּ (Yāh – abreviatura do Tetragrama) e שָׁפַט (shāfat – julgar, governar). Os orientais antigos nem sempre dividiam as funções do governo (executivo, legislativo e judiciário), razão pela qual o vocábulo shāfat cobre uma ampla gama de atividades, todas envolvendo processos governamentais, não necessariamente processos judiciais. Josafá (870-848 a.C) herdou o trono de seu pai Asa, tornando-se o quarto Rei de Judá. Intensificou a reforma religiosa iniciada pelo seu pai, dando seguimento ao programa de destruição do culto aos deuses estrangeiros. Nomeou príncipes, acompanhados de levitas e sacerdotes para percorrerem as terras do reino, a fim de ensinarem a lei. Também deu seguimento ao programa de fortificação das cidades de Judá, alcançando respeito dos reinos vizinhos. Aliou-se ao Rei do Norte, Acabe, na luta contra Edom.

31. Ιωραμ (Iōram) – **Jorão (forma grega e/ou transliteração do nome hebreu Yehōrām)** – Sub (2-2), nome hebraico יְהוֹרָם (Yehōrām – o Eterno é exaltado), formado pela justaposição das palavras יְהוֹ (Yehō – abreviatura do Tetragrama) + רָם (rûm – alto; exaltado). Jorão, filho de Josafá, governou por oito anos (848-841 a.C), tornando-se o quinto Rei de Judá (2Rs 8:16-24; 2Cr 21:1-20). Casou-se com Atalia, filha de Omri (Rei do Norte), restabelecendo o culto a Baal e a idolatria. Assassinou seus seis irmãos, além de alguns oficiais do reino. No plano externo, sofreu uma derrota que redundou na independência de Edom. Seu território foi invadido pelos filisteus e árabes que cercaram Jerusalém, levando cativa a família real e saqueando o palácio.

MATEUS
1

MATEUS 32. ’Οζίας *(Odzias)* – **Ozias** (forma grega e/ou transliteração do nome hebreu 'uzîyāh) – *Sub* (2-2), nome hebraico עֻזִּיָּה ('uzîyāh – minha força é o Eterno), composto pelos vocábulos עֻזִּי ('uzî – minha força) e יָה (Yāh – abreviatura do Tetragrama). Ozias, filho de Amasias, tornou-se rei em Judá (781-740 a.C) com dezesseis anos de idade (2Rs 14:21-22, 15:1-7; 2Cr 26:1-23). O desenvolvimento econômico (agricultura, pecuária, mineração de cobre e ferro) e a influência de Judá, durante o reinado de Ozias, somente foram ultrapassados pela época de Davi e Salomão. O Reino do Sul foi soerguido do seu estado de vassalagem à posição de potência nacional. Há um salto neste trecho da lista genealógica, visto que Ozias foi o décimo Rei de Judá, portanto, foram omitidos os reinados de Ocozias (841 a.C), Atalia (841-835 a.C), Joás (835-796 a.C) e Amasias (796-781 a.C).

33. ’Ιωαθάμ *(Iōatham)* – **Joatão** (forma grega e/ou transliteração do nome hebreu Yôtām) – *Sub* (2-2), nome hebraico יוֹתָם (Yôtām – o Eterno é perfeito), composto pelos vocábulos יוֹ (Yô – abreviatura do Tetragrama) e תָּם (tām – completo, perfeito, íntegro). Joatão (740-736 a.C), décimo primeiro Rei de Judá (2Rs 15:32-38; 2Cr 27:1-9), dando prosseguimento ao plano de soerguimento do Reino do Sul, iniciado por seu pai (Ozias), construiu cidades na região montanhosa do reino, realizou obras na muralha de Ofel, construiu a Porta Superior do Templo. No plano externo, venceu os amonitas, obrigando-os ao pagamento de tributos, além de adotar uma política anti-Assíria (potência mundial da época).

34. ’Αχάζ *(Akhaz)* – **Acaz** (forma grega e/ou transliteração do nome hebreu 'āhāz) – *Sub* (2-2), nome hebraico אָחָז ('āhāz), derivado do verbo אָחַז ('āhāz – agarrar, pegar, apoderar-se). Acaz, filho de Joatão, reinou sobre Judá (2Rs 16:1-20; 2Cr 28: 1-27) durante vinte anos (736-716 a.C). As grandes dificuldades enfrentadas durante seu longo reinado estão ligadas ao relacionamento de Judá com os reinos de Israel, Síria e Assíria. Os exércitos da Síria e de Israel chegaram a invadir Jerusalém, mas a aliança com o soberano Tiglate-Pileser garantiu ao Reino de Judá relativa liberdade, não obstante os pesados tributos recolhidos pelo Império Assírio. Nesse período, em duas campanhas sucessivas (733 a 732 a.C), os assírios subjugaram a Síria e Israel.

35. ’Εζεκίας *(Edzekias)* – **Ezequias** (forma grega e/ou transliteração do nome hebreu Hiziqîyāh) – *Sub* (2-2), nome hebraico חִזְקִיָּה (Hiziqîyāh – o Eterno fortalece / força do Eterno), composto pelos vocábulos חָזַק (hāzaq – fortalecer, robustecer; força) e יָה (Yāh – abreviatura do Tetragrama). Ezequias reinou sobre Judá (2Rs 18-20; 2Cr 29-32; Is 36-39) durante vinte e nove anos (716-687 a.C), impondo uma extensa reforma religiosa naquele reino. Considerando que o Reino do Norte não possuía governo independente, essa reforma atingiu também aquele território. No plano externo, o território de Judá sofreu constantes investidas de Senaqueribe (Rei Assírio) que chegou a conquistar quarenta e seis cidades muradas, transformando em escravos cerca de 200 mil cativos judeus. Todavia, as tropas assírias nunca chegaram a Jerusalém.

36. Μανασσης *(Manassēs)* – **Manassés** (forma grega e/ou transliteração do nome hebreu menasheh) – *Sub* (2-3), nome hebraico מְנַשֶּׁה (Menasheh), derivado do verbo נָשָׁה (nāshāh – esquecer). Manassés, filho de Ezequias, reinou sobre Judá (2Rs 21:1-18; 2Cr 33:1-20) durante quarenta e cinco anos (687-642 a.C), excluídos os dez anos de co-regência com seu pai. O longo governo deste monarca representou um retorno ao sincretismo religioso (idolatria), com a instituição de ritos e cerimônias a deuses pagãos, adoração às estrelas e aos planetas, bem como a Moloque (divindade amonita), mediante o sacrifício de crianças no vale Hinom. Imagens ligadas a Baal foram colocadas no próprio templo de Jerusalém. As vozes de protesto que se levantaram contra essas grosseiras medidas foram silenciadas com a morte, derramando-se

muito sangue inocente.

37. Ἀμώς (Amōs) – **Amon** (forma grega e/ou transliteração do nome hebreu 'āmôn) – Sub (2-3), nome hebraico אָמוֹן ('āmôts), derivado do adjetivo אָמֹץ ('āmōts – forte). Ao que tudo indica, houve um erro dos copistas ao grafarem o nome desse rei, o que explicaria a divergência entre os manuscritos do Novo Testamento. Na bíblia hebraica (2Rs 21:19; 2Cr 33:21), o nome do Monarca é grafado como אָמוֹן ('āmôn – artesão, artífice; arquiteto). Na tradução, adotou-se a grafia original do nome, tal como aparece nas Escrituras Hebraicas. Amon, filho de Manassés, reinou sobre Judá (2Rs 21:19-26; 2Cr 33:21-25) durante dois anos (642-640 a.C), até ser assassinado pelos seus servos, no palácio real. Seu governo é marcado pela adoração de divindades estrangeiras, dando prosseguimento ao sincretismo religioso (idolatria) do seu genitor.

38. Ἰωσίας ('Iōsias) – **Josias** (forma grega e/ou transliteração do nome hebreu Yō'shîāhû) – Sub (2-2), nome hebraico יֹאשִׁיָּהוּ (Yō'shîāhû), cuja terminação se dá com o sufixo יָה (Yāh – abreviatura do Tetragrama). Josias, filho de Amon, foi o décimo sexto Rei de Judá (2Rs 22:1 – 23:30; 2Cr 34:1 – 35:27), assumindo o trono com oito anos de idade e reinando por trinta e um anos (640-609 a.C). É elogiado pelos escritores bíblicos, sobretudo por suas reformas religiosas, marcadas pela eliminação de práticas e santuários destinados a outros deuses. Durante seu reinado foi descoberto o "Livro da Lei" (considerado por alguns estudiosos como parte do livro Deuteronômio), além de ter sido compilada a história deuteronômica (Josué-Reis). Josias foi morto em Megido, ao tentar interceptar o exército egípcio que marchava através da Palestina. O Egito, nessa época, prestava auxílio aos assírios na luta contra a Babilônia.

39. Josias teve quatro filhos *(1Cr 3:15)*: **1)** יוֹחָנָן (Yeôhānān – Joanan), Ιωαναν (Iōanan – Joanan); **2)** יְהוֹיָקִים (Yehôyāqîm – Joaquim), Ἰωακίμ (Iōakim – Joaquim); **3)** צִדְקִיָּהוּ (Tzedeqîyāhû – Zedequia), Σεδεκια (Sedekia – Zedequia); **4)** שַׁלּוּם (Shallûm – Salum), Σαλουμ (Salum – Salum). Para o entendimento deste trecho da genealogia de Mateus, é importante um resumo da qualificação desses monarcas. **1)** יוֹחָנָן (Yeôhānān – Joanan), Ιωαναν (Iōanan – Joanan); Joanan (primogênito) não é mencionado em nenhum outro lugar, razão pela qual levanta-se a hipótese de que tenha falecido antes do seu pai Josias. **2)** יְהוֹיָקִים (Yehôyāqîm – Joaquim), Ἰωακίμ (Iōakim – Joaquim); Joaquim, filho de Josias com Zebida (Ruma), segundo o relato bíblico (2Rs 23:34; 2Cr 36:4), se chamava anteriormente אֶלְיָקִים (Elyāqîm – Eliaquim), Ελιακιμ (**Eliakim – Eliaquim**), mas teve seu nome mudado pelo Faraó Necao, que o tornou um rei vassalo. É citado, também, nos livros proféticos (Jer 36:1, 46:2; Ez 19:5-9; Dn 1:1-2). Contava com 25 anos quando subiu ao trono, portanto, era mais velho que seu irmão Salum/Joacaz. **3)** צִדְקִיָּהוּ (Tzedeqîyāhû – Zedequia), Σεδεκια (Sedekia – Zedequia); Zedequia, filho de Josias com Hamutal (Lebna). Segundo o relato bíblico (2Rs 24:17), se chamava anteriormente מַתַּנְיָה (Matanyāh – Matanias), Μαθθανιας (**Maththanias – Matanias**), mas teve seu nome mudado por Nabucodonosor. Contava com 21 anos quando subiu ao trono, logo, era o filho mais jovem de Josias. No segundo livro de Crônicas (2Cr 36:9-10) está dito que ele era אָח (āh – irmão) de יְהוֹיָכִין (Yhôyākhîn – Joaquim), Ιεχονιας (Iekhonias – Jeconias), todavia, a LXX (Septuaginta) traduz o termo por ἀδελφὸν τοῦ πατρὸς αὐτοῦ (**adelphon tou patros autou – lit. irmão do pai dele**), versão absolutamente correta, a uma porque o termo "irmão", em hebraico, significa irmão, primo, parente, próximo, além de ser utilizado em composição com outros termos para designar laços específicos de parentesco, como tio paterno (Josué 17:4); a duas porque os textos paralelos da bíblia hebraica (2Rs 24:17-18; Jer 37:1) confirmam que Zedequia/Matanias, filho de Hamutal (Lebna), era o irmão mais novo de Joaquim, portanto, tio de Jeconias/Joaquim. **4)** שַׁלּוּם

MATEUS 1

(Shallûm – Salum), Σαλουμ (Salum – Salum); Salum, filho de Josias com Hamutal (Lebna). É também conhecido pelo nome de יְהוֹאָחָז (Yehôāhāz – Joacaz), Ιωαχας (Iōakhas – Joacaz) (2Rs 23:31-34; 2Cr 36:1-4). No segundo livro de Crônicas, esse último nome é apresentado com uma ligeira variação יוֹאָחָז (Yôāhāz – Joacaz), Ιωαχαζ (Iōakhaz – Joacaz). Contava com 23 anos quando subiu ao trono. Considerando-se a idade atribuída aos seus irmãos (2Rs 23-24; 2Cr 36), conclui-se que era mais velho que Zedequias, porém mais novo que Joaquim. O texto não revela a idade de seu irmão Joanan. Logo, o fato de figurar em quarto lugar na lista genealógica (1Cr 3:15) talvez represente uma degradação intencional do cronista. Joaquim, por sua vez, teve dois filhos (1Cr 3:16): 1) יְכָנְיָה (Yekhōnyāh – Jeconias), Ιεχονιας (Iekhonias – Jeconias) / יְהוֹיָכִין (Yehôyākhîn – Joaquin), Ιεχονιας (Iekhonias – Jeconias), Ἰωακίμ (Iōakim – Joaquim); 2) צִדְקִיָּה (Tzidqîyāh – Zedequia), Σεδεκιας (Sedekias – Zedequias); É necessário um breve comentário sobre os filhos de Joaquim, já que um deles se tornou rei de Judá, são eles: 1) יְכָנְיָה (Yekhōnyāh – Jeconias), Ιεχονιας (Iekhonias – Jeconias); Jeconias reinou por três meses sobre Judá, antes de ser exilado para a Babilônia por Nabucodonosor. 2) צִדְקִיָּה (Tzidqîyāh – Zedequia), Σεδεκιας (Sedekias – Zedequias); Zedequias é mencionado apenas na lista genealógica do Livro de Crônicas (1Cr 3:16).

40. ἐγέννησεν (egénnesen) – **gerar (ser ou tornar-se pai de alguém); dar à luz; causar, produzir** – Verb. Indicativo Aoristo Ativo (44-97), **conjugação do verbo** γεννάω **(gennáo – gerar; dar à luz; causar).** Neste versículo, o evangelista menciona que Josias gerou Jeconias e seus irmãos, o que causa certa estranheza. Na verdade, Josias gerou Joaquim, pai de Jeconias. No entanto, nunca é demais lembrar que a cultura subjacente ao texto é a da Palestina do primeiro século (semítica do oriente médio). Nesse caso, é imperioso reconhecer que, no pensamento hebraico, um indivíduo, ao gerar uma criança, torna-se pai (ancestral) de todos aqueles que vierem a nascer dessa criança. Assim como Jesus é chamado filho de Davi e filho de Abraão, é perfeitamente possível, nessa cultura, dizer: "Jeconias, filho de Josias" ou seu equivalente "Josias gerou Jeconias". Alguns estudiosos argumentam que יְהוֹיָכִין (Yhôyākhîn – Joaquin) era uma grafia alternativa para o nome יְכָנְיָה (Ykhōnîâh – Jeconias) conforme 2Rs 23:36, 2Rs 24:8-16; 2Cr 36:5-10, ambos traduzidos, na LXX (Septuaginta), pelo mesmo vocábulo grego Ἰωακίμ (Iōakim – Joaquim). Asseveram, também, que além dessa complexa correspondência entre os nomes, tanto Joaquim quanto Jeconias tiveram um irmão chamado **Zedequias**, o que acrescentaria mais obscuridade ao problema. Desse modo, sugerem que houve um erro do copista que não fez distinção entre Joaquim e Joaquin (Jeconias), já que os dois nomes eram traduzidos do hebraico para o grego, na LXX, por Ἰωακίμ (Iōakim – Joaquim). Essa interpretação apresenta graves problemas: 1) não considera, seriamente, os aspectos culturais e linguísticos da Palestina do primeiro século, conforme já salientado; 2) não observa as sutis diferenças entre os dois nomes צִדְקִיָּהוּ (Tzedeqîyāhû – Zedequia), Σεδεκια (Sedekia – Zedequia) – Zedequia, filho de Josias com Hamutal (Lebna), que, segundo o relato bíblico (2Rs 24:17), se chamava anteriormente מַתַּנְיָה (Matanyāh – Matanias), Μαθθανιας (Maththanias – Matanias), e צִדְקִיָּה (Tzidqîyāh – Zedequia), Σεδεκιας (Sedekias – Zedequias), mencionado apenas na lista genealógica do Livro de Crônicas (1Cr 3:16); 3) faz uma leitura isolada das passagens da Bíblia Hebraica, sem perceber que, ao serem reunidas e lidas de forma sistêmica (1 e 2 Reis, 1 e 2 Crônicas, Jeremias), não há razão para se confundir os membros dessa família real; 4) por fim, despreza o aspecto literário-redacional dessa genealogia, pois não é difícil constatar que o evangelista saltou, propositadamente, nomes na sequência genealógica, com a finalidade de ajustar o número de descendentes ao seu quadro esquemático de três grupos de quatorze gerações. Esse procedimento redacional foi adotado mais de uma vez ao longo dessa verdadeira peça literária

chamada "genealogia de Mateus".

41. Ἰεχονίας *(Iekhonias)* – **Jeconias (forma grega e/ou transliteração do nome hebreu Yekhônîâh)** – *Sub (2-2)*, **nome hebraico** יְכָנְיָה **(Yekhōnîâh), composto pelos vocábulos** יְכוֹן **(Yekhōn – estabelecer; preparar) e** יָהּ **(Yāh – abreviatura do Tetragrama)**. Jeconias, filho de Joaquim e Neusta (Jerusalém), foi o penúltimo rei de Judá (2Rs 24:8-17; 2Cr 36:9-10) antes do exílio da Babilônia (598-597 a.C). Seu reinado durou somente três meses, já que Nabucodonosor cercou e sitiou a cidade de Jerusalém, saqueando as riquezas do Templo, além de levar cativo o Rei e toda sua corte. Há diversos nomes para designar esse monarca na Bíblia Hebraica: **1)** יְהוֹיָכִין (**Yehôyākhîn – Joaquin),** Ἰωακίμ **(Iōakim – Joaquim)** – 2Rs 24:6-17; **2)** יְהוֹיָכִין **(Yehôyākhîn – Joaquin),** Ἰεχονίας **(Iekhonias – Jeconias)** – 2Cr 36:9-10; **3)** יְכָנְיָה **(Yekhônyāh – Jeconia),** Ἰεχονίας **(Iekhonias – Jeconias)** – 1Cr 3:16; Jr 27:20, 28:4, 29:2; **4)** יְכָנְיָהוּ **(Yekhônyāhû – Jeconia),** Ἰεχονίας **(Iekhonias – Jeconias)** – Jr 24:1; **5)** כָּנְיָהוּ **(khônyāhû – Conia),** Ἰεχονίας **(Iekhonias – Jeconias)** – Jr 22:24 e 28; **6)** כָּנְיָהוּ **(khônyāhû – Conia),** Ἰωακίμ **(Iōakim – Joaquim)** – Jr 37:1. É possível perceber a variação de nomes tanto no texto hebraico quanto no texto grego (LXX). No entanto, em nenhum desses textos paira a menor dúvida de que se trata do filho de Joaquim, irmão de Zedequias (1Cr 3:16).

42. ἀδελφός *(adelphós)* – **irmão (filho do mesmo ou dos mesmos genitores); parente, consanguíneo; homem da mesma nação ou da mesma tribo, compatriota; companheiro, confrade; membro da comunidade cristã; próximo, afim; membro da espécie humana** – *Sub (38-343)*, **formado pela partícula copulativa** α **(a – mesmo, co-) + o vocábulo** δελφύς **(delphús – útero)**. Originalmente, empregava-se a palavra grega "irmão" no sentido físico, ou seja, alguém que nasceu do mesmo útero. Posteriormente, o termo passou a significar os "parentes próximos" (sobrinho, cunhado, tio) de alguém. O alargamento semântico desse substantivo permitiu a inclusão de outros significados, tais como "próximo", "vizinho", "semelhante", "da mesma opinião ou crença", "da mesma raça". Na Bíblia Hebraica, ἀδελφός **(adelphós – irmão)** traduz o termo hebreu אָח **(ah – irmão)**, cuja gama de significados é a mesma da palavra grega, sendo empregado para "irmão físico" mas podendo ser aplicado a outros "parentes". As genealogias do Primeiro Testamento frequentemente se referem às relações de sangue entre as Tribos de Israel, uma vez que os filhos de Jacó eram vistos como ancestrais dessas Tribos. Nesse caso, é imperioso reconhecer que, no pensamento hebraico, um indivíduo, ao gerar uma criança, torna-se pai (ancestral) de todos aqueles que vierem a nascer dessa criança. Oséias (Os 1:10 – 2:3) emprega os termos "filho" e "irmão" para simbolizar o relacionamento entre Deus e o seu Povo, bem como o relacionamento entre os membros desse mesmo Povo. Assim como Jesus é chamado filho de Davi e filho de Abraão, é perfeitamente possível, nessa cultura, dizer: "Jeconias e seus irmãos" (Mt 1:11), visto que o termo "irmão" está sendo empregado no seu sentido amplo de "parente próximo", "da mesma raça", "compatriota". Nunca é demais lembrar que a cultura subjacente ao texto dos Evangelhos é a da Palestina do primeiro século (semítica do oriente médio).

43. μετοικεσία *(metoikesía)* – **remover-se alguém da sua própria morada para outra; remoção forçada, decorrente de cativeiro; emigração; exílio, desterro; deportação; cativeiro;** – *Sub (4-4)*, **formado pela junção da preposição** μετά **(metá – para, além, depois) +** οἶκος **(oikos – casa, moradia)**. O vocábulo traduz, na LXX (septuaginta), o termo hebraico גֹּלָה **(golah – saída, partida; migração; cativeiro)**, que remete ao triste episódio do cativeiro do povo hebreu na Babilônia.

44. Σαλαθιήλ *(Salathiél)* – **Salatiel (forma grega e/ou transliteração do nome hebreu Sheāltîel)**

– Sub (2-3), nome hebraico שְׁאַלְתִּיאֵל (Sheãltîel – roguei a Deus/perguntei a Deus), cuja terminação se dá com o substantivo אֵל (El – Deus). Salatiel, primogênito do Rei Jeconias (1Cr 3:17), seria o sucessor legal do trono, não fosse o episódio do cativeiro. Todavia, no trigésimo sétimo ano da deportação, Jeconias deixou de ser prisioneiro, conquistando os favores de Evil-Merodaque, filho e sucessor de Nabucodonosor, exercendo destacadas funções no Império Babilônico (2Rs 25:27-30). Desse modo, houve continuidade da linhagem real de Judá, pelo menos do ponto de vista da tradição do povo.

45. Ζοροβαβέλ (Zorobabél) – **Zorobabel** (forma grega e/ou transliteração do nome hebreu Zerubbåvel) – Sub (2-3), **nome hebraico** זְרֻבָּבֶל (Zerubbåvel – semeado/gerado na Babilônia), composto pelos vocábulos זְרוּעַ (Zerûah – semeado; gerado) e בָּבֶל (Båvel – Babilônia). Zorobabel, herdeiro do trono, era filho de Pedaías (1Cr 3:17-19), irmão de Salatiel. No entanto, em diversas passagens, é chamado "filho de Salatiel" (Esd 3:2,8; Ne 12:1; Ag 1:1,12,14, 2:2,23). Na tentativa de solucionar o impasse, levanta-se a hipótese de que Salatiel tenha falecido sem deixar filhos, o que obrigaria seu irmão (Dt 25:5-10) a casar-se com a cunhada, a fim de garantir a descendência do irmão morto. No caso, Zorobabel teria sido esse filho. É preciso destacar, também, que há um problema textual em **1Cr 3:19**, pois enquanto o texto hebraico faz referência a "Zorobabel como filho de Pedaías", a versão dos Setenta menciona "Zorobabel como filho de Salatiel", o que pode ter provocado essa dubiedade quanto à sua paternidade, refletindo-se em textos posteriores. Após a conquista da Babilônia pela Pérsia (539/538 a.C.), o imperador Ciro consentiu que os judeus retornassem à Palestina, nomeando Zorobabel, cujo nome babilônio era Sheshbatsar (Esd 1:8,11, 5:14-16), para sucessor legal do trono, uma espécie de governador persa na Judeia. Esse monarca conduziu os exilados da Babilônia para a sua pátria no ano 538 a.C (Esd 2, 12:1-9), onde ergueram um altar, restauraram as festas e funções dos levitas, lançando os fundamentos da construção do Templo, que recebeu o nome "Templo de Zorobabel", em sua homenagem (Esd 3:1-9). A construção se estendeu até o ano 515 a.C.

46. Ἀβιούδ (Abiúd) – **Abiud** (forma grega e/ou transliteração do nome hebreu Abîhûd) – Sub (2-2), **nome hebraico** אֲבִיהוּד (Abîhûd – pai de Judá), composto pelos vocábulos אָב (åv – pai) e יְהוּדָה (yhûdāh – Judá). Abiud, filho de Zorobabel, é apontado como membro da família real de Judá (Mt 1:13), embora seu nome tenha sido omitido da genealogia de **1Cr 3:19**.

47. Ἐλιακίμ (Eliakím) – **Eliaquim** (forma grega e/ou transliteração do nome hebreu Elyāqîm) – Sub (2-3), **nome hebraico** אֶלְיָקִים (Elyāqîm – Deus levanta), composto pelos vocábulos אֵל (El – Deus) e קוּם (qûm – levantar). Eliaquim, filho de Abiud, é apontado como membro da família real de Judá (Mt 1:13), embora seu nome tenha sido omitido da genealogia de **1Cr 3:19**.

48. Ἀζώρ (Azór) – **Azor** (forma grega – auxiliador) – Sub (2-2). Azor, filho de Eliaquim, é apontado como membro da família real de Judá (Mt 1:13-14), embora seu nome tenha sido omitido da genealogia de **1Cr 3:19**.

49. Σαδώκ (Sadók) – **Sadoc** (forma grega e/ou transliteração do nome hebreu Abîhûd) – Sub (2-2), **nome hebraico** צָדוֹק (Tsādôq), derivado do substantivo צַדִּיק (Tsaddîq – justo, reto). Sadoc, filho de Azor, é apontado como membro da família real de Judá (Mt 1:14), embora seu nome tenha sido omitido da genealogia de **1Cr 3:19**.

50. Ἀχίμ (Akhím) – **Aquim** (forma grega e/ou transliteração do nome hebreu Yehôyāqîm abreviado) – Sub (2-2), **abreviação do nome hebraico** יְהוֹיָקִים (Yehôyāqîm – Joaquim). Aquim, filho de Sadoc, é apontado como membro da família real de Judá (Mt 1:14), embora seu nome tenha sido omitido da genealogia de **1Cr 3:19**.

51. Ἐλιούδ (Eliúd) – **Eliud** (possível forma grega e/ou transliteração do nome hebreu Elyehûd)

- Sub (2-2), nome hebraico אֱלִיהוּד (Elyehûd – Deus de Judá), composto pelos vocábulos אֵל (El – Deus) e יְהוּדָה (yhûdāh – Judá). Eliud, filho de Aquim, é apontado como membro da família real de Judá (Mt 1:14-15), embora seu nome tenha sido omitido da genealogia de 1Cr 3:19.

52. Ἐλεάζαρ (Eleádzar) – Eleazar (forma grega e/ou transliteração do nome hebreu Elāzār) – Sub (2-3), nome hebraico אֶלְעָזָר (Elāzār – Deus ajuda), composto pelos vocábulos אֵל (El – Deus) e עָזַר (āzār – ajudar). Eleazar, filho de Eliud, é apontado como membro da família real de Judá (Mt 1:15), embora seu nome tenha sido omitido da genealogia de 1Cr 3:19.

53. Ματθάν (Matthán) – Matan (forma grega e/ou transliteração do nome hebreu Matān) – Sub (2-2), nome hebraico מַתָּן (Matān), derivado do substantivo מַתָּן (Matān – presente, donativo). Matan, filho de Eleazar, é apontado como membro da família real de Judá (Mt 1:15), embora seu nome tenha sido omitido da genealogia de 1Cr 3:19.

54. Ἰακώβ (Iakób) – Jacó (forma grega e/ou transliteração do nome hebreu Y'aqov) – Sub (5-27), nome hebraico יַעֲקֹב (Y'aqov – Jacó), derivado dos substantivos עָקֵב ('aqeb – calcanhar; casco; retaguarda; pegadas) e עָקַב ('aqeb – aquele que vence em astúcia), que por sua vez dão origem ao verbo עָקַב ('aqab – pegar pelo calcanhar; suplantar). Jacó, filho de Matan, é apontado como membro da família real de Judá (Mt 1:15-16), embora seu nome tenha sido omitido da genealogia de 1Cr 3:19.

55. Ἰωσήφ (Ioséph) – José (forma grega e/ou transliteração do nome hebreu Yôsef) – Sub (7-14), nome hebraico יוֹסֵף (Yôsef – Deus ajuda), derivado do verbo יָסַף (āzār – adicionar, acrescentar). José, filho de Jacó, é apontado como membro da família real de Judá (Mt 1:15), embora seu nome tenha sido omitido da genealogia de 1Cr 3:19. Trata-se do marido de Maria, mãe de Jesus. Sua resumida história pode ser encontrada nas narrativas da infância (Mt 1:16-25, 2:1-23 ; Lc 2:1-40).

56. ἐγεννήθη (egennéthe) – ser gerado (ser ou tornar-se filho de alguém); nascer – Verb. Indicativo Aoristo Passivo (44-97), conjugação do verbo γεννάω (gennáo – gerar; dar à luz; causar). O foco do versículo repousa na voz passiva do verbo – "ser gerado" – cujo sentido vai além do simples "nascer". O que se pretende é chamar a atenção do leitor para o autor oculto da ação, ou seja, para Deus. Era costume dos escritores hebreus daquele tempo sugerir a "ação de Deus" utilizando o passivo, em forma de perífrase (passivum divinum – passivo divino), de modo a observar o mais escrupulosamente possível o segundo mandamento (Ex 20:7; Dt 5:11). No caso em tela, o evangelista sugere que o nascimento de Jesus se deu, única e exclusivamente, por obra de Deus. O texto é controvertido, apresentando três principais variantes textuais: 1) "Jacó gerou José, marido de Maria, da qual nasceu Jesus, chamado Cristo", apoiada por larga representação de famílias textuais e pelos primeiros testemunhos gregos e primeiras versões (latim, siríaco, copta), incluindo os principais unciais; 2) "Jacó gerou José, de quem, estando noiva a virgem Maria, teve a Jesus, o qual é chamado Cristo", apoiado pelo testemunho cesareano e vários mss do latim antigo, além de formas similares do ms siríaco curetoniano; 3) "Jacó gerou José; José, de quem estava noiva Maria, a virgem, gerou a Jesus, que é chamado o Cristo", confirmado pelo ms siríaco sinaítico.

57. Diversos livros bíblicos, incluindo apócrifos e pseudepígrafos, comparavam a história da humanidade a uma sucessão de eras, dentro da qual Deus estabeleceria uma espécie de era final, com ampla renovação do homem e do mundo, em etapa próxima à era presente. O livro de Daniel (Dn 2, 7) apresenta a divisão de quatro eras intermediárias mais uma era final. No

livro de Enoc (1En 93: 1-10, 91:12-17) divide-se a história humana em dez períodos, ao passo que no livro de Baruc (2Bar 27:53-74) essa divisão comporta doze eras mais duas finais. Na perspectiva de Mateus, há três séries de quatorze gerações, culminando com o nascimento de Jesus, que simboliza o amanhecer da "nova criação". O foco das três séries artificiais de quatorze gerações reside na ascendência israelita do Cristo. Procura-se relacionar a figura de Jesus com os principais depositários das promessas messiânicas, Abraão e Davi, tanto quanto com os descendentes monárquicos do Reino de Judá. Alguns estudiosos sugerem que o número quatorze seja resultante da soma das consoantes hebraicas do nome DaViD (D=4 + V=6 + D=4 = 14), procedimento conhecido pelo nome de gematria, largamente utilizado pelos sábios de Israel na interpretação das escrituras. Outros mencionam os cômputos apocalípticos daquela época, segundo os quais Jesus surgiu na "plenitude dos tempos", ou seja, no final da sexta semana (3 x 14 = 6 x 7) da história bíblica, que se iniciou com a vocação de Abraão (*Gn 15:1-6*) e a consequente promessa da "semente" (descendência).

ANÚNCIO DO NASCIMENTO

1:18 Ora, o nascimento de Jesus Cristo foi assim: Maria, sua mãe, prometida em casamento a José, antes de coabitarem, concebeu[1] pelo Espírito Santo. **1:19** José, seu esposo, sendo justo e não querendo difamá-la, resolveu repudiá-la em segredo. **1:20** Após ter cogitado estas coisas, eis que em sonho apareceu-lhe um anjo do Senhor, dizendo: José, filho de Davi, não temas receber Maria, tua mulher, pois o que nela foi gerado vem do Espírito Santo. **1:21** Ela dará à luz um filho, e o chamarás pelo nome de Jesus, pois ele salvará o seu povo dos seus pecados. **1:22** Tudo isto aconteceu para que se cumprisse o que foi dito pelo Senhor através do profeta, que diz: **1:23** *Eis que a virgem conceberá*[2] *e dará à luz um filho, e o chamarão pelo nome de Emmanuel, que traduzido é 'Deus conosco'*. **1:24** Ao despertar do sono, José agiu conforme lhe ordenara o anjo do Senhor, e recebeu sua mulher. **1:25** Mas não a conheceu até ela dar à luz um filho, a quem chamou pelo nome de Jesus.

1. Lit. "foi encontrada tendo no ventre".
2. Lit. "terá no ventre"

VISITA DOS MAGOS

2

2:1 Tendo Jesus nascido[1] em Belém da Judeia, nos dias do Rei Herodes, eis que Magos vieram do Oriente para Jerusalém, **2:2** perguntando[2]: Onde está o Rei dos Judeus, recém-nascido? Pois vimos sua estrela ao despontar[3], e viemos reverenciá-lo. **2:3** O Rei Herodes, ouvindo isto, perturbou-se, e com ele toda Jerusalém. **2:4** E, reunindo todos os principais sacerdotes, escribas {e anciãos}[4] do povo, informava-se junto a eles sobre [5]onde haveria de nascer o Cristo. **2:5** E eles lhe disseram: Em Belém da Judeia, pois assim está escrito pelo Profeta: **2:6** E tu, Belém, terra de Judá, não és de modo algum a menor entre as governanças[6] de Judá, porque de ti sairá um guia que apascentará[7] o meu povo, Israel. **2:7** Então, Herodes, chamando secretamente os Magos, averiguou junto a eles o tempo em que a estrela aparecera. **2:8** E, enviando-os a Belém, disse: Ide, investigai cuidadosamente a respeito da criancinha e, quando a encontrardes, relatai-me para que eu também vá e a reverencie. **2:9** [8]Depois de ouvirem o Rei, partiram; e eis que a estrela, que viram ao despontar, os precedeu, até se deter, após a chegada, sobre o local onde estava a criancinha. **2:10** Vendo a estrela, [9]alegraram-se com grande e intenso júbilo. **2:11** Entrando na casa, viram a criancinha com Maria, sua mãe, e, prostrando-se, a reverenciaram; então, abrindo seus tesouros, ofertaram-lhe dádivas: ouro, incenso e mirra. **2:12** E, sendo advertidos[10] em sonho para não retornarem à presença de Herodes, regressaram para a sua região por outro caminho.

---

1. Lit. "Tendo sido gerado".
2. Lit. "dizendo".
3. No levante, na aurora, no surgimento, no oriente,
4. Ao que tudo indica, pode ter ocorrido a omissão da palavra "anciãos" nesta passagem, uma vez que soa estranho dizer "escribas do povo". Parece mais natural fazer referência aos "escribas e anciãos do povo", por se tratar de dois grupos distintos da sociedade judaica da época.
5. Lit. "onde o Cristo (é gerado) nasce".
6. Lit. "Aquelas que lideram". Referência às províncias ou cidades que se destacam ou lideram uma região.
7. Exercer todas as funções do pastor, tais como guiar, levar ao pasto, nutrir, cuidar, vigiar.
8. Lit. "Os que ouviram o Rei, então". Trata-se do particípio com sentido adverbial.

9. Lit. "alegraram-se alegria extremamente grande
10. Aconselhar, consultar sobre questões públicas; oferecer uma resposta autorizada; o ato de responder, aconselhar levado a efeito pelo Oráculo; ordem ou advertência dada por Deus.

A FUGA PARA O EGITO

2:13 Depois que se afastaram, eis que um anjo do Senhor apareceu em sonho a José, dizendo: Levanta-te, toma a criancinha e sua mãe, e foge para o Egito; permanece lá até que eu te diga, pois Herodes há de procurar a criança para matá-la. **2:14** Assim, levantou-se, tomou a criancinha e sua mãe, de noite, e retirou-se para o Egito. **2:15** Permaneceu lá até a morte de Herodes, para que se cumprisse o que foi dito pelo Senhor [1]através do profeta: *Do Egito chamei o meu filho.* **2:16** Então Herodes, [2]percebendo que fora enganado pelos Magos, enfureceu-se ao extremo e [3]mandou eliminar todas as crianças, [4]em Belém e em todo seu território, de dois anos para baixo, de acordo com o tempo que averiguara junto aos magos. **2:17** Então cumpriu-se [5]o que foi dito através do profeta Jeremias: **2:18** *Ouviu-se uma voz em Ramá, pranto[6] e muito lamento[7], Raquel chora seus filhos, e não quer ser consolada, porque não mais existem.*

1. Lit. "através do profeta que diz".
2. Lit. "Tendo visto que fora enganado". Trata-se da junção de dois particípios, na qual um deles pode ter a função adverbial.
3. Lit. "Tendo enviado eliminou".
4. Lit. "As (que havia) em Belém e em todo seu território/limite".
5. Lit. "O que fora dito através do profeta Jeremias que diz". Comparar com a expressão semelhante em Mt 2:15.
6. Lit. "choro, pranto por alguém". Vocábulo derivado do verbo "chorar, prantear".
7. Lit. "lamento, queixa". Vocábulo derivado do verbo "lamentar-se, queixar-se".

RETORNO A NAZARÉ (Lc 2:39)

2:19 Depois da morte de Herodes, eis que um anjo do Senhor apareceu em sonho a José, no Egito, **2:20** dizendo: Levanta-te, toma a criancinha e sua mãe, e vai para a terra de Israel, pois estão mortos os que procuram a vida do menino. **2:21** Assim, levantou-se, tomou a criancinha e sua mãe, e entrou na terra de Israel. **2:22** Mas, ouvindo que Arquelau reinava na Judeia, em lugar de Herodes, seu pai, teve medo de ir para lá; porém, sendo advertido em sonho, regressou para a região da Galileia, **2:23** e foi morar numa cidade chamada Nazaré, para que se cumprisse [1]o que foi dito através dos profetas: *Será chamado Nazoreu*[2].

1. Lit. "O que fora dito através dos profetas que (disseram)". Trata-se do passivo divino. Comparar com a expressão semelhante em Mt 2:15 e 17.
2. Vide nota "d", página 1706, da Bíblia de Jerusalém.

3 MINISTÉRIO DO PRECURSOR (Mc 1:1-6; Lc 3:3-6)

3:1 Naqueles dias surgiu João ¹Batista proclamando² no deserto da Judeia, **3:2** dizendo: Arrependei-vos, pois está próximo o Reino dos Céus. **3:3** Assim, ³é a respeito dele ⁴o que foi dito através do profeta Isaías: *Voz que clama no deserto: Preparai o caminho do Senhor, tornai retas suas sendas*. **3:4** João⁵ usava⁶ veste de pelos de camelo e um cinto⁷ de couro em torno dos quadris⁸; seu alimento era gafanhotos e mel silvestre. **3:5** Então, acorriam para ele Jerusalém, toda a Judeia e toda a circunvizinhança do Jordão. **3:6** Confessando⁹ os seus pecados, eram mergulhados¹⁰ por ele no rio Jordão.

1. Lit. "O batizador". Aquele realiza a imersão, que mergulha alguém, que lava.
2. Lit. "proclamar como arauto, agir como arauto". Sugere a gravidade e a formalidade do ato, bem como a autoridade daquele que anuncia em voz alta e solenemente a mensagem.
3. Lit. "Este, pois, é *o que foi dito*".
4. Lit. "O que foi dito através do profeta Isaías que diz". Comparar com a expressão semelhante em Mt 2:15, 17.
5. Lit. "E o mesmo João".
6. Lit. "tinha sua veste".
7. Lit. "cinto, cinturão", usado também para carregar dinheiro, pois a bolsa ficava presa nele.
8. Lit. "quadris (lombo, região dos rins), cintura; rins (sentido idiomático para fertilidade do aparelho reprodutor); genitália (sentido idiomático); geração (metonímia).
9. Lit. "confessar (publicamente), reconhecer, admitir; concordar, prometer, consentir; exaltar, enaltecer, louvar, agradecer".
10. Lit. "lavar, imergir, mergulhar". Posteriormente, a Igreja conferiu ao termo uma nuance técnica e teológica para expressar o sacramento do batismo.

O ENSINO DE JOÃO BATISTA (Lc 3:7-14)

3:7 Vendo muitos dos fariseus e saduceus, que vinham ao seu batismo, disse-lhes: Raça de víboras, quem vos ensinou¹ a fugir da ira vindoura? **3:8** Produzi, portanto, fruto digno do arrependimento². **3:9** E não suponhes que deveis dizer entre vós: "Temos por pai a Abraão", pois eu vos digo que mesmo destas pedras pode Deus erguer³ filhos para Abraão. **3:10** O machado já esta colocado junto à raiz das árvores, pois toda árvore que não produz bom fruto é cortada e lançada ao fogo.

1. Lit. "demonstrar com gestos, traçando, apontando, indicando".
2. Lit. "mudança de mente, de opinião, de sentimentos, de vida".
3. Lit. "levantar, erguer"; acordar, despertar

DESCRIÇÃO DO CRISTO (Mc 1:7-8; Lc 3:15-18; Jo 1:24-26)

3:11 Eu vos mergulho[1] na água para o arrependimento[2], mas o que vem depois de mim é mais forte do que eu, do qual não sou digno de carregar as sandálias. Ele vos mergulhará no Espírito Santo e no fogo. **3:12** A pá[3] está na sua mão; limpará sua eira[4], recolherá seu trigo no celeiro, mas queimará a palha com fogo inextinguível.

1. Lit. "lavar, imergir, mergulhar". Posteriormente, a Igreja conferiu ao termo uma nuance técnica e teológica para expressar o sacramento do batismo.
2. Lit. "mudança de mente, de opinião, de sentimentos, de vida".
3. Pá, em forma de garfo, utilizada para joeirar, ou seja, jogar o grão malhado contra o vento.
4. Local utilizado para debulhar, trilhar, secar e limpar cereais e legumes. No caso de grãos, local onde é realizada a seleção posterior à colheita, sobretudo para eliminação da palha.

JOÃO MERGULHA JESUS NO JORDÃO (Mc 1:9-11; Lc 3:21-23)

3:13 Então, veio Jesus da Galileia ao Jordão, até João, para ser mergulhado por ele. **3:14** João, porém, o dissuadia, dizendo: Eu é que tenho necessidade de ser mergulhado por ti, e tu vens a mim? **3:15** Respondendo, Jesus lhe disse: [1]Permita, no momento, desta maneira, pois nos convém cumprir toda a justiça. Então, ele permitiu. **3:16** Mergulhado, Jesus subiu imediatamente da água. Eis que os céus se abriram {para ele}[2], e viu o espírito de Deus descendo como pomba, vindo sobre ele, **3:17** e uma voz dos céus, que dizia: *Este é o meu filho amado, em quem me comprazo.*

1. Lit. "Permita agora assim pois convém é a nós cumprir toda justiça".
2. A crítica textual contemporânea tem dúvidas quanto à autenticidade da expressão "para ele".

4 A TENTAÇÃO NO DESERTO (Mc 1:12-13; Lc 4:1-13)

4:1 Então, Jesus foi conduzido pelo espírito ao deserto, para ser tentado pelo diabo[1]. **4:2** Após ter jejuado quarenta dias e quarenta noites, teve fome. **4:3** Aproximando-se o tentador, lhe disse: Se és filho de Deus, diz para que estas pedras se tornem pães. **4:4** Ele, respondendo, disse: Está escrito: *Não somente de pão viverá o homem, mas de toda palavra que sai da boca de Deus*[2]. **4:5** Então o diabo o levou à cidade santa, o colocou sobre o pináculo[3] do templo, **4:6** e lhe disse: Se és filho de Deus, lança-te para baixo, pois está escrito: *Ele dará ordens aos seus anjos a teu respeito, e sobre as mãos irão te suster*[4]*, para que não* [5]*tropeces em nenhuma pedra*[6]. **4:7** Jesus lhe disse: Novamente, está escrito: *Não tentarás*[7] *ao Senhor teu Deus*[8]. **4:8** Novamente, o diabo o levou a um monte muito alto, e mostrou-lhe todos os reinos do mundo, e a glória deles. **4:9** E lhe disse: Tudo isto te darei, se, prostrado[9], me adorares. **4:10** Então Jesus lhe disse: Vai-te, Satanás[10], pois está escrito: *Adorarás o Senhor, teu Deus, e somente a ele* [11]*prestarás culto*[12]. **4:11** Então o diabo o deixou, e eis que os anjos se aproximaram e começaram a servi-lo[13].

1. Aquele que desune (inspirando ódio, inveja, orgulho); caluniador, maledicente. Vocábulo derivado do verbo "diaballo" (separar, desunir; atacar, acusar; caluniar; enganar), do qual deriva também o adjetivo "diabolé" (desavença, inimizade; aversão, repugnância; acusação; calúnia).
2. (Dt 8:3).
3. Lit. "asinha". Diminutivo de "asa", indicando a ponta ou extremidade, o cume, o ponto mais alto.
4. Lit. "levantar, suster, sustentar alguém/algo a fim de carregar; tirar, remover".
5. Lit. "bata contra uma pedra teu pé".
6. (Sl 91:11-12).
7. Lit. "colocar à prova, testar".
8. (Dt 6:16).
9. Lit. "caído".
10. Lit. "adversário, acusador".
11. Lit. "servir, executando deveres religiosos, sobretudo os ligados ao culto". Trata-se dos serviços do culto, das "obras da lei".
12. (Dt 6:13).
13. Lit. "servir à mesa, serviço doméstico (pessoal); suprir, prover; cuidar, auxiliar, apoiar, ajudar". O verbo se encontra no imperfeito ingressivo, transmitindo a idéia de início da ação no passado.

INÍCIO DA PROCLAMAÇÃO DO REINO PELA GALILEIA

(Mc 1:14-15; Lc 4:14-15)

4:12 Ao ouvir que João fora entregue {à prisão}, retirou-se para a Galileia. **4:13** Assim, deixando[1] Nazara, foi morar em Cafarnaum, à beira-mar[2], no território[3] de Zabulon e Neftali, **4:14** para que se cumprisse [4]o que foi dito através do profeta Isaías: **4:15** *Terra de Zabulon e terra de Neftali, caminho do mar, do outro lado do Jordão, Galileia das nações*[5], **4:16** *o povo que está sentado na treva viu uma grande luz, e aos que estão sentados na região da sombra e da morte uma luz raiou*[6]. **4:17** Desde então, Jesus começou a proclamar[7] e a dizer: Arrependei-vos[8], pois está próximo o Reino dos Céus.

1. Lit. "deixar para trás".
2. Referência ao Lago de Genesaré, também conhecido como "Mar da Galileia".
3. Lit. "nas fronteiras". Expressão utilizada para indicar região, território.
4. Lit. "o que foi dito através do profeta Isaías, que diz".
5. O plural (nações) frequentemente se refere às nações pagãs, aos gentios, ou seja, não-judeus.
6. Lit. "saiu, pulou para fora". Aplicado ao sol, às estrelas, transmitem a ideia de raiar, despontar.
7. Lit. "proclamar como arauto, agir como arauto". Sugere a gravidade e a formalidade do ato, bem como a autoridade daquele que anuncia em voz alta e solenemente a mensagem.
8. Lit. "mudança de mente, de opinião, de sentimentos, de vida".

OS PRIMEIROS QUATRO DISCÍPULOS (Mc 1:16-20; Lc 5:1-11)

4:18 Enquanto circulava[1] junto ao mar da Galileia, viu dois irmãos, Simão, chamado Pedro, e André, seu irmão, lançando a rede circular[2] no mar, pois eram pescadores. **4:19** Diz-lhes: Vinde após mim[3], e vos farei pescadores de homens. **4:20** Eles, deixando imediatamente as redes, seguiram-no. **4:21** Avançando[4] dali, viu outros dois irmãos – Tiago, {filho} de Zebedeu, e João, seu irmão – no barco com Zebedeu, o pai deles, restaurando suas redes, e os chamou. **4:22** Eles, deixando imediatamente o barco e o pai[5], o seguiram. **4:23** E percorria toda a Galileia, ensinando nas sinagogas deles, proclamando o Evangelho do Reino, curando toda doença e toda enfermidade[6] entre o povo.

4:24 A sua fama espalhou-se pela Síria inteira, e trouxeram-lhe todos os que estavam mal, acometidos de diversas doenças e tormentos, endaimoniados[7], lunáticos e paralíticos; e ele os curou. **4:25** E seguiram-no turbas numerosas da Galileia, de Decápole, de Jerusalém, da Judeia e do outro lado do Jordão.

1. Lit. "andar ao redor; vagar, perambular; circular, passear; viver (seguir um gênero de vida)".
2. Uma rede, transportada por cima dos ombros, que se espalha num círculo ao cair sobre a água, dado o seu formato circular. Este vocábulo ocorre apenas uma vez no NT.
3. Expressão idiomática que significa "Sede meus discípulos". Era dever dos discípulos, na Palestina do primeiro século, acompanhar seu mestre, com o objetivo de observá-lo no cumprimento dos preceitos estabelecidos na Torah.
4. Lit. "ir adiante, ir antes".
5. Lit. "pai deles".
6. Lit. "moleza", fraqueza, enfermidade ocasional
7. Lit. "sob a ação dos daimon". Trata-se dos obsedados, pessoas sujeitas à influência perniciosa de espíritos sem esclarecimento, magoados ou malévolos, razão pela qual se optou pela transliteração do termo grego. Na sequência, Jesus os auxilia mediante o diálogo com esses espíritos. É preciso levar em conta, nesta passagem, a força das expressões idiomáticas semíticas, tais como "expulsou pela palavra".

O SERMÃO DO MONTE

BEM-AVENTURANÇAS (Lc 6:20-26)

5:1 Vendo as turbas, subiu ao monte. Após assentar-se[1], aproximaram-se dele os seus discípulos **5:2** e, abrindo a sua boca[2], os ensinava, dizendo: **5:3** Bem-aventurados os pobres[3] [4]em espírito, porque deles é o Reino dos Céus. [5]**5:4** Bem-aventurados os aflitos[6], porque eles serão consolados. **5:5** Bem-aventurados os mansos[7], porque eles herdarão a terra. **5:6** Bem-aventurados [8]os que têm fome e sede da justiça, porque eles serão saciados. **5:7** Bem-aventurados os misericordiosos, porque eles receberão misericórdia. **5:8** Bem-aventurados os limpos[9] de coração, porque eles verão a Deus. **5:9** Bem-aventurados os pacificadores, porque eles serão chamados filhos de Deus. **5:10** Bem-aventurados os perseguidos por causa da justiça, porque deles é o Reino dos Céus. **5:11** Bem-aventurados sois vós, quando vos injuriarem e perseguirem, e {mentindo}[10] disserem todo mal[11] contra vós, por causa de mim. **5:12** Alegrai-vos[12] e regozijai-vos[13], porque é grande a vossa recompensa[14] nos Céus, pois assim perseguiram os Profetas [15]anteriores a vós.

1. Era a postura apropriada dos Sábios Hebreus quando desejavam transmitir ensinamentos aos seus discípulos.
2. Expressão idiomática semítica, utilizada para introduzir algum discurso formal, para indicar comunicação solene ou confidencial (Is 53:7; Ez 3:27; Sl 78:2).
3. Lit. "mendicante, pedinte, pobre; oprimido". Expressa a situação de extrema penúria. Vocábulo derivado do verbo "mendigar; ser ou tornar-se pobre".
4. Expressão idiomática semítica rica em significados.
5. Alguns manuscritos invertem a ordem dos versículos 4 e 5. A crítica textual aconselha a manutenção da ordem familiar, embora alguns especialistas defendam a ideia de que a inversão corresponde ao texto original.
6. Lit. "os que estão aflitos, que lamentam a morte de alguém, **que estão de luto (enlutados)**". O verbo evoca toda a gama de sentimentos que um doloroso evento ou fato despertam no ser humano, especialmente aquelas emoções decorrentes da morte de alguém próximo, razão pela qual é comumente utilizado para descrever o enlutado.
7. Lit. "manso, brando, pacífico; gentil, dócil; resignado".
8. Lit. "os que têm fome e os que têm sede".
9. Lit. "limpo, purificado", do verbo "limpar, lavar, purificar".

10. Os especialistas em crítica textual não têm certeza se esta palavra deve ser incluída ou omitida do texto, tendo em vista a divergência encontrada nos manuscritos, razão pela qual optaram por mantê-la entre parênteses.
11. Lit. "mal; mau, malvado, malevolente; maligno, malfeitor, perverso; criminoso, ímpio". No grego clássico, a expressão significava "sobrecarregado", "cheio de sofrimento", "desafortunado", "miserável", "indigno", como também "mau", "causador de infortúnio", "perigoso". No Novo Testamento refere-se tanto ao "mal" quanto ao "malvado", "mau", "maligno", sendo que em alguns casos substitui a palavra hebraica "satanás" (adversário).
12. Lit. "alegrar-se, regozijar-se, contentar-se (estar contente)"
13. Lit. "regozijar-se, exultar, estar cheio de alegria", comumente utilizado no contexto de festa religiosa ou culto.
14. Lit. "salário, remuneração, pagamento; recompensa".
15. Lit. "os antes de vós".

MISSÃO DOS DISCÍPULOS

5:13 Vós sois o sal da terra. Se, porém, o sal tornar-se insosso[1], com que se salgará? Para mais nada presta[2], senão para, lançado fora, ser pisado pelos homens. **5:14** Vós sois a luz do mundo. Não se pode ocultar uma cidade situada[3] sobre um monte; **5:15** nem se acende uma candeia[4] colocando-a debaixo do módio[5], mas sobre o candeeiro, assim ilumina todos que estão na casa. **5:16** Da mesma forma, brilhe a vossa luz diante dos homens para que vejam as vossas boas obras e glorifiquem vosso Pai, que está nos Céus.

1. Lit. "enlouquecer, tornar-se tolo". Estudiosos acreditam que essa palavra, encontrada nas versões de Mateus e Lucas, mas ausente em Marcos, seja consequência de um erro de tradução da raiz semítica "tfl (tafel)" que apresenta duplo sentido: 1) "estar sem sal"; 2) "falar insensatamente, tornar-se tolo", reforçando as evidências de um evangelho aramaico, utilizado como fonte na produção dos evangelhos em grego.
2. Lit. "ser forte, capaz, poderoso; ser válido; ser capaz; prestar, servir (utilidade)".
3. Lit. "deitar, reclinar; permanecer; ser colocado".
4. Lâmpada de barro alimentada por óleo (azeite de oliva), utilizada nas residências e no templo.
5. Medida romana para coisas secas (aproximadamente 35 litros). O vocábulo também designava o vasilhame utilizado para guardar o azeite, cuja capacidade, em litros, era aproximadamente igual a da unidade de medida, ou seja, 35 litros. Na Palestina era costume guardar a candeia apagada debaixo dessa vasilha.

A LEI, A JUSTIÇA E O REINO

5:17 Não penseis que vim destruir[1] a Lei ou os Profetas, não vim destruir mas cumprir[2], **5:18** pois amém[3] vos digo: até que passem[4] o céu e a terra, não passará um iota[5] ou traço[6] da Lei, até que tudo se realize. **5:19** [7]Quem, portanto, violar um desses mínimos mandamentos e, dessa maneira, ensinar os homens, será chamado mínimo no Reino dos Céus; [8]quem, porém, praticar e ensinar, este será chamado grande no Reino dos Céus. **5:20** Por isso vos digo que, se a vossa justiça não exceder a dos escribas e fariseus, de modo nenhum entrareis no Reino dos Céus.

1. Lit. "destruir, derrubar, demolir, derribar (lançar abaixo); dissolver; interromper, parar durante a noite, pernoitar (no sentido metafórico de interromper a viagem); anular, revogar (no sentido metafórico de interromper a vigência da lei).
2. Lit. "encher, tornar cheio; completar; realizar, cumprir". Visto que a exegese rabínica evita uma abordagem puramente abstrata das escrituras, era comum perguntar-se: "Quem cumpriu esse trecho da escritura". Essa indagação levava os intérpretes a citar personagens, sobretudo os patriarcas, com o objetivo de demonstrar o cumprimento da escritura em suas vidas, e a escritura sendo cumprida (vivenciada) por suas vidas.
3. $\alpha'\mu\eta\nu$ (amém), transliteração do vocábulo hebraico אָמֵן. Trata-se de um adjetivo verbal (ser firme, ser confiável). O vocábulo é frequentemente utilizado de forma idiomática (partícula adverbial) para expressar asserção, concordância, confirmação (realmente, verdadeiramente, de fato, certamente, isso mesmo, que assim seja). Ao redigirem o Novo Testamento, os evangelistas mantiveram a palavra no original, fazendo apenas a transliteração para o grego, razão pela qual também optamos por mantê-la intacta, sem tradução.
4. Lit. "passar ao lado de; decorrer; **desaparecer, perecer**; ignorar, negligenciar".
5. Menor letra do alfabeto grego, que corresponde ao Yud (menor letra do alfabeto hebraico).
6. Lit. "chifre; ponta, extremidade; ponto, traço, parte diminuta".
7. Lit. "quem quer que viole".
8. Lit. "quem quer que pratique e ensine".

SEIS CONTRASTES NA INTERPRETAÇÃO DA LEI
(Lc 6:27-36, 12:57-59)

5:21 Ouvistes que foi dito aos antigos: "Não matarás"[1] e "aquele que matar estará sujeito[2] a julgamento". **5:22** Eu, porém, vos digo que todo aquele que se encoleriza com seu irmão estará sujeito a julgamento; e ³quem disser ao seu irmão "Raca"⁴ estará sujeito ao Sinédrio; e ⁵quem disser "louco" estará sujeito ao Geena⁶ do fogo. **5:23** Portanto, se estiveres oferecendo⁷ tua oferta sobre o altar⁸, e ali te lembrares que teu irmão tem algo contra ti, **5:24** deixa ali tua oferta, diante do altar, vai e reconcilia-te primeiramente com teu irmão; então, vem e oferece tua oferta. **5:25** Sê benevolente depressa com teu adversário⁹, enquanto estás no caminho com ele; para que o adversário não te entregue ao Juiz, e o Juiz te entregue ao Oficial¹⁰, e sejas lançado na prisão. **5:26** Amém¹¹ vos digo que de modo nenhum sairás dali até que restituas o último quadrante¹². **5:27** Ouvistes que foi dito: "Não adulterarás"¹³. **5:28** Eu, porém, vos digo que todo aquele que olha uma mulher para desejá-la, já adulterou com ela em seu coração. **5:29** Portanto, se teu olho direito te escandaliza¹⁴, arranca-o e lança-o de ti, pois é melhor que se perca um dos teus membros do que seja lançado o teu corpo inteiro no Geena. **5:30** Se tua mão direita te escandaliza¹⁵, corta-a e lança-a de ti, pois é melhor que se perca um dos teus membros do que vá o teu corpo inteiro para o Geena. **5:31** Foi dito: "Quem repudiar¹⁶ sua mulher, dê-lhe ¹⁷carta de divórcio".¹⁸ **5:32** Eu, porém, vos digo que todo aquele que repudia sua mulher, exceto em razão de infidelidade¹⁹, a faz adulterar e ²⁰quem se casa com a repudiada comete adultério. **5:33** Outra vez, ouvistes que foi dito aos antigos: "Não perjurarás" e "pagarás ao Senhor teus juramentos".²¹ **5:34** Eu, porém, vos digo para não jurar de modo algum, nem pelo céu porque é o trono de Deus, **5:35** nem pela terra porque é o estrado dos seus pés, nem por Jerusalém porque é a cidade do grande rei; **5:36** nem jures pela tua cabeça porque não podes tornar branco ou preto nem um fio de cabelo. **5:37** Seja, porém, a vossa palavra sim, sim; não, não; o que excede disso é do mal²². **5:38** Ouvistes que foi dito: "Olho por olho e dente por dente"²³. **5:39** Eu, porém, vos digo para não se opor²⁴ ao malvado²⁵. Pelo contrário, ao que te bater²⁶ na face direita, vira-lhe também a outra. **5:40** E ao que deseja levar-te a juízo, para tomar-te a túnica²⁷, deixa-lhe também o manto²⁸. **5:41** E quem te compelir a caminhar uma milha, vai com ele duas. **5:42** Dá ao que te pede e não ²⁹dês as costas ao que deseja tomar-te um empréstimo. **5:43** Ouvistes que foi dito: "Amarás o teu próximo"³⁰ e "Odiarás o teu inimigo". **5:44** Eu, porém, vos digo: Amai vossos inimigos e orai pelos que vos perseguem,

5:45 para que vos torneis filhos do vosso Pai, {que está} nos céus, já que seu sol desponta sobre maus e bons, e cai chuva sobre justos e injustos. **5:46** Pois, se amais os que vos amam, que recompensa tendes? Não fazem o mesmo os publicanos³¹. **5:47** E se saudais somente os vossos irmãos, que fazeis de extraordinário³²? Não fazem também os gentios o mesmo? **5:48** Portanto, sede vós perfeitos³³, como é perfeito vosso Pai Celestial.

1. (Ex 20:13; Dt 5:17).
2. Lit. "submetido, sujeito; exposto; culpado, responsável".
3. Lit. "quem quer que diga".
4. Palavra aramaica cognata do termo hebraico "rêq" (vazio). Expressão utilizada na linguagem coloquial para expressar desprezo, com o significado de "cabeça-oca, cabeça-de-vento, cabeça vazia, sem miolos, tolo, bobo.
5. Vide nota 3.
6. Transcrição do vocábulo aramaico "Gê Hinnam" (Vale do Hinnom), local em que estava situado o altar de Moloch, onde eram queimadas vivas as crianças, em oferenda àquela divindade pagã. O Rei Josias destruiu o local do culto, transformando-o em depósito de lixo de Jerusalém e monturo onde se lançavam os cadáveres de animais, para ser tudo queimado. Após a morte do Rei Josias, o culto a Moloch foi restabelecido. Os apócrifos atribuem ao vale o símbolo do castigo dos maus, passando o local a representar o castigo que purifica os pecadores, também conhecido como "vale dos gemidos". Essa tradição popular estava viva na época de Jesus.
7. Lit. "levar perante, levar para, oferecer, apresentar".
8. Lit. "altar das ofertas queimadas".
9. Lit. "parte oposta em um litígio judicial, litigante; adversário, inimigo".
10. ὑπηρέται (huperétai) – **remador, marinheiro, navegador; servidor; assistente, auxiliar** – Sub (2-20), **composto pela preposição** ὑπέρ **(hupér – em composição pode indicar ênfase, excesso) + substantivo** ἐρέτης **(erétes – remador), que por sua vez deriva do verbo** ἐρέσσω **(erésso – remar)**. Trata-se de um humilde servidor, e não de um escravo, já que o indivíduo conserva sua autonomia, sua liberdade. A preposição ὑπέρ **(hupér)** sugere a idéia de alguém que está na fronteira que separa o servidor do servo. Em resumo, a palavra grega indica o servidor, na mais exata acepção do termo. O vocábulo foi empregado, no Novo Testamento, para designar diversos tipos de servidores: os assistentes do Rei, os oficiais do Sinédrio, os assistentes dos Magistrados, as sentinelas do Templo de Jerusalém. Na literatura grega, a palavra é empregada para designar remador, marujo, todos os homens de uma tripulação, soldado da marinha (fuzileiro naval); todo homem sob as ordens de outro, um servidor comum, um servidor que acompanha o soldado de infantaria (na Grécia antiga); ajudante de um general; servidor de Deus.
11. ἀμην (amém), transliteração do vocábulo hebraico אָמֵן. Trata-se de um adjetivo verbal (ser firme, ser confiável). O vocábulo é frequentemente utilizado de forma idiomática (partícula adverbial) para expressar asserção, concordância, confirmação (realmente, verdadeiramente, de fato, certamente, isso mesmo, que assim seja). Ao redigirem o Novo Testamento, os evangelistas

12. Moeda romana utilizada na época, valendo aproximadamente ¼ (um quarto) de um centavo.
13. (Ex 20:14; Dt 5:18).
14. Lit. "fazer tropeçar; fazer vacilar ou errar; ser ofendido; estar chocado". O Substantivo "skandalon" significa armadilha de molas ou qualquer obstáculo que faça alguém tropeçar; um impedimento; algo que cause estrago, destruição, miséria.
15. Vide nota 14.
16. Lit. "soltar, libertar; liberar de um vínculo ou encargo; divorciar, repudiar (liberar a mulher do vínculo conjugal); remir, perdoar, liberar a dívida; despedir, deixar partir"
17. Lit. "carta de repúdio, termo de divórcio".
18. (Dt 24:1-3).
19. Lit. "fornicação, prostituição; infidelidade, adultério". Termo genérico para práticas sexuais ilícitas.
20. Lit. "quem quer que case".
21. (Lv 19:12; Nm 30:2; Dt 23:21).
22. Lit. "mal; mau, malvado, malevolente; maligno, malfeitor, perverso; criminoso, ímpio". No grego clássico, a expressão significava "sobrecarregado", "cheio de sofrimento", "desafortunado", "miserável", "indigno", como também "mau", "causador de infortúnio", "perigoso". No Novo Testamento refere-se tanto ao "mal" quanto ao "malvado", "mau", "maligno", sendo que em alguns casos substitui a palavra hebraica "satanás" (adversário).
23. (Ex 21:24; Lv 24:20; Dt 19:21).
24. Lit. "levantar-se contra", opor-se, resistir; colocar-se em oposição ou manter-se contra.
25. Vide nota 22.
26. Lit. "bater com bastão", bater com vara, golpear com a palma da mão, esbofetear, esmurrar.
27. Peça de vestuário interno, utilizada junto ao corpo, logo acima da pele, sobre a qual era costume colocar outra peça ou manto. Trata-se de uma espécie de veste interna, íntima.
28. Veste externa, manto, peça de vestuário utilizada sobre a peça interna. Pode ser utilizada como sinônimo do vestuário completo de uma pessoa.
29. Lit. "dar as costas", afastar-se, rejeitar, desprezar.
30. (Lv 19:18).
31. Coletores de impostos.
32. Lit. "excedente, extraordinário (além do ordinário), que supera a medida costumeira; especial, digno de nota; importante, excelente, especial, magnífico.
33. Completo, que chegou ao fim ou ao propósito, perfeito, maduro.

TRÊS "OBRAS DE JUSTIÇA" E A ORAÇÃO "PAI NOSSO"
(Lc 11:1-13)

6

6:1 Acautelai-vos de não [1]praticar vossa justiça diante dos homens, para serdes contemplados por eles; de outra sorte, não tendes recompensa junto ao vosso Pai {que está} nos céus. **6:2** Portanto, quando [2]deres dádiva[3] não trombeteies diante de ti, como fazem os hipócritas nas sinagogas e nas vielas[4], para serem louvados pelos homens. Amém[5], {eu} vos digo que estão recebendo sua recompensa. **6:3** Tu, porém, quando deres dádiva[6], não saiba a tua esquerda[7] o que faz a tua direita, **6:4** para que a tua esmola fique em segredo e teu Pai, que vê no segredo, te recompensará. **6:5** E, quando orardes, não sereis como os hipócritas, que gostam de orar pondo-se de pé nas sinagogas e nas esquinas das [8]ruas largas, para se mostrarem aos homens. Amém[9] vos digo que estão recebendo sua recompensa. **6:6** Tu, porém, quando orares, entra no teu [10]quarto interno e, tendo fechado a porta, ora ao teu Pai em segredo e teu Pai, que vê no segredo, te recompensará. **6:7** Orando, porém, não [11]useis de vãs repetições como os gentios, pois pensam que com [12]palavreado excessivo serão atendidos. **6:8** Assim, não vos assemelheis a eles, pois vosso Pai sabe do que tendes necessidade, antes de pedirdes a ele. **6:9** Orai, portanto, assim: "Pai Nosso, {que estás} nos céus, santificado seja o teu nome, **6:10** venha o teu reino; seja feita a tua vontade, como no céu, também sobre a terra. **6:11** O pão nosso diário[13], dá-nos hoje, **6:12** perdoa-nos nossas dívidas[14], como também perdoamos nossos devedores; **6:13** e não nos introduzas[15] em tentação, mas livra-nos do mal"[16]. **6:14** Pois, se perdoardes aos homens as suas transgressões[17], vosso Pai Celestial também vos perdoará; **6:15** se, porém, não perdoardes aos homens, o vosso Pai também não perdoará as vossas transgressões. **6:16** Então, quando jejuardes, não vos torneis sombrios[18] como os hipócritas, pois desfiguram[19] os seus rostos a fim de se mostrarem jejuando aos homens. Amém[20] vos digo que estão recebendo sua recompensa. **6:17** Tu, porém, ao jejuares, unge[21] tua cabeça e lava teu rosto, **6:18** para que não te mostres jejuando aos homens, mas ao teu Pai {que está} em oculto; e teu Pai que vê no oculto te recompensará.

MATEUS 6

1. A expressão "praticar justiça" diz respeito, entre outras coisas, às obras de caridade, devoção ou dever religioso.
2. Lit. "praticar atos de beneficência, misericórdia".
3. Lit. "piedade, compaixão, misericórdia; dádiva, oferta de caridade, esmola (significados típicos do NT)".
4. Lit. "viela, rua estreita, caminho apertado, travessa".
5. ἀμην (amém), transliteração do vocábulo hebraico אָמֵן. Trata-se de um adjetivo verbal (ser firme, ser confiável). O vocábulo é frequentemente utilizado de forma idiomática (partícula adverbial) para expressar asserção, concordância, confirmação (realmente, verdadeiramente, de fato, certamente, isso mesmo, que assim seja). Ao redigirem o Novo Testamento, os evangelistas mantiveram a palavra no original, fazendo apenas a transliteração para o grego, razão pela qual também optamos por mantê-la intacta, sem tradução.
6. Vide nota 3.
7. Abreviação de "mão esquerda".
8. Lit. "ruas, estradas largas; praça".
9. Vide nota 5.
10. Lit. "quarto interno (no interior da casa), oculto; aposento íntimo; despensa, celeiro".
11. Lit. "tagarelar, palrar, repetir palavras ou sons de forma rápida e inarticulada".
12. Lit. "abundância de palavras, tagarelice; loquacidade".
13. Palavra rara, de significado disputado. As opções de tradução são: "diário, cotidiano, de cada dia; para o dia seguinte, para o futuro; necessário".
14. Lit. "débito, dívida, o que é devido", por extensão "ofensa, falta, pecado".
15. Trata-se de semitismo, no qual é utilizado um verbo no causativo "não me introduzas, não me ponhas" com o sentido claramente permissivo "não permita que eu entre, que eu me torne vítima, que eu esteja em poder da tentação".
16. Lit. "mal; mau, malvado, malevolente; maligno, malfeitor, perverso; criminoso, ímpio". No grego clássico, a expressão significava "sobrecarregado", "cheio de sofrimento", "desafortunado", "miserável", "indigno", como também "mau", "causador de infortúnio", "perigoso". No Novo Testamento refere-se tanto ao "mal" quanto ao "malvado", "mau", "maligno", sendo que em alguns casos substitui a palavra hebraica "satanás" (adversário).
17. Lit. "transgressão, passo em falso, queda, tombo", por extensão "pecado".
18. Lit. "sombrio, pesaroso, grave, severo; com um semblante triste, pesaroso, sombrio, desanimado, zangado, grave, austero, carrancudo".
19. Lit. "destruir, consumir; fazer desaparecer, esvaecer; desfigurar (com cinzas, deixando os cabelos e a barba descuidados, ou colorir o rosto para parecer pálido, a fim de evidenciar a marca do jejum), deformar; obscurecer, manchar; tornar irreconhecível".
20. Vide nota 5.
21. Lit. "ungir, aplicar óleo ou unguento perfumado".

TRÊS PROIBIÇÕES (Mt 5:15; Mc 4:21; Lc 8:16, 11:33-36, 12:22-34)

6:19 Não entesoureis para vós tesouros sobre a terra, onde a traça e a corrosão consomem[1], e onde os ladrões arrombam e roubam. **6:20** Entesourai para vós tesouros no céu, onde nem a traça nem a corrosão consomem, e onde os ladrões não arrombam nem roubam. **6:21** Pois, onde está o teu tesouro, ali estará também o teu coração. **6:22** A candeia[2] do corpo é o olho. Portanto, se o teu olho for simples[3], teu corpo inteiro será luminoso. **6:23** Porém se o teu olho for mau[4], teu corpo inteiro estará em treva. Portanto, se a luz {que há} em ti é treva, quão grande a treva? **6:24** Ninguém pode servir[5] a dois senhores, pois ou odiará a um e amará o outro, ou se apegará a um e desprezará o outro. Não podeis servir a Deus e a Mâmon[6]. **6:25** Por isso, vos digo: Não vos inquieteis[7] por vossa vida, com o que comereis; nem por vosso corpo, com o que vestireis. Não é a vida mais que o alimento, e o corpo mais que a veste? **6:26** Olhai[8] as aves do céu, que não semeiam nem ceifam, nem recolhem em celeiros, e vosso Pai celestial as alimenta. Não valeis[9] muito mais do que elas? **6:27** Qual dentre vós pode, inquietando-se, acrescentar um côvado[10] à sua estatura[11]? **6:28** E com relação à veste, por que vos inquietais? Examinai[12] os lírios do campo como crescem! Não labutam[13] nem fiam. **6:29** Eu, porém, vos digo que nem Salomão, em toda sua glória, vestiu-se como um deles. **6:30** Se a erva do campo, que hoje existe e amanhã é lançada ao forno, Deus assim as veste, muito mais a vós, {homens} de pouca fé. **6:31** Portanto, não vos inquieteis[14], dizendo: "Que comeremos", ou "Que beberemos", ou "Que vestiremos"? **6:32** Pois estas coisas os gentios buscam. De fato, vosso Pai celestial sabe que necessitais de todas estas coisas. **6:33** Buscai primeiramente o Reino e a sua justiça, e todas estas {coisas} vos serão acrescentadas. **6:34** Portanto, não vos inquieteis com o amanhã, pois o amanhã se inquietará consigo mesmo! Basta a cada dia o seu mal.

1. Lit. "destruir, consumir; fazer desaparecer, esvaecer; desfigurar (com cinzas, deixando os cabelos e a barba descuidados, ou colorir o rosto para parecer pálido, a fim de evidenciar a marca do jejum), deformar, obscurecer, manchar; tornar irreconhecível".
2. Lâmpada de barro alimentada por óleo (azeite de oliva), utilizada nas residências e no templo.
3. Lit. "simples; natural, sem artifício; cândido; sincero, franco".
4. Lit. "mal; mau, malvado, malevolente; maligno, malfeitor, perverso; criminoso, ímpio". No grego

clássico, a expressão significava "sobrecarregado", "cheio de sofrimento", "desafortunado", "miserável", "indigno", como também "mau", "causador de infortúnio", "perigoso". No Novo Testamento refere-se tanto ao "mal" quanto ao "malvado", "mau", "maligno", sendo que em alguns casos substitui a palavra hebraica "satanás" (adversário).

5. Lit. "servir como escravo".
6. Lit. "mâmon, mamôna (com artigo definido)". Palavra de origem aramaica que significa "recursos, posses, riqueza", de qualquer espécie, seja dinheiro, imóvel, escravos ou outros bens. Os lexicógrafos da língua aramaica sustentam que essa palavra, possivelmente, seja derivada da raiz "aman (o que é confiado/aquilo em que se confia)", para expressar aquilo que é confiado ao homem por Deus. Nos escritos rabínicos significa não somente "dinheiro", mas todos os recursos, todas as posses de um homem, tudo aquilo que ele possui além do seu corpo e da sua vida, ou seja, tudo aquilo que pode ser convertido em dinheiro, que pode ser calculado. Esse vocábulo ocorre apenas em Mt 6:24 e Lc 16:9,11,13.
7. Lit. "inquietar-se, ter ansiedade, estar ansioso, estar preocupado".
8. Lit. "fixar os olhos", olhar atentamente, minuciosamente; dirigir um olhar; ver claramente.
9. Lit. "ser melhor ou de maior valor", ser superior, valer mais, ser excelente.
10. Medida de comprimento (do latim cubitum, "cotovelo") baseada no antebraço, cujo valor aproximado variava entre 46,2 e 66 cm, de acordo com a região (Roma, Babilônia, Palestina).
11. Lit. "estatura ou tamanho da pessoa; idade, tempo de vida, duração da vida". Expressão ambígua, utilizada com a intenção de explorar o duplo sentido do termo. Esse recurso era utilizado frequentemente por Jesus em sua fala.
12. Lit. "examinar a fundo, estudar", observar, considerar; compreender; averiguar, investigar.
13. Lit. "trabalhar duramente, arduamente", esforçar-se.
14. Vide nota 7.

TRÊS PROIBIÇÕES (Continuação – Lc 6:37-42)

7:1 Não julgueis para que não sejais julgados, **7:2** pois com o juízo com que julgais sereis julgados, e com a medida com que medis sereis medidos. **7:3** Por que vês o cisco[1] no olho do teu irmão, e não percebes a viga no teu olho? **7:4** Ou, como dirás ao teu irmão: "Deixa que eu retire o cisco do teu olho". E, eis a viga no teu olho. **7:5** Hipócrita! Retira primeiramente a viga do teu olho, e então verás {em profundidade}[2] para retirar o cisco do olho do teu irmão. **7:6** Não deis o {que é} santo aos cães, nem lanceis vossas pérolas diante dos porcos para que não venham a [3]pisá-las com seus pés e, voltando-se, vos despedacem.

1. Lit. "qualquer pequena coisa seca, como palha, restolho, farpa, lasca, cisco".
2. Lit. "ver através de, ao redor; divisar, olhar firmemente, fixamente ao longe (a distância), ver de forma abrangente; examinar, considerar". A preposição "dia", prefixada ao verbo "ver", confere-lhe o sentido de alcance, profundidade de visão, ausência de barreiras (através de). Nesse caso, a idéia é de que a pessoa, após retirar a trave dos olhos, passará a ver ao longe, ou seja, sua visão terá profundidade, alcance, não haverá barreiras (trave) para ela.
3. Trata-se de semitismo, utilizado para reforçar a ideia do verbo.

TRÊS ADVERTÊNCIAS (Lc 6:43-49, 13:22-30)

7:7 Pedi e vos será dado; buscai e encontrareis; batei e será aberto para vós. **7:8** Pois todo aquele que pede recebe, e aquele que busca encontra, e ao que bate será aberto. **7:9** Qual dentre vós é o homem que, pedindo-lhe pão o seu filho, lhe dará uma pedra? **7:10** Ou, pedindo-lhe peixe, lhe dará uma serpente? **7:11** Portanto, se vós, sendo maus[1], sabeis dar boas dádivas[2] aos vossos filhos, quanto mais vosso Pai {que está} nos céus dará boas {coisas} aos que lhe pedem. **7:12** Assim, tudo quanto quereis que os homens vos façam, assim também fazei vós a eles, pois esta é a Lei e os Profetas. **7:13** Entrai pela porta estreita, porque larga é a porta e espaçoso[3] o caminho que conduz à destruição[4], e muitos são os que entram por ela. **7:14** Quão estreita a porta e apertado o caminho que conduz à vida, e poucos são os que a encontram! **7:15** Acautelai-vos dos falsos profetas, que vêm até vós com vestes de ovelhas, mas por dentro são lobos vorazes[5]. **7:16** Por seus frutos os reconhecereis. Porventura, colhem-se {cachos de} uvas dos espinheiros, ou figos dos abrolhos[6]? **7:17** Dessa forma, toda árvore boa produz frutos bons, mas a árvore deteriorada[7] produz frutos maus[8]. **7:18** Não pode uma árvore boa produzir frutos maus, nem uma árvore deteriorada produzir frutos bons. **7:19** Toda árvore que não está produzindo fruto bom, é cortada e lançada ao fogo. **7:20** Logo, pelos seus frutos os reconhecereis. **7:21** Nem todo aquele que me diz "Senhor, Senhor" entrará no Reino dos Céus, mas aquele que realiza a vontade de meu Pai {que está} nos céus. **7:22** Naquele dia, muitos me dirão: Senhor, Senhor, não profetizamos em teu nome, e em teu nome expulsamos daimones[9], e em teu nome fizemos muitos prodígios[10]? **7:23** Então, declararei a eles: Nunca vos conheci, apartai-vos de mim, [11]obreiros sem lei. **7:24** Portanto, todo aquele que ouve estas minhas palavras e as pratica será comparado ao homem[12] prudente[13], que edificou sua casa sobre a rocha[14]. **7:25** Caiu a chuva, vieram as torrentes[15], sopraram os ventos; precipitaram-se[16] contra aquela casa, mas não desabou[17], pois fora alicerçada[18] sobre a rocha. **7:26** E todo aquele que ouve estas minhas palavras e não as pratica será comparado ao homem tolo[19], que edificou sua casa sobre a areia. **7:27** Caiu a chuva, vieram as torrentes, sopraram os ventos e [20]chocaram-se contra aquela casa; desabou e foi grande sua queda.

1. Lit. "mal; mau, malvado, malevolente; maligno, malfeitor, perverso; criminoso, ímpio". No grego clássico, a expressão significava "sobrecarregado", "cheio de sofrimento", "desafortunado", "miserável", "indigno", como também "mau", "causador de infortúnio", "perigoso". No Novo Testamento refere-se tanto ao "mal" quanto ao "malvado", "mau", "maligno", sendo que em alguns casos substitui a palavra hebraica "satanás" (adversário).
2. Lit. "dádiva, dom, presente".
3. Lit. "espaçoso, amplo, largo".
4. Lit. "destruição, ruína, perdição; dissipação, desperdício".
5. Lit. "devorador voraz, devastador", por extensão: explorador, opressor, dado à extorsão e ao roubo.
6. Lit. "abrolho, cardo, espinheiro, sarça".
7. Lit. "podre, estragado, deteriorado", por extensão: corrompido, viciado, impuro.
8. Vide nota 1.
9. Lit. "deus pagão, divindade; gênio, espírito; mau espírito, demônio".
10. Lit. "poder, força, habilidade". Trata-se de um substantivo utilizado como objeto do verbo "fazer", o que requer um esforço para recuperar a força da expressão.

11. Lit. "aqueles que trabalham sem lei ou fora da lei (transgressores)". O segundo termo da expressão (anomia – sem lei), significa ausência de lei, lacuna legislativa, ausência de regra, portanto, a expressão "obreiros sem lei ou fora da lei" transmite melhor o sentido.
12. Lit. "varão, macho (sexo masculino), homem".
13. Lit. "prudente, sábio, sensato; sagaz; cauteloso, ponderado, cuidadoso".
14. Lit. "rocha, pedra; terreno rochoso".
15. Lit. "rio, curso d'água; inundação, torrente". A escolha do termo torrente reflete melhor o contexto da passagem, que sugere uma tempestade acompanhada dos fenômenos naturais decorrentes (chuva, inundação, vendaval).
16. Lit. "cair sobre, coligir com, lançar-se contra; precipitar-se sobre".
17. Lit. "cair, cair em ruína". No contexto, a melhor tradução para verbo "cair" nos parece ser "desabar", uma vez que se faz referência a uma casa, cujo alicerce apresenta problema estrutural.
18. Lit. "fundar, assentar o fundamento, alicerçar-se; fundamentar, estabelecer".
19. Lit. "tolo, insensato, estúpido; embotado, bobo; ridículo".
20. Lit. "bater contra, chocar-se; bater os pés, tropeçar; arrojar, espancar".

REAÇÃO DAS TURBAS

7:28 E sucedeu que, concluindo Jesus este discurso, as turbas estavam maravilhadas[1] com seu ensino, **7:29** pois estava ensinando a eles como quem tem autoridade e não como os escribas deles.

1. Lit. "maravilhar-se, impressionar-se, surpreender-se, espantar-se".

8 CURA DE UM LEPROSO (Mc 1:40-45; Lc 5:12-16)

8:1 Depois que desceu do monte, muitas turbas[1] o seguiram. **8:2** Eis que um leproso, aproximando-se, o reverenciava, dizendo: Senhor, se quiseres podes purificar-me[2]. **8:3** Estendendo a mão, tocou-lhe, dizendo: Quero, seja purificado! E imediatamente [3]sua lepra foi purificada. **8:4** Diz-lhe Jesus: Olha, não digas a ninguém, mas vai mostrar-te ao sacerdote e [4]apresenta a oferta que Moisés ordenou, em testemunho para eles.

1. Lit. "multidão, turba". A expressão grega está no plural, razão pela qual se optou pelo termo "turba", já que o substantivo coletivo "multidão" não admite flexão de número.
2. Lit. "limpar, lavar, purificar".
3. Lit. "foi limpada dele a lepra".
4. Lit. "levar perante, levar para, oferecer, apresentar".

CURA DO SERVO DO CENTURIÃO (Lc 7:1-10; Jo 4:43-54)

8:5 Entrando em Cafarnaum, aproximou-se dele um centurião, suplicando-lhe[1] **8:6** e dizendo: Senhor, o meu servo[2] está deitado[3] em casa, paralítico, terrivelmente [4]afligido por dores. **8:7** Diz-lhe {Jesus}: Eu, indo, o curarei. **8:8** Respondendo, disse o centurião: Senhor, não sou digno de que entres sob o meu teto[5], mas somente [6]te expresses por palavra, e o meu servo será curado. **8:9** Pois também eu sou um homem sob autoridade, [7]tendo abaixo de mim soldados; e digo a este: vai, e ele vai; e a outro: vem, e ele vem; e ao meu servo: faze isto, e ele o faz. **8:10** Ouvindo {isso}, maravilhou-se Jesus e disse aos que o seguiam: Amém[8] vos digo, [9]com ninguém em Israel encontrei tamanha fé. **8:11** E eu vos digo que muitos virão do oriente e do ocidente e se reclinarão {à mesa} com Abraão, Isaac e Jacó no Reino dos Céus; **8:12** Os filhos do Reino, porém, serão expelidos para a treva exterior. Ali haverá o pranto e o ranger de dentes. **8:13** E Jesus disse ao centurião: Vai! Como creste seja feito a ti; e o seu servo foi curado naquela hora.

1. Lit. "suplicar, rogar, implorar; convocar, convidar, chamar ao lado, apelar, requisitar; exortar, encorajar; confortar, consolar".
2. Lit. "menino; filho; escravo jovem". O Centurião chama carinhosamente a pessoa doente de "menino". Comparando com a narrativa de Lucas (Lc 7:1-9) descobrimos que se tratava de um servo.
3. Lit. "ser lançado; ser posto, colocado, depositado; estar deitado".
4. Lit. "ser afligido, atormentado em virtude de dores; estar com dores fortes".
5. A expressão idiomática "sob o meu teto" possui equivalente na língua portuguesa. Sendo assim, a frase pode ser entendida como "não sou digno de que entres na minha casa".
6. Lit. "dize por palavra".
7. Lit. "tendo sob mim mesmo".
8. ἀμην (amém), transliteração do vocábulo hebraico אָמֵן. Trata-se de um adjetivo verbal (ser firme, ser confiável). O vocábulo é frequentemente utilizado de forma idiomática (partícula adverbial) para expressar asserção, concordância, confirmação (realmente, verdadeiramente, de fato, certamente, isso mesmo, que assim seja). Ao redigirem o Novo Testamento, os evangelistas mantiveram a palavra no original, fazendo apenas a transliteração para o grego, razão pela qual também optamos por mantê-la intacta, sem tradução.
9. Lit. "da parte de ninguém".

CURA DA SOGRA DE PEDRO (Mc 1:29-34; Lc 4:38-41)

8:14 Jesus, após vir para casa de Pedro, viu a sogra dele deitada[1] e febril[2].
8:15 Tocou a mão dela, e a febre a deixou; ela se ergueu e o servia.

1. Lit. "ser lançado; ser posto, colocado, depositado; estar deitado".
2. Lit. "tendo febre".

DIVERSAS CURAS

8:16 Chegado o fim da tarde, apresentaram a ele muitos endaimoniados[1] e expulsou os espíritos pela palavra; e curou todos os que tinham males,
8:17 para que se cumprisse [2]o que fora dito através do profeta Isaías: *Tomou nossas enfermidades e carregou as doenças*.

1. Lit. "sob a ação dos daimon". Trata-se dos obsedados, pessoas sujeitas à influência perniciosa de espíritos sem esclarecimento, magoados ou malévolos, razão pela qual se optou pela

transliteração do termo grego. Na sequência, Jesus os auxilia mediante o diálogo com esses espíritos. É preciso levar em conta, nesta passagem, a força das expressões idiomáticas semíticas, tais como "expulsou pela palavra".
2. Lit. "O que fora dito através do profeta Isaías que diz". Comparar com a expressão semelhante em Mt 2:15-18.

OS DESAFIOS DO DISCIPULADO (Lc 9:57-62)

8:18 Jesus, vendo a turba ao seu redor, ordenou que partissem para o outro lado. **8:19** Um escriba, aproximando-se, lhe disse: Mestre, eu te seguirei aonde fores. **8:20** Jesus, porém, lhe diz: As raposas têm tocas[1] e as aves do céu[2] {têm} ninhos; mas o filho do homem não tem onde reclinar a cabeça. **8:21** Outro dos {seus} discípulos lhe disse: Senhor, permite-me ir primeiro enterrar meu pai. **8:22** Jesus, porém, lhe diz: Segue-me, e deixa que os mortos enterrem seus próprios mortos.

1. Lit. "toca, covil, esconderijo, caverna onde se refugiam os animais selvagens".
2. Lit. "local onde se arma a tenda, local de habitação; reduto; ninho".

A TEMPESTADE ACALMADA (Mc 4:35-41; Lc 8:22-25)

8:23 Após ¹entrar no barco, seus discípulos o seguiram. **8:24** E eis que uma grande tempestade ocorreu no mar, ao ponto de o barco ser coberto pelas ondas. Ele, porém, dormia. **8:25** Aproximando-se, o despertaram[2], dizendo: Senhor, salva-nos, estamos perecendo! **8:26** Ele lhes diz: Por que estais temerosos[3], {homens} de pouca fé? Então, levantando-se, repreendeu os ventos e o mar, e houve grande calmaria[4]. **8:27** E maravilharam-se os homens, dizendo: Que tipo de homem é este que tanto os ventos quanto o mar lhe obedecem?

1. Lit. "embarcar no barco".
2. Lit. "erguer-se, levantar-se; despertar, acordar; fazer levantar, erguer; incitar, provocar, excitar".
3. Lit. "temeroso, amedrontado; covarde, pusilânime; tímido".
4. Lit. "tranquilidade no mar, calmaria, bonança".

OS ENDAIMONIADOS GADARENOS (Mc 5:1-20; Lc 8:26-39)

MATEUS
8

8:28 Depois de ter ido para o outro lado, para a região dos Gadarenos, dois endaimoniados[1], saídos dos sepulcros[2], muito violentos[3], a ponto de ninguém poder passar por aquele caminho, vieram ao encontro dele. **8:29** Eis que gritaram, dizendo: [4]O que queres de nós, filho de Deus? Vieste aqui, antes do tempo, atormentar-nos? **8:30** Ora, uma vara de muitos porcos era apascentada distante deles. **8:31** Os daimones[5] rogavam-lhe, dizendo: Se nos expulsas, envia-nos à vara de porcos. **8:32** Disse-lhes: Ide. Os que saíram foram para os porcos. E eis que toda a vara {de porcos} precipitou-se despenhadeiro abaixo, para o mar, e morreram nas águas. **8:33** Os que apascentavam {porcos} fugiram, e partindo para a cidade relataram tudo, inclusive o {que aconteceu} com os endaimoniados. **8:34** Eis que toda a cidade saiu ao encontro de Jesus; e vendo-o, rogaram-lhe que se retirasse[6] do território[7] deles.

1. Lit. "sob a ação dos daimon". Trata-se dos obsedados, pessoas sujeitas à influência perniciosa de espíritos sem esclarecimento, magoados ou malévolos, razão pela qual se optou pela transliteração do termo grego.
2. Lit. "memorial, monumento; sepulcro, túmulo".
3. Lit. "duro, difícil; perigoso, violento".
4. Lit. "o que para nós e para ti". Trata-se de expressão idiomática.
5. Lit. "deus pagão, divindade; gênio, espírito; mau espírito, demônio".
6. Lit. "passar de um lugar para outro; mudar, ir embora, partir".
7. Lit. "limite, fronteira".

9

CURA DE UM PARALÍTICO (Mc 2:1-12; Lc 5:17-26)

9:1 ¹Entrando no barco, atravessou {o lago} e foi para sua própria cidade. **9:2** Eis que traziam a ele um paralítico, ²deitado sobre um leito. E Jesus, vendo a fé deles, disse ao paralítico: Anima-te³, filho, os teus pecados estão perdoados. **9:3** Eis que alguns dos escribas disseram entre si: Ele blasfema⁴! **9:4** E Jesus, vendo as reflexões deles, disse: Por qual razão refletis coisas más em vossos corações? **9:5** Pois que é mais fácil dizer "estão perdoados os teus pecados" ou dizer "levanta-te e anda?"⁵. **9:6** Ora, para que saibais que o filho do homem tem poder, sobre a terra, de perdoar pecados – então diz ao paralítico: Levantando-se, toma⁶ teu leito e vai para tua casa. **9:7** E levantando-se, partiu para sua casa. **9:8** Vendo {isso}, as turbas temeram e glorificaram a Deus que dera tal poder aos homens.

1. Lit. "embarcando no barco".
2. Lit. "que estava lançado sobre um leito".
3. Lit. "Animo! Coragem!". Verbo utilizado apenas no imperativo, com o sentido de ter coragem, bom ânimo, confiança, esperança.
4. Lit. "caluniar, censurar; dizer palavra ofensiva, insultar; falar sobre Deus ou sobre as coisas divinas de forma irreverente; irreverência".
5. Lit. "andar ao redor; vagar, perambular; circular, passear; viver (seguir um gênero de vida)".
6. Lit. "erguer (com as mãos) para carregar; levantar um objeto com o propósito de transportá-lo".

CHAMADO DE MATEUS (Mc 2:13-14; Lc 5:27-28)

9:9 Passando adiante dali, Jesus viu um homem, chamado Mateus, sentado na coletoria¹, e diz-lhe: Segue-me. Após levantar-se, ele o seguiu.

1. Lit. "coletoria de impostos", provavelmente, os coletores ficavam perto da praia, a fim de recolher os tributos dos navios que chegavam à Galileia, provenientes do lado oriental do lago.

REFEIÇÃO COM PUBLICANOS E PECADORES
(Mc 2:15-17; Lc 5:29-32)

9:10 E sucedeu que, estando ele reclinado {à mesa} em casa, eis que muitos publicanos[1] e pecadores, que tinham vindo, reclinavam-se {à mesa} junto com Jesus e seus discípulos. **9:11** Os fariseus, vendo {isso}, diziam aos discípulos dele: Por que vosso Mestre come com os publicanos e pecadores? **9:12** Ele, porém, ouvindo, disse: [2]Os sãos[3] não têm necessidade de médico, mas os que estão doentes. **9:13** [4]Ide e aprendei o que significa: "Misericórdia quero e não oferenda"[5], pois não vim chamar justos, mas pecadores.

1. Cobrador de impostos no Império Romano.
2. Lit. "os fortes (saudáveis) não têm necessidade de médico, mas os que têm mal".
3. Lit. "forte, saudável".
4. Lit. "Tendo caminhado (empreendido a jornada), aprendei o que é". Trata-se de uma fórmula rabínica, muito utilizada pelos Mestres durante o processo de transmissão oral dos ensinos.
5. Lit. "sacrifício (coisa sacrificada), oferta, oferenda ou serviço do culto". Todas as oferendas prescritas na Torah, inclusive o sacrifício de animais, bem como o serviço para manutenção do culto prestado pelos sacerdotes.

ACERCA DO JEJUM (Mc 2:18-22; Lc 5:33-39)

9:14 Então aproximam-se dele os discípulos de João, dizendo: Por que nós e os fariseus jejuamos, porém os teus discípulos não jejuam. **9:15** Disse-lhes Jesus: Acaso os [1]convidados das núpcias podem estar de luto[2] enquanto o noivo está com eles? Mas dias virão – quando o noivo for tirado deles – e, então, jejuarão. **9:16** [3]Ninguém coloca[4] remendo de pano[5] não alvejado[6] sobre veste[7] velha, pois tira a inteireza[8] da veste, e o rasgo torna-se pior. **9:17** Nem lançam vinho novo em odres[9] velhos, senão os odres se rompem, o vinho é derramado e os odres se perdem. Mas lançam vinho novo em odres novos, e ambos se preservam.

1. Lit. "filhos da câmara nupcial". Uma expressão idiomática semítica para "amigos assistentes do noivo" ou "convidados das bodas", hóspedes do casamento. No caso, parece indicar os amigos do noivo que, além de serem convidados, lhe prestavam assistência nos preparativos das bodas.

MATEUS 9

2. Lit. "afligir-se, lamentar a morte de alguém, estar de luto". O verbo evoca toda a gama de sentimentos que um doloroso evento ou fato despertam no ser humano, especialmente aquelas emoções decorrentes da morte de alguém próximo, razão pela qual é comumente utilizado para descrever o enlutado.
3. Lit. "ninguém remenda remendo".
4. Lit. "lançar sobre, colocar sobre, estender sobre; aplicar a {algo}; revestir, costurar, remendar".
5. Lit. "pedaço de tecido, de pano; remendo".
6. Lit. "não-lavado, não-alvejado", que não foi branqueado (alvejado) através da lavagem do tecido, ou seja, ainda sujeito ao processo de encolhimento, típico dos tecidos novos que não tiveram contato com água.
7. Veste externa, manto, peça de vestuário utilizada sobre a peça interna. Pode ser utilizada como sinônimo do vestuário completo de uma pessoa.
8. Lit. "plenitude, inteireza; conteúdo inteiro, medida, extensão completa".
9. Bolsa ou garrafa feita de pele de animal (couro), utilizada para guardar vinho.

RESSURREIÇÃO DA FILHA DE JAIRO E CURA DA MULHER COM FLUXO DE SANGUE (Mc 5:21-43; Lc 8:26-39)

9:18 Enquanto ele dizia essas coisas, eis que um chefe[1], que viera para {ali}, o reverenciava, dizendo: Minha filha faleceu agora, mas vem impor tua mão sobre ela, e ela viverá. **9:19** Jesus, erguendo-se, o seguiu, e seus discípulos também. **9:20** E eis que uma mulher, que sangrava há doze anos, aproximou-se por trás e tocou na orla[2] da sua veste[3]. **9:21** Pois dizia consigo: Se somente tocar na sua veste, serei salva. **9:22** Jesus, voltando-se e vendo-a, disse: Anima-te[4], filha, tua fé te salvou. A mulher foi salva a partir daquela hora. **9:23** Jesus, depois de ter vindo para a casa do chefe, e de ter visto os flautistas e a turba alvoroçada, **9:24** dizia: Retirai-vos, pois a mocinha[5] não morreu, mas dorme. E zombavam[6] dele. **9:25** Quando, porém, foi expulsa a turba, após entrar, segurou a mão dela e a mocinha se levantou. **9:26** E esta notícia[7] se espalhou por toda aquela terra.

1. Lit. "comandante, chefe, rei". Na Atenas democrática, cada um dos nove governantes eleitos anualmente era chamado "arconte". Nesta passagem, trata-se de um chefe de sinagoga, chamado Jairo, segundo o relato de Marcos e Lucas.
2. Lit. "orla, borda, franja das vestes". Na orla ou borda das vestes judaicas masculinas eram feitos bordados com fio azul-púrpura (Nm 15:38-39). Trata-se de um preceito cuja função era evocar

a necessidade de cumprimento dos demais preceitos (619 segundo Maimônides). Desse modo, essa orla era sinal característico dos fiéis observadores da Torah.
3. Veste externa, manto, peça de vestuário utilizada sobre a peça interna. Pode ser utilizada como sinônimo do vestuário completo de uma pessoa. O termo também aparece em Mt 5:40, traduzido como "manto".
4. Lit. "Animo! Coragem!". Verbo utilizado apenas no imperativo, com o sentido de ter coragem, bom ânimo, confiança, esperança.
5. Lit. "diminutivo de moça, portanto mocinha".
6. Lit. "ridicularizar, zombar, rir de"
7. Lit. "notícia, relato, declaração; rumor; fama".

CURA DE DOIS CEGOS

9:27 Passando dali, seguiram Jesus dois cegos, gritando e dizendo: Tem misericórdia de nós, filho de David! **9:28** Depois de ir para casa, os cegos se aproximaram dele, e Jesus lhes diz: Credes que posso fazer isso? Dizem-lhe: Sim, Senhor. **9:29** Tocou, então, os olhos deles, dizendo: Conforme a vossa fé, seja feito a vós. **9:30** E os olhos deles se abriram. Jesus os [1]advertiu severamente, dizendo: Olhai, que ninguém o saiba. **9:31** Eles, porém, saindo, divulgaram-no por toda aquela terra.

1. Lit. "acusar ou proibir severamente, veementemente; censurar".

CURA DE UM ENDAIMONIADO MUDO

9:32 Ao saírem, eis que lhe trouxeram um homem mudo, que estava endaimoniado[1], **9:33** e expulso o daimon, o mudo falou. As turbas se admiraram, dizendo: Nunca [2]fez-se visível de tal maneira em Israel. **9:34** Os fariseus diziam: Pelo chefe dos daimones[3] expulsa os daimones.

1. Lit. "sob a ação dos daimon". Trata-se dos obsedados, pessoas sujeitas à influência perniciosa de espíritos sem esclarecimento, magoados ou malévolos, razão pela qual se optou pela transliteração do termo grego.

2. Lit. "fazer-se visível, mostrar-se, aparecer; ser evidente; brilhar, luzir".
3. Lit. "deus pagão, divindade; gênio, espírito; mau espírito, demônio".

A SITUAÇÃO DA MULTIDÃO

9:35 Jesus percorria todas as cidades e aldeias, ensinando nas sinagogas deles, proclamando o Evangelho do Reino e curando toda doença e toda enfermidade[1]. **9:36** Vendo as turbas, compadeceu-se delas, porque estavam maltratadas[2] e abandonadas[3], como ovelhas que não têm pastor. **9:37** Então diz aos seus discípulos: A colheita[4] é grande, mas os trabalhadores são poucos. **9:38** Rogai, portanto, ao Senhor da colheita para que envie trabalhadores para sua colheita.

1. Lit. "moleza, fraqueza, enfermidade ocasional".
2. Lit. "esfolado (com o couro tirado), dilacerado; ferido, maltratado, molestado".
3. Lit. "lançada para baixo; abandonada; caída, arrojada, prostrada (com bebida ou ferimento mortal)".
4. Lit. "colheita; tempo da colheita".

SERMÃO PARA OS DOZE DISCÍPULOS

MISSÃO DOS DOZE (Mc 3:13-19, 6:7-13; Lc 6:12-16, 9:1-6)

10:1 Convocando[1] seus doze discípulos, deu-lhes autoridade {sobre} [2]espíritos impuros a fim de expulsá-los e curar toda doença e toda enfermidade[3]. **10:2** Os nomes dos doze apóstolos são estes: primeiro, Simão, chamado Pedro, e André, seu irmão; Tiago, filho de Zebedeu, e João, seu irmão; **10:3** Filipe e Bartolomeu, Tomé e Mateus, o publicano; Tiago, {filho} de Alfeu, e Tadeu; **10:4** Simão, o cananeu, e Judas, o Iscariotes, quem o entregou. **10:5** Jesus enviou esses doze, após prescrever-lhes[4], dizendo: Não [5]tomeis o caminho dos gentios e não entreis em cidade de samaritanos. **10:6** Ide, de preferência, às ovelhas perdidas[6] da casa de Israel. **10:7** Indo, proclamai[7], dizendo: está próximo o Reino dos Céus. **10:8** Curai enfermos[8], erguei mortos, purificai leprosos, expulsai daimones[9]; de graça recebestes, de graça dai. **10:9** Não adquirais ouro, nem prata, nem cobre para vossos cintos[10], **10:10** nem alforje[11] para o caminho, nem duas túnicas[12], nem sandálias, nem cajado[13], pois o trabalhador é digno do seu alimento. **10:11** Em qualquer cidade ou aldeia em que entrardes, examinai quem nela é digno e permanecei ali até sairdes. **10:12** Ao entrardes na casa, saudai-a, **10:13** e se a casa for digna, venha sobre ela vossa paz; se, porém, não for digna, retorne vossa paz para vós. **10:14** E, se ninguém vos receber, nem ouvir as vossas palavras, saindo daquela casa ou cidade, sacudi o pó dos vossos pés. **10:15** Amém[14] vos digo que haverá mais tolerância[15], no dia do juízo, para a terra de Sodoma e Gomorra do que para aquela cidade. **10:16** Eis que eu vos envio como ovelhas no meio de lobos. Sede prudentes[16] como as serpentes e inocentes[17] como as pombas.

1. Lit. "convocar, citar, intimar; chamar para si mesmo, reunir, convidar; evocar".
2. Trata-se dos obsessores, espíritos sem esclarecimento, magoados ou malévolos, chamados no NT de "espíritos impuros", "daimon", razão pela qual julgamos inconveniente a tradução dessas expressões pelo vocábulo "demônio".
3. Lit. "moleza, fraqueza, enfermidade ocasional".
4. Lit. "anunciar; dar ordens, prescrever, dar instruções".
5. Lit. "não vades (ir) para o caminho".

6. Lit. "estar perdido; perecer, morrer; estar arruinado". O termo gera uma ambiguidade proposital entre os dois significados "perdido" e "morto".
7. Lit. "proclamar como arauto, agir como arauto". Sugere a gravidade e a formalidade do ato, bem como a autoridade daquele que anuncia em voz alta e solenemente a mensagem.
8. Lit. "os que estão fracos (fisicamente), enfermos".
9. Lit. "deus pagão, divindade; gênio, espírito; mau espírito, demônio".
10. Lit. "cinto, cinturão", usado também para carregar dinheiro, pois a bolsa ficava presa nele.
11. Lit. "saco ou bolsa de couro para levar provisões".
12. Peça de vestuário interno, utilizada junto ao corpo, logo acima da pele, sobre a qual era costume colocar outra peça ou manto. Trata-se de uma espécie de veste interna, íntima.
13. Lit. "cajado, vara; bastão de comando; cetro de autoridades", utilizado para se apoiar, para corrigir (bater), para comandar, ou como sinal de autoridade.
14. ἀμήν (amém), transliteração do vocábulo hebraico אָמֵן. Trata-se de um adjetivo verbal (ser firme, ser confiável). O vocábulo é frequentemente utilizado de forma idiomática (partícula adverbial) para expressar asserção, concordância, confirmação (realmente, verdadeiramente, de fato, certamente, isso mesmo, que assim seja). Ao redigirem o Novo Testamento, os evangelistas mantiveram a palavra no original, fazendo apenas a transliteração para o grego, razão pela qual também optamos por mantê-la intacta, sem tradução.
15. Lit. "será mais tolerável ou mais suportável". Trata-se do adjetivo "tolerável", "suportável" utilizado no grau comparativo "mais tolerável", "mais suportável".
16. Lit. "prudente, sábio, sensato; sagaz; cauteloso, ponderado, cuidadoso".
17. Lit. "não misturado", livre de vício ou engano, sem malícia; sincero, inocente.

PERSEGUIÇÕES (Mt 16:5-6; Mc 4:22, 8:14-21; Lc 8:17, 12:1-12)

10:17 Acautelai-vos dos homens, pois vos entregarão aos sinédrios e vos açoitarão nas suas sinagogas, **10:18** e sereis conduzidos a governantes e reis por minha causa, em testemunho para eles e para os gentios. **10:19** Quando vos entregarem, não vos inquieteis[1] por {saber} como ou o que falareis, pois vos será dado, naquela hora, o que havereis de falar. **10:20** Pois não sois vós os que falam, mas o espírito do vosso Pai falando em vós. **10:21** Então, irmão entregará à morte irmão e pai {entregará} filho. Filhos se levantarão contra genitores e os matarão. **10:22** E sereis odiados por todos, por causa do meu nome; mas quem perseverar[2] até ao fim[3], esse será salvo. **10:23** Quando vos perseguirem nesta cidade, fugi para outra, pois amém[4] vos digo que não terminareis as cidades de Israel, até que venha o filho do homem. **10:24** [5]O discípulo não está acima do mestre, nem o servo acima do seu senhor. **10:25** Basta para o discípulo tornar-se como seu mestre, e ao servo {tornar-se} como seu senhor. Se ao ⁶senhor da casa chamaram Beelzebul⁷, quanto mais ⁸aos membros da casa dele. **10:26** Portanto, não os temais, pois nada há encoberto que não haverá de ser revelado, nem escondido que não haverá de ser conhecido. **10:27** O que vos digo na treva, dizei-o na luz; e o que ouvis ao ouvido, proclamai sobre os terraços⁹. **10:28** Não temais os que matam o corpo, porém não podem matar a alma; temei mais o que pode destruir no Geena tanto a alma quanto o corpo. **10:29** Não se vendem dois pardais por um asse¹⁰? E nenhum deles cairá sobre a terra, sem {consentimento} do vosso Pai. **10:30** Todos os cabelos da vossa cabeça estão contados. **10:31** Portanto, não temais. Vós valeis¹¹ mais do que muitos pardais. **10:32** Assim, todo aquele que se declarar¹² por mim diante dos homens, eu também me declararei por ele diante do meu Pai {que está} nos céus. **10:33** Mas quem me negar¹³ diante dos homens, também o negarei diante do meu Pai {que está} nos céus.

1. Lit. "inquietar-se, ter ansiedade, estar ansioso, estar preocupado".
2. Lit. "permanecer, suportar, perseverar".
3. Lit. "término, cessação, conclusão; fim, alvo, resultado".
4. ἀμην (amém), transliteração do vocábulo hebraico אָמֵן. Trata-se de um adjetivo verbal (ser firme, ser confiável). O vocábulo é frequentemente utilizado de forma idiomática (partícula adverbial) para expressar asserção, concordância, confirmação (realmente, verdadeiramente, de fato, certamente, isso mesmo, que assim seja). Ao redigirem o Novo Testamento, os evangelistas mantiveram a palavra no original, fazendo apenas a transliteração para o grego, razão pela qual também optamos por mantê-la intacta, sem tradução.
5. Lit. "o discípulo não está sobre o Mestre, nem o servo sobre o seu Senhor".
6. Lit. "senhor, dono da casa, chefe de família".
7. Baal-Zebube (Senhor da habitação) refere-se a um deus filisteu, ao qual Acazias, filho do Rei Acabe, teria consultado num oráculo (II Reis 1:2), apesar da reprovação do profeta Elias. Era conhecido como príncipe dos maus espíritos, donde se originou seu nome "Senhor da habitação ou da morada dos maus espíritos".
8. Lit. "membro da casa, doméstico; familiar".
9. Lit. "teto, cobertura de uma casa, telhado". Na Palestina, o teto era formado, ao que tudo indica, por vigas e pranchas de madeira, por cima das quais eram colocados ramos, galhos e esteiras, cobertos por terra batida.
10. O "asse" romano correspondia aproximadamente a décima sexta parte de um denário, o que equivaleria a um pouco menos da metade de um centavo.
11. Lit. "ser melhor ou de maior valor", ser superior, valer mais, ser excelente.
12. Lit. "homologar, concordar, assentir; reconhecer, confessar; declarar-se".
13. Lit. "negar, negar-se; recusar, declinar; repudiar; renunciar".

DIVISÕES (Lc 12:49-53, 14:25-27)

10:34 Não penseis¹ que vim trazer² paz sobre a terra. Não vim trazer paz, mas espada. **10:35** Pois eu vim separar³ o homem do seu pai, a filha da sua mãe, e a nora da sua sogra; **10:36** e os inimigos do homem {serão} ⁴os membros da sua casa. **10:37** Quem ama pai ou mãe mais que a mim, não é digno de mim; quem ama filho ou filha mais que a mim, não é digno de mim. **10:38** E quem não toma a sua cruz e {não} segue atrás de mim, não é digno de mim. **10:39** Aquele que tiver encontrado a sua vida a perderá, e aquele que tiver perdido a sua vida por minha causa, a encontrará.

1. Lit. "supor, crer; pensar, considerar".
2. Lit. "lançar".
3. Lit. "dividir em dois", separar (duas pessoas ou duas coisas), e por extensão "provocar desacordo, divergência.
4. Lit. "membro da casa, doméstico; familiar".

A RECEPÇÃO

10:40 Quem vos recebe, a mim recebe; e quem me recebe, recebe aquele que me enviou. **10:41** Quem recebe um profeta ¹na qualidade de profeta, receberá recompensa de profeta, e quem recebe um justo ²na qualidade de justo, receberá recompensa de justo. **10:42** E quem der de beber um só copo de {água} fria a um destes pequeninos, ³na qualidade de discípulo, amém⁴ vos digo que de modo nenhum terá perdido a sua recompensa.

1. Lit. "pelo nome de profeta".
2. Lit. "pelo nome de justo".
3. Lit. "pelo nome de discípulo".
4. ἀμήν (amém), transliteração do vocábulo hebraico אָמֵן. Trata-se de um adjetivo verbal (ser firme, ser confiável). O vocábulo é frequentemente utilizado de forma idiomática (partícula adverbial) para expressar asserção, concordância, confirmação (realmente, verdadeiramente, de fato, certamente, isso mesmo, que assim seja). Ao redigirem o Novo Testamento, os evangelistas mantiveram a palavra no original, fazendo apenas a transliteração para o grego, razão pela qual também optamos por mantê-la intacta, sem tradução.

A RECEPÇÃO (Final)

11:1 E sucedeu que, concluindo suas recomendações aos seus doze discípulos, Jesus partiu¹ dali para ensinar e proclamar nas cidades deles.

1. Lit. "passar de um lugar para outro; mudar, ir embora, partir".

INDAGAÇÕES DE JOÃO BATISTA E TESTEMUNHO DE JESUS A SEU RESPEITO (Lc 7:18-35, 16:14-18)

11:2 João, ouvindo no cárcere {sobre} as obras do Cristo, enviou seus discípulos e, por meio deles, **11:3** disse-lhe: És tu aquele que vem ou esperamos outro? **11:4** Jesus, em resposta, disse-lhes: Ide e anunciai a João o que ouvis e vedes: **11:5** Cegos ¹voltam a ver, coxos andam², leprosos são purificados, surdos ouvem, mortos são erguidos, pobres são evangelizados³ **11:6** e bem-aventurado quem não se escandalizar⁴ em mim. **11:7** Assim que eles saíram, Jesus começou a dizer às turbas a respeito de João: Saístes ao deserto para contemplar o quê? Um caniço⁵ sacudido pelo vento? **11:8** Mas então saístes para ver o quê? Um homem vestido em {trajes} finos⁶? Vede! Os que vestem {trajes} finos estão nas casas dos reis. **11:9** Mas então saístes para ver o quê? Um profeta? Sim, vos digo eu, e mais que profeta. **11:10** Pois este é aquele a respeito de quem está escrito: *Eis que eu envio perante a tua face o meu anjo, que preparará o teu caminho diante de ti.* **11:11** Amém⁷ vos digo: Entre os ⁸nascidos de mulheres não se levantou {ninguém} maior que João Batista, mas o menor no Reino dos Céus é maior que ele. **11:12** Desde os dias de João Batista até agora, o Reino dos Céus ⁹sofre violência, e os violentos¹⁰ se apoderam¹¹ dele. **11:13** Pois todos os profetas e a lei profetizaram até João. **11:14** E, se quiserdes aceitar, ele é o Elias que havia de vir. **11:15** Quem tem ouvidos ouça. **11:16** Mas a quem assemelharei esta geração? É semelhante a criancinhas, sentadas nas praças, clamando para as outras, **11:17** dizendo: *Tocamos flauta para vós e não dançastes, cantamos lamentações e não lamentastes*¹². **11:18** Pois

MATEUS 11

veio João, não comendo nem bebendo, e dizem: Tem daimon[13]. **11:19** Veio o filho do homem, comendo e bebendo, e dizem: Eis um homem comilão e beberrão de vinho, amigo de publicanos e pecadores. Mas a sabedoria foi justificada [14]por suas obras.

1. Lit. "levantar os olhos; recobrar a vista, tornar a abrir os olhos". A preposição "aná", prefixada ao verbo "ver", confere-lhe dois sentidos: 1) a direção para onde se esta olhando, no caso para o alto; 2) o sentido de repetição ou retorno da ação, no caso voltar a ver, recobrar a vista.
2. Lit. "andar ao redor; vagar, perambular; circular, passear; viver (seguir um gênero de vida)".
3. Lit. "recebem o anúncio das boas novas"
4. Lit. "quem não tropeçar em mim", tropeçar; vacilar ou errar; ser ofendido; estar chocado. O substantivo "skandalon" significa armadilha de molas ou qualquer obstáculo que faça alguém tropeçar; um impedimento; algo que cause estrago, destruição, miséria, e via de consequência, aquilo que causa um choque, que repugna, que fere a sensibilidade. Nesta passagem, Jesus elogia aqueles que não se sentem chocados com sua atuação, que não sentem repugnância pela sua obra.
5. Lit. "junco, cana, caniço". Trata-se de uma cana ou junco, com talo articulado e oco, utilizado como bastão, cajado, vara de medir ou varinha de escrever (nos papiros).
6. Lit. "mole", fraco; fino, delicado.
7. ἀμην (amém), transliteração do vocábulo hebraico אָמֵן. Trata-se de um adjetivo verbal (ser firme, ser confiável). O vocábulo é frequentemente utilizado de forma idiomática (partícula adverbial) para expressar asserção, concordância, confirmação (realmente, verdadeiramente, de fato, certamente, isso mesmo, que assim seja). Ao redigirem o Novo Testamento, os evangelistas mantiveram a palavra no original, fazendo apenas a transliteração para o grego, razão pela qual também optamos por mantê-la intacta, sem tradução.
8. Expressão idiomática semítica que significa "ser humano".
9. Vocábulo de difícil tradução, que provoca divisão entre os exegetas. O verbo pode ser encontrado na forma ativa (usar de força, de violência), na forma média (usar de violência; entrar ou sair à força; tornar-se violento; violentar, maltratar, constranger) e passiva (sofrer violência, ser constrangido, ser maltratado). O grande problema reside no fato de não ser possível diferenciar a forma média da forma passiva do verbo, pois são formalmente iguais. Nesse caso, é preciso recorrer ao contexto da fala. Considerando a dificuldade em se admitir o sintagma "Reino dos Céus" como sujeito do verbo, aquele que exerce a ação, optou-se por uma tradução na qual essa expressão aparece como sujeito da passiva, ou seja, sofre a ação de um terceiro. Acreditamos que a expressão como um todo reflita uma expressão idiomática semítica, de colorido intenso, para expressar a força, a violência consigo mesmo exigida do discípulo para efetivar as mudanças internas necessárias, a fim de ser admitido ao Reino de Deus.
10. Lit. "alguém que usa de força, violência", violento, impetuoso.
11. Lit. "agarrar, tomar pela força, arrebatar, capturar, apropriar-se".
12. Lit. "bater no peito", ato que expressava tristeza, luto, dor.
13. Lit. "deus pagão, divindade; gênio, espírito; mau espírito, demônio".
14. Lit. "a partir das suas obras".

JULGAMENTO DAS CIDADES DO LAGO (Lc 10:13-16)

11:20 Então, começou a censurar as cidades nas quais ocorreram a maior parte dos seus prodígios[1], e não se arrependeram[2]. **11:21** Ai de ti, Corazim! Ai de ti, Betsaida! Porque se em Tiro e em Sidom tivessem ocorrido os prodígios que entre vós ocorreram, há muito tempo teriam se arrependido, em [3]pano de saco e cinza. **11:22** Todavia vos digo que haverá mais tolerância[4], no dia do juízo, para Tiro e Sidom do que para vós. **11:23** E tu, Cafarnaum, acaso serás elevada até ao céu? Serás rebaixada até o hades[5]! Porque se em Sodoma tivessem ocorrido os prodígios que ocorreram em ti, ela teria permanecido até hoje. **11:24** Todavia vos digo que haverá mais tolerância[6], no dia do juízo, para Sodoma do que para ti.

1. Lit. "poder, força, habilidade". Trata-se de um substantivo utilizado como objeto do verbo "ocorrer", o que requer um esforço para recuperar a força da expressão.
2. Lit. "mudança de mente, de opinião, de sentimentos, de vida".
3. O pano de saco diz respeito a tecido quente feito do pelo de cabra ou camelo, de cor escura, também conhecido como "saco de cilício", porquanto era feito do pelo de cabra preta proveniente da Cilícia, utilizado juntamente com as cinzas, com o propósito de expressar lamentação ou penitência.
4. Lit. "será mais tolerável ou mais suportável". Trata-se do adjetivo "tolerável", "suportável" utilizado no grau comparativo "mais tolerável", "mais suportável".
5. Trata-se do submundo, o mundo dos mortos, segundo a literatura grega.
6. Vide nota 4.

DESCANSO PARA A ALMA (Lc 10:21-24)

11:25 Naquele tempo[1], Jesus, respondendo, disse: Eu te louvo[2], Pai, Senhor do céu e da terra, porque ocultaste essas coisas dos sábios e inteligentes, e as revelaste aos infantes[3]. **11:26** Sim, Pai, porque assim [4]foi do teu agrado. **11:27** Todas as coisas me foram entregues por meu Pai, e ninguém conhece o filho, senão o Pai; e ninguém conhece o Pai, senão o filho e aquele a quem o filho quiser revelar. **11:28** Vinde a mim todos os cansados[5] e sobrecarregados, e eu vos darei descanso. **11:29**

MATEUS 11 Tomai sobre vós o meu jugo e aprendei de mim, porque sou brando[6] e humilde[7] de coração, e encontrareis descanso para vossas almas. **11:30** Pois o meu jugo é suave e o meu fardo[8] é leve.

1. Lit. "um ponto no tempo, um período de tempo; tempo fixo, definido; oportunidade".
2. Lit. "confessar (publicamente), reconhecer, admitir; concordar, prometer, consentir; exaltar, enaltecer, louvar, agradecer".
3. Lit. "infante, criancinha (criança bem jovem)". Metaforicamente: néscio, iniciante, não instruído, simples.
4. Lit. "ocorreu agrado diante de ti".
5. Lit. "exausto, fatigado em razão do trabalho".
6. Lit. "brando, manso; terno, gentil; indulgente; doce, suave".
7. Lit. "pobre, de condição humilde; rebaixado, inferior".
8. Lit. "carga, fardo; peso".

ESPIGAS ARRANCADAS NO SÁBADO (Mc 2:23-28; Lc 6:1-5) 12

12:1 Naquele tempo[1], Jesus passou[2] pelas searas em um sábado; e os seus discípulos, tendo fome, começaram a arrancar espigas e a comer. **12:2**[3] E os fariseus, vendo {isso}, disseram-lhe: Eis que os teus discípulos fazem o que não é lícito fazer no sábado. **12:3** Ele, porém, lhes disse: Não lestes o que fez David quando teve fome, ele e os que estavam com ele? **12:4** Como entrou na Casa de Deus, e comeram os pães da apresentação[4], o que não lhe era lícito comer, {nem a ele} nem aos que estavam com ele, mas somente aos sacerdotes? **12:5** Ou não lestes na Lei que, aos sábados, os sacerdotes, no templo, profanam[5] o sábado e [6]permanecem sem culpa? **12:6** Eu, porém, vos digo que está aqui {algo} maior que o templo. **12:7** E se soubésseis o que significa: Misericórdia quero, e não oferenda[7], não teríeis condenado os sem culpa, **12:8** pois o filho do homem é senhor do sábado.

1. Lit. "um ponto no tempo, um período de tempo; tempo fixo, definido; oportunidade".
2. Lit. "passar". Possível referência a algum tipo de caminhada dentro da seara, com o objetivo de colher espigas. Nesse caso, o termo teria acepção técnica ligada à agricultura.
3. Os discípulos de Jesus não sofrem censura por colherem espigas em um campo alheio, conduta permitida pela Torah (Dt 23:26), mas por fazê-lo num dia de sábado, uma vez que era proibido qualquer tipo de trabalho (Ex 34:21) neste dia, segundo regras de interpretação complexas elaboradas pelos fariseus.
4. Lit. "pães da exposição, apresentação, proposição". Trata-se do "pão perpétuo", aquele que estaria sempre sobre a mesa (Nm 4:7), expostos na presença do Senhor (2Cr 2:4) e preparados todos os sábados (1Cr 9:32), visto que deviam estar sempre frescos. A cada sábado eram trocados por outros novos, sendo que os pães velhos pertenciam aos sacerdotes, que poderiam comê-los no "lugar santo" (Ex 25:30; Lv 24:5-9; 1Sm 21:6). Eram doze pães, colocados sobre a mesa, seis de um lado e seis do outro, num local conhecido como "lugar santo", onde somente os sacerdotes tinham acesso.
5. Lit. "profanar, tornar comum (no sentido de retirar o caráter sagrado, especial); violar".
6. Lit. "estão sem culpa"
7. Lit. "sacrifício (coisa sacrificada), oferta, oferenda ou serviço do culto". Todas as oferendas prescritas na Torah, inclusive o sacrifício de animais, bem como o serviço para manutenção do culto prestado pelos sacerdotes.

MATEUS 12 — CURA DO HOMEM COM AS MÃOS ATROFIADAS
(Mc 3:1-6; Lc 6:6-11)

12:9 Tendo partido dali, entrou na sinagoga deles. **12:10** [1]Estando ali um homem com uma das mãos atrofiadas[2], perguntaram-lhe, {dizendo} se "é lícito curar no sábado", para que o acusassem. **12:11** Ele, porém, lhes disse: [3]Qual dentre vós é o homem que, tendo uma ovelha, se vier a cair num fosso[4], num sábado, não agarrará e erguerá ela? **12:12** Ora, quanto mais vale um homem do que uma ovelha? Portanto, é lícito [5]fazer o bem no sábado. **12:13** Então, diz ao homem: Estende a mão. Ele a estendeu, e foi restaurada, {ficando} sã como a outra. **12:14** Após saírem, os fariseus [6]formaram um conselho contra ele, a fim de matá-lo.

1. Lit. "Eis um homem tendo uma das mãos ressequida"
2. Lit. "seco, ressequido, murcho (planta); atrofiada (mãos)".
3. Lit. "quem é de vós um homem que".
4. Lit. "buraco, cova, fosso; poço, cisterna". A ideia parece ser a de uma ovelha que cai no fosso, ao tentar beber água.
5. Lit. "fazer bem".
6. Lit. "formaram um conselho, elaboraram conjuntamente um plano".

O SERVO DO SENHOR (Mc 3:7-12)

12:15 Jesus, sabendo {disso}, retirou-se dali. Seguiram-no turbas numerosas e ele curou a todos, **12:16** e advertiu-os para que [1]não tornassem público, **12:17** para que se cumprisse [2]o que foi dito através do profeta Isaías: **12:18** *Eis o meu servo*[3], *que escolhi, o meu amado, em quem a minha alma se compraz*[4]; *porei sobre ele o meu Espírito, e ele anunciará a justiça às nações*[5]. **12:19** *Não contenderá nem gritará, e não se ouvirá nas ruas*[6] *a sua voz.* **12:20** *Não quebrará o caniço*[7] *rachado, não apagará o* [8]*pavio fumegante*[9], *até quando levar a justiça ao triunfo.* **12:21** *Em seu nome os gentios*[10] *esperarão.*

1. Lit. "não o fizessem manifesto/público/visível".
2. Lit. "o que foi dito através do profeta Isaías, que diz".
3. Lit. "menino; filho; escravo jovem".
4. Lit. "ter prazer, alegria; aprovar, anuir".
5. Lit. "nação, povo; gentio (todas as outras nações, que não o povo hebreu). Os hebreus chamavam todos os outros povos de gentios.
6. Lit. "ruas, estradas largas; praça".
7. Lit. "junco, cana, caniço". Trata-se de uma cana ou junco, com talo articulado e oco, utilizado como bastão, cajado, vara de medir ou varinha de escrever (nos papiros).
8. Lit. "linho/pavio de candeia fumegante".
9. Lit. "fumegante, que produz fumaça; que produz luz fraca (razão pela qual começa a soltar fumaça)".
10. Lit. "povos de outras nações que não o povo hebreu". Os hebreus chamavam todos os outros povos de gentios.

JESUS E BEELZEBUL (Mt 9:32-34; Mc 3:20-30; Lc 11:14-23, 12:10)

12:22 Então lhe trouxeram um endaimoniado cego e mudo; e ele o curou, de modo que o mudo {passou a} falar e ver. **12:23** Todas as turbas ficaram extasiadas[1], e diziam: Acaso não é este o filho de David? **12:24** Mas, tendo ouvido {isso}, os fariseus disseram: Ele não expulsa os daimones[2] senão por Beelzebul[3], o chefe dos daimones. **12:25** Jesus, porém, conhecendo as reflexões deles, disse-lhes: Todo reino dividido contra si mesmo [4]está deserto, e toda cidade ou casa dividida contra si mesma não permanecerá de pé. **12:26** Se Satanás[5] expulsa Satanás, dividiu-se contra si mesmo. Como então permanecerá de pé o seu Reino? **12:27** E se eu expulso os daimones por Beelzebul, por quem os vossos filhos os expulsam? Por esta razão, eles serão os vossos juízes. **12:28** Se, porém, eu expulso daimones pelo espírito de Deus, chegou até vós o Reino de Deus. **12:29** Ou, como pode alguém entrar na casa de um {homem} forte, e apoderar-se dos seus pertences[6], se primeiro não [7]amarrá-lo? E, então, saqueará a casa dele? **12:30** Quem não está comigo é contra mim; e quem não ajunta comigo, espalha. **12:31** Por isso vos digo: Todo pecado e blasfêmia[8] serão perdoados aos homens, mas a [9]blasfêmia do espírito não será perdoada. **12:32** E quem disser uma palavra contra o filho do homem, a ele se perdoará; mas quem disser {algo} contra o Espírito Santo, a ele não se perdoará, nem [10]nesta era nem na [11]{era} prestes a vir[12].

1. Lit. "fora de si".
2. Lit. "deus pagão, divindade; gênio, espírito; mau espírito, demônio".
3. Baal-Zebube (Senhor da habitação) refere-se a um deus filisteu, ao qual Acazias, filho do Rei Acabe, teria consultado num oráculo (II Reis 1:2), apesar da reprovação do profeta Elias. Era conhecido como príncipe dos maus espíritos, donde se originou seu nome "Senhor da habitação ou da morada dos maus espíritos".
4. Lit. "estar deserto, desolado, desabitado".
5. Lit. "adversário". Palavra de origem semítica.
6. Lit. "coisa, objeto, pertences; vaso, jarro, prato".
7. Lit. "amarrar o forte".
8. Lit. "calúnia, censura; palavra ofensiva, insulto; falar sobre Deus ou sobre as coisas divinas de forma irreverente; irreverência".
9. Expressão idiomática semítica, que oferece uma multiplicidade de interpretações.
10. Trata-se da expressão hebraica "olam hazeh", comumente traduzida como "era presente", ou "mundo presente" para destacar a situação atual do mundo em comparação com a era vindoura.
11. Trata-se da expressão hebraica "olam haba", comumente traduzida como "mundo vindouro", "era vindoura", em oposição a "era presente". No judaísmo rabínico, essa expressão ganhou importante destaque por estar relacionada ao Messias de Israel. Nesse sentido, as expressões "fim dos dias", "dias do Messias", "Ressurreição dos Mortos" e "Mundo Vindouro" se identificam, e fazem referência conjunta às profecias hebraicas que prometem um mundo de paz, justiça e felicidade sem mácula, inclusive com a ressurreição dos mortos, a ser inaugurado pelo Messias.
12. Lit. "estar para, estar a ponto de (indicando a iminência do acontecimento)".

A ÁRVORE E SEUS FRUTOS

12:33 Ou fazei a árvore boa e o seu fruto bom; ou fazei a árvore deteriorada[1] e o seu fruto deteriorado. Pois pelo fruto se conhece a árvore. **12:34** Raça de víboras! Como podeis dizer coisas boas, sendo maus[2]. Pois da abundância do coração fala a boca. **12:35** O homem bom extrai boas coisas do seu bom tesouro, e o homem mau[3] extrai coisa más do seu mau tesouro. **12:36** Eu, porém, vos digo que toda palavra inútil[4] que os homens falarem, dela prestarão conta no dia do juízo. **12:37** Pois a partir das tuas palavras serás justificado; e a partir das tuas palavras serás condenado.

1. Lit. "podre, estragado, deteriorado", por extensão: corrompido, viciado, impuro.
2. Lit. "mal; mau, malvado, malevolente; maligno, malfeitor, perverso; criminoso, ímpio". No grego clássico, a expressão significava "sobrecarregado", "cheio de sofrimento", "desafortunado", "miserável", "indigno", como também "mau", "causador de infortúnio", "perigoso". No Novo Testamento refere-se tanto ao "mal" quanto ao "malvado", "mau", "maligno", sendo que em alguns casos substitui a palavra hebraica "satanás" (adversário).
3. Vide nota 2.
4. Lit. "ocioso, desocupado; preguiçoso; inútil".

O SINAL DE JONAS (Lc 11:24-26, 29-32; Mc 8:12)

12:38 Então, alguns dos escribas e fariseus replicaram, dizendo: Mestre, queremos ver um sinal da tua {parte}. **12:39** Ele, porém, lhes respondeu: Uma geração má e adúltera busca um sinal, mas não lhe será dado um sinal, senão o sinal do profeta Jonas. **12:40** Pois assim como Jonas esteve no ventre no grande peixe, três dias e três noites, assim estará o filho do homem no coração da terra, três dias e três noites. **12:41** Os varões ninivitas se levantarão[1], no {dia} do juízo, com esta geração, e a condenarão, porque eles se arrependeram[2] com a proclamação de Jonas; e eis aqui {alguém} maior do que Jonas. **12:42** A rainha do sul se levantará, no {dia} do juízo, com esta geração, e a condenará porque veio dos confins da terra para ouvir a sabedoria de Salomão, e eis aqui {alguém} maior do que Salomão. **12:43** Quando o espírito impuro sai do homem, atravessa lugares áridos, procurando repouso, e não encontra. **12:44** Então diz: Voltarei para minha casa, de onde saí. Após vir, encontra-a desocupada[3], varrida[4] e adornada[5]. **12:45** Então sai e traz consigo outros sete espíritos piores do que ele e, entrando, habitam ali. E torna-se o último {estado} daquele homem pior que o primeiro. Assim será também para esta geração má.

1. Lit. "erguer-se, levantar-se". Expressão idiomática semítica que faz referência à ressurreição dos mortos. Para expressar a morte e a ressurreição, utilizavam as expressões "deitar-se" (morte) e "levantar-se" (ressurreição).
2. Lit. "mudar de mente, de opinião, de sentimentos, de vida".
3. Lit. "ociosa; desocupada, vazia".
4. Lit. "varrida, limpa (com uma vassoura)".
5. Lit. "adornada, decorada, embelezada; em ordem, organizada".

A VERDADEIRA FAMÍLIA DE JESUS (Mc 3:31-35; Lc 8:19-21)

12:46 ¹Enquanto ele falava às turbas, eis que a mãe e os irmãos dele estavam de pé, do lado de fora, procurando falar com ele. **12:47** Alguém, porém, lhe disse: Eis que tua mãe e teus irmãos estão de pé, do lado de fora, procurando falar contigo. **12:48** Em resposta, disse ao que lhe falava: Quem é minha mãe, e quem são meus irmãos? **12:49** E, estendendo sua mão sobre os seus discípulos, disse: Eis a minha mãe e os meus irmãos. **12:50** Pois todo aquele que fizer a vontade do meu Pai que {está} nos céus, esse é meu irmão, e irmã, e mãe.

1. Lit. "falando ele ainda às turbas".

DISCURSO EM PARÁBOLAS   13

INTRODUÇÃO (Mc 4:1-2; Lc 8:4)

13:1 Naquele dia, saindo Jesus de casa, estava assentado junto ao mar, **13:2** e muitas turbas reuniram-se perto dele, de modo que ¹entrou no barco para se assentar, e toda a turba permanecera de pé na praia. **13:3** E lhes falou muitas {coisas} em parábolas, dizendo:

1. Lit. "embarcou no barco".

PARÁBOLA DO SEMEADOR (Mc 4:3-9; Lc 8:4-8)

13:3 Eis que o semeador saiu a semear **13:4** e, ao semear, {uma parte} caiu ¹à beira do caminho, e vieram as aves e as comeram². **13:5** Outra {parte} caiu sobre {solo} pedregoso, onde não havia muita terra, e brotou³ imediatamente, por não haver profundidade de terra. **13:6** Raiando⁴ o sol, foi crestada⁵ e, por não ter raiz, ressecou-se⁶. **13:7** Outra {parte} caiu sobre espinheiros; os espinheiros subiram e as sufocaram⁷. **13:8** Outra {parte} caiu sobre terra boa e dava fruto: uma cem, outra sessenta e outra trinta. **13:9** Quem tem ouvidos, ouça!

1. Lit. "junto/ao lado do caminho".
2. Lit. "comer, consumir, devorar".
3. Lit. "saiu, pulou para fora de algum lugar; elevar, crescer, despontar, brotar". A preposição reforça a origem do movimento. Aplicado à semente, descreve o movimento de pular para fora da terra, ou seja, brotar.
4. Lit. "saiu, pulou para fora". Aplicado ao sol, às estrelas, transmitem a ideia de raiar, despontar.
5. Lit. "ser queimado, crestado, esturricado".
6. Lit. "ser enxugado, tornar-se seco; secar, ressecar, murchar".
7. Lit. "sufocar, estrangular".

MATEUS 13

EXPLICAÇÃO DA PARÁBOLA DO SEMEADOR (Mc 4:10-20; Lc 8:9-15)

13:10 Aproximando-se, os discípulos lhe disseram: Por que lhes falas em parábolas? **13:11** [1]Em resposta, lhes disse: Porque a vós foi dado conhecer os mistérios do Reino dos Céus, mas àqueles não foi dado {conhecer}. **13:12** Pois àquele[2] que tem lhe será dado, e terá com abundância; mas àquele que não tem até[3] o que tem será tirado dele. **13:13** Por isso, lhes falo em parábolas, porque vendo não veem, e ouvindo não ouvem nem compreendem. **13:14** Neles se cumpre a profecia de Isaías, que diz: *Ouvireis com os ouvidos[4], e não compreendereis; vendo, vereis e não enxergareis,* **13:15** *pois o coração deste povo se tornou cevado[5], com ouvidos pesadamente ouviram, seus olhos se fecharam; para que não vejam com os olhos, não ouçam com os ouvidos, não compreendam com o coração e se voltem[6] para eu os curar.* **13:16** Bem-aventurados os vossos olhos, porque veem; e os vossos ouvidos, porque ouvem. **13:17** Pois amém[7] vos digo que muitos profetas e justos desejaram ver o que vedes, e não viram; ouvir o que ouvis, e não ouviram. **13:18** Vós, portanto, ouvi a parábola do que semeou. **13:19** Todo aquele que ouve a palavra do Reino e não a compreende, vem o malvado[8] e se apodera[9] do que foi semeado no seu coração; esse é o semeado à beira do caminho. **13:20** O semeado sobre {solo} pedregoso é o que ouve a palavra, recebendo-a imediatamente com alegria, **13:21** porém não tem raiz em si mesmo, mas é transitório; ocorrendo provação[10] ou perseguição por causa da palavra, imediatamente se escandalizam[11]. **13:22** O semeado entre espinhos é o que ouve a palavra, mas a ansiedade[12] da era[13] e o engano da riqueza sufoca{m} a palavra, e torna-se infrutífera. **13:23** O semeado sobre boa terra é o que ouve a palavra e a compreende; o qual frutifica e produz, um cem, outro sessenta, outro trinta.

1. Lit. "tendo respondido, disse-lhes"
2. Lit. "quem quer que"
3. Lit. "também".
4. Lit. "audição, faculdade de ouvir", pode ser utilizado também como sinônimo do órgão da audição, ou seja, os ouvidos.
5. Lit. "tornar-se gordo, cheio de gordura, corpulento, grosso".
6. Lit. "retornar, voltar". Expressão técnica do judaísmo (teshuva) que significa o processo integral de arrependimento: restauração do mal cometido, ressarcimento dos prejuízos e mudança de conduta.

7. ἀμην (amém), transliteração do vocábulo hebraico אָמֵן. Trata-se de um adjetivo verbal (ser firme, ser confiável). O vocábulo é frequentemente utilizado de forma idiomática (partícula adverbial) para expressar asserção, concordância, confirmação (realmente, verdadeiramente, de fato, certamente, isso mesmo, que assim seja). Ao redigirem o Novo Testamento, os evangelistas mantiveram a palavra no original, fazendo apenas a transliteração para o grego, razão pela qual também optamos por mantê-la intacta, sem tradução
8. Lit. "mal; mau, malvado, malevolente; maligno, malfeitor, perverso; criminoso, ímpio". No grego clássico, a expressão significava "sobrecarregado", "cheio de sofrimento", "desafortunado", "miserável", "indigno", como também "mau", "causador de infortúnio", "perigoso". No Novo Testamento refere-se tanto ao "mal" quanto ao "malvado", "mau", "maligno", sendo que em alguns casos substitui a palavra hebraica "satanás" (adversário).
9. Lit. "agarrar, tomar pela força, arrebatar, capturar, apropriar-se".
10. Lit. "pressão, compressão (sentido estrito); aflição, tribulação, provação (sentido metafórico)".
11. Lit. "tropeçar; vacilar ou errar; ser ofendido; estar chocado. O substantivo "skandalon" significa armadilha de molas ou qualquer obstáculo que faça alguém tropeçar; um impedimento; algo que cause estrago, destruição, miséria e, via de consequência, aquilo que causa um choque, que repugna, que fere a sensibilidade.
12. Lit. "ansiedade, preocupação".
13. Lit. "era, idade, século; tempo muito longo".

PARÁBOLA DO TRIGO E DO JOIO

13:24 Outra parábola propôs-lhes[1], dizendo: O Reino dos Céus é semelhante a um homem que semeou boa semente no seu campo. **13:25** Dormindo, porém, os homens, veio o seu inimigo e semeou[2] joio[3] no meio do trigo e partiu. **13:26** Quando germinou[4] o ramo[5] e produziu fruto, então apareceu também o joio.**13:27** Aproximando-se os servos do [6]senhor da casa, disseram-lhe: Senhor, não semeaste boa semente no teu campo? [7]De onde, portanto, terá vindo o joio? **13:28** E ele lhes disse: Um homem inimigo fez isso; os servos lhe dizem: Sendo assim, queres que, após sair, o recolhamos? **13:29** Ele, porém, diz: Não; para que, ao recolher o joio, não desenraizeis junto com ele o trigo. **13:30** Deixai crescer ambos juntos até a ceifa e, no tempo[8] da ceifa, direi aos ceifeiros: Recolhei primeiro o joio e atai-o[9] em molhos para os queimar; o trigo, porém, reuni no meu celeiro.

1. Lit. "colocar ao lado de; colocar diante de", propor; demonstrar (por extensão); apresentar; confiar, depositar/colocar/entregar algo aos cuidados de alguém; recomendar".

2. Lit. "semear por cima, semear sobre".
3. Lit. "joio, trigo espúrio. Trata-se de uma planta, encontrada na Palestina, cujo caule e grão são semelhantes aos do trigo, embora seja uma erva daninha, não tendo valor.
4. Lit. "germinar, brotar; florescer, dar espigas".
5. Lit. "erva, vegetação; talo, ramo".
6. Lit. "senhor, dono da casa, chefe de família".
7. Lit. "de onde, portanto, tem joio".
8. Lit. "um ponto no tempo, um período de tempo; tempo fixo, definido; oportunidade".
9. Lit. "amarrar, atar, prender, ligar".

PARÁBOLA DO GRÃO DE MOSTARDA (Mc 4:30-32; Lc 13:18-19)

13:31 Outra parábola lhes propôs[1], dizendo: O Reino dos Céus é semelhante a um grão de mostarda[2] que um homem recebeu e semeou em seu campo, **13:32** o qual é, de fato, a menor de todas as sementes; porém, quando cresce, é a maior das hortaliças e torna-se árvore, de modo que as aves do céu vêm e aninham-se[3] em seus ramos.

1. Lit. "colocar ao lado de; colocar diante de", propor; demonstrar (por extensão); apresentar; confiar, depositar/colocar/entregar algo aos cuidados de alguém; recomendar".
2. Os estudiosos estão divididos quanto à identificação dessa planta. Para alguns, trata-se da "*Sinapis Nigra*", ou mostarda negra, comum na Palestina. Cresce naturalmente, atingindo a altura de um homem montado num cavalo. Para outros, refere-se à "*Salvadora Pérsica*", encontrada em pequenas quantidades no vale do Jordão, e que produz um fruto suculento.
3. Lit. "viver, morar; fazer ninho (aninhar-se)".

PARÁBOLA DO FERMENTO (Lc 13:20)

13:33 Outra parábola lhes falou: O Reino dos Céus é semelhante ao fermento que uma mulher tomou e escondeu em três satas[1] de farinha, até estar toda fermentada {a massa}.

1. Medida hebraica para coisas secas, equivalente ao "*modius*" romano, segundo Flávio Josefo; o que corresponderia a aproximadamente treze litros.

EXPLICAÇÃO DA PARÁBOLA DO TRIGO E DO JOIO (Mc 4:33-34)

13:34 Todas essas coisas, Jesus falou às turbas em parábolas, e nada lhes falava sem parábolas, **13:35** para que se cumprisse ¹o que foi dito através do profeta: *Abrirei a minha boca em parábolas,* ²*rugirei o que está escondido desde a fundação [do mundo].* **13:36** Então, deixando as turbas, veio para casa; e aproximando-se dele os seus discípulos, disseram: Explica-nos³ a parábola do joio do campo. **13:37** Em resposta, disse: O que semeia a boa semente é o filho do homem. **13:38** O campo é o mundo. A boa semente, essa são os filhos do Reino. O joio são os filhos do malvado⁴. **13:39** O inimigo que o semeou é o diabo⁵; a ceifa é a consumação⁶ da era⁷; os ceifeiros são os anjos. **13:40** Assim como o joio é recolhido e queimado no fogo, assim será na consumação da era. **13:41** O filho do homem enviará os seus anjos; e recolherão, do seu Reino, todos os escândalos⁸ e ⁹obreiros sem lei. **13:42** E os lançarão na fornalha de fogo; ali haverá o pranto e o ranger de dentes. **13:43** Então os justos brilharão como o sol, no Reino do seu Pai. Quem tem ouvidos, ouça!

1. Lit. "o que foi dito através do profeta, que diz".
2. Lit. "vomitar com ruído, arrotar; mugir, bufar, rugir", e metaforicamente "falar alto, expressar aos berros".
3. Lit. "explicar, fazer ver claramente; relatar, contar em detalhes".
4. Lit. "mal; mau, malvado, malevolente; maligno, malfeitor, perverso; criminoso, ímpio". No grego clássico, a expressão significava "sobrecarregado", "cheio de sofrimento", "desafortunado", "miserável", "indigno", como também "mau", "causador de infortúnio", "perigoso". No Novo Testamento refere-se tanto ao "mal" quanto ao "malvado", "mau", "maligno", sendo que em alguns casos substitui a palavra hebraica "satanás" (adversário).
5. Aquele que desune (inspirando ódio, inveja, orgulho); caluniador, maledicente. Vocábulo derivado do verbo "diaballo" (separar, desunir; atacar, acusar; caluniar; enganar), do qual deriva também o adjetivo "diabolé" (desavença, inimizade; aversão, repugnância; acusação; calúnia).
6. Lit. "ato ou efeito de completar, terminar; consumação, término".
7. Lit. "era, idade, século; tempo muito longo".
8. Lit. "pedra de tropeço", tropeço; vacilo ou erro; ofensa, choque. O substantivo "skandalon" significa armadilha de molas ou qualquer obstáculo que faça alguém tropeçar; um impedimento; algo que cause estrago, destruição, miséria e, via de consequência, aquilo que causa um choque, que repugna, que fere a sensibilidade.
9. Lit. "aqueles que trabalham sem lei ou fora da lei". O segundo termo da expressão (anomia – sem lei), significa ausência de lei, lacuna legislativa, ausência de regra, portanto, a expressão "obreiros sem lei ou fora da lei" transmite melhor o sentido.

PARÁBOLA DO TESOURO E DA PÉROLA

13:44 O Reino dos Céus é semelhante a um tesouro escondido no campo que um homem encontra e torna a esconder; e, na sua alegria, vai e vende tudo quanto possui, e compra aquele campo. **13:45** Novamente, o Reino dos Céus é semelhante ao homem negociante que procura boas pérolas; **13:46** encontrando uma pérola muito preciosa, partiu e vendeu tudo quanto possuía, e a comprou.

PARÁBOLA DA REDE

13:47 Novamente, o Reino dos Céus é semelhante a uma rede[1] lançada ao mar, que recolheu todo gênero {de peixe}. **13:48** Quando ficou cheia, depois de a puxarem para a praia e de se sentarem, recolheram os bons em recipientes, e os deteriorados jogaram fora. **13:49** Assim será na consumação[2] da era[3]; os anjos sairão e separarão os malvados[4] do meio dos justos; **13:50** e os lançarão na fornalha de fogo. Ali haverá o pranto e o ranger de dentes. **13:51** Entendestes todas estas coisas? Diziam-lhe: Sim. **13:52** Ele lhes disse: Por isso, todo escriba que se tornou discípulo no Reino dos Céus é semelhante ao homem, [5]senhor de casa, que extrai do seu tesouro coisas novas e antigas.

1. Lit. "rede de pescar larga".
2. Lit. "ato ou efeito de completar, terminar; consumação, término".
3. Lit. "era, idade, século; tempo muito longo".
4. Lit. "mal; mau, malvado, malevolente; maligno, malfeitor, perverso; criminoso, ímpio". No grego clássico, a expressão significava "sobrecarregado", "cheio de sofrimento", "desafortunado", "miserável", "indigno", como também "mau", "causador de infortúnio", "perigoso". No Novo Testamento refere-se tanto ao "mal" quanto ao "malvado", "mau", "maligno", sendo que em alguns casos substitui a palavra hebraica "satanás" (adversário).
5. Lit. "senhor, dono da casa, chefe de família".

VISITA A NAZARÉ (Mc 6:1-6; Lc 4:16-30)

13:53 Sucedeu que, concluindo estas parábolas, Jesus retirou-se[1] dali. **13:54** Após vir para sua pátria[2], ensinava na sinagoga deles, a ponto de maravilharem-se e dizerem: [3]De onde lhe vêm essa sabedoria e esses poderes[4]? **13:55** Não é este o filho do carpinteiro? Não se chama sua mãe Maria, e os seus irmãos, Tiago, José, Simão e Judas? **13:56** E suas irmãs não estão todas junto de nós? [5]De onde lhe vêm todas essas coisas? **13:57** E se escandalizavam[6] por causa dele. Jesus, porém, lhes disse: Não há profeta sem honra, a não ser em sua pátria e na sua casa. **13:58** E não realizou ali muitos prodígios[7], por causa da falta de fé deles.

1. Lit. "transferir-se; transportar".
2. Lit. "terra do pai", terra natal.
3. Lit. "de onde para ele essa sabedoria e os poderes".
4. Lit. "poder, força, habilidade".
5. Lit. "de onde para ele todas essa coisas".
6. Lit. "tropeçar; vacilar ou errar; ser ofendido; estar chocado. O substantivo "skandalon" significa armadilha de molas ou qualquer obstáculo que faça alguém tropeçar; um impedimento; algo que cause estrago, destruição, miséria e, via de consequência, aquilo que causa um choque, que repugna, que fere a sensibilidade.
7. Lit. "poder, força, habilidade". Trata-se de um substantivo utilizado como objeto do verbo "fazer", o que requer um esforço para recuperar a força da expressão.

14 HERODES (Mc 6:14-29; Lc 3:19-20, 9:7-9)

14:1 Naquele tempo¹, Herodes, o tetrarca, ouviu relatos² sobre Jesus. **14:2** E disse aos seus servos³: *Esse é João ⁴Batista; ele se levantou⁵ dentre os mortos e, por isso, os poderes operam nele.* **14:3** Pois Herodes prendera João, amarrando-o e encarcerando-o⁶ na prisão, por causa de Herodias, mulher de Filipe, seu irmão. **14:4** Pois João lhe dizia: Não te é lícito possuí-la. **14:5** Querendo matá-lo, ele temia a turba, porque o tinham como profeta. **14:6** ⁷Por ocasião do aniversário de Herodes, a filha de Herodias dançou no meio deles, e agradou a Herodes, **14:7** pelo que prometeu, com juramento, dar-lhe o que ela pedisse. **14:8** Ela, instigada por sua mãe, diz: Dá-me aqui, sobre um prato, a cabeça de João Batista. **14:9** O Rei entristeceu-se, mas, por causa dos juramentos e dos comensais⁸, ordenou fosse dada; **14:10** E mandou⁹ decapitar João no cárcere. **14:11** A cabeça dele foi trazida, sobre um prato, e foi dada à mocinha¹⁰, que a levou à sua mãe. **14:12** Aproximando-se os discípulos dele, levaram o cadáver e o sepultaram; depois vieram e relataram {o fato} a Jesus.

1. Lit. "um ponto no tempo, um período de tempo; tempo fixo, definido; oportunidade".
2. Lit. "ato de ouvir, audição; coisa ouvida; relato; reputação, fama".
3. Lit. "menino; filho; escravo jovem".
4. Lit. "O batizador". Aquele realiza a imersão, que mergulha alguém, que lava.
5. Lit. "erguer-se, levantar-se". Expressão idiomática semítica que faz referência à ressurreição dos mortos. Para expressar a morte e ressurreição, utilizavam as expressões "deitar-se" (morte) e "levantar-se" (ressurreição).
6. Lit. "tirar e colocar abaixo; colocar de lado, deixar, abandonar; colocar no (lugar) abaixo (prisão)".
7. Lit. "ocorrendo o natalício".
8. Lit. "dos que se reclinam (à mesa) junto", comensais (os que comem juntos), convidados.
9. Lit. "enviar, mandar alguém".
10. Diminutivo de "moça, donzela, senhorita", o que nos leva a crer tratar-se de uma menina.

PRIMEIRA MULTIPLICAÇÃO DOS PÃES
(Mc 6:30-44; Lc 9:10-17; Jo 6:1-15)

MATEUS 14

14:13 Ouvindo isso, Jesus retirou-se dali, num barco, para um lugar ermo, em particular; as turbas, ao ouvirem, o seguiram a pé, a partir das cidades. **14:14** Após sair, viu uma turba numerosa e, compadecendo-se[1] deles, curou os seus enfermos[2]. **14:15** Chegado o fim da tarde, os seus discípulos aproximaram-se dele, dizendo: O lugar é ermo e a [3]hora já está adiantada; despede[4] as turbas, para que voltem para suas aldeias e comprem alimentos para si mesmos. **14:16** Jesus, porém, lhes disse: [5]Não é necessário irem embora. Dai-lhes de comer, vós mesmos. **14:17** Então, eles lhe dizem: Não temos aqui senão cinco pães e dois peixes. **14:18** Ele disse: Trazei-os aqui. **14:19** Após ordenar que as turbas se reclinassem sobre a relva, tomou os cinco pães e dois peixes, olhou para o céu, abençoou, partiu os pães, deu-os aos discípulos, e os discípulos às turbas. **14:20** Todos comeram e saciaram-se[6]; e levaram[7] o que sobrava dos pedaços, doze cestos de vime[8] cheios. **14:21** E os que comeram foram cerca de cinco mil homens, fora mulheres e criancinhas.

1. Lit. "compadecer-se, ter compaixão, ter piedade; mostrar simpatia".
2. Lit. "débil, enfermo, doente".
3. Lit. "a hora já passou".
4. Lit. "soltar, libertar; liberar de um vínculo ou encargo; divorciar, repudiar (liberar a mulher do vínculo conjugal); remir, perdoar, liberar a dívida; despedir, deixar partir"
5. Lit. "não têm necessidade de ir embora".
6. Lit. "saciar-se, satisfazer-se, fartar-se, estar satisfeito".
7. Lit. "levantar, suster, sustentar alguém/algo a fim de carregar; tirar, remover, levar".
8. Lit. "cesta feita de vime".

JESUS CAMINHA SOBRE AS ÁGUAS (Mc 6:45-52; Jo 6:16-21)

14:22 Logo {em seguida}, compeliu[1] os discípulos a [2]entrar no barco e ir adiante dele para o outro lado, até que despedisse as turbas. **14:23** Após despedir as turbas, subiu ao monte para orar, em particular. Chegado o fim da tarde, estava ali sozinho. **14:24** O barco já estava distante da terra

MATEUS
14

muitos estádios[3], atormentado pelas ondas, pois o vento era contrário. **14:25** Na quarta vigília[4] da noite, [5]dirigiu-se a eles, caminhando[6] sobre o mar. **14:26** Os discípulos, vendo-o caminhando[7] sobre o mar, ficaram perturbados e diziam: É um fantasma[8]! E gritaram de medo. **14:27** [9]Mas prontamente Jesus lhes disse: Animai-vos[10], sou eu, não temais. **14:28** Em resposta, Pedro disse: Senhor, se és tu, ordena-me ir a ti, sobre as águas. **14:29** Ele disse: Vem! Descendo do barco, Pedro caminhou[11] sobre as águas e dirigiu-se a Jesus. **14:30** Porém, depois de ter visto o vento forte, teve medo e, começando a afundar, gritou, dizendo: Senhor, salva-me. **14:31** Imediatamente, estendendo a mão, Jesus o segurou e lhe disse: {homem} de pouca fé! Por que duvidaste? **14:32** Ao subirem no barco, amainou o vento. **14:33** E os que estavam no barco o reverenciaram, dizendo: Verdadeiramente, és filho de Deus!

1. Lit. "forçar, obrigar, compelir".
2. Lit. "embarcar no barco".
3. Medida equivalente à oitava parte da milha romana, o que corresponde a aproximadamente 184 metros.
4. Lit. "prisão, cárcere; sentinela; guarda, vigília". O período entre 18h e 6h da manhã, do dia seguinte, era dividido em quatro vigílias de três horas cada uma (1ª – 18h – 21h; 2ª – 22h – 24h; 3ª – 1h – 3h; 4ª – 4h – 6h).
5. Lit. "veio para eles".
6. Lit. "andar ao redor; vagar, perambular; circular, passear; viver (seguir um gênero de vida)".
7. Vide nota 6.
8. Lit. "fantasma, espectro; aparição, visão".
9. Lit. "imediatamente, porém, falou-lhes Jesus, dizendo"
10. Lit. "Ânimo! Coragem!". Verbo utilizado apenas no imperativo, com o sentido de ter coragem, bom ânimo, confiança, esperança.
11. Lit. "andar ao redor; vagar, perambular; circular, passear; viver (seguir um gênero de vida)".

CURAS EM GENESARÉ (Mc 6:53-56)

14:34 Atravessando {o lago}, chegaram à terra de Genesaré. **14:35** Quando os homens daquele lugar o reconheceram, enviaram {notícias} por toda aquela circunvizinhança[1], e trouxeram-lhe todos [2]os que estavam mal. **14:36** Rogavam-lhe para que tocassem somente na orla[3] da sua veste, e os que[4] a tocaram [5]foram completamente salvos.

1. Lit. "circunvizinhança, arredores, região".
2. Lit. "os que tinham mal".
3. Lit. "orla, borda, franja das vestes". Na orla ou borda das vestes judaicas masculinas eram feitos bordados com fio azul-púrpura (Nm 15:38-39). Trata-se de um preceito cuja função era evocar a necessidade de cumprimento dos demais preceitos (619 segundo Maimônides). Desse modo, essa orla era sinal característico dos fiéis observadores da Torah.
4. Lit. "quantos".
5. Lit. "ser completamente salvo; ser tirado do perigo, da morte; ser guardado, ser conservado".

15 TRADIÇÃO DOS FARISEUS (Mc 7:1-23)

15:1 Então aproximam-se de Jesus fariseus e escribas {vindos} de Jerusalém, dizendo: **15:2** Por que os teus discípulos transgridem[1] a tradição[2] dos anciãos? Pois não lavam as mãos toda vez que comem pão! **15:3** Em resposta, disse-lhes: Por que também vós transgredis o mandamento de Deus por causa da vossa tradição? **15:4** Pois Deus disse: Honra pai e mãe; e quem injuriar[3] pai ou mãe [4]seja punido com a morte. **15:5** Vós, porém, dizeis: Quem disser ao pai ou à mãe: {é} Oferenda o que de mim te seria útil, **15:6** esse não honrará seu pai; e invalidastes[5] a palavra de Deus por causa da vossa tradição. **15:7** Hipócritas! Isaías profetizou bem a vosso respeito, dizendo: **15:8** *Este povo com lábios me honra, mas o seu coração [6]está muito distante de mim.* **15:9** *Em vão me adoram [7]transmitindo ensinamentos que são preceitos de homens.* **15:10** Convocando[8] a turba, disse-lhes: Ouvi e entendei. **15:11** Não é o que entra na boca o que [9]{torna} comum o homem, mas o que sai da boca, isso {torna} comum o homem. **15:12** Então, aproximando-se dele os seus discípulos, dizem-lhe: Sabes que os fariseus, ouvindo essas palavras, se escandalizaram[10]? **15:13** Em resposta, disse: Toda planta que meu Pai celestial não plantou será desenraizada. **15:14** Deixa-os! São cegos guias {de cegos}. Se um cego guia um cego, ambos cairão no fosso[11]. **15:15** Em resposta, Pedro lhe disse: Explica-nos[12] essa parábola. **15:16** Ele disse: Vós também ainda estais sem entendimento? **15:17** Não compreendeis que tudo que entra[13] na boca vai[14] para o ventre, e é expelido na latrina? **15:18** Mas o que sai[15] da boca procede[16] do coração, e isso [17]{torna} comum o homem. **15:19** Pois do coração saem desígnios[18] maus, homicídios, adultérios, fornicações[19], roubos, falsos testemunhos e blasfêmias. **15:20** Estas coisas é que {tornam} comum o homem, mas comer sem lavar as mãos não {torna} o homem comum.

1. Lit. "caminhar para o lado de, desviar", e metaforicamente: transgredir.
2. παρέδοσαν *(parédosan)* – **transmitir (ensino oral ou tradição escrita); dar, entregar, confiar (algo à alguém)** – Verb. Indicativo Aoristo Ativo (17 – 119), **composto pela preposição** παρά **(pará – junto a; para; em) + verbo** δίδωμι **(dídomi – dar; entregar; conceder).** Lucas utiliza um termo técnico para destacar que sua obra se embasa na tradição, oral e escrita, da comunidade cristã. A primeira etapa da transmissão da vida e do ensino de Jesus foi eminentemente oral. A maioria desse material narrativo se perdeu com o tempo. Parte desta pregação, porém, assumiu formas fixas e padronizadas, à medida que as histórias e os ditos eram

narrados. Essa padronização facilitava a retenção do relato na memória do ouvinte e reflete uma prática comum dos rabinos (sábios da Palestina do Séc. I) que tinham o costume de compor seus ensinos em formas propícias à memorização, exigindo que seus alunos as decorassem. A própria composição do Talmud (200d.C a 500d.C) reflete essa prática. Ao longo do desenvolvimento da tradição oral, houve a condensação e concretização desse material memorizado na forma escrita, sendo perfeitamente possível identificar os padrões narrativos (curas, milagres, ditos notáveis, pregação apostólica) no Novo Testamento, trabalho realizado pela Crítica das Formas (ramo da pesquisa bíblica que estuda os padrões narrativos).

3. Lit. "falar mal de, insultar, injuriar, ofender com palavras, tratar com desrespeito".
4. Lit. "morra de morte".
5. Lit. "invalidar; anular, cancelar; perder a força, o valor legal". Termo jurídico aplicado à legislação e aos contratos.
6. Lit. "longe está distante de mim".
7. Lit. "ensinando ensinamentos".
8. Lit. "convocar, citar, intimar; chamar para si mesmo, reunir, convidar; evocar".
9. Lit. "tornar comum". Na linguagem técnica dos fariseus, a expressão "tornar comum" significa subtrair o caráter santificado, consagrado, de uma pessoa ou coisa, ou seja, "tornar impuro". A santificação ou consagração consistia num conjunto de rituais que visavam extrair as impurezas cultuais do objeto ou ser, de modo que ele estivesse pronto para o serviço cultual. No caso em tela, a discussão gira em torno da cerimônia de purificação das mãos antes das refeições, um dos rituais de santificação ou consagração previstos na tradição judaica.
10. Lit. "tropeçar; vacilar ou errar; ser ofendido; estar chocado. O substantivo "skandalon" significa armadilha de molas ou qualquer obstáculo que faça alguém tropeçar; um impedimento; algo que cause estrago, destruição, miséria e, via de consequência, aquilo que causa um choque, que repugna, que fere a sensibilidade.
11. Lit. "buraco, cova, fosso; poço, cisterna". A ideia parece ser a de uma ovelha que cai no fosso, ao tentar beber água, no local para onde foi conduzida pelo pastor.
12. Lit. "explicar, indicar; enunciar, expor, contar".
13. Lit. "caminhar para dentro".
14. Lit. "mudar de lugar, retirar-se".
15. Lit. "caminhar para fora"
16. Lit. "sair".
17. Vide nota 9.
18. Lit. "pensamento, opinião, raciocínio; disputa, arrazoado, argumentação, consideração; plano, cogitação, desígnio".
19. Lit. "fornicação, prostituição; infidelidade, adultério". Termo genérico para práticas sexuais ilícitas.

CURA DA FILHA DE UMA CANANEIA (Mc 7:24-30)

15:21 Depois de sair dali, Jesus retirou-se para as partes de Tiro e Sidom. **15:22** Eis que uma mulher cananeia, que saíra daquele território[1], gritou, dizendo: Senhor! Filho de Davi! Tem misericórdia de mim, minha filha está horrivelmente endaimoniada[2]. **15:23** [3]Mas ele não lhe respondeu. Seus discípulos rogavam, dizendo: Despede-a[4], porque está gritando atrás de nós. **15:24** Em resposta, disse: Não fui enviado senão às ovelhas perdidas[5] da casa de Israel. **15:25** Então ela chegou e o reverenciou, dizendo: Senhor, socorre-me. **15:26** Em resposta, disse: Não é bom tomar o pão dos filhos e lançá-lo aos cachorrinhos. **15:27** Ela, porém, disse: Sim, Senhor, mas também os cachorrinhos comem das migalhas que caem da mesa de seus senhores. **15:28** Então, em resposta, Jesus lhe disse: Ó mulher, é grande a tua fé! Seja feito para ti, como desejas. E, desde aquela hora, sua filha foi curada.

1. Lit. "limite, fronteira".
2. Lit. "sob a ação dos daimon". Trata-se dos obsedados, pessoas sujeitas à influência perniciosa de espíritos sem esclarecimento, magoados ou malévolos, razão pela qual se optou pela transliteração do termo grego.
3. Lit. "mas ele não lhe respondeu palavra".
4. Lit. "soltar, libertar; liberar de um vínculo ou encargo; divorciar, repudiar (liberar a mulher do vínculo conjugal); remir, perdoar, liberar a dívida; despedir, deixar partir"
5. Lit. "estar perdido; perecer, morrer; estar arruinado". O termo gera uma ambiguidade proposital entre os dois significados "perdido" e "morto".

CURAS JUNTO AO LAGO

15:29 Tendo partido dali, Jesus chegou junto ao mar da Galileia, subiu a um monte, e permaneceu assentado lá. **15:30** E aproximaram-se dele muitas turbas, trazendo consigo coxos, cegos, aleijados, mudos e muitos outros; e os depuseram junto aos pés dele, e ele os curou, **15:31** de modo que a turba se admirou ao ver mudos falando, aleijados sãos, coxos caminhando[1], cegos enxergando e glorificaram o Deus de Israel.

1. Lit. "andar ao redor; vagar, perambular; circular, passear; viver (seguir um gênero de vida)".

SEGUNDA MULTIPLICAÇÃO DOS PÃES (Mc 8:1-10)

15:32 Jesus, convocando os seus discípulos, disse: Estou compadecido com a turba porque já permanece comigo há três dias, e não tem o que comer; não quero despedi-la em jejum, para que não desfaleça no caminho. **15:33** Os seus discípulos lhe dizem: Donde nos {viriam} no deserto tantos pães para saciar tamanha turba? **15:34** Jesus lhes diz: Quantos pães tendes? Eles disseram: Sete e uns poucos peixinhos. **15:35** Tendo ordenado à turba recostar-se[1] sobre a terra, **15:36** tomou os sete pães e os peixes, rendeu graças, partiu-os e deu aos discípulos, e os discípulos às turbas. **15:37** Todos comeram e saciaram-se[2]; e levaram[3], da sobra dos pedaços, sete cestos redondos[4] cheios **15:38** E os que comeram foram quatro mil homens, fora mulheres e criancinhas. **15:39** Após despedir as turbas, [5]entrou no barco e dirigiu-se ao território de Magadã.

1. Lit. "cair para trás, recostar-se; posicionar-se para comer, reclinar-se à mesa".
2. Lit. "saciar-se, satisfazer-se, fartar-se, estar satisfeito".
3. Lit. "levantar, suster, sustentar alguém/algo a fim de carregar; tirar, remover, levar".
4. Lit. "algo redondo, trançado ou dobrado; qualquer coisa enrolada em um círculo; cesta de junco, trançada, espaçosa, em forma de círculo, capaz de conter um homem".
5. Lit. "embarcou no barco".

16

SINAL DO CÉU (Mc 8:11-13; Lc 12:54-56)

16:1 E aproximando-se os fariseus e saduceus, testando-o[1], pediram-lhe que lhes mostrasse um sinal do céu. **16:2** Em resposta, disse-lhes: Chegado o fim da tarde, dizeis: {Haverá} tempo bom[2], pois o céu está avermelhado; **16:3** e pela manhã: Hoje {haverá} tempestade, pois o céu está avermelhado e sombrio[3]. Sabeis distinguir a face do céu, e não podeis {distinguir} os sinais dos tempos? **16:4** Uma geração má e adúltera busca um sinal, mas não lhe será dado um sinal, senão o sinal do profeta Jonas. E, deixando-os, partiu.

1. Lit. "tentar, experimentar; testar, pôr à prova; desafiar".
2. Lit. "serenidade, tranquilidade; tempo bom".
3. Lit. "obscurecer, apresentar um aspecto sombrio (em relação ao céu); apresentar um ar/humor sombrio, tornar-se pesaroso, sombrio (em relação a pessoa)".

O FERMENTO DOS FARISEUS E SADUCEUS
(Mt 10:26-27; Mc 4:22, 8:14-21; Lc 8:17, 12:1-3)

16:5 E os discípulos, dirigindo-se para o outro lado, haviam se esquecido de pegar pães. **16:6** Jesus lhes disse: Olhai e acautelai-vos do fermento dos fariseus e saduceus! **16:7** E eles arrazoavam[1] entre si, dizendo: {É} porque não pegamos pães. **16:8** E Jesus, sabendo {disso}, disse: Por que arrazoais entre vós, {homens} de pouca fé, que não tendes pães? **16:9** Não compreendeis ainda, nem vos lembrais dos cinco pães para cinco mil homens e de quantos cestos de vime[2] recolhestes? **16:10** Nem dos sete pães para quatro mil homens e de quantos cestos redondos[3] recolhestes? **16:11** Como não compreendeis que não vos falei a respeito de pães? Acautelai-vos, porém, do fermento dos fariseus e saduceus. **16:12** Então entenderam que não disse para se acautelarem do fermento dos pães, mas do ensino dos fariseus e saduceus.

1. Lit. "pensar, opinar, raciocinar; disputar, arrazoar, argumentar, considerar; planejar, cogitar, ter um desígnio".
2. Lit. "cesta feita de vime".

3. Lit. "algo redondo, trançado ou dobrado; qualquer coisa enrolada em um círculo; cesta de junco, trançada, espaçosa, em forma de círculo, capaz de conter um homem".

A REVELAÇÃO DE PEDRO (Mc 8:27-30; Lc 9:18-21)

16:13 Chegando às partes de Cesareia de Filipe, Jesus perguntava aos seus discípulos, dizendo: Quem dizem os homens ser o filho do homem? **16:14** E eles disseram: Uns, {que é} João Batista; outros, {que é} Elias; e outros, {que é} Jeremias ou um dos profetas. **16:15** Disse-lhes: E vós, quem dizeis que eu sou? **16:16** Em resposta, Simão Pedro disse: Tu és o Cristo, o filho do Deus que vive. **16:17** Em resposta, Jesus lhe disse: Bem-aventurado és tu, Simão Barjonas, porque não foi carne nem sangue que revelaram a ti, mas meu Pai que {está} nos céus. **16:18** Eu também te digo: Tu és Pedro, e sobre esta pedra edificarei a minha igreja[1], e as portas do hades[2] não prevalecerão[3] contra ela. **16:19** Eu te darei as chaves do Reino dos Céus, e tudo que ligares[4] sobre a terra, estará ligado nos céus; e tudo que desligares[5] sobre a terra, estará desligado nos céus. **16:20** Então, ordenou aos seus discípulos que a ninguém dissessem que ele era o Cristo.

1. Lit. "assembleia (popular, dos anfitriões em Delfos, de soldados, etc...); lugar da assembleia", e por extensão: a congregação dos filhos de Israel; a comunidade cristã; o local das reuniões (igreja).
2. Trata-se do submundo, o mundo dos mortos, segundo a literatura grega.
3. Lit. "dominar, ter o controle; prevalecer, predominar".
4. Lit. "ligar, atar, prender, reter, encadear".
5. Lit. "desligar, romper; libertar, deixar ir".

O ANÚNCIO DO CALVÁRIO (Mc 8:31-33; Lc 9:22-27)

16:21 A partir de então, Jesus começou a mostrar aos seus discípulos era necessário ele partir para Jerusalém, padecer muitas {coisas} nas {mãos} dos anciãos, sumos-sacerdotes e escribas, ser morto e ser levantado[1] no terceiro dia. **16:22** Mas Pedro, tomando-o à parte, começou a repreendê-lo, dizendo: ²Deus tenha misericórdia de ti, Senhor! De modo nenhum te acontecerá isso. **16:23** Ele, porém, voltando-se, disse a Pedro: Vai para trás de mim, Satanás³! Tu és um escândalo⁴ para mim, porque não compreendes as coisas de Deus, mas as dos homens.

1. Lit. "erguer-se, levantar-se". Expressão idiomática semítica que faz referência à ressurreição dos mortos. Para expressar a morte e a ressurreição, utilizavam as expressões "deitar-se" (morte) e "levantar-se" (ressurreição).
2. Expressão idiomática grega.
3. Lit. "adversário". Palavra de origem semítica.
4. Lit. "pedra de tropeço", tropeço; vacilo ou erro; ofensa, choque. O substantivo "skandalon" significa armadilha de molas ou qualquer obstáculo que faça alguém tropeçar; um impedimento; algo que cause estrago, destruição, miséria e, via de consequência, aquilo que causa um choque, que repugna, que fere a sensibilidade. Nesta passagem, Jesus faz um trocadilho com o nome de Pedro (pedra) e o escândalo (pedra de tropeço).

REQUISITOS PARA SEGUIR JESUS (Mc 8:34-38; Lc 9:23-27)

16:24 Então Jesus disse aos seus discípulos: Se alguém quer vir após¹ mim, negue² a si mesmo, tome³ a sua cruz, e siga-me. **16:25** Pois quem quiser salvar a sua vida⁴ a perderá, e quem perder a sua vida por minha causa, a encontrará. **16:26** Porquanto, que benefício terá o homem se ganhar⁵ o mundo inteiro, e sua alma⁶ ⁷sofrer perda? Ou que dará o homem em troca de sua alma? **16:27** Pois o filho do homem está para vir na glória do seu Pai, com os seus anjos; então, restituirá⁸ a cada um segundo as suas ações⁹. **16:28** Amém¹⁰ vos digo que há alguns dos que estão {de pé} aqui que não provarão a morte, até que vejam o filho do homem vindo em seu Reino.

1. Lit. "atrás de; após".
2. Lit. "negar; recusar, repelir".
3. Lit. "erguer (com as mãos) para carregar; levantar um objeto a fim de transportá-lo".
4. Lit. "alma; vida".
5. Lit. "tirar proveito, lucrar, poupar, ganhar".
6. Vide nota 4.
7. Lit. "sofrer perda, dano, prejuízo; receber uma multa".

8. Lit. "devolver, restituir; pagar; vender, dar em troca".
9. Lit. "ação, ato, atividade, exercício, execução, realização".
10. ἀμην (amém), transliteração do vocábulo hebraico אָמֵן. Trata-se de um adjetivo verbal (ser firme, ser confiável). O vocábulo é frequentemente utilizado de forma idiomática (partícula adverbial) para expressar asserção, concordância, confirmação (realmente, verdadeiramente, de fato, certamente, isso mesmo, que assim seja). Ao redigirem o Novo Testamento, os evangelistas mantiveram a palavra no original, fazendo apenas a transliteração para o grego, razão pela qual também optamos por mantê-la intacta, sem tradução.

17 A TRANSFIGURAÇÃO (Mc 9:2-8; Lc 9:28-36)

17:1 E depois de seis dias, Jesus toma consigo a Pedro, Tiago e João, seu irmão, e os leva[1] em particular a um alto monte. **17:2** E transfigurou-se[2] diante deles; seu rosto resplandeceu[3] como o sol, e suas vestes tornaram-se brancas como a luz. **17:3** Eis que se tornaram visíveis para eles Moisés e Elias, conversando com ele. **17:4** Em resposta, Pedro disse a Jesus: Senhor, é bom nós estarmos aqui. Se quiseres[4], faremos aqui três tendas[5], uma para ti, uma para Moisés e uma para Elias. **17:5** [6]Enquanto falava, eis que uma nuvem luminosa [7]fez sombra sobre eles e uma voz, {vinda} da nuvem, dizia: Este é o meu filho amado, em quem me comprazo, ouvi-o! **17:6** Os discípulos, ouvindo {isso}, prosternaram-se[8] e tiveram muito medo. **17:7** Jesus, aproximando-se, tocou-lhes e disse: Levantai-vos e não tenhais medo. **17:8** Elevando os olhos, não viram ninguém, a não ser o próprio Jesus, sozinho.

1. Lit. "levar para cima, fazer subir".
2. Lit. "metamorfose, mudar de forma, transfigurar".
3. Lit. "brilhar, resplandecer".
4. Lit. "queres". O verbo se encontra no presente do indicativo, quando seria esperado o subjuntivo. Na tradução fizemos essa correção.
5. Lit. "tenda, tabernáculo". A palavra evoca os quarenta anos no deserto, durante o qual o povo hebreu habitou em tendas; evoca o tabernáculo (tenda sagrada) na qual Moisés mantinha contato mais estreito com Deus; evoca, também, a festa das tendas em que se comemora a colheita.
6. Lit. "ainda falando".
7. Lit. "fazer sombra sobre, cobrir com sombra, sombrear".
8. Lit. "caíram sobre o rosto deles"; Expressão idiomática semítica que significa prosternar-se (curvar-se ao chão em sinal de profundo respeito).

A VINDA DE ELIAS (Mc 9:9-13)

17:9 Enquanto desciam do monte, Jesus lhes ordenou, dizendo: Não contem a ninguém essa visão até que o filho do homem se levante[1] dos mortos. **17:10** Mas os discípulos o interrogaram, dizendo: Então, por que os escribas dizem ser necessário vir primeiro Elias? **17:11** Em resposta, disse: Elias, por um lado, vem e restaurará todas as coisas. **17:12** Digo-vos, por outro lado, que Elias já veio, e não o reconheceram, mas fizeram-lhe {tudo} quanto queriam. Assim também o filho do homem ²está na iminência de padecer sob {as mãos de} eles. **17:13** Então, os discípulos entenderam que ele lhes tinha falado a respeito de João Batista.

1. Lit. "erguer-se, levantar-se". Expressão idiomática semítica que faz referência à ressurreição dos mortos. Para expressar a morte e ressurreição, utilizavam as expressões "deitar-se" (morte) e "levantar-se" (ressurreição).
2. Lit. "estar para, estar a ponto de (indicando a iminência do acontecimento)".

O ENDAIMONIADO EPILÉTICO (Mc 9:14-29; Lc 9:37-42)

17:14 Depois de se dirigirem à turba, aproximou-se dele um homem, ajoelhou-se **17:15** e disse: Senhor, tem misericórdia do meu filho, porque é lunático¹ e padece horrivelmente; pois muitas vezes cai no fogo, e muitas vezes na água. **17:16** Levei-o aos teus discípulos, mas não foram capazes curá-lo. **17:17** Em resposta, Jesus disse: Ó geração incrédula e pervertida²! Até quando estarei convosco? Até quando vos suportarei? Trazei-me aqui ele. **17:18** Jesus o repreendeu, e o daimon saiu dele; e o menino foi curado a partir daquela hora. **17:19** Então, os discípulos aproximaram-se de Jesus, em particular, e disseram: Por que não fomos capazes de expulsá-lo? **17:20** Disse-lhes: Por causa da vossa pouca fé! Amém³ vos digo que se tiverdes fé como um grão de mostarda, direis a este monte: Muda-te daqui para lá, e ele se mudará; e nada vos será impossível. **17:21** ⁴{Mas esta espécie não sai senão mediante oração e jejum}.

1. Era uma espécie de loucura, com intervalos de lucidez. Noutros casos, se referia à epilepsia. Acreditava-se que os ciclos dessa doença estivessem relacionados com as fases da lua ou com seus raios. No Novo Testamento, há uma distinção entre os lunáticos e os endaimoniados, embora também se atribua, em alguns casos, aos espíritos impuros, daimones, a causa dessa doença.

MATEUS 17

2. Lit. "que está torto, desviado"; metaforicamente, o que está pervertido, corrompido.
3. ἀμην (amém), transliteração do vocábulo hebraico אָמֵן. Trata-se de um adjetivo verbal (ser firme, ser confiável). O vocábulo é frequentemente utilizado de forma idiomática (partícula adverbial) para expressar asserção, concordância, confirmação (realmente, verdadeiramente, de fato, certamente, isso mesmo, que assim seja). Ao redigirem o Novo Testamento, os evangelistas mantiveram a palavra no original, fazendo apenas a transliteração para o grego, razão pela qual também optamos por mantê-la intacta, sem tradução.
4. Este versículo é rejeitado pela crítica textual contemporânea, sob o argumento de que foi acrescentado posteriormente, visto estar ausente dos manuscritos mais antigos.

SEGUNDA PREVISÃO DO CALVÁRIO (Mc 9:30-32; Lc 9:43-45)

17:22 Reunindo-se na Galileia, Jesus lhes disse: O filho do homem ¹está para ser entregue nas mãos dos homens; **17:23** o matarão e, no terceiro dia, se levantará². E eles se entristeceram muito.

1. Lit. "estar para, estar a ponto de (indicando a iminência do acontecimento)".
2. Lit. "erguer-se, levantar-se". Expressão idiomática semítica que faz referência à ressurreição dos mortos. Para expressar a morte e ressurreição, utilizavam as expressões "deitar-se" (morte) e "levantar-se" (ressurreição).

JESUS E PEDRO PAGAM O TRIBUTO

17:24 Chegando a Cafarnaum, aproximaram-se de Pedro ¹os coletores das didracmas² e disseram: O vosso Mestre ³não paga as didracmas? **17:25** Ele disse: Sim. Entrando na casa, Jesus se antecipou, dizendo: Que te parece, Simão? De quem recebem os Reis da terra o imposto⁴ ou censo⁵? Dos seus filhos⁶ ou dos alheios? **17:26** Ao responder "Dos alheios", Jesus lhe disse: Sendo assim, os filhos estão livres⁷. **17:27** Mas, para que não os escandalizemos, vai ao mar, lança o anzol e segura o primeiro peixe que subir; ao abrir-lhe a boca, encontrarás um estáter⁸; tomando-o, dá a eles por mim e por ti.

1. Lit. "os que recebem didracmas". Trata-se dos coletores do imposto anual e pessoal, destinado a cobrir as despesas do templo, ao qual se obrigavam todos os homens hebreus.
2. Uma dracma dupla, ou seja, uma moeda com valor de duas dracmas (didracma). A palavra grega "dracma" significava, na Grécia antiga, tanto uma medida padrão de peso para a prata, correspondendo aproximadamente a 4,37 gramas, quanto a moeda chamada "dracma", que correspondia, por sua vez, a "17,48 (4 X 4,37) gramas" de prata, representando um padrão monetário naquela região.
3. Lit. "não cumpre didracmas". Referência ao cumprimento do preceito que prescreve o pagamento de tributo para custear o templo, uma espécie de dízimo anual.
4. Lit. "o cumprimento". Referência ao cumprimento do preceito que prescreve o pagamento de tributo para custear o templo, uma espécie de dízimo anual.
5. Lit. "censo, avaliação (contagem das pessoas e avaliação de suas propriedades); espécie de imposto sobre renda e propriedades.
6. Jesus utiliza a palavra "filho", onde deveria utilizar "súdito", num trocadilho semítico que remete à sua situação de filho de Deus, juntamente com seus discípulos que seriam seus irmãos.
7. No sentido de "isentos" do pagamento.
8. Uma moeda de prata equivalente a "quatro dracmas". Lembrando que a moeda chamada "dracma" correspondia a "17,48 (4 X 4,37) gramas" de prata.

18 PEQUENOS E GRANDES NO REINO DOS CÉUS
(Mc 9:33-37; Lc 9:46-48)

18:1 Naquela hora, os discípulos aproximaram-se de Jesus, dizendo: Quem é, então, o maior no Reino dos Céus? **18:2** Chamando uma criancinha, colocou-a {de pé} no meio deles, **18:3** e disse: Amém[1] vos digo: Se não vos voltardes[2] e vos tornardes como as criancinhas, de modo nenhum entrareis nos Reino dos Céus. **18:4** Portanto, aquele que se diminuir[3] como esta criancinha, esse é o maior no Reino dos Céus. **18:5** E quem receber em meu nome uma criancinha com esta, recebe a mim.

1. ἀμην (amém), transliteração do vocábulo hebraico אָמֵן. Trata-se de um adjetivo verbal (ser firme, ser confiável). O vocábulo é frequentemente utilizado de forma idiomática (partícula adverbial) para expressar asserção, concordância, confirmação (realmente, verdadeiramente, de fato, certamente, isso mesmo, que assim seja). Ao redigirem o Novo Testamento, os evangelistas mantiveram a palavra no original, fazendo apenas a transliteração para o grego, razão pela qual também optamos por mantê-la intacta, sem tradução.
2. Lit. "voltar-se", mudar-se interiormente, converter-se. Essa palavra faz uma alusão ao "teshuva" hebraico.
3. Lit. "se rebaixar, se diminuir, se humilhar".

O ESCÂNDALO (Mc 9:42-50; Lc 17:1-2)

18:6 Quem escandalizar[1] um destes pequeninos que creem em mim, [2]é melhor para ele que seja pendurada uma [3]mó de asno ao redor do seu pescoço, e se afunde na profundeza[4] do mar. **18:7** Ai do mundo por causa dos escândalos[5], pois há necessidade de virem os escândalos, contudo ai daquele homem por meio de quem vêm os escândalos. **18:8** Assim, se a tua mão ou teu pé te escandaliza[6], corta-a e lança-a de ti. É melhor para ti entrar na vida mutilado[7] ou coxo do que, tendo duas mãos ou dois pés, ser lançado no fogo eterno[8]. **18:9** E, se o teu olho te escandaliza, arranca-o e lança-o de ti. É melhor para ti entrar na vida com um só olho do que, tendo dois olhos, ser lançado no Geena[9] do fogo. **18:10** Vede, não desprezeis nenhum destes pequeninos, pois eu vos digo que os seus anjos veem sempre[10] a face de meu Pai que {está} nos céus. **18:11** [11]Porque o filho do homem veio salvar o que está perdido.

1. Lit. "fizer tropeçar; fizer vacilar ou errar; ofender; chocar. O substantivo "skandalon" significa armadilha de molas ou qualquer obstáculo que faça alguém tropeçar; um impedimento; algo que cause estrago, destruição, miséria e, via de consequência, aquilo que causa um choque, que repugna, que fere a sensibilidade.
2. Lit. "é preferível, é melhor; é útil, proveitoso".
3. Trata-se da segunda pedra de um moinho, movida por um jumento.
4. Lit. "mar aberto, profundeza do mar". Termo utilizado para fazer distinção entre o mar em geral e o alto mar, ou, mar aberto.
5. Lit. "pedra de tropeço", tropeço; vacilo ou erro; ofensa, choque. O substantivo "skandalon" significa armadilha de molas ou qualquer obstáculo que faça alguém tropeçar; um impedimento; algo que cause estrago, destruição, miséria e, via de consequência, aquilo que causa um choque, que repugna, que fere a sensibilidade.
6. Lit. "fazer tropeçar; fazer vacilar ou errar; ser ofendido; estar chocado". O substantivo "skandalon" significa armadilha de molas ou qualquer obstáculo que faça alguém tropeçar; um impedimento; algo que cause estrago, destruição, miséria.
7. Lit. "torcido, disforme", aleijado, mutilado.
8. Lit. "de duração indeterminada; eterno, sem fim".
9. Transcrição do vocábulo aramaico "Gê Hinnam" (Vale do Hinnom), local em que estava situado o altar de Moloch, onde eram queimadas vivas as crianças, em oferenda àquela divindade pagã. O Rei Josias destruiu o local do culto, transformando-o em depósito de lixo de Jerusalém e monturo onde se lançavam os cadáveres de animais, para ser tudo queimado. Após a morte do Rei Josias, o culto a Moloch foi restabelecido. Os apócrifos atribuem ao vale o símbolo do castigo dos maus, passando o local a representar o castigo que purifica os pecadores, também conhecido como "vale dos gemidos". Essa tradição popular estava viva na época de Jesus.
10. Lit. "através de todo". Expressão idiomática que significa "sempre, por todo o tempo".
11. Este versículo é rejeitado pela crítica textual contemporânea, sob o argumento de que foi acrescentado posteriormente, visto estar ausente dos manuscritos mais antigos.

PARÁBOLA DA OVELHA PERDIDA (Lc 15:1-7)

18:12 Que vos parece? [1]Se algum homem tiver cem ovelhas, e uma delas se desviar[2], não deixará as noventa e nove sobre os montes, indo procurar a que está se desviando? **18:13** E se vier a encontrá-la, amém[3] vos digo que se alegra por ela mais do que pelas noventa e nove, que não estão desviadas. **18:14** Assim, não é da vontade de vosso Pai que {está} nos céus que se perca[4] nenhum destes pequeninos.

1. Lit. "se vierem a ser de algum homem cem ovelhas".
2. Lit. "desviar-se, extraviar-se; ser enganado, iludido, seduzido; ser desencaminhado ou desviado do caminho".
3. ἀμην *(amém)*, transliteração do vocábulo hebraico אָמֵן. Trata-se de um adjetivo verbal (ser firme, ser confiável). O vocábulo é frequentemente utilizado de forma idiomática (partícula adverbial) para expressar asserção, concordância, confirmação (realmente, verdadeiramente, de fato, certamente, isso mesmo, que assim seja). Ao redigirem o Novo Testamento, os evangelistas mantiveram a palavra no original, fazendo apenas a transliteração para o grego, razão pela qual também optamos por mantê-la intacta, sem tradução.
4. Lit. "estar perdido; perecer, morrer; estar arruinado". O termo gera uma ambiguidade proposital entre os dois significados "perdido" e "morto".

ERRO E PERDÃO (Lc 17:4)

18:15 Se o teu irmão pecar contra ti, vai arguí-lo[1] entre ti e ele somente; se te ouvir, ganhaste teu irmão. **18:16** Mas, se não te ouvir, toma ainda contigo uma ou duas {pessoas} para que, pela boca de duas ou três testemunhas[2], seja estabelecida toda a questão[3]. **18:17** E, se ele se recusar a ouvi-los, dize-o à igreja[4]. Se, também, se recusar a ouvir a igreja, [5]considera-o como gentio e publicano. **18:18** Amém[6] vos digo que tudo que ligardes[7] sobre a terra, estará ligado nos céus; e tudo que desligardes[8] sobre a terra, estará desligado nos céus. **18:19** Novamente, {amém} vos digo que se dois de vós [9]estiverem de acordo, sobre a terra, a respeito de qualquer coisa que, porventura, pedirem, lhes acontecerá da parte de meu Pai que {está} nos céus; **18:20** pois onde dois ou três estão reunidos em meu nome, aí estou no meio deles. **18:21** Então, aproximando-se Pedro, disse-lhe: Senhor, quantas vezes meu irmão pecará contra mim e o perdoarei? Até sete vezes? **18:22** Jesus lhe diz: Não te digo que até sete, mas até setenta {vezes} sete.

1. Lit. "por à prova, testar, arguir; culpar, condenar; reprovar, repreender; disciplinar, castigar".
2. (Dt 19:5).
3. Lit. "aquilo que é falado; declaração, dito, discurso; palavra; coisa".

4. Lit. "assembleia (popular, dos anfitriões em Delfos, de soldados, etc...); lugar da assembleia", e por extensão: a congregação dos filhos de Israel; a comunidade cristã; o local das reuniões (igreja).
5. Lit. "seja para ti como o gentio e o publicano".
6. ἀμην (amém), transliteração do vocábulo hebraico אָמֵן. Trata-se de um adjetivo verbal (ser firme, ser confiável). O vocábulo é frequentemente utilizado de forma idiomática (partícula adverbial) para expressar asserção, concordância, confirmação (realmente, verdadeiramente, de fato, certamente, isso mesmo, que assim seja). Ao redigirem o Novo Testamento, os evangelistas mantiveram a palavra no original, fazendo apenas a transliteração para o grego, razão pela qual também optamos por mantê-la intacta, sem tradução.
7. Lit. "ligar, atar, prender, reter, encadear".
8. Lit. "desligar, romper; libertar, deixar ir".
9. Lit. "emitir som junto; estar em harmonia, estar em acordo; concordar com, fazer um acordo".

PARÁBOLA DO DEVEDOR IMPLACÁVEL

18:23 Por isso, o Reino dos Céus é semelhante a um homem rei que quis ajustar[1] contas com os seus servos. **18:24** Ao começar a ajustar {as contas}, foi trazido a ele um devedor de dez mil talentos. **18:25** Não tendo ele {com que} pagar[2], o senhor ordenou que fossem vendidos ele, a mulher, as crianças, e tudo quanto tinha, para que fosse pago. **18:26** Então, prosternando-se, o servo o reverenciava, dizendo: Sê longânime[3] para comigo, e tudo te pagarei. **18:27** O senhor daquele servo, compadecendo-se[4], liberou-o e perdoou-lhe[5] a dívida[6]. **18:28** Saindo, porém, aquele servo, encontrou um dos seus conservos[7], que lhe devia cem denários[8] e, agarrando-o, o estrangulava, dizendo: Paga, se algo me deves. **18:29** Assim, prosternando-se, o seu conservo rogava-lhe[9], dizendo: Sê longânime para comigo, e te pagarei. **18:30** Ele, porém, não queria; mas saiu e lançou-o na prisão, até que pagasse o que estava devendo. **18:31** Vendo, pois, os seus conservos o que acontecera, entristeceram-se muito, e vieram relatar ao seu senhor tudo o que acontecera. **18:32** Então, o seu senhor, convocando-o, lhe disse: Servo mau, perdoei-te toda aquela dívida, quando me rogaste. **18:33** Não devias tu, igualmente, ter misericórdia do teu conservo, como eu também tive misericórdia de ti? **18:34** E, irando-se[10], o seu senhor o entregou aos carcereiros[11] até que pagasse tudo o que estava devendo. **18:35** Assim vos fará meu Pai {que está} nos céus, se não perdoardes, de coração, cada um ao seu irmão.

1. Lit. "levantar alguma coisa com alguém; ajustar contas, avaliar com vistas ao pagamento".
2. Lit. "devolver, restituir; vender, dar em troca; remeter, transmitir; aceder, permitir".
3. Lit. "ser paciente, perseverante; ser longânimo, clemente ou benigno".
4. Lit. "compadecer-se, ter compaixão, ter piedade; mostrar simpatia".
5. Lit. "perdoar (pecado, mal, dívida, ofensa); remir (pena); liberar, permitir a saída (soltar); libertar (escravidão); esquecer; resolver; aliviar (dor)".
6. Lit. "empréstimo; dívida".
7. Lit. "coescravo, aquele que é servo juntamente com alguém".
8. Moeda de prata romana correspondente ao salário pago por um dia de trabalho no campo.
9. Lit. "exortar, admoestar, persuadir; implorar, suplicar, rogar; animar, encorajar, confortar, consolar; requerer, convidar para vir, mandar buscar".
10. Lit. "irar-se, irritar-se".
11. Lit. "torturador, atormentador; verdugo; guarda da prisão, carcereiro".

ENSINO SOBRE O DIVÓRCIO (Mc 10:1-12) 19

19:1 E sucedeu que, concluindo estas palavras, Jesus partiu[1] da Galileia, e foi para o território da Judeia, do outro lado do Jordão. **19:2** E seguiram-no muitas turbas, e curou-as ali. **19:3** Aproximaram-se dele os fariseus, testando-o[2], dizendo se é lícito ao homem repudiar[3] sua mulher por qualquer razão? **19:4** Em resposta, disse: Não lestes que o Criador, no princípio, os fez macho e fêmea? **19:5** E disse: Por isso, o homem deixará pai e mãe e se unirá[4] à sua mulher, e os dois serão uma única carne[5]? **19:6** De modo que não são mais dois, mas uma única carne. Portanto, o que Deus [6]juntou {no jugo} não separe o homem. **19:7** Diziam-lhe: Então, por que Moisés ordenou dar [7]carta de divórcio e repudiar. **19:8** Diz-lhes: Moisés, por causa da dureza do vosso coração, vos permitiu repudiar as vossas mulheres, entretanto, não sucedeu assim desde o princípio. **19:9** Eu, porém, vos digo: Quem repudiar sua mulher, a não ser por infidelidade[8], e se casar com outra, comete adultério.

1. Lit. "passar de um lugar para outro; mudar, ir embora, partir".
2. Lit. "tentar, experimentar; testar, pôr à prova; desafiar".
3. Lit. "soltar, libertar; liberar de um vínculo ou encargo; divorciar, repudiar (liberar a mulher do vínculo conjugal); remir, perdoar, liberar a dívida; despedir, deixar partir"
4. Lit. "colar, soldar; aderir a". Em sentido metafórico: ligar-se, atar-se, juntar-se, unir-se, associar-se.
5. Expressão idiomática semítica que pode significar, entre outras coisas, "pessoa, ser humano".
6. Lit. "jungir juntamente, juntar no jugo, colocar debaixo do mesmo jugo", e metaforicamente "unir em matrimônio", "unir intimamente".
7. Lit. "livro de repúdio", carta de repúdio, termo de divórcio.
8. Lit. "fornicação, prostituição; infidelidade, adultério". Termo genérico para práticas sexuais ilícitas.

ENSINO SOBRE OS EUNUCOS

19:10 Dizem-lhe os discípulos: Se é assim o caso[1] do homem com a mulher, [2]é melhor não casar. **19:11** Ele, porém, lhes disse: Nem todos compreendem[3] a palavra, mas {somente} a quem é dado. **19:12** Pois há eunucos⁴ que assim nasceram do ventre da mãe; há eunucos que ⁵foram feitos eunucos pelos homens e há eunucos que se fizeram eunucos por causa do Reino dos Céus. Quem puder compreender⁶, compreenda.

1. Lit. "caso judicial, acusação, condição legal; causa, motivo".
2. Lit. "é preferível, é melhor; é útil, proveitoso".
3. Lit. "obter um espaço; abrir caminho; armazenar, conter, oferecer espaço para", e metaforicamente admitir, concordar, compreender (oferecer um espaço mental para).
4. Lit. "o que tem (custódia) do leito, do aposento, o que guarda o aposento". No Oriente, os indivíduos incapazes para as funções matrimoniais se empregavam no ofício de guardiães dos aposentos íntimos. Alguns eunucos, porém, eram casados.
5. Lit. "emascular, castrar; tornar-se um eunuco; impor abstinência a alguém, obrigar alguém a castrar-se".
6. Lit. "obter um espaço; abrir caminho; armazenar, conter, oferecer espaço para", e metaforicamente admitir, concordar, compreender (oferecer um espaço mental para).

AS CRIANÇAS E O REINO DOS CÉUS (Mc 10:13-16; Lc 18:15-17)

19:13 Então, trouxeram-lhe criancinhas para que impusesse as mãos e orasse, mas os discípulos repreenderam eles¹. **19:14** Jesus, porém, disse: Deixai vir a mim as criancinhas e não as impeçais², pois delas é o Reino dos Céus. **19:15** E, impondo as mãos, partiu dali.

1. Os que traziam as crianças.
2. Lit. "impedir, pôr obstáculos; separar".

O JOVEM RICO (Mc 10:17-22; Lc 18:18-23)

19:16 Eis que alguém, aproximando-se dele, lhe disse: ¹Mestre, que farei de bom para que tenha vida eterna? **19:17** Ele, porém, lhe disse: ²O que me perguntas acerca do bom? Um {só} é o bom. Se queres entrar na vida eterna, observa³ os mandamentos. **19:18** Diz-lhe: Quais? E Jesus disse: Não matarás, não adulterarás, não roubarás, não prestarás falso testemunho, **19:19** honra pai e mãe, e amarás o teu próximo como a ti mesmo. **19:20** O jovem lhe diz: Guardei todas estas {coisas}. Que falta ainda? **19:21** Disse-lhe Jesus: Se queres ser perfeito[4], vai, vende os teus bens, dá aos pobres e terás um tesouro nos céus; vem e segue-me. **19:22** O moço, ouvindo {essa} palavra, saiu entristecido, pois era possuidor de muitos bens[5].

1. Alguns manuscritos registram a seguinte oração: "Bom Mestre, que farei de bom para que tenha vida eterna?".
2. Alguns manuscritos registram a seguinte frase: "Porque me chamas bom? Ninguém é bom senão um que é Deus".
3. Lit. "velar, guardar; espiar; praticar, observar; conservar".
4. Completo, que chegou ao fim ou ao propósito, perfeito, maduro.
5. Lit. "propriedade, posse, bens".

AS POSSES E REINO DOS CÉUS (Mc 10:23-31; Lc 18:24-30)

19:23 Disse Jesus aos seus discípulos: Amém[1] vos digo que um rico dificilmente entrará nos Reino dos Céus. **19:24** Novamente, vos digo: É mais fácil um camelo passar[2] pelo buraco de uma agulha, do que um rico entrar no Reino de Deus. **19:25** Os discípulos, ouvindo {isso}, estavam muito espantados[3] e diziam: Então, quem poderá ser salvo? **19:26** E Jesus, fitando-os[4], disse: Para os homens isso é impossível, para Deus tudo é possível. **19:27** Então, em resposta, Pedro lhe disse: Eis que nós deixamos tudo e te seguimos. Que haverá, pois, para nós? **19:28** E Jesus lhes disse: Amém[5] vos digo que vós, que me seguistes, no renascimento[6], quando o filho do homem se assentar no trono de sua glória, também vos assentareis sobre doze tronos para julgar as doze tribos de Israel. **19:29** E todo aquele que tiver deixado casas, ou irmãos, ou irmãs, ou pai, ou mãe, ou filhos ou campos por causa do meu nome, receberá o cêntuplo e herdará vida eterna. **19:30** Porém muitos primeiros serão últimos, e {muitos} últimos {serão} primeiros.

1. ἀμήν *(amém)*, transliteração do vocábulo hebraico אָמֵן. Trata-se de um adjetivo verbal (ser firme, ser confiável). O vocábulo é frequentemente utilizado de forma idiomática (partícula adverbial) para expressar asserção, concordância, confirmação (realmente, verdadeiramente, de

fato, certamente, isso mesmo, que assim seja). Ao redigirem o Novo Testamento, os evangelistas mantiveram a palavra no original, fazendo apenas a transliteração para o grego, razão pela qual também optamos por mantê-la intacta, sem tradução.
2. Lit. "atravessar".
3. Lit. "maravilhar-se, impressionar-se, surpreender-se, espantar-se".
4. Lit. "fixar os olhos em alguém/algo, fitar, focar (pessoa/objeto); olhar incisivamente, minuciosamente, pormenorizadamente, atentamente; distinguir, discernir". A preposição "em", prefixada ao verbo "ver", confere-lhe o sentido de foco, penetração.
5. Vide nota 1.
6. Lit. "renascimento, reencarnação; regeneração".

PARÁBOLA DOS TRABALHADORES DA VINHA   20

20:1 Pois o Reino dos Céus é semelhante ao homem, [1]senhor de casa, que saiu [2]ao raiar do dia a assalariar[3] trabalhadores para sua vinha. **20:2** Depois de ajustar[4] com os trabalhadores um denário[5] por dia, os enviou para sua vinha. **20:3** E tendo saído por volta da [6]terceira hora, viu outros, que estavam de pé na praça, desocupados, **20:4** e disse a esses: Ide vós também para a vinha, e o que for justo vos darei. **20:5** E eles foram. Novamente, saindo por volta da sexta e nona hora, procedeu[7] da mesma forma. **20:6** Tendo saído por volta da undécima {hora}, encontrou outros, que estavam de pé, e diz para eles: Por que ficastes de pé, aqui, o dia inteiro, desocupados? **20:7** Eles lhe dizem: Porque ninguém nos assalariou. Ele lhes diz: Ide vós também para a vinha. **20:8** Chegado o fim da tarde, o senhor da vinha diz ao seu administrador[8]: Chama os trabalhadores e paga-lhes[9] o salário[10], começando dos últimos até os primeiros. **20:9** Vindo os da undécima hora, receberam um denário, cada um. **20:10** Vindo os primeiros, pensaram[11] que receberiam mais; todavia, também eles receberam um denário, cada um. **20:11** Ao receberem, murmuravam contra o senhor da casa, **20:12** dizendo: Estes últimos fizeram só uma hora, e tu os fizeste iguais a nós, que carregamos o peso do dia e o calor ardente. **20:13** Em resposta, disse a um deles: Companheiro, não estou sendo injusto contigo. Não ajustaste comigo um denário? **20:14** Toma o teu e vai-te; quero dar a este último tanto quanto a ti. **20:15** Não me é lícito fazer o que quero com o {que é} meu? [12]Ou o teu olho é mau, porque eu sou bom? **20:16** Assim, os últimos serão primeiros, e os primeiros {serão} últimos.

1. Lit. "senhor, dono da casa, chefe de família".
2. Lit. "juntamente com a madrugada/manhã; juntamente com a última (4ª) vigília da noite". O período entre 18h e 6h da manhã, do dia seguinte, era dividido em quatro vigílias de três horas cada uma (1ª – 18h – 21h; 2ª – 22h – 24h; 3ª – 1h – 3h; 4ª – 4h – 6h).
3. Lit. "assalariar, contratar serviços".
4. Lit. "emitir som junto; estar em harmonia, estar em acordo; concordar com, fazer um acordo".
5. Moeda de prata romana correspondente ao salário pago por um dia de trabalho no campo.
6. O período do dia entre 6h e 18h era dividido em 12 períodos de uma hora, razão pela qual chamavam hora primeira, segunda, terceira (6 – 7h = hora primeira; 7 – 8h = hora segunda; 8 – 9h = hora terceira).
7. Lit. "fez" da mesma forma.

MATEUS 20

8. Lit. "intendente, supervisor, administrador, tutor, governador". Em suma, alguém com a responsabilidade de controlar, administrar, vigiar, cuidar de algo.
9. Lit. "devolver, restituir; pagar; vender, dar em troca".
10. Lit. "recompensa; salário".
11. Lit. "supor, crer; pensar, considerar".
12. Trata-se de expressão idiomática.

TERCEIRA PREVISÃO DO CALVÁRIO (Mc 10:32-34; Lc 18:31-34)

20:17 Enquanto subia a Jerusalém, Jesus tomou consigo os doze em particular e, no caminho, lhes disse: **20:18** Eis que estamos subindo para Jerusalém, e o filho do homem será entregue aos Sumos Sacerdotes e aos escribas, e o condenarão à morte. **20:19** E o entregarão aos gentios[1] para o ridicularizarem[2], açoitarem[3] e crucificarem; mas se levantará[4] no terceiro dia.

1. Lit. "povos de outras nações que não o povo hebreu". Os hebreus chamavam todos os outros povos de gentios.
2. Lit. "ridicularizar, zombar; tratar com escárnio; iludir, enganar".
3. Lit. "espancar, açoitar, castigar, punir".
4. Lit. "erguer-se, levantar-se; colocar-se de pé". Expressão idiomática semítica que faz referência à ressurreição dos mortos. Para expressar a morte e ressurreição, utilizavam as expressões "deitar-se" (morte) e "levantar-se" (ressurreição).

PEDIDO DA MULHER DE ZEBEDEU (Mc 10:35-40)

20:20 Então aproximou-se dele a mãe dos filhos de Zebedeu, com seus filhos, reverenciando-o e pedindo-lhe algo. **20:21** Ele, porém, lhe disse: Que queres? Ela lhe diz: Dize que, no teu Reino, estes meus dois filhos se assentem um à tua direita e outro à tua esquerda. **20:22** Em resposta, Jesus lhe disse: Não sabeis o que estais pedindo. Podeis beber a taça que estou prestes a beber? Eles lhe dizem: Podemos. **20:23** Ele lhes diz: A minha taça bebereis; por outro lado, o assentar-se à minha direita ou à minha esquerda não me cabe conceder; mas {é} para quem está preparado por meu Pai.

O GRANDE SERVIDOR (Mc 10:41-45; Lc 22:24-27)

20:24 Ouvindo {isso}, os dez indignaram-se[1] com os dois irmãos. **20:25** Jesus, porém, convocando-os[2], disse: Sabeis que os governantes dos gentios exercem domínio sobre eles, e os seus grandes exercem autoridade sobre eles. **20:26** Não será assim entre vós, mas quem quiser tornar-se o maior entre vós, será o vosso servidor[3], **20:27** e quem quiser ser o primeiro entre vós, será o vosso servo[4], **20:28** da mesma forma que o filho do homem não veio para ser servido, mas para servir e dar a sua vida em resgate[5] de muitos.

1. Lit. "ficar irado, irritado, indignado".
2. Lit. "convocar, citar, intimar; chamar para si mesmo, reunir, convidar; evocar".
3. Lit. "aquele que serve, que presta serviço, que executa tarefas".
4. Lit. "escravo, servo".
5. Lit. "preço do resgate, a quantia paga pelo resgate".

OS DOIS CEGOS DE JERICÓ (Mc 10:46-52; Lc 18:35-43)

20:29 Ao saírem de Jericó, uma grande turba o seguia. **20:30** E eis que dois cegos, sentados [1]à beira do caminho, ouvindo que Jesus passava, gritaram, dizendo: Tem misericórdia de nós, filho de David! **20:31** A turba os repreendia para que fizessem silêncio; eles, porém, gritavam ainda mais, dizendo: Tem misericórdia de nós, Senhor, filho de David! **20:32** E, parando, Jesus os chamou e disse: Que quereis que eu vos faça? **20:33** Dizem-lhe: Senhor, que nossos olhos se abram! **20:34** Compadecido[2], Jesus tocou nos olhos deles e, imediatamente, [3]voltaram a ver, e o seguiram.

1. Lit. "junto/ao lado do caminho".
2. Lit. "compadecer-se, ter compaixão, ter piedade; mostrar simpatia".
3. Lit. "levantar os olhos; recobrar a vista, tornar a abrir os olhos". A preposição "aná", prefixada ao verbo "ver", confere-lhe dois sentidos: 1) a direção para onde se esta olhando, no caso para o alto; 2) o sentido de repetição ou retorno da ação, no caso voltar a ver, recobrar a vista.

21 ENTRADA DO MESSIAS EM JERUSALÉM
(Mc 11:1-11; Lc 19:28-40; Jo 12:12-19)

21:1 E quando se aproximaram de Jerusalém e chegaram a Betfagé, no Monte das Oliveiras; então Jesus enviou dois discípulos, **21:2** dizendo-lhes: Ide à aldeia, defronte de vós, e logo encontrareis uma jumenta amarrada e um filhote com ela. Após soltar, conduzi-os a mim. **21:3** E se alguém vos disser algo, direis que o Senhor tem necessidade deles; e logo os enviará {de volta}. **21:4** Isso aconteceu para que se cumprisse [1]o que foi dito através do profeta: **21:5** *Dizei à filha de Sião: Eis que o teu Rei vem a ti, brando*[2] *e montado em um jumento, em um filhote, filho de* [3]*animal de carga*. **21:6** Indo os discípulos e fazendo o que Jesus lhes ordenara, **21:7** conduziram a jumenta e o filhote, puseram sobre eles as vestes; e sentou-se em cima deles. **21:8** A numerosa turba estendeu as suas vestes no caminho, e outros cortavam ramos de árvores e os espalhavam no caminho. **21:9** E as turbas que iam à frente e as que o seguiam gritavam, dizendo: Hosana[4] ao filho de Davi! Bendito o que vem em nome do Senhor! Hosana nas alturas! **21:10** Ao entrar em Jerusalém, toda a cidade se alvoroçou, dizendo: Quem é este? **21:11** As turbas diziam: Este é o Profeta Jesus, de Nazaré da Galileia.

1. Lit. "o que foi dito através do profeta, que diz".
2. Lit. "brando, manso; terno, gentil; indulgente; doce, suave".
3. Lit. "besta de carga; jungido, subjugado".
4. Expressão hebraica (Sl 118:25), originalmente com o sentido de "ajuda", "Salva, eu rogo". O Salmo 118 era usado liturgicamente na Festa dos Tabernáculos, Festa da Dedicação, Páscoa.

EXPULSÃO DOS VENDILHÕES DO TEMPLO
(Mc 11:15-19; Lc 19:45-48; Jo 2:13-22)

21:12 Jesus entrou no templo e expulsou todos os que vendiam e compravam no templo, e derribou[1] as mesas dos cambistas e as cadeiras dos vendedores de pombas. **21:13** E diz a eles: Está escrito: *A minha casa será chamada casa de oração*. Mas vós fizestes dela um covil de assaltantes². **21:14** Aproximaram-se dele, no templo, cegos e coxos, e ele os curou. **21:15** Vendo os sumos sacerdotes e os escribas as maravilhas que ele fez, e as crianças gritando no templo "Hosana ao filho de Davi", indignaram-se **21:16** e disseram-lhe: Ouves o que estes dizem? E Jesus lhes diz: Sim! Nunca lestes: *Da boca de infantes³ e lactentes⁴ restauraste⁵ {o} louvor?* **21:17** E, deixando-os, saiu da cidade para Betânia, e ali pernoitou.

1. Lit. "derribar, destruir; dar volta; submeter, conquistar".
2. Lit. "assaltante (de estrada), saqueador; pirata; salteador".
3. Lit. "infante, criancinha (criança bem jovem)". Metaforicamente: néscio, iniciante, não instruído, simples.
4. Lit. "criança de peito (que está em fase de amamentação), lactente".
5. Lit. "restaurar a uma condição apropriada, restabelecer; reparar, reequipar; ajustar perfeitamente, unir completamente; qualificar completamente, completar". Trata-se de tornar alguma coisa completamente adequada, completa, suficiente, qualificada.

A FIGUEIRA ESTÉRIL (Mc 11:12-14, 20-26)

21:18 ¹Ao raiar do dia, voltando para a cidade, teve fome. **21:19** E, vendo uma {única} figueira no caminho, dirigiu-se a ela e nada encontrou senão folhas; e disse-lhe: ²Nunca mais nasça fruto de ti. Imediatamente, secou-se a figueira. **21:20** Os discípulos, vendo {isso}, maravilharam-se, dizendo: Como a figueira secou-se imediatamente? **21:21** Em resposta, Jesus lhes disse: Amém³ vos digo {que} se tiverdes fé e não duvidardes, não somente fareis {isso} da figueira, mas também se disserdes a este monte: Sejas tirado e lançado ao mar, {isso} acontecerá. **21:22** E tudo quanto pedirdes na oração, crendo, recebereis.

1. Lit. "de madrugada/manhã; na última (4ª) vigília da noite". O período entre 18h e 6h da manhã, do dia seguinte, era dividido em quatro vigílias de três horas cada uma (1ª – 18h – 21h; 2ª – 22h – 24h; 3ª – 1h – 3h; 4ª – 4h – 6h). Esta passagem faz referência a algum momento entre 4 – 6h da manhã.
2. Lit. "nunca mais nasça/haja fruto de ti, para sempre".
3. ἀμην (amém), transliteração do vocábulo hebraico אָמֵן. Trata-se de um adjetivo verbal (ser firme, ser confiável). O vocábulo é frequentemente utilizado de forma idiomática (partícula

adverbial) para expressar asserção, concordância, confirmação (realmente, verdadeiramente, de fato, certamente, isso mesmo, que assim seja). Ao redigirem o Novo Testamento, os evangelistas mantiveram a palavra no original, fazendo apenas a transliteração para o grego, razão pela qual também optamos por mantê-la intacta, sem tradução.

A AUTORIDADE DE JESUS (Mc 11:27-33; Lc 20:1-8)

21:23 Chegando ao templo, aproximaram-se dele, enquanto ensinava, os sumos sacerdotes e os anciãos do povo, dizendo: Com que autoridade fazes estas {coisas}? E quem te deu esta autoridade? **21:24** Em resposta, Jesus lhes disse: Eu também vos perguntarei uma coisa[1]. Se me disserem, eu também vos direi com que autoridade faço estas coisas. **21:25** O batismo de João era de onde, do céu ou dos homens? Eles arrazoavam[2] entre si, dizendo: Se dissermos do céu, ele nos dirá: Então, por qual razão não crestes nele? **21:26** Se dissermos dos homens, tememos a turba, pois todos [3]consideram João um profeta. **21:27** E, respondendo a Jesus, disseram: Não sabemos. Ele lhes disse: Nem eu vos digo com que autoridade faço estas {coisas}.

1. Lit. "palavra; assunto, matéria; coisa".
2. Lit. "pensar, opinar, raciocinar; disputar, arrazoar, argumentar, considerar; planejar, cogitar, ter um desígnio".
3. Lit. "têm João como um profeta". Neste caso, a expressão "têm como" foi traduzida por "consideram".

PARÁBOLA DOS DOIS FILHOS NA VINHA

21:28 Mas, que vos parece? Um homem tinha dois filhos. E aproximando-se do primeiro, disse: Filho, vai trabalhar hoje na vinha. **21:29** Em resposta, ele disse: Não quero. Mas, depois, arrependendo-se[1], foi. **21:30** Aproximando-se do outro, disse [2]a mesma coisa. Em resposta, ele disse: Eu {vou}, Senhor. E não foi. **21:31** Qual dos dois fez a vontade do Pai? Dizem: O primeiro. Jesus lhes diz: Amém[3] vos digo que os publicanos e as prostitutas vos precedem nos Reino de Deus. **21:32** Pois João veio até vós, ⁴no caminho da justiça, e não crestes nele. Os publicanos e as prostitutas creram nele. Vós, porém, vendo {isso}, não vos arrependestes⁵ depois, para crerem nele.

1. Lit. "arrepender-se, sentir remorso; sentir pesar".
2. Lit. "de igual modo".
3. ἀμην (amém), transliteração do vocábulo hebraico אָמֵן. Trata-se de um adjetivo verbal (ser firme, ser confiável). O vocábulo é frequentemente utilizado de forma idiomática (partícula adverbial) para expressar asserção, concordância, confirmação (realmente, verdadeiramente, de fato, certamente, isso mesmo, que assim seja). Ao redigirem o Novo Testamento, os evangelistas mantiveram a palavra no original, fazendo apenas a transliteração para o grego, razão pela qual também optamos por mantê-la intacta, sem tradução.
4. Expressão idiomática bíblica, muito utilizada pelos fariseus para expressar a conformidade do caráter e da vida de um homem à Torah.
5. Vide nota 1.

PARÁBOLA DOS VINHATEIROS HOMICIDAS
(Mc 12:1-12; Lc 20:9-19)

21:33 Ouvi outra parábola. Havia um homem, ¹senhor de casa, que plantou uma vinha, circundou-a com uma cerca, cavou nela um lagar, construiu uma torre, arrendou-a a agricultores e ²ausentou-se {do seu país}. **21:34** Quando se aproximou o ³tempo dos frutos, enviou seus servos aos agricultores para receber seus frutos. **21:35** E os agricultores, tomando os seus servos, açoitaram⁴ a um, mataram a outro e apedrejaram outro. **21:36** Novamente, enviou outros servos, em maior número que os primeiros, e fizeram-lhes do mesmo modo. **21:37** E, por último, enviou-lhes seu filho, dizendo: Respeitarão⁵ a meu filho. **21:38** Mas os agricultores, vendo o filho, disseram entre si: Este é o herdeiro. Vamos! Matemo-lo e apoderemo-nos da sua herança. **21:39** E, tomando-o, lançaram-no fora da vinha e o mataram. **21:40** Então, quando vier o senhor da vinha, que fará àqueles agricultores? **21:41** Eles lhe dizem: ⁶Fará perecer horrivelmente {os} malvados, e arrendará a vinha a outros agricultores, que lhe entregarão os frutos, ⁷a seu tempo. **21:42** Jesus lhes diz: Nunca lestes nas Escrituras: *A pedra que os construtores rejeitaram,*

MATEUS 21

essa se tornou ⁸cabeça de ângulo; proveio do Senhor e é maravilhosa aos nossos olhos? **21:43** Por isso vos digo que o Reino de Deus vos será tirado e será dado a uma nação que produza seus frutos. **21:44** ⁹Quem cair sobre esta pedra ficará despedaçado; sobre quem ela cair, o esmagará. **21:45** E tendo ouvido as sua parábolas, os sumos sacerdotes e os fariseus entenderam que falava¹⁰ a respeito deles **21:46** e, procurando prendê-lo, temiam as turbas que o ¹¹consideravam Profeta.

1. Lit. "senhor, dono da casa, chefe de família".
2. Lit. "ausentar-se do próprio país, viajar ao estrangeiro".
3. Lit. "um ponto no tempo, um período de tempo; tempo (fixo, definido, oportuno); oportunidade".
4. Lit. "esfolar, tirar a pele; castigar, maltratar; bater, açoitar".
5. Lit. "dar uma volta em torno de si mesmo; envergonhar, tornar envergonhado (sentido metafórico); respeitar, reverenciar, honrar (sentido metafórico – voz passiva); sentir vergonha, ser envergonhado".
6. Lit. "fará perecer"
7. Lit. "nos tempos deles". Expressão que indica o tempo da colheita de cada fruto específico.
8. Lit. "cabeça de esquina, de canto, de quina, de ângulo". A pedra colocada no ângulo onde se encontram dois muros, ou paredes era conhecida como pedra angular. A principal pedra angular da construção era chamada de "cabeça do ângulo, de esquina, de quina"
9. Esse versículo é colocado em dúvida pela crítica textual contemporânea. Argumentam que pode ser um antigo acréscimo feito ao evangelho de Mateus, razão pela qual o mantêm no texto, mas com reservas.
10. Lit. "fala". O verbo está conjugado no tempo presente, embora retrate uma ação passada, artifício literário muito empregado por Mateus. É o chamado "presente histórico".
11. Lit. "o tinham como um profeta". Neste caso, a expressão "tinham como" foi traduzida por "consideravam".

PARÁBOLA DO GRANDE BANQUETE (Lc 14:15-24)

22

22:1 Em resposta, Jesus novamente lhes falou em parábolas, dizendo: **22:2** O Reino dos Céus é semelhante ao homem, Rei, que preparou[1] as bodas[2] do seu filho. **22:3** E enviou seus servos {a} chamar os convidados para as bodas, mas não quiseram vir. **22:4** Novamente, enviou outros servos, dizendo: Dizei aos convidados: Eis que o banquete[3] está preparado, os meus bois e cevados abatidos, e tudo pronto. Vinde para as bodas! **22:5** Mas eles se foram, sem se importarem, um para seu próprio campo, outro para seu negócio, **22:6** e o restante, agarrando os seus servos, os ultrajaram[4] e mataram. **22:7** O Rei ficou irado e, enviando suas tropas, exterminou aqueles assassinos e incendiou a cidade deles. **22:8** Então, diz aos seus servos: As bodas estão prontas, mas os convidados não eram dignos. **22:9** Ide, portanto, às [5]saídas das estradas, e convidai para as bodas a todos os que encontrardes. **22:10** E os servos, saindo por aquelas estradas[6], reuniram todos quantos encontraram, tanto bons quanto maus, e as bodas se encheram de convivas[7]. **22:11** O Rei, entrando para contemplar os convivas, viu ali um homem que não estava vestido com a veste nupcial, **22:12** e disse-lhe: Companheiro, como entraste aqui sem veste nupcial? Ele [8]se calou. **22:13** Então o Rei disse aos servidores[9]: Depois de amarrar os seus pés e suas mãos, lançai-o para fora, nas trevas exteriores; ali haverá o pranto e o ranger de dentes. **22:14** Porque muitos são chamados, mas poucos escolhidos.

1. Lit. "fez".
2. Lit. "festa ou banquete com que se celebram as núpcias". As festividades de casamento, na Palestina, duravam muitos dias.
3. Lit. "primeira refeição da manhã". Mais tarde passou a designar a refeição feita ao meio-dia (almoço). Todavia, podia se referir também ao banquete, de grandes proporções, oferecido em ocasiões festivas, tais como as festas de núpcias.
4. Lit. "tratar arrogantemente ou com desrespeito; ultrajar, maltratar; insultar".
5. Lit. "caminhos de saída através dos caminhos". Trata-se do lugar onde uma estrada deixa a cidade, ou seja, a saída da cidade.
6. Lit. "caminho, estrada".
7. Lit. "dos que se reclinam à mesa". As refeições eram consumidas após as pessoas se reclinarem à mesa para comer. Nesse sentido, os que se reclinam à mesa são os convidados, ou melhor, os convivas (os que comem juntos).

8. Lit. "ser amordaçado, ser afocinhado", em sentido figurado: ser silenciado, ser posto em silêncio, ficar calado.
9. Lit. "aquele que serve, que presta serviço, que executa tarefas".

O TRIBUTO A CÉSAR (Mc 12:13-17; Lc 20:20-26)

22:15 Então, depois de partirem, os fariseus [1]elaboraram um plano de como enredá-lo[2] numa palavra. **22:16** E enviam-lhe discípulos deles, com os herodianos, dizendo: Mestre, sabemos que és verdadeiro e ensinas, [3]verdadeiramente, o caminho de Deus, e não [4]dás preferência a ninguém, pois não olhas a [5]aparência dos homens. **22:17** Dize-nos, pois, o que te parece? É lícito ou não dar censo[6] a César? **22:18** Jesus, conhecendo a maldade deles, disse: Por que me testais[7], hipócritas? **22:19** Mostrai-me a moeda do censo. Trouxeram-lhe um denário[8]. **22:20** E diz-lhes: De quem é esta imagem e a inscrição[9]? **22:21** Eles lhe dizem: De César. Então, ele lhes diz: Restituí[10], pois, a César {as coisas} de César, e a Deus {as coisas} de Deus. **22:22** Ao ouvirem {isso}, maravilharam-se e, deixando-o, afastaram-se.

1. Lit. "tomaram um conselho/plano".
2. Lit. "fazer alguém cair em armadilha, rede".
3. Lit. "na verdade".
4. Lit. "não te importas a respeito de ninguém". Trata-se de expressão idiomática com o sentido de "fazer distinção de pessoas".
5. Lit. "face dos homens".
6. Lit. "censo, avaliação (contagem das pessoas e avaliação de suas propriedades); espécie de imposto sobre renda e propriedades.
7. Lit. "tentar, experimentar; testar, pôr à prova; desafiar".
8. Moeda de prata romana correspondente ao salário pago por um dia de trabalho no campo.
9. Lit. "epígrafe", inscrição.
10. Lit. "devolver, restituir; pagar; vender, dar em troca".

A RESSURREIÇÃO DOS MORTOS (Mc 12:18-27; Lc 20:27-40)

MATEUS
22

22:23 Naquele dia, aproximaram-se dele saduceus dizendo não haver ressurreição[1] e o interrogaram, **22:24** dizendo: Mestre, Moisés disse: Se alguém morrer, não tendo filhos, o seu irmão desposará[2] a mulher dele e suscitará[3] descendência[4] ao seu irmão. **22:25** Ora, havia entre nós sete irmãos; o primeiro, após casar-se, morreu, [5]sem descendência, deixando sua mulher para seu irmão. **22:26** [6]De forma semelhante, o segundo, o terceiro, até o sétimo. **22:27** Posteriormente, {depois} de todos, morreu a mulher. **22:28** Portanto, na ressurreição, de qual dos sete será a mulher, visto que todos a possuíram[7]? **22:29** Em resposta, Jesus lhes disse: Estais enganados[8], não conhecendo as Escrituras nem o poder de Deus, **22:30** pois na ressurreição nem casam, nem são dados em casamento, mas são como anjos no céu. **22:31** E a respeito da ressurreição dos mortos, não lestes o que vos foi dito por Deus, quando diz: **22:32** Eu sou o Deus de Abraão, o Deus de Isaac e o Deus de Jacó? Ele não é Deus de mortos, mas [9]de vivos. **22:33** As turbas, ouvindo {isso}, estavam maravilhadas[10] com o ensino dele.

1. Lit. "elevação, levantamento, reerguimento, ascensão; estado de quem foi colocado de pé". Expressão idiomática semítica que faz referência à ressurreição dos mortos. Para expressar a morte e a ressurreição, utilizavam os verbos "deitar-se" (morte) e "levantar-se" (ressurreição). Nesse caso, o substantivo descreve o estado de quem foi reerguido, foi colocado de pé, após ter se deitado (morrido).
2. Lit. "contrair parentesco, desposar a cunhada". Referência explícita à lei do levirato (Dt 25:5-10), segundo a qual o cunhado desposa a viúva do próprio irmão, caso ele não tenha deixado filhos, com o objetivo de garantir a perpetuação do nome da família, mediante o nascimento de um herdeiro.
3. Lit. "levantar, reerguer, colocar de pé, ascender". Trata-se do verbo que dá origem à palavra "ressurreição". Essa etimologia dos vocábulos levou os saduceus a associarem o texto do levirato com a questão da ressurreição dos mortos, procedimento muito comum na hermenêutica dos fariseus (Midrash).
4. Lit. "semente, esperma, descendência".
5. Lit. "não tendo descendência/semente/esperma".
6. Lit. "semelhantemente". Trata-se de um advérbio.
7. Lit. "tiveram". Eufemismo para expressar a posse sexual, no caso, em virtude do casamento.
8. Lit. "estar desviado, extraviado; estar enganado, iludido, seduzido; estar desencaminhado ou desviado do caminho". O vocábulo, nos evangelhos, faz referência às ovelhas que se perdem, se desgarram do rebanho. Jesus utiliza um trocadilho para se referir tanto ao engano quanto ao desvio da seita dos saduceus, comparando-os à ovelhas desgarradas.

9. Lit. "dos que vivem; de viventes".
10. Lit. "maravilhar-se, impressionar-se, surpreender-se, espantar-se".

O MAIOR MANDAMENTO (Mc 12:28-34; Lc 10:25-28)

22:34 Os fariseus, ouvindo que ele fizera calar[1] os saduceus, reuniram-se [2]em conselho, **22:35** e um deles, testando-o[3], o interrogou: **22:36** Mestre, qual {é} o grande mandamento da lei? **22:37** Ele lhe disse: Amarás {o} Senhor teu Deus com todo o teu coração, com toda a tua alma, e com toda a tua mente[4]. **22:38** Este é o primeiro e grande mandamento. **22:39** O segundo, semelhante a este: Amarás o teu próximo como a ti mesmo. **22:40** Nestes dois mandamentos está dependurada[5] toda a lei e os profetas.

1. Lit. "amordaçar, afocinhar", em sentido figurado: silenciar, pôr alguém em silêncio, calar alguém.
2. Lit. "sobre o próprio/mesmo". Trata-se de uma expressão idiomática que reforça o verbo "reunir-se", que já se encontra na voz passiva; talvez para transmitir a ideia de que se reunião em conselho, em grupo.
3. Lit. "tentar, experimentar; testar, pôr à prova; desafiar".
4. Lit. "mente; entendimento, inteligência; pensamento, plano".
5. Lit. "estar dependurado/pendurado, estar suspenso", em sentido figurado; "depender".

O MESSIAS, FILHO E SENHOR DE DAVI (Mc 12:35-37; Lc 20:41-44)

22:41 E, estando reunidos os fariseus, Jesus os interrogou, **22:42** dizendo: Que pensais a respeito do Messias? De quem é filho? Eles lhe dizem: De Davi. **22:43** Ele lhes diz: Então, como Davi, pelo espírito, o chama "Senhor", dizendo: **22:44** *Disse o Senhor ao meu Senhor: Senta-te à minha direita, até que eu ponha os teus inimigos debaixo dos teus pés?* **22:45** Portanto, se Davi o chama "Senhor", como ele é seu filho? **22:46** Ninguém era capaz de responder-lhe algo, nem ousou alguém interrogá-lo mais, a partir daquele dia.

ENSINO E PRÁTICA (Mc 12:38-40; Lc 11:37-54, 20:45-47)

23

23:1 Então Jesus falou às turbas e aos seus discípulos, **23:2** dizendo: Os escribas e os fariseus sentaram-se na cadeira[1] de Moisés. **23:3** Portanto, tudo quanto vos disserem fazei e observai[2], mas não façais de acordo com suas obras, pois eles dizem e não fazem. **23:4** Amarram fardos[3] pesados e os colocam sobre os ombros dos homens, porém eles mesmos, nem com o dedo deles querem movê-los. **23:5** Fazem todas as suas obras para serem contemplados pelos homens, pois alargam seus filactérios[4] e tornam maiores as orlas[5] (das vestes), **23:6** amam o [6]primeiro reclinatório nas ceias[7] e as primeiras cadeiras[8] nas sinagogas, **23:7** as saudações nas praças e o serem chamados pelos homens: "Rabbi"[9]. **23:8** Vós, porém, não sejais chamados "Rabbi", pois vosso Mestre é somente um, e todos vós sois irmãos. **23:9** E a ninguém, sobre a terra, chameis de vosso Pai; pois vosso Pai Celestial é somente um. **23:10** Nem sejais chamados "Guias", porque vosso Guia é somente um, o Cristo[10]. **23:11** Porém o maior entre vós será o vosso servidor[11], **23:12** e aquele que exaltar[12] a si mesmo será diminuído[13], e aquele que diminuir a si mesmo será exaltado.

1. Lit. "cátedra", que significa "cadeira". Nas sinagogas era comum reservar-se um assento macio com encosto para que o mestre, autorizado, pudesse ensinar. Estes assentos ficavam na plataforma, de frente para a congregação, e de costas para a arca na qual eram guardados os rolos da Torah.
2. Lit. "velar, guardar; espiar; praticar, observar; conservar".
3. Lit. "carga, fardo; peso".
4. Caixinhas de couro, contendo tiras de pergaminho com porções das escrituras, que eram atadas à mão esquerda e à testa. As quatro passagens das Escrituras comumente registradas nessas tiras de pergaminho eram Ex 13:2-10, 13:11-17; Dt 6:49, 11:13-21.
5. Lit. "orla, borda, franja das vestes". Na orla ou borda das vestes judaicas masculinas eram feitos bordados com fio azul-púrpura (Nm 15:38-39). Trata-se de um preceito cuja função era evocar a necessidade de cumprimento dos demais preceitos (619 segundo Maimônides). Desse modo, essa orla era sinal característico dos fiéis observadores da Torah.
6. Lugar de honra em um jantar, ao lado do dono da casa ou do anfitrião. No Oriente, é relevante o local na mesa, onde o convidado se reclinar para comer, pois evidencia a reputação, posição social do convidado.
7. Lit. "refeição principal do dia (geralmente o jantar)", banquete.

8. Vide nota 1.
9. Em aramaico, significa "meu Mestre".
10. Trata-se do "Messias" da tradição judaica, palavra hebraica, cuja tradução para o grego é "Cristo".
11. Lit. "aquele que serve, que presta serviço, que executa tarefas".
12. Lit. "alçar, elevar, engrandecer; exaltar (em sentido metafórico)".
13. Lit. "se rebaixar, se diminuir, se humilhar".

OS SETE "AIS"

23:13 Ai de vós, escribas e fariseus, hipócritas, que cerrais[1] o Reino dos Céus, [2]diante dos homens; pois vós não entrais, nem deixais entrar os que estão entrando. **23:14** {*Ai de vós, escribas e fariseus, hipócritas, que devorais as casas das viúvas, orando com grande ostentação; por isso recebereis condenação mais severa*}[3]. **23:15** Ai de vós, escribas e fariseus, hipócritas, que percorreis o mar e a {terra} seca para fazer um prosélito e, quando se torna, o fazeis filho do Geena[4] duas vezes mais que vós. **23:16** Ai de vós, guias de cegos, que dizem: Se alguém jura pelo Santuário[5], [6]é nada; quem, porém, jura pelo ouro do Santuário, deve[7]. **23:17** Tolos e cegos! Pois qual é maior: o ouro ou o Santuário que santifica o ouro? **23:18** Se alguém jura pelo altar[8], [9]é nada; quem, porém, jura pela oferenda, {que está} sobre ele, deve[10]. **23:19** Cegos! Pois qual é maior: a oferenda ou o altar que santifica a oferenda? **23:20** Portanto, quem jurou pelo altar, está jurando por ele e por tudo {que está} sobre ele. **23:21** E quem jurou pelo Santuário, está jurando por ele e por {aquele} que habita nele. **23:22** E quem jurou pelo céu, está jurando pelo trono de Deus e por {aquele} que está sentado sobre ele. **23:23** Ai de vós, escribas e fariseus, hipócritas, que [11]pagais o dízimo da hortelã[12], do endro[13] e do cominho[14], e deixais [15]as {coisas} mais pesadas da Lei: a justiça[16], a misericórdia e a fé[17]. Deveis fazer estas {coisas} e não deixar aquelas. **23:24** Guias cegos! Coais o mosquito e engolis o camelo! **23:25** Ai de vós, escribas e fariseus, hipócritas, que limpais[18] o {lado} de fora do copo[19] e do prato, mas o {lado} de dentro está cheio do {que provém do} saque[20] e da intemperança[21]. **23:26** Fariseu cego! Limpa primeiro o interior do copo para que também o exterior se torne limpo. **23:27** Ai de vós, escribas e fariseus, hipócritas, que vos assemelhais a sepulcros caiados[22], os quais se mostram vistosos por fora, mas por dentro estão cheios de ossos de mortos e de toda impureza. **23:28** Assim, também vós, por fora vos mostrais justos aos homens, mas por dentro estais cheios de hipocrisia e iniquidade[23]. **23:29** Ai de vós, escribas e fariseus, hipócritas, que [24]edificais os sepulcros dos profetas e adornais[25] os túmulos dos justos, **23:30** e dizeis: Se [26]estivéssemos vivendo nos dias de nossos pais, não seríamos [27]cúmplices no sangue dos profetas. **23:31** Assim, testemunhais contra si mesmos que sois filhos dos que mataram os profetas. **23:32** Vós completais[28] a medida de vossos pais.

1. Lit. "cerrar, trancar, fechar". Parece fazer referência à porta de acesso ao Reino, cerrada no rosto dos homens pelos escribas e fariseus.
2. Lit. "perante a face, diante de". Expressão idiomática semítica muito utilizada nas Escrituras. Em português temos uma expressão semelhante "fechar a porta na cara de alguém".
3. Esse versículo não é aceito pela crítica textual contemporânea, pois além de estar ausente dos manuscritos mais antigos, quebra a estrutura literária da passagem, composta de **sete** "Ais".
4. Transcrição do vocábulo aramaico "Gê Hinnam" (Vale do Hinnom), local em que estava situado o altar de Moloch, onde eram queimadas vivas as crianças, em oferenda àquela divindade pagã. O Rei Josias destruiu o local do culto, transformando-o em depósito de lixo de Jerusalém e monturo onde se lançavam os cadáveres de animais, para ser tudo queimado. Após a morte do Rei Josias, o culto a Moloch foi restabelecido. Os apócrifos atribuem ao vale o símbolo do castigo dos maus, passando o local a representar o castigo que purifica os pecadores, também conhecido como "vale dos gemidos". Essa tradição popular estava viva na época de Jesus.
5. Lit. "habitação, habitação de um Deus, templo". No Novo Testamento, esse vocábulo se refere com frequência ao santuário do Templo de Jerusalém, conhecido pelo nome de "Santo", local onde eram encontradas várias peças de ouro.
6. Fórmula para um juramento não obrigatório "é nada". Uma expressão idiomática utilizada nos juramentos em que a pessoa não se obrigava legalmente a cumpri-los.
7. Lit. "estar obrigado a, estar endividado (dever); ser devido (dívida), ser obrigatório". Fórmula para um juramento obrigatório "deve (está obrigado a cumprir)". Uma expressão idiomática utilizada nos juramentos em que a pessoa se obrigava legalmente a cumpri-los.
8. Lit. "altar das ofertas queimadas".
9. Fórmula para um juramento não obrigatório "é nada". Uma expressão idiomática utilizada nos juramentos em que a pessoa não se obrigava legalmente a cumpri-los.
10. Vide nota 7.
11. Lit. "pagar/dar a décima parte de". Refere-se à obrigação de dar a décima parte dos produtos colhidos da terra (Lv 27:30-32; Nm 18:20-32). Nessa época, os fariseus e escribas estendiam essa obrigação à colheita dos mais insignificantes produtos da terra.
12. Lit. "hortelã, menta".
13. Lit. "endro", erva (planta herbácea aromática) usada como condimento.

14. Lit. "cominho (cuminum salivum)", planta nativa do Egito e Síria, cujas sementes são aromáticas, de sabor amargo e picante, utilizadas como condimento.
15. Referência explícita à terminologia rabínica "leve/pesado" utilizada como método de interpretação das Escrituras, com a finalidade de se extrair preceitos a serem, ou não, observados.
16. Lit. "juízo, julgamento". Trata-se de expediente linguístico em que se utiliza um vocábulo que nomeia a parte para fazer referência ao todo. No caso, o termo "julgamento, juízo" diz respeito à justiça como um todo. É também uma prática comum na exegese rabínica.
17. Lit. "fidelidade, fé". No hebraico, no grego e no latim, o mesmo vocábulo designa tanto a fidelidade quanto a fé. Um estudo mais profundo da língua hebraica revela que nas Escrituras o sentido mais autêntico da fé consistia na fidelidade a Deus, incluindo a manutenção e observância do monoteísmo.
18. Lit. "limpar, lavar, purificar".
19. Lit. "taça, copo".
20. Lit. "saque, pilhagem, rapina, roubo (violento)", em suma, aquilo que é obtido por práticas violentas ou desonestas.
21. Lit. "intemperança, incontinência, apetite incontrolável; concupiscência".
22. Lit. "branqueados com cal, tornados brancos". Antes da Páscoa, era costume caiar os sepulcros, para que as pessoas não os tocassem acidentalmente, ficando contaminadas cerimonialmente, em prejuízo da celebração da festa.
23. Lit. "sem lei ou fora da lei". O termo "anomia" (sem lei) significa ausência de lei, lacuna legislativa, ausência de regra. No caso, a expressão "iniquidade" transmite parcialmente o sentido.
24. A edificação de monumentos para marcar os sepulcros dos heróis nacionais de Israel talvez tenha se iniciado durante o reinado de Herodes, o grande, que edificou um monumento no túmulo de Davi.
25. Lit. "adornar, decorar, embelezar, enfeitar; pôr em ordem, organizar".
26. Lit. "estivéssemos existindo".
27. Expressão idiomática que faz referência ao assassinato dos profetas pelos líderes do povo hebreu, na época.
28. Lit. "encher, tornar cheio; completar; realizar, cumprir". Visto que a exegese rabínica evita uma abordagem puramente abstrata das escrituras, era comum perguntar-se: "Quem cumpriu esse trecho da escritura". Essa indagação levava os intérpretes a citar personagens, sobretudo os patriarcas, com o objetivo de demonstrar o cumprimento da escritura em suas vidas, e a escritura sendo cumprida (vivenciada) por suas vidas. No caso em tela, o "cumprimento" se dará com a crucificação de Jesus.

LAMENTO POR JERUSALÉM (Lc 13:31-35, 19:41-44)

23:33 Serpentes, raça de víboras! Como fugireis do julgamento da Geena? **23:34** Por isso, vede! Eu vos envio profetas, sábios e escribas; {a uns} deles matareis e crucificareis, {a outros} deles açoitareis nas vossas sinagogas e perseguireis de cidade em cidade, **23:35** a fim de que venha sobre vós todo sangue justo derramado sobre a terra; desde o sangue de Abel, o justo, até o sangue de Zacarias[1], filho de Baraquias, que matastes entre o Santuário[2] e o altar[3]. **23:36** Amém[4] vos digo: Todas estas {coisas} virão sobre esta geração. **23:37** Jerusalém, Jerusalém! A que mata os profetas e apedreja os que lhe são enviados! Quantas vezes eu quis juntar teus filhos, do modo como uma galinha junta seus pintainhos, debaixo das asas, e não quiseste! **23:38** Vede! Vossa casa é deixada deserta para vós! **23:39** Pois eu vos digo: Não me vereis, de agora até que digais: Bendito o que vem em nome do Senhor.

1. No cânone judaico, "Gênesis" era o primeiro livro e "Crônicas (1 e 2)" o último. Nesse caso, Jesus estaria citando o primeiro assassinato bíblico (Gn 4:8) e o último (2Cr 24:20-22), ou seja, os assassinatos de Abel e Zacarias, respectivamente. Por outro lado, o Zacarias que foi assassinado não era o filho de Baraquias, razão pela qual alguns estudiosos atribuem essa filiação a possível confusão com o Zacarias citado em Is 8:2. Esse tipo de erro é frequente no Evangelho de Mateus, sobretudo em sua genealogia de Jesus.
2. Lit. "habitação, habitação de um Deus, templo". No Novo Testamento, esse vocábulo se refere com frequência ao santuário do Templo de Jerusalém, conhecido pelo nome de "Santo", local onde eram encontradas várias peças de ouro.
3. Lit. "altar das ofertas queimadas".
4. ἀμην (amém), transliteração do vocábulo hebraico אָמֵן. Trata-se de um adjetivo verbal (ser firme, ser confiável). O vocábulo é frequentemente utilizado de forma idiomática (partícula adverbial) para expressar asserção, concordância, confirmação (realmente, verdadeiramente, de fato, certamente, isso mesmo, que assim seja). Ao redigirem o Novo Testamento, os evangelistas mantiveram a palavra no original, fazendo apenas a transliteração para o grego, razão pela qual também optamos por mantê-la intacta, sem tradução.

24 O SERMÃO PROFÉTICO

GRANDES TRIBULAÇÕES (Mc 13:1-27; Lc 21:5-28, 12:25-27, 17:20-37)

24:1 Tendo Jesus saído do Templo, estava partindo, quando se aproximaram dele os seus discípulos para lhe mostrar as edificações do Templo. **24:2** Em resposta, lhes disse: Não vedes tudo isso? Amém[1] vos digo que [2]não será deixada aqui pedra sobre pedra que não seja derribada[3]. **24:3** Ao assentar-se no Monte das Oliveiras, aproximaram-se dele os discípulos, em particular, dizendo: Dize-nos quando serão essas {coisas} e qual o sinal da tua vinda[4] e da consumação[5] da era[6]. **24:4** Em resposta, Jesus lhes disse: Vede que ninguém vos engane[7]! **24:5** Pois muitos virão em meu nome dizendo: Eu sou o Cristo; e enganarão a muitos. **24:6** E [8]estareis na iminência de ouvir de guerra e relatos[9] de guerras; olhai, não vos alarmeis[10], pois é necessário acontecer {essas coisas}, mas ainda não é o fim[11]. **24:7** Pois se levantará nação[12] contra nação, reino contra reino; haverá fomes e terremotos [13]em todos os lugares. **24:8** Todas essas {coisas} {são} {o} começo das dores de parto. **24:9** Então, vos entregarão à provação[14] e vos matarão; e sereis odiados por todas as nações[15] por causa do meu nome. **24:10** Neste tempo, muitos se escandalizarão[16], entregarão uns aos outros e odiarão uns aos outros. **24:11** Muitos falsos profetas serão levantados e enganarão a muitos. **24:12** E por se multiplicar[17] a iniquidade[18], o amor de muitos se esfriará. **24:13** Mas quem perseverar[19] até ao fim[20], esse será salvo. **24:14** Este Evangelho do Reino será proclamado[21] em toda {terra} habitada, para testemunho a todas as nações. E então virá o fim. **24:15** Portanto, quando virdes a [22]abominação[23] devastadora[24], que foi falada através do profeta Daniel, estabelecida no lugar santo, quem estiver lendo compreenda. **24:16** Então, os {que estiverem} na Judeia fujam para os montes; **24:17** o {que estiver} sobre o terraço[25], não desça para pegar[26] as {coisas} de dentro da sua casa; **24:18** quem {estiver} no campo, não volte atrás para pegar sua veste[27]. **24:19** Aí das grávidas[28] e das que amamentarem naqueles dias! **24:20** Orai para que a vossa fuga não aconteça no inverno nem no sábado. **24:21** Pois haverá, nesse tempo, grande provação[29] como não tem havido desde o princípio do mundo até agora, nem jamais haverá. **24:22** E se aqueles dias não fossem encurtados³⁰, nenhuma carne seria salva, mas por causa dos escolhidos³¹ aqueles dias serão encurtados. **24:23** Então, se alguém vos disser "eis aqui o Cristo", ou "ali", não creiam. **24:24** Pois serão levantados falsos Cristos e falsos Profetas, e darão grandes sinais e prodígios, de sorte a enganar, se possível, até os escolhidos. **24:25** Eis que eu vos tenho predito! **24:26** Portanto, se vos disserem "eis que está no deserto", não saiam; ou, "eis que {está} nos ³²quartos internos", não creiam. **24:27** Pois, assim como o relâmpago sai do Oriente e se mostra até o Ocidente, assim também será a vinda³³ do filho do homem. **24:28** Onde estiver o cadáver, lá se reunirão os abutres³⁴. **24:29** E logo depois da provação³⁵ daqueles dias, o sol escurecerá, a lua não dará seu brilho, as estrelas cairão do céu, e os poderes dos céus serão abalados³⁶. **24:30** Então aparecerá no céu o sinal do filho do homem; todas as tribos da terra se lamentarão³⁷ e verão o filho do homem vindo sobre as nuvens do céu, com poder e muita glória. **24:31** Ele enviará os seus anjos, com grande trombeta; e {eles} reunirão os seus escolhidos dos quatro ventos, da extremidade dos céus até sua {outra} extremidade.

MATEUS 24

1. ἀμήν *(amém)*, transliteração do vocábulo hebraico אָמֵן. Trata-se de um adjetivo verbal (ser firme, ser confiável). O vocábulo é frequentemente utilizado de forma idiomática (partícula adverbial) para expressar asserção, concordância, confirmação (realmente, verdadeiramente, de fato, certamente, isso mesmo, que assim seja). Ao redigirem o Novo Testamento, os evangelistas mantiveram a palavra no original, fazendo apenas a transliteração para o grego, razão pela qual também optamos por mantê-la intacta, sem tradução.
2. Lit. "não não será deixada".
3. Lit. "destruir, derrubar, demolir, derribar (lançar abaixo); dissolver; interromper", e em sentido metafórico: anular, revogar. Nesta passagem, o verbo está na voz passiva.
4. Lit. "presença; vinda, chegada; advento".
5. Lit. "ato ou efeito de completar, terminar; consumação, término".
6. Lit. "era, idade, século; tempo muito longo".
7. Lit. "desviar, extraviar; enganar, iludir, seduzir; desencaminhar ou desviar do caminho". O vocábulo é constantemente utilizado no Novo Testamento para se referir ao desvio da ovelha que se desgarra do rebanho.
8. Lit. "estar para, estar a ponto de (indicando a iminência do acontecimento)".
9. Lit. "ato de ouvir, audição; coisa ouvida; relato; reputação, fama".
10. Lit. "fazer ruído, gritar ou chorar em voz alta; estar perturbado, preocupado, alarmado, apavorado (na voz passiva)".
11. Lit. "término, cessação, conclusão; fim, alvo, resultado".
12. Lit. "povos de outras nações que não o povo hebreu". Os hebreus chamavam todos os outros povos de gentios.

13. Trata-se de uso distributivo da preposição grega "kata".
14. Lit. "pressão, compressão (sentido estrito); aflição, tribulação, provação (sentido metafórico)".
15. Vide nota 12.
16. Lit. "tropeçar; vacilar ou errar; ser ofendido; estar chocado. O substantivo "skandalon" significa armadilha de molas ou qualquer obstáculo que faça alguém tropeçar; um impedimento; algo que cause estrago, destruição, miséria e, via de consequência, aquilo que causa um choque, que repugna, que fere a sensibilidade.
17. Lit. "aumentar, multiplicar, acumular".
18. Lit. "sem lei ou fora da lei". O termo "anomia" (sem lei) significa ausência de lei, lacuna legislativa, ausência de regra. No caso, a expressão "iniquidade" transmite parcialmente o sentido.
19. Lit. "permanecer, suportar, perseverar".
20. Lit. "término, cessação, conclusão; fim, alvo, resultado".
21. Lit. "proclamar como arauto, agir como arauto". Sugere a gravidade e a formalidade do ato, bem como a autoridade daquele que anuncia em voz alta e solenemente a mensagem.
22. Lit. "abominação da desolação". Expressão idiomática tipicamente semítica que consiste em colocar lado a lado dois substantivos, em relação de dependência ou posse, com o objetivo de se formar um novo vocábulo (neologismo).
23. Lit. "o que provoca náusea; detestável, abominável, abjeto, nojento".
24. Lit. "que se tornou deserto, devastado; ruína, devastação, desolação".
25. Lit. "terraço, telhado". Nas residências da Palestina do primeiro século, era comum utilizar-se o telhado ou terraço como uma espécie de cobertura dos apartamentos atuais. Era costume fazerem-se orações (At 10:9), proclamações e comunicações públicas (Mt 10:27; Lc 12:3) neste local. Nas tardes quentes, as mulheres costumavam subir para o terraço a fim de preparar pão, tecer, secar o linho ou frutas, catar cereais, estender roupas.
26. Lit. "erguer (com as mãos) para carregar; levantar um objeto a fim de transportá-lo".
27. Veste externa, manto, peça de vestuário utilizada sobre a peça interna. Pode ser utilizada como sinônimo do vestuário completo de uma pessoa. O termo também aparece em Mt 5:40, traduzido como "manto".
28. Lit. "a que tiverem no ventre".
29. Vide nota 14.
30. Lit. "cortar, mutilar; encurtar, abreviar".
31. Lit. "escolhido, selecionado".
32. Lit. "quarto interno (no interior da casa), oculto; aposento íntimo; despensa, celeiro".
33. Lit. "presença; vinda, chegada; advento".
34. Lit. "águia", mas utilizado para qualquer ave de rapina, como o abutre, o urubu.
35. Vide nota 14.
36. Lit. "sacudir, agitar, abalar".
37. Lit. "bater (no peito)", ato que expressava tristeza, luto, dor, lamento.

PARÁBOLA DA FIGUEIRA (Mc 13:28-32; Lc 21:29-33)

24:32 Aprendei a parábola da figueira: quando os seus ramos já se tornaram tenros, e as folhas brotam, sabeis que {está} próximo o verão. **24:33** Assim também vós, quando virdes todas essas {coisas}, sabei que está próximo, às portas. **24:34** Amém[1], vos digo que não passará esta geração até que todas essas {coisas} aconteçam. **24:35** O céu e a terra passarão, mas não passam as minhas palavras. **24:36** A respeito daquele dia e hora, ninguém sabe; nem os anjos dos céus, nem o filho, mas apenas o Pai.

1. ἀμην *(amém)*, transliteração do vocábulo hebraico אָמֵן. Trata-se de um adjetivo verbal (ser firme, ser confiável). O vocábulo é frequentemente utilizado de forma idiomática (partícula adverbial) para expressar asserção, concordância, confirmação (realmente, verdadeiramente, de fato, certamente, isso mesmo, que assim seja). Ao redigirem o Novo Testamento, os evangelistas mantiveram a palavra no original, fazendo apenas a transliteração para o grego, razão pela qual também optamos por mantê-la intacta, sem tradução.

TEMPO DE VIGILÂNCIA (Mc 13:33-37; Lc 19:12-13, 12:38-40, 17:20-37)

24:37 Pois, assim como os dias de Noé, assim {também} será a vinda do filho do homem. **24:38** Porquanto, assim como nos dias anteriores ao cataclismo[1], estavam comendo, bebendo, casando e sendo dadas em casamento até o dia em que Noé entrou na arca; **24:39** e não perceberam até que veio o cataclismo e levou a todos, assim será a vinda do filho do homem. **24:40** Então, estarão dois no campo, um será tomado, e {o} outro deixado; **24:41** duas moendo {grãos}, uma será tomada, e {a} outra deixada. **24:42** Portanto, vigiai, porque não sabeis em qual dia vem o vosso Senhor. **24:43** ²Considerai isso: Se o ³senhor da casa soubesse em qual vigília⁴ vem o ladrão, teria vigiado e não teria permitido ser arrombada sua casa. **24:44** Por isso, também vós estejais preparados, porque na hora em que não pensais vem o filho do homem.

1. Lit. "inundação, cataclismo; dilúvio".

2. Lit. "aquilo/isso sabei que:"
3. Lit. "senhor, dono da casa, chefe de família".
4. Lit. "prisão, cárcere; sentinela; guarda, vigília". O período entre 18h e 6h da manhã, do dia seguinte, era dividido em quatro vigílias de três horas cada uma (1ª – 18h – 21h; 2ª – 22h – 24h; 3ª – 1h – 3h; 4ª – 4h – 6h).

PARÁBOLA DO SERVO VIGILANTE (Mc 13:35-37; Lc 12:35-48)

24:45 Sendo assim, quem é o servo fiel[1] e prudente[2] que o Senhor constitui[3] sobre os seus domésticos[4], para dar-lhes alimento a seu tempo[5]? **24:46** Bem-aventurado aquele servo que o Senhor, quando vier, o encontrar fazendo assim. **24:47** Amém[6] vos digo que o constituirá sobre todos os seus bens. **24:48** Se aquele servo mau disser em seu coração: "Meu Senhor tarda!" **24:49** e começar a espancar seus conservos, a comer e a beber com os embriagados, **24:50** virá o senhor daquele servo em dia que não espera e em hora que não sabe, **24:51** o [7]cortará em dois e colocará a porção[8] dele com os hipócritas; ali haverá o pranto e o ranger de dentes.

1. Lit. "fiel, fervoroso". No hebraico, no grego e no latim, o mesmo vocábulo designa tanto a fidelidade quanto a fé. Um estudo mais profundo da língua hebraica revela que nas Escrituras o sentido mais autêntico da fé consistia na fidelidade a Deus, incluindo a manutenção e observância do monoteísmo. Nesta passagem, ressalta o aspecto "fidelidade", por se tratar de um servo (escravo) que obedece ao seu Senhor.
2. Lit. "prudente, sábio, sensato; sagaz; cauteloso, ponderado, cuidadoso".
3. Lit. "constituir, nomear; estabelecer, colocar na administração de".
4. Lit. "servos da casa, serviçais de uma residência, os escravos que trabalhavam em uma casa, propriedade".
5. Lit. "um ponto no tempo, um período de tempo; tempo fixo, definido; oportunidade".
6. ἀμην (amém), transliteração do vocábulo hebraico אָמֵן. Trata-se de um adjetivo verbal (ser firme, ser confiável). O vocábulo é frequentemente utilizado de forma idiomática (partícula adverbial) para expressar asserção, concordância, confirmação (realmente, verdadeiramente, de fato, certamente, isso mesmo, que assim seja). Ao redigirem o Novo Testamento, os evangelistas mantiveram a palavra no original, fazendo apenas a transliteração para o grego, razão pela qual também optamos por mantê-la intacta, sem tradução.
7. Esse verbo ocorre na passagem de Ex 29:17 para se referir à divisão em pedaços do animal dado em sacrifício.
8. Lit. "parte, porção, divisão (parte de um todo); partilha, sorte (parte que cabe a alguém por sorteio ou divisão)".

PARÁBOLA DAS DEZ VIRGENS   25

25:1 Então o Reino dos Céus será semelhante a dez virgens que, tomando suas próprias lâmpadas[1], saíram ao encontro do noivo. **25:2** Cinco delas eram tolas[2], e cinco prudentes[3], **25:3** pois as tolas, ao tomarem as suas lâmpadas, não levaram consigo óleo {de oliva}. **25:4** As prudentes, porém, levaram óleo {de oliva} nas vasilhas, com suas próprias lâmpadas. **25:5** E, tardando o noivo, todas cochilaram[4] e adormeceram[5]. **25:6** Mas, à meia-noite, houve um clamor: Eis o noivo! Saí ao seu encontro! **25:7** Então, todas aquelas virgens se levantaram e prepararam[6] suas próprias lâmpadas. **25:8** As tolas disseram às prudentes: Dai-nos do vosso óleo {de oliva}, porque as nossas lâmpadas se apagam. **25:9** As prudentes responderam, dizendo: De modo nenhum; talvez não seja suficiente para nós e para vós. Ide, antes, aos que vendem e comprai para vós mesmas. **25:10** Ao saírem para comprar {o óleo}, veio o noivo; as preparadas entraram com ele nas bodas[7], e a porta foi fechada. **25:11** Posteriormente, vieram as virgens remanescentes dizendo: Senhor, Senhor, abre-nos {a porta}. **25:12** Em resposta, ele disse: Amém[8] vos digo que não vos conheço. **25:13** Portanto, vigiai, porque não sabeis o dia nem a hora.

1. Lit. "lâmpada pequena, tocha, archote". Trata-se de um pequeno recipiente feito de barro, provido de uma tampa móvel na parte superior, no centro da qual havia um orifício para se colocar o óleo de oliva. Havia também outro orifício, ao lado, por onde saía a chama. Era utilizada para iluminação do ambiente doméstico. A destruição de uma lâmpada doméstica, em sentido figurado, representava a extinção de uma família (Pv 13:9).
2. Lit. "tolo, insensato, estúpido; embotado, bobo; ridículo".
3. Lit. "prudente, sábio, sensato; sagaz; cauteloso, ponderado, cuidadoso".
4. Lit. "tornar-se sonolento, bocejar de sono, cochilar".
5. Lit. "dormir".
6. Lit. "adornar, decorar, embelezar, enfeitar; pôr em ordem, organizar".
7. Lit. "festa ou banquete com que se celebram as núpcias". As festividades de casamento, na Palestina, duravam muitos dias.
8. ἀμήν (amém), transliteração do vocábulo hebraico אָמֵן. Trata-se de um adjetivo verbal (ser firme, ser confiável). O vocábulo é frequentemente utilizado de forma idiomática (partícula adverbial) para expressar asserção, concordância, confirmação (realmente, verdadeiramente, de fato, certamente, isso mesmo, que assim seja). Ao redigirem o Novo Testamento, os evangelistas mantiveram a palavra no original, fazendo apenas transliteração para o grego, razão pela qual também optamos por mantê-la intacta, sem tradução.

PARÁBOLA DOS TALENTOS (Lc 19:11-27)

25:14 Pois {será} como um homem que, ¹ausentando-se {do seu país}, chamou seus próprios servos e entregou-lhes seus bens. **25:15** A um deu cinco talentos²; a outro, dois; e a outro, um; a cada um segundo sua ³própria capacidade; e ⁴ausentou-se {do seu país} imediatamente. **25:16** Tendo partido, o que recebera cinco talentos trabalhou com eles e ganhou outros cinco. **25:17** Do mesmo modo, o que {recebera} dois, ganhou outros dois. **25:18** Porém o que recebera um saiu, cavou na terra e escondeu a prata⁵ do seu senhor. **25:19** Muito tempo depois, vem o senhor daqueles servos e ajusta⁶ contas com eles. **25:20** Aproximando-se o que recebera cinco talentos, trouxe-lhe outros cinco, dizendo: Senhor, cinco talentos me entregaste. Vê! Ganhei outros cinco. **25:21** Disse-lhe o seu senhor: Servo bom e fiel, foste fiel sobre pouco, sobre muito te constituirei. Entra na alegria do teu Senhor. **25:22** Aproximando-se, também, o que {recebera} dois talentos, disse: Dois talentos me entregaste. Vê! Ganhei outros dois. **25:23** Disse-lhe o seu senhor: Excelente, servo bom e fiel, foste fiel sobre pouco, sobre muito te constituirei. Entra na alegria do teu Senhor. **25:24** Mas, aproximando-se também o que tinha recebido um talento, disse: Senhor, soube que és um homem duro, que ceifas onde não semeaste e que recolhes onde não espalhaste; **25:25** temendo, fui e escondi o teu talento na terra. Vê! Tens o {que é} teu. **25:26** Em resposta, o seu senhor lhe disse: Servo mau⁷ e preguiçoso, sabias que ceifo onde não semeei, e recolho onde não espalhei. **25:27** Portanto, devias ter entregado⁸ as minhas pratas⁹ aos banqueiros; e, quando viesse, receberia o {que é} meu com juros. **25:28** Tirai, portanto, dele o talento e dai ao que tem dez talentos, **25:29** pois a todo aquele que tem será dado, e terá em abundância; mas daquele que não tem, até o que tem lhe será tirado¹⁰. **25:30** Lançai o servo inútil¹¹ na treva exterior; ali haverá o pranto e o ranger de dentes.

1. Lit. "ausentar-se do próprio país, viajar ao estrangeiro".
2. Determinada quantia em dinheiro, equivalente a 6.000 denários. Lembrando que o denário era uma moeda de prata romana correspondente ao salário pago por um dia de trabalho no campo.

3. Lit. "seu próprio poder, sua própria capacidade".
4. Vide nota 1.
5. Referência ao denário, que era confeccionado com prata (metal precioso).
6. Lit. "levantar alguma coisa com alguém; ajustar contas, avaliar com vistas ao pagamento".
7. Lit. "mal; mau, malvado, malevolente; maligno, malfeitor, perverso; criminoso, ímpio". No grego clássico, a expressão significava "sobrecarregado", "cheio de sofrimento", "desafortunado", "miserável", "indigno", como também "mau", "causador de infortúnio", "perigoso". No Novo Testamento refere-se tanto ao "mal" quanto ao "malvado", "mau", "maligno", sendo que em alguns casos substitui a palavra hebraica "satanás" (adversário).
8. Lit. "lançar, arremessar; pôr, colocar, depositar".
9. Vide nota 5.
10. Lit. "levantar, suster, sustentar alguém/algo a fim de carregar; tirar, remover, levar".
11. Lit. "inútil, não proveitoso; sem valor, não meritório; indigno".

O ÚLTIMO JULGAMENTO

25:31 Quando o filho do homem vier em toda a sua glória, e todos os anjos com ele, então se assentará sobre o trono da sua glória. **25:32** E serão reunidas diante dele todas as nações[1], separará uns dos outros, como o pastor separa as ovelhas dos cabritos; **25:33** e colocará as ovelhas à sua direita e os cabritos à sua esquerda. **25:34** Então, o Rei dirá aos {que estiverem} à sua direita: Vinde, benditos do meu Pai, herdai o reino preparado para vós desde a fundação do mundo. **25:35** Pois tive fome e me destes de comer; tive sede e me destes de beber; era estrangeiro e me acolhestes[2]; **25:36** {estava} nu e me vestistes; estive enfermo[3] e me visitastes; estava na prisão e viestes a mim. **25:37** Então, os justos lhe responderão, dizendo: Senhor, quando te vimos [4]com fome e te demos de comer, ou [5]com sede e te demos de beber? **25:38** Quando te vimos estrangeiro e te acolhemos ou nu e te vestimos? **25:39** Quando te vimos [6]enfermo ou na prisão e viemos a ti? **25:40** Em resposta, o Rei lhes dirá: Amém[7] vos digo {que} na medida em que fizestes a um destes meus irmãos, mais pequeninos, a mim o fizestes. **25:41** Então, dirá aos {que estiverem} à {sua} esquerda: Afastai-vos de mim, amaldiçoados, para o fogo eterno[8], preparado para o diabo[9] e seus anjos. **25:42** Pois tive fome e não me destes de comer; tive sede e não me destes de beber; **25:43** era estrangeiro e não me acolhestes; {estava}

MATEUS
25

nu e não me vestistes; enfermo[10] e na prisão e não me visitastes. **25:44** Então, eles também responderão, dizendo: Senhor, quando te vimos [11]com fome ou [12]com sede, estrangeiro ou nu, [13]enfermo ou na prisão e não te servimos? **25:45** Então, lhes responderá, dizendo: Amém[14] vos digo {que} na medida em que não fizestes a um destes mais pequeninos, a mim não o fizestes. **25:46** E estes irão para o castigo eterno[15]; os justos para a vida eterna.

1. Lit. "povos de outras nações que não o povo hebreu". Os hebreus chamavam todos os outros povos de gentios.
2. Lit. "recolher, reunir".
3. Lit. "estar fraco (fisicamente), enfermo".
4. Lit. "tendo fome".
5. Lit. "tendo sede".
6. Lit. "estando enfermo".
7. ἀμην (amém), transliteração do vocábulo hebraico אָמֵן. Trata-se de um adjetivo verbal (ser firme, ser confiável). O vocábulo é frequentemente utilizado de forma idiomática (partícula adverbial) para expressar asserção, concordância, confirmação (realmente, verdadeiramente, de fato, certamente, isso mesmo, que assim seja). Ao redigirem o Novo Testamento, os evangelistas mantiveram a palavra no original, fazendo apenas a transliteração para o grego, razão pela qual também optamos por mantê-la intacta, sem tradução.
8. Lit. "de duração indeterminada; eterno, sem fim".
9. Aquele que desune (inspirando ódio, inveja, orgulho); caluniador, maledicente. Vocábulo derivado do verbo "diaballo" (separar, desunir; atacar, acusar; caluniar; enganar), do qual deriva também o adjetivo "diabólé" (desavença, inimizade; aversão, repugnância; acusação; calúnia).
10. Vide nota 3.
11. Vide nota 4.
12. Vide nota 5.
13. Vide nota 6.
14. Vide nota 7.
15. Vide nota 8.

CONSPIRAÇÃO PARA MATAR JESUS
(Mc 14:1-2; Lc 22:1-6; Jo 11:45-53)

26

26:1 E sucedeu que, concluindo [1]todo este discurso, Jesus disse aos seus discípulos: **26:2** Sabeis que após dois dias ocorre a Páscoa, {na qual} o filho do homem é entregue para ser crucificado. **26:3** Então, reunindo-se os sumos sacerdotes e os anciãos do povo no [2]pátio interior {da residência} do sumo sacerdote, [3]chamado Caifás, **26:4** deliberaram que prenderiam, ardilosamente[4], a Jesus e o matariam. **26:5** Mas diziam: Não durante a festa, para que não ocorra tumulto entre o povo.

1. Lit. "todas estas palavras".
2. Lit. "espaço descoberto ao redor de uma casa, cercado por uma parede, onde ficavam os estábulos, aprisco; pátio de uma casa; pátio interno das habitações de pessoas prósperas. Nas residências orientais, geralmente construídas em forma de quadrado, havia um pátio interior, descoberto, bem como um pátio exterior (uma espécie de varanda). Esse vocábulo também pode ser utilizado para se referir à residência ou palácio como um todo.
3. Lit. "que se chama".
4. Lit. "com traição, astúcia, ardil". Este vocábulo deriva do verbo que significa "capturar em uma armadilha, enganar, utilizar um artifício traiçoeiro".

A UNÇÃO EM BELÉM (Mc 14:3-9; Jo 12:1-8)

26:6 Estando Jesus em Betânia, na casa de Simão, o leproso, **26:7** aproximou-se dele uma mulher, com[1] um vaso de alabastro com unguento[2] caríssimo[3], e o derramou sobre sua cabeça, enquanto estava reclinado[4] {à mesa}. **26:8** Os discípulos, vendo {isso}, indignaram-se[5], dizendo: Para que este desperdício[6]? **26:9** Pois este {unguento} podia ser vendido por muito, e ser dado aos pobres. **26:10** Ao saber {disso}, Jesus lhes disse: Por que dais[7] trabalho[8] a {esta} mulher? Pois praticou uma boa obra para comigo. **26:11** Pois sempre tendes os pobres convosco, mas a mim não tendes sempre. **26:12** Pois, ao derramar[9] este unguento sobre o meu corpo, ela o fez para [10]preparar meu sepultamento. **26:13** Amém[11] vos digo que, onde quer que seja proclamado este Evangelho, no mundo inteiro, também será contado o que ela fez, em sua memória.

MATEUS 1. Lit. "tendo".
26
2. Lit. "unguento aromático, óleo de mirra". Palavra de origem semítica, derivada de "mirra". Trata-se de uma essência aromática extraída de árvores, utilizada especialmente na preparação do corpo para o sepultamento.
3. Lit. "pesado de valor". Expressão idiomática com o sentido de "caríssimo, de alto valor". Esse unguento foi estimado em 300 denários, ou seja, o equivalente ao salário pago pelo trabalho de um ano no campo, aproximadamente.
4. As refeições eram consumidas após as pessoas se reclinarem à mesa para comer.
5. Lit. "ficar irado, irritado, indignado".
6. Lit. "destruição, ruína, perdição; dissipação, desperdício".
7. Lit. "oferecer, ofertar, presentear; conceder, dar, fornecer; exibir; ser a causa de".
8. Lit. "labor/trabalho fatigante, lida, labuta; aflição, sofrimento, fadiga, cansaço, desconforto (decorrentes da labuta); golpe, pena".
9. Lit. "lançar, arremessar; pôr, colocar, depositar".
10. Lit. "fazer as preparações costumeiras do sepultamento, preparar um corpo para ser sepultado".
11. ἀμην (amém), transliteração do vocábulo hebraico אָמֵן. Trata-se de um adjetivo verbal (ser firme, ser confiável). O vocábulo é frequentemente utilizado de forma idiomática (partícula adverbial) para expressar asserção, concordância, confirmação (realmente, verdadeiramente, de fato, certamente, isso mesmo, que assim seja). Ao redigirem o Novo Testamento, os evangelistas mantiveram a palavra no original, fazendo apenas a transliteração para o grego, razão pela qual também optamos por mantê-la intacta, sem tradução.

JUDAS NEGOCIA A ENTREGA DE JESUS (Mc 14:10-11; Lc 23:3-6)

26:14 Então, um dos doze, chamado Judas Iscariotes, indo aos sumos sacerdotes, **26:15** disse: Que quereis me dar, e eu vos entregarei ele? Eles estabeleceram trinta pratas[1]. **26:16** E, desde então, procurava uma boa ocasião para o entregar.

1. Referência ao denário, que era confeccionado com prata (metal precioso).

OS PREPARATIVOS PARA A PÁSCOA (Mc 14:12-16; Lc 22:7-13)

26:17 No primeiro {dia da festa} dos {pães} Ázimos[1], os discípulos aproximaram-se de Jesus, dizendo: Onde queres que te preparemos a Páscoa para comer? **26:18** Ele disse: Ide à cidade, a um tal {homem}, e diga-lhe: O Mestre diz: O meu tempo² está próximo; junto a ti faço a Páscoa com meus discípulos. **26:19** E os discípulos fizeram como Jesus lhes ordenara, e prepararam a Páscoa.

1. Trata-se do pão sem fermento, que não foi submetido a nenhum processo de fermentação, ainda que natural. A festa dos pães ázimos durava sete dias, geralmente de um sábado a outro, sendo que no primeiro dia era comido o cordeiro pascal, momento em que era celebrada a ceia ritual intitulada Páscoa.
2. Lit. "um ponto no tempo, um período de tempo; tempo fixo, definido; oportunidade".

A ÚLTIMA CEIA PASCAL (Mc 14:17-25; Lc 22:14-23; Jo 13:21-30)

26:20 Chegado o fim da tarde, reclinou-se¹ {à mesa} com os doze. **26:21** E, enquanto eles comiam, disse: Amém² vos digo que um de vós me entregará. **26:22** Entristecendo-se muito, começaram a dizer-lhe, cada um deles: Porventura sou eu, Senhor? **26:23** Em resposta, disse: O que ³mergulhou a mão na tigela comigo, esse me entregará. **26:24** O filho do homem vai {ser entregue}, conforme está escrito a seu respeito. Ai, porém, daquele por quem o filho do homem é entregue! Melhor seria, para ele, se aquele homem não tivesse nascido! **26:25** Em resposta, Judas, que o estava entregando, disse: Porventura sou eu, Rabbi? Ele lhe disse: Tu disseste. **26:26** Enquanto eles comiam, depois de tomar o pão e o abençoar, Jesus {o} partiu, deu aos discípulos e disse: Tomai, comei; isto é o meu corpo. **26:27** Depois de tomar um cálice e dar graças, deu a eles, dizendo: Bebei dele todos {vós}, **26:28** pois este é o meu sangue, o {sangue} da aliança⁴, que é derramado por causa de muitos, para perdão⁵ dos pecados. **26:29** Eu, porém, vos digo: Não mais beberei, a partir de agora, deste fruto da videira, até aquele dia em que o beba convosco, {vinho} novo, no Reino de meu Pai.

1. As refeições eram consumidas após as pessoas se reclinarem à mesa para comer.
2. ἀμην *(amém)*, transliteração do vocábulo hebraico אָמֵן. Trata-se de um adjetivo verbal (ser firme, ser confiável). O vocábulo é frequentemente utilizado de forma idiomática (partícula adverbial) para expressar asserção, concordância, confirmação (realmente, verdadeiramente, de

fato, certamente, isso mesmo, que assim seja). Ao redigirem o Novo Testamento, os evangelistas mantiveram a palavra no original, fazendo apenas a transliteração para o grego, razão pela qual também optamos por mantê-la intacta, sem tradução.

3. No Oriente Médio, era costume colocar-se uma tigela de molho, feito de frutas cozidas, sobre a mesa, para que os convivas mergulhassem o pão. Nessa cultura, compartilhar a refeição em uma mesa é um sinal de profunda amizade, de confiança plena. Nesse caso, jamais se espera que o companheiro de refeição venha a prejudicá-lo, tendo em vista a enorme intimidade que este ato implica. Transportando a imagem para a cultura ocidental, seria o equivalente a ser traído por alguém que frequenta sua casa, ou desfruta de sua intimidade.

4. Lit. "testamento, disposição de última vontade (sentido jurídico relacionado ao direito sucessório); contrato, ajuste, tratado, acordo, convenção (sentido jurídico ligado ao aspecto contratual); aliança, pacto (sentido típico da Literatura Bíblica)".

5. Lit. "perdão (pecado, ofensa, mal); remissão (dívida, pena); libertação (escravidão, prisão); liberação (permitir a saída)".

A PREDIÇÃO DA NEGAÇÃO DE PEDRO
(Mc 14:26-31; Lc 22:31-34; Jo 13:36-38)

26:30 Depois de [1]entoarem {salmos}, saíram para o Monte das Oliveiras. **26:31** Então, Jesus lhes disse: Todos vós, nesta noite, vos escandalizareis[2] em mim, pois está escrito: *Ferirei[3] o pastor e as ovelhas do rebanho serão dispersadas* **26:32** Mas, depois de ser levantado[4], irei à frente de vós, para a Galileia. **26:33** Em resposta, Pedro lhe disse: Se todos se escandalizarem em ti, eu nunca me escandalizarei. **26:34** Disse-lhe Jesus: Amém[5] te digo que, nesta noite, [6]antes de cantar o galo, me negarás três vezes. **26:35** Disse-lhe Pedro: Ainda que seja necessário morrer contigo, não te negarei. E todos os discípulos disseram o mesmo.

1. Lit. "ação de cantar/entoar hinos/salmos". No final da refeição pascal eram entoados/cantados salmos (*Sl 113-118, 136*), que os hebreus chamavam de "Hallel (louvor)".
2. Lit. "tropeçar; vacilar ou errar; ser ofendido; estar chocado. O substantivo "skandalon" significa armadilha de molas ou qualquer obstáculo que faça alguém tropeçar; um impedimento; algo que cause estrago, destruição, miséria e, via de consequência, aquilo que causa um choque, que repugna, que fere a sensibilidade.
3. Lit. "bater, espancar; ferir, machucar".
4. Lit. "erguer-se, levantar-se". Expressão idiomática semítica que faz referência à ressurreição dos mortos. Para expressar a morte e a ressurreição, utilizavam as expressões "deitar-se" (morte) e "levantar-se" (ressurreição).

1. ἀμην (amém), transliteração do vocábulo hebraico אָמֵן. Trata-se de um adjetivo verbal (ser firme, ser confiável). O vocábulo é frequentemente utilizado de forma idiomática (partícula adverbial) para expressar asserção, concordância, confirmação (realmente, verdadeiramente, de fato, certamente, isso mesmo, que assim seja). Ao redigirem o Novo Testamento, os evangelistas mantiveram a palavra no original, fazendo apenas a transliteração para o grego, razão pela qual também optamos por mantê-la intacta, sem tradução.
2. O canto do galo marcava a terceira vigília romana, que durava das 0h (meia-noite) às 3h da manhã.

NO GETSÊMANI (Mc 14:32-42; Lc 22:39-46)

26:36 Então, Jesus vai com eles a um lugar[1] chamado Getsêmani e diz aos discípulos: Sentai-vos aqui, enquanto vou orar ali. **26:37** E, tendo levado consigo Pedro e os dois filhos de Zebedeu, começou a entristecer-se e a angustiar-se[2]. **26:38** Então, lhes disse: [3]Minha alma está [4]cercada pela tristeza até a morte. Permanecei aqui e vigiai comigo! **26:39** E, indo um pouco adiante, prosternou-se[5], orando e dizendo: Meu Pai, [6]se for possível, passa de mim esta taça; contudo, não {seja} como eu quero, mas como tu {queres}. **26:40** Vai até os discípulos e os encontra dormindo. Diz a Pedro: Então, nem uma hora fostes capaz de vigiar comigo? **26:41** Vigiai e orai, para que [7]não entreis em tentação; o espírito {está} pronto, mas a carne {é/está} fraca[8]. **26:42** Novamente, pela segunda vez, depois de sair, orou, dizendo: Meu Pai, se não é possível passar esta {taça}, sem que eu beba, seja feita a tua vontade. **26:43** Após vir, novamente os encontrou dormindo, pois os olhos deles [9]estavam pesados. **26:44** Deixando-os novamente, afastou-se e orou pela terceira vez, dizendo [10]a mesma coisa. **26:45** Então, vai até os discípulos e lhes diz: [11]Dormi o restante e descansai. Eis que está próxima a hora, e o filho do homem está entregue nas mãos dos pecadores. **26:46** Levantai-vos, vamos! Eis que se aproxima aquele que {está} me entregando.

1. Lit. "lugar, campo, pedaço de terra".
2. Lit. "estar dolorosamente preocupado; estar angustiado, aflito".
3. Expressão idiomática semítica.
4. Lit. "cercada pela tristeza; rodeada de tristeza".

5. Lit. "caiu sobre o rosto dele"; Expressão idiomática semítica que significa prosternar-se (curvar-se ao chão em sinal de profundo respeito).
6. Lit. "se é possível".
7. Expressão idiomática que pode significar "para que não sucumbam à tentação, para que não caiam em tentação". Em português, costumamos dizer "não entra nessa".
8. Lit. "fraco (fisicamente), enfermo".
9. Lit. "sobrecarregado (de peso, de fardo); estar pesado (de sono, de vinho)". Expressão idiomática que se refere ao sono difícil de suportar.
10. Lit. "a palavra/coisa de novo/novamente".
11. Os dois verbos "dormi" e "descansai" estão no imperativo, não havendo qualquer sinal de pergunta na manifestação de Jesus. Todavia, a continuação da fala demonstra que houve uma espécie de repreensão, tanto que ele dá nova ordem (Mt 26:46) para que os discípulos se levantem. Nesse caso, Jesus teria dado uma ordem positiva com a intenção de reforçar a censura, uma espécie de ironia fina.

A PRISÃO DE JESUS (Mc 14:43-52; Lc 22:47-53; Jo 18:1-11)

26:47 Enquanto ele ainda falava, eis que veio Judas, um dos doze, e com ele uma grande turba, com espadas e porretes[1] , {vinda} da parte dos sumos sacerdotes e anciãos do povo. **26:48** Aquele que o {estava} entregando, deu-lhes um sinal, dizendo: Aquele que eu beijar, é esse, prendei-o. **26:49** Aproximando-se de Jesus, logo disse: Salve![2] Rabbi! E o beijou. **26:50** Jesus, porém, lhe disse: Companheiro, a que vens? Então, depois de se aproximarem, lançaram as mãos sobre Jesus e o prenderam. **26:51** E eis que um dos que {estavam} com Jesus, estendendo a mão, puxou[3] sua espada, e ferindo[4] o servo do sumo sacerdote, tirou-lhe[5] a orelha. **26:52** Então, Jesus lhe disse: Retorna[6] a tua espada para o lugar dela, pois todos os que tomam a espada, morrem pela espada, **26:53** ou pensas que não posso chamar meu Pai, [7]e ele {não} colocaria ao meu dispor, agora, mais de doze legiões de anjos? **26:54** Pois como se cumpririam as Escrituras que {dizem} deve acontecer assim? **26:55** Naquela hora, Jesus disse às turbas: Saístes com espadas e porretes, como {se procede} contra um assaltante[8], para me prender[9]. Diariamente, eu me sentava convosco, ensinando no templo, e não me agarrastes. **26:56** Tudo isso aconteceu para que se cumprissem as Escrituras dos profetas. Então, todos os discípulos, deixando-o, fugiram.

1. Lit. "toras de madeira, porrete, clava".
2. Lit. "alegra-te". Trata-se de uma saudação; portanto, deve ser traduzida como "salve", "olá".
3. Lit. "puxar, arrancar".
4. Lit. "bater, espancar; ferir, machucar".
5. Lit. "tirar, remover; roubar; afastar, separar".
6. Lit. "fazer voltar, retornar (algo/alguém); voltar, retornar (a si próprio); desviar, apartar".
7. Lit. "e colocará ao lado para mim". Os dois verbos utilizados, "chamar" e "colocar à disposição", neste contexto, se referem ao campo semântico do combate. Nesse caso, a ideia é de que Jesus renunciou ao confronto físico, à guerra.
8. Lit. "assaltante (de estrada), saqueador; pirata; salteador".
9. Lit. "tomar consigo", agarrar, capturar, prender; apreender; conceber, engravidar".

JESUS DIANTE DO SINÉDRIO (Mc 14:53-65; Lc 22:54, 63-71; Jo 18:12-27)

26:57 Os que agarraram Jesus o conduziram ao sumo sacerdote, Caifás, onde os escribas e anciãos estavam reunidos. **26:58** Pedro o seguia de longe, até o [1]pátio interior {da residência} do sumo sacerdote; após entrar {no pátio}, sentou-se com os servidores[2] para ver o fim. **26:59** Os sumos sacerdotes e o Sinédrio inteiro procuravam um falso testemunho contra Jesus, a fim de o condenarem à morte. **26:60** E não encontraram, {embora} tivessem se aproximado muitas testemunhas falsas. Por fim, porém, aproximaram-se [3]duas testemunhas, **26:61** e disseram: Esse {homem} disse: "Posso destruir o Santuário de Deus e edificá-lo em três dias". **26:62** E, levantando-se o sumo sacerdote, disse-lhe: Nada respondes ao que estes testemunham contra ti? **26:63** Jesus, porém, silenciava. Disse-lhe o sumo sacerdote: [4]Exijo jurares pelo Deus que vive, para que nos digas se tu és o Cristo, o filho de Deus. **26:64** Disse-lhes Jesus: Tu disseste. Todavia, eu vos digo que, desde agora, vereis o filho do homem sentado à direita do Poder, vindo sobre as nuvens do céu. **26:65** Então, o sumo sacerdote [5]rasgou suas vestes, dizendo: Blasfemou[6]! Que necessidade temos ainda de testemunhas? Eis que ouvistes, agora, a blasfêmia. **26:66** Que vos parece? Em resposta, eles disseram: É culpado[7] de morte. **26:67** Então, cuspiram no seu rosto e esmurraram-no; outros o esbofetearam, **26:68** dizendo: Profetiza para nós, Cristo. Quem é que te bateu?

MATEUS 26

1. Lit. "espaço descoberto ao redor de uma casa, cercado por uma parede, onde ficavam os estábulos, aprisco; pátio de uma casa; pátio interno das habitações de pessoas prósperas. Nas residências orientais, geralmente construídas em forma de quadrado, havia um pátio interior, descoberto, bem como um pátio exterior (uma espécie de varanda). Esse vocábulo também pode ser utilizado para se referir à residência ou palácio como um todo.

2. ὑπηρέται (huperétai) – **remador, marinheiro, navegador; servidor; assistente, auxiliar** – Sub (2 – 20), **composto pela preposição** ὑπέρ **(hupér – em composição pode indicar ênfase, excesso) + substantivo** ἐρέτης (erétes – remador), que por sua vez deriva do verbo ἐρέσσω (erésso – remar). Trata-se de um humilde servidor, e não de um escravo, já que o indivíduo conserva sua autonomia, sua liberdade. A preposição ὑπέρ **(hupér)** sugere a ideia de alguém que está na fronteira que separa o servidor do servo. Em resumo, a palavra grega indica o servidor, na mais exata acepção do termo. O vocábulo foi empregado, no Novo Testamento, para designar diversos tipos de servidores: os assistentes do Rei, os oficiais do Sinédrio, os assistentes dos Magistrados, as sentinelas do Templo de Jerusalém. Na literatura grega, a palavra é empregada para designar remador, marujo, todos os homens de uma tripulação, soldado da marinha (fuzileiro naval); todo homem sob as ordens de outro, um servidor comum, um servidor que acompanha o soldado de infantaria (na Grécia antiga); ajudante de um general; servidor de Deus.

3. A confiança depositada nas testemunhas e em sua probidade era total e irrevogável, no sistema judicial hebreu. Depois que duas testemunhas tivessem prestado depoimento no Tribunal de Israel, e um veredicto final fosse emitido, elas não poderiam voltar atrás em seus depoimentos. Para os juízes hebreus não era possível apresentar uma nova prova contradizendo um depoimento prestado anteriormente, nem mesmo provas circunstanciais mais conclusivas. Por esta razão, as testemunhas deviam se submeter a investigações **(bedicot)** e pesquisas **(chakirot)**, detalhadamente descritas na **Mishná**, antes que seu depoimento fosse aceito pelo Tribunal.

4. Lit. "exigir juramento; fazer jurar; impor um voto".

5. Na Mishná, Seder Nezikin, Tratado Sanhedrin 7:5, aqueles que julgavam um blasfemo deveriam ficar de pé e rasgar suas vestes, ao ouvirem uma blasfêmia.

6. Lit. "caluniar, censurar; dizer palavra ofensiva, insultar; falar sobre Deus ou sobre as coisas divinas de forma irreverente; irreverência".

7. Lit. "submetido, sujeito; exposto; culpado, responsável".

AS TRÊS NEGAÇÕES DE PEDRO (Mc 14:66-72; Lc 22:54-62; Jo 18:15-27)

26:69 Pedro estava sentado {do lado de} fora, no ¹pátio interior {da residência}, e aproximou-se dele uma criada² dizendo: Tu também estavas com Jesus, o Galileu. **26:70** Ele, porém, negou diante de todos, dizendo: Não sei o que dizes. **26:71** Saindo em direção ao pórtico, outra {criada} o viu, e diz aos {que estavam} ali: Este estava com Jesus, o Nazareno. **26:72** E, novamente, negou com juramento: Não conheço o homem! **26:73** Pouco depois, aproximando-se os que estavam de pé, disseram a Pedro: Verdadeiramente, tu também estás entre eles, pois a tua ³fala ⁴te denuncia. **26:74** Então, começou a praguejar e a jurar que não conhecia o homem. E, imediatamente, um galo cantou. **26:75** E lembrou-se Pedro das palavras que Jesus lhe dissera: Antes que o galo cante, três vezes me negarás. E, saindo⁵, chorou amargamente.

MATEUS
26

1. Lit. "espaço descoberto ao redor de uma casa, cercado por uma parede, onde ficavam os estábulos, aprisco; pátio de uma casa; pátio interno das habitações de pessoas prósperas. Nas residências orientais, geralmente construídas em forma de quadrado, havia um pátio interior, descoberto, bem como um pátio exterior (uma espécie de varanda). Esse vocábulo também pode ser utilizado para se referir à residência ou palácio como um todo.
2. Lit. "criada, escrava, serva; garota, senhorita, donzela".
3. Trata-se do dialeto galileu (Aramaico do Tiberíades).
4. Lit. "claro/evidente te faz". Expressão idiomática que significa "te denuncia, te expõe".
5. Lit. "saindo para fora".

27 CONDUÇÃO DE JESUS AO GOVERNADOR
(Mc 15:1-15; Lc 23:1-5, 13-25; Jo 18:28-19:26)

27:1 ¹Ao raiar do dia, todos os sumos sacerdotes e anciãos do povo ²elaboraram um plano contra Jesus, de como matá-lo. **27:2** Depois de o amarrarem, o conduziram e entregaram a Pilatos, o governador³.

1. Lit. "tornando-se madrugada/manhã (4ª e última vigília da noite)". O período entre 18h e 6h da manhã, do dia seguinte, era dividido em quatro vigílias de três horas cada uma (1ª – 18h – 21h; 2ª – 22h – 24h; 3ª – 1h – 3h; 4ª – 4h – 6h). Esta passagem faz referência a algum momento entre 4h – 6h da manhã.
2. Lit. "tomaram um conselho/plano".
3. Lit. "Aquelas que lideram". Referência às províncias ou cidades que se destacam ou lideram uma região.

MORTE DE JUDAS

27:3 Então Judas, o que o entregava, vendo que {Jesus} fora condenado, arrependendo-se¹, devolveu as trinta pratas² aos sumos sacerdotes e anciãos, **27:4** dizendo: Pequei, entregando sangue inocente. Eles, porém, disseram: ³Que nos importa? Isso é contigo. **27:5** Arremessando as moedas ao Santuário, retirou-se, e foi enforcar-se. **27:6** Os sumos sacerdotes, tomando as pratas, disseram: Não é lícito lançá-las no corban⁴, visto ser preço de sangue. **27:7** ⁵Elaborando um plano, compraram com elas o campo do oleiro, para ⁶cemitério dos estrangeiros. **27:8** Por isso, aquele campo foi chamado "Campo de Sangue", até hoje. **27:9** Então, cumpriu-se ⁷o que foi dito através do profeta Jeremias: *E tomaram as trinta pratas*⁸*, preço do Precioso, daquele que os filhos de Israel avaliaram,* **27:10** *e deram-nas pelo Campo do Oleiro, conforme ordenou-me o Senhor.*

1. Lit. "arrepender-se, sentir remorso; sentir pesar".
2. Referência ao denário, que era confeccionado com prata (metal precioso).
3. Lit. "que para nós? Tu verás". Expressão idiomática semítica.
4. Lit. "lugar das dádivas, ofertas, oblações consagradas a Deus". Palavra de origem aramaica/hebraica.

5. Lit. "tomaram um conselho/plano".
6. Lit. "sepultura aos estrangeiros".
7. Lit. "o que foi dito através do profeta Jeremias, que diz".
8. Vide nota 2.

JESUS DIANTE DE PILATOS (Mc 15:1-15; Lc 23:1-25, 13-25; Jo 18:28-19:16)

27:11 Jesus foi colocado diante do Governador, e o Governador o interrogou, dizendo: Tu és o Rei dos Judeus? Jesus disse: Tu dizes. **27:12** Ao ser acusado pelos sumos sacerdotes e anciãos, nada respondeu. **27:13** Disse-lhe, então, Pilatos: Não ouves quantas {coisas} testemunham contra ti? **27:14** E não lhe respondeu nenhuma palavra, a ponto de o Governador maravilhar-se imensamente. **27:15** Por ocasião da festa, era costume o Governador soltar um preso que a turba quisesse. **27:16** Então, tinham um preso notório, chamado {Jesus} Barrabás. **27:17** Portanto, enquanto estavam reunidos, disse-lhes Pilatos: Quem quereis que eu vos solte? {Jesus} Barrabás ou Jesus, chamado Cristo? **27:18** Pois sabia que por inveja o entregaram. **27:19** Enquanto estava sentado no estrado[1], [2]sua mulher lhe mandou dizer: [3]Não te envolvas com esse justo, pois muitas {coisas} sofri hoje, em sonho, por causa dele. **27:20** Os sumos sacerdotes e os anciãos persuadiram as turbas para que pedissem Barrabás e matassem[4] Jesus. **27:21** Em resposta, disse-lhes o Governador: Qual dos dois quereis que eu vos solte? Eles disseram: Barrabás. **27:22** Diz-lhes Pilatos: Que farei, então, de Jesus, chamado Cristo? Dizem todos: Seja crucificado. **27:23** Ele disse: No entanto, que mal ele fez? Eles gritavam ainda mais, dizendo: Seja crucificado! **27:24** Pilatos, ao ver que nada ajudaria[5], antes pelo contrário, gerava tumulto, pegando água, lavou as mãos diante da turba, dizendo: Sou inocente desse sangue. [6]Isso é convosco. **27:25** Em resposta, todo o povo disse: [7]O Sangue dele {caia} sobre nós e sobre nossos filhos. **27:26** Então, soltou-lhes Barrabás; depois de açoitar Jesus, entregou-o para ser crucificado.

1. Lit. "lugar elevado acessível por meio de degraus; plataforma, estrado; tribuna do julgador".
2. Lit. "a mulher dele enviou para ele {alguém} dizendo:"

MATEUS 27

3. Lit. "nada para ti e para esse justo". Expressão idiomática muito utilizada nos Evangelhos.
4. Lit. "destruir, arruinar, matar; perder".
5. Lit. "ser útil, proveitoso; auxiliar, ajudar".
6. Lit. "Vós vereis". Expressão idiomática semítica.
7. Expressão idiomática semítica, muito encontrada na Bíblia Hebraica (2Sm 1:16, 3:29), mediante a qual alguém aceita a responsabilidade pela condenação reclamada.

MARTÍRIO E CRUCIFICAÇÃO (Mc 15:16-32; Lc 23:26-43; Jo 19:17-27)

27:27 Então os soldados do Governador, levando Jesus consigo ao pretório[1], reuniram em torno dele toda coorte[2]. **27:28** Após o despirem, envolveram-no[3] com um manto[4] escarlate[5]; **27:29** trançando[6] uma coroa de espinhos, puseram-na em sua cabeça e um caniço[7] em sua {mão} direita; ajoelhando-se diante dele, o ridicularizaram[8], dizendo: Salve![9] Rei dos Judeus! **27:30** Cuspindo nele, tomaram o caniço e batiam na cabeça dele. **27:31** Depois de o terem ridicularizado, despiram-no do manto, vestiram-lhe sua veste[10] e o conduziram para ser crucificado. **27:32** Enquanto saíam, encontraram um cirineu[11], de nome Simão, e o requisitaram[12], a fim de que carregasse a cruz dele. **27:33** Chegando ao lugar chamado Gólgota, [13]que significa "Lugar da Caveira", **27:34** deram-lhe para beber vinho misturado com fel; ao provar, ele não quis beber. **27:35** Depois de o crucificarem, repartiram as suas vestes, lançando a sorte[14]. **27:36** E assentados ali, o guardavam. **27:37** Por cima da sua cabeça, colocaram a sua acusação, escrita: *ESTE É JESUS, O REI DOS JUDEUS*. **27:38** Então eram crucificados com ele dois assaltantes[15], um à direita, outro à esquerda. **27:39** Os transeuntes[16] o insultavam[17], meneando suas cabeças **27:40** e dizendo: Ó tu que destróis o Santuário, edificando-o em três dias, salva a ti mesmo; se és o filho de Deus, desce da cruz! **27:41** De forma semelhante, os sumos sacerdotes com os escribas e anciãos, zombando, diziam: **27:42** Salvou outros, a si mesmo não pode salvar. É Rei de Israel! Desça, agora, da cruz e creremos nele. **27:43** Confiou em Deus; se {Deus} quiser, {que} o livre agora, pois disse: Sou filho de Deus. **27:44** Do mesmo {modo}, também os assaltantes, que foram crucificados com ele, o injuriavam.

1. Originalmente significava a "tenda do general (pretor)". Mais tarde, passou a ser aplicado ao "conselho de oficiais militares", até se tornar o nome da "residência oficial do Governador romano", uma vez que lá, além de residir o Governador, era o local ocupado pela guarnição do exército romano.
2. Lit. "um destacamento militar romano de aproximadamente 600 soldados".
3. Lit. "colocar em volta, envolver".
4. Lit. "capa, manto de um comandante militar romano; manto que se prendia ao pescoço ou aos ombros por um broche (Grécia e Roma)". Nesse caso, a ironia estava em vestir Jesus de forma semelhante a César, tal como era representado nas inscrições da moeda romana. A coroa e o cetro também compunham a indumentária do Imperador.
5. Lit. "vermelho, escarlate". Para se obter belas tinturas nas cores vermelho, carmesim e escarlata profunda, utilizavam um pequeno inseto (coccus ilicis), encontrado nas folhas da azinheira (quercus cocciferus), que era espremido como bagas ou grãos de uma planta, como se faz atualmente com o inseto da cochonila.
6. Lit. "tecer, trançar".
7. Lit. "junco, cana, caniço". Trata-se de uma cana ou junco, com talo articulado e oco, utilizado como bastão, cajado, vara de medir ou varinha de escrever (nos papiros).
8. Lit. "ridicularizar, zombar; tratar com escárnio; iludir, enganar".
9. Lit. "alegra-te". Trata-se de uma saudação, portanto, deve ser traduzida como "salve", "olá".
10. Veste externa, manto, peça de vestuário utilizada sobre a peça interna. Pode ser utilizada como sinônimo do vestuário completo de uma pessoa.
11. Lit. "cirineu (habitante de Cirene)".
12. Lit. "requisitar militarmente, recrutar alguém para servir forçosamente, compelir".
13. Lit. "chamado".
14. Lit. "objeto utilizado para tirar a sorte (pedra); sorteio; parte de herança, herdade; parte, porção".
15. Lit. "assaltante (de estrada), saqueador; pirata; salteador".
16. Lit. "os que estão passando".
17. Lit. "caluniar, censurar; dizer palavra ofensiva, insultar; falar sobre Deus ou sobre as coisas divinas de forma irreverente; irreverência".

MORTE DE JESUS (Mc 15:33-41; Lc 23:44-49; Jo 19:28-37)

27:45 Desde a hora sexta até a hora nona, houve treva sobre toda a terra. **27:46** Por volta da hora nona, bradou Jesus, [1]em alta voz, dizendo: *Eli, Eli, lema sabakhthani?*. Isto é: *Meu Deus, Meu Deus, por que me abandonaste?*[2] **27:47** Alguns dos que estavam de pé ali, ouvindo {isso}, diziam: Ele chama Elias. **27:48** E, logo, um deles, correndo, tomando uma esponja, enchendo-a de vinagre, colocando-a em volta de um caniço, dava-lhe para beber. **27:49** Os restantes diziam: Deixa, vejamos se Elias vem salvá-lo. **27:50** Jesus, gritando novamente com grande voz, [3]deixou ir o espírito. **27:51** Eis que o véu[4] do Santuário rasgou-se, de cima a baixo, em dois; a terra tremeu e as pedras racharam-se[5]. **27:52** Os sepulcros[6] foram abertos, e muitos corpos dos Santos, que estavam deitados, foram levantados[7]. **27:53** E, saindo dos sepulcros, após o erguimento[8] dele, entraram na cidade santa e se manifestaram a muitos. **27:54** O centurião e os que com ele guardavam Jesus, vendo o terremoto e as {coisas} que ocorriam, tiveram muito medo e diziam: Verdadeiramente, este era o filho de Deus. **27:55** Havia ali muitas mulheres, contemplando de longe, as quais seguiram a Jesus desde a Galileia, servindo-o. **27:56** Entre elas estavam Maria Magdalena[9]; Maria, mãe de Tiago e de José; e mãe dos filhos de Zebedeu.

1. Lit. "com grande voz". Expressão idiomática semítica para expressar "em alta voz".
2. Lit. "deixar para trás, abandonar".
3. Expressão idiomática semítica.
4. Lit. "o que está espalhado antes; véu, cortina". A única referência das Escrituras (2Cr 3:14) ao véu do Santuário o descreve como de "tecido azul, roxo, vermelho e linho fino, com querubins desenhados". A função do véu era separar o lugar do Templo chamado "Santo" do outro local chamado "Santo dos Santos".
5. Lit. "dividir, cortar, rasgar; fender, rachar".
6. Lit. "memorial, monumento; sepulcro, túmulo".
7. Lit. "elevação, levantamento, reerguimento, ascensão; estado de quem foi colocado de pé". Expressão idiomática semítica que faz referência à ressurreição dos mortos. Para expressar a morte e a ressurreição, utilizavam os verbos "deitar-se" (morte) e "levantar-se" (ressurreição). Nesse caso, o substantivo descreve o estado de quem foi reerguido, foi colocado de pé, após ter se deitado (morrido).
8. Referência à ressurreição de Jesus.
9. Lit. "magdalena (habitante feminina da cidade de Magdala)".

O SEPULTAMENTO (Mc 15:42-47; Lc 23:50-56; Jo 19:38-42)

27:57 Chegado o fim da tarde, veio um homem rico de Arimatéia, por nome José, que também se tornou discípulo de Jesus. **27:58** Este, aproximando-se de Pilatos, pediu o corpo de Jesus. Então Pilatos mandou que lhe fosse entregue. **27:59** E José, tomando o corpo, envolveu-o num lençol de linho fino, limpo. **27:60** Colocou-o em um novo sepulcro, {que era} dele, que escavou na rocha; rolando uma grande pedra para a porta do sepulcro, afastou-se. **27:61** E estavam ali Maria Magdalena, e a outra Maria, sentadas diante do sepulcro.

A GUARDA DO TÚMULO

27:62 No {dia} seguinte, que é {o dia} depois da preparação[1], os sumos sacerdotes e os fariseus se reuniram com Pilatos, **27:63** dizendo: Senhor, fomos lembrados de que aquele enganador, ainda vivo, disse: "Depois de três dias ressuscito". **27:64** Portanto, ordena que o sepulcro seja guardado até o terceiro dia, para que não venham seus discípulos, o roubem e digam ao povo: Ressuscitou dentre os mortos! O último engano será pior que o primeiro. **27:65** Disse-lhes Pilatos: Tendes {uma} guarda. Ide, guardai-o como sabeis {fazê-lo}. **27:66** Indo, guardaram o sepulcro, selando a pedra com a guarda.

1. Lit. "preparação". Diz respeito ao dia anterior ao Sábado, no qual deveriam ser realizados todos os preparativos para o Shabat, como também para a Páscoa, visto ser proibido realizar qualquer trabalho no sábado.

28 AS MULHERES VISITAM O TÚMULO (Mc 16:1-8; Lc 24:1-10; Jo 20:1-10)

28:1 [1]Depois do Sábado, ao raiar do primeiro {dia} da semana, vieram Maria Magdalena e a outra Maria contemplar o sepulcro. **28:2** E eis que ocorreu um grande terremoto, pois um anjo do Senhor, descendo do céu e se aproximando, rolou a pedra e sentou-se sobre ela. **28:3** Seu aspecto era como um relâmpago, e a sua veste branca como neve. **28:4** Os guardas tremeram de medo dele, e se tornaram como mortos. **28:5** Em resposta, o anjo disse às mulheres: Não temais, pois sei que procurais Jesus, que foi crucificado. **28:6** Ele não está aqui, pois ressuscitou como havia dito. Vinde e vede o lugar onde estava deitado. **28:7** Ide depressa, dizei aos seus discípulos que ressuscitou dos mortos. E eis que vai adiante de vós para a Galileia; lá o vereis. Vede, eu vos disse. **28:8** Afastando-se rapidamente do sepulcro, com temor e grande alegria, correram para anunciar aos seus discípulos. **28:9** E eis que Jesus veio ao encontro delas, dizendo: Alegrai-vos! Elas, aproximando-se, agarraram os pés dele, e o reverenciaram. **28:10** Então, disse-lhes Jesus: Não temais; Ide e anunciai aos meus irmãos a fim de que partam para a Galileia; e lá me verão.

1. Lit. "tarde (ou depois) de sábados, ao brilhar o primeiro {dia} dos sábados". A palavra "sábados" neste versículo é uma tradução do hebraico/aramaico "shabatot" que significa semanas, razão pela qual a tradução poderia ser "no entardecer da semana, ao raiar o primeiro {dia} da semana". É preciso considerar que o "dia" para os hebreus começa no pôr-do-sol (18h), de modo que o primeiro dia da semana inclui a noite de sábado. Nesta passagem, o evangelista, ao que tudo indica, está se referindo ao "entardecer" de uma semana e ao "raiar" de outra semana. Desse modo, o objetivo é fazer referência à manhã de domingo, que representa o raiar do primeiro dia da semana, ou seja, o primeiro amanhecer da semana.

O SUBORNO DOS SOLDADOS

28:11 Enquanto elas partiam, eis que alguns da guarda, após irem à cidade, anunciaram aos sumos sacerdotes todas {as coisas} que haviam acontecido. **28:12** Depois de se reunirem com os anciãos, [1]elaborando um plano, deram grande quantidade de pratas[2] aos soldados, **28:13** dizendo: Dizei: Os discípulos dele, vindo de noite, o furtaram, enquanto nós estávamos dormindo. **28:14** E se ³isso chegar aos ouvidos do Governador, nós iremos persuadi-lo e ⁴não traremos preocupações para vós. **28:15** Eles, recebendo as pratas, fizeram como foram instruídos. E este dito foi divulgado junto aos judeus até o dia hoje.

1. Lit. "tomaram um conselho/plano".
2. Referência ao denário, que era confeccionado com prata (metal precioso).
3. Lit. "se for ouvido isso sobre {o ouvido} do Governador".
4. Lit. "e vos faremos sem preocupações".

APARIÇÃO DE JESUS NA GALILEIA
(Mc 16:9-20; Lc 24:13-53; Jo 20:11-23; At 1:6-11)

28:16 Os onze discípulos partiram para a Galileia, para o monte que Jesus lhes ordenara. **28:17** Ao vê-lo, o reverenciaram; mas {alguns} duvidaram. **28:18** Aproximando-se Jesus, ¹falou-lhes: Foi dada a mim toda a autoridade no céu e sobre a terra. **28:19** Portanto, ide e tornai discípulos de todas as nações, mergulhando-os² em nome do Pai, do Filho e do Espírito Santo, **28:20** ensinando-os a guardar todas {as coisas} que vos ordenei. E eis que estou convosco todos os dias, até a consumação³ da era⁴.

1. Lit. "falou-lhes, dizendo".
2. Lit. "lavar, imergir, mergulhar". Posteriormente, a Igreja conferiu ao termo uma nuance técnica e teológica para expressar o sacramento do batismo.
3. Lit. "ato ou efeito de completar, terminar; consumação, término".
4. Lit. "era, idade, século; tempo muito longo".

marcos

KATA MAPKON

MINISTÉRIO DO PRECURSOR (Mt 3:1-6; Lc 3:1-6)

1:1 Princípio do Evangelho de Jesus Cristo, {filho de Deus}. **1:2** Conforme está escrito no profeta Isaías: *Eis que envio meu anjo perante a tua face, o qual preparará teu caminho;* **1:3** *Voz que clama no deserto: Preparai o caminho do Senhor, tornai retas suas sendas.* **1:4** João [1]Batista apareceu no deserto, anunciando o mergulho[2] do arrependimento[3] para perdão[4] dos pecados. **1:5** Assim, acorriam para ele toda a região da Judeia e todos os [5]habitantes de Jerusalém; confessando[6] os seus pecados, eram mergulhados[7] por ele no rio Jordão. **1:6** João [8]andava vestido de pêlos de camelo e com um cinturão de couro em torno dos quadris[9]; comendo gafanhotos e mel silvestre.

1. Lit. "O que batiza/faz imersão". Nome derivado do verbo, com o sentido de "aquele que batiza/aquele que realiza a imersão".
2. Lit. "lavar, imergir, mergulhar". Posteriormente, a Igreja conferiu ao termo uma nuance técnica e teológica para expressar o sacramento do batismo.
3. Lit. "mudança de mente, de opinião, de sentimentos, de vida".
4. Lit. "perdão (pecado, ofensa, mal); remissão (dívida, pena); libertação (escravidão, prisão); liberação (permitir a saída)".
5. Lit. "Ierosolumitas".
6. Lit. "confessar (publicamente), reconhecer, admitir; concordar, prometer, consentir; exaltar, enaltecer, louvar, agradecer".
7. Vide nota 2.
8. Lit. "era vestido". Trata-se do verbo "ser" no imperfeito acoplado a um particípio no Perfeito.
9. Lit. "quadris (lombo, região dos rins), cintura; rins (sentido idiomático para fertilidade do aparelho reprodutor); genitália (sentido idiomático); geração (metonímia).

DESCRIÇÃO DO CRISTO (Mt 3:11-12; Lc 3:15-18; Jo 1:24-26)

1:7 E proclamava, dizendo: *Depois de mim, vem quem é mais forte do que eu, de quem não sou digno de, curvando-me, desatar a correia das sandálias.* **1:8** *Eu vos mergulhei[1] na água, ele, porém, vos mergulhará no Espírito Santo.*

1. Lit. "lavar, imergir, mergulhar". Posteriormente, a Igreja conferiu ao termo uma nuance técnica e teológica para expressar o sacramento do batismo.

JOÃO MERGULHA JESUS NO JORDÃO (Mt 3:13-17; Lc 3:21-23)

1:9 E sucedeu que, naqueles dias, Jesus veio de Nazaré, da Galileia, e foi mergulhado[1] por João, no Jordão. **1:10** Subindo imediatamente da água, viu os céus sendo rasgados[2], e o espírito descendo como pomba sobre ele. **1:11** Houve uma voz dos céus: *Tu és o meu filho amado, em quem me comprazo.*

1. Lit. "lavar, imergir, mergulhar". Posteriormente, a Igreja conferiu ao termo uma nuance técnica e teológica para expressar o sacramento do batismo.
2. Lit. "dividir, cortar, rasgar; fender, rachar".

A TENTAÇÃO NO DESERTO (Mt 4:1-11; Lc 4:1-13)

1:12 E, imediatamente, o espírito o impeliu[1] para o deserto. **1:13** Estava no deserto quarenta dias, sendo tentado por Satanás[2]; estava com as feras, e os anjos começaram a servi-lo[3].

1. Lit. "lançar para fora", expelir, expulsar; extrair, tirar; impelir".
2. Lit. "adversário, acusador".
3. Lit. "servir à mesa, serviço doméstico (pessoal); suprir, prover; cuidar; auxiliar, apoiar, ajudar". O verbo se encontra no imperfeito ingressivo, transmitindo a idéia de início da ação no passado.

INÍCIO DA PROCLAMAÇÃO DO REINO PELA GALILEIA
(Mt 4:12-17; Lc 4:14-15)

1:14 Depois de João ter sido entregue, Jesus foi à Galileia, proclamando[1] o Evangelho de Deus, **1:15** e dizendo: Está completado[2] o tempo[3], e está próximo o Reino de Deus; arrependei-vos[4] e crede no Evangelho.

1. Lit. "proclamar como arauto, agir como arauto". Sugere a gravidade e a formalidade do ato, bem como a autoridade daquele que anuncia em voz alta e solenemente a mensagem.

2. Lit. "encher, tornar cheio; completar; realizar, cumprir". Visto que a exegese rabínica evita uma abordagem puramente abstrata das escrituras, era comum perguntar-se: "Quem cumpriu esse trecho da escritura". Essa indagação levava os intérpretes a citar personagens, sobretudo os patriarcas, com o objetivo de demonstrar o cumprimento da escritura em suas vidas, e a escritura sendo cumprida (vivenciada) por suas vidas.
3. Lit. "um ponto no tempo, um período de tempo; tempo fixo, definido; oportunidade".
4. Lit. "mudança de mente, de opinião, de sentimentos, de vida".

OS PRIMEIROS QUATRO DISCÍPULOS (Mt 4:18-22; Lc 5:1-11)

1:16 Passando ao redor do mar da Galileia, viu dois irmãos, Simão, chamado Pedro, e André, seu irmão, lançando¹ {a rede} no mar, pois eram pescadores. **1:17** Disse-lhes Jesus: Vinde após mim², e vos farei que se tornem pescadores de homens. **1:18** E, deixando imediatamente as redes, seguiram-no. **1:19** Avançando³ um pouco, viu Tiago, {filho} de Zebedeu, e João, seu irmão, eles próprios no barco, restaurando suas redes, **1:20** e os chamou imediatamente. E deixando seu pai, Zebedeu, no barco com os empregados⁴, foram após ele.

1. Lit. "lançar ao redor, em volta".
2. Expressão idiomática que significa "Sede meus discípulos". Era dever dos discípulos, na Palestina do primeiro século, acompanhar seu Mestre, com o objetivo de observá-lo no cumprimento dos preceitos estabelecidos na Torah.
3. Lit. "Ir adiante, ir antes".
4. Lit. "assalariado, jornaleiro (que recebe por jornada de trabalho), empregado".

CURA DO ENDAIMONIADO NA SINAGOGA DE CAFARNAUM (Lc 4:31-37)

1:21 Entram em Cafarnaum, e após entrar na Sinagoga, logo no sábado, ensinava. **1:22** Maravilhavam-se¹ do seu ensino, pois estava ensinando a eles como quem tem autoridade e não como os escribas. **1:23** E logo estava na Sinagoga deles um homem com um espírito impuro; e ele gritou, **1:24** dizendo: ²O que queres de nós, Jesus

MARCOS 1

Nazareno? Vieste destruir-nos? Sei quem tu és: O santo de Deus. **1:25** Jesus o repreendeu, dizendo: Cala-te[3], e sai dele. **1:26** O espírito impuro, convulsionando-o[4] e bradando [5]em alta voz, saiu dele. **1:27** E todos ficaram assombrados[6], de sorte que debatiam[7] entre si, dizendo: Que é isto? Uma novo ensino? Com autoridade, ordena aos espíritos impuros, e eles o obedecem. **1:28** A sua fama[8] logo espalhou-se[9] em todo lugar, por toda a circunvizinhança[10] da Galileia.

1. Lit. "maravilhar-se, impressionar-se, surpreender-se, espantar-se".
2. Lit. "o que para nós e ti". Trata-se de expressão idiomática
3. Lit. "amordaçar, afoçinhar", em sentido figurado: silenciar, pôr alguém em silêncio, calar alguém.
4. Lit. "deixar em pedaços, dilacerar; atormentar; contorcer-se, convulsionar".
5. Lit. "com grande voz". Expressão idiomática semítica para expressar "em alta voz".
6. Lit. "assombrar-se, ficar admirado, estupefato".
7. Lit. "discutir, debater; argumentar; disputar".
8. Lit. "ato de ouvir, audição; coisa ouvida; relato; reputação, fama".
9. Lit. "saiu".
10. Lit. "circunvizinhança, arredores, região".

CURA DA SOGRA DE PEDRO (Mt 8:14-15; Lc 4:38-41)

1:29 Após sair da Sinagoga, logo vieram para a casa de Simão e André, com Tiago e João. **1:30** A sogra de Simão estava deitada[1] e febril[2]; e logo lhe falam sobre ela. **1:31** Aproximando-se, ergueu-a, agarrando-a pela mão, e a febre a deixou; e servia-os. **1:32** Chegado o fim da tarde, quando o sol [3]se pôs, traziam-lhe todos [4]os que estavam mal, e endaimoniados[5]. **1:33** Toda a cidade reuniu-se junto à porta {da casa de Simão}. **1:34** E curou muitos que estavam mal, acometidos de diversas doenças, e expulsou muitos daimones[6]; e não deixava os daimones falar, porque o conheciam.

1. Lit. "ser lançado; ser posto, colocado, depositado; estar deitado".
2. Lit. "tendo febre".
3. Lit. "desceu".
4. Lit. "os que tinham mal".
5. Lit. "sob a ação dos daimon". Trata-se dos obsedados, pessoas sujeitas à influência perniciosa

de espíritos sem esclarecimento, magoados ou malévolos, razão pela qual se optou pela transliteração do termo grego. Na sequência, Jesus os auxilia mediante o diálogo com esses espíritos. É preciso levar em conta, nesta passagem, a força das expressões idiomáticas semíticas, tais como "expulsou pela palavra".
6. Lit. "deus pagão, divindade; gênio, espírito; mau espírito, demônio".

ORAÇÃO E PEREGRINAÇÃO NA GALILEIA (Mt 4:23-25; Lc 4:42-44)

1:35 Levantando-se ¹de madrugada, saiu e retirou-se para um lugar ermo; ali orava. **1:36** Perseguiu-o Simão e os que {estavam} com ele; **1:37** o encontraram, e lhe dizem: Todos te procuram. **1:38** Diz-lhes: Vamos a outros lugares, ²aos que possuem povoados, para que também ali proclame, pois vim para isto. **1:39** Veio para as Sinagogas deles, pela Galileia inteira, proclamando e expulsando os daimones.

1. Lit. "muito cedo dentro da noite", de madrugada. Na última vigília da noite (4ª). O período entre 18h e 6h da manhã, do dia seguinte, era dividido em quatro vigílias de três horas cada (1ª – 18h – 21h; 2ª – 22h – 24h; 3ª – 1h – 3h; 4ª – 4h – 6h). Neste trecho, segundo o Evangelista, Jesus teria acordado entre 4h e 6h da manhã.
2. Lit. "para os que possuem pequenas aldeias-cidades/povoados/vilarejos".

CURA DE UM LEPROSO (Mt 8:1-4; Lc 5:12-16)

1:40 E vem a ele um leproso, rogando-lhe, {ajoelhando-se}, e dizendo-lhe: Se quiseres podes purificar-me¹. **1:41** Compadecido², estendendo a mão, tocou-lhe, e lhe diz: Quero, seja purificado! **1:42** Imediatamente, a lepra afastou-se dele, e foi purificado. **1:43** Depois de ³adverti-lo severamente, logo o expulsou⁴. **1:44** Diz-lhe: Olha, não digas a ninguém, mas vai mostrar-te ao sacerdote e ⁵apresenta a oferta, pela tua purificação, que Moisés ordenou, em testemunho para eles. **1:45** Ao sair, começou a proclamar muitas {coisas} e a divulgar o assunto⁶, de modo que não mais podia entrar publicamente em uma cidade, mas permanecia {do lado de} fora, nos lugares ermos, e se dirigiam a ele de todas as partes.

MARCOS 1
1. Lit. "limpar, lavar, purificar".
2. Lit. "compadecer-se, ter compaixão, ter piedade; mostrar simpatia".
3. Lit. "acusar ou proibir severamente, veementemente; censurar".
4. Lit. "lançar para fora", expelir, expulsar; extrair, tirar; impelir".
5. Lit. "levar perante, levar para, oferecer, apresentar".
6. Lit. "palavra; assunto, discurso".

CURA DE UM PARALÍTICO (Mt 9:1-8; Lc 5:17-26)

2:1 Depois de {alguns} dias, entrando novamente em Cafarnaum, ouviu-se que estava em casa. **2:2** Muitos se reuniram, a ponto de não mais haver lugar nem junto à porta; E falava-lhes {a palavra}. **2:3** Eles vêm, trazendo-lhe um paralítico, carregado por quatro {homens}. **2:4** Não podendo trazer-lhe, por causa da turba, após ¹remover a cobertura do teto² onde ele estava, cavando-a, baixam o catre³ no qual o paralítico jazia. **2:5** Jesus, vendo a fé dele, diz ao paralítico: Filho, os teus pecados estão perdoados. **2:6** Estavam assentados ali alguns dos escribas, que arrazoavam⁴ em seus corações. **2:7** Por que ele fala assim? Ele blasfema! Quem pode perdoar pecados senão o ⁵Deus único? **2:8** Jesus, sabendo imediatamente, por seu espírito, que assim arrazoavam entre si, lhes diz: Por que arrazoais em vossos corações? **2:9** Que é mais fácil, dizer ao paralítico "estão perdoados os teus pecados" ou dizer "levanta-te, toma⁶ teu catre e anda"⁷? **2:10** Ora, para que saibais que o filho do homem tem poder, sobre a terra, de perdoar pecados, diz ao paralítico: **2:11** Eu te digo: Ergue-te, toma⁸ teu catre⁹ e vai para tua casa. **2:12** Levantou-se, imediatamente tomou o catre, e saiu diante de todos, de sorte que todos estavam extasiados¹⁰, e davam glória a Deus, dizendo: {Algo} assim nunca vimos!

1. Lit. "tirar/remover a cobertura (descobrir), remover o teto, telhado".
2. Lit. "teto, cobertura de uma casa, telhado". Na Palestina, o teto era formado, ao que tudo indica, por vigas e pranchas de madeira, por cima das quais eram colocados ramos, galhos e esteiras, cobertos por terra batida.
3. Palavra de origem macedônica, traduzida para o latim como *"grabatus"*. Trata-se de um leito rústico e pobre, uma espécie de colchão dobrável para viagem bastante rústico. A palavra "catre" talvez reflita melhor a rusticidade e pobreza desse leito portátil usado pelas pessoas muito pobres da Palestina.
4. Lit. "pensar, opinar, raciocinar; disputar, arrazoar, argumentar, considerar; planejar, cogitar, ter um desígnio".
5. Lit. "o Deus um". Referência ao monoteísmo judaico, ao Deus único de Israel.
6. Lit. "erguer (com as mãos) para carregar; levantar um objeto com o propósito de transportá-lo".
7. Lit. "andar ao redor; vagar, perambular; circular, passear; viver (seguir um gênero de vida)".
8. Vide nota 6.
9. Lit. "diminutivo de leito, maca, catre".
10. Lit. "estar fora de si".

CHAMADO DE MATEUS (Mt 9:9; Lc 5:27-28)

2:13 Novamente saiu para junto do mar, e toda a turba vinha a ele, e os ensinava. **2:14** Passando adiante dali, viu Levi, {filho} de Alfeu, sentado na coletoria[1], e diz-lhe: Segue-me. Após levantar-se, ele o seguiu.

1. Lit. "coletoria de impostos", provavelmente os coletores ficavam perto da praia, a fim de recolher os tributos dos navios que chegavam à Galileia, provenientes do lado oriental do lago.

REFEIÇÃO COM PUBLICANOS E PECADORES
(Mt 9:10-13; Lc 5:29-32)

2:15 E sucede que, estando ele reclinado {à mesa} em sua casa, muitos publicanos[1] e pecadores reclinavam-se {à mesa} junto com Jesus e seus discípulos, pois eram muitos e seguiam-no. **2:16** Os escribas dos fariseus, vendo-o comer com pecadores e publicanos, diziam aos seus discípulos: Ele come com publicanos e pecadores. **2:17** Jesus, ouvindo {isso}, diz: [2]Os sãos[3] não têm necessidade de médico, mas os que estão doentes. Não vim chamar justos, mas pecadores.

1. Cobrador de impostos no Império Romano.
2. Lit. "os fortes (saudáveis) não têm necessidade de médico, mas os que têm mal".
3. Lit. "forte, saudável".

ACERCA DO JEJUM (Mt 9:14-17; Lc 5:33-39)

2:18 Os discípulos de João e os fariseus estavam jejuando. Eles vêm e lhe dizem: Por que os discípulos de João e os fariseus jejuam, porém, os teus discípulos não jejuam? **2:19** Disse-lhes Jesus: Acaso os [1]convidados das núpcias podem jejuar enquanto o noivo está com eles? [2]Durante o tempo que o noivo estiver com eles não podem jejuar. **2:20** Mas dias virão, quando o noivo for tirado deles, e, naquele dia, então, jejuarão.

2:21 ³Ninguém costura⁴ remendo de pano⁵ não alvejado⁶ sobre veste⁷ velha, pois tira a inteireza⁸ dela, o {remendo} novo da {veste} velha, e o rasgo torna-se pior. 2:22 Ninguém lança vinho novo em odres⁹ velhos, senão, o vinho romperá os odres; o vinho se perde e {também} os odres. Mas {lançam} vinho novo em odres novos!

1. Lit. "filhos da câmara nupcial". Uma expressão idiomática semítica para "amigos assistentes do noivo" ou "convidados das bodas", hóspedes do casamento. No caso, parece indicar os amigos do noivo que, além de serem convidados, lhe prestavam assistência nos preparativos das bodas.
2. Lit. "durante o tempo têm o noivo com eles não podem jejuar".
3. Lit. "ninguém remenda remendo".
4. Lit. "coser/costurar uma coisa sobre outra".
5. Lit. "pedaço de tecido, de pano; remendo".
6. Lit. "não-lavado, não-alvejado", que não foi branqueado (alvejado) através da lavagem do tecido, ou seja, ainda sujeito ao processo de encolhimento, típico dos tecidos novos que não tiveram contato com água.
7. Veste externa, manto, peça de vestuário utilizada sobre a peça interna. Pode ser utilizada como sinônimo do vestuário completo de uma pessoa.
8. Lit. "plenitude, inteireza; conteúdo inteiro, medida, extensão completa".
9. Bolsa ou garrafa feita de pele de animal (couro), utilizada para guardar vinho.

ESPIGAS ARRANCADAS NO SÁBADO (Mt 12:1-8; Lc 6:1-5)

2:23 E aconteceu dele passar¹ pelas searas, em um sábado; os seus discípulos começaram a ²abrir caminho, arrancando as espigas. 2:24³ E os fariseus diziam-lhe: Vê! Por que fazem, aos sábados, o que não é lícito? 2:25 Diz-lhes: Nunca lestes o que fez David quando teve necessidade e teve fome, ele e os {que estavam} com ele? 2:26 Como entrou na Casa de Deus no {tempo} do sumo sacerdote Abiatar; e comeu os pães da apresentação⁴, que não é lícito comer, senão aos sacerdotes, e deu também aos que estavam com ele? 2:27 Dizia-lhes: O sábado foi feito por causa do homem, e não o homem por causa do sábado. 2:28 De modo que o filho do homem é senhor também do sábado.

1. Lit. "caminhar ao lado de, passar ao lado". Possível referência a algum tipo de caminhada dentro da seara, com o objetivo de colher espigas. Nesse caso, o termo teria acepção técnica ligada à agricultura.

2. Lit. "fazer caminho".
3. Os discípulos de Jesus não sofrem censura por colherem espigas em um campo alheio, conduta permitida pela Torah (Dt 23:26), mas por fazê-lo num dia de sábado, uma vez que era proibido qualquer tipo de trabalho (Ex 34:21) neste dia, segundo regras de interpretação complexas elaboradas pelos fariseus.
4. Lit. "pães da exposição, apresentação, proposição". Trata-se do "pão perpétuo", aquele que estaria sempre sobre a mesa (Nm 4:7), expostos na presença do Senhor (2Cr 2:4) e preparados todos os sábados (1Cr 9:32), visto que deviam estar sempre frescos. A cada sábado eram trocados por outros novos, sendo que os pães velhos pertenciam aos sacerdotes, que poderiam comê-los no "lugar santo" (Ex 25:30; Lv 24:5-9; 1Sm 21:6). Eram doze pães, colocados sobre a mesa, seis de um lado e seis do outro, num local conhecido como "lugar santo", onde somente os sacerdotes tinham acesso.

CURA DO HOMEM COM A MÃO ATROFIADA
(Mt 12:9-14; Lc 6:6-11)

3

3:1 Novamente entrou na sinagoga, e ali estava um homem [1]cuja mão estava atrofiada[2]. **3:2** E o observavam[3] {para ver} se nos sábados {ele} o curaria, para que o acusassem. **3:3** Diz ao homem, que tinha a mão atrofiada: Levanta-te! {Vem} para o meio! **3:4** Diz-lhes: É lícito no sábado fazer o bem ou fazer o mal? Salvar uma vida ou matar? Eles, porém, silenciaram. **3:5** Olhando em derredor deles, com ira, afligindo-se da dureza de coração deles, diz ao homem: Estende a mão. Ele a estendeu, e foi restaurada, como a outra. **3:6** Após saírem, os fariseus imediatamente [4]formaram um conselho com os herodianos, contra ele, a fim de matá-lo.

1. Lit. "tendo a mão".
2. Lit. "seca, ressequida, murcha; atrofiada".
3. Lit. "observar, espiar, vigiar, espreitar".
4. Lit. "dando um conselho", elaborando conjuntamente um plano.

A MULTIDÃO SE AGLOMERA EM TORNO DE JESUS
(Mt 4:24-25, 12:15-21; Lc 6:17-19)

3:7 E Jesus, com os seus discípulos, retirou-se para o mar; e seguia-o uma numerosa multidão da Galileia, da Judeia, **3:8** de Jerusalém, da Idumeia, do outro lado do Jordão, ao redor de Tiro e Sidom; uma numerosa multidão, ouvindo quantas {coisas} fazia, veio até ele. **3:9** E disse aos seus discípulos que mantivesse{m}[1] um barquinho para ele, por causa da turba, para que não o comprimissem[2]. **3:10** Pois curou muitos, de modo a cair{em} sobre ele, para que o tocassem quantos tinham flagelos[3]. **3:11** E os espíritos impuros, assim que o contemplavam, precipitavam-se[4] sobre ele e gritavam, dizendo: Tu és o filho de Deus. **3:12** E advertiu-os muito, para que [5]não tornassem público.

MARCOS 3

1. Lit. "permanecer constantemente num lugar, estar constantemente presente, continuar junto; persistir, perseverar".
2. Lit. "apertar, pressionar, comprimir; amontoar; agoniar, afligir".
3. Lit. "açoite, flagelo; castigo, punição".
4. Lit. "cair sobre, coligir com, lançar-se contra; precipitar-se sobre".
5. Lit. "não o fizessem manifesto/público/visível".

A ESCOLHA DOS DOZE (Mt 10:1-4; Lc 6:12-16)

3:13 Sobe ao monte e chama a si os que ele queria; eles foram até ele. **3:14** Fez doze, {os quais nomeou apóstolos}[1], para que estivessem com ele e para que os enviasse a proclamar; **3:15** e ter autoridade para expulsar daimones[2]. **3:16** {Fez os doze}: a Simão sobrepôs o nome Pedro; **3:17** Tiago, {filho} de Zebedeu, e João, irmão de Tiago; aos quais sobrepôs o nome "Boanerges", que significa[3] "filhos do trovão"; **3:18** André e Filipe; Bartolomeu e Mateus; Tomé e Tiago, {filho} de Alfeu; Tadeu e Simão, o Cananeu; **3:19** e Judas Iscariote, que o entregou.

1. A crítica textual contemporânea está dividida quanto à manutenção deste trecho do versículo, razão pela qual é colocado entre parênteses, uma vez que não há consenso quanto à sua retirada.
2. Lit. "deus pagão, divindade; gênio, espírito; mau espírito, demônio".
3. Lit. "é (do verbo ser)".

JESUS E BEELZEBUL (Mt 9:32-34, 12:22-37; Lc 11:14-23, 12:10)

3:20 Vai para casa, e novamente a turba acompanha[1], de modo a não poderem nem comer pão. **3:21** [2]Os seus parentes saíram para detê-lo[3], pois diziam que estava fora de si. **3:22** Os escribas que desceram de Jerusalém diziam que "tem Beelzebul"[4] e que em {nome} do chefe dos daimones[5], expulsa os daimones. **3:23** Convocando-os[6], dizia-lhes em parábolas: Como pode Satanás[7] expulsar Satanás? **3:24** Se um reino estiver dividido contra si mesmo, não pode permanecer de pé aquele reino; **3:25** se uma casa estiver dividida contra si mesma, não poderá permanecer de pé aquela casa; **3:26** se Satanás se levantou contra si mesmo e está dividido, não pode permanecer de pé, mas tem fim. **3:27** Mas ninguém pode, ao entrar na casa de um {homem} forte, saquear os seus pertences[8], se primeiro não [9]amarrá-lo? E, então, saqueará a casa dele? **3:28** Amém[10] vos digo: Todas {as coisas} serão perdoadas aos filhos dos homens, os pecados e as blasfêmias[11], que blasfemarem. **3:29** Quem, porém, blasfemar[12] contra o Espírito Santo, não tem perdão[13] jamais[14], mas é culpado de pecado eterno[15]. **3:30** Porque diziam: Tem espírito impuro.

1. Lit. "ir/vir junto, acompanhar; coabitar, conviver".
2. Lit. "os da parte dele"
3. Lit. "agarrar, segurar; prender, deter".
4. Baal-Zebube (Senhor da habitação) refere-se a um deus filisteu, ao qual Acazias, filho do Rei Acabe, teria consultado num oráculo (II Reis 1:2), apesar da reprovação do profeta Elias. Era conhecido como príncipe dos maus espíritos, donde se originou seu nome "Senhor da habitação ou da morada dos maus espíritos".
5. Lit. "deus pagão, divindade; gênio, espírito; mau espírito, demônio".
6. Lit. "convocar, citar, intimar; chamar para si mesmo, reunir, convidar; evocar".
7. Lit. "adversário". Palavra de origem semítica.
8. Lit. "coisa, objeto, pertences; vaso, jarro, prato".
9. Lit. "amarrar o forte".
10. $ἀμην$ (amém), transliteração do vocábulo hebraico אָמֵן. Trata-se de um adjetivo verbal (ser firme, ser confiável). O vocábulo é frequentemente utilizado de forma idiomática (partícula adverbial) para expressar asserção, concordância, confirmação (realmente, verdadeiramente, de fato, certamente, isso mesmo, que assim seja). Ao redigirem o Novo Testamento, os evangelistas mantiveram a palavra no original, fazendo apenas a transliteração para o grego, razão pela qual também optamos por mantê-la intacta, sem tradução.
11. Lit. "calúnia, censura; palavra ofensiva, insulto; falar sobre Deus ou sobre as coisas divinas de forma irreverente; irreverência".
12. Lit. "caluniar, censurar; dizer palavra ofensiva, insultar; falar sobre Deus ou sobre as coisas divinas de forma irreverente; irreverência".
13. Lit. "perdão (pecado, ofensa, mal); remissão (dívida, pena); libertação (escravidão, prisão); liberação (permitir a saída)".
14. Lit. "para sempre (era, idade, século; tempo muito longo)".
15. Lit. "era, idade, século; tempo muito longo".

A VERDADEIRA FAMÍLIA DE JESUS (Mt 12:46-50; Lc 8:19-21)

3:31 Vem a sua mãe e os seus irmãos, permanecem de pé {do lado de} fora, e enviam {alguém} a ele para chamá-lo. **3:32** A turba estava assentada ao redor dele, e dizem-lhe: Eis que a tua mãe e os teus irmãos {e irmãs}[1] te procuram {do lado de} fora. **3:33** Em resposta, diz-lhes: Quem é minha mãe, e quem são meus irmãos? **3:34** E olhando ao redor os que estavam assentados, em círculo, em torno dele, diz: Eis a minha mãe e os meus irmãos. **3:35** Pois quem fizer a vontade de Deus, esse é meu irmão, e irmã, e mãe.

---

1. A crítica textual contemporânea está dividida quanto à manutenção deste trecho do versículo, razão pela qual é colocado entre parênteses. Os manuscritos mais antigos não contêm o trecho.

DISCURSO EM PARÁBOLAS

4

INTRODUÇÃO (Mt 13:1; Lc 8:4)

4:1 Novamente começou a ensinar junto ao mar, e reúne-se junto dele uma turba numerosíssima, de modo que ¹entrou no barco, {que estava} no mar, para se assentar, e toda a turba estava sobre a terra, junto ao mar. **4:2** Ensinava-lhes muitas {coisas} em parábolas, e lhes dizia no seu ensino:

1. Lit. "embarcou no barco".

PARÁBOLA DO SEMEADOR (Mt 13:3-9; Lc 8:5-8)

4:3 Ouvi! Eis que o semeador saiu a semear. **4:4** E sucedeu que, ao semear, {uma parte} caiu ¹à beira do caminho, e vieram as aves e a comeram². **4:5** Outra {parte} caiu sobre {solo} pedregoso, onde não havia muita terra, e brotou³ imediatamente, por não haver profundidade de terra. **4:6** E quando raiou⁴ o sol, foi crestada⁵ e, por não ter raiz, ressecou-se⁶. **4:7** Outra {parte} caiu nos espinheiros; os espinheiros subiram e a sufocaram⁷; e não deu fruto. **4:8** Outra {parte} caiu em terra boa e dava fruto, que desponta⁸ e cresce⁹; um carregava trinta; outro, sessenta; e outro, cem. **4:9** E dizia: Quem tem ouvidos para ouvir, ouça!

1. Lit. "junto/ao lado do caminho".
2. Lit. "comer, consumir, devorar".
3. Lit. "saiu, pulou para fora de algum lugar; elevar, crescer, despontar, brotar". A preposição reforça a origem do movimento. Aplicado à semente, descreve o movimento de pular para fora da terra, ou seja, brotar.
4. Lit. "saiu, pulou para fora". Aplicado ao sol, às estrelas, transmitem a ideia de raiar, despontar.
5. Lit. "ser queimado, crestado, esturricado".
6. Lit. "ser enxugado, tornar-se seco; secar, ressecar, murchar".
7. Lit. "sufocar, estrangular".
8. Lit. "subir". Aplicado a uma planta ao fruto diz respeito ao brotar, despontar.
9. Lit. "aumentar, crescer".

EXPLICAÇÃO DA PARÁBOLA DO SEMEADOR
(Mt 13:10-23; Lc 8:9-15)

4:10 Quando ficou sozinho, os que estavam junto dele com os doze perguntavam {sobre} as parábolas. **4:11** Dizia-lhes: A vós foi dado o mistério do Reino de Deus, mas àqueles {de} fora, tudo acontece em parábolas, **4:12** para que *Olhando, olhem e não vejam; ouvindo, ouçam e não entendam; não voltem*[1] *e lhes sejam perdoados*. **4:13** Diz-lhes: Não sabeis esta parábola? Como conhecereis todas as parábolas? **4:14** O semeador semeia a palavra. **4:15** Os {que estão} à beira do caminho, onde a palavra é semeada, são estes: quando ouvem, imediatamente vem Satanás e tira a palavra semeada neles. **4:16** O que é semeado sobre {solo} pedregoso são estes: quando ouvem a palavra, imediatamente a recebem com alegria, **4:17** e não têm raiz em si mesmo, mas são transitórios; então, ocorrendo provação[2] ou perseguição por causa da palavra, imediatamente se escandalizam[3]. **4:18** Os outros, os semeados entre espinhos, são estes: são os que ouvem a palavra, **4:19** e as ansiedades[4] da era[5], o engano da riqueza, os desejos a respeito das demais {coisas} penetram, sufocam a palavra, e torna-se infrutífera. **4:20** Os que são semeados sobre a terra boa são aqueles que ouvem a palavra e a recebem, e frutificam, um trinta, um sessenta e um cem.

1. Lit. "retornar, voltar". Expressão técnica do judaísmo (teshuvá) que significa o processo integral de arrependimento, restauração do mal cometido, ressarcimento dos prejuízos e mudança de conduta.
2. Lit. "pressão, compressão (sentido estrito); aflição, tribulação, provação (sentido metafórico)".
3. Lit. "tropeçar; vacilar ou errar; ser ofendido; estar chocado. O substantivo "skandalon" significa armadilha de molas ou qualquer obstáculo que faça alguém tropeçar; um impedimento; algo que cause estrago, destruição, miséria e, via de consequência, aquilo que causa um choque, que repugna, que fere a sensibilidade.
4. Lit. "ansiedade, preocupação".
5. Lit. "era, idade, século; tempo muito longo".

A CANDEIA (Mt 5:15, 7:2, 10:26, 13:12; Lc 8:16-18, 12:2)

4:21 Dizia-lhes: Acaso vem a candeia[1] para que seja posta sob o módio[2] ou sob o leito, não para que seja posta sobre o candeeiro? **4:22** Pois não está escondido senão para ser manifestado, e nem se tornou oculto, mas para que venha a {ser} manifesto. **4:23** Se alguém tem ouvidos para ouvir, ouça. **4:24** Dizia-lhes: Vede o que ouvis! Com a medida com que medis sereis medidos e vos será acrescentada. **4:25** Pois quem tem, lhe será dado, e quem não tem, até[3] o que tem será tirado dele.

1. Lâmpada de barro alimentada por óleo (azeite de oliva), utilizada nas residências e no templo.
2. Medida romana para coisas secas (aproximadamente 35 litros).
3. Lit. "também".

PARÁBOLA DO CRESCIMENTO DA SEMENTE

4:26 Dizia-lhes: O Reino de Deus é assim como um homem {que} lance a semente sobre a terra; **4:27** durma e se levante noite e dia, e a semente germine[1] e se alongue[2], não sabendo ele como. **4:28** A terra, {de forma} autônoma, frutifica, primeiro o ramo[3], depois a espiga, depois o grão cheio na espiga. **4:29** E quando o fruto der, imediatamente envia a foice, porque chegou a ceifa.

1. Lit. "germinar, brotar; florescer, dar espigas".
2. Lit. "alongar-se, prolongar-se".
3. Lit. "erva, vegetação; talo, ramo".

PARÁBOLA DO GRÃO DE MOSTARDA (Mt 13:31-32)

4:30 Dizia: Como assemelhamos o Reino de Deus ou em que parábola o colocamos? **4:31** Como um grão de mostarda[1] que, quando semeado sobre a terra, é a menor de todas as sementes sobre a terra; **4:32** quando semeada, sobe e se torna a maior de todas as hortaliças; produz[2] ramos grandes, de modo a poderem as aves do céu aninhar-se[3] sob a sua sombra.

1. Os estudiosos estão divididos quanto à identificação dessa planta. Para alguns, trata-se da "*Sinapis Nigra*", ou mostarda negra, comum na Palestina. Cresce naturalmente, atingindo a altura de um homem montado num cavalo. Para outros, refere-se à "*Salvadora Pérsica*", encontrada em pequenas quantidades no vale do Jordão, e que produz um fruto suculento.
2. Lit. "faz".
3. Lit. "viver, morar; fazer ninho (aninhar-se)".

ENSINO POR PARÁBOLAS (Mt 13:34-35)

4:33 E com muitas destas parábolas, falava-lhes a palavra, conforme podiam ouvir. **4:34** Sem[1] parábola não lhes falava. Em particular, porém, explicava[2] tudo para os próprios discípulos.

1. Lit. "fora de; sem, exceto; separadamente, somente".
2. Lit. "desatar; livrar, soltar; resolver; explicar".

A TEMPESTADE ACALMADA (Mt 8:18, 23-27; Lc 8:22-25)

4:35 Naquele dia, chegado o fim da tarde, diz-lhes: Atravessemos para o outro lado. **4:36** Após deixar a turba, acolhem-no[1] no barco, do modo como estava; e outros barcos estavam com ele. **4:37** E ocorreu uma grande tempestade[2] de vento, e as ondas se lançavam[3] para dentro do barco, de modo a encher-se já o barco. **4:38** Ele estava na popa[4], dormindo sobre a almofada[5]; o despertam[6] e dizem-lhe: Mestre, não te importa que estamos perecendo? **4:39** Despertando-se, repreendeu o vento e disse ao mar: Silencia! Cala-te[7]; cessou o vento e houve grande calmaria[8]. **4:40** Disse-lhes: Por que estais temerosos[9]? Ainda não tendes fé? **4:41** [10]Temendo muito, diziam uns aos outros: Quem é este que tanto os ventos quanto o mar lhe obedece{m}?

1. Lit. "tomar junto de si, tomar consigo; acolher; encontrar à chegada; receber; encarregar-se, tomar sobre si".
2. Lit. "redemoinho, furacão, ventania; tempestade".
3. Lit. "lançar sobre, colocar sobre, estender sobre; aplicar a {algo}; revestir, costurar, remendar".
4. Lit. "mais atrás, último, traseiro". Em relação ao barco, se refere à parte traseira, em contraste com a parte dianteira, chamada "proa".
5. Lit. "{algo} para a cabeça", almofada. Pode se referir tanto ao assento do remador, coberto com couro, utilizado também como apoio para a cabeça, quanto a algum encosto de cabeça (almofada) utilizado por quem não estava pescando no momento.
6. Lit. "erguer, levantar".
7. Lit. "ser amordaçado, ser afocinhado", em sentido figurado: ser silenciado, ser posto em silêncio, ficar calado.
8. Lit. "tranquilidade no mar, calmaria, bonança".
9. Lit. "temeroso, amedrontado; covarde, pusilânime; tímido".
10. Lit. "temendo grande medo". Expressão idiomática semítica para indicar a intensidade do sentimento expresso pelo verbo.

5 O ENDAIMONIADO GERASENO (Mt 8:28-34; Lc 8:26-39)

5:1 E foram para o outro lado do mar, para a região dos gerasenos. **5:2** Tendo ele saído do barco, imediatamente veio ao encontro dele, ¹{saído} dos sepulcros², um homem com espírito impuro, **5:3** que tinha morada³ nos sepulcros e, nem com corrente⁴, ninguém mais podia amarrá-lo⁵. **5:4** Por ter sido amarrado muitas vezes com ⁶grilhões para os pés e correntes, e ter sido despedaçado⁷ por ele as correntes e ter sido estraçalhado⁸ os grilhões para os pés, ninguém era capaz⁹ de domá-lo¹⁰. **5:5** E durante toda noite e dia estava nos sepulcros e nos montes, gritando e cortando-se com pedras. **5:6** Quando viu Jesus de longe, correu e o reverenciou, **5:7** e ¹¹gritando com grande voz, diz: ¹²O que queres de mim, Jesus, filho do Deus Altíssimo? Conjuro-te por Deus, não me atormentes! **5:8** Pois ele lhe dizia: Espírito impuro, sai do homem! **5:9** E perguntava-lhe: Qual o teu nome? Ele lhe diz: Legião¹³ {é} meu nome, porque somos muitos. **5:10** E rogava-lhe¹⁴ muito para que não o enviasse para fora da região. **5:11** Ora, era apascentada lá, junto ao monte, uma grande vara de porcos, **5:12** e rogavam-lhe, dizendo: Envia-nos aos porcos, para que entremos neles. **5:13** Ele lhes permitiu. Depois de saírem, os espíritos impuros entraram nos porcos, e a vara {de porcos} precipitou-se despenhadeiro abaixo, para o mar, cerca de dois mil, e sufocaram-se¹⁵ no mar. **5:14** Os que apascentavam {porcos} fugiram, e relataram {o fato} na cidade e nos campos. Eles vieram ver o que tinha acontecido. **5:15** Vindo até Jesus, contemplam o endaimoniado¹⁶, o que tivera a legião, sentado, vestido, em perfeito juízo; e temeram. **5:16** Os que viram como acontecera ao endaimoniado relataram-lhes¹⁷ também a respeito dos porcos. **5:17** E começaram a rogar-lhe que se afastasse do território¹⁸ deles. **5:18** Enquanto ele ¹⁹entrava no barco, aquele que esteve endaimoniado rogava-lhe²⁰ para que permanecesse²¹ com ele. **5:19** Ele não o permitiu, mas diz: Vai para a tua casa, para os teus, e anuncia-lhes quantas {coisas} o Senhor te fez, e {como} teve misericórdia de ti. **5:20** Ao sair, ele começou a proclamar em Decápolis quantas {coisas} Jesus lhe fez, e todos se maravilhavam.

1. Segundo o Talmud, a loucura apresentava quatro sinais: 1) andar ao léu à noite; 2) passar a noite em um sepulcro; 3) rasgar as próprias vestes; 4) destruir aquilo que se recebe.

2. Lit. "memorial, monumento; sepulcro, túmulo".
3. Lit. "morada, habitação, residência".
4. Lit. "cadeia, corrente". Utilizadas para amarrar o corpo ou qualquer parte dele.
5. Lit. "amarrar, atar, prender, ligar".
6. Lit. "entrave; laço para os pés; laço para cavalos, homens; grilhão para os pés". Podia ser confeccionado com crina ou material utilizado na manufatura de cordas.
7. Lit. "separar com violência; lacerar, rasgar; despedaçar".
8. Lit. "esfregar uma coisa contra a outra, desgastar; moer, triturar, estraçalhar; esmagar, quebrar; romper".
9. Lit. "ser forte, capaz, poderoso; ser válido; ser capaz; prestar, servir (utilidade)".
10. Lit. "domar, domesticar, submeter ao jugo".
11. Expressão idiomática semítica utilizada para reforçar o sentido do verbo.
12. Lit. "o que para mim e para ti". Trata-se de expressão idiomática
13. Divisão do exército romano contendo aproximadamente seis mil homens (6.000).
14. Lit. "exortar, admoestar, persuadir; implorar, suplicar, rogar; animar, encorajar, confortar, consolar; requerer; convidar para vir, mandar buscar".
15. Lit. "sufocar, estrangular".
16. Lit. "sob a ação dos daimon". Trata-se dos obsedados, pessoas sujeitas à influência perniciosa de espíritos sem esclarecimento, magoados ou malévolos, razão pela qual se optou pela transliteração do termo grego.
17. Lit. "narrar, relatar, descrever, expor com pormenores".
18. Lit. "limite, fronteira".
19. Lit. "embarcava no barco".
20. Vide nota 14.
21. Lit. "estivesse", com o sentido de permanecer com ele. Há um pedido para acompanhar Jesus (ele – "endaimoniado" – permanecer com ele – "Jesus"). No versículo seguinte, a situação é esclarecida, quando Jesus nega o pedido.

RESSURREIÇÃO DA FILHA DE JAIRO E CURA DA MULHER COM FLUXO DE SANGUE (Mt 9:18-26; Lc 8:40-56)

5:21 Depois de Jesus atravessar novamente para o outro lado, {no barco}[1], reuniu-se uma turba numerosa sobre ele; ele estava junto ao mar. **5:22** E chega um dos chefes[2] da sinagoga, de nome Jairo. Assim que o viu, prosternou-se[3] junto aos pés dele. **5:23** E roga-lhe muito, dizendo : Minha filhinha [4]está nas últimas; vem, para que imponhas as mão nela, para que seja salva e viva. **5:24** Saindo com ele, uma turba numerosa o seguia, e o comprimiam[5]. **5:25** E uma mulher, que estava com um fluxo de sangue {há} doze anos, **5:26** que muito havia padecido sob {os cuidados de} muitos médicos, gastando [6]tudo quanto tinha; nada lhe aproveitando[7], mas [8]tornando-se ainda pior. **5:27** Depois de ouvir a respeito de Jesus, enquanto vinha na multidão, por trás tocou na sua veste[9]. **5:28** Pois dizia: Se tocar apenas na sua veste, serei salva. **5:29** E imediatamente secou-se[10] a fonte do seu sangue, e soube em seu corpo que estava curada do flagelo[11]. **5:30** Jesus, imediatamente, reconhecendo que havia saído poder[12] de si mesmo, e voltando-se em {meio} à turba, dizia: Quem tocou nas minhas vestes? **5:31** Diziam-lhe os seus discípulos: Vês que a turba está te comprimindo, e dizes: Quem me tocou? **5:32** Ele olhava ao redor, para ver a que fizera isso. **5:33** A mulher, atemorizada e trêmula, sabendo o que lhe havia acontecido, veio, prosternou-se[13] diante dele, e disse-lhe toda a verdade. **5:34** Ele, porém, lhe disse: Filha, a tua fé te salvou. Vai em paz, e permanece curada[14] do teu flagelo. **5:35** Enquanto ele ainda falava, vieram {alguns} da {parte} do Chefe da Sinagoga, dizendo: Tua filha morreu. Por que ainda incomodas[15] o Mestre? **5:36** Jesus, ouvindo de relance[16] a palavra que falavam, diz ao chefe da sinagoga: Não temas, apenas crê. **5:37** E não permitiu a ninguém seguir junto com ele, senão Pedro, Tiago e João, o irmão de Tiago. **5:38** Chegando à casa do Chefe da Sinagoga, contempla o tumulto, e muitas {pessoas} chorando e gritando[17]. **5:39** Após entrar, diz-lhes: Por que estais alvoroçados e chorais? A criancinha não morreu, mas dorme. **5:40** E zombavam[18] dele. Ele, porém, fazendo todos saírem, tomou consigo o pai e a mãe da criancinha, e os que com ele {estavam}, e ingressa onde estava a criancinha. **5:41** E agarrando a mão da criancinha, diz: "Talitha kum", que traduzido é "Mocinha, eu te digo: Levanta-te". **5:42** E imediatamente a mocinha se levantou e andava[19], pois estava com doze anos; e extasiaram-se[20] com [21]grande êxtase. **5:43** E ordenou-lhe veementemente[22] que ninguém soubesse disso, e disse para dar-lhe {algo} de comer.

1. Uma minoria de críticos textuais considera essa expressão uma inserção antiga. A comissão editora do texto grego, embora considere o trecho original, por decisão da maioria, optou por mantê-lo entre parênteses.
2. Lit. "comandante, chefe, rei", na Atenas democrática, cada um dos nove governantes eleitos anualmente era chamado "arconte". Nesta passagem, trata-se de um chefe de sinagoga, chamado Jairo, segundo o relato de Marcos e Lucas.

3. Lit. "caiu junto aos pés dele"; Expressão idiomática semítica que significa prosternar-se (curvar-se ao chão em sinal de profundo respeito).
4. Lit. "tem finalmente". Expressão idiomática que encontra seus paralelos no português nas seguintes expressões: "está no fim", "está nas últimas".
5. Lit. "comprimir, apertar".
6. Lit. "todas {coisas} da parte dela". Expressão idiomática que se refere à totalidade da propriedade de alguém.
7. Lit. "ser útil, proveitoso; auxiliar, ajudar".
8. Lit. "indo para pior ainda".
9. Veste externa, manto, peça de vestuário utilizada sobre a peça interna. Pode ser utilizada como sinônimo do vestuário completo de uma pessoa. O termo também aparece em Mt 5:40, traduzido como "manto".
10. Lit. "ser enxugado, tornar-se seco; secar, ressecar, murchar".
11. Lit. "açoite, flagelo; castigo, punição".
12. Lit. "poder, força, habilidade".
13. Lit. "cair sobre, coligir com, lançar-se contra; precipitar-se sobre; cair diante de". No caso a expressão "precipitar-se diante dele" pode ser corretamente traduzida por "prosternou-se diante dele".
14. Lit. "saudável, são (com saúde)".
15. Lit. "esfolar, tirar a pele; incomodar, perturbar, molestar".
16. Lit. "ouvir ao passar, incidentalmente, de relance; escutar às escondidas; entender mal, não prestar ouvidos; desobedecer".
17. Lit. "gritar". Originalmente, designava o grito de guerra, lançar o grito de guerra. Posteriormente, passou a designar o grito comum, podendo também se referir ao ato de anunciar gritando, às lamentações rituais.
18. Lit. "ridicularizar, zombar, rir de"
19. Lit. "andar ao redor; vagar, perambular; circular, passear; viver (seguir um gênero de vida)".
20. Lit. "fora de si".
21. Expressão idiomática semítica, cuja finalidade é reforçar o significado do verbo.
22. Lit. "muito".

6

VISITA A NAZARÉ (Mt 13:53-58; Lc 4:16-30)

6:1 Após sair dali, vem para sua pátria[1], e os seus discípulos o seguem. **6:2** Vindo[2] o sábado, começou a ensinar na sinagoga deles; e muitos, ouvindo, maravilhavam-se, dizendo: [3]De onde lhe vêm essas {coisas}? Que sabedoria lhe foi dada? E tais prodígios[4] acontecendo através das suas mãos? **6:3** Não é este o carpinteiro, o filho de Maria, e os irmãos, Tiago, José, Judas e Simão? E suas irmãs não estão aqui junto de nós? E se escandalizavam[5] nele. **6:4** Dizia-lhes Jesus: Não há profeta sem honra, a não ser em sua pátria, entre os seus parentes e na sua casa. **6:5** E não podia realizar ali nenhum prodígio[6], a não ser uns poucos enfermos[7] que curou, impondo-lhes as mãos. **6:6** E admirava-se por causa da falta de fé deles. E percorria as aldeias ao redor[8], ensinando.

1. Lit. "terra do pai", terra natal.
2. Lit. "vir a ser, tornar-se, ocorrer, acontecer".
3. Lit. "de onde para ele essa sabedoria e os poderes".
4. Lit. "poder, força, habilidade". Trata-se de um substantivo utilizado como objeto do verbo "acontecer", o que requer um esforço para se recuperar a força da expressão.
5. Lit. "tropeçar; vacilar ou errar; ser ofendido; estar chocado. O substantivo "skandalon" significa armadilha de molas ou qualquer obstáculo que faça alguém tropeçar; um impedimento; algo que cause estrago, destruição, miséria e, via de consequência, aquilo que causa um choque, que repugna, que fere a sensibilidade.
6. Vide nota 4.
7. Lit. "débil, enfermo, doente".
8. Lit. "em círculo", ao redor.

MISSÃO DOS DOZE (Mt 10:1-16; Lc 9:1-6)

6:7 Convocou[1] os doze, e começou a enviá-los dois a dois; deu-lhes autoridade {sobre} [2]espíritos impuros, **6:8** e prescreveu-lhes[3] que nada levassem para o caminho, exceto um cajado[4] somente; nem pão, nem alforje[5], nem cobre para os cintos[6]; **6:9** mas, calçando sandálias, não vestissem duas túnicas[7]. **6:10** Dizia-lhes: Onde entrardes, em uma casa, ali permanecei até sairdes dali. **6:11** E o lugar que não vos receber, e {onde} não vos ouvirem; saindo dali, sacudi o pó debaixo dos vossos pés, em testemunho contra eles. **6:12** Após saírem, proclamaram que se arrependessem[8]. **6:13** Expulsavam muitos daimones[9], ungiam com óleo {de oliva} muitos enfermos[10], e os curava.

1. Lit. "convocar, citar, intimar; chamar para si mesmo, reunir, convidar; evocar".
2. Trata-se dos obsessores, espíritos sem esclarecimento, magoados ou malévolos, chamados no NT de "espíritos impuros", "daimon", razão pela qual julgamos inconveniente a tradução dessas expressões pelo vocábulo "demônio".
3. Lit. "anunciar; dar ordens, prescrever, dar instruções".
4. Lit. "cajado, vara; bastão de comando; cetro de autoridades", utilizado para se apoiar, para corrigir (bater), para comandar, ou como sinal de autoridade.
5. Lit. "saco ou bolsa de couro para levar provisões".
6. Lit. "cinto, cinturão", usado também para carregar dinheiro, pois a bolsa ficava presa nele.
7. Peça de vestuário interno, utilizada junto ao corpo, logo acima da pele, sobre a qual era costume colocar outra peça ou manto. Trata-se de uma espécie de veste interna, íntima.
8. Lit. "mudar de mente, de opinião, de sentimentos, de vida".
9. Lit. "deus pagão, divindade; gênio, espírito; mau espírito, demônio".
10. Lit. "débil, enfermo, doente".

HERODES (Mt 14:1-12; Lc 3:19-20, 9:7-9)

6:14 O Rei Herodes ouviu {isso}, pois o nome dele [1]se tornou público; e dizia: João [2]Batista se levantou[3] dos mortos e, por isso, os poderes operam nele. **6:15** Outros diziam: É Elias. Outros diziam: {É} Profeta como um dos Profetas. **6:16** Ouvindo {isso}, Herodes dizia: João, o que eu decapitei; esse ressuscitou[4]. **6:17** Pois o próprio Herodes [5]mandara prender João, e o amarrou na prisão, por causa de Herodias, mulher de Filipe, seu irmão, que casou-se com ela. **6:18** Pois João dizia a Herodes: Não te é lícito possuir a mulher do teu irmão. **6:19** Herodias [6]guardava {ódio/rancor} por ele; queria matá-lo, e não podia[7]. **6:20** Pois Herodes temia João, sabendo {ser} ele um homem justo e santo, e o protegia[8]; Quando o ouvia, ficava em dúvida {sobre} muitas coisas; e o ouvia com agrado. **6:21** Ao chegar[9] um dia oportuno, quando Herodes, [10]por ocasião do seu aniversário, fez um banquete[11] aos seus [12]{homens} proeminentes, aos quiliarcas[13] e aos primeiros[14] da Galileia.

6:22 Quando entrou a filha de Herodias, dançando, e agradou a Herodes e aos comensais[15], o Rei disse à mocinha[16]: Pede-me o que quiseres, e eu te darei. **6:23** E jurou-lhe: O que me pedires te darei, até a metade do meu reino. **6:24** Depois de sair, ela disse à sua mãe: Que pedirei? Ela disse: A cabeça de João Batista. **6:25** Dirigindo-se imediatamente, com pressa, para o Rei, pediu, dizendo: Quero que, sem demora, me dês sobre um prato a cabeça de João Batista. **6:26** [17]Entristecendo-se muito, o Rei não quis anular[18] a própria {promessa}, por causa dos juramentos e dos convivas[19]. **6:27** E imediatamente o Rei, enviando um guarda-executor[20], ordenou trazer a cabeça de João. Saindo {o guarda}, decapitou-o na prisão. **6:28** E trouxe a cabeça dele sobre um prato, deu-a à mocinha, e a mocinha deu-a à sua mãe. **6:29** Depois de ouvirem {isso}, os discípulos dele vieram, levaram o seu corpo e o colocaram em um sepulcro.

1. Lit. "se tornou manifesto/público/visível".
2. Lit. "O batizador". Aquele realiza a imersão, que mergulha alguém, que lava.
3. Lit. "erguer-se, levantar-se". Expressão idiomática semítica que faz referência à ressurreição dos mortos. Para expressar a morte e ressurreição, utilizavam as expressões "deitar-se" (morte) e "levantar-se" (ressurreição).
4. Vide nota 3.
5. Lit. "enviou e prendeu". Expressão que resume o procedimento adotado pelo Rei, ao enviar seus subordinados para prender João.
6. Lit. "guardar, conservar em; reter em; fixar-se em, agarrar-se a". Por extensão, é utilizado em expressões idiomáticas que subentendem o vocábulo "ódio/rancor", tais como "guardar rancor/ ódio por alguém".
7. Lit. "poder, ser capaz de, conseguir".
8. Lit. "preservar; manter (são e salvo), proteger, guardar (em segurança); guardar (na memória)".
9. Lit. "vir a ser, tornar-se, ocorrer, acontecer".
10. Lit. "ocorrendo o natalício".
11. Lit. "refeição principal do dia (geralmente o jantar)", banquete.
12. Lit. "grandiosos". Trata-se dos cortesãos, homens de destaque, proeminentes (Chefes, Senhores, Dignatários).
13. Lit. "líder/comandante de mil". Trata-se de um cargo relacionado ao exército romano, que dava ao titular a responsabilidade de comandar mil homens (uma coorte).
14. Referência às pessoas ilustres da Galileia.
15. Lit. "dos que se reclinam (à mesa) junto", comensais (os que comem juntos), convidados.
16. Diminutivo de "moça, donzela, senhorita", o que nos leva a crer tratar-se de uma menina.
17. Lit. "tornando-se muito triste".

18. Lit. "deslocar, pôr de lado; ab-rogar, anular, violar (lei, tratado); rejeitar, desprezar".
19. Lit. "dos que se reclinam (à mesa)", convidados do banquete.
20. Lit. "speculator", guarda-executor, guarda-costas, sentinela que compunha a guarda real, cujas inúmeras obrigações incluía a execução de criminosos. Palavra de origem latina, cujo sentido original era espião, explorador, especulador.

PRIMEIRA MULTIPLICAÇÃO DOS PÃES
(Mt 14:13-21; Lc 9:10-17; Jo 6:1-15)

6:30 Os apóstolos se reuniram junto a Jesus, e relataram-lhe tudo quanto fizeram e ensinaram. **6:31** Diz-lhes: Vinde vós mesmos para um lugar ermo, em particular, e descansai um pouco! Pois eram muitos os que vinham e saiam, e nem para comer ¹encontravam tempo oportuno. **6:32** E saíram no barco para um lugar ermo, em particular. **6:33** Eles os viram partindo e reconheceram muitos {deles}; correram juntos para lá, a pé, de todas as cidades, e os precederam. **6:34** Depois de sair, ele viu uma turba numerosa e compadeceu-se² deles, porque eram como ovelhas ³sem pastor, e começou a ensinar-lhes muitas {coisas}. **6:35** ⁴Ao tornar-se já muito {adiantada} a hora, os seus discípulos, aproximando-se dele, diziam: O lugar é ermo e a hora já {está} muito {adiantada}. **6:36** Despede-os, para que voltem aos campos e aldeias ao redor⁵; e comprem para si mesmos o que comer. **6:37** Em resposta, disse-lhes: Dai-lhes vós mesmos de comer. Eles lhe dizem: ⁶Iremos e compraremos pão por duzentos denários⁷, e lhes daremos para comer? **6:38** Disse-lhes: Quantos pães tendes? Parti, vede! Ao saberem, dizem: Cinco {pães} e dois peixes. **6:39** Ordenou-lhes que todos se reclinassem, em grupos {de convivas}, sobre a relva verde. **6:40** E reclinaram-se em fileiras⁸, de cem e de cinquenta. **6:41** Tomando os cinco pães e dois peixes, olhou para o céu, abençoou, partiu os pães e deu aos discípulos, para que oferecessem⁹ a eles. E repartiu os dois peixes por todos. **6:42** Todos comeram e saciaram-se¹⁰; **6:43** e levaram¹¹ doze cestos de vime¹² cheios de pedaços {de pães} e de peixes. **6:44** E os que comeram foram cinco mil varões.

1. Lit. "ter/encontrar tempo apropriado, ter oportunidade, ter tempo livre".
2. Lit. "compadecer-se, ter compaixão, ter piedade; mostrar simpatia".

3. Lit. "não tendo pastor".
4. Lit. "Ao tornar-se a hora realmente/já de muita". Expressão idiomática para expressar o adiantado da hora.
5. Lit. "em círculo", ao redor.
6. Lit. "indo/partindo, compraremos".
7. Moeda de prata romana correspondente ao salário pago por um dia de trabalho no campo.
8. Lit. "canteiro {de jardim}; fileira. Os discípulos dos Mestres Rabinos tinham o hábito de se sentarem em fileiras, que eram comparadas com as fileiras de videira nas vinhas, ou a jardins bem cuidados.
9. Lit. "colocar ao lado de; colocar diante de", propor; demonstrar (por extensão); apresentar; confiar, depositar/colocar/entregar algo aos cuidados de alguém; recomendar".
10. Lit. "saciar-se, satisfazer-se, fartar-se, estar satisfeito".
11. Lit. "levantar, suster, sustentar alguém/algo a fim de carregar; tirar, remover, levar".
12. Lit. "cesta feita de vime".

JESUS CAMINHA SOBRE AS ÁGUAS (Mt 14:22-33; Jo 6:16-21)

6:45 Logo {em seguida}, compeliu[1] os seus discípulos a [2]entrar no barco e ir adiante dele para o outro lado, para Betsaida, enquanto ele despede a turba. **6:46** Apartando-se, partiu para o monte para orar. **6:47** Chegado o fim da tarde, o barco estava no meio do mar, e ele sozinho sobre a terra. **6:48** E vendo que estavam atormentados em remar, pois o vento era contrário a eles; por volta da quarta vigília[3] da noite, [4]dirigiu-se a eles, caminhando[5] sobre o mar, e queria passar por eles. **6:49** Ao vê-lo caminhando[6] sobre o mar, pensaram: É um fantasma[7]! E gritaram, **6:50** pois todos o viram e ficaram perturbados; mas imediatamente falou com eles, e disse-lhes: Animai-vos[8], sou eu, não temais. **6:51** E subiu para junto deles no barco, amainou o vento, e eles, entre si, ficaram muito extasiados[9] **6:52** Pois não tinham compreendido a respeito dos pães, mas o coração deles estava endurecido.

1. Lit. "forçar, obrigar, compelir".
2. Lit. "embarcar no barco".
3. Lit. "prisão, cárcere; sentinela; guarda, vigília". O período entre 18h e 6h da manhã, do dia seguinte, era dividido em quatro vigílias de três horas cada uma (1ª – 18h – 21h; 2ª – 22h – 24h; 3ª – 1h – 3h; 4ª – 4h – 6h).

4. Lit. "veio para eles".
5. Lit. "andar ao redor; vagar, perambular; circular, passear; viver (seguir um gênero de vida)".
6. Vide nota 5.
7. Lit. "fantasma, espectro; aparição, visão".
8. Lit. "Animo! Coragem!". Verbo utilizado apenas no imperativo, com o sentido de ter coragem, bom ânimo, confiança, esperança.
9. Lit. "fora de si".

CURAS EM GENESARÉ (Mt 14:34-36)

6:53 Atravessando {o lago}, chegaram à terra de Genesaré, e atracaram. **6:54** Ao saírem do barco, imediatamente o reconheceram; **6:55** percorreram toda aquela região e começaram a transportar, sobre os catres[1], [2]os que estavam mal, para onde ouviam que ele esta{va}. **6:56** Onde quer que ele entrasse, em aldeias, em cidades ou campos, colocavam os enfermos[3] nas praças, e rogavam-lhe para que tocassem apenas na orla[4] da sua veste, e os que[5] a tocaram [6]eram salvos.

1. Palavra de origem Macedônica, traduzida para o latim como *"grabatus"*. Trata-se de um leito rústico e pobre, uma espécie de colchão dobrável para viagem bastante rústico. A palavra "catre" talvez reflita melhor a rusticidade e pobreza desse leito portátil usado pelas pessoas muito pobres da Palestina.
2. Lit. "os que tinham mal".
3. Lit. "os que estão fracos (fisicamente), enfermos".
4. Lit. "orla, borda, franja das vestes". Na orla ou borda das vestes judaicas masculinas eram feitos bordados com fio azul-púrpura (Nm 15:38-39). Trata-se de um preceito cuja função era evocar a necessidade de cumprimento dos demais preceitos (619 segundo Maimônides). Desse modo, essa orla era sinal característico dos fiéis observadores da Torah.
5. Lit. "quantos".
6. Lit. "ser salvo; ser tirado do perigo, da morte; ser guardado, ser conservado".

7 TRADIÇÃO DOS FARISEUS (Mt 15:1-20)

7:1 Reuniram-se junto dele os fariseus e alguns escribas, vindos de Jerusalém. **7:2** Vendo que alguns dos seus discípulos comiam os pães, com mãos comuns, isto é, ¹não lavadas. **7:3** Pois os fariseus e todos os judeus não comem, se não lavam as mãos com o punho², agarrando³ a tradição⁴ dos anciãos; **7:4** e, {chegando} da praça⁵, não comem se não se mergulharem⁶. E há muitas coisas que receberam para agarrar: imersão {em água}⁷ de copos, jarros⁸ e vasilhas de bronze. **7:5** Os fariseus e os escribas o interrogaram: Por que não andam⁹ os teus discípulos segundo a tradição dos anciãos, mas comem o pão com as mãos comuns¹⁰? **7:6** Disse-lhes: Hipócritas! Bem profetizou Isaías a vosso respeito, como está escrito: *Este povo com lábios me honra, mas o seu coração* ¹¹*está muito distante de mim.* **7:7** *Em vão me adoram* ¹²*transmitindo ensinamentos que são preceitos de homens.* **7:8** Deixando o mandamento de Deus, vós agarrais a tradição dos homens. **7:9** E dizia-lhes: Bem anulais¹³ o mandamento de Deus para que mantenhais de pé a vossa tradição. **7:10** Pois Moisés disse: Honra o teu pai e a tua mãe; e quem injuriar¹⁴ pai ou mãe ¹⁵seja punido com a morte. **7:11** Vós, porém, dizeis: Se um homem disser ao pai ou à mãe: Korban¹⁶, isto é, oferenda {é} o que de mim te seria útil. **7:12** {E assim} não o deixais fazer mais nada para o pai ou para a mãe, **7:13** invalidando¹⁷ a palavra de Deus pela vossa tradição, que transmitis; e fazeis muitas coisas semelhantes a essas. **7:14** Convocando¹⁸ novamente a turba, dizia-lhes: Ouvi-me, todos, e entendei. **7:15** Nada há fora do homem que, entrando nele, possa torná-lo comum¹⁹; mas o que sai do homem é o que torna o homem comum. **7:16** ²⁰{Se alguém tem ouvidos para ouvir, ouça} **7:17** Quando entrou em casa, {longe} da turba, os discípulos o interrogavam sobre a parábola. **7:18** Diz-lhes: Da mesma forma, vós também estais sem entendimento? Não compreendeis que tudo o que de fora entra no homem não pode torná-lo comum, **7:19** porque não entra no seu coração mas no ventre, e sai para a latrina, purificando todas as comidas? **7:20** Dizia: O que sai do homem, isso {torna} o homem comum. **7:21** Pois do interior do coração dos homens saem desígnios²¹ maus, fornicações², roubos, homicídios, **7:22** adultérios, insaciabilidade²³, perversidades, malícia²⁴, licenciosidade²⁵, ²⁶olho mau, blasfêmia²⁷, soberba²⁸, insensatez. **7:23** Todas essas {coisas} ruins saem de dentro e {tornam} o homem comum.

1. Neste trecho, o evangelista faz explícita referência à tradição de purificação das mãos (*n'tilat-yadayim*), antes das refeições, que se dava mediante o derramamento de água (lavação) nas mãos, nos punhos e no antebraço. Nesse processo, as mãos eram tiradas do estado de impureza ritual (comum) e colocadas em um estado de pureza ritual (santificação), que as tornavam aptas para tocar os alimentos. A ideia subjacente é de que o lar é um templo, a mesa de refeições o altar, a comida representa a oferta/sacrifício, ao passo que o homem é o sacerdote. Uma vez que a Torah exigia pureza ritual do sacerdote antes do oferecimento dos sacrifícios, igualmente a tradição desenvolveu um conjunto de exigências relativas ao ato de se alimentar. Em resumo, antes de serem submetidas ao ritual de purificação (lavação), as mãos são comuns, não santificadas (não reservadas/separadas para Deus e para o culto), impuras.

2. Lit. "com o punho (que englobava todo o antebraço, até o cotovelo)". Trata-se de uma expressão idiomática de difícil e controvertida tradução. Eis algumas sugestões: lavar seguidamente; lavar até o cotovelo; lavar inteiramente, completamente, integralmente; lavar com o punho, esfregando-o na mão. Desse modo, fizemos a opção por manter a expressão literal.

3. Verbo forte, utilizado para demonstrar a intensidade com que os fariseus mantinham e observavam suas tradições.

4. παρέδοσαν (*parédosan*) – **transmitir (ensino oral ou tradição escrita); dar, entregar, confiar (algo à alguém)** – Verb. Indicativo Aoristo Ativo (17 – 119), **composto pela preposição** παρά **(pará – junto a; para; em) + verbo** δίδωμι **(dídomi – dar; entregar; conceder)**. Lucas utiliza um termo técnico para destacar que sua obra se embasa na tradição, oral e escrita, da comunidade cristã. A primeira etapa da transmissão da vida e do ensino de Jesus foi eminentemente oral. A maioria desse material narrativo se perdeu com o tempo. Parte desta pregação, porém, assumiu formas fixas e padronizadas, à medida que as histórias e os ditos eram narrados. Essa padronização facilitava a retenção do relato na memória do ouvinte e reflete uma prática comum dos rabinos (sábios da Palestina do Séc. I) que tinham o costume de compor seus ensinos em formas propícias à memorização, exigindo que seus alunos as decorassem. A própria composição do Talmud (200d.C a 500d.C) reflete essa prática. Ao longo do desenvolvimento da tradição oral, houve a condensação e concretização desse material memorizado na forma escrita, sendo perfeitamente possível identificar os padrões narrativos (curas, milagres, ditos notáveis, pregação apostólica) no Novo Testamento, trabalho realizado pela Crítica das Formas (ramo do pesquisa bíblica que estuda os padrões narrativos).

5. Lit. "praça, mercado (local de venda de produtos); fórum; rua larga (local de afluência de pessoas)".

6. Lit. "lavar, imergir, mergulhar". Posteriormente, a Igreja conferiu ao termo uma nuance técnica e teológica para expressar o sacramento do batismo.

7. Lit. "batismo, lavação, imersão, mergulho". Referência ao ritual de purificação dos objetos, semelhante ao que era feito com as mãos, cujo nome em grego, curiosamente, é batismo. Posteriormente, a Igreja conferiu ao termo uma nuance técnica e teológica para expressar um sacramento, mas deixou de aplicar à purificação de objetos o mesmo vocábulo, contrariamente ao texto do NT que aplica indistintamente a mesma expressão para imersão ritual, tanto de objetos quanto de pessoas.

8. Lit. "sextus, sextarius", medida romana para líquidos que equivale a aproximadamente meio litro. No Novo Testamento é utilizado também para se referir ao objeto (vaso, jarro) que suporte essa quantidade de líquido.

9. Lit. "andar ao redor", observar, viver (no sentido de conduta). Trata-se de uma expressão técnica da tradição judaica, razão pela qual optamos por mantê-la intacta. Os Sábios de Israel chamavam de "halacha" (caminhar, andar) os preceitos, normas e mandamentos extraídos da Torah, pois diziam respeito ao caminho que devia ser seguido pelo indivíduo e pela nação, ou seja, a conduta a ser adotada em cada caso concreto. Grande parte do trabalho de interpretação das Escrituras era dedicada ao processo de extrair regras detalhadas e concretas dos textos, muitas vezes gerais e abstratos, da Torah. Nesse sentido, as normas de conduta podiam ser denominadas "caminho".

10. Lit. "tornar comum". Na linguagem técnica dos fariseus, a expressão "tornar comum" significa subtrair o caráter santificado, consagrado, de uma pessoa ou coisa, ou seja, "tornar impuro". A santificação ou consagração consistia num conjunto de rituais que visavam extrair as impurezas cultuais do objeto ou ser, de modo que ele estivesse pronto para o serviço cultual. No caso em tela, a discussão gira em torno da cerimônia de purificação das mãos antes das refeições, um dos rituais de santificação ou consagração previstos na tradição judaica.

11. Lit. "longe está distante de mim".

12. Lit. "ensinando ensinamentos".

13. Lit. "deslocar, pôr de lado; ab-rogar, anular, violar (lei, tratado); rejeitar, desprezar".

14. Lit. "falar mal de, insultar, injuriar, ofender com palavras, tratar com desrespeito".

15. Lit. "morra de morte".

16. Lit. "perto, para perto; oferta, sacrifício". Palavra aramaica/hebraica que significa aquilo que é levado para perto de Deus, que é oferecido a Deus. Trata-se de uma fórmula rabínica pronunciada sobre algum objeto para retirá-lo do uso profano, tornando-o "santificado", no sentido explicado na nota 12. Ao pronunciar essa palavra sobre determinado objeto, a pessoa automaticamente fazia um juramento de entregar ao Templo o referido objeto, mesmo que em prejuízo do sustento dos genitores, o que é condenado por Jesus nesta passagem.

17. Lit. "invalidar; anular, cancelar; perder a força, o valor legal". Termo jurídico aplicado à legislação e aos contratos.

18. Lit. "convocar, citar, intimar; chamar para si mesmo, reunir, convidar; evocar".

19. Vide nota 10.

20. A crítica textual contemporânea rejeita esse versículo, ao argumento de que está ausente nos principais Manuscritos Alexandrinos, que são os mais antigos.

21. Lit. "pensamento, opinião, raciocínio; disputa, arrazoado, argumentação, consideração; plano, cogitação, desígnio".

22. Lit. "fornicação, prostituição; infidelidade, adultério". Termo genérico para práticas sexuais ilícitas.

23. Lit. "insaciabilidade, ganância; cobiça, ambição; avareza".

24. Lit. "armadilha ou estratagema para capturar", astúcia, malícia; engano, fraude, trapaça.

25. Lit. "licenciosidade, lascívia, devassidão; intemperança; insolência, comportamento ultrajante".

26. Lit. "olho mau, mau olhado". Expressão idiomática semítica para inveja, ciúme; Na língua portuguesa há uma expressão idêntica.

27. Lit. "calúnia, censura; palavra ofensiva, insulto; falar sobre Deus ou sobre as coisas divinas de forma irreverente; irreverência".

28. Lit. "soberba, orgulho, altivez; arrogância".

CURA DA FILHA DE UMA CANANEIA (Mt 15:21-28)

7:24 Levantando-se dali, partiu para o território de Tiro. E entrando em uma casa, (não) queria que ninguém soubesse, mas não foi possível ocultar-se. **7:25** Todavia, uma mulher, cuja filha tinha um espírito impuro, ouvindo a respeito dele, imediatamente veio e prosternou-se[1] aos seus pés. **7:26** A mulher era grega, de origem siro-fenícia, e pedia-lhe que expulsasse o daimon[2] da sua filha. **7:27** Dizia-lhe: Deixa primeiro ser saciado os filhos, pois não é bom tomar o pão dos filhos e lançá-lo aos cachorrinhos. **7:28** Em resposta, ela lhe diz: Senhor, também os cachorrinhos comem, debaixo da mesa, das migalhas das criancinhas[3]. **7:29** Disse-lhe: Por causa desta palavra, vai; o daimon (já) saiu da tua filha. **7:30** Partindo para sua casa, encontrou a criancinha deitada sobre o leito, e o daimon (já) tinha saído.

1. Lit."cair sobre, coligir com, lançar-se contra; precipitar-se sobre; cair diante de". No caso a expressão "precipitar-se diante dele" pode ser corretamente traduzida por "prosternou-se diante dele".
2. Lit. "deus pagão, divindade; gênio, espírito; mau espírito, demônio".
3. Lit. "bebê, infante, criancinha; filhinho".

CURA DE UM SURDO-GAGO NA GALILEIA

7:31 Novamente, saindo dos territórios de Tiro, veio por Sidon ao mar da Galileia, em meio ao território da Decápole. **7:32** E trazem-lhe um surdo e gago[1], e rogam-lhe que lhe imponha a mão. **7:33** Apartando-o da turba, em particular lançou os seus dedos nos ouvidos dele; após cuspir, tocou (com a saliva) a língua dele. **7:34** Levantando os olhos para o céu, suspirou[2] e lhe diz: "Ephphatá", que é "Abre-te". **7:35** E (imediatamente) os seus ouvidos foram abertos, a ligadura[3] da língua foi solta, e falava retamente[4]. **7:36** Ordenou-lhes que a ninguém dissesse, porém, quanto mais ordenava, mais abundantemente proclamavam. **7:37** E maravilhavam-se[5] sobremaneira, dizendo: Ele fez todas (as coisas) bem; faz os surdos ouvirem e os mudos falarem.

MARCOS 1. Lit. "alguém que fala com dificuldade".
7 2. Lit. "gemer, urrar; sussurrar, suspirar; roncar, mugir".
3. Lit. "algo utilizado para amarrar, atar; corda, corrente, ligadura, ligamento". Por extensão: empecilho, impedimento".
4. Lit. "retamente (com justiça, de forma justa)".
5. Lit. "maravilhar-se, impressionar-se, surpreender-se, espantar-se".

SEGUNDA MULTIPLICAÇÃO DOS PÃES (Mt 15:32-39)

8:1 Naqueles dias, havendo novamente uma turba numerosa, que não tinha o que comer, convocando os discípulos, lhes diz: **8:2** Estou compadecido com a turba, porque já permanece comigo há três dias, e não tem o que comer; **8:3** se eu os despedir em jejum para casa deles, desfalecerão no caminho, {pois} alguns vieram de longe. **8:4** E os seus discípulos lhe responderam: De onde poderá alguém saciá-los com pães, aqui no deserto? **8:5** Perguntava-lhes: Quantos pães tendes? Disseram: Sete. **8:6** Ordenou à turba recostar-se[1] sobre a terra e, tomando os sete pães, rendeu graças, partiu-os e dava aos seus discípulos para que oferecessem[2], e {eles} ofereceram à turba. **8:7** Tinham também uns poucos peixinhos; abençoando-os, disse {para} também oferecer[3] esses. **8:8** Comeram e saciaram-se[4]; e levaram[5], das sobras dos pedaços, sete cestos redondos[6]. **8:9** Eram cerca de quatro mil; e despediu-os. **8:10** [7]Entrou imediatamente no barco e dirigiu-se para as partes de Dalmanuta.

1. Lit. "cair para trás, recostar-se; posicionar-se para comer, reclinar-se à mesa".
2. Lit. "colocar ao lado de; colocar diante de", propor; demonstrar (por extensão); apresentar; confiar, depositar/colocar/entregar algo aos cuidados de alguém; recomendar".
3. Vide nota 2.
4. Lit. "saciar-se, satisfazer-se, fartar-se, estar satisfeito".
5. Lit."levantar, suster, sustentar alguém/algo a fim de carregar; tirar, remover, levar".
6. Lit. "algo redondo, trançado ou dobrado; qualquer coisa enrolada em um círculo; cesta de junco, trançada, espaçosa, em forma de círculo, capaz de conter um homem".
7. Lit. "embarcou no barco".

SINAL DO CÉU (Mt 12:38-42, 16:1-4; Lc 11:24-26, 29-32, 12:54-56)

8:11 Os fariseus saíram e começaram a debater[1] com ele, testando-o[2], procurando da parte dele um sinal do céu. **8:12** Suspirando profundamente[3] em seu espírito, diz: Por que esta geração busca um sinal? Amém[4] vos digo: nenhum sinal será dado a esta geração. **8:13** Deixando-os, após embarcar novamente, partiu para o outro lado.

1. Lit. "procurar, buscar, indagar, inquirir com outras pessoas; debater; deliberar". O verbo faz remissão aos debates rabínicos em que se reuniam os estudiosos para debater algum ponto das Escrituras. Trata-se de expressão técnica da tradição rabínica.
2. Lit. "tentar, experimentar; testar, pôr à prova; desafiar".
3. Lit. "gemer, urrar; sussurrar, suspirar; roncar, mugir – com intensidade".
4. ἀμην (amém), transliteração do vocábulo hebraico אָמֵן. Trata-se de um adjetivo verbal (ser firme, ser confiável). O vocábulo é frequentemente utilizado de forma idiomática (partícula adverbial) para expressar asserção, concordância, confirmação (realmente, verdadeiramente, de fato, certamente, isso mesmo, que assim seja). Ao redigirem o Novo Testamento, os evangelistas mantiveram a palavra no original, fazendo apenas a transliteração para o grego, razão pela qual também optamos por mantê-la intacta, sem tradução.

O FERMENTO DOS FARISEUS E DE HERODES (Mt 16:5-12; Lc 12:1)

8:14 Esqueceram-se de pegar os pães, e não tinham consigo senão um pão no barco **8:15** E ordenava-lhes, dizendo: Olhai! Vede {a procedência} do fermento dos fariseus e do fermento de Herodes. **8:16** E eles arrazoavam[1] uns com os outros: Não temos pães. **8:17** Sabendo[2] {disso}, diz: Por que arrazoais que não tendes pães? Ainda não percebestes[3] nem entendestes[4]? Tendes vosso coração endurecido? **8:18** Tendo olhos, não vedes; tendo ouvidos, não ouvis; e não vos lembrais. **8:19** Quando parti os cinco pães para os cinco mil, quantos cestos de vime[5] tomastes[6] cheios de pedaços? Dizem-lhe: Doze. **8:20** Quando {parti} os sete {pães} para os quatro mil, quantos cestos redondos[7] tomastes cheios de pedaços? Dizem-lhe: Sete. **8:21** E dizia-lhes: Como não entendeis?

1. Lit. "pensar, opinar, raciocinar; disputar, arrazoar, argumentar, considerar; planejar, cogitar, ter um desígnio".
2. Lit. "conhecer, saber; reconhecer; perceber, discernir; aprender, averiguar". Esse verbo diz respeito à mente, como instância do conhecimento e do juízo.
3. Lit. "perceber, notar, dar-se conta; observar; entender, ter em mente; ter um sentido, significar; meditar, projetar". Esse verbo diz respeito à mente, como instância da inteligência, do intelecto, do pensamento, da decisão.
4. Lit. "apreender, entender, pegar a ideia; compreender-se, entender-se, acordar; enviar ou lançar junto".
5. Lit. "cesta feita de vime".
6. Lit. "levantar, suster, sustentar alguém/algo a fim de carregar; tirar, remover".

7. Lit. "algo redondo, trançado ou dobrado; qualquer coisa enrolada em um círculo; cesta de junco, trançada, espaçosa, em forma de círculo, capaz de conter um homem".

CURA DE UM CEGO EM BETSAIDA

8:22 Dirigem-se a Betsaida; trazem-lhe um cego, rogando-lhe que o tocasse. **8:23** Segurando a mão do cego, levou-o para fora da aldeia; e, cuspindo-lhe nos olhos e impondo-lhe as mãos, perguntava-lhe: Vês alguma coisa? **8:24** [1]Recobrando a visão, dizia: Vejo os homens, porque os vejo [2]como árvores que andam[3]. **8:25** Então, novamente impôs as mãos sobre os seus olhos; ele viu {em profundidade}[4] e restabeleceu-se[5]; e via {pormenorizadamente}[6] com clareza[7] a todos[8]. **8:26** E o enviou para sua casa, dizendo: Não entres na aldeia.

1. Lit. "levantar os olhos; recobrar a vista, tornar a abrir os olhos". A preposição "aná", prefixada ao verbo "ver", confere-lhe dois sentidos: 1) a direção para onde se esta olhando, no caso para o alto; 2) o sentido de repetição ou retorno da ação, no caso voltar a ver, recobrar a vista.
2. Possivelmente, essa frase corresponderia a uma expressão idiomática, cujo significado exato não é mais possível recuperar.
3. Lit. "andar ao redor; vagar, perambular; circular, passear; viver (seguir um gênero de vida)".
4. Lit. "ver através de, ao redor; divisar, olhar firmemente, fixamente ao longe (a distância), ver de forma abrangente; examinar, considerar". A preposição "dia", prefixada ao verbo "ver", confere-lhe o sentido de alcance, profundidade de visão, ausência de barreiras (através de). Nesse caso, a ideia é de que o cego passou a ver ao longe, ou seja, sua visão adquiriu alcance, não havendo barreiras para ela. Dizendo de maneira metafórica, ele adquiriu **compreensão (visão em profundidade)** das pessoas e das coisas.
5. Lit. "restabelecer (-se), restaurar (-se); ficar curado".
6. Lit. "fixar os olhos em alguém/algo, fitar, focar (pessoa/objeto); olhar incisivamente, minuciosamente, pormenorizadamente, atentamente; distinguir, discernir". A preposição "em", prefixada ao verbo "ver", confere-lhe o sentido de foco, penetração. Nesse caso, a ideia é de que o cego passou a ver de forma penetrante, fixa, incisiva, focalizada. Dizendo de maneira metafórica, ele adquiriu **discernimento (visão incisiva, focalizada)** das pessoas e das coisas.
7. Lit. "com clareza, claramente, distintamente (cada coisa/pessoa); extensamente (ao longe)".
8. Lit. "todos (juntos, sem exceção); cada (pessoa/coisa); todo (inteiro, ao mesmo tempo)".

A REVELAÇÃO DE PEDRO (Mt 16:13-20; Lc 9:18-21)

8:27 Saiu Jesus com os seus discípulos em direção às aldeias de Cesareia de Filipe e, no caminho, perguntava aos seus discípulos, dizendo: Quem dizem os homens ser eu? **8:28** Disseram-lhe[1]: {Uns}, {que é} João Batista; outros, {que é} Elias; e outros, {que é} um dos profetas. **8:29** E ele lhes perguntava: E vós, quem dizeis ser eu? Em resposta, Pedro diz: Tu és o Cristo. **8:30** Ele os advertiu para que a ninguém dissessem a respeito dele.

1. Lit. "falaram-lhe, dizendo que".

O ANÚNCIO DO CALVÁRIO (Mt 16:21-23; Lc 9:22-27)

8:31 E começou a ensinar-lhes que é necessário o filho do homem padecer muitas {coisas}, ser rejeitado pelos anciãos, pelos sumos sacerdotes e pelos escribas, ser morto e levantar-se[1] depois de três dias. **8:32** Falava {sobre o} assunto[2] abertamente. Pedro, tomando-o à parte, começou a repreendê-lo. **8:33** Ele, porém, voltando-se e vendo os seus discípulos, repreendeu a Pedro, dizendo: Vai para trás de mim, Satanás[3], porque não compreendes as coisas de Deus, mas as dos homens.

1. Lit. "erguer-se, levantar-se". Expressão idiomática semítica que faz referência à ressurreição dos mortos. Para expressar a morte e a ressurreição, utilizavam as expressões "deitar-se" (morte) e "levantar-se" (ressurreição).
2. Lit. "a palavra; assunto, matéria; coisa".
3. Lit. "adversário". Palavra de origem semítica.

REQUISITOS PARA SEGUIR JESUS (Mt 16:24-28; Lc 9:23-27)

8:34 Chamando a si a turba, juntamente com seus discípulos, disse-lhes: Se alguém quer seguir após[1] mim, negue[2] a si mesmo, tome[3] a sua cruz, e siga-me. **8:35** Pois quem quiser salvar a sua vida[4] a perderá, e quem perde a sua vida por minha causa e pelo Evangelho, a salvará. **8:36** Porquanto, que benefício tem o homem se ganhar[5] o mundo inteiro, e sua alma[6] [7]sofrer perda? **8:37** Pois, que daria o homem em troca[8] de sua alma? **8:38** Porquanto, quem se envergonhar de mim e das minhas palavras, nesta geração adúltera e pecadora, também o filho do homem se envergonhará dele, quando vier na glória de seu Pai, com os santos anjos.

1. Lit. "atrás de; após".
2. Lit. "negar; recusar, repelir".
3. Lit. "erguer (com as mãos) para carregar; levantar um objeto a fim de transportá-lo".
4. Lit. "alma; vida".
5. Lit. "tirar proveito, lucrar, poupar, ganhar".
6. Vide nota 4.
7. Lit. "sofrer perda, dano, prejuízo; receber uma multa".
8. Lit. "troca; preço pago em troca de alguma coisa, recompensa".

9

INTRODUÇÃO

9:1 E dizia-lhes: Amém[1] vos digo que há alguns dos que estão {de pé} aqui que não provarão[2] a morte, até que vejam o Reino de Deus, quando tiver vindo [3]com poder.

1. ἀμην (amém), transliteração do vocábulo hebraico אָמֵן. Trata-se de um adjetivo verbal (ser firme, ser confiável). O vocábulo é frequentemente utilizado de forma idiomática (partícula adverbial) para expressar asserção, concordância, confirmação (realmente, verdadeiramente, de fato, certamente, isso mesmo, que assim seja). Ao redigirem o Novo Testamento, os evangelistas mantiveram a palavra no original, fazendo apenas a transliteração para o grego, razão pela qual também optamos por mantê-la intacta, sem tradução.
2. Lit. "provar o gosto".
3. Lit. "em poder".

A TRANSFIGURAÇÃO (Mt 17:1-8; Lc 9:28-36)

9:2 E depois de seis dias, Jesus toma consigo a Pedro, Tiago e João, e os leva[1] a sós, em particular, a um alto monte. E transfigurou-se[2] diante deles; **9:3** suas vestes[3] tornaram-se resplandecentes[4], muitíssimo brancas, como nenhum lavandeiro[5] sobre a terra pode assim branquear. **9:4** E se tornou visível para eles Elias com Moisés, e estavam conversando Jesus. **9:5** Em resposta, Pedro diz a Jesus: Rabi, é bom nós estarmos aqui, e {que} façamos três tendas[6], uma para ti, uma para Moisés e uma para Elias. **9:6** Pois não sabia o que responder, porquanto ficaram atemorizados. **9:7** Surgiu uma nuvem, [7]fazendo sombra sobre eles; e surgiu uma voz da nuvem, {que dizia}: Este é o meu filho amado, ouvi-o! **9:8** E, subitamente, [8]olhando em redor, não viram mais ninguém, mas somente Jesus com [9]eles {mesmos}.

1. Lit. "levar para cima, fazer subir".
2. Lit. "metamorfose, mudar de forma, transfigurar".
3. Veste externa, manto, peça de vestuário utilizada sobre a peça interna. Pode ser utilizada como sinônimo do vestuário completo de uma pessoa.
4. Lit. "resplandecer, brilhar". Trata-se de um verbo, na forma de particípio, exercendo a função de um adjetivo.

5. Lit. "lavandeiro (aquele que alveja o tecido, mediante processos de lavação típicos, para torná-los brancos); cardador (aquele que raspa, arranha o tecido de lã, com cardo ou espinho, para torná-lo liso, suave)".
6. Lit. "tenda, tabernáculo". A palavra evoca os quarenta anos no deserto, durante o qual o povo hebreu habitou em tendas; evoca o tabernáculo (tenda sagrada) na qual Moisés mantinha contato mais estreito com Deus; evoca, também, a festa das tendas em que se comemora a colheita.
7. Lit. "fazer sombra sobre, cobrir com sombra, sombrear".
8. Lit. "ver ao redor, em volta, em torno de". A preposição "peri", prefixada ao verbo "ver", confere sentido espacial à visão. Trata-se de olhar para os lados, em torno, ao redor.
9. Trata-se do pronome reflexivo que faz referência aos próprios discípulos.

A VINDA DE ELIAS (Mt 17:9-13)

9:9 Enquanto desciam do monte, ordenou-lhes que não relatassem[1] a ninguém o que tinham visto, a não ser quando o filho do homem tivesse se levantado[2] dentre os mortos. **9:10** E retiveram[3] o caso[4], debatendo[5] entre si {a respeito do} que é o levantar-se dentre os mortos. **9:11** E interrogavam-lhe, dizendo: Por que os escribas dizem ser necessário vir primeiro Elias? **9:12** Disse-lhes: Elias, de fato, vindo primeiro, restaura todas {as coisas}, mas como está escrito sobre o filho do homem, para que padeça muitas {coisas} e seja menosprezado[6]. **9:13** Todavia, também vos digo que Elias veio, e fizeram com ele {tudo} quanto queriam, conforme está escrito sobre ele.

1. Lit. "narrar, relatar, descrever, expor com pormenores".
2. Lit. "erguer-se, levantar-se". Expressão idiomática semítica que faz referência à ressurreição dos mortos. Para expressar a morte e a ressurreição, utilizavam as expressões "deitar-se" (morte) e "levantar-se" (ressurreição).
3. Lit. "agarrar, reter". Verbo forte, utilizado para demonstrar a intensidade com que os discípulos mantiveram em segredo o assunto.
4. Lit. "a palavra; assunto, matéria; coisa".
5. Lit. "buscar com, pesquisar junto (sentido estrito); discutir, debater; argumentar; disputar".
6. Lit. "fazer pouco caso de, menosprezar; não fazer caso de, desprezar".

O ENDAIMONIADO EPILÉTICO (Mt 17:14-21; Lc 9:37-42)

9:14 Dirigindo-se aos {outros} discípulos, viram uma numerosa turba ao redor deles; e escribas debatiam[1] com eles. **9:15** Vendo-o, imediatamente, toda a turba [2]ficou pasma e, correndo para ele, saudava-o. **9:16** Perguntou-lhes: Que debateis entre vós? **9:17** Alguém da turba lhe respondeu: Mestre, eu trouxe a ti o meu filho que tem um espírito mudo. **9:18** E onde quer que o subjugue[3], convulsiona-o[4]; ele espuma[5], rilha[6] os dentes e definha-se[7]. Disse aos teus discípulos que o expulsassem, mas não [8]foram capazes. **9:19** Em resposta, diz a eles: Ó geração incrédula! Até quando estarei convosco? Até quando vos suportarei? Trazei-o para mim. **9:20** E o trouxeram para ele. Ao vê-lo, o espírito imediatamente o atormentou[9]; caindo sobre a terra, rolava, espumando. **9:21** Perguntou ao Pai dele: Há quanto tempo isso lhe acontece? Disse-lhe: Desde a infância. **9:22** Muitas vezes o lançou tanto no fogo quanto na água para o destruir. Mas, se podes algo, socorre-nos[10], compadecendo-te[11] de nós. **9:23** Disse-lhe Jesus: Se o podes? Todas {as coisas} {são} possíveis ao que crê. **9:24** Imediatamente, gritando, o pai da criancinha[12] dizia: Eu creio. Socorre minha falta de fé. **9:25** E Jesus, vendo que a turba se aglomerava[13], repreendeu o espírito impuro, dizendo-lhe: Espírito mudo e surdo, eu te ordeno, sai dele e não mais entres nele. **9:26** Gritando e contorcendo-se[14] muito, saiu; e {a criança} se tornou como morto a ponto de muitos dizerem que morreu. **9:27** Mas Jesus, agarrando sua mão, o ergueu; e ele se levantou. **9:28** Quando entrou em casa, seus discípulos o interrogavam, em particular: Por que nós não pudemos expulsá-lo? **9:29** Disse-lhes: Este gênero {de espírito} de nenhum modo pode sair, senão com oração.

1. Lit. "discutir, debater; argumentar; disputar".
2. Lit. "surpreender-se (positiva ou negativamente), pasmar-se, ficar atônito".
3. Lit. "tomar posse, apanhar, apoderar-se; apreender (pegar o sentido)".
4. Lit. "convulsionar, lançar com força sobre o chão; rasgar, dilacerar; romper, quebrar, despedaçar".
5. Lit. "espumar, fazer espuma". Referência ao excesso de saliva que sai pela boca de quem sofre uma convulsão.
6. Lit. "emitir um estridente e áspero rangido, rilhar, ranger".
7. Lit. "definhar-se, exaurir-se; secar, ressecar".
8. Lit. "ser forte, capaz, poderoso; ser válido; ser capaz; prestar, servir (utilidade)".

9. Lit. "deixar em pedaços; atormentar".
10. Lit. "correr em socorro, socorrer, auxiliar".
11. Lit. "compadecer-se, ter compaixão, ter piedade; mostrar simpatia".
12. Lit. "bebê, infante, criancinha; filhinho".
13. Lit. "correr juntamente para um lugar, aglomerar-se em um local; afluir, acorrer".
14. Lit. "deixar em pedaços, dilacerar; atormentar; contorcer-se, convulsionar".

SEGUNDA PREVISÃO DO CALVÁRIO (Mt 17:22-23; Lc 9:43-45)

9:30 Saindo dali, passavam pela Galileia, e não queria que ninguém soubesse, **9:31** pois ensinava a seus discípulos e lhes dizia: O filho do homem está sendo entregue nas mãos dos homens, e o matarão; e, morto, depois de três dias, se levantará[1]. **9:32** Eles, porém, ignoravam a palavra, e temiam perguntar a ele.

1. Lit. "erguer-se, levantar-se; colocar-se de pé". Expressão idiomática semítica que faz referência à ressurreição dos mortos. Para expressar a morte e ressurreição, utilizavam as expressões "deitar-se" (morte) e "levantar-se" (ressurreição).

PEQUENOS E GRANDES NO REINO DOS CÉUS
(Mt 18:1-5; Lc 9:46-48)

9:33 Vieram para Cafarnaum. Estando em casa, interrogava-os: O que arrazoastes[1] pelo caminho? **9:34** Eles silenciaram, pois tinham arrazoado entre si, pelo caminho, quem {era} o maior. **9:35** E ele, sentando-se, chamou os doze, e lhes diz: Se alguém quer ser {o} primeiro, será {o} último de todos e {o} servidor[2] de todos. **9:36** Tomando uma criancinha[3], colocou-a {de pé} no meio deles e, abraçando-a, disse-lhes: **9:37** Quem receber em meu nome uma destas criancinhas, recebe a mim; e quem me receber, não recebe a mim, mas o que me enviou.

1. Lit. "pensar, opinar, raciocinar; disputar, arrazoar, argumentar, considerar; planejar, cogitar, ter um desígnio".

MARCOS 9

2. Lit. "aquele que serve, que presta serviço, que executa tarefas".
3. Lit. "bebê, infante, criancinha; filhinho".

CONTRA E A FAVOR DO CRISTO (Lc 9:49-50)

9:38 Disse-lhe João: Mestre, vimos alguém expulsando daimones[1] em teu nome e o impedimos[2], porque não nos seguia. **9:39** Mas Jesus disse: Não o impeçais, pois {não} há ninguém que [3]realize prodígios em meu nome e, brevemente, possa falar mal de mim. **9:40** Pois quem não é contra nós é por nós. **9:41** Porquanto, quem vos der de beber um copo de água [4]porque sois do Cristo, amém[5] vos digo que de modo nenhum terá perdido a sua recompensa.

1. Lit. "deus pagão, divindade; gênio, espírito; mau espírito, demônio".
2. Lit. "impedir, pôr obstáculos; separar".
3. Lit. "poder, força, habilidade". Trata-se de um substantivo utilizado como objeto do verbo "fazer", o que requer um esforço para recuperar a força da expressão.
4. Lit. "em nome porque". Trata-se de uma expressão idiomática do grego que significa: "em razão de que, tomando em conta que, porque".
5. ἀμην (amém), transliteração do vocábulo hebraico אָמֵן. Trata-se de um adjetivo verbal (ser firme, ser confiável). O vocábulo é frequentemente utilizado de forma idiomática (partícula adverbial) para expressar asserção, concordância, confirmação (realmente, verdadeiramente, de fato, certamente, isso mesmo, que assim seja). Ao redigirem o Novo Testamento, os evangelistas mantiveram a palavra no original, fazendo apenas a transliteração para o grego, razão pela qual também optamos por mantê-la intacta, sem tradução.

O ESCÂNDALO (Mt 18:6-11; Lc 17: 1-2)

9:42 Quem escandalizar[1] um destes pequeninos que creem {em mim}, [2]é muito melhor para ele que seja colocada[3] uma [4]mó de asno ao redor do seu pescoço, e seja lançado ao mar. **9:43** E se a tua mão te escandaliza[5], corta-a![6] É melhor para ti entrar na vida mutilado[7] do que, tendo duas mãos, ir para o Geena[8], para o fogo inextinguível, **9:44** [9]{onde o verme deles não morre e o fogo não se apaga} **9:45** E se o teu pé te escandaliza[10], corta-o! É melhor para ti entrar na vida coxo do que, tendo dois pés, ser lançado no Geena, **9:46** [11]{onde o verme deles não morre e o fogo não se apaga} **9:47** E, se o teu olho te escandaliza, lança-o fora! É melhor para ti entrar no Reino de Deus com um só olho do que, tendo dois olhos, ser lançado no Geena, **9:48** onde o verme[12] deles não morre e o fogo não se apaga[13]. **9:49** [14]Pois todos serão salgados ao fogo. **9:50** Bom é o sal; mas se o sal tornar-se insosso, com que o temperareis[15]? Tende sal em vós mesmos e pacificai[16] uns aos outros.

1. Lit. "fizer tropeçar; fizer vacilar ou errar; ofender; chocar. O substantivo "skandalon" significa armadilha de molas ou qualquer obstáculo que faça alguém tropeçar; um impedimento; algo que cause estrago, destruição, miséria e, via de consequência, aquilo que causa um choque, que repugna, que fere a sensibilidade.
2. Lit. "bom é para ele mais".
3. Lit. "estender-se ao redor, rodear; jazer (estar colocado) ao redor; estar rodeado".
4. Trata-se da segunda pedra de um moinho, movida por um jumento.
5. Lit. "fazer tropeçar; fazer vacilar ou errar; ser ofendido; estar chocado". O substantivo "skandalon" significa armadilha de molas ou qualquer obstáculo que faça alguém tropeçar; um impedimento; algo que cause estrago, destruição, miséria.
6. Lit. "cortar, amputar; separar".
7. Lit. "torcido, disforme", aleijado, mutilado.
8. Transcrição do vocábulo aramaico "Gê Hinnam" (Vale do Hinnom), local em que estava situado o altar de Moloch, onde eram queimadas vivas as crianças, em oferenda àquela divindade pagã. O Rei Josias destruiu o local do culto, transformando-o em depósito de lixo de Jerusalém e monturo onde se lançavam os cadáveres de animais, para ser tudo queimado. Após a morte do Rei Josias, o culto a Moloch foi restabelecido. Os apócrifos atribuem ao vale o símbolo do castigo dos maus, passando o local a representar o castigo que purifica os pecadores, também conhecido como "vale dos gemidos". Essa tradição popular estava viva na época de Jesus.
9. Versículo rejeitado pela Crítica Textual contemporânea, ao argumento de que está ausente dos manuscritos mais antigos, além de ser mera repetição do versículo 48, motivo pelo qual os críticos o consideram mera expansão feita por escribas posteriores.
10. Vide nota 5
11. Vide nota 9.
12. Lit. "verme, larva". Referência aos vermes responsáveis pela decomposição do cadáver humano.
13. Lit. "extinguir; apagar; suprimir, aniquilar; acalmar, apaziguar".
14. Referência indireta ao texto de Lv 2:13, segundo o qual todas as ofertas deveriam ser salgadas, antes de serem oferecidas, mesmo aquelas que seriam queimadas.
15. Lit. "temperar, condimentar; preparar (alimento), dispor".
16. Lit. "viver em paz (intransitivo); pacificar, apaziguar (transitivo)". Em virtude do pronome "uns aos outros (alleloís) exercer neste sintagma a função de objeto direto, fizemos a opção pelo sentido transitivo do verbo (pacificar).

10 ENSINO SOBRE O DIVÓRCIO (Mt 19:1-9)

10:1 Levantando-se dali, vai para o território da Judeia, do outro lado do Jordão, e novamente reúnem-se[1] turbas junto dele; e os ensinava novamente, como estava acostumado. **10:2** Aproximando-se {os} fariseus, interrogavam-no, testando-o[2], se é lícito ao varão[3] repudiar[4] {a} mulher. **10:3** Em resposta, disse-lhes: Que vos ordenou Moisés? **10:4** Eles disseram: Moisés permitiu escrever [5]carta de divórcio e repudiar. **10:5** Jesus, porém, lhes disse: Por causa da dureza do vosso coração, {Moisés} vos escreveu este mandamento. **10:6** Desde o princípio da criação, porém, os fez macho e fêmea. **10:7** Por isso, deixará o homem seu pai e {sua} mãe [6]{e se unirá[7] à sua mulher}, **10:8** e os dois serão uma única carne[8], de modo que não são mais dois, mas uma única carne. **10:9** Portanto, o que Deus [9]juntou {no jugo} não separe o homem. **10:10** Em casa, novamente, os discípulos o interrogaram a respeito disso. **10:11** E ele lhes diz: Quem repudiar sua mulher e se casar com outra comete adultério contra ela. **10:12** E se ela, repudiando seu marido, se casar com outro, comete adultério.

1. Lit. "ir com, acompanhar; reunir-se, ajuntar-se, congregar-se".
2. Lit. "tentar, experimentar; testar, pôr à prova; desafiar".
3. Lit. "homem (macho), varão; marido".
4. Lit. "soltar, libertar; liberar de um vínculo ou encargo; divorciar, repudiar (liberar a mulher do vínculo conjugal); remir, perdoar, liberar a dívida; despedir, deixar partir"
5. Lit. "livro de repúdio", carta de repúdio, termo de divórcio.
6. Acredita-se que a ausência desta frase em muitos manuscritos antigos seja fruto de erro dos copistas, razão pela qual os especialistas em Crítica Textual tenham optado por mantê-la no texto, mas entre colchetes para destacar o problema.
7. Lit. "colar, juntar; unir-se a alguém, vincular-se a, ligar-se a; associar-se (seguir como um partidário)".
8. Expressão idiomática semítica que pode significar, entre outras coisas, "pessoa, ser humano".
9. Lit. "jungir juntamente, juntar no jugo, colocar debaixo do mesmo jugo", e metaforicamente "unir em matrimônio", "unir intimamente".

AS CRIANÇAS E O REINO DOS CÉUS (Mt 19:13-15; Lc 18:15-17)

10:13 Traziam-lhe criancinhas[1] para que as tocasse, mas os discípulos repreenderam eles[2]. **10:14** Mas, vendo {isso}, Jesus indignou-se[3] e disse-lhes: Deixai vir a mim as criancinhas e não as impeçais[4], pois delas é o Reino de Deus. **10:15** Amém[5] vos digo: Quem não receber o Reino de Deus como uma criancinha, de modo nenhum entrará nele. **10:16** E abraçando-as, as abençoava, impondo as mãos sobre elas.

1. Lit. "bebê, infante, criancinha; filhinho".
2. Os que traziam as crianças.
3. Lit. "ficar irado, irritado, indignado".
4. Lit. "impedir, pôr obstáculos; separar".
5. ἀμην (amém), transliteração do vocábulo hebraico אָמֵן. Trata-se de um adjetivo verbal (ser firme, ser confiável). O vocábulo é frequentemente utilizado de forma idiomática (partícula adverbial) para expressar asserção, concordância, confirmação (realmente, verdadeiramente, de fato, certamente, isso mesmo, que assim seja). Ao redigirem o Novo Testamento, os evangelistas mantiveram a palavra no original, fazendo apenas a transliteração para o grego, razão pela qual também optamos por mantê-la intacta, sem tradução.

O JOVEM RICO (Mt 19:16-22; Lc 18:18-23)

10:17 E, ¹pondo-se a caminho, um {homem}, correndo para {ele} e ajoelhando-se {diante} dele, o interrogava: Bom Mestre, que farei para herdar a vida eterna? **10:18** Disse-lhe Jesus: Por que me dizes "bom"? Ninguém é bom, senão um, Deus. **10:19** Sabes os mandamentos: Não matarás, não adulterarás, não roubarás, não prestarás falso testemunho, não defraudarás², honra teu pai e tua mãe. **10:20** Ele lhe disse: Mestre, guardei todas estas {coisas} desde a minha juventude. **10:21** E Jesus, fitando-o³, o amou, e lhe disse: Uma⁴ {coisa} te falta. Vai, vende {o} quanto tens, dá aos pobres e terás um tesouro no céu; vem e segue-me. **10:22** Ele, pesaroso⁵ por causa {desta} palavra, saiu entristecido, pois era possuidor de muitos bens⁶.

1. Lit. "saindo/partindo/dirigindo-se para o caminho". Trata-se de expressão idiomática, cujo equivalente em português pode ser "pondo-se a caminho".

MARCOS 10

2. Lit. "privar de, defraudar, despojar/desapossar alguém de algo, esbulhar, fraudar para se apossar".
3. Lit. "fixar os olhos em alguém/algo, fitar, focar (pessoa/objeto); olhar incisivamente, minuciosamente, pormenorizadamente, atentamente; distinguir, discernir". A preposição "em", utilizada como prefixo do verbo "ver", confere-lhe o sentido de foco, penetração.
4. Trata-se do numeral cardinal "um", no sentido de que falta uma coisa, não duas.
5. Lit. "obscurecer, apresentar um aspecto sombrio (em relação ao céu); apresentar um ar/humor sombrio, tornar-se pesaroso, sombrio (em relação a pessoa)".
6. Lit. "propriedade, posse, bens".

AS POSSES E REINO DOS CÉUS (Mt 19:23-30; Lc 18:24-30)

10:23 Olhando ao redor, Jesus diz aos seus discípulos: Quão dificilmente os que [1]possuem riquezas entrarão no Reino de Deus. **10:24** Os discípulos estavam assombrados[2] com as palavras dele. Em resposta, Jesus novamente lhes diz: Filhos, como é difícil entrar no Reino de Deus! **10:25** É mais fácil um camelo passar[3] pelo buraco de uma agulha, do que um rico entrar no Reino de Deus. **10:26** Eles estavam ainda mais espantados[4], dizendo entre si: E quem poderá ser salvo? **10:27** Fitando-os[5], Jesus diz: Para os homens é impossível, mas não para Deus; pois, para Deus tudo é possível. **10:28** Pedro começou a dizer-lhe: Eis que nós deixamos tudo e te seguimos. **10:29** Disse Jesus: Amém[6], vos digo que não há ninguém que tenha deixado casa, ou irmãos, ou irmãs, ou mãe, ou pai, ou filhos ou campos, por minha causa ou por causa do Evangelho, **10:30** que não receba agora, [7]neste tempo[8], o cêntuplo – casas e irmãos, irmãs e mães, filhos e campos, com perseguições – e a vida eterna, [9]na era[10] vindoura. **10:31** Muitos primeiros serão últimos, e {os} últimos, primeiros.

1. Lit. "os que têm riquezas/bens abundantes".
2. Lit. "assombrar-se, ficar admirado, estupefato".
3. Lit. "atravessar".
4. Lit. "maravilhar-se, impressionar-se, surpreender-se, espantar-se".
5. Lit. "fixar os olhos em alguém/algo, fitar, focar (pessoa/objeto); olhar incisivamente, minuciosamente, pormenorizadamente, atentamente; distinguir, discernir". A preposição "em", utilizada como prefixo do verbo "ver", confere-lhe o sentido de foco, penetração.

6. ἀμήν (amém), transliteração do vocábulo hebraico אָמֵן. Trata-se de um adjetivo verbal (ser firme, ser confiável). O vocábulo é frequentemente utilizado de forma idiomática (partícula adverbial) para expressar asserção, concordância, confirmação (realmente, verdadeiramente, de fato, certamente, isso mesmo, que assim seja). Ao redigirem o Novo Testamento, os evangelistas mantiveram a palavra no original, fazendo apenas a transliteração para o grego, razão pela qual também optamos por mantê-la intacta, sem tradução.
7. Trata-se da expressão hebraica "olam hazeh", comumente traduzida como "era presente" ou "mundo presente" para destacar a situação atual do mundo em comparação com a era vindoura.
8. Lit. "um ponto no tempo, um período de tempo; tempo fixo, definido; oportunidade".
9. Trata-se da expressão hebraica "olam haba", comumente traduzida como "mundo vindouro" ou "era vindoura", em oposição à "era presente". No judaísmo rabínico, essa expressão ganhou importante destaque por estar relacionada ao Messias de Israel. Nesse sentido, as expressões "fim dos dias", "dias do Messias", "Ressurreição dos Mortos" e "Mundo Vindouro" se identificam, e fazem referência conjunta às profecias hebraicas que prometem um mundo de paz, justiça e felicidade sem mácula, inclusive com a ressurreição dos mortos, a ser inaugurado pelo Messias.
10. Lit. "era, idade, século; tempo muito longo".

TERCEIRA PREVISÃO DO CALVÁRIO (Mt 20:17-19; Lc 18:31-34)

10:32 Estavam no caminho, subindo para Jerusalém, e Jesus estava indo à frente deles. Eles estavam assombrados[1], e os que seguiam temiam. E, tomando novamente consigo os doze, começou a dizer-lhes as {coisas} que [2]estavam prestes a lhe sobrevir: **10:33** Eis que estamos subindo para Jerusalém, e o filho do homem será entregue aos Sumos Sacerdotes e aos escribas, e o condenarão à morte, o entregarão aos gentios[3], **10:34** e o ridicularizarão[4], cuspirão nele, o açoitarão[5] e o matarão ; mas se levantará[6] três dias depois.

1. Lit. "assombrar-se, ficar admirado, estupefato".
2. Lit. "estar para, estar a ponto de (indicando a iminência do acontecimento)".
3. Lit. "povos de outras nações que não o povo hebreu". Os hebreus chamavam todos os outros povos de gentios.
4. Lit. "ridicularizar, zombar; tratar com escárnio; iludir, enganar".
5. Lit. "espancar, açoitar, castigar, punir".
6. Lit. "erguer-se, levantar-se; colocar-se de pé". Expressão idiomática semítica que faz referência à ressurreição dos mortos. Para expressar a morte e ressurreição, utilizavam as expressões "deitar-se" (morte) e "levantar-se" (ressurreição).

PEDIDO DOS FILHOS DE ZEBEDEU (Mt 20:20-23)

10:35 E caminharam até ele Tiago e João, os filhos de Zebedeu, dizendo: Mestre, queremos que faças por nós o que te pedirmos. **10:36** Ele lhes disse: Que quereis que {eu} vos faça? **10:37** Eles lhe disseram: Dá-nos que nos sentemos, na tua glória, um à tua direita e um à tua esquerda. **10:38** Jesus lhes disse: Não sabeis o que estais pedindo. Podeis beber a taça que eu bebo ou serem batizados[1] no batismo que eu sou batizado? **10:39** Eles lhe disseram: Podemos. Jesus lhes disse: Bebereis a taça que eu bebo e sereis batizados com o batismo que eu sou batizado, **10:40** mas sentar-se à minha direita ou à {minha} esquerda [2]não me cabe conceder, mas {é} para aqueles {para quem} está preparado.

1. Lit. "lavar, imergir, mergulhar". Posteriormente, a Igreja conferiu ao termo uma nuance técnica e teológica para expressar o sacramento do batismo.
2. Lit. "não é meu dar". Expressão idiomática que pode ser substituída por outra em português "não me cabe conceder" sem perda do sentido.

O GRANDE SERVIDOR (Mt 20:24-28; Lc 22:24-27)

10:41 Ouvindo {isso}, os dez começaram a se indignar[1] com Tiago e João. **10:42** Convocando-os[2], Jesus lhes diz: Sabeis que os que presumem[3] governar os gentios exercem domínio sobre eles, e os seus grandes exercem autoridade sobre eles. **10:43** Entre vós não é assim, mas quem quiser tornar-se o maior entre vós, será o vosso servidor[4], **10:44** e quem quiser ser o primeiro entre vós, será o servo[5] de todos. **10:45** Pois o filho do homem não veio para ser servido, mas para servir e dar a sua vida em resgate[6] de muitos.

1. Lit. "ficar irado, irritado, indignado".
2. Lit. "convocar, citar, intimar; chamar para si mesmo, reunir, convidar; evocar".
3. Lit. "supor, presumir, imaginar, pensar; parecer; mostrar-se".
4. Lit. "aquele que serve, que presta serviço, que executa tarefas".
5. Lit. "escravo, servo".
6. Lit. "preço do resgate, a quantia paga pelo resgate".

O CEGO DE JERICÓ (Mt 20:29-34; Lc 18:35-43)

MARCOS 10

10:46 Dirigem-se a Jericó. Saindo de Jericó, ele, os seus discípulos e uma considerável[1] turba, Bartimeu, o filho de Timeu, cego pedinte[2], estava sentado [3]à beira do caminho. **10:47** Ao ouvir que era[4] Jesus, o Nazareno, começou a gritar e dizer: Jesus, filho de Davi, tem misericórdia de mim! **10:48** Muitos o repreendiam para que fizesse silêncio; ele, porém, gritava mais: Filho de Davi, tem misericórdia de mim! **10:49** Jesus, parando, disse: Chamai-o. E chamam o cego, dizendo-lhe: Anima-te[5], ergue-te! Ele te chama! **10:50** Ele, [6]lançando fora o seu manto[7], saltando, foi até Jesus. **10:51** Em resposta a ele, Jesus disse: Que queres que eu te faça? O cego lhe disse: Rabbuni[8], que eu [9]volte a ver. **10:52** Jesus lhe disse: Vai, a tua fé te salvou. E, imediatamente, [10]voltou a ver, e o seguia pelo caminho.

1. Lit. "apropriado, adequado, digno; adequado, condizente, suficiente, bastante; considerável, numerosa, grande".
2. Lit. "pedinte, mendigo".
3. Lit. "junto/ao lado do caminho".
4. Lit. "é (verbo ser no presente do indicativo)". Marcos utiliza com frequência o tempo presente, quando se esperaria o passado. Trata-se do presente histórico.
5. Lit. "Ânimo! Coragem!". Verbo utilizado apenas no imperativo, com o sentido de ter coragem, bom ânimo, confiança, esperança.
6. Lit. "lançar/jogar fora, lançar/jogar para longe; repelir; perder, abandonar".
7. Veste externa, manto, peça de vestuário utilizada sobre a peça interna. Pode ser utilizada como sinônimo do vestuário completo de uma pessoa.
8. Palavra aramaica que significa "Meu Mestre".
9. Lit. "levantar os olhos; recobrar a vista, tornar a abrir os olhos". A preposição "aná", prefixada ao verbo "ver", confere-lhe dois sentidos: 1) a direção para onde se esta olhando, no caso para o alto; 2) o sentido de repetição ou retorno da ação, no caso voltar a ver, recobrar a vista.
10. Vide nota 9.

11 ENTRADA DO MESSIAS EM JERUSALÉM
(Mt 21:1-11; Lc 19:28-40; Jo 12:12-19)

11:1 E quando chegam perto de Jerusalém, de Betfagé e Betânia, junto ao Monte das Oliveiras, ele envia dois dos seus discípulos, **11:2** e lhes diz: Ide à aldeia, defronte de vós; e, entrando nela, logo encontrareis um jumentinho amarrado, sobre o qual nenhum homem ainda sentou. Soltai-o e trazei-o. **11:3** E se alguém vos disser: Por que fazeis isso? Dizei: O Senhor tem necessidade dele, e logo o envia novamente {para} aqui. **11:4** Eles foram e encontraram um jumentinho amarrado junto à porta[1], {do lado de} fora, na rua[2], e o soltaram. **11:5** Alguns dos que estavam {de pé} ali, diziam a eles: Que fazeis, soltando o jumentinho? **11:6** Eles, porém, disseram a eles conforme Jesus havia dito; e os deixaram {ir}. **11:7** Levam o jumentinho para Jesus; lançando sobre ele suas vestes, {Jesus} sentou-se sobre ele. **11:8** Muitos estenderam suas vestes pelo caminho, e outros, ramos[3] que haviam cortado dos campos. **11:9** Os que iam à frente e os que o seguiam gritavam: Hosana[4]! Bendito o que vem em nome do Senhor! **11:10** Bendito o Reino que vem de nosso pai Davi! Hosana nas alturas! **11:11** E entrou em Jerusalém, no templo; olhando tudo ao redor, [5]já sendo tarde, saiu para Betânia com os doze.

1. Lit. "porta, portão, portal".
2. Lit. "rua; estrada". Trata-se da principal estrada que circunda uma cidade ou vilarejo, a principal rua de uma vila.
3. Lit. "ramo de folhas, galho".
4. Expressão hebraica (Sl 118:25), originalmente com o sentido de "ajuda", "Salva, eu rogo". O Salmo 118 era usado liturgicamente na Festa dos Tabernáculos, Festa da Dedicação, Páscoa.
5. Lit. "sendo já (agora) tarde (fim de tarde) da hora".

A FIGUEIRA ESTÉRIL (Mt 21:18-22)

11:12 No dia seguinte, ao saírem de Betânia, teve fome. **11:13** E, vendo de longe uma figueira [1]com folhas, foi {ver} se encontraria algo nela;

dirigindo-se a ela nada encontrou senão folhas, pois não era tempo² de figos. **11:14** Em resposta, disse a ela: ³Nunca mais ninguém coma fruto de ti. Os seus discípulos ouviram {isso}.

1. Lit. "que tinha folhas".
2. Lit. "um ponto no tempo, um período de tempo; tempo (fixo, definido, oportuno); oportunidade".
3. Lit. "nunca mais ninguém coma fruto de ti, para sempre".

EXPULSÃO DOS VENDILHÕES DO TEMPLO
(Mt 21:12-17; Lc 19:45-48; Jo 2:13-22)

11:15 Dirigem-se a Jerusalém. Entrando no templo, começou a expulsar os que vendiam e os que compravam no templo, e derribou¹ as mesas dos cambistas e as cadeiras dos vendedores de pombas. **11:16** E não permitia que ninguém transportasse utensílio² através do templo. **11:17** Ensinava e dizia a eles: Não está escrito que *A minha casa será chamada casa de oração para todas as nações*³? Mas vós fizestes dela um covil de assaltantes⁴. **11:18** Os sumos sacerdotes e os escribas, ouvindo {isso}, procuravam como o matariam; eles o temiam, pois a turba estava maravilhada⁵ com seu ensino. **11:19** Ao entardecer⁶, saíram⁷ da cidade.

1. Lit. "derribar, destruir; dar volta; submeter, conquistar".
2. Lit. "vaso, utensílio (de casa, mobília, bens), instrumento".
3. Lit. "povos de outras nações que não o povo hebreu". Os hebreus chamavam todos os outros povos de gentios.
4. Lit. "assaltante (de estrada), saqueador; pirata; salteador".
5. Lit. "maravilhar-se, impressionar-se, surpreender-se, espantar-se".
6. Lit. "quando se tornou tarde (fim da tarde)".
7. Lit. "saíram fora da cidade".

A FIGUEIRA ESTÉRIL (Continuação – Mt 21:18-22)

11:20 [1]Ao raiar do dia, passando {no local}, viram que a figueira havia secado desde a raiz. **11:21** E Pedro, lembrando-se {do fato}, lhe diz: Rabbi[2], eis que a figueira que amaldiçoaste está seca. **11:22** Em resposta, Jesus lhe diz: Tende fé em Deus. **11:23** Amém[3], vos digo que quem disser a este monte: Sejas tirado e lançado ao mar, e não duvidar no seu coração, mas crer que o que está dizendo acontece, {assim} será para ele. **11:24** Por isso vos digo que tudo quanto orardes e pedirdes, crede que o recebestes, e {assim} será para vós. **11:25** E, quando estiverdes orando, perdoai, se tendes algo contra alguém, para que também vosso Pai, que está nos céus, vos perdoe as vossas transgressões[4]. **11:26** [5]{Mas, se não perdoardes, também vosso Pai, que está nos céus, não vos perdoará as vossas transgressões}.

1. Lit. "de madrugada/manhã; na última (4ª) vigília da noite". O período entre 18h e 6h da manhã, do dia seguinte, era dividido em quatro vigílias de três horas cada uma (1ª – 18h – 21h; 2ª – 22h – 24h; 3ª – 1h – 3h; 4ª – 4h – 6h). Esta passagem faz referência a algum momento entre 4 – 6h da manhã.
2. Palavra aramaica que significa "Mestre".
3. ἀμήν (amém), transliteração do vocábulo hebraico אָמֵן. Trata-se de um adjetivo verbal (ser firme, ser confiável). O vocábulo é frequentemente utilizado de forma idiomática (partícula adverbial) para expressar asserção, concordância, confirmação (realmente, verdadeiramente, de fato, certamente, isso mesmo, que assim seja). Ao redigirem o Novo Testamento, os evangelistas mantiveram a palavra no original, fazendo apenas a transliteração para o grego, razão pela qual também optamos por mantê-la intacta, sem tradução.
4. Lit. "transgressão, passo em falso, queda, tombo", por extensão "pecado".
5. A Crítica Textual contemporânea rejeita esse versículo, ao argumento de que representa um inserção posterior de escribas com a finalidade de harmonizar a passagem com o texto paralelo de Mateus (Mt 6:15).

A AUTORIDADE DE JESUS (Mt 21:23-27; Lc 20:1-8)

11:27 Dirigem-se novamente a Jerusalém. Enquanto ele circulava[1] no templo, os sumos sacerdotes, os escribas e os anciãos dirigem-se a ele, **11:28** e lhe dizem: Com que autoridade fazes estas {coisas}? E quem te deu esta autoridade para que faças estas {coisas}? **11:29** Jesus lhes disse: Eu vos perguntarei uma coisa², respondei-me, e eu vos direi com que autoridade faço estas {coisas}. **11:30** O batismo de João era do céu ou dos homens? Respondei-me. **11:31** Eles arrazoavam³ entre si, dizendo: Se dissermos do céu, ele dirá: {Então}, por que não crestes nele? **11:32** Mas, se dissermos dos homens, tememos a turba, pois todos ⁴consideram que João era, realmente, um profeta. **11:33** E, respondendo a Jesus, dizem: Não sabemos. Jesus lhes diz: Nem eu vos digo com que autoridade faço estas {coisas}.

1. Lit. "andar ao redor; vagar, perambular; circular, passear; viver (seguir um gênero de vida)".
2. Lit. "palavra; assunto, matéria; coisa".
3. Lit. "pensar, opinar, raciocinar; disputar, arrazoar, argumentar, considerar; planejar, cogitar, ter um desígnio".
4. Lit. "têm que João era, realmente, um profeta". Neste caso, a expressão "têm" foi traduzida por "consideram".

12 PARÁBOLA DOS VINHATEIROS HOMICIDAS
(Mt 21:33-46; Lc 20:9-19)

12:1 E começou a falar-lhes em parábolas: Um homem plantou uma vinha, circundou-a com uma cerca, cavou nela um lagar, construiu uma torre, arrendou-a a agricultores e ¹ausentou-se {do seu país}. **12:2** No ²tempo {oportuno}, enviou um servo aos agricultores, para que recebesse junto aos agricultores {parte} dos frutos da vinha. **12:3** Tomando-o, açoitaram-{no}³ e {o} enviaram {de volta}, {de mão} vazia. **12:4** Novamente enviou-lhes outro servo; e a este bateram na cabeça e {o} insultaram⁴. **12:5** Enviou outro, e a este mataram. E muitos outros, a uns açoitando⁵ e a outros matando. **12:6** Ainda ⁶restava um: o filho amado. Enviou-o para eles, por último, dizendo: Respeitarão⁷ a meu filho. **12:7** Mas aqueles agricultores disseram entre si: Este é o herdeiro. Vamos! Matemo-lo e a herança será nossa. **12:8** Tomando-o, mataram-no, e o lançaram fora da vinha. **12:9** Que {portanto} fará o Senhor da vinha? Virá, ⁸fará perecer os agricultores e dará a vinha a outros. **12:10** Ainda não lestes esta Escritura: *A pedra que os construtores rejeitaram, essa se tornou ⁹cabeça de ângulo;* **12:11** *proveio do Senhor e é maravilhosa aos nossos olhos?* **12:12** E procuravam prendê-lo, mas temiam a turba. Pois entenderam que contou a parábola para eles. Deixando-o, partiram.

1. Lit. "ausentar-se do próprio país, viajar ao estrangeiro".
2. Lit. "um ponto no tempo, um período de tempo; tempo (fixo, definido, oportuno); oportunidade".
3. Lit. "esfolar, tirar a pele; castigar, maltratar; bater, açoitar".
4. Lit. "insultar, ofender; desonrar, desprezar, julgar indigno".
5. Vide nota 3.
6. Lit. "tinha um".
7. Lit. "dar uma volta em torno de si mesmo; envergonhar, tornar envergonhado (sentido metafórico); respeitar, reverenciar, honrar (sentido metafórico – voz passiva); sentir vergonha, ser envergonhado".
8. Lit. "fará perecer".
9. Lit. "cabeça de esquina, de canto, de quina, de ângulo". A pedra colocada no ângulo onde se encontram dois muros, ou paredes, era conhecida como pedra angular. A principal pedra angular da construção era chamada de "cabeça do ângulo, de esquina, de quina"

O TRIBUTO A CÉSAR (Mt 22:15-22; Lc 20:20-26)

12:13 E enviam-lhe alguns dos fariseus e dos herodianos para que o ¹apanhassem² em palavra. **12:14** Ao chegarem, dizem-lhe: Mestre, sabemos que és verdadeiro e não ³dás preferência a ninguém, pois não olhas a ⁴aparência dos homens, mas ensinas, ⁵verdadeiramente, o caminho de Deus. É lícito ou não dar censo⁶ a César? Daremos ou não daremos? **12:15** Ele, porém, conhecendo a hipocrisia deles, lhes disse: Por que me testais⁷? Trazei-me um denário⁸ para que eu veja. **12:16** Eles trouxeram. E diz-lhes: De quem é esta imagem e a inscrição⁹? E eles lhe disseram: De César. **12:17** Jesus, porém, lhes disse: Restituí¹⁰ a César {as coisas} de César, e a Deus {as coisas} de Deus. E maravilhavam-se com ele.

1. Lit. "caçar/pescar/apanhar em palavra". Trata-se de expressão idiomática, cujo significado tem a ver com "armar uma armadilha" para o interlocutor, em um sentido metafórico.
2. Lit. "caçar, pescar; apoderar-se".
3. Lit. "não te importas a respeito de ninguém". Trata-se de expressão idiomática com o sentido de "fazer distinção de pessoas".
4. Lit. "face dos homens".
5. Lit. "sobre a verdade".
6. Lit. "censo, avaliação (contagem das pessoas e avaliação de suas propriedades); espécie de imposto sobre renda e propriedades.
7. Lit. "tentar, experimentar; testar, pôr à prova; desafiar".
8. Moeda de prata romana correspondente ao salário pago por um dia de trabalho no campo.
9. Lit. "epígrafe", inscrição.
10. Lit. "devolver, restituir; pagar; vender, dar em troca".

A RESSURREIÇÃO DOS MORTOS (Mt 22:23-33; Lc 20:27-40)

12:18 Dirigem-se a ele saduceus, os quais dizem não existir ressurreição¹, e interrogavam-no, dizendo: **12:19** Mestre, Moisés escreveu-nos: Se o irmão de alguém morrer, ²deixar {para trás} mulher e não deixar filho, que o seu irmão tome³ a mulher e suscite⁴ descendência⁵ ao seu irmão. **12:20** Havia sete irmãos; o primeiro tomou⁶ uma mulher e, ao morrer, não deixou descendência. **12:21** E o segundo a tomou, mas morreu, e não deixou {para trás} descendência; e o terceiro de forma semelhante⁷. **12:22** Os sete não deixaram descendência. Por último, {depois} de todos, morreu também a mulher. **12:23** Na ressurreição, de qual deles será a mulher, pois os sete possuíram⁸ a mesma mulher? **12:24** Jesus lhes disse: Não {é} por isso {que} estais enganados⁹, não conhecendo as Escrituras nem o poder de Deus? **12:25** Pois, quando ressuscitam dentre os mortos, nem casam, nem se dão em casamento, mas são como anjos nos céus. **12:26** E a respeito dos mortos que são levantados¹⁰, não lestes no livro de Moisés, {no texto} sobre a sarça, como Deus lhe falou, dizendo: Eu {sou} o Deus de Abraão, o Deus de Isaac e o Deus de Jacó? **12:27** Ele não é Deus de mortos, mas ¹¹de vivos. Estais muito enganados¹².

1. Lit. "elevação, levantamento, reerguimento, ascensão; estado de quem foi colocado de pé". Expressão idiomática semítica que faz referência à ressurreição dos mortos. Para expressar a morte e a ressurreição, utilizavam os verbos "deitar-se" (morte) e "levantar-se" (ressurreição). Nesse caso, o substantivo descreve o estado de quem foi reerguido, foi colocado de pé, após ter se deitado (morrido).
2. Lit. "deixar atrás, para trás; deixar de lado, abandonar; deixar em herança".
3. Lit. "tomar, receber", no sentido de desposar. Referência explícita à lei do levirato (*Dt 25:5-10*), segundo a qual o cunhado desposa a viúva do próprio irmão, caso ele não tenha deixado filhos, com o objetivo de garantir a perpetuação do nome da família, mediante o nascimento de um herdeiro.
4. Lit. "fazer levantar, reerguer, colocar de pé, ascender; fazer sair, arrojar". Trata-se do verbo que dá origem à palavra "ressurreição" em composição com o prefixo "ek" (de dentro). Essa etimologia dos vocábulos levou os saduceus a associarem o texto do levirato com a questão da ressurreição dos mortos, procedimento muito comum na hermenêutica dos fariseus (Midrash).
5. Lit. "semente, esperma, descendência".
6. Lit. "tomar, receber", no sentido de desposar.
7. Lit. "similarmente, igualmente, do mesmo modo". Trata-se de um advérbio.
8. Lit. "tiveram". Eufemismo para expressar a posse sexual, no caso, em virtude do casamento.
9. Lit. "estar desviado, extraviado; estar enganado, iludido, seduzido; estar desencaminhado ou desviado do caminho". O vocábulo, nos evangelhos, faz referência às ovelhas que se perdem, se desgarram do rebanho. Jesus utiliza um trocadilho para se referir tanto ao engano quanto ao desvio da seita dos saduceus, comparando-os a ovelhas desgarradas.
10. Lit. "erguer-se, levantar-se". Expressão idiomática semítica que faz referência à ressurreição dos mortos. Para expressar a morte e ressurreição, utilizavam as expressões "deitar-se" (morte) e "levantar-se" (ressurreição).
11. Lit. "dos que vivem; de viventes".
12. Vide nota 9.

O MAIOR MANDAMENTO (Mt 22:34-40; Lc 10:25-28)

12:28 Aproximando-se um dos escribas que {os} ouviu, enquanto eles debatiam[1], vendo que respondera bem a eles, interrogou-o: Qual é o primeiro mandamento de todos? **12:29** Respondeu Jesus que o primeiro é: [2]Ouve, Israel! O Senhor {é} nosso Deus, o Senhor é único. **12:30** Amarás {o} Senhor teu Deus de todo o teu coração, de toda a tua alma, de toda a tua mente[3], e de toda tua força[4]. **12:31** {O} segundo {é} este: Amarás o teu próximo como a ti mesmo. Não há outro mandamento maior do que estes. **12:32** O escriba lhe disse: {Muito} bem, Mestre, [5]verdadeiramente disseste que há somente um, e não há outro exceto ele. **12:33** E {que} amá-lo de todo o coração, de toda inteligência, de toda a força, bem como amar o próximo como a si mesmo excede[6] a todos os holocaustos e oferendas[7]. **12:34** Jesus, vendo que havia respondido sabiamente, lhe disse: Não estás longe do Reino de Deus. E ninguém mais ousava interrogá-lo.

1. Lit. "discutir, debater; argumentar; disputar".
2. Trata-se do texto fundamental do monoteísmo judaico (Dt 6:4), cuja tradução literal do hebraico é: "YHWH (Adonai – o Senhor) é nosso Elohim (Deus), YHWH (Adonai – o Senhor) é um/único". O nome de Deus (YHWH) é composto por quatro consoantes sem vogal, também conhecido como Tetragrama (quatro letras). Em sinal de respeito, reverência, adoração, o nome divino não era pronunciado com as vogais, a não ser pelo sumo sacerdote, durante a festa de Yom-Kipur, uma vez por ano. Nas orações e nas leituras, o Tetragrama era substituído pela palavra hebraica "Adonai (Meu Senhor)". A versão grega da bíblia hebraica (LXX) respeita essa substituição e traduz o Tetragrama como "Kurios (Senhor)".
3. Lit. "mente; entendimento, inteligência; pensamento, plano".
4. Lit. "força, poder; vigor, firmeza". No texto original da bíblia hebraica (Dt 6:5), está escrito "com todo o teu "meod" (muito)". Na tradição judaica, essa expressão é interpretada da seguinte maneira: "com todos os teus recursos/bens/propriedades". Sendo assim, todos os bens devem estar a serviço de Deus, subordinados ao amor a Deus.
5. Lit. "sobre a verdade".
6. Lit. "é excedente/mais/maior".
7. Lit. "sacrifício (coisa sacrificada), oferta, oferenda ou serviço do culto". Todas as oferendas prescritas na Torah, inclusive o sacrifício de animais, bem como o serviço para manutenção do culto prestado pelos sacerdotes.

O MESSIAS, FILHO E SENHOR DE DAVI (Mt 22:41-46; Lc 20:41-44)

12:35 Em resposta, Jesus dizia, ensinando no templo: Como dizem os escribas que o Cristo é filho de Davi? **12:36** O próprio Davi, pelo espírito santo, disse: *Disse o Senhor ao meu Senhor: Senta-te à minha direita, até que eu ponha os teus inimigos debaixo dos teus pés?*[1] **12:37** O próprio Davi lhe diz "Senhor"; como é filho dele? Numerosa turba o ouvia com agrado.

1. (Sl 110:1).

ENSINO E PRÁTICA (Mt 23:1-12; Lc 11: 37-54, 20:45-47)

12:38 Em seu ensino dizia: Vede {o proceder} dos escribas, que querem: andar com estolas[1], saudações nas praças, **12:39** as primeiras cadeiras[2] nas sinagogas, os [3]primeiros reclinatórios nas ceias[4]; **12:40** que devoram as casas das viúvas, orando longamente como pretexto[5]. Esses receberão condenação excedente.

1. Traje longo utilizado pelos sacerdotes, doutores da lei, reis e pessoas distintas.
2. Lit. "cátedra", que significa "cadeira". Nas sinagogas era comum reservar-se um assento macio com encosto para que o Mestre, autorizado, pudesse ensinar. Estes assentos ficavam na plataforma, de frente para a congregação e de costas para a arca na qual eram guardados os rolos da Torah.
3. Lugar de honra em um jantar, ao lado do dono da casa ou do anfitrião. No Oriente, é relevante o local na mesa, onde o convidado se reclina para comer, pois evidencia a reputação, posição social do convidado.
4. Lit. "refeição principal do dia (geralmente o jantar)", banquete.
5. Lit. "pretexto, desculpa, escusa, falso motivo".

O ÓBOLO DA VIÚVA (Lc 21:1-4)

12:41 Sentando defronte do gazofilácio[1], contemplava como a turba coloca[2] {moeda de} cobre no gazofilácio, e muitos ricos colocavam muito. **12:42** Veio uma viúva pobre e colocou dois leptos[3], [4]que vale {um} quadrante[5]. **12:43** Convocando os seus discípulos, disse-lhes: Amém[6], vos digo que esta viúva pobre colocou mais do que todos os que estão colocando no gazofilácio. **12:44** Pois todos colocaram do que lhes sobra; ela, porém, do que lhe falta, colocou tudo quanto tinha, todo o sustento dela.

1. Lit. "caixa de tesouro; sala do tesouro; caixa de ofertas no templo". No templo de Jerusalém, havia treze caixas em formato de trombetas, colocadas nas paredes do átrio das mulheres, com a finalidade de recolher doações.
2. Lit. "lançar; colocar".
3. A menor das moedas judaicas. Era uma moeda de cobre que valia aproximadamente ⅛ (um oitavo) de um centavo.
4. Lit. "que é"
5. Moeda romana utilizada na época, valendo aproximadamente ¼ (um quarto) de um centavo.
6. ἀμην (amém), transliteração do vocábulo hebraico אָמֵן. Trata-se de um adjetivo verbal (ser firme, ser confiável). O vocábulo é frequentemente utilizado de forma idiomática (partícula adverbial) para expressar asserção, concordância, confirmação (realmente, verdadeiramente, de fato, certamente, isso mesmo, que assim seja). Ao redigirem o Novo Testamento, os evangelistas mantiveram a palavra no original, fazendo apenas a transliteração para o grego, razão pela qual também optamos por mantê-la intacta, sem tradução.

13

GRANDES TRIBULAÇÕES (Mt 24:1-31; Lc 21:5-28, 12:25-27)

13:1 Tendo Jesus saído do Templo, um dos seus discípulos lhe diz: Mestre, vê que pedras e que edificações! **13:2** Disse-lhe Jesus: Vês estas grandes edificações? Não será deixada aqui pedra sobre pedra que não seja derribada[1]. **13:3** Ao assentar-se no Monte das Oliveiras, defronte do Templo, o interrogava{m}, em particular, Pedro, Tiago, João e André. **13:4** Dize-nos quando serão essas coisas e qual o sinal de quando tudo {isso} [2]estiver prestes a ser consumado[3]. **13:5** Jesus começou a dizer: Vede que ninguém vos engane[4]! **13:6** Muitos virão em meu nome dizendo: Sou eu; e enganarão a muitos. **13:7** Quando ouvirdes de guerra e relatos[5] de guerras, não vos alarmeis[6]; é necessário acontecer {essas coisas}, mas ainda não {é} o fim[7]. **13:8** Pois se levantará nação[8] contra nação, reino contra reino; haverá terremotos [9]em todos os lugares, e haverá fomes. Essas {coisas} {são} {o} começo das dores de parto. **13:9** Olhai por vós mesmos! Eles vos entregarão aos sinédrios e sereis açoitados[10] nas sinagogas; [11]sereis apresentados a governantes e reis, por minha causa, em testemunho para eles. **13:10** Mas é necessário que primeiro o Evangelho seja proclamado[12] a todas as nações[13]. **13:11** E quando vos conduzirem, ao {vos} entregarem, não vos inquieteis[14] {em razão do} que falareis, mas falai o que vos for dado naquela hora, pois não sois vós os que falam, mas o espírito santo. **13:12** E irmão entregará à morte irmão e pai {entregará} filho. Filhos se levantarão contra genitores e os matarão. **13:13** E sereis odiados por todos, por causa do meu nome; mas quem perseverar[15] até ao fim[16], esse será salvo. **13:14** Quando virdes a [17]abominação[18] devastadora[19], estabelecida onde não deve, quem estiver lendo compreenda. Então os {que estiverem} na Judeia fujam para os montes; **13:15** o {que estiver} sobre o terraço[20] não desça nem entre para pegar[21] algo de dentro da sua casa; **13:16** quem {estiver} no campo não volte atrás para pegar sua veste[22]. **13:17** Ai das grávidas[23] e das que amamentarem naqueles dias! **13:18** Orai para que {a vossa fuga} não aconteça no inverno **13:19** Pois aqueles dias serão de tal provação[24] qual não tem havido desde o princípio da criação, que Deus criou, até agora, nem jamais haverá. **13:20** E se o Senhor não encurtasse[25] os dias, nenhuma carne seria salva, mas, por causa dos escolhidos[26], que escolheu, encurtou os dias. **13:21** Então, se alguém vos disser "eis aqui o Cristo", ou "eis ali", não creiais. **13:22** Pois serão levantados falsos cristos e falsos profetas, e darão sinais e prodígios para enganar, se possível, os escolhidos. **13:23** Vede! Eu vos tenho predito! **13:24** Mas, naqueles dias, depois daquela provação[27], o sol escurecerá, a lua não dará seu brilho, **13:25** as estrelas cairão[28] do céu, e os poderes que {estão} nos céus serão abalados[29] **13:26** Então verão o filho do homem vindo em nuvens, com muito poder e glória. **13:27** Então enviará os anjos; reunirão[30] os escolhidos dos quatro ventos, da extremidade da terra até a extremidade do céu.

1. Lit. "destruir, derrubar, demolir, derribar (lançar abaixo); dissolver; interromper", e em sentido metafórico: anular, revogar. Nesta passagem, o verbo está na voz passiva.
2. Lit. "estar para, estar a ponto de (indicando a iminência do acontecimento)".
3. Lit. "ato ou efeito de completar, terminar; consumação, término".
4. Lit. "desviar, extraviar; enganar, iludir, seduzir; desencaminhar ou desviar do caminho". O vocábulo é constantemente utilizado no Novo Testamento para se referir ao desvio da ovelha que se desgarra do rebanho.
5. Lit. "ato de ouvir, audição; coisa ouvida; relato; reputação, fama".
6. Lit. "fazer ruído, gritar ou chorar em voz alta; estar perturbado, preocupado, alarmado, apavorado (na voz passiva)".
7. Lit. "término, cessação, conclusão; fim, alvo, resultado".
8. Lit. "povos de outras nações que não o povo hebreu". Os hebreus chamavam todos os outros povos de gentios.
9. Trata-se de uso distributivo da preposição grega "kata".
10. Lit. "esfolar, tirar a pele; castigar, maltratar; bater, açoitar".
11. Lit. "sereis colocados de pé {diante de}".
12. Lit. "proclamar como arauto, agir como arauto". Sugere a gravidade e a formalidade do ato, bem como a autoridade daquele que anuncia em voz alta e solenemente a mensagem.
13. Lit. "povos de outras nações que não o povo hebreu". Os hebreus chamavam todos os outros povos de gentios.
14. Lit. "inquietar-se, ter ansiedade, estar ansioso, estar preocupado".
15. Lit. "permanecer, suportar, perseverar".
16. Vide nota 7.
17. Lit. "abominação da desolação". Expressão idiomática tipicamente semítica que consiste em colocar lado a lado dois substantivos, em relação de dependência ou posse, com o objetivo de se formar um novo vocábulo (neologismo).
18. Lit. "o que provoca náusea; detestável, abominável, abjeto, nojento".
19. Lit. "que se tornou deserto, devastado; ruína, devastação, desolação".
20. Lit. "terraço, telhado". Nas residências da Palestina do primeiro século, era comum utilizar-se o telhado ou terraço como uma espécie de cobertura dos apartamentos atuais. Era costume

fazerem-se orações (At 10:9), proclamações e comunicações públicas (Mt 10:27; Lc 12:3) neste local. Nas tardes quentes, as mulheres costumavam subir para o terraço a fim de preparar pão, tecer, secar o linho ou frutas, catar cereais, estender roupas.

21. Lit. "erguer (com as mãos) para carregar; levantar um objeto a fim de transportá-lo".
22. Veste externa, manto, peça de vestuário utilizada sobre a peça interna. Pode ser utilizada como sinônimo do vestuário completo de uma pessoa. O termo também aparece em Mt 5:40, traduzido como "manto".
23. Lit. "as que tiverem no ventre".
24. Lit. "pressão, compressão (sentido estrito); aflição, tribulação, provação (sentido metafórico)".
25. Lit. "cortar, mutilar; encurtar, abreviar".
26. Lit. "escolhido, selecionado".
27. Vide nota 24.
28. Lit. "estarão caindo". Trata-se de uma perífrase para expressar o verbo "cair" em sua forma simples.
29. Lit. "sacudir, agitar, abalar".
30. Lit. "reunirá". No original o verbo está conjugado equivocadamente no singular.

PARÁBOLA DA FIGUEIRA (Mt 24:32-36; Lc 21:29-33)

13:28 Aprendei a parábola da figueira: quando os seus ramos já se tornaram tenros e as folhas brotam, sabeis que está próximo o verão. **13:29** Assim também vós, quando virdes essas {coisas} acontecendo, sabei que está próximo, às portas. **13:30** Amém[1], vos digo que não passará esta geração até que todas essas {coisas} aconteçam. **13:31** O céu e a terra passarão, mas as minhas palavras não passarão. **13:32** A respeito daquele dia ou hora, ninguém sabe; nem os anjos no céu, nem o filho, senão o Pai.

1. ἀμην (amém), transliteração do vocábulo hebraico אָמֵן. Trata-se de um adjetivo verbal (ser firme, ser confiável). O vocábulo é frequentemente utilizado de forma idiomática (partícula adverbial) para expressar asserção, concordância, confirmação (realmente, verdadeiramente, de fato, certamente, isso mesmo, que assim seja). Ao redigirem o Novo Testamento, os evangelistas mantiveram a palavra no original, fazendo apenas a transliteração para o grego, razão pela qual também optamos por mantê-la intacta, sem tradução.

TEMPO DE VIGILÂNCIA (Mt 24:37-44, 25:13-15; Lc 19:12-13, 12:38-40)

13:33 Olhai! Vigiai[1]! [2]{Orai!} Pois não sabeis quando será[3] o tempo[4]. **13:34** {É} como um homem [5]ausente {do seu país} que, deixando sua casa e dando autoridade aos seus servos, a cada um sua obra, ordenou ao porteiro que vigie. **13:35** Portanto, vigiai, pois não sabeis quando vem o [6]senhor da casa; {se} ao fim da tarde, ou à meia-noite, ao cantar do galo ou de manhã[7]; **13:36** ao vir repentinamente[8], não vos encontre dormindo. **13:37** O que vos digo, digo a todos: Vigiai!

1. Lit. "estar acordado (em vigília); estar atento, vigilante".
2. A Crítica Textual contemporânea sugere a retirada desse verbo do versículo, ao argumento de que não há concordância entre os manuscritos mais antigos. Todavia, não há certeza nessa posição, nem consenso entre os estudiosos, razão pela qual optamos por mantê-lo, ainda que entre colchetes.
3. Lit. "é (ser)". No original o verbo está conjugado equivocadamente no presente.
4. Lit. "um ponto no tempo, um período de tempo; tempo fixo, definido; oportunidade".
5. Lit. "ausente do próprio país, alguém que viajou ao estrangeiro".
6. Lit. "senhor, dono da casa, chefe de família".
7. Lit. "de madrugada/manhã; na última (4ª) vigília da noite". O período entre 18h e 6h da manhã, do dia seguinte, era dividido em quatro vigílias de três horas cada uma (1ª – 18h – 21h; 2ª – 22h – 24h; 3ª – 1h – 3h; 4ª – 4h – 6h).
8. Lit. "repentinamente, inesperadamente".

14

CONSPIRAÇÃO PARA MATAR JESUS (Mt 26:1-5; Lc 22:1-6; Jo 11:45-53)

14:1 Haveria[1] a Páscoa e os Ázimos dois dias depois; e os sumos sacerdotes e os escribas procuravam como, prendendo-o ardilosamente[2], o matariam, **14:2** pois diziam: Não durante a festa, para que não haja tumulto entre o povo.

1. Lit. "havia". É utilizado o imperfeito do verbo "haver/ser" de forma equivocada, quando o correto seria o futuro do pretérito (haveria).
2. Lit. "com traição, astúcia, ardil". Este vocábulo deriva do verbo que significa "capturar em uma armadilha, enganar, utilizar um artifício traiçoeiro".

A UNÇÃO EM BETÂNIA (Mt 26:6-13; Jo 12:1-8)

14:3 Estando ele em Betânia, ¹reclinado {à mesa}, na casa de Simão, o leproso, veio uma mulher, com[2] um vaso de alabastro com unguento[3] de nardo[4] puro, caro[5] e, quebrando[6] o vaso de alabastro, o derramou {sobre} sua cabeça. **14:4** Alguns, porém, estavam indignados[7] entre si, {dizendo}: Para que ocorreu este desperdício[8] de unguento[9]? **14:5** Pois este unguento podia ser vendido por mais de trezentos denários[10] e ser dado aos pobres. E a censuravam[11]. **14:6** Jesus disse: Deixai-a! Por que dais[12] trabalho[13] a ela? Praticou uma boa obra para comigo. **14:7** Pois sempre tendes os pobres convosco e, quando quiserdes, podeis fazer-lhes bem, mas a mim não tendes sempre. **14:8** ¹⁴Ela fez o que podia; antecipou-se a ungir o meu corpo para ¹⁵o sepultamento. **14:9** Amém[16] vos digo que, onde quer que seja proclamado este Evangelho, no mundo inteiro, também será contado o que ela fez, em sua memória.

1. As refeições eram consumidas após as pessoas se reclinarem à mesa para comer.
2. Lit. "tendo".
3. Lit. "unguento aromático, óleo de mirra". Palavra de origem semítica, derivada de "mirra". Trata-se de uma essência aromática extraída de árvores, utilizada especialmente na preparação do corpo para o sepultamento.
4. Lit. "nardo". Espécie de planta aromática, cujos melhores exemplares se encontram na Índia. O óleo de nardo, extraído dessa planta, é utilizado como unguento, quer seja puro, quer seja misturado com outras substâncias.

5. Lit. "caro; precioso". Esse unguento foi estimado em 300 denários, ou seja, o equivalente ao salário pago pelo trabalho de um ano no campo, aproximadamente.
6. Lit. "esfregar uma coisa contra a outra, desgastar; moer, triturar, estraçalhar; esmagar, quebrar; romper".
7. Lit. "ficar irado, irritado, indignado".
8. Lit. "destruição, ruína, perdição; dissipação, desperdício".
9. Vide nota 3.
10. Moeda de prata romana correspondente ao salário pago por um dia de trabalho no campo.
11. Lit. "acusar ou proibir severamente, veementemente; censurar".
12. Lit. "oferecer, ofertar, presentear; conceder, dar, fornecer; exibir; ser a causa de".
13. Lit. "labor/trabalho fatigante, lida, labuta; aflição, sofrimento, fadiga, cansaço, desconforto (decorrentes da labuta); golpe, pena".
14. Lit. "o que ela tinha ela fez". Expressão idiomática que pode ser substituída com êxito por "fez o que podia".
15. Lit. "preparativos costumeiros do sepultamento, preparação de um corpo para ser sepultado".
16. $ἀμήν$ (amém), transliteração do vocábulo hebraico אָמֵן. Trata-se de um adjetivo verbal (ser firme, ser confiável). O vocábulo é frequentemente utilizado de forma idiomática (partícula adverbial) para expressar asserção, concordância, confirmação (realmente, verdadeiramente, de fato, certamente, isso mesmo, que assim seja). Ao redigirem o Novo Testamento, os evangelistas mantiveram a palavra no original, fazendo apenas a transliteração para o grego, razão pela qual também optamos por mantê-la intacta, sem tradução.

JUDAS NEGOCIA A ENTREGA DE JESUS (Mt 26:14-16; Lc 23:3-6)

14:10 E Judas Iscariotes, um dos doze, encaminhou-se aos sumos sacerdotes para entregá-lo a eles. **14:11** Ao ouvirem {isso}, eles se alegraram e prometeram lhe dar prata[1]; procurava como o entregaria oportunamente[2].

1. Referência ao denário, que era confeccionado com prata (metal precioso).
2. Lit. "oportunamente, em boa ocasião".

OS PREPARATIVOS PARA A PÁSCOA (Mt 26:17-19; Lc 22:7-13)

14:12 No primeiro dia {da festa} dos {pães} Ázimos[1], [2]quando sacrificavam[3] a Páscoa, dizem-lhe os seus discípulos: Onde queres que, depois de partirmos, preparemos a Páscoa para que comas? **14:13** Ele envia dois dos seus discípulos e lhes diz: Ide à cidade, e um homem que carrega um cântaro[4] de água [5]virá ao vosso encontro, segui-o **14:14** e onde ele entrar dizei ao [6]senhor da casa: O Mestre diz: Onde está meu [7]quarto de hóspedes, no qual hei de comer a Páscoa com meus discípulos? **14:15** Ele vos mostrará uma grande [8]sala {no terraço}, arrumada[9], pronta[10]; preparai ali {a ceia} para nós. **14:16** Os discípulos saíram, dirigiram-se à cidade, encontraram como ele lhes tinha dito e prepararam a Páscoa.

1. Trata-se do pão sem fermento, que não foi submetido a nenhum processo de fermentação, ainda que natural. A festa dos pães amos durava sete dias, geralmente de um sábado a outro, sendo que no primeiro dia era comido o cordeiro pascal, momento em que era celebrada a ceia ritual intitulada Páscoa.
2. Referência à imolação do cordeiro pascal, feita no primeiro dia da festa.
3. Lit. "sacrificar, imolar, matar".
4. Lit. "vasilha de barro, de cerâmica; jarro, vaso de barro".
5. Lit. "encontrar-se com alguém; vir ao encontro de alguém".
6. Lit. "senhor, dono da casa, chefe de família".
7. Lit. "hospedaria, estalagem, alojamento; quarto de hóspedes". Durante a festa da Páscoa, Jerusalém recebia incontáveis viajantes, sendo dever dos habitantes hospedá-los em suas casas, fornecendo-lhes o necessário para a imolação e preparação do cordeiro pascal.
8. Lit. "sala ou aposento do andar superior/terraço, utilizado para guardar frutas, cereais". Durante as festas de peregrinação (Páscoa, Pentecostes e Tendas), esse local era utilizado para hospedar os peregrinos.
9. Lit. "estender, espalhar; arrumar (cama, mesa)". Possível referência aos preparativos específicos da mesa na qual seria celebrada a ceia pascal.
10. Lit. "preparada, pronta".

A ÚLTIMA CEIA PASCAL (Mt 26:20-29; Lc 22:14-23; Jo 13:21-30)

14:17 Chegado o fim da tarde, vem com os doze. **14:18** Reclinando-se[1] {à mesa}, enquanto eles comiam, Jesus disse: Amém[2] vos digo que um de vós, que está comendo comigo, me entregará. **14:19** E começaram a se entristecer e a dizer-lhe, um após o outro: Porventura sou eu? **14:20** Ele lhes disse: Um dos doze, que [3]mergulha {a mão} na tigela comigo. **14:21** Porque o filho do homem vai {ser entregue}, conforme está escrito a seu respeito. Ai, porém, daquele por quem o filho do homem é entregue! Melhor {seria}, para ele, se aquele homem não tivesse nascido! **14:22** Enquanto eles comiam, depois de tomar o pão e o abençoar, ele {o} partiu, deu a eles e disse: Tomai, isto é o meu corpo. **14:23** Depois de tomar um cálice e dar graças, deu a eles, e todos beberam dele. **14:24** E disse-lhes: Este é o meu sangue, o {sangue} da aliança[4], que é derramado em favor de muitos. **14:25** Amém[5] vos digo que nunca mais beberei do fruto da videira, até aquele dia em que o beba, {vinho} novo, no Reino de Deus.

1. As refeições eram consumidas após as pessoas se reclinarem à mesa para comer.
2. ἀμην (amém), transliteração do vocábulo hebraico אמן. Trata-se de um adjetivo verbal (ser firme, ser confiável). O vocábulo é frequentemente utilizado de forma idiomática (partícula adverbial) para expressar asserção, concordância, confirmação (realmente, verdadeiramente, de fato, certamente, isso mesmo, que assim seja). Ao redigirem o Novo Testamento, os evangelistas mantiveram a palavra no original, fazendo apenas a transliteração para o grego, razão pela qual também optamos por mantê-la intacta, sem tradução.
3. No Oriente Médio, era costume colocar-se uma tigela de molho, feito de frutas cozidas, sobre a mesa, para que os convivas mergulhassem o pão. Nessa cultura, compartilhar a refeição em uma mesa é um sinal de profunda amizade, de confiança plena. Nesse caso, jamais se espera que o companheiro de refeição venha a prejudicá-lo, tendo em vista a enorme intimidade que este ato implica. Transportando a imagem para a cultura ocidental, seria o equivalente a ser traído por alguém que frequenta sua casa, ou desfruta de sua intimidade.
4. Lit. "testamento, disposição de última vontade (sentido jurídico relacionado ao direito sucessório); contrato, ajuste, tratado, acordo, convenção (sentido jurídico ligado ao aspecto contratual); aliança, pacto (sentido típico da Literatura Bíblica)".
5. Vide nota 2.

A PREDIÇÃO DA NEGAÇÃO DE PEDRO
(Mt 26:30-35; Lc 22:31-34; Jo 13:36-38)

14:26 Depois de [1]entoarem {salmos}, saíram para o Monte das Oliveiras. **14:27** E Jesus lhes disse: Todos vos escandalizareis[2], porque está escrito: *Ferirei*[3] *o pastor e as ovelhas serão dispersadas*. **14:28** Mas, depois de ser levantado[4], irei à frente de vós, para a Galileia. **14:29** Pedro lhe disse: Mesmo se todos se escandalizarem, eu, porém, não. **14:30** Diz-lhe Jesus: Amém[5] te digo que hoje, nesta noite, [6]antes de cantar o galo, tu me negarás três vezes. **14:31** Ele dizia veementemente: Ainda que seja necessário morrer contigo, não te negarei. E todos também diziam o mesmo.

1. Lit. "ação de cantar/entoar hinos/salmos". No final da refeição pascal eram entoados/cantados salmos (Sl 113-118, 136), que os hebreus chamavam de "Hallel (louvor)".
2. Lit. "tropeçar; vacilar ou errar; ser ofendido; estar chocado. O substantivo "skandalon" significa armadilha de molas ou qualquer obstáculo que faça alguém tropeçar; um impedimento; algo que cause estrago, destruição, miséria e, via de consequência, aquilo que causa um choque, que repugna, que fere a sensibilidade.
3. Lit. "bater, espancar; ferir, machucar".
4. Lit. "erguer-se, levantar-se". Expressão idiomática semítica que faz referência à ressurreição dos mortos. Para expressar a morte e a ressurreição, utilizavam as expressões "deitar-se" (morte) e "levantar-se" (ressurreição).
5. $ἀμην$ (amém), transliteração do vocábulo hebraico אָמֵן. Trata-se de um adjetivo verbal (ser firme, ser confiável). O vocábulo é frequentemente utilizado de forma idiomática (partícula adverbial) para expressar asserção, concordância, confirmação (realmente, verdadeiramente, de fato, certamente, isso mesmo, que assim seja). Ao redigirem o Novo Testamento, os evangelistas mantiveram a palavra no original, fazendo apenas a transliteração para o grego, razão pela qual também optamos por mantê-la intacta, sem tradução.
6. O canto do galo marcava a terceira vigília romana, que durava das 0h (meia-noite) às 3h da manhã.

NO GETSÊMANI (Mt 26:36-46; Lc 22:39-46)

14:32 Dirigem-se a um lugar[1], cujo nome {é} Getsêmani, e ele diz aos seus discípulos: Sentai-vos aqui, enquanto eu estiver orando. **14:33** E, levando consigo Pedro, Tiago e João, começou a ficar atônito[2] e a angustiar-se[3]. **14:34** Diz a eles: [4]Minha alma está [5]cercada pela tristeza até a morte. Permanecei aqui e vigiai! **14:35** Indo um pouco adiante, prosternava-se[6] sobre a terra, e orava para que,[7]se fosse possível, passasse dele a hora. **14:36** E dizia: Abba, Pai, tudo é possível a ti; afasta de mim esta taça; contudo, não {seja} o que eu quero, mas o que tu {queres}. **14:37** Ele vem e os encontra dormindo; e diz a Pedro: Simão, dormes? Nem uma hora foste capaz de vigiar? **14:38** Vigiai e orai para que [8]não entreis em tentação; o espírito {está} pronto, mas a carne {é/está} fraca[9]. **14:39** Novamente, depois de sair, orou dizendo [10]a mesma coisa. **14:40**

Após vir, novamente os encontrou dormindo, pois os olhos deles estavam sobrecarregados; e não sabiam o que lhe responder. **14:41** Vem pela terceira vez e lhes diz: ¹¹Dormi o restante e descansai. É o bastante. Chegou a hora, eis que o filho do homem está entregue nas mãos dos pecadores. **14:42** Levantai-vos, vamos! Eis que se aproxima aquele que {está} me entregando.

1. Lit. "lugar, campo, pedaço de terra".
2. Lit. "surpreender-se (positiva ou negativamente), pasmar-se, ficar atônito".
3. Lit. "estar dolorosamente preocupado; estar angustiado, aflito".
4. Expressão idiomática semítica.
5. Lit. "cercada pela tristeza; rodeada de tristeza".
6. Lit. "caiu sobre a terra"; Expressão idiomática semítica que significa prosternar-se (curvar-se ao chão em sinal de profundo respeito).
7. Lit. "se é possível". O verbo ser está conjugado erroneamente no presente, quando deveria assumir a forma do subjuntivo (se fosse possível).
8. Expressão idiomática que pode significar "para que não sucumbam à tentação, para que não caiam em tentação". Em português, costumamos dizer "não entra nessa".
9. Lit. "fraco (fisicamente), enfermo".
10. Lit. "a palavra/coisa de novo/novamente".
11. Os dois verbos "dormi" e "descansai" estão no imperativo, não havendo qualquer sinal de pergunta na manifestação de Jesus. Todavia, a continuação da fala demonstra que houve uma espécie de repreensão, tanto que ele dá nova ordem (Mt 26:46) para que os discípulos se levantem. Nesse caso, Jesus teria dado um ordem positiva com a intenção de reforçar a censura, uma espécie de ironia fina.

A PRISÃO DE JESUS (Mt 26:47-56; Lc 22:47-53; Jo 18:1-11)

14:43 Enquanto ele ainda falava, logo veio Judas, um dos doze, e com ele uma turba, com espadas e porretes¹, {vinda} da parte dos sumos sacerdotes, dos escribas e dos anciãos. **14:44** Aquele que {estava} entregando tinha dado a eles uma senha², dizendo: Aquele que eu beijar, é esse; prendei-o e conduzi-o com segurança. **14:45** Ao aproximar-se, veio logo e lhe disse: Rabbi! E o beijou. **14:46** Eles lançaram as mãos sobre ele e o prenderam. **14:47** Um dos que estavam presentes, puxando³ a espada, golpeou⁴ o servo do sumo sacerdote e tirou-lhe⁵ a orelhinha⁶. **14:48** Em resposta, disse-lhes Jesus: Saístes com espadas e porretes, como {se procede} contra um assaltante[7], para me capturar[8]. **14:49** Diariamente, eu estava convosco, ensinando no templo, e não me agarrastes. Mas {aconteceu} para que se cumprissem as Escrituras. **14:50** Deixando-o, todos fugiram. **14:51** Certo jovem o seguia, vestindo um lençol sobre {o corpo} nu, e o agarraram. **14:52** Ele, deixando[9] o lençol, fugiu nu.

1. Lit. "toras de madeira, porrete, clava".
2. Lit. "sinal combinado, senha".
3. Lit. "puxar, arrancar".
4. Lit. "golpear, bater (com o punho, com uma espada); atacar".
5. Lit. "tirar, remover; roubar; afastar, separar".
6. Possível referência à ponta da orelha, vez que o substantivo está no diminutivo.
7. Lit. "assaltante (de estrada), saqueador; pirata; salteador".
8. Lit. "tomar consigo", agarrar, capturar, prender; apreender; conceber, engravidar".
9. Lit. "deixar para trás".

JESUS DIANTE DO SINÉDRIO (Mt 26:57-68; Lc 22:54, 63-71; Jo 18:12-27)

14:53 E conduziram Jesus ao sumo sacerdote; e reúnem-se todos os sumos sacerdotes, os anciãos e os escribas. **14:54** Pedro o seguiu de longe, até o [1]pátio interior {da residência} do sumo sacerdote; e estava sentado com os servidores[2], aquecendo-se junto ao fogo. **14:55** Os sumos sacerdotes e o Sinédrio inteiro procuravam um testemunho contra Jesus, para o condenarem à morte, mas não encontravam. **14:56** Pois muitos testemunhavam falsamente contra ele, mas os testemunhos não eram iguais. **14:57** Levantando-se alguns, testemunhavam falsamente contra ele, dizendo: **14:58**: Nós o ouvimos dizendo: "Eu destruirei este Santuário feito por mãos {humanas}, e edificarei outro não feito por mãos {humanas}, em três dias" **14:59** E nem assim o testemunho deles era igual. **14:60** E, levantando-se o sumo sacerdote, no meio, interrogou a Jesus, dizendo: Não respondes nada ao que estes testemunham contra ti? **14:61** Ele silenciava, e não respondeu nada. Novamente, o sumo sacerdote o interrogava, e diz a ele: Tu és o Cristo, o filho do Bendito? **14:62** Jesus disse: Eu sou, e vereis o filho do homem sentado à direita do Poder, vindo com as nuvens do céu. **14:63** O sumo sacerdote, ³rasgando suas túnicas⁴, diz: Que necessidade temos ainda de testemunhas? **14:64** Ouvistes blasfêmia. Que vos parece? Todos eles o condenaram {a} ser culpado⁵ de morte. **14:65** E alguns começaram a cuspir nele, a cobrir o seu rosto, a esmurrá-lo e a dizer-lhe: Profetiza! Os servidores⁶ também o tomaram com bofetadas.

1. Lit. "espaço descoberto ao redor de uma casa, cercado por uma parede, onde ficavam os estábulos, aprisco; pátio de uma casa; pátio interno das habitações de pessoas prósperas. Nas residências orientais, geralmente construídas em forma de quadrado, havia um pátio interior, descoberto, bem como um pátio exterior (uma espécie de varanda). Esse vocábulo também pode ser utilizado para se referir à residência ou palácio como um todo.
2. ὑπηρέται (huperétai) – **remador, marinheiro, navegador; servidor; assistente, auxiliar** – Sub (2 – 20), **composto pela preposição** ὑπέρ **(hupér – em composição pode indicar ênfase, excesso) + substantivo** ἐρέτης **(erétes – remador), que por sua vez deriva do verbo** ἐρέσσω **(erésso – remar)**. Trata-se de um humilde servidor, e não de um escravo, já que o indivíduo conserva sua autonomia, sua liberdade. A preposição ὑπέρ **(hupér)** sugere a ideia de alguém que está na fronteira que separa o servidor do servo. Em resumo, a palavra grega indica o servidor, na mais exata acepção do termo. O vocábulo foi empregado, no Novo Testamento, para designar diversos tipos de servidores: os assistentes do Rei, os oficiais do Sinédrio, os assistentes dos Magistrados, as sentinelas do Templo de Jerusalém. Na literatura grega, a palavra é empregada para designar remador, marujo, todos os homens de uma tripulação, soldado da marinha (fuzileiro naval); todo homem sob as ordens de outro, um servidor comum, um servidor que acompanha o soldado de infantaria (na Grécia antiga); ajudante de um general; servidor de Deus.
3. Na Mishna, Seder Nezikin, Tratado Sanhedrin 7:5, aqueles que julgavam um blasfemo deveriam ficar de pé e rasgar suas vestes, ao ouvirem uma blasfêmia.
4. Peça de vestuário interno, utilizada junto ao corpo, logo acima da pele, sobre a qual era costume colocar outra peça ou manto, daí o substantivo no plural. Trata-se de uma espécie de veste interna, íntima.
5. Lit. "submetido, sujeito; exposto; culpado, responsável".
6. Vide nota 2.

AS TRÊS NEGAÇÕES DE PEDRO (Mt 26:69-75; Lc 22:54-62; Jo 18:15-27)

14:66 Estando Pedro embaixo, no ¹pátio interior {da residência}, vem uma das criadas² do sumo sacerdote **14:67** e, ao ver Pedro se aquecendo, fitando-o³, diz: Tu também estavas com Jesus, o Nazareno. **14:68** Ele, porém, negou, dizendo: Não {o} conheço, nem compreendo o que dizes. E saiu para o ⁴pátio externo, ⁵{e o galo cantou}. **14:69** Vendo-o, a criada novamente começou a dizer aos presentes: Este é um deles. **14:70** Ele novamente negava. E, um pouco depois, os presentes novamente diziam a Pedro: Verdadeiramente, tu és um deles, pois tu és também galileu. **14:71** Ele começou a amaldiçoar e a jurar: Não conheço esse homem de quem falais. **14:72** E logo um galo cantou, pela segunda vez. E lembrou-se Pedro da palavra que Jesus lhe disse: Antes que o galo cante duas vezes, três vezes me negarás. E, ⁶caindo em si, chorava.

1. Lit. "espaço descoberto ao redor de uma casa, cercado por uma parede, onde ficavam os estábulos, aprisco; pátio de uma casa; pátio interno das habitações de pessoas prósperas. Nas residências orientais, geralmente construídas em forma de quadrado, havia um pátio interior, descoberto, bem como um pátio exterior (uma espécie de varanda). Esse vocábulo também pode ser utilizado para se referir à residência ou palácio como um todo.
2. Lit. "criada, escrava, serva; garota, senhorita, donzela".
3. Lit. "fixar os olhos em alguém/algo, fitar, focar (pessoa/objeto); olhar incisivamente, minuciosamente, pormenorizadamente, atentamente; distinguir, discernir". A preposição "em", utilizada como prefixo do verbo "ver", confere-lhe o sentido de foco, penetração.
4. Lit. "pátio externo, exterior". As habitações das pessoas prósperas normalmente contavam com dois pátios, um externo (proaulion), entre a porta e a rua; e outro interno, cercado pela construção.
5. A Crítica Textual contemporânea considera essa frase um acréscimo feito pelos copistas para harmonizar o relato com aquele semelhante, feito por Mateus. Todavia, como não há unanimidade entre os estudiosos, optaram por manter a frase entre colchetes.
6. Lit. "caindo sobre". Expressão idiomática para se referir ao estado de reflexão, arrependimento, ao ato de ensimesmar-se.

JESUS DIANTE DE PILATOS
(Mt 27:1-2, 11-26; Lc 23:1-25, 13-25; Jo 18:28-19:16)

15

15:1 E logo ¹ao raiar do dia, ²elaborando um plano, os sumos sacerdotes com os anciãos, os escribas e todo o Sinédrio, depois de amarrarem Jesus, o levaram e entregaram a Pilatos. **15:2** Pilatos o interrogou: Tu és o Rei dos Judeus? Em resposta, diz-lhe: Tu dizes. **15:3** Os sumos sacerdotes o acusavam de muitas {coisas}. **15:4** Pilatos o interrogava novamente, dizendo: Não respondes nada? Vê {de} quantas {coisas} estão te acusando! **15:5** Jesus nada mais respondeu, a ponto de Pilatos maravilhar-se. **15:6** Por ocasião da festa, soltava para eles o preso que pediam³. **15:7** Aquele chamado Barrabás estava preso com os rebeldes⁴, os quais na rebelião tinham cometido um homicídio. **15:8** Ao subir, a turba começou a pedir {que soltasse} como fazia a eles. **15:9** Pilatos respondeu-lhes, dizendo: Quereis que eu vos solte o Rei dos Judeus? **15:10** Pois ele bem sabia que por inveja⁵ os sumos sacerdotes o tinham entregue. **15:11** Os sumos sacerdotes, porém, instigaram⁶ a turba para que, em vez disso, soltasse Barrabás para eles. **15:12** Em resposta, Pilatos novamente lhes dizia: Que ⁷{quereis que} eu faça, então, ⁸{com o chamado} Rei dos Judeus? **15:13** Eles novamente gritaram: Crucificai-o! **15:14** Dizia-lhes Pilatos: No entanto, que mal ele fez? Eles gritavam ainda mais: Crucificai-o! **15:15** Pilatos, querendo ⁹satisfazer a turba, soltou-lhes Barrabás e, depois de açoitar Jesus, entregou-o para ser crucificado.

1. Lit. "de madrugada/manhã; na última (4ª) vigília da noite". O período entre 18h e 6h da manhã, do dia seguinte, era dividido em quatro vigílias de três horas cada uma (1ª – 18h – 21h; 2ª – 22h – 24h; 3ª – 1h – 3h; 4ª – 4h – 6h). Esta passagem faz referência a algum momento entre 4 – 6h da manhã.
2. Lit. "fazer/realizar um conselho/plano".
3. Lit. "pedir, requisitar; interceder por".
4. Lit. "aquele que se levanta, aquele que se rebela; rebelde, revolucionário, membro de rebelião, motim, insurreição". Possível referência aos rebeldes que estavam dispostos a lutar pela libertação do povo hebreu da dominação romana.
5. Lit. "inveja; ciúme; rancor".
6. Lit. "instigar, incitar".

7. A Crítica Textual contemporânea considera essa frase um acréscimo feito pelos copistas para harmonizar o relato com outros semelhantes, feito por Mateus e Lucas. Todavia, como não há unanimidade entre os estudiosos, optaram por manter a frase entre colchetes.
8. Vide Nota 7, por se tratar do mesmo caso.
9. Lit. "fazer o suficiente". Expressão idiomática cujo significado é satisfazer, contentar.

MARTÍRIO E CRUCIFICAÇÃO (Mt 27:27-44; Lc 23:26-43; Jo 19:17-27)

15:16 Os soldados o conduziram para dentro do ¹pátio interior {da residência}, que é o pretório², e convocaram toda coorte³. **15:17** Vestem-no de púrpura e, trançando⁴ uma coroa de espinhos, ⁵colocam {ao redor} nele. **15:18** E começaram a saudá-lo: Salve!⁶ Rei dos Judeus! **15:19** Batiam na cabeça dele com o caniço⁷, cuspiam nele e, colocando-se de joelhos, o reverenciavam. **15:20** Depois de o terem ridicularizado, despiram-no da púrpura, vestiram-lhe sua veste⁸. E o conduziram para fora para que o crucificassem. **15:21** Requisitam⁹ um certo Simão Cirineu¹⁰ – o pai de Alexandre e de Rufo – que passava, vindo do campo, a fim de que carregasse a cruz dele. **15:22** E o levam ao lugar do Gólgota, que traduzido é "Lugar do Crânio". **15:23** Davam a ele vinho misturado com mirra; ele, porém, não tomou. **15:24** Eles o crucificam e repartem as suas vestes, lançando a sorte¹¹ – quem levaria o que – sobre elas. **15:25** Era a hora terceira {quando} o crucificaram. **15:26** A epígrafe da sua acusação estava sobrescrita: *O REI DOS JUDEUS*. **15:27** Crucificam com ele dois assaltantes¹², um à direita, outro à esquerda dele. **15:28** ¹³{E cumpriu-se a Escritura que diz: E com os transgressores foi contado} **15:29** Os transeuntes¹⁴ o insultavam¹⁵, meneando suas cabeças, e dizendo: Ah! Tu que destróis o Santuário, edificando-o em três dias, **15:30** salva a ti mesmo, descendo da cruz! **15:31** De forma semelhante, também os sumos sacerdotes com os escribas, zombando entre eles, diziam: Salvou outros, a si mesmo não pode salvar. **15:32** O Cristo! O Rei de Israel! Desça, agora, da cruz para que vejamos e creiamos. Os que estavam crucificados com ele, também o injuriavam.

1. Lit. "espaço descoberto ao redor de uma casa, cercado por uma parede, onde ficavam os estábulos, aprisco; pátio de uma casa; pátio interno das habitações de pessoas prósperas. Nas residências orientais, geralmente construídas em forma de quadrado, havia um pátio interior, descoberto, bem como um pátio exterior (uma espécie de varanda). Esse vocábulo também pode ser utilizado para se referir à residência ou palácio como um todo.
2. Originalmente significava a "tenda do general (pretor)". Mais tarde, passou a ser aplicado ao "conselho de oficiais militares", até ser tornar o nome da "residência oficial do Governador romano", uma vez que lá, além de residir o Governador, era o local ocupado pela guarnição do exército romano.
3. Lit. "um destacamento militar romano de aproximadamente 600 soldados".
4. Lit. "tecer, trançar".
5. Lit. "colocar ao redor de, colocar em torno de". Referência à coroa colocada ao redor da cabeça de Jesus.
6. Lit. "alegra-te". Trata-se de uma saudação, portanto, deve ser traduzida como "salve", "olá".
7. Lit. "junco, cana, caniço". Trata-se de uma cana ou junco, com talo articulado e oco, utilizado como bastão, cajado, vara de medir ou varinha de escrever (nos papiros).
8. Veste externa, manto, peça de vestuário utilizada sobre a peça interna. Pode ser utilizada como sinônimo do vestuário completo de uma pessoa.
9. Lit. "requisitar militarmente, recrutar alguém para servir forçosamente, compelir".
10. Lit. "Cirineu (habitante de Cirene)".
11. Lit. "objeto utilizado para tirar a sorte (pedra); sorteio; parte de herança, herdade; parte, porção".
12. Lit. "assaltante (de estrada), saqueador; pirata; salteador".
13. A Crítica Textual contemporânea considera esse versículo um acréscimo feito pelos copistas, que o copiaram da passagem paralela encontrada no Evangelho de Lucas (Lc 22:37).
14. Lit. "os que estão passando".
15. Lit. "caluniar, censurar; dizer palavra ofensiva, insultar; falar sobre Deus ou sobre as coisas divinas de forma irreverente; irreverência".

MORTE DE JESUS (Mt 27:45-56; Lc 23:44-49; Jo 19:28-37)

15:33 Ao chegar[1] a hora sexta, houve treva sobre a terra inteira, até a hora nona. **15:34** E, à hora nona, bradou Jesus, [2]em alta voz: *Eloi, Eloi, lema sabakhthani?*. Que traduzido é: *Meu Deus, Meu Deus, por que me abandonaste[3]?* **15:35** Alguns dos que estavam presentes, ouvindo {isso}, diziam: Vede! Ele chama Elias. **15:36** Alguém, correndo, enchendo uma esponja de vinagre, colocando-a em volta de um caniço, dava-lhe para beber, dizendo: Deixa, vejamos se Elias vem tirá-lo. **15:37** Jesus, [4]deixando uma grande voz, expirou. **15:38** E o véu[5] do Santuário rasgou-se, de cima a baixo, em dois. **15:39** Vendo o centurião, que estava presente, defronte dele, que havia expirado desse modo, disse: Verdadeiramente, este era o filho de Deus. **15:40** Estavam também {ali} mulheres, contemplando de longe, entre as quais também Maria Magdalena[6]; Maria, {mãe} de Tiago Menor; a mãe de José; e Salomé, **15:41** as quais o seguiam e o serviam, quando ele estava na Galileia; e muitas outras que haviam subido com ele para Jerusalém.

1. Lit. "vir a ser, tornar-se, ocorrer, acontecer".
2. Lit. "com grande voz". Expressão idiomática semítica para expressar "em alta voz".
3. Lit. "deixar para trás, abandonar".
4. Lit. "deixando grande voz". Expressão idiomática.
5. Lit. "o que está espalhado antes; véu, cortina". A única referência das Escrituras (2Cr 3:14) ao véu do Santuário o descreve como de "tecido azul, roxo, vermelho e linho fino, com querubins desenhados". A função do véu era separar o lugar do Templo chamado "Santo" do outro local chamado "Santo dos Santos".
6. Lit. "magdalena (habitante feminina da cidade de Magdala)".

O SEPULTAMENTO (Mt 27:57-61; Lc 23:50-56; Jo 19:38-42)

15:42 Quando já havia chegado o fim da tarde, visto que era preparação[1], isto é, véspera do sábado, **15:43** vindo José de Arimateia, respeitável[2] membro do concílio[3], que também estava aguardando o Reino de Deus, ousando, dirigiu-se a Pilatos e pediu o corpo de Jesus. **15:44** Pilatos admirou-se de que ele já estivesse morto. E, chamando o centurião, interrogou-o se ele morrera há muito {tempo}. **15:45** [4]Informado pelo centurião, deu o corpo a José. **15:46** Após comprar lençol de linho fino, tirou-o, envolveu-o com o lençol e o colocou em um sepulcro, que fora escavado na rocha; e rolou uma pedra sobre a porta do sepulcro. **15:47** Maria Magdalena e Maria, {mãe} de José, contemplavam onde ele foi posto.

1. Lit. "preparação". Diz respeito ao dia anterior ao sábado, no qual deveriam ser realizados todos os preparativos para o Shabat, como também para a Páscoa, visto ser proibido realizar qualquer trabalho no sábado.
2. Lit. "nobre, respeitável".

3. Referência ao Sinédrio (Tribunal de Israel). Marcos substitui o nome comum desse Tribunal (Sinédrio) por outra palavra, talvez para facilitar a compreensão dos seus leitores romanos.
4. Lit. "sabendo do centurião".

16

AS MULHERES VISITAM O TÚMULO
(Mt 28:1-10; Lc 24:1-10; Jo 20:1-10)

16:1 Passado[1] o sábado, Maria Magdalena, Maria, {mãe} de Tiago e Salomé compraram aromas[2] para que fossem ungi-lo. **16:2** E [3]muito cedo, no primeiro [4]{dia} da semana, raiando[5] o sol, vêm para o sepulcro. **16:3** E diziam umas às outras: Quem rolará a pedra da porta do sepulcro? **16:4** [6]Voltando a olhar, contemplam que a pedra havia sido rolada, pois era muito grande. **16:5** Depois de entrarem no sepulcro, viram um jovem sentado ao {lado} direito, vestido {com} estola[7] branca, e [8]ficaram pasmas. **16:6** Ele diz a elas: Não fiqueis pasmas! Buscais Jesus, o Nazareno crucificado? Ele ressuscitou, não está aqui; Vede o lugar onde o colocaram! **16:7** Mas, ide! Dizei aos seus discípulos e a Pedro que ele vai adiante de vós para a Galileia; lá o vereis conforme ele vos disse. **16:8** Depois de saírem, fugiram do sepulcro, pois [9]estavam elas com tremor {de medo}[10] e [11]fora de si. E nada disseram a ninguém, pois temiam.

1. Lit. "transcorrer o tempo, passar o tempo".
2. Lit. "aroma, especiaria; planta aromática". Possivelmente, a referência seja a óleos aromatizados, perfumados, mais do que a ervas aromáticas.
3. Lit. "de madrugada/manhã cedo; na última (4ª) vigília da noite". O período entre 18h e 6h da manhã, do dia seguinte, era dividido em quatro vigílias de três horas cada uma (1ª – 18h – 21h; 2ª – 22h – 24h; 3ª – 1h – 3h; 4ª – 4h – 6h). Esta passagem faz referência a algum momento entre 4 – 6h da manhã.
4. Lit. "primeiro {dia} dos sábados". A palavra "sábados" neste versículo é uma tradução do hebraico/aramaico "shabatot" que significa semanas, razão pela qual a tradução pode ser "no primeiro {dia} da semana". É preciso considerar que o "dia" para os hebreus começa no pôr-do-sol (18h), de modo que o primeiro dia da semana inclui a noite de sábado. Nesta passagem, o evangelista, ao que tudo indica, está se referindo ao "entardecer" de uma semana e ao "raiar" de outra semana. Desse modo, o objetivo é fazer referência à manhã de domingo, que representa o raiar do primeiro dia da semana, ou seja, o primeiro amanhecer da semana.
5. Lit. "saiu, pulou para fora". Aplicado ao sol, às estrelas, transmitem a idéia de raiar, despontar.
6. Lit. "levantar os olhos; recobrar a vista, tornar a abrir os olhos". A preposição "aná", prefixada ao verbo "ver", confere-lhe dois sentidos: 1) a direção para onde se esta olhando, no caso para o alto; 2) o sentido de repetição ou retorno da ação, no caso voltar a ver, recobrar a vista, voltar a olhar.
7. Traje longo utilizado pelos sacerdotes, doutores da lei, reis e pessoas distintas.
8. Lit. "surpreender-se (positiva ou negativamente), pasmar-se, ficar atônito".

9. Lit. "tinha elas tremor de medo e fora de si".
10. Lit. "tremor (de medo), calafrio; temor, medo, terror".
11. Lit. "fora de si; êxtase, arroubo; espanto, assombro".

¹ APARIÇÕES DE JESUS
(Mt 28:9-10, 16-20; Lc 24:13-53; Jo 20:11-23; At 1:6-11)

16:9 Levantando-se², ³muito cedo, no primeiro ⁴{dia} da semana, apareceu primeiro para Maria Magdalena, de quem tinha expulsado sete daimones⁵. **16:10** Ela, depois de partir, relatava aos que, aflitos⁶ e chorando, estiveram com ele. **16:11** Eles, ouvindo que vive e foi contemplado por ela, não acreditaram. **16:12** Depois destas {coisas}, a dois deles, que ⁷andavam ao redor, manifestou-se em outra forma, enquanto iam ao campo. **16:13** Eles, após partirem, relataram aos restantes; nem neles acreditaram. **16:14** Por fim, enquanto os doze estavam reclinados⁸, manifestou-se, e censurou⁹ a incredulidade e a dureza de coração deles, porque não acreditaram nos que o contemplaram erguido¹⁰. **16:15** Disse-lhes: Indo ao mundo inteiro, proclamai¹¹ o Evangelho a toda criatura. **16:16** Quem crer e for batizado será salvo, quem não crer será condenado. **16:17** Estes sinais acompanharão os que crerem: expulsarão daimones em meu nome, falarão em novas línguas, **16:18** pegarão¹² serpentes, e se beberem algo mortífero, de modo nenhum lhes fará mal; se impuserem as mãos sobre enfermos¹³, eles ficarão bem. **16:19** Assim, depois de falar a eles, o Senhor Jesus foi elevado ao céu e sentou-se à direita de Deus. **16:20** Eles, após saírem, proclamaram em todo lugar, cooperando com o Senhor, e confirmando a palavra através dos sinais que {a} acompanham.

1. A Crítica Textual contemporânea rejeita esse relato (Mc 16:9-20), como sendo de autoria do Evangelista Marcos.
2. Lit. "erguer-se, levantar-se". Expressão idiomática semítica que faz referência à ressurreição dos mortos. Para expressar a morte e a ressurreição, utilizavam as expressões "deitar-se" (morte) e "levantar-se" (ressurreição).
3. Lit. "de madrugada/manhã cedo; na última (4ª) vigília da noite". O período entre 18h e 6h da manhã, do dia seguinte, era dividido em quatro vigílias de três horas cada uma (1ª – 18h – 21h; 2ª – 22h – 24h; 3ª – 1h – 3h; 4ª – 4h – 6h). Esta passagem faz referência a algum momento entre 4 – 6h da manhã.

4. Lit. "primeiro {dia} do sábado". A palavra "sábado" neste versículo é uma tradução do hebraico/aramaico "shabat" que significa semana/sábado, razão pela qual a tradução pode ser "no primeiro {dia} da semana". É preciso considerar que o "dia" para os hebreus começa no pôr-do-sol (18h), de modo que o primeiro dia da semana inclui a noite de sábado. Nesta passagem, o evangelista, ao que tudo indica, está se referindo ao "entardecer" de uma semana e ao "raiar" de outra semana. Desse modo, o objetivo é fazer referência à manhã de domingo, que representa o raiar do primeiro dia da semana, ou seja, o primeiro amanhecer da semana.
5. Lit. "deus pagão, divindade; gênio, espírito; mau espírito, demônio".
6. Lit. "os que estão aflitos, que lamentam a morte de alguém, que estão de luto". O verbo evoca toda a gama de sentimentos que um doloroso evento ou fato despertam no ser humano, especialmente aquelas emoções decorrentes da morte de alguém próximo, razão pela qual é comumente utilizado para descrever o enlutado.
7. Lit. "andar ao redor; vagar, perambular; circular, passear; viver (seguir um gênero de vida)".
8. As refeições eram consumidas após as pessoas se reclinarem à mesa para comer.
9. Lit. "censurar, exprobrar, reprovar; insultar, injuriar".
10. Lit. "erguer-se, levantar-se". Expressão idiomática semítica que faz referência à ressurreição dos mortos. Para expressar a morte e a ressurreição, utilizavam as expressões "deitar-se" (morte) e "levantar-se" (ressurreição).
11. Lit. "proclamar como arauto, agir como arauto". Sugere a gravidade e a formalidade do ato, bem como a autoridade daquele que anuncia em voz alta e solenemente a mensagem.
12. Lit. "levantar, suster, sustentar alguém/algo a fim de carregar; tirar, remover".
13. Lit. "débil, enfermo, doente".

δέ· ἄνθρωπός τις εἶχεν δύο
πεν ὁ νεώτερος αὐτῶν
ατρί· πάτερ, δός μοι τὸ
λλον μέρος τῆς οὐσίας. ὁ δὲ
ν αὐτοῖς τὸν βίον.
τ' οὐ πολλὰς ἡμέρας
αγὼν πάντα ὁ νεώτερος
πεδήμησεν εἰς χώραν
ὰν καὶ ἐκεῖ διεσκόρπισεν τὴν
ν αὐτοῦ ζῶν ἀσώτως.
νήσαντος δὲ αὐτοῦ πάντα
το λιμὸς ἰσχυρὰ κατὰ τὴν
ν ἐκείνην, καὶ αὐτὸς ἤρξατο
εῖσθαι.
ορευθεὶς ἐκολλήθη ἑνὶ τῶν
ῶν τῆς χώρας ἐκείνης, καὶ
μεν αὐτὸν εἰς τοὺς ἀγροὺς
βόσκειν χοίρους,
εθύμει χορτασθῆναι ἐκ τῶν
ίων ὧν ἤσθιον οἱ χοῖροι, καὶ
 ἐδίδου αὐτῷ.

lucas

υτὸν δὲ ἐλθὼν ἔφη·
μίσθιοι τοῦ πατρός μου

ΚΑΤΑ ΛΟΥΚΑΝ

σεύονται ἄρτων, ἐγὼ δὲ
δε ἀπόλλυμαι.
ὰς πορεύσομαι πρὸς τὸν
α μου καὶ ἐρῶ αὐτῷ· πάτερ,
ον εἰς τὸν οὐρανὸν καὶ
όν σου,
 εἰμὶ ἄξιος κληθῆναι υἱός
τοίησόν με ὡς ἕνα τῶν
ων σου.
αστὰς ἦλθεν πρὸς τὸν
ὰ ἑαυτοῦ. Ἔτι δὲ αὐτοῦ
ν ἀπέχοντος εἶδεν αὐτὸν ὁ
 αὐτοῦ καὶ ἐσπλαγχνίσθη
αμὼν ἐπέπεσεν ἐπὶ τὸν
λον αὐτοῦ καὶ κατεφίλησεν

δὲ ὁ υἱὸς αὐτῷ· πάτερ,
ον εἰς τὸν οὐρανὸν καὶ
όν σου, οὐκέτι εἰμὶ ἄξιος
ναι υἱός σου.
δὲ ὁ πατὴρ πρὸς τοὺς
υς αὐτοῦ· ταχὺ ἐξενέγκατε
ν τὴν πρώτην καὶ ἐνδύσατε
 καὶ δότε δακτύλιον εἰς τὴν
αὐτοῦ καὶ ὑποδήματα εἰς
όδας,
ρετε τὸν μόσχον τὸν
όν, θύσατε, καὶ φαγόντες
νθῶμεν.

PRÓLOGO[1]

1:1 Visto que[2] muitos empreenderam[3] organizar[4] uma narrativa[5] acerca dos fatos que se cumpriram[6] entre nós, **1:2** como nos transmitiram[7] os que, desde o princípio, se tornaram testemunhas oculares[8] e servidores[9] da palavra[10], **1:3** também a mim, tendo investigado[11] tudo acuradamente desde o início[12], pareceu-me {oportuno} escrever-te, em ordem[13], excelentíssimo Teófilo, **1:4** para que confirmes[14] a segurança[15] das [16]palavras a respeito das quais foste instruído[17].

1. O prólogo de Lucas, vazado em estilo clássico, com emprego de vocabulário apurado, inspira-se nos historiadores da época helenística, que costumavam compor uma espécie de intróito para suas obras.

2. ἐπειδήπερ *(epeidéper)* – **visto que, considerando que; desde que, depois que** – *Conj. (1-1)*, formada pela junção de três elementos: conjunção temporal ἐπει **(epei – depois que, quando, então)** + conjunção com sentido conclusivo, adversativo ou aditivo δή **(dé – depois, portanto, por isso; mas, porém, todavia)** + sufixo com valor intensivo e extensivo, fortalecendo a palavra à qual adere περ **(per)**. O vocábulo sugere que Lucas, depois de ter acesso a outras fontes escritas, resolveu produzir seu relato, mesmo não sendo uma testemunha ocular dos fatos. Não há qualquer indicação quanto à identidade desses escritores.

3. ἐπεχείρησαν *(epekheíresan)* – *lit.* **"pôr a mão sobre", pôr mãos (à obra), empreender (um trabalho); tratar de, procurar fazer algo; tentar** – *Verb. Indicativo Aoristo Ativo (1-3)*, formado pela junção da preposição ἐπί **(epí – sobre)** + χείρ **(kheír – mão)**. O verbo permite duas ilações: 1) inúmeras pessoas se lançaram ao trabalho; 2) muitos tentaram (sem êxito). No caso, preferimos traduzir por "empreender", que, de certo modo, deixa em aberto a questão do êxito da empreitada.

4. ἀνατάξασθαι *(anatácsasthai)* – *lit.* **"colocar na ordem certa"; redigir ou compor (ordenadamente), compilar; narrar (por escrito)** – *Verb. Infinitivo Aoristo Médio (1-1)*, composto pela preposição ἀνά **(aná – o contrário; de novo; do início)** + verbo τάσσω **(tásso – arranjar, organizar, colocar em ordem)**. O verbo se encontra na voz média ἀνατάσσομαι **(anatássomai)**, com o sentido de organizar. Na voz ativa ἀνατάσσω **(anatásso)** tem o sentido de desordenar, destruir, abolir. No sistema verbal grego, a voz média é uma derivação da voz ativa, logo o verbo organizar, ordenar deriva do verbo desordenar, decompor. Pode parecer incongruente essa derivação verbal, no exemplo em questão, caso não se tenha em mente que é impossível narrar 'ordenadamente' sem que antes a matéria tenha sido analisada, decomposta, de forma acurada e meticulosa. Sendo assim, é lícito depreender que, antes de organizar sua narrativa, Lucas decompôs todos os elementos, todos os fatos pertinentes ao assunto que pretendia descrever, realizando uma verdadeira análise do material disponível para consulta.

5. διήγησιν *(diégesin)* – **narrativa; descrição, relatório, explicação** – *Sub (1-1)*, derivado do verbo διηγέομαι **(diegéomai – narrar, falar de, explicar, descrever, relatar)** que, por sua vez, é composto pela preposição διά **(diá – quando em composição com outro vocábulo**

expressa a idéia de divisão, distribuição) + verbo ἡγέομαι (egéomai – guiar, conduzir). O emprego deste termo genérico deixa em aberto se aqueles redatores, consultados por Lucas, escreveram evangelhos ou algum outro tipo de narrativa.

6. πεπληροφορημένων (peplerophoreménon) – **cumprir, consumar, concluir, finalizar, findar; realizar, executar; preencher, completar; convencer-se** – *Verb. Particípio Perfeito Passivo Genitivo (1-6)*, **composto pelo adjetivo** πλήρης (pléres – cheio, completo, pleno; íntegro, perfeito) + **verbo** φέρω (féro – levar, trazer, transportar; acontecer, verificar-se). O verbo se encontra na voz passiva do perfeito (tempo verbal grego), indicando que os fatos já estavam consumados no momento da escrita. O vocábulo apresenta acentuado sabor teológico, sugerindo, entre outras coisas, que o propósito Divino se cumpriu na vida e na obra de Jesus; que foi atingida a plenitude dos tempos (mediante o cumprimento das profecias da bíblia hebraica); enfim, a promessa feita aos patriarcas foi cumprida com a vinda do Messias. Muitos estudiosos também vêem nesta expressão uma alusão à "história da salvação", ou, à intervenção do Altíssimo no curso da história humana.

7. παρέδοσαν (parédosan) – **transmitir (ensino oral ou tradição escrita); dar, entregar, confiar (algo à alguém)** – *Verb. Indicativo Aoristo Ativo (17-119)*, **composto pela preposição** παρά **(pará – junto a; para; em) + verbo** δίδωμι **(dídomi – dar; entregar; conceder)**. Lucas utiliza um termo técnico para destacar que sua obra se embasa na tradição, oral e escrita, da comunidade cristã. A primeira etapa da transmissão da vida e do ensino de Jesus foi eminentemente oral. A maioria desse material narrativo se perdeu com o tempo. Parte desta pregação, porém, assumiu formas fixas e padronizadas, à medida que as histórias e os ditos eram narrados. Essa padronização facilitava a retenção do relato na memória do ouvinte e reflete uma prática comum dos rabinos (sábios da Palestina do Séc. I) que tinham o costume de compor seus ensinos em formas propícias à memorização, exigindo que seus alunos as decorassem. A própria composição do Talmud (200d.C a 500d.C) reflete essa prática. Ao longo do desenvolvimento da tradição oral, houve a condensação e concretização desse material memorizado na forma escrita, sendo perfeitamente possível identificar os padrões narrativos (curas, milagres, ditos notáveis, pregação apostólica) no Novo Testamento, trabalho realizado, embora de modo incompleto, pela Crítica das Formas (ramo do estudo bíblico que estudo os padrões narrativos).

8. αὐτόπται (autóptai) – **lit. "testemunha ocular", testemunha direta, alguém que presenciou um fato** – *Sub (1-1)*, **formado pela junção do pronome reflexivo** αὐτός **(autós – o mesmo, o próprio, transmitindo a ideia de ênfase) + verbo** ὁράω **(oráo – ver, observar). O substantivo** ὀπτήρ **(optér – observador, espião) também deriva deste verbo**. A confiança depositada nas testemunhas e em sua probidade era total e irrevogável, no sistema judicial hebreu. Depois que duas testemunhas tivessem prestado depoimento no Tribunal de Israel, e um veredicto final fosse emitido, elas não poderiam voltar atrás em seus depoimentos. Para os rabinos não era possível apresentar uma nova prova contradizendo um depoimento prestado anteriormente, nem mesmo provas circunstanciais mais conclusivas. Por esta razão, as testemunhas deviam se submeter a investigações (***bedicot***) e pesquisas (***chakirot***), detalhadamente descritas na **Mishná**, antes que seu depoimento fosse aceito pelo Tribunal. O Evangelista menciona testemunhas oculares (pessoas que presenciaram os fatos registrados na sua narrativa), por ele consultadas, invocando autoridade, credibilidade e respeito ao seu trabalho. Lucas pode ser considerado um bom historiador, desde que sua obra seja avaliada segundo os critérios estabelecidos para a produção de literatura histórica da sua época. Evidentemente, não escreve como um historiador científico moderno. Os fatos são registrados

com um propósito teológico e religioso, adotando-se, por vezes, formas literárias típicas da época, sobretudo da tradição farisaica.

9. ὑπηρέται (huperétai) – **remador, marinheiro, navegador; servidor; assistente, auxiliar** – Sub (2 -20), **composto pela preposição** ὑπέρ **(hupér – em composição pode indicar ênfase, excesso) + substantivo** ἐρέτης (erétes – remador), que por sua vez deriva do verbo ἐρέσσω (erésso – remar). Trata-se de um humilde servidor, e não de um escravo, já que o indivíduo conserva sua autonomia, sua liberdade. A preposição ὑπέρ **(hupér)** sugere a idéia de alguém que está na fronteira que separa o servidor do servo. Em resumo, a palavra grega indica o servidor, na mais exata acepção do termo. O vocábulo foi empregado, no Novo Testamento, para designar diversos tipos de servidores: os assistentes do Rei, os oficiais do Sinédrio, os assistentes dos Magistrados, as sentinelas do Templo de Jerusalém. Na literatura grega, a palavra é empregada para designar remador, marujo, todos os homens de uma tripulação, soldado da marinha (fuzileiro naval); todo homem sob as ordens de outro, um servidor comum, um servidor que acompanha o soldado de infantaria (na Grécia antiga); ajudante de um general; servidor de Deus. Sendo comum a expressão "Jesus está no leme", seria conveniente acrescentarmos "nós, no remo".

10. λόγου (lógou) – **palavra, verbo, discurso, narrativa; razão, raciocínio, inteligência; conta, cálculo** – Sub (33 -331), **derivado do verbo** λέγω **(légo – narrar, dizer; reunir; contar, enumerar), e possui uma ampla gama de significados.** Lucas utiliza, neste trecho, uma expressão incomum, não encontrada em nenhuma outra passagem do Novo Testamento, cujo significado, inicial, pode ser "homens que pregavam o evangelho". Todavia, não podemos perder de vista que, na obra de Lucas, as expressões "pregar a Palavra" e "pregar a Jesus" se equivalem (Atos 8:4, 9:20, 10:36). Nesse caso, seu emprego do substantivo λόγος **(lógos – palavra, verbo)** se aproxima muito do uso feito por João, no prólogo do seu Evangelho, onde Jesus é considerado a Palavra de Deus. Em respeito ao contexto e às peculiaridades do emprego deste vocábulo pelo Evangelista, optamos por traduzir como "servidores da Palavra". A idéia subjacente é de personificação do λόγος **(lógos – palavra, verbo).** Nos evangelhos, λόγος **(lógos – palavra, verbo)** é visto como o mediador da revelação divina, a palavra encarnada, ou seja, o próprio Jesus Cristo. (Vide nota 4 – João 1:1).

11. παρηκολουθηκότι (parekoluthekóti) – **seguir, acompanhar; seguir de perto, seguir fielmente; investigar; compreender (lit. acompanhar um pensamento)** – Verb. Particípio Perfeito Ativo Dativo (1-4), **composto pela preposição** παρά **(pará – junto a; para; em) + verbo** ἀκολουθέω **(akolouthéo – seguir, acompanhar; imitar).** O vocábulo expressa não apenas a ação de acompanhar fisicamente algo/alguém, mas também o acompanhamento, cuidadoso e atencioso, de um pensamento ou, ainda, a investigação de um fato; condutas que são, em última análise, responsáveis pela compreensão (um dos sentidos do verbo). O verbo permite concluir que Lucas, em determinadas ocasiões, presenciou alguns fatos, noutras, examinou, pessoalmente, lugares, documentos (tradição escrita), mas, sobretudo, ouviu, com atenção e cuidado, o depoimento de testemunhas oculares e servidores do Cristo (tradição oral), entre eles, o Apóstolo Paulo, com quem realizou inúmeras viagens. Em resumo, "seguiu a pista", investigou cuidadosamente.

12. ἄνωθεν (ánothen) – **expressando idéia de lugar: do alto, de cima (especialmente do céu); expressando idéia de tempo: desde o início, desde o princípio (sugerindo o ponto mais alto no tempo); de novo, outra vez; por um longo tempo** – Adv (1 -13), **formada pela junção do advérbio** ἄνω **(áno – para o alto, para cima; sobre, em cima) + sufixo** θεν **(then**

– **indica direção**). A gama de significados deste advérbio exige do tradutor especial atenção para determinar o seu sentido exato em determinado contexto, não obstante seja imperioso reconhecer que, nalguns pontos, a ambiguidade é intencional (do alto X de novo), e parece ter sido explorada com propósitos religiosos, como acontece em **João 3: 3 e 7**. No caso em tela, Lucas revela seu desejo de iniciar a narrativa a partir das origens mais remotas do cristianismo, ou seja, do nascimento do Precursor, seguido do nascimento do próprio Messias.

13. καθεξῆς (kathecses) – **em ordem, ordenadamente; em sequência, um depois do outro (do ponto de vista temporal, espacial ou lógico); em seguida, depois disso** – Adv. (2-5), **composto pela preposição** κατά (katá – em composição indica sucessão e distribuição; realização, efetividade) + advérbio ἑξῆς (hecses – sucessivamente; seguinte). A utilização deste advérbio revela que o Evangelista tinha em mente compor uma narrativa ordenada, não apenas sob o aspecto cronológico, mas, sobretudo, sob o aspecto lógico. Fica evidente, mais uma vez, o propósito religioso do narrador, confessado na parte final desta passagem (Lc.1:4): "...para que confirmes a segurança das palavras...". Desse modo, como salientado por alguns comentaristas, estamos diante de "um arranjo lógico e artístico".

14. ἐπιγνῷς (epignos) – **tornar-se consciente de algo; confirmar, reconhecer; conhecer plenamente, completamente** – Verb. Subjuntivo Aoristo Ativo (7-44), **composto pela preposição** ἐπί (epí – em composição indica além; sobre) + verbo γινώσκω (ginósko – conhecer; reconhecer; aprender; entender). Ao que tudo indica, o evangelista acredita que sua narrativa pormenorizada e organizada forneça elementos para confirmar a veracidade da tradição oral e/ou possibilite um conhecimento abrangente, completo dos fatos. As duas possibilidades estão implícitas no campo semântico do verbo grego. No entanto, o contexto nos levou a optar pela tradução "confirmes", que prioriza o primeiro sentido do vocábulo (confirmar, reconhecer).

15. ἀσφάλειαν (aspháleian) – **segurança, firmeza, solidez; certeza, veracidade** – Sub (1-3), derivado do adjetivo ἀσφαλής (asphalés – firme, seguro; que não cai; que não vacila) que por sua vez deriva do verbo σφάλλω (sphállo – fazer escorregar, fazer cair) + prefixo de negação ἀ (a – negação). A autenticidade da tradição bíblica apoiava-se sobre a confiança depositada na palavra daqueles que eram os responsáveis pela transmissão oral. Os sábios de Israel emprestavam caráter sagrado às palavras de um homem, tanto que os Tribunais Judaicos não exigiam juramento das testemunhas: a palavra era evidência suficiente para o Tribunal. Por esta razão, as interpretações da bíblia somente eram confiáveis quando fosse possível remontá-las a uma geração de sábios responsáveis pela sua transmissão ao longo do tempo. Talvez seja esta a razão de Lucas ter mencionado sua consulta às testemunhas oculares, ou seja, provavelmente, sua intenção era demonstrar a seriedade do seu trabalho, deixando claro que recorreu a fontes (testemunhas) que gozavam de respeito e confiabilidade naqueles primeiros dias da comunidade cristã.

16. Nesta oração, a expressão: **"palavras a respeito das quais foste instruído"** reflete um semitismo, que poderia ser substituído por **"ensinos a respeito dos quais foste instruído"**, mas, nesse caso, se perderia uma nuance importante da afirmativa: trata-se de ensino oral, de palavras.

17. κατηχήθης (katekhéthes) – **lit. "fazer ecoar no ouvido", instruir de viva voz; ensinar, instruir, catequizar** – Verb. Indicativo Aoristo Passivo (1-8), **composto pela preposição** κατά (katá – que pode indicar "do alto para baixo", quando em composição com um verbo)

+ verbo ηχέω (ekhéo – ecoar, ribombar, ressoar), expressando a ideia de uma voz que, ressoando, desce da boca do transmissor para o ouvido do receptor. O Evangelista, neste trecho, revela o processo de transmissão do ensino cristão nos primeiros tempos, confirmando a importância da tradição oral na Palestina do primeiro século. No mundo antigo, quase toda leitura, pública ou privada, era feita em voz alta, ou seja, os textos eram frequentemente convertidos para o modo oral. Em decorrência disso, os autores antigos escreviam tanto para o ouvido quanto para os olhos. Naqueles tempos a palavra falada reinava soberana, ao passo que o texto ocupava papel secundário. Platão menciona em sua obra (Fedro, 274c – 275) a advertência de Sócrates contra a substituição das tradições orais pela palavra escrita, porque as pessoas deixariam de usar a memória. Nesse contexto, não é difícil entender que, para os hebreus, as escrituras eram palavras, frases ditadas pelo Todo-Poderoso ao profeta, no monte Sinai. Moisés, por sua vez, após escutar todas as instruções, foi incumbido de registrá-las. A porção ditada era conhecida como Torah Oral, enquanto o registro em Pergaminho (rolo) era conhecido como Torah Escrita (Pentateuco).

LUCAS
1

ANÚNCIO DO NASCIMENTO DE JOÃO BATISTA

1:5 Nos tempos de Herodes, Rei da Judeia, houve um sacerdote chamado Zacarias, do turno de Abias, e sua mulher, descendente de Aarão, que se chamava Elisabet. **1:6** Ambos eram justos perante Deus e, de modo irrepreensível, observavam os preceitos e mandamentos do Senhor. **1:7** Não tinham filhos, porque Elisabet era estéril e ambos de idade avançada. **1:8** E aconteceu que, enquanto exercia o ofício de sacerdote perante Deus, na ordem do seu turno, **1:9** foi sorteado, segundo o costume sacerdotal, para queimar a oferta do incenso, ao entrar no Santuário do Senhor. **1:10** A assembléia do povo, na hora da oferta do incenso, aguardava do lado de fora, orando. **1:11** Apareceu-lhe, então, um anjo do Senhor, de pé, à direita do altar do incenso. **1:12** Vendo-o, Zacarias perturbou-se, e caiu temor sobre ele. **1:13** Disse-lhe, porém, o anjo: Zacarias, não temas, porque a tua súplica foi ouvida, e Elisabet, tua mulher, te gerará um filho, a quem darás o nome de João. **1:14** Terás alegria e regozijo, muitos também se alegrarão pelo nascimento dele. **1:15** Pois ele será grande diante do Senhor, não beberá vinho nem bebida embriagante, e estará cheio do Espírito Santo ainda no ventre de sua mãe. **1:16** Fará retornar muitos dos filhos de Israel ao Senhor, o Deus deles. **1:17** E irá adiante dEle, no espírito e no poder de Elias, para fazer retornar os corações dos pais aos filhos, e os desobedientes à prudência dos justos, para preparar ao Senhor um povo preparado. **1:18** Disse Zacarias ao anjo: Como posso ter certeza disso? Pois estou velho e minha mulher é de idade avançada. **1:19** Respondeu-lhe o anjo: Eu sou Gabriel, o que permanece diante de Deus, e fui enviado para falar-te, bem como para anunciar-te essas coisas. **1:20** Eis que ficarás mudo[1] e sem poder falar até o dia em que isso acontecer, porquanto não creste nas minhas palavras, que se cumprirão no tempo oportuno. **1:21** O povo esperava por Zacarias e admirava-se da sua demora no Santuário. **1:22** Quando saiu, não lhes podia falar, e compreenderam que tivera uma visão no Santuário. Acenava-lhes, mas permanecia mudo. **1:23** E aconteceu que, completados os dias da sua liturgia, voltou para sua casa. **1:24** Depois daqueles dias, Elisabet, sua mulher, concebeu e ocultou-se por cinco meses, dizendo: **1:25** Assim tratou-me o Senhor, quando me contemplou para anular minha desonra perante os homens.

1. Frequentemente a surdez acompanha a mudez. A palavra grega Kôphos pode significar surdo (Lc 7:22) ou mudo (Lc 11:14).

ANÚNCIO DO NASCIMENTO DE JESUS

1:26 No sexto mês, o anjo Gabriel foi enviado por Deus a uma cidade da Galileia, chamada Nazaré, **1:27** a uma virgem, prometida em casamento a um homem chamado José, da casa de Davi; o nome da virgem era Maria. **1:28** Dirigindo-se a ela, disse: Alegra-te, agraciada, o Senhor está contigo. **1:29** Ela perturbou-se intensamente com a fala, e ponderava que espécie de saudação seria essa. **1:30** Disse-lhe, porém, o Anjo: Não temas, Maria, pois encontraste graça junto de Deus. **1:31** Eis que conceberás no ventre e darás à luz um filho, a quem chamarás pelo nome de Jesus **1:32** Ele será grande, será chamado Filho do Altíssimo e o Senhor Deus lhe dará o trono de Davi, seu pai; **1:33** reinará na casa de Jacó para sempre e o seu reinado não terá fim. **1:34** Maria, porém, disse ao anjo: Como será isto, visto que não conheço homem? **1:35** Em resposta, o anjo lhe disse: o Espírito Santo virá sobre ti, e o poder do Altíssimo te cobrirá com sua sombra; por isso o santo, que está sendo gerado, será chamado Filho de Deus. **1:36** Vê Elisabet, tua parenta. Ela também concebeu um filho na sua velhice, e este é o sexto mês para a chamada estéril, **1:37** porque nenhuma palavra será impossível para Deus. **1:38** Disse Maria: Eis a serva do Senhor, suceda comigo segundo a tua palavra. E o anjo afastou-se dela.

VISITA DE MARIA A ELISABET

1:39 Naqueles dias, levantando-se Maria, dirigiu-se apressadamente para a região montanhosa, a uma cidade da Judeia, **1:40** entrou na casa de Zacarias e saudou Elisabet. **1:41** Aconteceu que, ao ouvir Elisabet a saudação de Maria, o nascituro saltou no seu ventre, e Elisabet encheu-se do Espírito Santo **1:42** e exclamou, em grande brado, dizendo: Bendita és tu entre as mulheres e bendito o fruto do teu ventre! **1:43** E o que se passa para que me visite a mãe do meu Senhor? **1:44** Pois, assim que chegou aos meus ouvidos a voz da tua saudação, saltou de alegria o nascituro no meu ventre. **1:45** Bem-aventurada a que creu, pois hão de cumprir-se as coisas que lhe foram ditas da parte do Senhor.

CÂNTICO DE MARIA

1:46 Disse, então, Maria: Minha alma enaltece o Senhor. **1:47** Meu espírito exulta em Deus, meu Salvador, **1:48** porque atentou na condição humilde da sua serva. Assim, a partir de agora, todas as gerações me proclamarão bem-aventurada, **1:49** porque o Todo-Poderoso fez por mim grandes coisas; o seu Nome é santo. **1:50** A sua misericórdia se estende, de geração em geração, aos que o temem. **1:51** Agiu com a força do seu braço, dispersou soberbos de coração[1]. **1:52** Derrubou do trono os poderosos e elevou os de condição humilde. **1:53** Cumulou de bens os famintos e despediu os ricos de mãos vazias. **1:54** Socorreu Israel, seu filho, para lembrar-se da misericórdia **1:55** em favor de Abraão e de sua semente, para sempre, como disse aos nossos pais. **1:56** Maria permaneceu com ela cerca de três meses e retornou para sua casa.

LUCAS 1

1. Literalmente: "pelo pensamento (modo de pensar) dos seus corações". Toda a expressão idiomática específica, detalha o adjetivo "soberbo".

NASCIMENTO DE JOÃO BATISTA

1:57 Completou-se para Elisabete o tempo de parir, e deu à luz um filho. **1:58** Os seus vizinhos[1] e parentes ouviram dizer que o Senhor aumentou sua misericórdia em favor dela, e se alegraram com ela. **1:59** Aconteceu que, no oitavo dia, vieram circuncidar a criança, porém o chamavam pelo nome do pai, Zacarias, **1:60** mas a mãe, tomando a palavra, disse: Não, pelo contrário, ele se chamará João. **1:61** Disseram-lhe: Não há ninguém em tua parentela que tenha este nome. **1:62** Assim, por meio de sinais, perguntavam ao pai como queria que ele se chamasse. **1:63** Pedindo uma tabuinha, ele escreveu: "João é seu nome"; e todos se admiraram. **1:64** No mesmo instante, sua boca se abriu como também sua língua, e falava bendizendo a Deus. **1:65** E o temor apoderou-se de todos os seus vizinhos[2], e em toda região montanhosa da Judeia comentava-se o acontecido[3]. **1:66** Todos os que ouviram guardaram {aquelas palavras} em seus corações, dizendo: *Que vai ser esta criança?* Visto que a mão do Senhor estava com ele.

1. Lit. "os que habitam nas redondezas, ou, no perímetro".
2. Lit. "os que habitam em derredor deles". Trata-se de típica construção do grego utilizando o particípio substantivo.
3. Lit. "todas estas coisas/palavras". Típica construção da língua grega utilizando um sintagma nominal formado pela justaposição de palavras declinadas no gênero neutro.

CÂNTICO DE ZACARIAS

1:67 Zacarias, seu pai, ficou repleto[1] do Espírito Santo e profetizou, dizendo: **1:68** Bendito o Senhor, Deus de Israel, porque visitou[2] e resgatou[3] seu povo. **1:69** Suscitou-nos uma força de salvação na casa de Davi, seu filho, **1:70** como proclamou, desde tempos remotos, pela boca dos seus santos Profetas, **1:71** salvação das mãos de nossos inimigos e de todos os que nos odeiam, **1:72** para exercer misericórdia com nossos pais, e lembrar-se da sua santa aliança[4], **1:73** bem como do juramento feito a Abraão, nosso pai, de nos conceder, **1:74** após ter-nos arrancado das mãos dos nossos inimigos, cultuá-lo[5] sem temor, **1:75** em santidade e justiça, na sua presença, todos os nossos dias. **1:76** E tu, menino, serás chamado profeta do Altíssimo, pois caminharás à frente do Senhor, preparando-lhe os caminhos, **1:77** para dar ao seu povo o conhecimento da salvação, por meio do perdão de seus pecados. **1:78** Por causa das entranhas de misericórdia do nosso Deus, nos visitará do alto um alvorecer[6], **1:79** iluminando os que habitam na treva e na sombra da morte, a fim de guiar nossos pés no caminho da paz. **1:80** E a criança crescia e se fortalecia em espírito, permanecendo no deserto até o dia da sua apresentação a Israel.

1. Lit. "foi enchido/preenchido pelo Espírito Santo". Ao utilizar o Aoristo Passivo, no lugar do Perfeito, o redator pretende enfatizar ação do preenchimento, não o resultado do processo. No entanto, preservar essa sutileza na tradução implicaria adoção de uma forma extremamente literal, pouco comum na língua portuguesa.
2. Lit. "escolher, selecionar com base em investigação cuidadosa (sentido estrito); observar, inspecionar; visitar (para confortar)".
3. Lit. "fez o resgate/pagou o resgate", no sentido de remissão, resgate, libertação, redenção. Vide nota da TEB, p.1970, letra "u".
4. Lit. "testamento, disposição de última vontade (sentido jurídico relacionado ao direito sucessório); contrato, ajuste, tratado, acordo, convenção (sentido jurídico ligado ao aspecto contratual); aliança, pacto (sentido típico da Literatura Bíblica)".
5. Lit. "servir, executando deveres religiosos, sobretudo os ligados ao culto". Trata-se dos serviços do culto, das "obras da lei".
6. Lit. "alvorecer do alto", no sentido de "despontar de uma estrela". O termo também significa "brotar, despontar (planta)", razão pela qual era associado a profecias sobre o Messias (Jr 23:5; Zc 3:8, 6:12). Vide nota da TEB, p.1971, letra "h".

2 NASCIMENTO DE JESUS (Mt 1:18-25)

2:1 E sucedeu que, naqueles dias, expediu-se um decreto de César Augusto para que toda terra habitada se registrasse. **2:2** Esse censo foi anterior ao que ocorreu quando Quirino governava a Síria. **2:3** E todos iam registrar-se, cada um em sua própria cidade. **2:4** José também subiu de Nazaré, na Galileia, à cidade de David, que se chama Belém, na Judeia, por ser da casa e da pátria de David, **2:5** a fim de registrar-se com Maria, sua esposa, que estava grávida. **2:6** Enquanto estavam lá[1], completaram-se os dias para o parto[2]. **2:7** E ela deu à luz seu filho primogênito, enfaixou-o, deitou-o na manjedoura, porque não havia lugar para eles na sala de hóspedes.

1. Lit. "Aconteceu que estando eles lá".
2. Lit. "de ela parir".

LOUVOR DOS ANJOS E TESTEMUNHO DOS PASTORES

2:8 Na mesma região havia pastores que pernoitavam[1] no campo e realizavam[2] a vigília noturna do seu rebanho. **2:9** E se aproximou[3] um anjo do Senhor, a glória do Senhor iluminou ao redor deles, e [4]encheram-se de grande temor. **2:10** Disse-lhes, porém, o anjo: Não tenhais medo! Eis que vos trago[5] boas-novas de grande alegria, que será de todo o povo, **2:11** porque nasceu para vós, hoje, um salvador, que é o Cristo Senhor, na cidade de Davi. **2:12** Este é o sinal para vós: encontrareis um recém-nascido enfaixado e deitado numa manjedoura. **2:13** E de repente, juntou-se ao anjo uma multidão do exército do céu, louvando a Deus e dizendo: **2:14** Glória a Deus nas alturas, paz sobre a terra, boa vontade para com os homens. **2:15** Ora, quando os anjos se afastaram deles, em direção ao céu, os pastores disseram entre si: Percorramos até Belém e vejamos [6]este acontecimento que o Senhor nos deu a conhecer. **2:16** Foram, apressados, e finalmente encontraram não só Maria, mas também José e o recém-nascido, deitado na manjedoura. **2:17** Após terem visto, divulgaram [7]o que lhes fora dito a respeito da criança. **2:18** E todos os que ouviram admiraram-se com o que lhes disseram os pastores. **2:19** Maria, contudo, [8]guardava todas estas coisas, refletindo em seu coração. **2:20** E os pastores retornaram, glorificando e louvando a Deus por tudo quanto tinham ouvido e visto, conforme lhes fora dito.

1. "residir temporariamente ou passar a noite no campo" (Le Grand Baily, p.16).
2. Lit. "guardavam a guarda da noite sobre o rebanho deles".
3. Lit. "pôr/colocar sobre/próximo de, estar/permanecer ao lado/próximo de".
4. Lit. "temeram grande temor". Trata-se do acusativo de objeto interno.
5. Lit. "evangelizo grande alegria"
6. Lit. "esta palavra ocorrida".
7. Lit. "a respeito da palavra que lhes foi falada sobre esta criança"
8. Lit. "guardava junto todas estas palavras".

APRESENTAÇÃO DE JESUS NO TEMPLO

2:21 Quando se completaram os oito dias para circuncidá-lo, [1]foi-lhe dado o nome de Jesus, conforme fora chamado pelo anjo, antes de [2]ser concebido no ventre. **2:22** Quando se completaram os dias [3]para a purificação deles, segundo a Lei de Moisés, conduziram-no para Jerusalém, a fim de se apresentar ao Senhor, **2:23** – segundo o que está escrito na Lei do Senhor: [4]*Todo macho que abre o útero será chamado "santo para o Senhor"*, **2:24** e para oferecer sacrifício, segundo o que está dito na Lei do Senhor: *um par de rolas ou dois filhotes de pombas.*

1. Lit. "foi chamado o nome dele Jesus".
2. Lit. "da apreensão dele no ventre".
3. Lit. "da purificação deles". Trata-se da purificação da mãe e da consagração do primogênito (Pastorino, Vol 1, p.77).
4. Lit. "Todo macho que abre o útero será chamado santo para o Senhor" (Lv 5:7).

CÂNTICO DE SIMEÃO E TESTEMUNHO DE ANA

2:25 E havia em Jerusalém um homem chamado Simeão; este homem, justo e piedoso, aguardava a consolação de Israel, e o Espírito Santo estava sobre ele. **2:26** Fora-lhe revelado pelo Espírito Santo que não morreria[1] sem antes ter visto o Cristo do Senhor. **2:27** Assim, foi ao templo [2]com o espírito; e quando os genitores trouxeram o menino Jesus para procederem em relação a ele segundo o costume da lei, **2:28** ele mesmo, então, o tomou nos seus braços, louvou a Deus e disse: **2:29** Agora, Soberano, despedes em paz teu servo, segundo a tua palavra, **2:30** porque os meus olhos viram a tua salvação, **2:31** que preparaste diante da face de todos os povos, **2:32** luz para revelação aos gentios e glória do teu povo, Israel. **2:33** Seu pai e sua mãe estavam admirados sobre o que era dito a respeito dele. **2:34** E Simeão abençoou-os e disse a Maria, sua mãe: "Eis que este {menino} foi posto para queda e soerguimento de muitos em Israel, e para ser um sinal contestado – **2:35** e uma espada transpassará tua própria alma – para que sejam revelados os pensamentos de muitos corações". **2:36** Havia também a profetisa Ana, filha de Fanuel, da tribo de Aser, de idade avançada[3] – tendo vivido sete anos com o marido, desde a sua virgindade, **2:37** manteve-se viúva até os oitenta e quatro anos – que não se afastava do Templo, servindo[4] noite e dia, em jejuns e orações. **2:38** Tendo chegado na mesma hora, ela agradecia a Deus e falava a respeito do menino[5] a todos os que aguardavam o resgate de Jerusalém.

1. Lit. "não veria a morte".
2. Lit. "no espírito". A preposição "en" com dativo expressando um semitismo.
3. Lit. "avançada (avançar, ir adiante) em muitos dias".
4. Lit. "servir, executando deveres religiosos, sobretudo os ligados ao culto". Trata-se dos serviços do culto, das "obras da lei".
5. Lit. "dele". Acrescentamos a expressão "do menino" para evitar ambiguidade.

RETORNO A NAZARÉ

2:39 Assim que se consumaram[1] [2]todas as coisas estabelecidas na lei do Senhor, retornaram à Galileia, para a cidade deles, Nazaré. **2:40** A criança crescia e se fortalecia, enchendo-se de sabedoria; e a graça de Deus estava sobre ela.

1. Lit. "terminar, acabar, consumar; completar, chegar ao fim (atingir a finalidade)".
2. Lit. "as (coisas) segundo a lei do Senhor"

JESUS NO TEMPLO – PRIMEIRA PÁSCOA

2:41 Ora, seus genitores dirigiam-se a Jerusalém, anualmente, para a festa da Páscoa. **2:42** Quando completou doze anos, eles subiram {para Jerusalém}, segundo o costume da festa, **2:43** porém, terminados os dias, ao regressarem, permaneceu o menino Jesus em Jerusalém, sem que o soubessem seus genitores. **2:44** Todavia, supondo que ele estivesse na caravana de viajores, [1]percorreram o caminho de um dia; e novamente o procuraram entre os parentes e conhecidos. **2:45** Não o encontrando, regressaram a Jerusalém, procurando-o novamente. **2:46** Decorridos[2] três dias, eles o encontraram no Templo, sentando em meio aos mestres, ouvindo-os e interrogando-os; **2:47** e todos os que o ouviam espantavam-se[3] com a sua compreensão e com suas respostas. **2:48** Ao vê-lo, surpreenderam-se, e sua mãe lhe perguntou: Filho, por que agiste assim conosco? Eis que teu pai e eu, aflitos, te procurávamos. **2:49** Ele lhes respondeu: Por que me procuravam? Não sabiam que [4]eu preciso estar nas coisas de meu Pai? **2:50** Eles, porém, não compreenderam as palavras que ele lhes dissera. **2:51** Então, desceu com eles, indo para Nazaré e [5]submetendo-se a eles. Sua mãe, porém, [6]guardava todas essas coisas em seu coração. **2:52** Jesus progredia em sabedoria, em estatura e em graça, junto a Deus e aos homens.

1. Lit. "foram o caminho de um dia".
2. Lit. "Aconteceu que após três dias"

LUCAS 2

3. Lit. "ficavam fora de si (ficar fora de si)".
4. Lit. "nas coisas do meu Pai é preciso estar eu". A tradução precisa conservar o tom enigmático da resposta, caso contrário, não fará sentido a afirmação de que os genitores de Jesus não compreenderam suas palavras.
5. Lit. "estava submetendo-se a eles".
6. Lit. "guardava cuidadosamente todas as palavras".

MINISTÉRIO DO PRECURSOR (Mt 3:1-6; Mc 1:1-6) 3

3:1 No ano décimo quinto do império de Tibério César, quando Pôncio Pilatos governava a Judeia, Herodes era tetrarca da Galileia, Filipe, seu irmão, tetrarca da região da Itureia e da Traconites, e Lisânias tetrarca de Abilene; **3:2** [1]durante o sumo-sacerdócio de Anás e Caifás, veio a palavra de Deus sobre João, filho de Zacarias, no deserto. **3:3** E toda a circunvizinhança do Jordão veio até ele, [2]enquanto anunciava o mergulho[3] do arrependimento[4] para perdão[5] dos pecados, **3:4** como está escrito no livro do profeta Isaías, [6]que diz: *Voz que clama no deserto: Preparai o caminho do Senhor, tornai retas suas sendas.* **3:5** Todo vale será elevado, todo monte e colina rebaixados, as {vias} tortuosas se tornarão retas, as acidentadas se tornarão caminhos planos. **3:6** E toda carne verá a salvação de Deus.

1. Lit. "sobre o sumo-sacerdócio de Anás e Caifás". Construção com Genitivo Absoluto.
2. Lit. "Anunciando o batismo". Trata-se de um particípio usado adverbialmente. Vide CNT 2784, 2782, p.2793.
3. Lit. "lavar, imergir, mergulhar". Posteriormente, a Igreja conferiu ao termo uma nuance técnica e teológica para expressar o sacramento do batismo.
4. Lit. "mudança de mente, de opinião, de sentimentos, de vida".
5. Lit. "perdão (pecado, ofensa, mal); remissão (dívida, pena); libertação (escravidão, prisão); liberação (permitir a saída)".
6. Lit. "dizendo".

O ENSINO DE JOÃO BATISTA (Mt 3:7-10)

3:7 Assim dizia às multidões que afluíam para serem batizadas por ele: Raça de víboras, quem vos ensinou[1] a fugir da ira vindoura? **3:8** Produzi, portanto, frutos dignos do arrependimento[2], e não comeceis a dizer entre vós: "Temos por pai a Abraão", pois eu vos digo que mesmo destas pedras pode Deus levantar[3] filhos para Abraão. **3:9** O machado já está colocado junto à raiz das árvores, pois toda árvore que não produz bom fruto é cortada e lançada ao fogo. **3:10** E as multidões o interrogavam, dizendo: Então, que faremos? **3:11** Em resposta, ele lhes disse: Aquele que possui duas túnicas reparta com quem não tem, e quem possui comida faça o mesmo. **3:12** Publicanos também vieram para ser batizados, e disseram-lhe: Mestre, que faremos? **3:13** Disse-lhes: [4]Não deveis exigir nada além do que vos foi prescrito. **3:14** Os soldados, da mesma forma, lhe perguntavam: E nós, que faremos? Disse-lhes: Não [5]pratiquem extorsão nem [6]acusem ninguém falsamente; contentai-vos com vosso soldo.

1. Lit. "demonstrar com gestos, traçando, apontando, indicando".
2. Lit. "mudança de mente, de opinião, de sentimentos, de vida";
3. Lit. "levantar, erguer"; acordar, despertar
4. Lit. "Não mais, além do que vos foi ordenado praticar (observar)".
5. Lit. "sacudir violentamente, agitar, abalar"; extorquir, espoliar, roubar.
6. Lit. "acusar falsamente; extorquir mediante chantagem".

DESCRIÇÃO DO CRISTO (Mc 1:7-8, Mt 3:11-12; Jo 1:24-26)

3:15 Como o povo estivesse na expectativa e todos cogitassem em seus corações se João, porventura, não seria o Cristo, **3:16** João respondeu a todos, dizendo: *Eu vos mergulho[1] na água, mas vem aquele que é mais forte do que eu, do qual não sou digno de desatar a correia das sandálias. Ele vos mergulhará no Espírito Santo e no fogo.* **3:17** *A pá[2] está na sua mão para limpar sua eira[3] e recolher o trigo no seu celeiro, todavia queimará a palha com fogo inextinguível.* **3:18** Exortando também {com} muitas outras {palavras}, evangelizava[4] o povo.

1. Lit. "lavar, imergir, mergulhar". Posteriormente, a Igreja conferiu ao termo uma nuance técnica e teológica para expressar o sacramento do batismo.
2. Pá, em forma de garfo, utilizada para joeirar, ou seja, jogar o grão malhado contra o vento.
3. Local utilizado para debulhar, trilhar, secar e limpar cereais e legumes. No caso de grãos, local onde é realizada a seleção posterior à colheita, sobretudo para eliminação da palha.
4. Lit. "evangelizar, anunciar boas novas, dar boas notícias". O verbo significa, originalmente, anunciar as boas novas, dar uma boa notícia.

JOÃO MERGULHA JESUS NO JORDÃO (Mt 3:13-17; Mc 1:9-11)

3:19 Herodes, o tetrarca, sendo repreendido[1] por ele {João Batista}, a respeito de Herodias, mulher de seu irmão, bem como a respeito de todas {as coisas} que Herodes fizera de mau[2], **3:20** acrescentou também isto a todas {aquelas coisas}, e encerrou[3] João na prisão. **3:21** E aconteceu que, ao ser batizado todo o povo e depois de Jesus ter sido batizado, enquanto ele orava, ao se abrir o céu **3:22** e descer sobre ele o Espírito Santo, em forma corpórea, como pomba, surgiu uma voz do céu: *Tu és o meu filho amado, em quem me comprazo.*

1. Lit. "pôr à prova, testar, arguir; culpar, condenar; reprovar, repreender; disciplinar, castigar".
2. Lit. "mal; mau, malvado, malevolente; maligno, malfeitor, perverso; criminoso, ímpio". No grego clássico, a expressão significava "sobrecarregado", "cheio de sofrimento", "desafortunado", "miserável", "indigno", como também "mau", "causador de infortúnio", "perigoso". No Novo Testamento refere-se tanto ao "mal" quanto ao "malvado", "mau", "maligno", sendo que em alguns casos substitui a palavra hebraica "satanás" (adversário).
3. Lit. "encerrar, aprisionar, confinar; atar, encadear; fechar, terminar; obrigar".

OS ASCENDENTES DE JESUS (Mt 1:1-17)

3:23 Jesus, quando começou, tinha cerca de trinta anos, e era, como se supunha, filho de José, de Eli, **3:24** de Matate, de Levi, de Melqui, de Janai, de José, **3:25** de Matatias, de Amós, de Naum, de Esli, de Nagai, **3:26** de Maate, de Matatias, de Semei, de José, de Jodá, **3:27** de Joanã, de Resa, de Zorobabel, de Salatiel, de Neri, **3:28** de Melqui, de Adi, de Cosã, de Elmadã, de Er, **3:29** de Josué, de Eliézer, de Jorim, de Matate, de Levi, **3:30** de Simeão, de Judá, de José, de Jonã, de Eliaquim, **3:31** de Meleá, de Mená, de Matatá, de Natã, de Davi **3:32** de Jessé, de Obede, de Boaz, de Salá, de Naassom, **3:33** de Aminadabe, de Admim, de Arni, de Esrom, de Perez, de Judá, **3:34** de Jacó, de Isaque, de Abraão, de Tera, de Naor, **3:35** de Serugue, de Regaú, de Faleque, de Éber, de Salá, **3:36** de Cainã, de Arfaxade, de Sem, de Noé, de Lameque, **3:37** de Metusalém, de Enoque, de Jarede, de Maalalel, de Cainã, **3:38** de Enos, de Sete, de Adão, de Deus.

4 A TENTAÇÃO NO DESERTO (Mt 4:1-11; Mc 1:12-13)

4:1 Jesus, cheio do Espírito Santo, retornou do Jordão e era conduzido pelo espírito ao deserto, **4:2** sendo tentado[1] pelo diabo[2] {por} quarenta dias. Não comeu nada naqueles dias e, quando se completaram[3], teve fome. **4:3** Disse-lhe o diabo: Se és filho de Deus, dize a esta pedra que se torne pão. **4:4** Jesus respondeu a ele: Está escrito: *Não somente de pão viverá o homem, mas de toda palavra que sai da boca de Deus*[4]. **4:5** Após [5]conduzi-lo {para o alto}, mostrou-lhe todos os reinos do [6]mundo habitado, num [7]instante[8] de tempo. **4:6** Disse-lhe o diabo: Eu te darei toda esta autoridade e a glória deles – porque a mim foi entregue e a dou a quem eu quiser –. **4:7** Portanto, se tu me adorares[9] na minha presença[10], tudo será teu. **4:8** Em resposta, disse-lhe Jesus: Está escrito: *Adorarás o Senhor, teu Deus, e somente a ele* [11]*prestarás culto*[12]. **4:9** Ele o levou a Jerusalém, o colocou sobre o pináculo[13] do templo, e lhe disse: Se és filho de Deus, lança-te daqui para baixo, **4:10** pois está escrito: *Ele dará ordens aos seus anjos a teu respeito, para te guardar* **4:11** *e sobre as mãos irão te suster*[14], *para que não* [15]*tropeces em nenhuma pedra*[16]. **4:12** Em resposta, disse-lhe Jesus: Está dito: *Não tentarás*[17] *ao Senhor teu Deus*[18]. **4:13** Após terminar[19] toda a tentação, o diabo afastou-se dele até o [20]momento {oportuno}.

1. Lit. "colocar à prova, testar".
2. Aquele que desune (inspirando ódio, inveja, orgulho); caluniador, maledicente. Vocábulo derivado do verbo "diaballo" (separar, desunir; atacar, acusar; caluniar; enganar), do qual deriva também o substantivo "diabolé" (desavença, inimizade; aversão, repugnância; acusação; calúnia).
3. Lit. "ato ou efeito de completar, terminar; consumação, término".
4. (Dt 8:3).
5. Lit. "conduzir para o alto, para cima; fazer subir; elevar, levantar".
6. Lit. "terra habitável, mundo habitado". No grego clássico, essa expressão era utilizada para se referir ao "mundo grego" em oposição à terra dos bárbaros.
7. Lit. "ponto de tempo". Expressão idiomática que indica a **simultaneidade** e a **rapidez** com que os quadros foram apresentados, podendo ser substituída por "num relance", "num piscar de olhos".
8. Lit. "ponto; ponto do tempo, momento, instante".
9. Lit. "adorar, prestar culto caindo de joelhos".
10. Lit. "na minha face; diante de mim, na minha presença".
11. Lit. "servir, executando deveres religiosos, sobretudo os ligados ao culto". Trata-se dos serviços do culto, das "obras da lei".

12. (Dt 6:13).
13. Lit. "asinha". Diminutivo de "asa", indicando a ponta ou extremidade, o cume, o ponto mais alto.
14. Lit. "levantar, suster, sustentar alguém/algo a fim de carregar; tirar, remover".
15. Lit. "bata contra uma pedra teu pé".
16. (Sl 91:11-12).
17. Lit. "colocar à prova, testar".
18. (Dt 6:16).
19. Lit. "ato ou efeito de completar, terminar; consumação, término".
20. Lit. "um ponto no tempo, um período de tempo; tempo fixo, definido; oportunidade".

INÍCIO DA PROCLAMAÇÃO DO REINO PELA GALILEIA
(Mt 4:12-17; Mc 1:14-15)

4:14 Jesus, em poder do espírito, retornou à Galileia. E a notícia[1] a respeito dele se espalhou[2] por toda circunvizinhança[3]. **4:15** Ele ensinava na sinagoga deles, sendo glorificado por todos.

1. Lit. "notícia, relato, declaração; rumor; fama".
2. Lit. "saiu". Trata-se de expressão idiomática semítica que confere vida a objetos, coisas, entidades inanimadas. No caso, ao dizer que "a notícia saiu", o objetivo é narrar que a notícia se espalhou, mas como um tom semítico peculiar.
3. Lit. "circunvizinhança, arredores, região".

VISITA A NAZARÉ (Mt 13:53-58; Mc 6:1-6)

4:16 Dirigiu-se a Nazaré, onde fora criado[1], e entrou na sinagoga, [2]num dia de sábado, segundo seu costume; e levantou-se para ler. **4:17** Foi dado a ele o livro do Profeta Isaías; ao abrir o livro, encontrou o lugar onde estava escrito: **4:18** *O espírito do Senhor {está} sobre mim, por causa disto me ungiu para evangelizar[3] aos pobres; enviando-me para proclamar[4] libertação[5] aos cativos[6], [7]recuperação da visão aos cegos; para [8]pôr em liberdade os oprimidos[9]* **4:19** *e proclamar um [10]ano aprovado[11] {por parte} do Senhor.* **4:20** Depois de enrolar[12] o livro e devolvê-lo ao servidor[13], sentou-se. Todos os olhos na sinagoga estavam fixos[14] nele. **4:21**

LUCAS
4

Começou a dizer para eles: Hoje se cumpriu[15] esta escritura em vossos ouvidos. **4:22** E todos testemunhavam a ele e se maravilhavam das palavras de graça que saem da sua boca, e diziam: Não é este o filho de José? **4:23** Disse a eles: [16]Sem dúvida, me direis esta parábola: "Médico, cura-te a ti mesmo"; todas as {coisas} que ouvimos ter ocorrido em Cafarnaum, faze também aqui, na tua pátria. **4:24** E disse: Amém[17] vos digo que nenhum profeta é aceito[18] em sua pátria. **4:25** Em verdade vos digo: Havia muitas viúvas em Israel nos dias de Elias, quando o céu foi fechado por três anos e seis meses, de sorte que houve grande fome sobre toda a terra, **4:26** e a nenhuma delas foi enviado Elias, senão para uma mulher viúva, Sarepta da Sidônia. **4:27** Havia também muitos leprosos em Israel, [19]no {tempo} do profeta Eliseu, e nenhum deles foi purificado senão Naiman, o siro. **4:28** E todos na sinagoga, ouvindo essas {coisas}, se encheram de ira. **4:29** Após se levantarem, o expulsaram para fora da cidade, e o conduziram até o cume do monte, sobre o qual estava edificada a cidade deles, a fim de precipitá-lo[20]. **4:30** Ele, porém, passando pelo meio deles, partia.

1. Lit. "alimentar, engordar; criar, educar, formar".
2. Lit. "em um dia dos sábados".
3. Lit. "anunciar boas novas, dar boas notícias; evangelizar (no sentido de anunciar a "Boa Nova", o Evangelho)".
4. Lit. "proclamar como arauto, agir como arauto". Sugere a gravidade e a formalidade do ato, bem como a autoridade daquele que anuncia em voz alta e solenemente a mensagem.
5. Lit. "perdão (pecado, ofensa, mal); remissão (dívida, pena); libertação (escravidão, prisão); liberação (permitir a saída)".
6. Lit. "prisioneiro de guerra; cativo"
7. Trata-se do substantivo derivado do verbo "levantar os olhos; recobrar a vista, tornar a abrir os olhos". A preposição "aná", prefixada ao verbo "ver", confere-lhe dois sentidos: 1) a direção para onde se está olhando, no caso para o alto; 2) o sentido de repetição ou retorno da ação, no caso voltar a ver, recobrar a vista. No caso em tela, foi utilizado um substantivo, derivado deste verbo, para representar o resultado da ação por ele expressa.
8. Lit. "enviar em libertação". Expressão idiomática semítica que pode ser traduzida aproximadamente do seguinte modo: "pôr em liberdade".
9. Lit. "quebrar em pedaços, despedaçar, esmagar; oprimir (sentido figurado)".
10. Lit. "ano aceitável/aprovado do Senhor". Expressão idiomática semítica.
11. Lit. "aprovado, marcado pela aprovação divina; aceitável, agradável"
12. Lit. "enrolar, dobrar; recolher". Trata-se do rolo dos profetas, feito de pergaminho. Nesse caso, Jesus literalmente enrolou o livro (rolo), entregando-o ao responsável.
13. ὑπηρέται (huperétai) – **remador, marinheiro, navegador; servidor; assistente, auxiliar**

– **Sub** (2-20), composto pela preposição ὑπέρ (**hupér** – em composição pode indicar ênfase, excesso) + substantivo ἐρέτης (**erétes** – remador), que por sua vez deriva do verbo ἐρέσσω (**erésso** – **remar**). Trata-se de um humilde servidor, e não de um escravo, já que o indivíduo conserva sua autonomia, sua liberdade. A preposição ὑπέρ (**hupér**) sugere a idéia de alguém que está na fronteira que separa o servidor do servo. Em resumo, a palavra grega indica o servidor, na mais exata acepção do termo. O vocábulo foi empregado, no Novo Testamento, para designar diversos tipos de servidores: os assistentes do Rei, os oficiais do Sinédrio, os assistentes dos Magistrados, as sentinelas do Templo de Jerusalém. Na literatura grega, a palavra é empregada para designar remador, marujo, todos os homens de uma tripulação, soldado da marinha (fuzileiro naval); todo homem sob as ordens de outro, um servidor comum, um servidor que acompanha o soldado de infantaria (na Grécia antiga); ajudante de um general; servidor de Deus.

14. Lit. "cravar os olhos em alguém, olhar de modo fixo".
15. Lit. "encher, tornar cheio; completar; realizar, cumprir". Visto que a exegese rabínica evita uma abordagem puramente abstrata das escrituras, era comum perguntar-se: "Quem cumpriu esse trecho da escritura". Essa indagação levava os intérpretes a citar personagens, sobretudo os patriarcas, com o objetivo de demonstrar o cumprimento da escritura em suas vidas, e a escritura sendo cumprida (vivenciada) por suas vidas.
16. Lit. "certamente, seguramente, sem dúvidas; totalmente, completamente; de qualquer forma, absolutamente".
17. ἀμὴν (amém), transliteração do vocábulo hebraico אָמֵן. Trata-se de um adjetivo verbal (ser firme, ser confiável). O vocábulo é frequentemente utilizado de forma idiomática (partícula adverbial) para expressar asserção, concordância, confirmação (realmente, verdadeiramente, de fato, certamente, isso mesmo, que assim seja). Ao redigirem o Novo Testamento, os evangelistas mantiveram a palavra no original, fazendo apenas a transliteração para o grego, razão pela qual também optamos por mantê-la intacta, sem tradução.
18. Lit. "aprovado, marcado pela aprovação divina; aceitável, agradável"
19. Lit. "sobre {tempo} do profeta Eliseu". Expressão idiomática semítica que significa "na época do profeta Eliseu", "no tempo do profeta Eliseu".
20. Lit. "precipitar de cima para baixo, lançar abaixo".

CURA DO ENDAIMONIADO NA SINAGOGA DE CAFARNAUM (Mc 1:21-28)

4:31 Desceu a Cafarnaum, cidade da Galileia, e [1]ensinava a eles nos sábados. **4:32** Maravilhavam-se[2] do seu ensino, porque [3]a sua palavra tinha autoridade. **4:33** Estava na sinagoga um homem que tinha um [4]espírito de daimon[5] impuro, e [6]gritou com grande voz: **4:34** Ah! [7]O que queres de nós, Jesus Nazareno? Vieste destruir-nos? Sei quem tu és: O santo de Deus. **4:35** Jesus o repreendeu, dizendo: Cala-te[8], e sai dele! O daimon, arremessando-o no meio, saiu dele ⁹sem lhe ¹⁰causar dano. **4:36** Houve assombro¹¹ sobre todos, e conversavam uns com os outros, dizendo: Que palavra {é} esta, que com autoridade e poder ordena aos espíritos impuros e eles saem? **4:37** O relato a respeito dele espalhou-se¹² para todo lugar da circunvizinhança¹³.

1. Lit. "estava ensinando".
2. Lit. "maravilhar-se, impressionar-se, surpreender-se, espantar-se".
3. Lit. "a sua palavra estava na autoridade".
4. Trata-se dos obsessores, espíritos sem esclarecimento, magoados ou malévolos, chamados no NT de "espíritos impuros", "daimon", razão pela qual julgamos inconveniente a tradução dessas expressões pelo vocábulo "demônio".
5. Lit. "deus pagão, divindade; gênio, espírito; mau espírito, demônio".
6. Expressão idiomática semítica utilizada para reforçar o sentido do verbo.
7. Lit. "o que para nós e ti". Trata-se de expressão idiomática
8. Lit. "amordaçar, afocinhar", em sentido figurado: silenciar, pôr alguém em silêncio, calar alguém.
9. Lit. "{em} nada o molestando".
10. Lit. "prejudicar, causar dano; molestar; contrariar; deter; enganar".
11. Lit. "assombro, admiração, estupefação".
12. Lit. "saiu".
13. Lit. "circunvizinhança, arredores, região".

CURA DA SOGRA DE PEDRO (Mt 8:14-15; Mc 1:29-34)

4:38 Após levantar-se da sinagoga, entrou na casa de Simão. A sogra de Simão estava atormentada com grande febre, e rogaram-lhe por ela. **4:39** Impondo¹ {as mãos} sobre ela, repreendeu a febre, que a deixou. Imediatamente, levantando-se, ela os servia. **4:40** Ao ²pôr-do-sol, todos os que tinham enfermos³ com diversas doenças, os conduziram para ele; ele, impondo as mãos sobre cada um deles, os curava. **4:41** Saíam também daimones⁴ de muitos, gritando forte e dizendo: Tu és o filho de Deus! Ele, repreendendo, não lhes permitia falar, porque sabiam ser ele o Cristo.

1. Lit. "pôr/colocar sobre, próximo de; estar/permanecer ao lado de, próximo de; vir sobre".
2. Lit. "descendo o sol".
3. Lit. "os que estão fracos (fisicamente), enfermos".

4. Lit. "deus pagão, divindade; gênio, espírito; mau espírito, demônio".

ORAÇÃO E PEREGRINAÇÃO NA GALILEIA (Mt 4:23-25; Mc 1:35-39)

4:42 Tornando-se dia, após sair, partiu para um lugar ermo. As turbas o procuravam; foram até ele e o retinham para não afastar-se deles. **4:43** Ele, porém, lhes disse: Também às outras cidades devo anunciar o Reino de Deus, porque para isso fui enviado. **4:44** E ¹proclamava² nas sinagogas da Judeia.

1. Lit. "estava proclamando".
2. Lit. "proclamar como arauto, agir como arauto". Sugere a gravidade e a formalidade do ato, bem como a autoridade daquele que anuncia em voz alta e solenemente a mensagem.

5 OS PRIMEIROS QUATRO DISCÍPULOS (Mt 4:18-22; Mc 1:16-20)

5:1 E sucedeu que, ao espremer-se a multidão {em torno de} ele para ouvir a palavra de Deus, ele {mesmo} estava [1]de pé junto ao lago de Genesaré **5:2** e viu dois barcos atracados[2] junto ao lago. Os pescadores, tendo desembarcado {deles}, lavavam as redes. **5:3** [3]Entrando em um dos barcos, que era de Simão, pediu-lhe para afastar-se um pouco da terra. Após sentar-se, ensinava as turbas do barco. **5:4** E quando acabou de falar, disse a Simão: Faze-te[4] ao mar alto[5], e desce[6] as vossas redes para pescaria. **5:5** Em resposta, disse Simão: Comandante[7], labutando[8] durante toda a noite, nada apanhamos[9], mas, com base em tua palavra descerei[10] as redes. **5:6** Ao fazerem isso, recolheram[11] uma numerosa quantidade[12] de peixes; as redes deles se rompiam. **5:7** E acenaram[13] aos parceiros[14] do outro barco para vir [15]arrastar {as redes} junto com eles. Vieram e encheram ambos os barcos, a ponto de se afundarem[16]. **5:8** Ao ver {isso}, Simão Pedro [17]prosternou-se {diante} dos joelhos de Jesus, dizendo: Senhor, afasta-te de mim, porque sou um homem pecador! **5:9** Pois o assombro[18] apoderou-se dele e dos que {estavam} junto com ele, em razão da pesca dos peixes que arrastaram juntos. **5:10** De forma semelhante[19], também, de Tiago e João, filhos de Zebedeu, que eram sócios[20] de Simão. E Jesus disse a Simão: Não temas, a partir de agora serás pescador[21] de homens. **5:11** Ao aportarem[22] os barcos sobre a terra, deixando tudo, o seguiram.

1. Lit. "estar de pé; estar erguido; estar parado, deter-se; colocar, por, estabelecer".
2. Lit. "estar de pé; estar erguido; colocar, pôr, estabelecer; **estar parado, deter-se**". Nesse contexto, a palavra é utilizada em sua acepção técnica de termo náutico, que integra o vasto vocabulário de Lucas a respeito do tema.
3. Lit. "embarcando em um dos barcos". Nesta passagem, o vocábulo assume também o significado de um termo náutico.
4. Lit. "fazer-se ao mar, **conduzir (barco) para o alto mar**". Trata-se de um termo náutico, que integra o vasto vocabulário de Lucas a respeito do tema.
5. Lit. "profundidade, fundura; altura, comprimento; o alto mar". Nesse contexto, a palavra é utilizada em sua acepção técnica de termo náutico, que integra o vasto vocabulário de Lucas a respeito do tema.
6. Lit. "afrouxar, abrandar; deixar ir; **descer, abaixar** (redes de pesca)". Nesse contexto, a palavra é utilizada em sua acepção técnica de termo náutico, que integra o vasto vocabulário de Lucas a respeito do tema.

7. Lit. "**comandante**, capitão; chefe, superintendente, supervisor". Nesse contexto, a palavra é utilizada em sua acepção técnica de termo náutico, que integra o vasto vocabulário de Lucas a respeito do tema.
8. Lit. "trabalhar duramente, arduamente", esforçar-se.
9. Lit. "tomar, receber; pegar, apossar-se, apoderar-se; coletar, **apanhar**". O vocábulo assume também um colorido náutico nesta passagem, uma vez que se refere ao ato de apanhar os peixes em uma pescaria.
10. Vide nota 6.
11. Lit. "confinar, encerrar; **recolher** (peixes em uma rede de pesca); confinar, aprisionar (animal em uma caça)". Nesta passagem, assume também o significado de um termo náutico.
12. Lit. "multidão (número); massa, quantidade (volume); imensidade (espaço); grande duração (tempo)".
13. Lit. "gesticular, fazer sinal com as mãos, com a cabeça, acenar".
14. Lit. "participante, parceiro, associado; companheiro".
15. Lit. "congregar, reunir; tomar consigo, **arrastar, agarrar**; tomar juntamente, ajudar, socorrer; compreender; conceber, ficar grávida". Nesta passagem, assume também o significado de um termo náutico, relacionado à pescaria.
16. Lit. "**afundar**; arruinar". Nesta passagem, assume também o significado de um termo náutico.
17. Lit. "cair sobre, coligir com, lançar-se contra; precipitar-se sobre; cair diante de". No caso a expressão "precipitar-se diante dele" pode ser corretamente traduzida por "prosternou-se diante dele".
18. Lit. "assombro, admiração, estupefação".
19. Lit. "semelhantemente". Trata-se de um advérbio.
20. Lit. "aquele que comunga; **sócio**, participante; cúmplice". Trata-se de uma associação mais forte que a descrita em Lc 5:7 (parceiro). Nesta passagem, assume também o significado de um termo náutico, indicando algum tipo de sociedade na pesca.
21. Lit. "aquele que captura, aprisiona; **aquele que apanha {algo} vivo (caça, pesca)**". Nesse contexto, a palavra é utilizada em sua acepção técnica de termo náutico, ligado à pescaria, razão pela qual pode ser traduzida como "pescador", ou seja, aquele que apanha o peixe vivo.
22. Lit. "levar/conduzir de cima para baixo; **trazer do alto mar para o porto**; tornar a trazer, restaurar; **descer a terra, desembarcar, aportar**; residir (lançar o pé em terra), permanecer; tornar; remontar a". Nesta passagem, assume também o significado de um termo náutico, indicando o ato de conduzir os barcos do alto mar até o porto, e depois arrastá-lo até a terra.

CURA DE UM LEPROSO (Mt 8:1-4; Mc 1:40-45)

5:12 E aconteceu que, enquanto ele estava em uma das cidades, eis que um homem cheio de lepra, ao ver a Jesus, prosternando-se[1], rogou-lhe, dizendo: Senhor, se quiseres, podes purificar-me[2]. **5:13** Estendendo a mão, tocou-lhe, dizendo: Quero, seja purificado! E imediatamente a lepra afastou-se dele. **5:14** E ordenou-lhe {não} dizer a ninguém, mas {disse}: Depois de partir, mostra-te ao sacerdote e ³apresenta a oferta pela tua purificação, conforme Moisés ordenou, em testemunho para eles. **5:15** Difundia-se⁴, ainda mais, a palavra a respeito dele; muitas turbas se reuniam para ouvir e serem curados das suas enfermidades⁵. **5:16** Ele, porém, estava se retirando aos lugares ermos, e orando.

1. Lit. "caiu sobre o rosto dele"; Expressão idiomática semítica que significa prosternar-se (curvar-se ao chão em sinal de profundo respeito).
2. Lit. "limpar, lavar, purificar".
3. Lit. "levar perante, levar para, oferecer, apresentar".
4. Lit. "atravessar, ir/passar através de; percorrer até o fim; expor, referir, explicar; difundir-se, expandir-se".
5. Lit. "fraqueza orgânica", enfermidade.

CURA DE UM PARALÍTICO (Mt 9:1-8; Mc 2:1-12)

5:17 E sucedeu que, em um dos dias, enquanto ele estava ensinando e os fariseus e ¹mestres da Lei estavam sentados, os quais tinham vindo de todas as aldeias da Galileia, da Judeia e de Jerusalém – e havia poder do Senhor para ele curar – **5:18** eis que uns varões, carregando um homem sobre um leito, o qual estava paralisado², procuravam levá-lo para dentro e colocá-lo diante dele. **5:19** E, não encontrando um modo de levá-lo para dentro, por causa da turba, subindo ao terraço³, desceram-no com o catre⁴, por entre as telhas⁵, para o meio, diante de Jesus. **5:20** E, vendo a fé dele, disse: Homem, os teus pecados estão perdoados. **5:21** Os escribas e fariseus começaram a arrazoar⁶, dizendo: Quem é este que fala blasfêmia? Quem pode perdoar pecados senão o ⁷Deus único? **5:22** Jesus, sabendo do arrazoado⁸ deles, em resposta, lhes disse: Por que arrazoais em vossos corações? **5:23** Que é mais fácil, dizer "estão perdoados os teus pecados" ou dizer "levanta-te, e anda"⁹? **5:24** Ora, para que saibais que o filho do homem tem poder, sobre a terra, de perdoar pecados, disse ao paralítico: Eu te digo: Ergue-te, toma¹⁰ teu catre e vai para tua casa. **5:25** E, imediatamente, levantando-se diante deles, tomando {o leito} no qual estivera deitado, partiu para sua casa, glorificando a Deus. **5:26** O êxtase[11] tomou a todos; glorificavam a Deus e se encheram de temor, dizendo: Hoje, vimos [12]{coisas} extraordinárias.

1. Expressão utilizada nos escritos rabínicos para aqueles Mestres que estavam autorizados a estabelecerem "halakha (normas de conduta), tendo em vista seu profundo conhecimento da Torah.
2. Trata-se de terminologia médica. Lucas, seguindo o padrão literário dos escritos médicos da época, utiliza o verbo "paralisar, paralisado" para se referir à doença, evitando o uso do adjetivo "paralítico", que reflete o uso popular do termo.
3. Lit. "teto, cobertura de uma casa, telhado". Na Palestina, o teto era formado, ao que tudo indica, por vigas e pranchas de madeira, por cima das quais eram colocados ramos, galhos e esteiras, cobertos por terra batida, argila.
4. Lit. "diminutivo de leito, maca, catre".
5. Lit. "argila, barro de oleiro; vaso, cerâmica; telha, telhado; ladrilho".
6. Lit. "pensar, opinar, raciocinar; disputar, arrazoar, argumentar, considerar; planejar, cogitar, ter um desígnio".
7. Referência ao monoteísmo judaico, ao Deus único de Israel.
8. Lit. "pensamento, opinião, raciocínio; disputa, arrazoado, argumentação, consideração; plano, cogitação, desígnio".
9. Lit. "andar ao redor; vagar, perambular; circular, passear; viver (seguir um gênero de vida)".
10. Lit. "erguer (com as mãos) para carregar; levantar um objeto com o propósito de transportá-lo".
11. Lit. "fora de si; êxtase, arroubo; espanto, assombro".
12. Lit. "paradoxo", inesperado, extraordinário, raro, incrível; aquilo que é contrário à opinião/crença geral.

CHAMADO DE MATEUS (Mt 9:9; Mc 2:13-14)

5:27 Depois disso, saiu e contemplou um publicano[1], de nome Levi, sentado na coletoria[2], e disse-lhe: Segue-me! **5:28** Após levantar-se e deixar todas {as coisas}, ele o seguia.

1. Cobrador de impostos no Império Romano.
2. Lit. "coletoria de impostos", provavelmente, os coletores ficavam perto da praia, a fim de recolher os tributos dos navios que chegavam à Galileia, provenientes do lado oriental do lago.

REFEIÇÃO COM PUBLICANOS E PECADORES
(Mt 9:10-13; Mc 2:15-17)

5:29 Levi fez uma grande recepção para ele, na sua casa; e havia uma turba de publicanos e outros, que estavam reclinados {à mesa} com eles. **5:30** Os fariseus e seus escribas murmuravam, dizendo aos discípulos dele: Por que comeis e bebeis com os publicanos e pecadores? **5:31** Em resposta, disse-lhes Jesus: [1]Os sãos não têm necessidade de médico, mas os que estão doentes. **5:32** Não vim chamar justos mas pecadores para o arrependimento[2].

1. Lit. "os que estão saudáveis não têm necessidade de médico, mas os que têm mal".
2. Lit. "mudança de mente, de opinião, de sentimentos, de vida".

ACERCA DO JEJUM (Mt 9:14-17; Mc 2:18-22)

5:33 Eles lhe disseram: Os discípulos de João jejuam com frequência e fazem orações; de forma semelhante também os {discípulos} dos fariseus; os teus {discípulos}, porém, comem e bebem. **5:34** Disse-lhes Jesus: Acaso podeis fazer jejuar os [1]convidados das núpcias enquanto o noivo está com eles? **5:35** Mas, dias virão – quando o noivo for tirado deles – e naqueles dias, então, jejuarão. **5:36** Dizia-lhes também uma parábola: Ninguém, ao rasgar remendo de veste[2] nova, coloca[3] sobre veste velha; senão, tanto o novo rasgará o velho quanto o remendo {tirado}[4] do novo não se ajustará ao velho. **5:37** Ninguém lança vinho novo em odres[5] velhos, senão o vinho novo romperá os odres; ele {vinho} será derramado, e também os odres se perderão. **5:38** Mas vinho novo deve ser posto em odres novos. **5:39** Ninguém, tendo bebido o velho, quer o novo, pois diz: O velho é proveitoso[6].

1. Lit. "filhos da câmara nupcial". Uma expressão idiomática semítica para "amigos assistentes do noivo" ou "convidados das bodas", hóspedes do casamento. No caso, parece indicar os amigos do noivo que, além de serem convidados, lhe prestavam assistência nos preparativos das bodas.

2. Veste externa, manto, peça de vestuário utilizada sobre a peça interna. Pode ser utilizada como sinônimo do vestuário completo de uma pessoa.
3. Lit. "lançar sobre, colocar sobre, estender sobre; aplicar a {algo}; **revestir, costurar, remendar**".
4. Lit. "ressoar ao mesmo tempo, estar em harmonia; estar de acordo, acordar, ajustar; adequar, ajustar".
5. Bolsa ou garrafa feita de pele de animal (couro), utilizada para guardar vinho.
6. Lit. "útil, proveitoso; bom, agradável; gracioso, virtuoso, amável".

6 ESPIGAS ARRANCADAS NO SÁBADO (Mt 12:1-8; Mc 2:23-28)

6:1 E aconteceu de ele atravessar[1] pelas searas, em um sábado; os seus discípulos arrancavam e comiam as espigas, debulhando-as[2] com as mãos. **6:2** Alguns dos fariseus disseram: Por que fazeis o que não é lícito aos sábados?[3] **6:3** Em resposta, disse-lhes Jesus: Não lestes isso – o que fez David quando teve fome – ele e os {que estavam} com ele? **6:4** Como entrou na Casa de Deus e, tomando os pães da apresentação[4], comeu e deu aos {que estavam} com ele, os quais não é lícito comer, senão aos sacerdotes? **6:5** E Dizia-lhes: O filho do homem é senhor do sábado.

1. Lit. "passar por, atravessar". Possível referência a algum tipo de caminhada dentro da seara, com o objetivo de colher espigas. Nesse caso, o termo teria acepção técnica ligada à agricultura.
2. Lit. "triturar, esmigalhar; esfregar; **debulhar**". Nesta passagem, a palavra é usada em sua acepção técnica de termo ligado à agricultura, sobretudo ao cultivo de cereais.
3. Os discípulos de Jesus não sofrem censura por colherem espigas em um campo alheio, conduta permitida pela Torah (Dt 23:26), mas por fazê-lo num dia de sábado, uma vez que era proibido qualquer tipo de trabalho (Ex 34:21) neste dia, segundo regras de interpretação complexas elaboradas pelos fariseus.
4. Lit. "pães da exposição, apresentação, proposição". Trata-se do "pão perpétuo", aquele que estaria sempre sobre a mesa (Nm 4:7), expostos na presença do Senhor (2Cr 2:4) e preparados todos os sábados (1Cr 9:32), visto que deviam estar sempre frescos. A cada sábado eram trocados por outros novos, sendo que os pães velhos pertenciam aos sacerdotes, que poderiam comê-los no "lugar santo" (Ex 25:30; Lv 24:5-9; 1Sm 21:6). Eram doze pães, colocados sobre a mesa, seis de um lado e seis do outro, num local conhecido como "lugar santo", onde somente os sacerdotes tinham acesso.

CURA DO HOMEM COM AS MÃOS ATROFIADAS
(Mt 12:9-14; Mc 3:1-6)

6:6 E sucedeu que, em outro sábado, ao ele entrar na sinagoga e ensinar, havia ali um homem cuja mão direita era atrofiada[1]. **6:7** Os escribas e os fariseus o observavam[2] {para ver} se {ele} está curando no sábado, para que encontrassem {algo} para acusá-lo. **6:8** Ele, sabendo do arrazoado[3] deles, disse ao varão que tinha a mão atrofiada: Levanta-te e fica em pé no meio! Levantando-se e ficando de pé, **6:9** disse-lhe

Jesus: Eu vos pergunto: É lícito no sábado fazer o bem ou fazer o mal? Salvar uma vida ou destruir? **6:10** Olhando em derredor de todos eles, disse-lhe: Estende a tua mão. Ele {o} fez, e foi restaurada a mão dele. **6:11** Eles, porém, se encheram de loucura[4], e conversavam uns como os outros sobre o que fariam a Jesus.

LUCAS 6

1. Lit. "seca, ressequida, murcha; atrofiada".
2. Lit. "observar, espiar, vigiar, espreitar".
3. Lit. "pensamento, opinião, raciocínio; disputa, arrazoado, argumentação, consideração; plano, cogitação, desígnio".
4. Lit. "loucura, tolice, estupidez, precipitação, falta de entendimento".

A ESCOLHA DOS DOZE (Mt 10:1-4; Mc 3:13-19)

6:12 Aconteceu, naqueles dias, de ele sair para o monte, a fim de orar; e ¹permaneceu em vigília na oração a Deus. **6:13** E, quando ²se fez dia, chamou a si os seus discípulos, escolhendo doze dentre eles, aos quais deu também o nome de apóstolos. **6:14** Simão, a quem também deu o nome de Pedro, e André, seu irmão; Tiago e João; Filipe e Bartolomeu; **6:15** Mateus e Tomé; Tiago, {filho de} Alfeu e Simão, chamado Zelote; **6:16** Judas, {filho de} Tiago e Judas Iscariote, que o entregou.

1. Lit. "estava fazendo vigília". Trata-se de termo técnico utilizado pelos escritores médicos para se referirem a vigílias que duravam a noite inteira.
2. Lit. "tornou-se dia".

A MULTIDÃO SE AGLOMERA EM TORNO DE JESUS
(Mt 4:24-25, 12:15-21; Mc 3:7-12)

6:17 Descendo com eles, ficou em pé sobre um lugar plano; uma numerosa turba de discípulos dele e uma numerosa multidão¹ do povo de toda a Judeia, de Jerusalém, e da ²costa marítima de Tiro e de Sidom, **6:18** que vieram para ouvir e serem curados das suas doenças; os atormentados³ por espíritos impuros também eram curados. **6:19** E a turba toda procurava tocar nele, porque dele saía poder, e curava todos.

1. Lit. "multidão (número); massa, quantidade (volume); imensidade (espaço); grande duração (tempo)".
2. Lit. "**costa marítima, litoral, beira-mar**; {lugar} situado junto ao mar, região costeira; habitantes da costa". Nesse contexto, a palavra é utilizada em sua acepção técnica de termo náutico, que integra o vasto vocabulário de Lucas a respeito do tema.
3. Lit. "perturbar, atormentar, molestar". Trata-se de termo técnico utilizado pelos escritores médicos.

BEM-AVENTURANÇAS (Mt 5:1-12)

6:20 E, levantando os olhos para os seus discípulos, dizia: Bem-aventurados os pobres[1], porque vosso é o Reino de Deus. **6:21** Bem-aventurados [2]vós que tendes fome agora, porque sereis saciados. Bem-aventurados vós que chorais agora, porque rireis. **6:22** Bem-aventurados sois quando os homens vos odiarem, e quando vos excluírem[3], vos injuriarem e repelirem o vosso nome como mau[4], por causa do filho do homem. **6:23** Alegrai-vos[5] naquele dia e saltai {de alegria}, pois – eis que – {é} grande a vossa recompensa[6] no Céu; pois [7]dessa forma os pais deles faziam aos profetas. **6:24** Todavia, ai de vós, os ricos, porque estais recebendo a vossa consolação. **6:25** Ai de vós, os que estais fartos, porque tereis fome. Ai de vós, os que estão rindo agora, porque estareis aflitos[8] e chorareis. **6:26** Ai de vós, quando todos os homens falarem bem de vós, pois [9]dessa forma os pais deles faziam aos falsos profetas.

1. Lit. "mendicante, pedinte, pobre; oprimido". Expressa a situação de extrema penúria. Vocábulo derivado do verbo "mendigar; ser ou tornar-se pobre".
2. Lit. "os que têm fome e os que têm sede".
3. Lit. "excluir, apartar, excomungar; despedir; delimitar, demarcar fronteira".
4. Lit. "mal; mau, malvado, malevolente; maligno, malfeitor, perverso; criminoso, ímpio". No grego clássico, a expressão significava "sobrecarregado", "cheio de sofrimento", "desafortunado", "miserável", "indigno", como também "mau", "causador de infortúnio", "perigoso". No Novo Testamento refere-se tanto ao "mal" quanto ao "malvado", "mau", "maligno", sendo que em alguns casos substitui a palavra hebraica "satanás" (adversário).

5. Lit. "alegrar-se, regozijar-se, contentar-se (estar contente)"
6. Lit. "salário, remuneração, pagamento; recompensa".
7. Lit. "segundo/conforme/de estas {coisas}".
8. Lit. "estar aflito, lamentar a morte de alguém, estar de luto". O verbo evoca toda a gama de sentimentos que um doloroso evento ou fato despertam no ser humano, especialmente aquelas emoções decorrentes da morte de alguém próximo, razão pela qual é comumente utilizado para descrever o enlutado.
9. Lit. "segundo/conforme/de estas {coisas}".

AMOR AOS INIMIGOS (Mt 5:38-48, 7:12)

6:27 Mas digo a vós, que estais ouvindo: Amai os vossos inimigos, fazei {o} bem aos que vos odeiam. **6:28** Bendizei os que vos amaldiçoam, orai pelos que vos caluniam. **6:29** Ao que te bate em uma face, oferece também a outra; e, ao que te houver tirado o manto[1], nem mesmo a túnica[2] recuses. **6:30** Dá a todo o que te pede; e ao que tira as tuas {coisas}, não [3]exijas de volta. **6:31** Como quereis que os homens vos façam, da mesma forma fazei vós a eles. **6:32** Se amais os que vos amam, que tipo de recompensa[4] há para vós? Pois também os pecadores amam os que os amam. **6:33** Se fizerdes {o} bem aos que vos fazem {o} bem, que tipo de recompensa há para vós? Também os pecadores fazem o mesmo. **6:34** Se emprestais[5] àqueles de quem esperais receber, que tipo de recompensa {há} para vós? Também pecadores emprestam a pecadores para que recebam {de volta} as mesmas {coisas}. **6:35** Todavia, amai os vossos inimigos, fazei {o} bem e emprestai, nada esperando de volta; grande será a vossa recompensa[6], e sereis filhos do Altíssimo, porque ele é bondoso[7] com os ingratos[8] e maus[9]. **6:36** Sede misericordiosos como {também} é misericordioso vosso Pai.

1. Veste externa, manto, peça de vestuário utilizada sobre a peça interna. Pode ser utilizada como sinônimo do vestuário completo de uma pessoa.
2. Peça de vestuário interno, utilizada junto ao corpo, logo acima da pele, sobre a qual era costume colocar outra peça ou manto. Trata-se de uma espécie de veste interna, íntima.
3. Lit. "exigir, requerer (em juízo); pedir/exigir de volta".
4. Lit. "graça, prazer, alegria; benevolência, desejo de agradar; benefício, favor; reconhecimento, agradecimento; **recompensa**, salário".
5. Lit. "emprestar dinheiro a juros".

6. Lit. "salário, remuneração, pagamento; recompensa".
7. Lit. "útil, proveitoso; bom, agradável; gracioso, virtuoso, amável".
8. Lit. "ingrato; sem graça, sem encanto, desagradável; doloroso; odioso, cruel".
9. Lit. "mal; mau, malvado, malevolente; maligno, malfeitor, perverso; criminoso, ímpio". No grego clássico, a expressão significava "sobrecarregado", "cheio de sofrimento", "desafortunado", "miserável", "indigno", como também "mau", "causador de infortúnio", "perigoso". No Novo Testamento refere-se tanto ao "mal" quanto ao "malvado", "mau", "maligno", sendo que em alguns casos substitui a palavra hebraica "satanás" (adversário).

PROIBIÇÃO DE JULGAR OS OUTROS (Mt 7:1-5)

6:37 Não julgueis, e de modo nenhum sereis julgados; não condeneis, e de modo nenhum sereis condenados. Absolvei[1] e sereis absolvidos. **6:38** Dai e vos será dado; darão para o vosso regaço[2] [3]boa medida, compactada, sacudida, transbordante; pois com a medida com que medis sereis medidos de volta. **6:39** E disse-lhes uma parábola: Acaso pode um cego guiar {outro} cego? Não cairão ambos no fosso[4]? **6:40** [5]O discípulo não está acima do mestre; [6]Estando completado {o preparo}, porém, todo {discípulo} será como o seu mestre. **6:41** Por que vês o cisco[7] no olho do teu irmão, e não percebes a viga no teu próprio olho? **6:42** Como podes dizer ao teu irmão: "Irmão, deixa que eu retire o cisco em teu olho"; não vendo tu mesmo a viga no teu olho? Hipócrita! Retira primeiramente a viga do teu olho, e então verás {em profundidade}[8] para retirar o cisco do olho do teu irmão.

1. Lit. "desatar, desligar; soltar, libertar; despedir; repudiar, apartar de si; **absolver**".
2. A dobra de uma vestimenta (túnica ou manto), pendurada por cima de um cinto e por ele sustentada, que servia de bolso ou sacola de provisões.
3. Trata-se de uma imagem ligada ao comércio de cereais. Os grãos eram derramados num vasilhame, comprimidos e sacudidos, com o objetivo de obter-se o máximo de compactação, dando-se continuidade ao processo até transbordar.
4. Lit. "buraco, cova, fosso; poço, cisterna". A ideia parece ser a de uma ovelha que cai no fosso, ao tentar beber água, no local para onde foi conduzida pelo pastor.
5. Lit. "o discípulo não está sobre o Mestre".
6. Lit. "completar, tornar completo; preparar; colocar em ordem". Referência ao término da preparação do discípulo, sob os auspícios de um Mestre da Torah. Completada a sua formação, tornava-se como o Mestre, mas não superior a ele.
7. Lit. "qualquer pequena coisa seca, como palha, restolho, farpa, lasca, cisco".

8. Lit. "ver através de, ao redor; divisar, olhar firmemente, fixamente ao longe (a distância), ver de forma abrangente; examinar, considerar". A preposição "dia", prefixada ao verbo "ver", confere-lhe o sentido de alcance, profundidade de visão, ausência de barreiras (através de). Nesse caso, a ideia é de que a pessoa, após retirar a trave dos olhos, passará a ver ao longe, ou seja, sua visão terá profundidade, alcance, não haverá barreiras (trave) para ela.

ADVERTÊNCIAS (Mt 7:13-27)

6:43 Pois não há árvore boa produzindo fruto deteriorado¹; por outro lado, nem árvore deteriorada produzindo fruto bom. **6:44** Pois cada árvore é conhecida a partir do próprio fruto; pois não se colhem figos dos espinheiros, nem vindimam {cacho de} uva da sarça². **6:45** O homem bom apresenta³ boa {coisa} do bom tesouro do coração, e o mau⁴ apresenta {coisa} má do seu mau {tesouro}. Pois da abundância {do} coração fala a boca dele. **6:46** Por que me chamais Senhor, Senhor, e não fazeis o que eu digo? **6:47** Todo aquele que vem a mim, ouve as minhas palavras e as pratica, eu vos mostrarei a quem é semelhante: **6:48** É semelhante a um homem que edifica uma casa; o qual cavou, aprofundou e colocou o alicerce sobre a rocha. Ocorrendo uma inundação⁵, irrompeu o rio contra aquela casa e não a conseguiu abalar por ela estar bem edificada. **6:49** Mas o que ouviu e não praticou é semelhante a um homem que edificou uma casa sobre a terra sem alicerce; irrompeu o rio contra ela e logo desabou, e tornou-se grande a ruína daquela casa.

1. Lit. "podre, estragado, deteriorado", por extensão: corrompido, viciado, impuro.
2. Lit. "sarça, arbusto".
3. Lit. "apresentar, trazer à luz; produzir".
4. Lit. "mal; mau, malvado, malevolente; maligno, malfeitor, perverso; criminoso, ímpio". No grego clássico, a expressão significava "sobrecarregado", "cheio de sofrimento", "desafortunado", "miserável", "indigno", como também "mau", "causador de infortúnio", "perigoso". No Novo Testamento refere-se tanto ao "mal" quanto ao "malvado", "mau", "maligno", sendo que em alguns casos substitui a palavra hebraica "satanás" (adversário).
5. Lit. "enchente, inundação; maré alta".

7 CURA DO SERVO DO CENTURIÃO (Mt 8:5-13; Jo 4:43-54)

7:1 Depois que completou[1] todos os seus ditos (dirigidos) aos ouvidos do povo, entrou em Cafarnaum. **7:2** E (o) servo[2] de certo centurião, [3]estava mal, prestes a morrer, o qual lhe era caro[4]. **7:3** Ao ouvir a respeito de Jesus, enviou-lhe anciãos dos Judeus, rogando-lhe que, após vir, salvasse[5] o seu servo. **7:4** Eles, vindo até Jesus, suplicaram-lhe[6] diligentemente[7], dizendo: Ele é digno de que lhe concedas[8] isto, **7:5** pois ama nossa nação, e ele mesmo edificou a sinagoga para nós. **7:6** Jesus ia com eles. Não estava longe da casa, e o centurião já enviou amigos, dizendo-lhe: Senhor, não te incomodes[9], pois não sou digno de que entres sob o meu teto[10], **7:7** por isso, nem a mim mesmo julguei digno de ir a ti, mas somente [11]se expresse por palavra, e o meu servo[12] será curado. **7:8** Pois também eu sou um homem [13]colocado (por nomeação) sob autoridade, [14]tendo abaixo de mim soldados; e digo a este: vai, e ele vai; e a outro: vem, e ele vem; e ao meu servo: faze isto, e ele o faz. **7:9** Ouvindo estas (coisas), maravilhou-se Jesus e, voltando-se para a turba que o seguia, disse: Eu vos digo que nem em Israel encontrei tamanha fé. **7:10** E, ao retornarem para casa, os que haviam sido enviados encontraram o servo saudável.

1. Lit. "encher, tornar cheio; completar; realizar, cumprir".
2. Lit. "servo, escravo"
3. Lit. "tendo mal". Expressão idiomática para expressar o estado de enfermidade.
4. Lit. "caro, estimado, querido, prezado; valioso, precioso, caro".
5. Lit. "salvar (tirando alguém do perigo de morte); guardar, conservar". Trata-se de terminologia médica. Lucas, seguindo o padrão literário dos escritos médicos da época, utiliza o verbo com o significado de escapar de uma doença ou epidemia grave, passar pela crise.
6. Lit. "suplicar, rogar, implorar; convocar, convidar, chamar ao lado, apelar, requisitar; exortar, encorajar; confortar, consolar".
7. Lit. "diligentemente; seriamente, ardentemente".
8. Lit. "manter ao lado de; oferecer, ofertar, presentear; conceder, dar; fornecer, exibir; ocasionar".
9. Lit. "esfolar, tirar a pele; incomodar, perturbar, molestar".
10. A expressão idiomática "sob o meu teto" possui equivalente na língua portuguesa. Sendo assim, a frase pode ser entendida como "não sou digno que entres na minha casa".
11. Lit. "dize por palavra".
12. Lit. "menino; filho; escravo jovem". O Centurião chama carinhosamente a pessoa doente de "menino". Comparando as duas narrativas (Mt 8:5-13; Lc 7:1-9) descobrimos que se tratava de um servo.

13. Lit. "arranjar, organizar; colocar; designar, nomear (em determinada posição ou posto); servir, dedicar (a certa atividade, cargo ou função)". Possivelmente, trata-se de terminologia técnica ligada ao exército romano, que faz referência ao ato de investidura do oficial romano em seu cargo.
14. Lit. "tendo sob mim mesmo".

A RESSURREIÇÃO DO FILHO DA VIÚVA DE NAIM

7:11 E aconteceu que, no {dia} seguinte, partiu para uma cidade chamada Naim, e iam[1] com ele os seus discípulos e numerosa turba. **7:12** Quando se aproximou da porta da cidade, eis que era [2]carregado para fora, morto, o filho único de sua mãe, e ela era viúva; e uma grande turba da cidade estava com ela. **7:13** Vendo-a, o Senhor compadeceu-se[3] dela, e disse-lhe: Não chores. **7:14** Aproximando-se, tocou o esquife[4]; os carregadores pararam, e ele disse: Jovem, eu te digo: Levanta-te[5]. **7:15** O morto sentou-se e começou a falar. E ele o deu à sua mãe. **7:16** O temor tomou a todos, e glorificavam a Deus, dizendo: Um grande profeta se levantou entre nós. Deus visitou[6] o seu povo. **7:17** Este relato, a respeito dele, se espalhou[7] em toda a Judeia e em toda circunvizinhança.

1. Lit. "ir com, acompanhar; reunir-se, ajuntar-se, congregar-se".
2. Lit. "transportar/levar para fora; enterrar".
3. Lit. "compadecer-se, ter compaixão, ter piedade; mostrar simpatia".
4. Lit. "urna funerária, caixão".
5. Lit. "erguer-se, levantar-se". Expressão idiomática semítica que faz referência à ressurreição dos mortos. Para expressar a morte e a ressurreição, utilizavam as expressões "deitar-se" (morte) e "levantar-se" (ressurreição).
6. Lit. "escolher, selecionar com base em investigação cuidadosa (sentido estrito); observar, inspecionar; visitar (para confortar)".
7. Lit. "saiu". Trata-se de expressão idiomática semítica que confere vida a objetos, coisas, entidades inanimadas. No caso, ao dizer que "a notícia saiu", o objetivo é narrar que a notícia se espalhou, mas como um tom semítico peculiar.

LUCAS 7

INDAGAÇÕES DE JOÃO BATISTA E TESTEMUNHO DE JESUS A SEU RESPEITO (Mt 11:2-19)

7:18 Os discípulos de João relataram-lhe todas estas {coisas}. E João, chamando dois dos seus discípulos, **7:19** enviou-lhes ao Senhor, dizendo: És tu aquele que vem ou esperamos outro? **7:20** Vindo até ele, os varões disseram: João Batista nos enviou para te dizer: És tu aquele que vem ou esperamos outro? **7:21** Naquela hora, curou muitos das {suas} doenças, flagelos[1] e espíritos maus[2]; e a muitos cegos concedeu a graça de ver. **7:22** Em resposta, disse-lhes: Ide e anunciai a João o que vistes e ouvistes: Cegos [3]voltam a ver, coxos andam[4], leprosos são purificados, surdos ouvem, mortos são erguidos, pobres são evangelizados[5]. **7:23** E bem-aventurado quem não se escandalizar[6] em mim. **7:24** Assim que partiram os mensageiros de João, ele começou a dizer às turbas a respeito de João: Saístes ao deserto para contemplar o quê? Um caniço[7] sacudido pelo vento? **7:25** Mas então saístes para ver o quê? Um homem vestido em vestes[8] finas[9]? Vede! Os que estão com veste gloriosa[10] e luxuriante estão nos {palácios} reais. **7:26** Mas então saístes para ver o quê? Um profeta? Sim, vos digo eu, e mais que profeta. **7:27** Pois este é aquele a respeito de quem está escrito: *Eis que eu envio perante a tua face o meu anjo, que preparará o teu caminho diante de ti*. **7:28** Eu vos digo: Entre os [11]nascidos de mulheres ninguém é maior que João Batista, mas o menor no Reino de Deus é maior que ele. **7:29** Todo o povo que o ouviu e os publicanos [12]reconheceram Deus como justo, sendo mergulhados[13] no batismo de João. **7:30** Os fariseus e os mestres da Lei, não sendo batizados por ele, rejeitaram[14] o propósito de Deus no tocante a eles mesmos. **7:31** Mas a quem assemelharei os homens desta geração? E a quem são semelhantes? **7:32** São semelhantes a criancinhas, sentadas na praça, que clamam umas para as outras, e dizem: "Tocamos flauta para vós e não dançastes, cantamos lamentações e não chorastes" . **7:33** Pois veio João, não comendo pão, nem bebendo vinho, e dizeis: Tem daimon[15]. **7:34** Veio o filho do homem, comendo e bebendo, e dizeis: Eis um homem comilão e beberrão de vinho, amigo de publicanos e pecadores. **7:35** Mas a sabedoria foi justificada [16]por todos os seus filhos.

1. Lit. "açoite, flagelo; castigo, punição".
2. Lit. "mal; mau, malvado, malevolente; maligno, malfeitor, perverso; criminoso, ímpio". No grego clássico, a expressão significava "sobrecarregado", "cheio de sofrimento", "desafortunado", "miserável", "indigno", como também "mau", "causador de infortúnio", "perigoso". No Novo Testamento refere-se tanto ao "mal" quanto ao "malvado", "mau", "maligno", sendo que em alguns casos substitui a palavra hebraica "satanás" (adversário).
3. Lit. "levantar os olhos; recobrar a vista, tornar a abrir os olhos". A preposição "aná", prefixada ao verbo "ver", confere-lhe dois sentidos: 1) a direção para onde se esta olhando, no caso para o alto; 2) o sentido de repetição ou retorno da ação, no caso voltar a ver, recobrar a vista.
4. Lit. "andar ao redor; vagar, perambular; circular, passear; viver (seguir um gênero de vida)".
5. Lit. "recebem o anúncio das boas novas"
6. Lit. "quem não tropeçar em mim", tropeçar; vacilar ou errar; ser ofendido; estar chocado. O substantivo "skandalon" significa armadilha de molas ou qualquer obstáculo que faça alguém tropeçar; um impedimento; algo que cause estrago, destruição, miséria e, via de consequência, aquilo que causa um choque, que repugna, que fere a sensibilidade. Nesta passagem, Jesus elogia aqueles que não se sentem chocados com sua atuação, que não sentem repugnância pela sua obra.
7. Lit. "junco, cana, caniço". Trata-se de uma cana ou junco, com talo articulado e oco, utilizado como bastão, cajado, vara de medir ou varinha de escrever (nos papiros).
8. Veste externa, manto, peça de vestuário utilizada sobre a peça interna. Pode ser utilizada como sinônimo do vestuário completo de uma pessoa.
9. Lit. "mole", fraco; fino, delicado.
10. Lit. "glorioso, esplêndido, deslumbrante; célebre, notável, memorável".
11. Expressão idiomática semítica que significa "ser humano".
12. Lit. "ter ou reconhecer como justo, declarar justo (justificar)". Trata-se de terminologia forense, ligada à prática dos Tribunais, cujo significado é "absolver, reconhecer como justo".
13. Lit. "lavar, imergir, mergulhar". Posteriormente, a Igreja conferiu ao termo uma nuance técnica e teológica para expressar o sacramento do batismo.
14. Lit. "deslocar, pôr de lado; ab-rogar, anular; violar (lei, tratado); rejeitar, desprezar".
15. Lit. "deus pagão, divindade; gênio, espírito; mau espírito, demônio".
16. Possivelmente, trata-se de uma expressão idiomática com o sentido de "por todos os seus frutos, por todas as suas obras". Nesse particular, convém conferir o paralelo em Mt 11:19.

JESUS NA CASA DE SIMÃO, O FARISEU

7:36 E rogou-lhe um dos fariseus que comesse com ele; entrando na casa do fariseu, ¹reclinou-se à mesa **7:38** Eis que uma mulher que era pecadora na cidade, sabendo que ele estava reclinado à mesa na casa do fariseu, levou um vaso de alabastro com unguento²; e, estando por detrás, aos seus pés, chorando, molhava-os[3] com suas lágrimas e enxugava-os com os próprios cabelos, e beijava-lhe os pés e os ungia com unguento[4]. **7:39** Ao ver isto, o fariseu que o convidou disse consigo mesmo: Se ele fosse profeta, bem saberia quem e qual tipo de mulher o tocou, porque é pecadora **7:40** Em resposta, Jesus lhe disse: Simão, tenho algo a lhe dizer. Ele fala: Dize, Mestre. **7:41** Certo credor tinha dois devedores; um lhe devia quinhentos denários[5] e o outro cinquenta. **7:42** Não tendo nenhum deles como pagar, agraciou a ambos. Qual deles, portanto, o amará mais? **7:43** Em resposta, disse Simão: Suponho que aquele a quem mais se agraciou. Disse-lhe: Julgaste retamente[6]. **7:44** E voltando-se para a mulher, disse a Simão: Vês esta mulher? Entrei em tua casa e não me deste água para os pés; ela, porém, molhou[7] os meus pés com lágrimas, e os enxugou com os seus cabelos. **7:45** Não me deste beijo, ela, porém, desde que entrei, não parou de beijar os meus pés **7:46** Não me ungiste a cabeça com óleo, ela, no entanto, ungiu os meus pés com unguento[8]. **7:47** Por essa razão, te digo: Os numerosos pecados dela estão perdoados porque muito amou, mas a quem se perdoa pouco, ama pouco. **7:48** E disse a ela: Os teus pecados estão perdoados. **7:49** E os que estavam reclinados à mesa começaram a dizer entre si: Quem é este que também perdoa pecados? **7:50** Ele, porém, disse à mulher: A tua fé te tornou salva, vai em paz.

1. As refeições eram consumidas após as pessoas se reclinarem à mesa para comer.
2. Lit. "unguento aromático, óleo de mirra". Palavra de origem semítica, derivada de "mirra". Trata-se de uma essência aromática extraída de árvores, utilizada especialmente na preparação do corpo para o sepultamento.
3. Lit. "molhar, umedecer; chover"
4. Vide nota 2.
5. Moeda de prata romana correspondente ao salário pago por um dia de trabalho no campo.
6. Lit. "retamente (com justiça, de forma justa)".
7. Vide nota 3.
8. Vide nota 2.

AS MULHERES QUE ACOMPANHAVAM JESUS

8:1 E sucedeu, depois disso, que ele percorria¹ cada cidade e aldeia proclamando² e evangelizando³ o Reino de Deus; os doze {estavam} com ele, **8:2** e algumas mulheres que haviam sido curadas de espíritos maus⁴ e enfermidades⁵: Maria, chamada Magdalena, da qual saíram sete daimones⁶; **8:3** Joana, mulher de Cuza, administrador⁷ de Herodes; Suzana e muitas outras, as quais serviam a ele com os seus bens.

1. Lit. "viajar por; atravessar, percorrer".
2. Lit. "proclamar como arauto, agir como arauto". Sugere a gravidade e a formalidade do ato, bem como a autoridade daquele que anuncia em voz alta e solenemente a mensagem.
3. Lit. "evangelizar, anunciar boas novas, dar boas notícias". O verbo significa, originalmente, anunciar as boas novas, dar uma boa notícia.
4. Lit. "mal; mau, malvado, malevolente; maligno, malfeitor, perverso; criminoso, ímpio". No grego clássico, a expressão significava "sobrecarregado", "cheio de sofrimento", "desafortunado", "miserável", "indigno", como também "mau", "causador de infortúnio", "perigoso". No Novo Testamento refere-se tanto ao "mal" quanto ao "malvado", "mau", "maligno", sendo que em alguns casos substitui a palavra hebraica "satanás" (adversário).
5. Lit. "fraqueza orgânica", enfermidade.
6. Lit. "deus pagão, divindade; gênio, espírito; mau espírito, demônio".
7. Lit. "Alguém que exerce controle, administração, supervisão de alguma coisa (mordomo, diretor, administrador, gerente, supervisor); alguém que gerencia, supervisiona os rendimentos, os aspectos financeiros (tesoureiro); guardião de crianças".

PARÁBOLA DO SEMEADOR (Mt 13: 1-9; Mc 4:3-9)

8:4 Reunindo-se uma numerosa turba, que vinha de cada cidade até ele, disse por parábola: **8:5** Saiu o semeador a semear sua semente. E, ao semear, {uma parte} caiu ¹à beira do caminho e foi pisoteada; as aves do céu as comeram². **8:6** Outra {parte} caiu sobre a rocha; ao germinar, ressecou-se³, por não ter umidade. **8:7** Outra {parte} caiu no meio dos espinheiros e, germinando juntos, os espinheiros a sufocaram⁴. **8:8** Outra {parte} caiu sobre terra boa e, germinando, produziu fruto ao cêntuplo. Quem tem ouvidos para ouvir, ouça!

1. Lit. "junto/ao lado do caminho".
2. Lit. "comer, consumir, devorar".
3. Lit. "ser enxugado, tornar-se seco; secar, ressecar, murchar".
4. Lit. "sufocar, asfixiar; afogar".

EXPLICAÇÃO DA PARÁBOLA DO SEMEADOR
(Mt 13:10-23; Mc 4:10-20)

8:9 Os seus discípulos o interrogavam: Que parábola seria esta? **8:10** Ele disse: A vós foi dado conhecer os mistérios do Reino de Deus; aos restantes, por parábolas, para que "Olhando, não vejam; ouvindo, não entendam". **8:11** Esta é a parábola: A semente é a palavra de Deus. **8:12** As {que estão} à beira do caminho são os que ouviram; então vem o diabo[1] e tira a palavra do coração deles, para que, crendo, não sejam salvos. **8:13** As {que estão} sobre a rocha {são} os que, quando ouvem, recebem a palavra com alegria; esses não têm raiz, {são} os que por um tempo[2] creem, mas no tempo[3] da prova[4], afastam-se. **8:14** A que caiu nos espinhos, estes são os que ouviram, mas andando[5] sob as preocupações[6], riquezas e prazeres da vida, são sufocados e não amadurecem[7]. **8:15** A que {caiu} em boa terra, estes são os que, ouvindo com um coração nobre[8] e bom, conservam a palavra; e dão frutos, com perseverança.

1. Aquele que desune (inspirando ódio, inveja, orgulho); caluniador, maledicente. Vocábulo derivado do verbo "diaballo" (separar, desunir; atacar, acusar; caluniar; enganar), do qual deriva também o adjetivo "diabolé" (desavença, inimizade; aversão, repugnância; acusação; calúnia).
2. Lit. "um ponto no tempo, um período de tempo; tempo fixo, definido; oportunidade".
3. Vide nota 2.
4. Lit. "prova, teste; experimentação, ensaio; provação, tentação (teste no sentido moral)".
5. Nesse caso, o verbo é utilizado de forma metafórica para expressar: a vida de uma pessoa, seu comportamento habitual, sua forma de viver, sua conduta. De forma semelhante utilizamos em português "Fulano anda brigando na escola".
6. Lit. "ansiedade, preocupação".
7. Lit. "conduzir ao fim, fazer chegar à maturidade; amadurecer (com relação a frutos)".
8. Lit. "belo; nobre, honrado; apto, hábil".

A CANDEIA (Mt 5:15, 7:2, 10:26, 13:12; Mc 4:21-25)

8:16 Ninguém, acendendo¹ uma candeia², a cobre com um vaso³ ou a coloca debaixo de um leito, mas coloca sobre o candeeiro, para que os que entram vejam a luz. **8:17** Pois não há {algo} escondido⁴ que não se torne manifesto, nem oculto⁵ que não venha a {ser} conhecido e manifesto. **8:18** Vede, pois, como ouvis; pois quem tiver, a ele será dado, e quem não tiver, até⁶ o que parece ter será tirado dele.

1. Lit. "iluminar, acender; tocar, entrar em contato; conformar, fixar; ter contato sexual".
2. Lâmpada de barro alimentada por óleo (azeite de oliva), utilizada nas residências e no templo.
3. Lit. "vaso, utensílio (de casa, mobília, bens), instrumento".
4. Lit. "escondido, oculto; secreto". Trata-se de um adjetivo que deriva do verbo "esconder, ocultar".
5. Lit. "oculto, guardado, escondido da vista ou do conhecimento".
6. Lit. "também".

A VERDADEIRA FAMÍLIA DE JESUS (Mt 12:46-50; Mc 3:31-35)

8:19 A mãe e os irmãos dele vieram até ele, mas não podiam se encontrar com ele, por causa da turba. **8:20** Relataram-lhe: Tua mãe e teus irmãos estão de pé, do lado de fora, querendo ver-te. **8:21** Em resposta, disse-lhes: Minha mãe e meus irmãos são estes que ouvem e praticam¹ a palavra de Deus.

1. Lit. "fazem".

A TEMPESTADE ACALMADA (Mt 8:18, 23-27; Mc 4:35-41)

8:22 E sucedeu, num dos dias, que ele ¹entrou em um barco, e também seus discípulos. Ele lhes disse: Atravessemos para o outro lado do lago. E ²fizeram-se ao mar. **8:23** Enquanto eles navegavam, ele adormeceu. E desabou³ uma tempestade⁴ de vento no lago; estavam ficando cheios {de água} {os barcos} e corriam perigo. **8:24** Aproximando-se, o despertaram, dizendo: Comandante[5], comandante, estamos perecendo! Desperto, repreendeu o vento e a agitação[6] da água; cessaram e houve calmaria[7]. **8:25** Disse-lhes, porém: Onde {está} a vossa fé? Temendo, maravilharam-se, dizendo uns aos outros: Então, quem é este que ordena aos ventos e à água, e lhe obedecem?

1. Lit. "embarcando eles em um barco". Nesta passagem, o vocábulo assume o significado de um termo náutico.
2. Lit. "conduzir; levar de um lugar mais baixo para um lugar mais alto; apresentar, ofertar; **estender as velas, conduzir da costa para o mar, conduzir por mar**. Nesse contexto, a palavra é utilizada em sua acepção técnica de termo náutico, que integra o vasto vocabulário de Lucas a respeito do tema, indicando o ato de conduzir o barco da costa para o alto mar.
3. Lit. "descer; chegar a, terminar; **desabar/descer/cair (tempestade, chuva)**". Trata-se de termo ligado ao campo semântico da navegação.
4. Lit. "redemoinho, furacão, ventania; tempestade".
5. Lit. "**comandante**, capitão; chefe, superintendente, supervisor". Nesse contexto, a palavra é utilizada em sua acepção técnica de termo náutico, que integra o vasto vocabulário de Lucas a respeito do tema.
6. Lit. "agitação, tumulto; agitação da cavalaria; **agitação das ondas, ondulação forte**". Nesta passagem, o vocábulo assume o significado de um termo náutico.
7. Lit. "tranquilidade no mar, calmaria, bonança".

O ENDAIMONIADO GERASENO (Mt 8:28-34; Mc 5:1-20)

8:26 E navegaram[1] para a região dos Gerasenos, a qual está defronte da Galileia. **8:27** [2]Ao descer sobre o solo, veio ao seu encontro certo varão da cidade, que tinha daimones[3]; não vestiu túnica[4] durante bastante tempo, nem permanecia em casa, mas nos sepulcros[5]. **8:28** Quando viu Jesus, gritando, prosternou-se[6] diante dele e [7]disse com grande voz: [8]O que queres de mim, Jesus, filho do Deus Altíssimo? Rogo-te, não me atormentes! **8:29** Pois tinha ordenado ao espírito impuro sair do homem, já que em muitas ocasiões o tinha arrebatado[9]. Era amarrado com correntes[10], e [11]estava sob guarda com [12]grilhões para os pés, mas rompendo as cordas era impelido[13] pelo daimone aos {lugares} ermos. **8:30** Perguntou-lhe Jesus: Qual é o teu nome? Ele disse: Legião[14], porque tinham entrado nele muitos daimones[15]. **8:31** E rogavam-lhe que não os ordenasse partir para o abismo[16]. **8:32** Ora, era apascentada lá, no monte, uma grande vara de porcos, e rogaram-lhe que lhes permitisse entrar naqueles {porcos}. Ele lhes permitiu. **8:33** Depois de saírem os daimones do homem, entraram nos porcos, e a vara {de porcos} precipitou-se despenhadeiro abaixo, para o lago, e se afogaram[17]. **8:34** Os que apascentavam {porcos}, vendo o que acontecera, fugiram e relataram {o fato} na cidade e nos campos. **8:35** Saíram para ver o que sucedera, foram até Jesus, e encontraram o homem de quem saíram os daimones[18], sentado, vestido, em perfeito juízo, junto aos pés de Jesus; e temeram. **8:36** Os que tinham visto relataram para eles como o que estava endaimoniado[19] fora salvo. **8:37** E toda a multidão[20] da circunvizinhança[21] dos Gerasenos pediu-lhe para afastar-se deles, porque estavam dominados[22] por grande medo. Ele, [23]entrando no barco, retornou. **8:38** O varão, de quem haviam saído os daimones, pediu-lhe para permanecer[24] com ele. Despediu-o, porém, dizendo: **8:39** Retorna para tua casa, e relata quantas {coisas} Deus te fez. Ele partiu, proclamando[25] quantas {coisas} Jesus lhe fizera.

1. Lit. "navegar para baixo (do alto mar para a praia); navegar para a costa; voltar (navegando)". Nesse contexto, a palavra é utilizada em sua acepção técnica de termo náutico, que integra o vasto vocabulário de Lucas a respeito do tema, indicando o ato de conduzir o barco do alto mar para a costa.
2. Lit. "vir de dentro do {barco} sobre a terra". Possivelmente, o vocábulo está sendo utilizado como expressão idiomática ligada ao campo semântico da navegação, significando "desembarcar, descer ao solo".
3. Lit. "deus pagão, divindade; gênio, espírito; mau espírito, demônio".
4. Peça de vestuário interno, utilizada junto ao corpo, logo acima da pele, sobre a qual era costume colocar outra peça ou manto. Trata-se de uma espécie de veste interna, íntima.
5. Lit. "memorial, monumento; sepulcro, túmulo".
6. Lit."cair sobre, coligir com, lançar-se contra; precipitar-se sobre; cair diante de". No caso a expressão "precipitar-se diante dele" pode ser corretamente traduzida por "prosternou-se diante dele".
7. Expressão idiomática semítica utilizada para reforçar o sentido do verbo.
8. Lit. "o que para mim e para ti". Trata-se de expressão idiomática
9. Lit. "agarrar/arrebatar subitamente/com força/tudo ao mesmo tempo; tornar cativo".
10. Lit. "cadeia, corrente". Utilizados para amarrar o corpo ou qualquer parte dele.
11. Lit. "estar sob a guarda, estar sob vigilância, custódia".
12. Lit. "entrave; laço para os pés; laço para cavalos, homens; grilhão para os pés". Podia ser confeccionado com crina ou material utilizado na manufatura de cordas.

13. Lit. "ser conduzido, ser dirigido, ser impelido".
14. Divisão do exército romano contendo aproximadamente seis mil homens (6.000).
15. Lit. "deus pagão, divindade; gênio, espírito; mau espírito, demônio".
16. Lit. "abismo, profundeza; submundo, habitação dos mortos".
17. Lit. "sufocar, asfixiar; afogar".
18. Lit. "deus pagão, divindade; gênio, espírito; mau espírito, demônio".
19. Lit. "sob a ação dos daimon". Trata-se dos obsedados, pessoas sujeitas à influência perniciosa de espíritos sem esclarecimento, magoados ou malévolos, razão pela qual se optou pela transliteração do termo grego.
20. Lit. "multidão (número); massa, quantidade (volume); imensidade (espaço); grande duração (tempo)".
21. Lit. "circunvizinhança, arredores, região".
22. Lit. "comprimir, manter apertado, confinar; reter, manter reunido; reunir-se, estar junto; oprimir, pressionar, dominar".
23. Lit. "embarcando em um dos barcos". Nesta passagem, o vocábulo assume também o significado de um termo náutico.
24. Lit. "estar, permanecer". Há um pedido para acompanhar Jesus (ele – "endaimoniado" – permanecer com ele – "Jesus"). No versículo seguinte, a situação é esclarecida, quando Jesus nega o pedido.
25. Lit. "proclamar como arauto, agir como arauto". Sugere a gravidade e a formalidade do ato, bem como a autoridade daquele que anuncia em voz alta e solenemente a mensagem.

RESSURREIÇÃO DA FILHA DE JAIRO E CURA DA MULHER COM FLUXO DE SANGUE (Mt 9:18-26; Mc 5:21-43)

8:40 Ao retornar Jesus, a turba o acolheu[1], pois todos o estavam aguardando. **8:41** Eis que veio um varão, de nome Jairo, que era chefe[2] da sinagoga e, prosternando-se[3] junto aos pés de Jesus, convidava-o[4] a entrar em sua casa, **8:42** porque tinha uma filha única, com cerca de doze anos, e ela está morrendo. Ao sair, as turbas o sufocavam[5]. **8:43** E uma mulher, que estava com um fluxo de sangue por doze anos, a qual, [6]{tendo gasto toda subsistência com médicos}, não pôde ser curada por ninguém. **8:44** Aproximando-se por trás, tocou na orla[7] da sua veste[8], e logo estancou o seu fluxo de sangue. **8:45** Disse Jesus: [9]Quem tocou em mim? Negando todos, disse Pedro: Comandante[10], as turbas te comprimem[11] e espremem[12]. **8:46** Disse Jesus: Alguém me tocou, pois eu percebi um poder[13] {que} saiu de mim. **8:47** Vendo a mulher que não se ocultara, veio trêmula e, prosternando-se[14] diante dele, relatou, diante de todo o povo, por qual razão tocou nele e como foi curada imediatamente. **8:48** Disse a ela: Filha, a tua fé te salvou. Vai em paz! **8:49** Enquanto ele ainda falava, veio alguém da parte do chefe da sinagoga dizendo: Tua filha está morta. Não mais incomodes[15] o Mestre. **8:50** Jesus, ouvindo {isso}, respondeu-lhe: Não temas, apenas crê e ela será salva. **8:51** Chegando à casa, não permitiu a ninguém entrar com ele, senão Pedro, João, Tiago, o pai e mãe da menina[16]. **8:52** E todos choravam e lamentavam[17] por ela. Ele, porém, disse: Não choreis, pois não morreu, mas dorme. **8:53** E zombavam[18] dele, sabendo que ela morrera. **8:54** Ele, agarrando a mão dela, chamou, dizendo: Menina, levanta-te! **8:55** O espírito dela retornou, e imediatamente levantou-se. E ordenou dar-lhe {algo} de comer. **8:56** Os genitores dela extasiaram-se[19]. Ele, porém, ordenou-lhes não dizer a ninguém o que ocorrera.

1. Lit. "receber (gentilmente, de coração, dar boas-vindas), aceitar; aprovar; compreender".
2. Lit. "comandante, chefe, rei", na Atenas democrática, cada um dos nove governantes eleitos anualmente era chamado "aconte". Nesta passagem, trata-se de um chefe de sinagoga, chamado Jairo, segundo o relato de Marcos e Lucas.
3. Lit. "caindo junto aos pés de Jesus". Expressão idiomática semítica que significa prosternar-se (curvar-se ao chão em sinal de profundo respeito).
4. Lit. "exortar, admoestar, persuadir; implorar, suplicar, rogar; animar, encorajar, confortar, consolar; requerer, convidar para vir, mandar buscar".
5. Lit. "sufocar, estrangular".
6. A Crítica Textual contemporânea considera esse trecho um acréscimo posterior, considerando o vocabulário utilizado e a ausência nos manuscritos mais antigos.
7. Lit. "orla, borda, franja das vestes". Na orla ou borda das vestes judaicas masculinas eram feitos bordados com fio azul-púrpura (Nm 15:38-39). Trata-se de um preceito cuja função era evocar a necessidade de cumprimento dos demais preceitos (619 segundo Maimônides). Desse modo, essa orla era sinal característico dos fiéis observadores da Torah.
8. Veste externa, manto, peça de vestuário utilizada sobre a peça interna. Pode ser utilizada como sinônimo do vestuário completo de uma pessoa. O termo também aparece em Mt 5:40, traduzido como "manto".
9. Lit. "quem {é} o que tocou em mim".
10. Lit. "**comandante**, capitão; chefe, superintendente, supervisor". Nesse contexto, a palavra é utilizada em sua acepção técnica de termo náutico, que integra o vasto vocabulário de Lucas a respeito do tema.
11. Lit. "comprimir, manter apertado, confinar; reter, manter reunido; reunir-se, estar junto; oprimir, pressionar, dominar".

12. Lit. "apertar, espremer (utilizado com referência a uvas); pressionar, oprimir". Palavra utilizada para se referir ao campo semântico do lagar (local onde se espremem as uvas para produção do vinho). Possível referência ao texto "Eu sou a videira".
13. Lit. "poder, força, habilidade".
14. Lit."cair sobre, coligir com, lançar-se contra; precipitar-se sobre; cair diante de". No caso a expressão "precipitar-se diante dele" pode ser corretamente traduzida por "prosternou-se diante dele".
15. Lit. "esfolar, tirar a pele; incomodar, perturbar, molestar".
16. Lit. "menino; filho; escravo jovem".
17. Lit. "bater no peito", ato que expressava tristeza, luto, dor.
18. Lit. "ridicularizar, zombar, rir de"
19. Lit. "fora de si".

MISSÃO DOS DOZE (Mt 10:1-16; Mc 6:7-13)

9:1 Convocando os doze, deu-lhes poder[1] e autoridade sobre todos os daimones[2], bem como para curar doenças. **9:2** Ele os enviou para proclamar[3] o Reino de Deus e curar {os enfermos}[4]. **9:3** E disse-lhes: Nada leveis para o caminho, nem cajado[5], nem alforje[6], nem pão, nem prata[7], nem tenham duas túnicas[8]. **9:4** E, em qualquer casa em que entrardes, ali permanecei e dali saí. **9:5** E quantos não vos receberem, saindo daquela cidade, sacudi o pó dos vossos pés em testemunho contra eles. **9:6** Ao saírem, atravessavam todas as aldeias, evangelizando[9] e curando por toda parte.

1. Lit. "poder, força, habilidade".
2. Lit. "deus pagão, divindade; gênio, espírito; mau espírito, demônio".
3. Lit. "proclamar como arauto, agir como arauto". Sugere a gravidade e a formalidade do ato, bem como a autoridade daquele que anuncia em voz alta e solenemente a mensagem.
4. Lit. "mole", fraco, enfermo (ocasional).
5. Lit. "cajado, vara; bastão de comando; cetro de autoridades", utilizado para se apoiar, para corrigir (bater), para comandar, ou como sinal de autoridade.
6. Lit. "saco ou bolsa de couro para levar provisões".
7. Referência ao denário que era confeccionado com prata (metal precioso).
8. Peça de vestuário interno, utilizada junto ao corpo, logo acima da pele, sobre a qual era costume colocar outra peça ou manto. Trata-se de uma espécie de veste interna, íntima.
9. Lit. "evangelizar, anunciar boas novas, dar boas notícias". O verbo significa, originalmente, anunciar as boas novas, dar uma boa notícia.

HERODES (Mt 14:1-12; Mc 6:14-29)

9:7 Herodes, o tetrarca, ouviu todas {as coisas} que aconteciam e estava confuso, por ser dito por alguns que João se levantou[1] dos mortos; **9:8** por outros que Elias tinha aparecido; por outros que algum dos antigos profetas se levantou[2]. **9:9** E disse Herodes: Eu decapitei a João; quem é este, a respeito do qual ouço estas {coisas}? E procurava vê-lo.

1. Lit. "erguer-se, levantar-se". Expressão idiomática semítica que faz referência à ressurreição dos mortos. Para expressar a morte e ressurreição, utilizavam as expressões "deitar-se" (morte) e "levantar-se" (ressurreição).

2. Expressão idiomática semítica que faz referência à ressurreição dos mortos. Para expressar a morte e ressurreição, utilizavam as expressões "deitar-se" (morte) e "levantar-se" (ressurreição).

PRIMEIRA MULTIPLICAÇÃO DOS PÃES
(Mt 14:13-21; Mc 6:30-44; Jo 6:1-15)

9:10 Ao retornarem, os apóstolos relataram-lhe[1] tudo quanto fizeram. E, tomando-os consigo, retirou-se, em particular, para uma cidade chamada Betsaida. **9:11** Mas as turbas, ao saberem, o seguiram. Acolhendo-as[2], falava-lhes a respeito do Reino de Deus, e curava os que tinham necessidade de tratamento[3]. **9:12** O dia começou a declinar[4], quando os doze se aproximaram e lhe disseram: Despede a turba para que, indo às aldeias e campos ao redor[5], se hospedem[6] e encontrem alimento[7], porque aqui estamos em um lugar deserto. **9:13** Disse-lhes: Dai-lhes vós mesmos de comer. Eles, porém, disseram: [8]Não temos mais que cinco pães e dois peixes, a não ser que nós mesmos [9]formos comprar alimentos para todo o povo. **9:14** Pois eram cerca de cinco mil varões. Então, disse aos seus discípulos: Fazei-os reclinarem-se em grupos[10] de cinquenta. **9:15** E, assim, fizeram todos reclinar-se. **9:16** Tomando os cinco pães e os dois peixes, olhando para o céu, abençoou-os, partiu e deu aos discípulos, para oferecerem[11] à turba. **9:17** Todos comeram e saciaram-se[12]; e foram levados[13] do que sobrou dos pedaços, doze cestos de vime[14].

1. Lit. "narrar, relatar, descrever, expor com pormenores".
2. Lit. "receber (gentilmente, de coração, dar boas-vindas), aceitar; aprovar; compreender".
3. Lit. "tratamento, atendimento (serviço médico), cura". Trata-se de terminologia médica. Lucas, seguindo o padrão literário dos escritos médicos da época, utiliza o substantivo que se refere ao tratamento médico dispensado aos doentes.
4. Lit. "cair, afundar-se; **inclinar-se, chegar ao ocaso, declinar (sol, dia)**; inclinar, reclinar, dobrar, fazer cair". Trata-se de expressão idiomática, utilizada também em português, quando dizemos "caiu a tarde, ao cair da tarde".
5. Lit. "em círculo", ao redor.
6. Lit. "destruir, derrubar, demolir, derribar (lançar abaixo); dissolver; interromper (em sentido metafórico: anular, revogar); **albergar-se, hospedar-se, pernoitar, parar durante a noite**".
7. Lit. "alimento, suprimento (de alimento), provisão".
8. Lit. "Não são mais que cinco pães e dois peixes". Expressão idiomática que pode ser perfeitamente substituída por "não temos mais que (...)".

9. Lit. "indo compremos alimentos". Construção perifrástica utilizando o particípio e o subjuntivo.
10. Lit. "lugar para reclinar-se (para se alimentar); tenda; assento; **grupo de pessoas reclinadas para uma refeição**". Possivelmente, Lucas utiliza esse vocábulo como expressão técnica ligada a campo semântico específico, já que ocorre apenas uma única vez em todo o NT.
11. Lit. "colocar ao lado de; colocar diante de", propor; demonstrar (por extensão); apresentar; confiar, depositar/colocar/entregar algo aos cuidados de alguém; recomendar".
12. Lit. "saciar-se, satisfazer-se, fartar-se, estar satisfeito".
13. Lit."levantar, suster, sustentar alguém/algo a fim de carregar; tirar, remover, levar".
14. Lit. "cesta feita de vime".

A REVELAÇÃO DE PEDRO (Mt 16:13-20; Mc 8:27-30)

9:18 E aconteceu que, ¹estando ele orando sozinho, reuniam-se a ele os discípulos; então, interrogou-os, dizendo: Quem dizem as turbas ser eu? **9:19** E, respondendo eles, disseram: {Uns}, João Batista; outros, Elias; e outros, {que} um dos antigos profetas se levantou². **9:20** Disse-lhes: Vós, porém, quem dizeis ser eu? Em resposta, Pedro disse: {És} o Cristo de Deus. **9:21** Ele, porém, advertindo-os, ordenou a ninguém dizer isso;

1. Lit. "no estar ele orando".
2. Expressão idiomática semítica que faz referência à ressurreição dos mortos. Para expressar a morte e ressurreição, utilizavam as expressões "deitar-se" (morte) e "levantar-se" (ressurreição).

O ANÚNCIO DO CALVÁRIO (Mt 16:21-23; Mc 8:31-33)

9:22 dizendo: É necessário o filho do homem padecer muitas {coisas}, ser rejeitado pelos anciãos, sumos-sacerdotes e escribas, ser morto e levantar-se¹ no terceiro dia. **9:23** Ele dizia a todos: Se alguém quer vir após² mim, negue³ a si mesmo, tome⁴ a sua cruz a cada dia, e siga-me. **9:24** Pois quem quiser salvar a sua vida⁵ a perderá, e quem perder a sua vida por minha causa, esse a salvará. **9:25** Porquanto, que benefício tem o homem ao ganhar⁶ o mundo inteiro, destruindo a si mesmo ou ⁷sofrendo perda? **9:26** Pois quem se envergonhar de mim e das minhas palavras, o filho do homem se envergonhará dele, quando vier na sua glória, na {glória} do Pai e dos santos anjos. **9:27** Eu, verdadeiramente, vos digo que há alguns dos que estão {de pé} que não provarão⁸ a morte, até que vejam o Reino de Deus.

1. Lit. "erguer-se, levantar-se". Expressão idiomática semítica que faz referência à ressurreição dos mortos. Para expressar a morte e a ressurreição, utilizavam as expressões "deitar-se" (morte) e "levantar-se" (ressurreição).
2. Lit. "atrás de; após".
3. Lit. "negar; recusar, repelir".
4. Lit. "erguer (com as mãos) para carregar; levantar um objeto a fim de transportá-lo".
5. Lit. "alma; vida".
6. Lit. "tirar proveito, lucrar, poupar, ganhar".
7. Lit. "sofrer perda, dano, prejuízo; receber uma multa".
8. Lit. "provar o gosto".

A TRANSFIGURAÇÃO (Mt 17:1-8; Mc 9:2-8)

9:28 E sucedeu que, cerca de oito dias após estas palavras, tomando consigo a Pedro, João e Tiago, subiu a um monte para orar. **9:29** ¹Enquanto ele orava, a aparência do seu rosto {se tornou} outra, resplandecendo suas vestes² brancas. **9:30** E eis que dois varões conversavam com ele, os quais eram Moisés e Elias, **9:31** que, sendo vistos em glória, falavam {sobre} o seu êxodo³, que estava prestes a se cumprir⁴ em Jerusalém. **9:32** Pedro e os que estavam com ele, sobrecarregados⁵ de sono, ao acordarem⁶, viram a glória dele e os dois varões que ⁷estavam com ele. **9:33** E sucedeu que, enquanto eles se afastavam⁸ dele, disse Pedro a Jesus: Comandante⁹, é bom nós estarmos aqui e {que} façamos três tendas¹⁰, uma para ti, uma para Moisés e uma para Elias, não sabendo o que estava dizendo. **9:34** Enquanto ele falava estas {coisas}, surgiu uma nuvem que ¹¹fazia sombra sobre eles; ao entrarem na nuvem, eles temeram. **9:35** E surgiu uma voz da nuvem, dizendo: Este é o meu filho, o eleito, ouvi-o! **9:36** E ¹²quando surgiu {essa} voz, Jesus se encontrava sozinho. Eles se calaram¹³ e a ninguém relataram nada {do} que tinham visto naqueles dias.

1. Lit. "E aconteceu que no orar ele (...)".
2. Veste externa, manto, peça de vestuário utilizada sobre a peça interna. Pode ser utilizada como sinônimo do vestuário completo de uma pessoa.
3. Lit. "expedição militar, marcha; cortejo fúnebre, procissão; saída, partida, passagem". O termo evoca, ao mesmo tempo, a morte iminente de Jesus como também o êxodo do povo israelita. **Vide Lc 21:28.**
4. Lit. "encher, tornar cheio; completar; realizar, cumprir". Visto que a exegese rabínica evita uma abordagem puramente abstrata das escrituras, era comum perguntar-se: "Quem cumpriu esse trecho da escritura"? Essa indagação levava os intérpretes a citar personagens, sobretudo os patriarcas, com o objetivo de demonstrar o cumprimento da escritura em suas vidas, e a escritura sendo cumprida (vivenciada) por suas vidas.
5. Lit. "sobrecarregado (de peso, de fardo); estar pesado (de sono, de vinho)". Expressão idiomática que se refere ao sono difícil de suportar.
6. Lit. "permanecer acordado, passar a noite em vigília; acordar completamente".
7. Lit. "estar com, permanecer junto a; estar de acordo, entender-se".
8. Lit. "separar-se, afastar-se; dividir, separar".
9. Lit. "**comandante**, capitão; chefe, superintendente, supervisor". Nesse contexto, a palavra é utilizada em sua acepção técnica de termo náutico, que integra o vasto vocabulário de Lucas a respeito do tema.
10. Lit. "tenda, tabernáculo". A palavra evoca os quarenta anos no deserto, durante o qual o povo hebreu habitou em tendas; evoca o tabernáculo (tenda sagrada) no qual Moisés mantinha contato mais estreito com Deus; evoca, também, a festa das tendas em que se comemora a colheita.
11. Lit. "fazer sombra sobre, cobrir com sombra, sombrear".
12. Lit. "no surgir a voz".
13. Lit. "calar-se; guardar segredo".

O ENDAIMONIADO EPILÉTICO (Mt 17:14-21; Mc 9:14-29)

9:37 E sucedeu que, no dia seguinte, descendo eles do monte, numerosa turba reuniu-se[1] a ele. **9:38** Eis que um varão da turba bradou, dizendo: Mestre, rogo-te atentar[2] para o meu filho, porque é meu unigênito. **9:39** E eis que um espírito o toma e, repentinamente[3], ele grita; {o espírito} o [4]agita convulsivamente com espumejamento, e se afasta dele com dificuldade, dilacerando-o[5]. **9:40** Roguei aos teus discípulos que o expulsassem, mas não foram capazes[6]. **9:41** Em resposta, disse Jesus: Ó geração incrédula e pervertida[7]! Até quando estarei convosco e vos suportarei? Conduze até aqui o teu filho. **9:42** Ele ainda estava se aproximando quando o ⁸daimon ⁹lançou-o ao chão e o ¹⁰convulsionou {violentamente} . Jesus repreendeu o espírito impuro, curou o menino[11] e o devolveu ao pai dele.

1. Lit. "encontrar-se com, reunir-se a; suceder, sobrevir".
2. Lit. "olhar sobre/para, observar, reparar; atentar, considerar (com interesse)". A preposição "epi", prefixada ao verbo "ver", confere-lhe o sentido de "mostrar atenção, cuidado", "reparar, atentar".
3. Lit. "repentinamente, inesperadamente". Alguns autores sugerem que esse vocábulo era utilizado na literatura médica da época para crises repentinas de afonia, espasmos, epilepsia.
4. Lit. "deixar em pedaços (despedaçar), dilacerar, rasgar; atormentar, agitar; contorcer-se, agitar-se convulsivamente, convulsionar (fazer o esforço convulsivo)".
5. Lit. "esfregar uma coisa contra a outra, desgastar; moer, triturar, estraçalhar; esmagar, quebrar; romper".
6. Lit. "poder; ser capaz, estar apto".
7. Lit. "que está torto, desviado", metaforicamente: o que está pervertido, corrompido.
8. Lit. "deus pagão, divindade; gênio, espírito; mau espírito, demônio".
9. Lit. "rasgar, dilacerar; romper, quebrar, despedaçar; lançar com força sobre o chão".
10. Lit. "deixar em pedaços (despedaçar), dilacerar, rasgar; atormentar, agitar; contorcer-se, agitar-se convulsivamente, convulsionar (fazer o esforço convulsivo); atormentar ao mesmo tempo". Trata-se do mesmo verbo mencionado na nota 51, acrescido do prefixo "sun", que denota intensidade da ação verbal, razão pela qual adicionou-se a palavra "violentamente", entre parênteses, para transmitir a ideia da intensidade.
11. Lit. "menino; filho; escravo jovem".

SEGUNDA PREVISÃO DO CALVÁRIO (Mt 17:22-23; Mc 9:30-32)

9:43 E todos maravilhavam-se[1] com a grandeza de Deus. Enquanto todos estavam maravilhados com todas {as coisas} que ele fazia, disse para os seus discípulos: **9:44** Ponde vós estas palavras em vossos ouvidos, pois o filho do homem ²está para ser entregue nas mãos dos homens. **9:45** Eles, porém, desconheciam esta palavra, que estivera encoberta para eles, a fim de que não percebessem³; e temiam interrogá-lo a respeito deste dito.

1. Lit. "maravilhar-se, impressionar-se, surpreender-se, espantar-se".
2. Lit. "estar para, estar a ponto de (indicando a iminência do acontecimento)".
3. Lit. "perceber com os sentidos; perceber, entender".

PEQUENOS E GRANDES NO REINO DOS CÉUS
(Mt 18:1-5; Mc 9:33-37)

9:46 [1]Veio à tona entre eles um arrazoado[2] sobre qual deles seria o maior. **9:47** Jesus, porém, sabendo do arrazoado do coração deles, tomando uma criancinha[3], colocou-a {de pé} junto a si, **9:48** e disse-lhes: Quem receber em meu nome esta criancinha, recebe a mim; e quem me receber, recebe ao que me enviou. Pois quem é o menor entre todos vós, esse é grande.

1. Lit. "entrou um arrazoado entre eles". Expressão idiomática possivelmente utilizada no contexto dos debates rabínicos, que pode ser substituída, em português, por "veio à tona".
2. Lit. "pensamento, opinião, raciocínio; disputa, arrazoado, argumentação, consideração; plano, cogitação, desígnio".
3. Lit. "bebê, infante, criancinha; filhinho".

CONTRA E A FAVOR DO CRISTO (Mc 9:38-41)

9:49 Em resposta, disse João: Comandante[1], vimos alguém expulsando daimones[2] em teu nome e o impedimos[3], porque não segue conosco. **9:50** Disse-lhes Jesus: Não {o} impeçais, pois quem não é contra nós é por nós.

1. Lit. "**comandante**, capitão; chefe, superintendente, supervisor". Nesse contexto, a palavra é utilizada em sua acepção técnica de termo náutico, que integra o vasto vocabulário de Lucas a respeito do tema.
2. Lit. "deus pagão, divindade; gênio, espírito; mau espírito, demônio".
3. Lit. "impedir, pôr obstáculos; separar".

A REJEIÇÃO DOS SAMARITANOS

9:51 E sucedeu que, ao se completarem os dias de sua elevação[1], ele [2]manifestou o firme propósito de ir para Jerusalém. **9:52** Ele enviou

LUCAS 9

anjos³ perante a sua face. Indo, entraram em uma aldeia de samaritanos, para preparar-lhe {hospedagem}. **9:53** Mas não o receberam porque ⁴tinha o propósito de se dirigir a Jerusalém. **9:54** Vendo {isso}, os discípulos Tiago e João disseram: Senhor, queres que digamos para descer fogo do céu a fim de os destruir⁵? **9:55** Voltando-se, ele os repreendeu: **9:56** ⁶{Não sabeis de que espírito sois. Pois o filho do homem não veio para destruir a vida dos homens, mas para salvá-la}. E foram para outra aldeia.

1. Lit. "ascensão, elevação, levantamento; restauração, reparação; reconhecimento de um filho (precedido do ato formal de tomá-lo nos braços e levantá-lo)".
2. Lit. "apoiar/fixar firmemente a face". Trata-se de hebraísmo que dá ideia de um propósito firme, de uma resolução segura a respeito de algo.
3. Lit. "mensageiros".
4. Lit. "a face dele estava indo para Jerusalém". Trata-se de uma expressão idiomática semítica (vide nota 1). Os samaritanos eram hostis com os peregrinos judeus que se dirigiam a Jerusalém, principalmente durante as festas de peregrinação (Páscoa, Pentecostes e Tendas), durante as quais a cidade ficava superlotada de fiéis.
5. Lit. "destruir, eliminar, consumir; perecer, gastar".
6. A Crítica Textual contemporânea rejeita esse trecho, com unanimidade, já que está ausente dos mais antigos manuscritos.

OS DESAFIOS DO DISCIPULADO (Mt 8:18-22)

9:57 Enquanto eles no caminho, alguém lhe disse: Eu te seguirei aonde fores. **9:58** Disse-lhe Jesus: As raposas têm tocas¹ e as aves do céu² {têm} ninhos; mas o filho do homem não tem onde reclinar a cabeça. **9:59** Disse a outro: Segue-me! Ele, porém, disse: ³{Senhor}, permite-me ir primeiro enterrar meu pai. **9:60** Disse-lhe: Deixa que os mortos enterrem seus próprios mortos. Tu, porém, vai e anuncia⁴ o Reino de Deus. **9:61** Outro lhe disse: Senhor, eu te seguirei, mas permite-me primeiro ⁵colocar à parte os que {estão} em minha casa. **9:62** Disse-lhe Jesus: Ninguém que põe sua mão no arado e olha para {as coisas de} trás é apto para o Reino de Deus.

1. Lit. "toca, covil, esconderijo, caverna onde se refugiam os animais selvagens".

2. Lit. "local onde se arma a tenda, local de habitação; reduto; ninho".
3. A Crítica Textual contemporânea salienta que essa palavra está ausente em alguns poucos manuscritos, não obstante serem cópias antigas. Todavia, acredita-se que a ausência seja fruto de descuido de copistas.
4. Lit. "enviar uma mensagem; divulgar, tornar público; transmitir à posteridade; anunciar extensivamente (a todos)".
5. Lit. "colocar à parte; separar-se de, renunciar a". Em português temos uma expressão idêntica "colocar à parte", no sentido de comunicar, informar. No caso, o candidato a discípulo pede autorização para comunicar a seus familiares sua decisão, o que incluiu despedir-se deles.

10 A MISSÃO DOS SETENTA {E DOIS}
(Mt 9:37-38, 10:5-16; Mc 6:7-11; Lc 9:1-5)

10:1 Depois destas {coisas}, o Senhor designou¹ outros setenta ²{e dois} e os enviou de dois {em dois}, perante a sua face, a toda cidade e lugar aonde ele estava prestes a ir. **10:2** E dizia-lhes: A colheita³ é grande, mas os trabalhadores são poucos. Rogai, portanto, ao Senhor da colheita para que envie trabalhadores para sua colheita. **10:3** Ide! Eis que vos envio como cordeiros em meio de lobos. **10:4** Não carregueis bolsa⁴, nem alforje⁵, nem sandálias, e a ninguém saudeis pelo caminho. **10:5** Em qualquer casa em que entrardes, primeiro dizei: Paz a esta casa! **10:6** E se ali houver um ⁶filho da paz, repousará sobre ele a vossa paz; se não {houver}, retornará para vós. **10:7** Permanecei na mesma casa, comendo e bebendo ⁷o que eles tiverem, pois digno é o trabalhador do seu salário⁸. Não se transfiram⁹ de casa para casa. **10:8** E na cidade em que entrardes e vos receberem, comei o que vos apresentarem¹⁰. **10:9** Curai os enfermos¹¹ que nela {houver} e dizei-lhes: Está próximo de vós o Reino de Deus. **10:10** Na cidade em que entrardes e não vos receberem, saindo por suas ruas¹², dizei: **10:11** Até o pó da vossa cidade, que se grudou¹³ aos nossos pés, esfregamos¹⁴ em vós. Todavia, sabei que está próximo o Reino de Deus. **10:12** Eu vos digo que, naquele dia, haverá mais tolerância¹⁵ para Sodoma do que para aquela cidade.

1. Lit. "exibir, mostrar algo (levantando-o), apontar por meio de sinais, manifestar; indicar, designar, constituir".
2. A Crítica Textual contemporânea se divide quanto à definição do número de enviados designados por Jesus, se eram setenta ou setenta e dois. Os manuscritos antigos apresentam ambos os números, o que torna ainda mais difícil a decisão dos eruditos.
3. Lit. "colheita; tempo da colheita".
4. Lit. "pequena bolsa para carregar dinheiro".
5. Lit. "saco ou bolsa de couro para levar provisões".
6. Expressão idiomática semítica que abre um leque de possibilidades para a interpretação. Trata-se de uma espécie de neologismo hebraico no qual se colocam lado a lado dois substantivos, com a finalidade de estabelecer um novo sentido, fruto da fusão dos dois termos. Nesse caso, pode significar "pacífico", "alguém de temperamento brando", "alguém que estimula a paz".
7. Lit. "as {coisas} da parte deles".
8. Lit. "salário, remuneração, pagamento; recompensa".

9. Lit. "ir ou passar de um lugar para outro; ser removido".
10. Lit. "colocar ao lado de; colocar diante de", propor; demonstrar (por extensão); apresentar; confiar, depositar/colocar/entregar algo aos cuidados de alguém; recomendar".
11. Lit. "mole", fraco, enfermo (ocasional).
12. Lit. "ruas, estradas largas; praça".
13. Lit. "colar, soldar; aderir a". Em sentido metafórico: ligar-se, atar-se, juntar-se, unir-se, associar-se.
14. Lit. "tirar (esfregando); enxugar (lágrimas, água); escovar, esfregar (para remover)".
15. Lit. "será mais tolerável ou mais suportável". Trata-se do adjetivo "tolerável", "suportável" utilizado no grau comparativo "mais tolerável", "mais suportável".

JULGAMENTO DAS CIDADES DO LAGO (Mt 11:20-24)

10:13 Ai de ti, Corazim! Ai de ti, Betsaida! Porque se em Tiro e em Sidom tivessem ocorrido os prodígios que entre vós ocorreram, há muito tempo teriam se arrependido, sentadas em [1]pano de saco e cinza. **10:14** Todavia, haverá mais tolerância[2], no juízo, para Tiro e Sidom do que para vós. **10:15** E tu, Cafarnaum, acaso serás elevada até ao céu? Serás rebaixada até ao hades[3]! **10:16** Quem vos ouve, ouve a mim; quem vos rejeita[4], me rejeita; quem me rejeita, rejeita o que me enviou.

1. O pano de saco diz respeito a tecido quente feito do pelo de cabra ou camelo, de cor escura, também conhecido como "saco de cilício", porquanto era feito do pelo de cabra preta proveniente da Cilícia, utilizado juntamente com as cinzas, com o propósito de expressar lamentação ou penitência.
2. Lit. "será mais tolerável ou mais suportável". Trata-se do adjetivo "tolerável", "suportável" utilizado no grau comparativo "mais tolerável", "mais suportável".
3. Trata-se do submundo, o mundo dos mortos, segundo a literatura grega.
4. Lit. "deslocar, pôr de lado; ab-rogar, anular, violar (lei, tratado); rejeitar, desprezar".

A VOLTA DOS SETENTA {E DOIS}

10:17 Os setenta [1]{e dois} voltaram com alegria, dizendo: Senhor, em teu nome, expulsamos os daimones[2]. **10:18** Disse-lhes: Eu contemplei Satanás[3], caindo do céu como relâmpago. **10:19** Eis que vos dei

LUCAS 10

autoridade para pisar sobre serpentes e escorpiões, e sobre todo poder do inimigo; e, de modo nenhum, nada vos ⁴fará injustiça. **10:20** Todavia, não vos alegreis porque os espíritos estão sujeitos a vós; mas porque os vossos nomes estão escritos nos céus.

1. A Crítica Textual contemporânea se divide quanto à definição do número de enviados designados por Jesus, se eram setenta ou setenta e dois. Os manuscritos antigos apresentam ambos os números, o que torna ainda mais difícil a decisão dos eruditos.
2. Lit. "deus pagão, divindade; gênio, espírito; mau espírito, demônio".
3. Lit. "adversário". Palavra de origem semítica.
4. Lit. "fazer/praticar injustiça; proceder ilegalmente; tratar mal, molestar, prejudicar".

A ALEGRIA DE JESUS (Mt 11:25-27; 13:16-17)

10:21 Nesta mesma hora, exultou[1] em/com o Espírito Santo, e disse: Eu te louvo[2], Pai, Senhor do céu e da terra, porque ocultaste essas coisas dos sábios e inteligentes, e as revelaste aos infantes[3]. Sim, Pai, porque assim ⁴foi do teu agrado. **10:22** Todas as coisas me foram entregues por meu Pai, e ninguém conhece quem é o filho senão o Pai, nem quem é o Pai senão o filho, e aquele a quem o filho quiser revelar. **10:23** E, voltando-se para os discípulos, em particular, disse: Bem-aventurados os olhos que veem o que vedes! **10:24** Pois eu vos digo que muitos profetas e reis quiseram ver o que vedes, e não viram; ouvir o que ouvis, e não ouviram.

1. Lit. "regozijar-se, exultar, estar cheio de alegria", comumente utilizado no contexto de festa religiosa ou culto.
2. Lit. "confessar (publicamente), reconhecer, admitir, concordar, prometer, consentir; exaltar, enaltecer, louvar, agradecer".
3. Lit. "infante, criancinha (criança bem jovem)". Metaforicamente: néscio, iniciante, não instruído, simples.
4. Lit. "ocorreu agrado diante de ti".

PARÁBOLA DO BOM SAMARITANO (Mt 22:34-40; Mc 12:28-34)

10:25 E eis que certo Mestre da Lei levantou-se para testá-lo[1], dizendo: Mestre, depois de fazer o que, herdarei a vida eterna? **10:26** Ele lhe disse: Que está escrito na Lei? Como lês? **10:27** Em resposta, disse: Amarás {o} Senhor teu Deus de todo o teu coração, de toda tua alma, com toda tua força[2], e com toda a tua mente[3]; e o teu próximo como a ti mesmo. **10:28** Disse-lhe: Respondeste [4]de forma justa. Faze isto e viverás. **10:29** Ele, porém, querendo justificar-se[5], disse a Jesus: Quem é meu próximo? **10:30** Prosseguindo, disse Jesus: Certo homem descia de Jerusalém para Jericó e [6]caiu {nas mãos de} assaltantes[7], os quais, depois de havê-lo despojado[8] e espancado[9], retiraram-se, deixando-o semimorto. **10:31** Por coincidência[10], certo sacerdote descia por aquele caminho e, ao vê-lo, [11]passou pelo lado oposto. **10:32** [12]De forma semelhante, também um levita, que vinha por {aquele} lugar, ao vê-lo, passou pelo lado oposto. **10:33** Certo samaritano, em viagem, veio até ele e, ao vê-lo, compadeceu-se[13]. **10:34** E, aproximando-se, atou[14] os ferimentos[15] dele, derramando[16] óleo {de oliva} e vinho. Após colocá-lo[17] sobre seu próprio [18]animal {de carga}, levou-o para uma hospedaria[19] e cuidou[20] dele. **10:35** No [21]dia seguinte, tirando dois denários[22], deu-os ao hospedeiro, e disse: Cuida dele, e o que gastares a mais, quando eu retornar, te pagarei[23]. **10:36** Qual destes três te parece ter-se tornado o próximo do que [24]caiu {nas mãos de} assaltantes[25]? **10:37** Ele disse: O que praticou[26] a misericórdia com ele. Disse-lhe Jesus: Vai e faze tu [27]do mesmo modo.

1. Lit. "tentar, experimentar; testar, pôr à prova; desafiar".
2. Lit. "força, poder; vigor, firmeza". No texto original da bíblia hebraica (Dt 6:5), está escrito "com todo o teu "meod" (muito)". Na tradição judaica, essa expressão é interpretada da seguinte maneira: "com todos os teus recursos/bens/propriedades". Sendo assim, todos os bens devem estar a serviço de Deus, subordinados ao amor a Deus.
3. Lit. "mente; entendimento, inteligência; pensamento, plano".
4. Lit. "retamente (com justiça, de forma justa)".
5. Lit. "ter ou reconhecer como justo, declarar justo (justificar)". Trata-se de terminologia forense, ligada à prática dos tribunais, cujo significado é "absolver, reconhecer como justo".
6. Lit. "cair ao redor, no meio de, em cima; desmoronar; ser envolvido, **cair nas mãos de, estar cercado por**". Trata-se de uma expressão idiomática "cair em meio/ao redor de assaltantes" que

LUCAS 10

    pode muito bem ser substituída, em português, por "cair nas mãos de".

7. Lit. "assaltante (de estrada), saqueador; pirata; salteador".
8. Lit. "remover as roupas, despir; despojar (retirar tudo de alguém)". O verbo "despojar" parece refletir melhor o ato praticado pelos assaltantes, que naturalmente não se limitaram a despir a vítima, mas acabaram por levar todos os seus pertences.
9. Lit. "colocar sobre (alguém) golpe/pancada, cobrir alguém de pancadas, espancar". Expressão idiomática muito semelhante àquela utilizada em português "cobrir de pancada, encher de pancada". A ideia é de uma verdadeira sucessão de golpes que vão se acumulando sobre a vítima.
10. Lit. "concorrência (ocorrer simultaneamente), coincidência; acaso, acidente".
11. Lit. "passar pelo lado oposto; opor; avançar contra". Trata-se do verbo "parerkhomai (passar ao lado de, passar de lado; passar de largo, ignorar)" com o prefixo "anti (contra, oposto)".
12. Lit. "semelhantemente". Trata-se de um advérbio.
13. Lit. "compadecer-se, ter compaixão, ter piedade; mostrar simpatia".
14. Lit. "**atar, enfaixar uma ferida/trauma**; vendar, cerrar; colocar na prisão, impedir". Trata-se de terminologia médica. Lucas, seguindo o padrão literário dos escritos médicos da época, utiliza o verbo com o significado de aplicar ataduras sobre feridas.
15. Lit. "**trauma, ferimento, ferida**; avaria; derrota, desastre". Nesse contexto, a palavra é utilizada em sua acepção técnica de termo médico, que integra o vasto vocabulário de Lucas a respeito do tema, indicando não apenas as feridas causadas pelas pancadas, mas também os traumas físicos (ossos, músculos) decorrentes da agressão.
16. Lit. "**derramar sobre, infundir sobre**; misturar-se em; precipitar-se (como uma torrente) sobre". Nesse contexto, a palavra é utilizada em sua acepção técnica de termo médico.
17. Lit. "fazer ascender/subir; colocar sobre; embarcar alguém".
18. Lit. "animal, besta de carga; bens semoventes (rebanhos, gados); bens, possessões".
19. Lit. "hospedaria pública (lugar onde viajantes poderiam se hospedar)". No Oriente, essas hospedarias para viajantes recebiam diversos nomes: menzil, Khan, caravanserai.
20. Lit. "cuidar de; ocupar-se de; estar encarregado de, dirigir; exercitar-se em". Nesse contexto, a palavra é utilizada em sua acepção técnica de termo médico, indicando os cuidados dispensados por um médico a um enfermo.
21. Lit. "no amanhã".
22. Moeda de prata romana correspondente ao salário pago por um dia de trabalho no campo.
23. Lit. "devolver, restituir; vender, dar em troca; remeter, transmitir; aceder, permitir".
24. Lit. "cair ao redor, no meio de, em cima; desmoronar; ser envolvido, **"cair nas mãos de", estar cercado por**". Trata-se de uma expressão idiomática "cair em meio/ao redor de assaltantes" que pode muito bem ser substituída, em português, por "cair nas mãos de".
25. Lit. "assaltante (de estrada), saqueador; pirata; salteador".
26. Lit. "fez".
27. Lit. "semelhantemente". Trata-se de um advérbio.

JESUS VISITA MARTA E MARIA

10:38 Ao ¹prosseguirem {a jornada}, ele entrou em certa aldeia. E certa mulher, de nome Marta, o hospedou. **10:39** Ela tinha uma irmã, chamada Maria, que estava sentada aos pés do Senhor, e ouvia a sua palavra. **10:40** Marta distraia-se² em torno de muito serviço. Colocando-se³ perto, disse: Senhor, não te importas que minha irmã me deixe servir⁴ sozinha? Dize-lhe, pois, que me ajude. **10:41** Em resposta, o Senhor lhe disse: Marta, Marta, inquieta-te⁵ e te agitas⁶ a respeito de muitas {coisas}. **10:42** Porém é necessária uma. Assim, Maria escolheu a boa parte, que não será tirada⁷ dela.

1. Lit. "no irem eles". Essa expressão, difícil de ser traduzida em português, faz referência implícita ao fato de que Jesus e os discípulos estavam em viagem para Jerusalém, conforme anunciado em Lc 9:51,53 e 57. A ideia é de que "seguiram viagem".
2. Lit. "ser puxado/arrastado de um lado para outro; ser atraído em diferentes direções, distrair a atenção; estar distraído".
3. Lit. "pôr/colocar sobre/próximo de, estar/permanecer ao lado/próximo de".
4. Lit. "servir à mesa, serviço doméstico (pessoal); suprir, prover; cuidar; auxiliar, apoiar, ajudar". O verbo se encontra no imperfeito ingressivo, transmitindo a ideia de início da ação no passado.
5. Lit. "inquietar-se, ter ansiedade, estar ansioso, estar preocupado".
6. Lit. "perturbar-se, agitar-se, conturbar-se".
7. Lit. "tirar, remover, extirpar, amputar".

11 A ORAÇÃO "PAI NOSSO" (Mt 6:9-15, 7:7-11)

11:1 E aconteceu {isso} enquanto ele estava orando em certo lugar; quando acabou, um dos discípulos lhe disse: Senhor, ensina-nos a orar como também João ensinou aos seus discípulos. **11:2** Disse-lhes: Quando orardes, dizei: Pai, santificado seja o teu nome, venha o teu reino. **11:3** O pão nosso diário[1] dá-nos a cada dia; **11:4** perdoa-nos os nossos pecados, pois também {nós} mesmos perdoamos a todos que nos devem[2]; e não nos introduzas[3] em tentação. **11:5** E disse-lhes: Qual de vós terá um amigo, irá até ele à meia-noite, e lhe dirá: Amigo, empresta-me três pães, **11:6** visto que um amigo meu veio da estrada[4] até mim e não tenho o que lhe apresentar[5]. **11:7** E aquele de dentro, em resposta, disser: [6]Não me dês[7] trabalho[8]; a porta já está fechada, meus filhinhos[9] estão na cama[10] comigo. Não posso levantar-me para dar {os pães} a ti. **11:8** Eu vos digo: Ainda que não se levante para lhe dar por ser seu amigo, se levantará para lhe dar o quanto necessita, pelo menos por causa da sua desonra[11]. **11:9** Eu também vos digo: Pedi e vos será dado; buscai e encontrareis; batei e será aberto para vós. **11:10** Pois todo aquele que pede recebe, e aquele que busca encontra, e ao que bate será aberto. **11:11** Qual dentre vós é o pai que seu filho lhe pedirá um peixe e em vez de um peixe lhe dará uma serpente? **11:12** Ou também lhe pedirá um ovo e lhe dará um escorpião? **11:13** Portanto, se vós, sendo maus[12], sabeis dar boas dádivas[13] aos vossos filhos, quanto mais vosso Pai {que está} no céu dará o Espírito Santo aos que lhe pedem.

---

1. Palavra rara, de significado disputado. As opções de tradução são: "diário, cotidiano, de cada dia; para o dia seguinte, para o futuro; necessário".
2. Lit. "ter uma dívida/dever (débito, dívida, o que é devido, por extensão "ofensa, falta, pecado)".
3. Trata-se de semitismo, no qual é utilizado um verbo no causativo "não me introduzas, não me ponhas" com o sentido claramente permissivo "não permita que eu entre, que eu me torne vítima, que eu esteja em poder da tentação".
4. Lit. "caminho, estrada". No caso, a ideia é de que a pessoa chegou de viagem, buscando hospedagem na casa do seu amigo.
5. Lit. "colocar ao lado de; colocar diante de", propor; demonstrar (por extensão); apresentar; confiar, depositar/colocar/entregar algo aos cuidados de alguém; recomendar".
6. Trata-se de uma expressão idiomática "não me ofereça/cause labor fatigante/fadiga", que pode ser traduzida, em português, de forma aproximada por "não me canse", "não me dê trabalho".
7. Lit. "oferecer, ofertar, presentear; conceder, dar, fornecer; exibir; ser a causa de".

8. Lit. "labor/trabalho fatigante, lida, labuta; aflição, sofrimento, fadiga, cansaço, desconforto (decorrentes da labuta); golpe, pena".
9. Lit. "bebê, infante, criancinha; filhinho".
10. Lit. "cama; leito conjugal; relação sexual, concubinato (por metonímia); concepção (por extensão)".
11. Lit. "falta de vergonha, falta de pudor (impudência); ausência de respeitabilidade/honra".
12. Lit. "mal; mau, malvado, malevolente; maligno, malfeitor, perverso; criminoso, ímpio". No grego clássico, a expressão significava "sobrecarregado", "cheio de sofrimento", "desafortunado", "miserável", "indigno", como também "mau", "causador de infortúnio", "perigoso". No Novo Testamento refere-se tanto ao "mal" quanto ao "malvado", "mau", "maligno", sendo que em alguns casos substitui a palavra hebraica "satanás" (adversário).
13. Lit. "dádiva, dom, presente".

JESUS E BEELZEBUL (Mt 9:32-34, 12: 22-30; Mc 3:20-30)

11:14 Ele estava expulsando um daimon[1] {que era}[2] mudo. E sucedeu que, ao sair o daimon, o mudo falou, e as turbas maravilharam-se. **11:15** Mas alguns dentre eles disseram: Em {nome de} Beelzebul[3], chefe dos daimones[4], expulsa os daimones. **11:16** E outros, testando-o[5], buscavam junto dele um sinal do céu. **11:17** E ele, sabendo os pensamentos deles, disse-lhes: Todo reino dividido em si mesmo [6]está deserto, e cai casa sobre casa. **11:18** Se também Satanás[7] está dividido em si mesmo, como permanecerá de pé o seu Reino? Porque dizeis que por Beelzebul eu expulso daimones? **11:19** E se eu expulso os daimones por Beelzebul, por quem os vossos filhos os expulsam? Por esta razão, eles serão os vossos juízes. **11:20** Se, porém, eu expulso daimones pelo dedo de Deus, chegou até vós o Reino de Deus. **11:21** Quando o {homem} forte, armado, guarda o próprio [8]pátio interior {da residência}, seus bens estão em paz. **11:22** Atacando[9], porém, um mais forte do que ele, quando o vence[10], tira-lhe sua armadura[11] e distribui os despojos[12] dele. **11:23** Quem não está comigo é contra mim; e quem não ajunta comigo, espalha.

1. Lit. "deus pagão, divindade; gênio, espírito; mau espírito, demônio".
2. A Crítica Textual contemporânea está dividida quanto à autenticidade desta oração. Se por um lado reflete um semitismo característico de Lucas, por outro lado está ausente dos manuscritos mais antigos, que adotam a leitura mais curta.

LUCAS 3. Baal-Zebube (Senhor da habitação) refere-se a um deus filisteu, ao qual Acazias, filho do Rei
11 Acabe, teria consultado num oráculo (II Reis 1:2), apesar da reprovação do profeta Elias. Era conhecido como príncipe dos maus espíritos, donde se originou seu nome "Senhor da habitação ou da morada dos maus espíritos".
4. Lit. "deus pagão, divindade; gênio, espírito; mau espírito, demônio".
5. Lit. "tentar, experimentar; testar, pôr à prova; desafiar".
6. Lit. "estar deserto, desolado, desabitado".
7. Lit. "adversário". Palavra de origem semítica.
8. Lit. "espaço descoberto ao redor de uma casa, cercado por uma parede, onde ficavam os estábulos, aprisco; pátio de uma casa; pátio interno das habitações de pessoas prósperas. Nas residências orientais, geralmente construídas em forma de quadrado, havia um pátio interior, descoberto, bem como um pátio exterior (uma espécie de varanda). Esse vocábulo também pode ser utilizado para se referir à residência ou palácio como um todo.
9. Lit. "vir sobre/em cima; vir depois de/a seguir; vir inesperadamente; **atacar (repentinamente), assaltar**". O termo é utilizado, neste contexto, em sua acepção técnica militar de ataque inesperado, repentino.
10. Lit. "vencer, conquistar; dominar, subjugar, submeter; prevalecer". O termo é utilizado, neste contexto, em sua acepção técnica militar, fazendo referência ao ataque bem sucedido no qual o inimigo é completamente subjugado, vencido, dominado.
11. Lit. "armadura completa de um soldado (escudo, espada, lança, capacete/elmo, colete/couraça), incluindo tanto os instrumentos de defesa quanto os de ataque. Termo técnico ligado ao exército de um modo geral, em especial ao exército romano.
12. Lit. "despojos de um inimigo vencido, ou seja, a armadura e as armas (armadura completa) retiradas de um inimigo morto. Termo técnico ligado ao campo semântico da guerra. Etimologicamente, o termo significa "aquilo que cobre o soldado", "sua armadura completa". Era comum o vencedor retirar todo o paramento militar do inimigo vencido, por se tratar de material valioso (escudo, espada, lança, capacete/elmo, colete/couraça).

A VOLTA DO ESPÍRITO IMPURO (Mt 12:43-45)

11:24 Quando o espírito impuro sai do homem, atravessa lugares áridos, procurando repouso; não encontrando, diz: Voltarei para minha casa, de onde saí. **11:25** Após vir, encontra-a varrida[1] e adornada[2]. **11:26** Então sai e traz consigo outros sete espíritos, piores do que ele e, entrando, habitam ali. E torna-se o último {estado} daquele homem pior que o primeiro.

1. Lit. "varrida, limpa (com uma vassoura)".
2. Lit. "adornada, decorada, embelezada; em ordem, organizada".

A BEM-AVENTURANÇA VERDADEIRA

11:27 E aconteceu que, enquanto ele dizia estas {coisas}, certa mulher da turba, levantando[1] a voz, lhe diz: Bem-aventurado o ventre que te carregou e os seios nos quais mamaste. **11:28** Ele disse: Bem-aventurados, antes, os que ouvem a palavra de Deus e a guardam.

1. Lit. "levantar, erguer; elevar; excitar, exaltar".

O PEDIDO DE UM SINAL (Mt 12:38-42, 16:1-4; Mc 8:12)

11:29 Estando aglomeradas[1] as turbas, começou a dizer: Esta geração é uma geração má[2]; busca um sinal, mas não será dado a ela um sinal, senão o sinal de Jonas.**11:30** Pois assim como Jonas tornou-se um sinal para os ninivitas, assim também será o filho do homem para esta geração. **11:31** A rainha do sul se levantará, no {dia} do juízo, com os varões desta geração, e os condenará, porque veio dos confins da terra para ouvir a sabedoria de Salomão, e eis aqui {alguém} maior do que Salomão. **11:32** {Os} varões ninivitas se levantarão[3], no {dia} do juízo, com esta geração, e a condenarão, porque eles se arrependeram[4] com a proclamação de Jonas; e eis aqui {alguém} maior do que Jonas.

1. Lit. "reunir, recolher, amontoar sobre (algum lugar); aglomerar-se".
2. Lit. "mal; mau, malvado, malevolente; maligno, malfeitor, perverso; criminoso, ímpio". No grego clássico, a expressão significava "sobrecarregado", "cheio de sofrimento", "desafortunado", "miserável", "indigno", como também "mau", "causador de infortúnio", "perigoso". No Novo Testamento refere-se tanto ao "mal" quanto ao "malvado", "mau", "maligno", sendo que em alguns casos substitui a palavra hebraica "satanás" (adversário).
3. Lit. "erguer-se, levantar-se". Expressão idiomática semítica que faz referência à ressurreição dos mortos. Para expressar a morte e a ressurreição, utilizavam as expressões "deitar-se" (morte) e "levantar-se" (ressurreição).
4. Lit. "mudar de mente, de opinião, de sentimentos, de vida".

LUCAS 11

A CANDEIA DO CORPO (Mt 5:15, 6:22-23; Mc 4:21; Lc 8:16)

11:33 Ninguém, acendendo¹ uma candeia², a coloca em {um lugar} escondido {nem debaixo do módio³}, mas sobre o candeeiro, para que os que entram vejam a luz. **11:34** A candeia⁴ do corpo é o teu olho. Sempre que o teu olho estiver simples⁵, teu corpo inteiro também está luminoso, mas quando estiver mau⁶, também teu corpo {estará} em treva. **11:35** Portanto, examina⁷ {se} a luz {que há} em ti não é treva. **11:36** Portanto, se o teu corpo inteiro {for} luminoso, não tendo parte alguma escura, será totalmente luminoso, como quando a candeia te ilumina com o raio.

1. Lit. "iluminar, acender; tocar, entrar em contato; conformar, fixar; ter contato sexual".
2. Lâmpada de barro alimentada por óleo (azeite de oliva), utilizada nas residências e no templo.
3. Medida romana para coisas secas (aproximadamente 35 litros).
4. Lâmpada de barro alimentada por óleo (azeite de oliva), utilizada nas residências e no templo.
5. Lit. "simples; natural, sem artifício; cândido; sincero, franco".
6. Lit. "mal; mau, malvado, malevolente; maligno, malfeitor, perverso; criminoso, ímpio". No grego clássico, a expressão significava "sobrecarregado", "cheio de sofrimento", "desafortunado", "miserável", "indigno", como também "mau", "causador de infortúnio", "perigoso". No Novo Testamento refere-se tanto ao "mal" quanto ao "malvado", "mau", "maligno", sendo que em alguns casos substitui a palavra hebraica "satanás" (adversário).
7. Lit. "examinar, investigar; observar (de longe, desde cima), espiar, inspecionar, explorar; informar-se, perguntar; ter cuidado, acautelar-se; velar por, preocupar-se".

ENSINO E PRÁTICA (Mt 23:1-36; Mc 12:38-40; Lc 20:45-47)

11:37 Ao falar {isso}, um fariseu pediu-lhe para que comesse¹ com ele. Depois de entrar, recostou-se². **11:38** Ao ver {isso}, o fariseu admirou-se, porque não se lavou³ primeiro antes da refeição⁴. **11:39** O Senhor, porém, lhe disse: Vós, os fariseus, agora limpais⁵ o {lado} de fora do copo⁶ e do prato, mas o {lado} de dentro está cheio do {que provém do} saque⁷ e da maldade. **11:40** Insensatos! Quem fez o exterior não fez também o interior? **11:41** Todavia, dai as {coisas} interiores {como} dádiva⁸, e eis que todas {as coisas} serão puras para vós. **11:42** Mas ai de vós, fariseus, que ⁹pagais o dízimo da hortelã[10], da arruda e de todas as hortaliças, e ¹¹deixais de lado a justiça[12] e o amor de Deus. Deveis fazer estas {coisas} e não deixar passar aquelas. **11:43** Ai de vós, fariseus, que amais a primeira cadeira[13] nas sinagogas e as saudações nas praças. **11:44** Ai de vós, porque sois como túmulos invisíveis, e os homens que sobre eles ¹⁴andam não sabem. **11:45** Em resposta, um dos Mestres da Lei lhe diz: mestre, dizendo estas {coisas} também nos insultas[15]. **11:46** Ele disse: Ai de vós também, mestres da Lei, que os homens com fardos[16] difíceis de suportar, e vós mesmos nem com um dos vossos dedos tocais os fardos. **11:47** Ai de vós, porque edificais os túmulos dos profetas, porém os vossos pais os mataram. **11:48** Assim, sois testemunhas e consentis nas obras de vossos pais, porque se por um lado eles os mataram, por outro lado vós edificais {os túmulos}. **11:49** Por isso também a Sabedoria de Deus disse: Enviarei a eles profetas e apóstolos, e {a alguns} deles matarão e perseguirão, **11:50** para que seja requerido[17] desta geração o sangue de todos os profetas, derramado desde a fundação do mundo, **11:51** desde o sangue de Abel até o sangue de Zacarias[18], que pereceu entre o altar[19] e a casa. Sim, eu vos digo: {o sangue} será requerido desta geração. **11:52** Ai de vós, mestres da Lei, que tomastes[20] a chave do conhecimento; {vós} mesmos não entrastes, e impedis[21] os que estão entrando. **11:53** Saindo dali, os escribas e fariseus começaram a ²²guardar terrivelmente {ódio/rancor} e a ²³cercá-lo de interrogatórios a respeito de muitas {coisas}, **11:54** ²⁴armando uma cilada para ele, a fim de apanhar[25] algo da sua boca.

1. Lit. "fazer a primeira refeição da manhã ou fazer a refeição do meio-dia (almoço)". O vocábulo também diz respeito ao ato de participar do banquete, de grandes proporções, oferecido em ocasiões festivas, tais como as festas de núpcias.
2. Lit. "cair para trás, recostar-se; posicionar-se para comer, reclinar-se à mesa".
3. Lit. "lavar, imergir, mergulhar". Posteriormente, a Igreja conferiu ao termo uma nuance técnica e teológica para expressar o sacramento do batismo. Nesta passagem, faz-se referência à obrigação imposta ao judeu de lavar as mãos antes da refeição.
4. Lit. "primeira refeição da manhã". Mais tarde passou a designar a refeição feita ao meio-dia (almoço). Todavia, podia se referir também ao banquete, de grandes proporções, oferecido em ocasiões festivas, tais como as festas de núpcias.
5. Lit. "limpar, lavar, purificar".
6. Lit. "taça, copo".
7. Lit. "saque, pilhagem, rapina, roubo (violento)", em suma, aquilo que é obtido por práticas violentas ou desonestas.

8. Lit. "piedade, compaixão, misericórdia; dádiva, oferta de caridade, esmola (significados típicos do NT)".
9. Lit. "pagar/dar a décima parte de". Refere-se à obrigação de dar a décima parte dos produtos colhidos da terra (Lv 27:30-32; Nm 18:20-32). Nessa época, os fariseus e escribas estendiam essa obrigação à colheita dos mais insignificantes produtos da terra.
10. Lit. "hortelã, menta".
11. Lit. "passar ao lado de; decorrer; desaparecer, perecer; **ignorar, deixar de lado, negligenciar**".
12. Lit. "juízo, julgamento". Trata-se de expediente linguístico em que se utiliza um vocábulo que nomeia a parte para fazer referência ao todo. No caso, o termo "julgamento, juízo" diz respeito à justiça como um todo. É também uma prática comum na exegese rabínica.
13. Lit. "cátedra", que significa "cadeira". Nas sinagogas era comum reservar-se um assento macio com encosto para que o mestre, autorizado, pudesse ensinar. Estes assentos ficavam na plataforma, de frente para a congregação, e de costas para a arca na qual eram guardados os rolos da Torah.
14. Lit. "andar ao redor; vagar, perambular; circular, passear; viver (seguir um gênero de vida)".
15. Lit. "tratar arrogantemente ou com desrespeito; ultrajar, maltratar; insultar".
16. Lit. "carga, fardo; peso".
17. Lit. "pedir contas; reclamar, requerer, exigir".
18. No cânone judaico, "Gênesis" era o primeiro livro e "Crônicas (1 e 2)" o último. Nesse caso, Jesus estaria citando o primeiro assassinato bíblico (Gn 4:8) e o último (2Cr 24:20-22), ou seja, os assassinatos de Abel e Zacarias, respectivamente. Por outro lado, o Zacarias que foi assassinado não era o filho de Baraquias, razão pela qual alguns estudiosos atribuem essa filiação a possível confusão com o Zacarias citado em Is 8:2. Esse tipo de erro é frequente no Evangelho de Mateus, sobretudo em sua genealogia de Jesus.
19. Lit. "altar das ofertas queimadas".
20. Lit."levantar, suster, sustentar alguém/algo a fim de carregar; tirar, remover".
21. Lit. "impedir, pôr obstáculos; separar".
22. Lit. "guardar, conservar em; reter em; fixar-se em, agarrar-se a". Por extensão, é utilizado em expressões idiomáticas que subentendem o vocábulo "ódio/rancor", tais como "guardar rancor/ódio por alguém".
23. Lit. "exigir/levar outros a falar sem premeditação (por meio de questões maldosamente formuladas que induzam respostas não premeditadas); falar/repetir sem refletir (descuidadamente, de improviso); cercar alguém de perguntas, induzir alguém a responder".
24. Lit. "armar uma cilada, preparar uma emboscada (para capturar, enredar); estar/pôr-se em emboscada".
25. Lit. "caçar, apanhar (animal, peixe); pegar algo em armadilha, agarrar, apoderar-se de".

O FERMENTO DOS FARISEUS E SADUCEUS
(Mt 10:26-27, 16:5-6; Mc 4:22, 8:14-21; Lc 8:17)

12

12:1 Nisso¹, reunindo-se miríades² da turba, a ponto de pisotearem uns aos outros, começou a dizer aos seus discípulos: Primeiramente, acautelai-vos do fermento dos fariseus, que é a hipocrisia. **12:2** Nada há encoberto que não haverá de ser revelado, nem escondido que não haverá de ser conhecido. **12:3** Ao contrário, tudo quanto em treva dissestes será ouvido à luz; e o que falastes ao ouvido, nos ³quartos internos, ⁴será proclamado sobre os terraços⁵.

1. Lit. "em as quais". Expressão idiomática que pode significar "nessas circunstâncias", "nisso"
2. Lit. "miríade (dez mil ou quantidade indefinida de pessoas)".
3. Lit. "quarto interno (no interior da casa), oculto; aposento íntimo; despensa, celeiro".
4. Lit. "proclamar como arauto, agir como arauto". Sugere a gravidade e a formalidade do ato, bem como a autoridade daquele que anuncia em voz alta e solenemente a mensagem.
5. Lit. "teto, cobertura de uma casa, telhado". Na Palestina, o teto era formado, ao que tudo indica, por vigas e pranchas de madeira, por cima das quais eram colocados ramos, galhos e esteiras, cobertos por terra batida.

PERSEGUIÇÕES (Mt 10:28-31)

12:4 A vós meus amigos, digo: Não temais os que matam o corpo e depois disso, não têm algo mais¹ a fazer. **12:5** Eu vos mostrarei a quem temer: Temei quem, depois de matar, tem autoridade para lançar no Geena². Sim! Eu vos digo: Temei a estes. **12:6** Não se vendem cinco pardais por dois asses³? E nenhum deles está esquecido diante de Deus. **12:7** Mas até os cabelos da vossa cabeça estão todos contados. Não temais! Valeis⁴ mais do que muitos pardais.

1. Lit. "excedente/mais/maior".
2. Transcrição do vocábulo aramaico "Gê Hinnam" (Vale do Hinnom), local em que estava situado o altar de Moloch, onde eram queimadas vivas as crianças, em oferenda àquela divindade pagã. O Rei Josias destruiu o local do culto, transformando-o em depósito de lixo de Jerusalém e monturo onde se lançavam os cadáveres de animais, para ser tudo queimado. Após a morte

do Rei Josias, o culto a Moloch foi restabelecido. Os apócrifos atribuem ao vale o símbolo do castigo dos maus, passando o local a representar o castigo que purifica os pecadores, também conhecido como "vale dos gemidos". Essa tradição popular estava viva na época de Jesus.
3. O "asse" romano correspondia aproximadamente a décima – sexta parte de um denário, o que equivaleria a um pouco menos da metade de um centavo.
4. Lit. "ser melhor ou de maior valor", ser superior, valer mais, ser excelente.

CONFESSAR E NEGAR JESUS
(Mt 10:19-20, 32-33, 12:31-32; Mc 3:28-29, 8:38, 13:11; Lc 9:26, 21:14-15)

12:8 Eu vos digo: Todo aquele que se declarar[1] por mim diante dos homens, também o filho do homem se declarará por ele diante dos anjos de Deus. **12:9** Aquele que me negar[2] diante dos homens, será negado diante dos anjos de Deus. **12:10** E todo aquele que disser uma palavra contra o filho do homem, a ele se perdoará; mas ao que blasfemar[3] contra o Espírito Santo, não se perdoará. **12:11** Quando vos levarem para dentro das sinagogas, aos líderes[4] e autoridades, não vos inquieteis[5] por {saber} como ou {do} que vos defendereis, nem o que direis. **12:12** Pois, nesta hora, o Espírito Santo vos ensinará o que é necessário dizer.

1. Lit. "homologar, concordar, assentir; reconhecer, confessar; declarar-se".
2. Lit. "negar, negar-se; recusar, declinar; repudiar; renunciar".
3. Lit. "caluniar, censurar; dizer palavra ofensiva, insultar; falar sobre Deus ou sobre as coisas divinas de forma irreverente; irreverência".
4. Lit. "líderes, comandantes, chefes". Nesta passagem, o vocábulo possivelmente se refere aos chefes de sinagoga, com jurisdição para certos casos (penais e cíveis).
5. Lit. "inquietar-se, ter ansiedade, estar ansioso, estar preocupado".

PARÁBOLA DO RICO INSENSATO

12:13 Disse-lhe alguém da turba: Mestre, dize ao meu irmão para dividir a herança comigo. **12:14** Ele, porém, lhe disse: Homem, quem me constituiu[1] juiz ou partidor sobre vós? **12:15** E disse-lhes: Olhai! Guardai-vos de toda avareza[2], porque a vida de alguém não está na abundância dos seus bens. **12:16** E contou para eles uma parábola, dizendo: A região de certo homem rico [3]produziu abundantemente. **12:17** E arrazoava[4] em si mesmo, dizendo: Que farei, porque não tenho onde recolher os meus frutos? **12:18** Disse: Farei isto: Derrubarei[5] os meus celeiros, edificarei maiores e recolherei ali todo o trigo e os meus bens. **12:19** E direi à minha alma: Alma, tens muitos bens armazenados[6] para muitos anos, repousa, come, bebe, deleita-te[7]. **12:20** Mas disse-lhe Deus: Insensato! Nesta noite, requisitam[8] a tua alma de ti; e o que preparastes para quem será? **12:21** Assim {é} o que entesoura para si mesmo, mas não está enriquecendo para Deus.

1. Lit. "constituir, nomear; estabelecer, colocar na administração de".
2. Lit. "insaciabilidade, ganância; cobiça, ambição; avareza".
3. Lit. "gerar/produzir bem, bastante, abundantemente (plantação, lavoura, seara)".
4. Lit. "pensar, opinar, raciocinar; disputar, arrazoar, argumentar, considerar; planejar, cogitar, ter um desígnio".
5. Lit. "derrubar, lançar abaixo, demolir, destruir; degradar; causar a queda, pôr abaixo, conquistar".
6. Lit. "estar deitado, reclinado; estar colocado, posto, situado; estar armazenado, depositado, estar constituído, estabelecido".
7. Lit. "deleitar; alegrar, ficar satisfeito; encantar".
8. Lit. "exigir, requerer (em juízo); pedir/exigir de volta".

PREOCUPAÇÃO E ANSIEDADE (Mt 6:25-34, 19-21)

12:22 E disse aos seus discípulos: Por isso, eu vos digo: Não vos inquieteis[1] pela vida, com o que comereis; nem pelo corpo, com o que vestireis. **12:23** Pois a vida é mais que o alimento, e o corpo mais que a veste. **12:24** Observai[2] os corvos[3] que não semeiam nem ceifam; os quais não têm despensa[4] nem celeiro, mas Deus os alimenta. Quanto mais valeis[5] vós do que as aves? **12:25** Qual dentre vós pode, inquietando-se, acrescentar um côvado[6] à sua estatura[7]? **12:26** Portanto, se não podeis o mínimo, por que vos inquietais a respeito do restante? **12:27** Observai os lírios como crescem! Não labutam[8] nem fiam. Eu, porém, vos digo que nem Salomão, em toda sua glória, vestiu-se como um deles. **12:28** Se a erva do campo, que hoje existe e amanhã é lançada ao forno, Deus assim {as} veste, quanto mais a vós, {homens} de pouca fé. **12:29** Também vós, não indagueis[9] o que comer, o que beber; não estejais inquietos. **12:30** Pois estas coisas as nações do mundo buscam, mas vosso Pai celestial sabe que necessitais disto. **12:31** Todavia, buscai primeiramente o Reino dele, e estas {coisas} vos serão acrescentadas. **12:32** Não temais, pequeno rebanho, porque vosso Pai se compraz[10] em vos dar o Reino. **12:33** Vendei os vossos bens e [11]dai dádiva[12]. Fazei para vós bolsas[13] que não envelhecem[14], um tesouro inesgotável nos céus, onde os ladrões não se aproximam, nem a traça destrói. **12:34** Pois onde está o vosso tesouro, ali estará também o vosso coração.

1. Lit. "inquietar-se, ter ansiedade, estar ansioso, estar preocupado".
2. Lit. "observar; notar, perceber; entender, apreender; discernir".
3. É o primeiro pássaro mencionado na bíblia (Gn 8:7).
4. Lit. "quarto interno (no interior da casa), oculto; aposento íntimo; **despensa**, celeiro".
5. Lit. "ser melhor ou de maior valor", ser superior, valer mais, ser excelente.
6. Medida de comprimento (do latim cubitum, "cotovelo") baseada no antebraço, cujo valor aproximado variava entre 46,2 e 66 cm, de acordo com a região (Roma, Babilônia, Palestina).
7. Lit. "estatura ou tamanho da pessoa; idade, tempo de vida, duração da vida". Expressão ambígua, utilizada com a intenção de explorar o duplo sentido do termo. Esse recurso era utilizado frequentemente por Jesus em sua fala.
8. Lit. "trabalhar duramente, arduamente", esforçar-se.
9. Lit. "buscar, procurar; empenhar-se para obter; aspirar, desejar, almejar; requerer, demandar, solicitar; averiguar, inquirir, indagar".
10. Lit. "ter prazer, alegria; aprovar, anuir".
11. Lit. "praticar atos de beneficência, misericórdia".
12. Lit. "piedade, compaixão, misericórdia; dádiva, oferta de caridade, esmola (significados típicos do NT)".
13. Lit. "pequena bolsa para carregar dinheiro".
14. Lit. "envelhecer; tornar-se velho, desgastado, fraco; tornar-se obsoleto, ultrapassado".

PARÁBOLA DO SERVO VIGILANTE (Mt 24:45-51; Mc 13:35-37)

12:35 [1]Estejam cingidos[2] os vossos quadris[3] e acesas[4] as candeias[5]. **12:36** E {sede} semelhantes aos homens que aguardam o seu Senhor, enquanto se retira[6] das bodas[7], para que, quando vier e bater, logo lhe abram. **12:37** Bem-aventurados aqueles servos[8] a quem o Senhor encontrar vigiando, quando vier. Amém[9] vos digo que ele se cingirá, os fará reclinar {à mesa}, e [10]passando ao lado {deles}, os servirá[11]. **12:38** Quer ele venha na segunda, quer na terceira vigília[12], e os encontre assim, bem-aventurados são eles. **12:39** [13]Considerai isto: Se o [14]senhor da casa soubesse em qual hora vem o ladrão, não deixaria sua casa ser arrombada. **12:40** Também vós estejais preparados, porque na hora em que não pensais vem o filho do homem. **12:41** Disse Pedro: Senhor, contas esta parábola para nós ou, também, para todos? **12:42** Disse o Senhor: Então, quem é o administrador[15] fiel[16] e prudente[17] que o senhor constituirá[18] sobre os seus serviçais[19], para dar-lhes [20]porção de trigo a seu tempo[21]? **12:43** Bem-aventurado aquele servo que o senhor, quando vier, o encontrar fazendo assim. **12:44** Verdadeiramente vos digo que o constituirá sobre todos os seus bens. **12:45** Se aquele servo disser em seu coração: Meu senhor tarda para vir! E começar a espancar os servos[22] e as servas[23], a comer, a beber e a embriagar-se, **12:46** virá o senhor daquele servo em dia que não espera e em hora que não sabe, o [24]cortará em dois e colocará a porção[25] dele com os infiéis[26]. **12:47** Aquele servo que soube da vontade do seu senhor e não preparou ou agiu conforme a sua vontade, será açoitado[27] muitas {vezes}. **12:48** Aquele, porém, que não soube e fez {coisas} dignas de açoite[28], será açoitado poucas {vezes}. A todo aquele que muito foi dado, muito lhe será requerido[29]; e ao que muito foi confiado[30], ainda mais lhe será pedido.

1. Trata-se de expressão idiomática "estejam cingidos os quadris e acesas as candeias", que pode ser substituída por outras em português "estejam com as barbas de molho", "não estejam com as calças na mão", todas visando transmitir o significado de "estejam preparados".
2. Lit. "cingir (erguer e fixar as vestes com um cinto); amarrar um cinto ao redor da cintura; cercar, circuncidar; preparar-se/equipar-se para movimento e/ou esforço corporal (sentido idiomático)".
3. Lit. "quadris (lombo, região dos rins), cintura; rins (sentido idiomático para fertilidade do aparelho reprodutor); genitália (sentido idiomático); geração (metonímia).
4. Lit. "queimar, incendiar; consumir (o sol, a febre, o amor – sentido idiomático); pôr fogo, queimar (a candeia – acendendo seu pavio)".
5. Lâmpada de barro alimentada por óleo (azeite de oliva), utilizada nas residências e no templo.
6. Lit. "soltar (a fim de partir); desfazer, dissolver; partir; partir da vida (sentido idiomático)".
7. Lit. "festa ou banquete com que se celebram as núpcias". As festividades de casamento, na

8. Lit. "escravo, servo".
9. ἀμην (amém), transliteração do vocábulo hebraico אָמֵן. Trata-se de um adjetivo verbal (ser firme, ser confiável). O vocábulo é frequentemente utilizado de forma idiomática (partícula adverbial) para expressar asserção, concordância, confirmação (realmente, verdadeiramente, de fato, certamente, isso mesmo, que assim seja). Ao redigirem o Novo Testamento, os evangelistas mantiveram a palavra no original, fazendo apenas a transliteração para o grego, razão pela qual também optamos por mantê-la intacta, sem tradução.
10. Lit. "passar ao lado de; decorrer; desaparecer, perecer; **ignorar, deixar de lado, negligenciar**".
11. Lit. "servir à mesa, serviço doméstico (pessoal); suprir, prover; cuidar; auxiliar, apoiar, ajudar".
12. Lit. "prisão, cárcere; sentinela; guarda, vigília". O período entre 18h e 6h da manhã, do dia seguinte, era dividido em quatro vigílias de três horas cada (1ª– 18h – 21h; 2ª – 22h – 24h; 3ª– 1h – 3h; 4ª – 4h – 6h).
13. Lit. "isto sabei que:"
14. Lit. "senhor, dono da casa, chefe de família".
15. Lit. "aquele que administra uma casa; escravo de confiança cuja responsabilidade é exercer a superintendência dos demais servos e dos bens da propriedade do seu senhor; depositário; administrador/procurador público; tesoureiro".
16. Lit. "fiel, fervoroso". No hebraico, no grego e no latim, o mesmo vocábulo designa tanto a fidelidade quanto a fé. Um estudo mais profundo da língua hebraica revela que nas Escrituras o sentido mais autêntico da fé consistia na fidelidade a Deus, incluindo a manutenção e observância do monoteísmo. Nesta passagem, ressalta o aspecto "fidelidade", por se tratar de um servo (escravo) que obedece ao seu senhor.
17. Lit. "prudente, sábio, sensato; sagaz; cauteloso, ponderado, cuidadoso".
18. Lit. "constituir, nomear; estabelecer, colocar na administração de".
19. Lit. "tratamento, atendimento (serviço médico), cura; **aqueles que prestam serviço (servos, domésticos – metonímia), serviçais**".
20. Lit. "certa medida de grãos (distribuída em tempos pré-fixados para alimentar os escravos de uma família); trigo medido (porção, medida); provisões, porção de alimento, víveres (metonímia); ração".
21. Lit. "um ponto no tempo, um período de tempo; tempo fixo, definido; oportunidade".
22. Lit. "menino; filho; escravo ou servo jovem".
23. Lit. "garota; donzela, senhorita; escrava ou serva jovem".
24. Esse verbo ocorre na passagem de Ex 29:17 para se referir à divisão em pedaços do animal dado em sacrifício.
25. Lit. "parte, porção, divisão (parte de um todo); partilha, sorte (parte que cabe a alguém por sorteio ou divisão)".
26. Lit. "aquele que não tem fé/fidelidade, incrédulo/infiel".
27. Lit. "esfolar, tirar a pele; castigar, maltratar; bater, açoitar".
28. Lit. "açoite, chicotada; golpe, pancada; bofetada; machucada, ferida (metonímia)".
29. Lit. "buscar, procurar; empenhar-se para obter; aspirar, desejar, almejar; **requerer, demandar, solicitar**; averiguar, inquirir, indagar".
30. Lit. "colocar ao lado de; colocar diante de", propor; demonstrar (por extensão); apresentar;

confiar, depositar/colocar/entregar algo aos cuidados de alguém; recomendar".

DIVISÕES (Mt 10:34-36)

12:49 Vi lançar fogo sobre a terra, e como desejo que já estivesse aceso. **12:50** [1]Devo ser batizado[2] com um batismo, e como estou angustiado[3] até que esteja consumado[4]. **12:51** Supondes que vim para dar paz à terra? Não, eu vos digo, mas antes divisão. **12:52** Pois, a partir de agora, estarão cinco divididos em uma casa: três contra dois e dois contra três. **12:53** Estarão divididos: pai contra filho e filho contra pai; mãe contra a filha e filha contra mãe; sogra contra a sua nora e nora contra a sogra.

1. Lit. "tenho um batismo para ser batizado".
2. Lit. "lavar, imergir, mergulhar". Posteriormente, a Igreja conferiu ao termo uma nuance técnica e teológica para expressar o sacramento do batismo.
3. Lit. "comprimir, manter apertado, confinar; reter, manter reunido; reunir-se, estar junto; oprimir, pressionar, dominar".
4. Lit. "terminar, acabar, consumar; completar, chegar ao fim (atingir a finalidade)".

SINAL DO CÉU (Mt 16:2-3; Mc 8:11-13)

12:54 Dizia também às turbas: Quando vedes uma nuvem despontando[1] no ocidente, logo dizeis que vem chuva, e assim acontece; **12:55** e quando sopra o vento sul, dizeis que haverá calor, e assim acontece. **12:56** Hipócritas! Sabeis avaliar[2] a face da terra e do céu; como não sabeis avaliar este tempo[3]?

1. Lit. "sair/pular para fora". Aplicado ao sol, às estrelas, às nuvens transmite a ideia de raiar, despontar, surgir, aparecer.
2. Lit. "avaliar, testar, examinar, verificar, provar; discernir, escolher, decidir (depois de examinar); pôr à prova (por meio de provação, tentação, teste)".
3. Lit. "um ponto no tempo, um período de tempo; tempo fixo, definido; oportunidade".

LUCAS 12 — RECONCILIAÇÃO COM O INIMIGO (Mt 5:25-26)

12:57 E por que não julgais também o justo por vós mesmos? **12:58** Quando, pois, estás indo com teu litigante[1] para a autoridade[2], no caminho, esforça-te[3] para ser libertado[4] dele; para que não te arraste ao juiz, e o juiz te entregue ao executor[5], e o executor te lance na prisão. **12:59** Eu te digo que de modo nenhum sairás dali até que restituas o último lepto[6].

1. Lit. "parte contrária em um processo judicial; adversário (por extensão)".
2. Lit. "comandante, chefe, rei, autoridade (judicial)". Na Atenas democrática, cada um dos nove governantes eleitos anualmente era chamado "arconte". Nesta passagem, o vocábulo indica as autoridades judiciais, possivelmente chefes de sinagoga.
3. Lit. "dá(-te ao) trabalho de".
4. Lit. "por fim a; apartar, afastar; **reconciliar-se, libertar-se de, afastar-se de**". Neste contexto, Lucas utiliza o vocábulo em sua acepção jurídica de ficar desobrigado, conciliar, entrar em acordo, libertar-se da obrigação judicial.
5. Lit. "executor de penalidades/sentenças judiciais; oficial que exige pagamento de débitos mediante prisão".
6. A menor das moedas judaicas. Era uma moeda de cobre que valia aproximadamente ⅛ (um oitavo) de um centavo.

13

EXORTAÇÃO AO ARREPENDIMENTO

13:1 Nesse momento[1], alguns dos que estavam presentes relatam a ele sobre os galileus, cujo sangue Pilatos misturou com as oferendas[2] deles. **13:2** Em resposta, disse-lhes: Supondes que estes galileus eram mais pecadores que todos os {outros} galileus, por terem padecido estas {coisas}? **13:3** Não, eu vos digo, mas se não vos arrependerdes[3], todos perecereis [4]do mesmo modo. **13:4** Ou supondes que aqueles dezoito, sobre os quais caiu a torre de Siloé e os matou, eram mais devedores do que todos os homens habitantes de Jerusalém? **13:5** Não, eu vos digo, mas se não vos arrependerdes[5], todos perecereis similarmente.

1. Lit. "um ponto no tempo, um período de tempo; tempo fixo, definido; oportunidade".
2. Lit. "sacrifício (coisa sacrificada), oferta, oferenda ou serviço do culto". Todas as oferendas prescritas na Torah, inclusive o sacrifício de animais, bem como o serviço para manutenção do culto prestado pelos sacerdotes.
3. Lit. "mudar de mente, de opinião, de sentimentos, de vida".
4. Lit. "semelhantemente". Trata-se de um advérbio.
5. Vide nota 3.

PARÁBOLA DA FIGUEIRA INFRUTÍFERA

13:6 Dizia esta parábola: Alguém tinha uma figueira plantada em sua vinha, e ao vir procurar fruto nela, não encontrou. **13:7** Disse ao vinhateiro: Há três anos venho procurando fruto nesta figueira e não encontro. Corta-a! Por que ainda [1]ocupa inutilmente a terra? **13:8** Em resposta, ele lhe disse: Senhor, deixai-a ainda este ano, até que eu cave ao redor dela e jogue adubo. **13:9** Se vier a produzir fruto {bem}, caso contrário a cortarás.

1. Lit. "ocupar de forma inútil ou improdutiva; prestar serviço de forma não proveitosa, servir ineficazmente; tornar vazio e sem significado, anular, abolir, cancelar".

LUCAS 13 — CURA DA MULHER ENCURVADA

13:10 Estava ensinando, no sábado, em uma das sinagogas, **13:11** e eis que uma mulher, que tinha um espírito de enfermidade[1] há dezoito anos, estava encurvada, não podendo endireitar-se[2] completamente. **13:12** Ao vê-la, Jesus chamou-a[3] e disse: Mulher, estás livre[4] da tua enfermidade. **13:13** E lhe impôs as mãos; imediatamente, ela se endireitou, e glorificava a Deus. **13:14** Em resposta, o chefe da sinagoga, indignado[5] porque Jesus curou no sábado, dizia à turba: Há seis dias nos quais é necessário trabalhar. Vinde, portanto, nestes {dias}, para serdes curados, e não no dia de sábado. **13:15** Respondeu-lhe o Senhor, e disse: Hipócritas, cada um de vós, no sábado, não solta do estábulo seu boi ou seu jumento, levando-o para beber {água}? **13:16** Esta, sendo filha de Abraão, a quem Satanás[6] amarrou durante dezoito anos, não devia ser solta desta amarra[7], no dia de sábado? **13:17** Ao dizer estas {coisas}, todos os seus opositores ficaram envergonhados, mas toda a turba se alegrava com todas as {coisas} gloriosas[8] feitas por ele.

1. Lit. "fraqueza orgânica", enfermidade.
2. Lit. "levantar a cabeça; desencurvar-se, levantar-se (ficar ereto)".
3. Lit. "chamar para si; discursar, fazer um longo discurso".
4. Lit. "soltar, libertar; liberar de um vínculo ou encargo; divorciar, repudiar (liberar a mulher do vínculo conjugal); remir, perdoar, liberar a dívida; despedir, deixar partir"
5. Lit. "ficar irado, irritado, indignado".
6. Lit. "adversário". Palavra de origem semítica.
7. Lit. "algo utilizado para amarrar, atar; corda, corrente, ligadura, ligamento". Por extensão: empecilho, impedimento".
8. Lit. "glorioso, esplêndido, deslumbrante; célebre, notável, memorável".

PARÁBOLA DO GRÃO DE MOSTARDA E DO FERMENTO
(Mt 13:31-33; Mc 4:30-32)

13:18 Assim, ele dizia: A que é semelhante o Reino de Deus, e a que o assemelharei? **13:19** É semelhante a um grão de mostarda[1] que um homem lançou em seu horto²; cresceu, tornou-se uma árvore, e as aves do céu aninharam-se³ em seus ramos. **13:20** E disse novamente: A que assemelharei o Reino de Deus? **13:21** É semelhante ao fermento que uma mulher tomou e escondeu em três satas⁴ de farinha, até estar toda fermentada {a massa}.

1. Os estudiosos estão divididos quanto à identificação dessa planta. Para alguns, trata-se da "Sinapis Nigra", ou mostarda negra, comum na Palestina. Cresce naturalmente, atingindo a altura de um homem montado num cavalo. Para outros, refere-se à "Salvadora Pérsica", encontrada em pequenas quantidades no vale do Jordão, e que produz um fruto suculento.
2. Lit. "jardim, horto (lugar onde foram plantadas árvores, ervas, plantas)".
3. Lit. "viver, morar; fazer ninho (aninhar-se)".
4. Medida hebraica para coisas secas, equivalente ao "modius" romano, segundo Flávio Josefo; o que corresponderia a aproximadamente treze litros.

A PORTA ESTREITA (Mt 7:13-14, 21-23)

13:22 E passava¹ por cidades e aldeias, ensinando e fazendo a viagem² para Jerusalém. **13:23** Disse-lhe alguém: Senhor, são poucos os que são salvos? Ele, porém, lhes disse: **13:24** Esforçai-vos³ por entrar pela porta estreita, pois eu vos digo que muitos buscarão entrar e não serão capazes⁴. **13:25** Quando se levantar o ⁵senhor da casa e fechar⁶ a porta; e {vós} que estais de pé do lado de fora começardes a bater na porta, dizendo: Senhor, abre para nós. Em resposta, ele vos dirá: Não sei donde sois vós. **13:26** Então, começareis a dizer: Comemos e bebemos diante de ti, e ensinaste em nossas ruas⁷. **13:27** Mas ele vos ⁸dirá: Não sei donde sois. Apartai-vos⁹ de mim, {vós} todos, ¹⁰obreiros da injustiça. **13:28** Ali haverá o pranto e o ranger de dentes, quando virdes Abraão, Isaac, Jacó e todos os profetas no Reino de Deus, mas vós lançados fora. **13:29** E virão do oriente e do ocidente, do norte e do sul, e se reclinarão {à mesa} no Reino de Deus. **13:30** Eis que há últimos que serão primeiros, e há primeiros que serão últimos.

1. Lit. "passar por, atravessar".
2. Lit. "marcha, jornada; expedição, viagem; negócio, ocupação (sentido metafórico); caminho, modo de viver (sentido metafórico)".

3. Lit. "esforçar-se por; disputar um prêmio, participar de competição esportiva; combater, lutar; sustentar um litígio; falar em público".
4. Lit. "ser forte, capaz, poderoso; ser válido; ser capaz; prestar, servir (utilidade)".
5. Lit. "senhor, dono da casa, chefe de família".
6. Lit. "fechar; trancar (com chave)".
7. Lit. "ruas, estradas largas; praça".
8. Lit. "dirá dizendo"
9. Lit. "afastar, apartar; separar, desligar, descolar; abster-se de, renunciar a; apartar de si, livrar-se".
10. Expressão idiomática tipicamente semítica que sobrepõe dois substantivos com a intenção de formar um novo vocábulo (neologismo), transmitindo a ideia de alguém que pratica a injustiça.

LAMENTO POR JERUSALÉM (Mt 23:37-39)

13:31 Nesta mesma hora, alguns fariseus aproximaram-se, dizendo-lhe: Sai e vai {embora} daqui, porque Herodes quer te matar. **13:32** Disse-lhes: Ide e dizei a esta raposa: Eis que expulso daimones[1], [2]levo ao cumprimento curas hoje e amanhã, e no terceiro dia estou consumado[3]. **13:33** Todavia, é necessário caminhar hoje, amanhã e no {dia} seguinte, porque não é admissível um profeta perecer fora de Jerusalém. **13:34** Jerusalém, Jerusalém! A que mata os profetas e apedreja os que lhe são enviados! Quantas vezes eu quis juntar teus filhos, do modo como uma galinha junta seus pintainhos, debaixo das asas, e não quiseste! **13:35** Vede! Vossa casa é deixada para vós! Eu vos digo: Não me vereis até dizerdes: Bendito o que vem em nome do Senhor.

1. Lit. "deus pagão, divindade; gênio, espírito; mau espírito, demônio".
2. Lit. "levar a termo; levar ao cumprimento (cumprir); atingir o fim (finalidade)".
3. Lit. "levar a termo, terminar, completar (concluir, levar à perfeição); executar, cumprir, realizar".

A CURA DO HIDRÓPICO

14

14:1 E aconteceu que, ao se dirigir para a casa de um dos líderes dos fariseus, num sábado, para comer pão, eles estavam observando-o[1]. **14:2** Eis que havia diante dele certo homem hidrópico. **14:3** Em resposta, disse Jesus aos mestres da Lei e fariseus {dizendo}: É lícito ou não curar no sábado? **14:4** Eles, porém, ficaram em silêncio. Tomando-o, ele o curou e despediu-o. **14:5** E disse para eles: Qual de vós {se} um filho ou um boi cair em um poço, não o retirará logo, no dia de sábado? **14:6** E não puderam responder a estas {coisas}.

1. Lit. "observar de lado, espiar, vigiar; seguir a pista, observar, guardar".

HUMILDADE E HOSPITALIDADE

14:7 Observando[1] como escolhiam os [2]primeiros reclinatórios, contava para os convidados uma parábola, dizendo-lhes: **14:8** Quando fores convidado por alguém para as bodas[3], não te reclines no primeiro reclinatório, para não {suceder que}, tendo sido convidado por ele um mais estimado[4] que tu, **14:9** vindo aquele que convidou a ti e a ele, te diga: Dá o lugar a este. E então, com vergonha, [5]voltes a ocupar o último lugar. **14:10** Mas quando fores convidado, vai e reclina-te no último lugar, para que, quando vier aquele que te convidou, te diga: Amigo, sobe mais para cima. Então será uma glória para ti, diante de todos os comensais[6]. **14:11** Porque todo aquele que exalta[7] a si mesmo será diminuído[8], e aquele que diminui a si mesmo será exaltado. **14:12** E dizia também ao que o havia convidado: Quando preparares[9] um almoço[10] ou um ceia[11], não chames os teus amigos, nem os teus irmãos, nem os teus parentes, nem vizinhos ricos, para não {suceder que} também te convidem de volta e [12]sejas recompensado. **14:13** Mas, quando preparares[13] uma recepção, convida pobres, mutilados, coxos, cegos **14:14** e serás bem-aventurado, porque não têm {como} recompensar-te, pois [14]serás recompensado na ressurreição dos justos.

LUCAS 14

1. Lit. "observar, prestar a atenção em; exibir, mostrar, apresentar; permanecer, demorar".
2. Lugar de honra em um jantar, ao lado do dono da casa ou do anfitrião. No Oriente, é relevante o local na mesa, onde o convidado se reclinar para comer, pois evidencia a reputação, posição social do convidado.
3. Lit. "festa ou banquete com que se celebram as núpcias". As festividades de casamento, na Palestina, duravam muitos dias.
4. Lit. "caro, estimado, querido, prezado; valioso, precioso, caro".
5. Lit. "comeces a ocupar o último lugar". Expressão idiomática que transmite a ideia de um retorno, um novo começo. No caso em questão, o convidado é obrigado a começar tudo de novo, dirigindo-se ao último lugar.
6. Lit. "dos que se reclinam (à mesa) junto", comensais (os que comem juntos), convidados.
7. Lit. "alçar, elevar, engrandecer; exaltar (em sentido metafórico)".
8. Lit. "se rebaixar, se diminuir, se humilhar".
9. Lit. "fizeres".
10. Lit. "primeira refeição da manhã". Mais tarde passou a designar a refeição feita ao meio-dia (almoço). Todavia, podia se referir também ao banquete, de grandes proporções, oferecido em ocasiões festivas, tais como as festas de núpcias.
11. Lit. "refeição principal do dia (geralmente o jantar)", banquete.
12. Lit. "haja recompensa para ti". Expressão idiomática semítica.
13. Lit. "fizeres".
14. Lit. "será dada recompensa a ti".

PARÁBOLA DO GRANDE BANQUETE (Mt 22:1-14)

14:15 Ao ouvir estas {coisas}, um dos comensais[1] lhe disse: Bem-aventurado aquele que comer pão no Reino de Deus. **14:16** Ele, porém, lhe disse: Certo homem preparou[2] uma grande ceia[3] e convidou a muitos. **14:17** E enviou o seu servo, na hora da ceia, para dizer aos convidados: Vinde, porque já está preparada. **14:18** E todos, um a um, começaram a escusar-se[4]. Disse-lhe o primeiro: Comprei um campo e tenho necessidade de sair para vê-lo. Peço-te que [5]me dês por escusado. **14:19** E outro disse: Comprei cinco parelhas[6] de bois e vou examiná-la[7]. Peço-te que [8]me dês por escusado. **14:20** E outro disse: Desposei uma mulher, e por isso não posso ir. **14:21** Ao vir, o servo relatou ao seu senhor essas {coisas}. Então, irado, o [9]senhor da casa disse ao seu servo: Sai depressa pelas ruas[10] e vielas[11] da cidade e trazei para cá os pobres, mutilados, cegos e coxos. **14:22** Disse o servo: Senhor, está feito como ordenaste, e ainda há lugar. **14:23** Disse o senhor ao servo: Sai pelos caminhos e [12]{beiras das} cercas e compele-os[13] a entrar, para que minha casa fique cheia. **14:24** Pois eu vos digo que nenhum daqueles varões convidados provará da minha ceia[14].

LUCAS 14

1. Lit. "dos que se reclinam (à mesa) junto", comensais (os que comem juntos), convidados.
2. Lit. "fez".
3. Lit. "refeição principal do dia (geralmente o jantar)", banquete.
4. Lit. "pedir, requisitar; interceder por; evitar (com súplicas), recusar, declinar; escusar-se; repudiar".
5. Lit. "têm a mim por desculpado/escusado".
6. Lit. "parelha, par, junta (de animais); par, casal (ave, animal)".
7. Lit. "avaliar, testar, examinar, verificar, provar; discernir, escolher, decidir (depois de examinar); pôr à prova (por meio de provação, tentação, teste)".
8. Lit. "têm a mim por desculpado/escusado".
9. Lit. "senhor, dono da casa, chefe de família".
10. Lit. "ruas, estradas largas; praça".
11. Lit. "viela, rua estreita, caminho apertado, travessa".
12. Viajantes pobres costumavam acampar na beira das cercas. Trata-se de uma referência aos pobres, "impuros" (em Israel) e aos gentios.
13. Lit. "forçar, obrigar, compelir".
14. Lit. "refeição principal do dia (geralmente o jantar)", banquete.

CONDIÇÕES PARA SEGUIR JESUS (Mt 10:37-38)

14:25 Reuniam-se[1] a ele numerosas turbas. E voltando-se para elas, disse: **14:26** Se alguém vem a mim, e não odeia o próprio pai, a mãe, a mulher, os filhos, os irmãos, as irmãs, e ainda a sua própria alma, não pode ser meu discípulo. **14:27** Quem não carrega a sua própria cruz e vem atrás de mim, não pode ser meu discípulo. **14:28** Pois qual dentre vós, querendo edificar uma torre, não calcula primeiro, sentado, a despesa; se tem {os meios} para concluir? **14:29** Para não {suceder que}, colocando o alicerce e não podendo[2] terminar[3], todos os que {o} observam comecem a ridicularizá-lo[4], **14:30** dizendo: Este homem começou a edificar e não pôde[5] terminar[6]. **14:31** Ou qual o Rei que vai reunir-se[7] a outro Rei para a batalha[8], e não deliberará[9] primeiro, sentado, se é capaz de com dez mil sair ao encontro do que está vindo contra ele com vinte mil? **14:32** Caso contrário, enquanto ele ainda estiver longe, enviando-lhe uma embaixada¹⁰, pergunta as {condições} para a paz. **14:33** Assim, portanto, todo aquele que dentre vós não renuncia¹¹ a todos os seus próprios bens, não pode ser meu discípulo.

1. Lit. "ir com, acompanhar; reunir-se, ajuntar-se, congregar-se".
2. Lit. "ser forte, capaz, poderoso; ser válido; ser capaz; prestar, servir (utilidade)".
3. Lit. "levar a termo, terminar, completar (concluir, levar à perfeição); executar, cumprir, realizar".
4. Lit. "ridicularizar, zombar; tratar com escárnio; iludir, enganar".
5. Lit. "ser forte, capaz, poderoso; ser válido; ser capaz; prestar, servir (utilidade)".
6. Lit. "levar a termo, terminar, completar (concluir, levar à perfeição); executar, cumprir, realizar".
7. Lit. "lançar/arrojar juntamente; **congregar em massa, amontoar, reunir, acercar; encontrar-se com, reunir-se**; chocar, combater; convir com, fazer um pacto; coligir, deduzir, considerar". Lucas utiliza terminologia típica dos combates.
8. Lit. "batalha, combate, guerra; choque, tumulto do combate".
9. Lit. "deliberar (consigo ou com outros); aconselhar-se; ser membro de um conselho".
10. Lit. "embaixada, delegação; anciãos, embaixadores; senilidade, velhice".
11. Lit. "colocar à parte (comunicar, informar); separar-se de, renunciar a".

O SAL INSÍPIDO (Mt 5:13; Mc 9:50)

14:34 O sal, sem dúvida, é bom. Se, porém, o sal também se ¹tornar insosso, com que temperareis²? **14:35** Não é apropriado nem para a terra nem para esterco; lançam-no fora. Quem tem ouvidos para ouvir ouça.

1. Lit. "enlouquecer, tornar-se tolo". Estudiosos acreditam que essa palavra, encontrada nas versões de Mateus e Lucas, mas ausente em Marcos, seja consequência de um erro de tradução da raiz semítica "tfl (tafel)" que apresenta duplo sentido: **1)** "estar sem sal"; **2)** "falar insensatamente, tornar-se tolo", reforçando as evidências de um evangelho aramaico, utilizado como fonte na produção dos evangelhos em grego.
2. Lit. "condimentar, temperar; preparar, dispor".

15

PARÁBOLA DA OVELHA PERDIDA (Mt 18:12-14)

15:1 Estavam se aproximando dele todos os publicanos[1] e pecadores para ouvi-lo. **15:2** Os fariseus e os escribas murmuravam, dizendo: Este acolhe[2] pecadores e come com eles. **15:3** Contou-lhes uma parábola, dizendo: **15:4** Qual homem dentre vós, possuindo cem ovelhas e perdendo uma delas, não deixa[3] as noventa e nove no deserto, e sai {em busca} da perdida, até encontrá-la? **15:5** Encontrando-a, alegre, a coloca sobre os seus ombros, **15:6** e, após dirigir-se para sua casa, convoca os amigos e vizinhos, dizendo-lhes: Alegrai-vos comigo, porque encontrei a minha ovelha perdida. **15:7** Eu vos digo que, desse modo, haverá mais alegria no céu por um pecador que se arrepende[4] do que por noventa e nove justos, que não têm necessidade de arrependimento.

1. Cobrador de impostos no Império Romano.
2. Lit. "receber, acolher; aguardar, esperar; gostar, aprovar".
3. Lit. "deixar para trás".
4. Lit. "mudar de mente, de opinião, de sentimentos, de vida".

PARÁBOLA DA DRACMA PERDIDA

15:8 Ou qual mulher que, tendo dez dracmas[1], se perder uma dracma, não acende[2] uma candeia[3], varre a casa e procura diligentemente até que encontre? **15:9** E, ao encontrá-la, convoca as amigas e vizinhas, dizendo: Alegrai-vos comigo, porque encontrei a dracma perdida. **15:10** Eu vos digo {que}, desse modo, há mais alegria diante dos anjos de Deus por um pecador que se arrepende[4].

1. Lit. "dracma (medida padrão para a prata na Grécia antiga); dracma (moeda feita de prata)". A dracma (moeda) pesava 4,37 gramas de prata, o equivalente a quatro dracmas (peso padrão para prata na Grécia). Sendo assim, esse termo era utilizado tanto para uma unidade de peso quanto para uma unidade monetária. Cem dracmas equivaliam a uma "mina" de prata, e sessenta "minas" de prata correspondiam a um "talento" (moeda romana). Uma dracma era o preço de uma ovelha ou a quinta parte de um boi.
2. Lit. "iluminar, acender; tocar, entrar em contato; conformar, fixar; ter contato sexual".

LUCAS 15

3. Lâmpada de barro alimentada por óleo (azeite de oliva), utilizada nas residências e no templo.
4. Lit. "mudar de mente, de opinião, de sentimentos, de vida".

PARÁBOLA DOS DOIS FILHOS

15:11 E disse: Certo homem tinha dois filhos. **15:12** O mais novo deles disse ao pai: Pai, dá-me a porção[1] que {me} cabe[2] da propriedade[3]. Ele repartiu[4] os recursos[5] entre eles. **15:13** Não muitos dias depois, reunindo[6] todas {as coisas}, o filho mais novo [7]ausentou-se {do seu país} para uma região distante, e lá dissipou[8] a sua propriedade[9], vivendo dissolutamente[10]. **15:14** Depois dele gastar todas {as coisas}, houve naquela região uma fome severa[11], e ele começou a [12]passar necessidade. **15:15** E, partindo, associou-se[13] a um dos cidadãos daquela região, {que} o enviou aos seus campos para apascentar porcos. **15:16** Ele desejava saciar-se com as alfarrobas[14] que os porcos comiam, mas ninguém lhe dava. **15:17** Mas, [15]caindo em si, disse: Quantos assalariados[16] do meu pai têm abundância de pães, e eu aqui pereço de fome! **15:18** Após levantar-me, irei ao meu pai e lhe direi: Pai, pequei contra o céu e diante de ti; **15:19** não sou mais digno de ser chamado teu filho, faze a mim como um dos teus assalariados. **15:20** Levantando-se, dirigiu-se ao seu próprio pai. Estando ele ainda longe, seu pai o viu, compadeceu-se[17], correu, [18]lançou-se sobre o pescoço dele e o [19]beijou {repetidamente}. **15:21** Disse-lhe o filho: Pai, pequei contra o céu e diante de ti, não sou mais digno de ser chamado teu filho. **15:22** Disse o pai para os seus servos: Trazei {para fora} a principal[20] estola[21] e vesti-o, dai um anel para a sua mão e sandálias para os pés. **15:23** Trazei o novilho[22] cevado, sacrificai-o e nos deleitemos[23], comendo-o, **15:24** porque este meu filho estava morto e reviveu, estava perdido e foi encontrado. E começaram a deleitar-se[24]. **15:25** O seu filho mais velho, porém, estava no campo. Assim que chegou e se aproximou da casa, ouviu música[25] e danças. **15:26** Convocando[26] um dos servos, informava-se[27] sobre o que seria isso. **15:27** Ele lhe disse: O teu irmão chegou e teu pai sacrificou o novilho[28] cevado, porque o recuperou[29] saudável. **15:28** Ele ficou irado e não queria entrar. O seu pai, porém, saindo, o exortava[30]. **15:29** Em resposta ao seu pai, disse: Eis que te sirvo {há} tantos anos, jamais negligenciei³¹ um mandamento teu, e nunca me deste um cabrito para deleitar-me³² com meus amigos. **15:30** Quando chegou este teu filho, que devorou os teus recursos³³ com prostitutas, sacrificaste para ele o novilho cevado. **15:31** Ele, porém, lhe disse: Filho, tu estás sempre comigo, e todas as {coisas} minhas são tuas. **15:32** Era necessário, porém, nos deleitarmos e alegrarmos, porque este teu irmão estava morto e reviveu, {estava} perdido e foi encontrado.

1. Lit. "parte, porção, divisão (parte de um todo); partilha, sorte (parte que cabe a alguém por sorteio ou divisão)".
2. Lit. "**tocar a, corresponder a, caber a, pertencer a**; lançar-se sobre; pôr, colocar, aplicar, lançar sobre". Trata-se do quinhão do filho mais novo, ou seja, a parte que lhe toca na herança.
3. Lit. "substância (coisa), essência (ser); propriedade, bens, riquezas".
4. Lit. "dividir, separar, repartir; distinguir; determinar, definir".
5. Lit. "vida, existência; **recursos, meios de subsistência**; condição de vida; mundo, lugar em que se vive".
6. Alguns autores sugerem que essa expressão "reunindo tudo" talvez tenha o sentido de "transformar tudo em dinheiro", visto que o comprador não poderia tomar posse dos bens imóveis enquanto o pai do filho pródigo estivesse vivo.
7. Lit. "ausentar-se do próprio país, viajar ao estrangeiro".
8. Lit. "**dissipar, gastar**; dispersar, espalhar; difundir; esmiuçar".
9. Lit. "substância (coisa), essência (ser); propriedade, bens, riquezas".
10. Lit. "dissolutamente, prodigamente; com devassidão, de forma libertina".
11. Lit. "forte, vigoroso, robusto; poderoso, severo (intenso, forte)".
12. Lit. "**passar necessidade, sofrer falta, estar falto de**; estar atrasado, chegar tarde; ser inferior, não estar à altura".
13. Lit. "colar, soldar; aderir a". Em sentido metafórico: ligar-se, atar-se, juntar-se, unir-se, associar-se.
14. Lit. "keration (kharnub, ceratonia)". Kenneth Bailey (Poets and Peasants) faz referência a um dicionário árabe, intitulado "AL-Taj", segundo o qual há duas espécies de alfarrobeira naquela região. A espécie selvagem e a espécie síria deste arbusto. A espécie selvagem (alfarrobeira espinhosa) tem espinhos e é utilizada como lenha. Cresce aproximadamente um côvado de altura, tem ramos e produz bagas de pouco peso, infladas, duras e não comestíveis, exceto em períodos de emergência e escassez. Por outro lado, a espécie síria (kherrûb) é doce e comestível, além de apresentar alto valor nutritivo. Independentemente do tipo de alfarroba, a literatura rabínica considera o ato de alimentar-se desta planta como sinônimo de "passar necessidades severas", "extrema penúria".
15. Lit. "indo para dentro de si". Trata-se de uma expressão idiomática que pode ser substituída, com relativa precisão, por outra em português: "caindo em si", ou seja, ensimesmando-se, entrando em estado de profunda reflexão.
16. Lit. "assalariado, remunerado (trabalhador)". Trata-se do empregado contratado para trabalhar

na propriedade.
17. Lit. "compadecer-se, ter compaixão, ter piedade; mostrar simpatia".
18. Expressão idiomática semítica para descrever o abraço efusivo.
19. Lit. "beijar ternamente, afetuosamente; beijar repetidamente". Kenneth Bailey (Poets and Peasants) sugere que o vocábulo deva ser traduzido por "beijar repetidamente", o que condiz com os costumes do Oriente Médio. Sustenta ele que a expressão "beijar afetuosamente" transmite uma nuance feminina ao beijo, imprópria para a relação pai e filho, segundo os costumes da época e da região.
20. Lit. "primeira". Expressão idiomática que significa a principal, a mais importante veste. Aquela que era dada aos hóspedes de honra.
21. Traje longo utilizado pelos sacerdotes, doutores da lei, reis e pessoas distintas.
22. Lit. "bezerro, novilho".
23. Lit. "deleitar; alegrar, ficar satisfeito; encantar".
24. Lit. "deleitar; alegrar, ficar satisfeito; encantar".
25. Lit. "sinfonia (concerto de instrumentos), música; harmonia de sons".
26. Lit. "convocar, citar, intimar; chamar para si mesmo, reunir, convidar; evocar".
27. Lit. "informar-se (perguntando), investigar; estar informado, saber, apreender; notar".
28. Lit. "bezerro, novilho".
29. Lit. "receber o que é devido/necessário, receber aquilo que se procura; **receber de volta, recuperar, restabelecer**; receber com hospitalidade/prazer; pôr de lado, levar para fora".
30. Lit. "exortar, admoestar, persuadir; implorar, suplicar, rogar; animar, encorajar, confortar, consolar; requerer, convidar para vir, mandar buscar".
31. Lit. "passar ao lado de; decorrer; desaparecer, perecer; **ignorar, negligenciar**".
32. Lit. "deleitar; alegrar, ficar satisfeito; encantar".
33. Lit. "vida, existência, **recursos, meios de subsistência**; condição de vida; mundo, lugar em que se vive".

PARÁBOLA DO ADMINISTRADOR INFIEL   16

16:1 Dizia também aos discípulos: Havia certo homem rico, que tinha um administrador[1], e este foi acusado perante ele de estar dissipando[2] os seus bens. **16:2** Chamando-o, disse-lhe: Que {é} isso {que} ouço a teu respeito? Presta[3] contas da tua administração, pois não podes mais administrar. **16:3** O administrador disse a si mesmo: Que farei, já que o meu senhor está tirando[4] de mim a administração? Não [5]sou capaz de cavar, tenho vergonha de mendigar. **16:4** Eu sei o que farei, para que, quando for removido da administração, me recebam em suas casas. **16:5** E convocando[6] cada um dos devedores do seu senhor, dizia ao primeiro: Quanto deves ao meu senhor? **16:6** Ele disse: Cem batos[7] de óleo {de oliva}. Disse-lhe ele: Toma[8] a tua conta[9] e, sentando-te, escreve depressa: cinquenta. **16:7** Então, disse ao outro: E tu, quanto deves? Ele disse: Cem coros[10] de trigo. Disse-lhe: Toma a tua conta e escreve oitenta. **16:8** E o senhor elogiou[11] o [12]administrador da injustiça, porque ele agiu prudentemente[13]. Porque os filhos desta era[14] são mais prudentes do que são os filhos da luz em sua própria geração. **16:9** E eu vos digo: Fazei amigos, para vós mesmos, [15]da Mâmon[16] da injustiça, para que, quando cessar[17], vos recebam nos tabernáculos[18] eternos[19]. **16:10** O fiel no mínimo é fiel também no muito; o injusto no mínimo é injusto também no muito. **16:11** Portanto, se não vos tornardes fiéis na Mâmon da injustiça, quem vos confiará a verdadeira? **16:12** E, se não vos tornardes fiéis no alheio, quem vos dará o vosso? **16:13** Nenhum [20]servo {doméstico} pode servir[21] a dois senhores, pois ou odiará a um e amará o outro, ou se apegará a um e desprezará o outro. Não podeis servir a Deus e a Mâmon[22].

1. Lit. "aquele que administra uma casa; escravo de confiança cuja responsabilidade é exercer a superintendência dos demais servos e dos bens da propriedade do seu senhor; depositário; administrador/procurador público; tesoureiro".
2. Lit. "**dissipar, gastar**; dispersar, espalhar; difundir; esmiuçar".
3. Lit. "devolver, restituir; pagar; vender, dar em troca". No caso, o verbo foi utilizado juntamente com a palavra "contas", dando origem a uma espécie de expressão idiomática "devolve as contas" que pode ser substituída por outra em português: "presta contas".
4. Lit. "tirar, remover, extirpar, amputar".
5. Lit. "ser forte, capaz, poderoso; ser válido; ser capaz; prestar, servir (utilidade)".

6. Lit. "convocar, citar, intimar; chamar para si mesmo, reunir, convidar; evocar".
7. Lit. "bato". Trata-se de medida hebraica para líquidos, descrita por Flávio Josefo (Ant. 1, VIII, 2.9) como correspondente a setenta e dois sextarri (cerca de cinquenta litros). Todavia, outros autores divergem, uns postulando que essa medida equivale a 28 litros, outros que equivale a 34 litros.
8. Lit. "tomar nas mãos; receber; aprender, adquirir conhecimento de, receber pela audição (sentido metafórico)".
9. Lit. "aquilo que é escrito ou desenhado; letra (qualquer caractere do alfabeto); manuscrito, livro; **reconhecimento de dívida, conta, débito, letra de dívida (nota promissória)**; epístola, carta; Escritura Hebraica (todos os livros da bíblia hebraica)".
10. Lit. "cor". Trata-se da maior medida hebraica para coisas secas. Era equivalente ao ômer (aproximadamente 370 litros), segundo Flávio Josefo (Ant. 1, XV, 9, § 2).
11. Lit. "elogiar, louvar, enaltecer (qualidades); aprovar, consentir".
12. Expressão idiomática semítica que utiliza o conhecido expediente de colocar lado a lado dois substantivos, em relação de construto, com a finalidade de produzir neologismos. Com base em **Lc 16:11** podemos postular que há uma oposição entre a riqueza deste mundo (riqueza da injustiça) e a riqueza do Reino de Deus (riqueza verdadeira/da justiça). Nesse caso, o administrador dos bens deste mundo seria uma espécie de "administrador da injustiça".
13. Lit. "prudentemente, sabiamente, sensatamente; sagazmente; cautelosamente, ponderadamente, cuidadosamente".
14. Lit. "era, idade, século; tempo muito longo".
15. Expressão idiomática semítica que utiliza o conhecido expediente de colocar lado a lado dois substantivos, em relação de construto, com a finalidade de produzir neologismos.
16. Lit. "mâmon, mamôna (com artigo definido)". Palavra de origem aramaica que significa "recursos, posses, riqueza", de qualquer espécie, seja dinheiro, imóvel, escravos, ou outros bens. Os lexicógrafos da língua aramaica sustentam que essa palavra, possivelmente, seja derivada da raiz "aman (o que é confiado/aquilo em que se confia)", para expressar aquilo que é confiado ao homem por Deus. Nos escritos rabínicos significa, não somente "dinheiro", mas todos os recursos, todas as posses de um homem, tudo aquilo que ele possui além do seu corpo e da sua vida, ou seja, tudo aquilo que pode ser convertido em dinheiro, que pode ser calculado. Esse vocábulo ocorre apenas em Mt 6:24 e Lc 16:9,11,13.
17. Lit. "**cessar, desaparecer**, eclipsar-se, morrer; deixar, abandonar". Referência ao caráter efêmero das riquezas terrenas.
18. Lit. "tenda, tabernáculo". A palavra evoca os quarenta anos no deserto, durante os quais o povo hebreu habitou em **tendas**; evoca o **tabernáculo** (tenda sagrada) na qual Moisés mantinha contato mais estreito com Deus; evoca, também, a **festa das tendas** em que se comemora a colheita.
19. Lit. "de duração indeterminada; **eterno, sem fim**".
20. Lit. "servo doméstico, escravo que trabalha no lar". Alguns pesquisadores (Oesterley, Bailey) identificam três níveis de servos numa propriedade judaica do século I, como segue: **1)** Servos (douloi) que como escravos faziam parte da propriedade, e de fato quase faziam parte da família; **2)** Escravos de classe inferior (paides), que eram subordinados aos servos; 3) Servos assalariados (misthioi) que era um homem livre e recebia um salário pelo serviço prestado. Certamente,

nessa passagem, Lucas se refere a um tipo de servo que pode ser enquadrado na primeira ou segunda categoria, cuja função era o trabalho doméstico.

21. Lit. "servir como escravo".
22. Lit. "mâmon, mamôna (com artigo definido)". Palavra de origem aramaica que significa "recursos, posses, riqueza", de qualquer espécie, seja dinheiro, imóvel, escravos, ou outros bens. Os lexicógrafos da língua aramaica sustentam que essa palavra, possivelmente, seja derivada da raiz "aman (o que é confiado/aquilo em que se confia)", para expressar aquilo que é confiado ao homem por Deus. Nos escritos rabínicos significa, não somente "dinheiro", mas todos os recursos, todas as posses de um homem, tudo aquilo que ele possui além do seu corpo e da sua vida, ou seja, tudo aquilo que pode ser convertido em dinheiro, que pode ser calculado. Esse vocábulo ocorre apenas em Mt 6:24 e Lc 16:9,11,13.

A LEI E O REINO DE DEUS (Mt 11:12-13)

16:14 Os fariseus, que eram [1]amigos do dinheiro, ouviam todas essas {coisas}, e o ridicularizavam[2]. **16:15** E disse-lhes: Vós sois os que vos justificais[3] a vós mesmos, diante dos homens, mas Deus conhece os vossos corações, porque o que entre os homens é elevado, diante de Deus é abominação[4]. **16:16** Até João, a Lei e os Profetas! Desde então, o Reino de Deus está sendo evangelizado[5], e todo {aquele} que se esforça[6] {entra} nele. **16:17** É mais fácil passar[7] o céu e a terra, do que cair um {único} traço[8] da Lei. **16:18** Todo aquele que repudia[9] sua mulher e que se casa com outra comete adultério; e quem se casa com a repudiada pelo varão comete adultério.

1. Lit. "amigos da prata", amigos do dinheiro. Expressão idiomática semítica que utiliza o conhecido expediente de colocar lado a lado dois substantivos, em relação de construto, com a finalidade de produzir neologismos. A expressão parece indicar a pessoa avarenta, apegada aos bens materiais.
2. Lit. "levantar o nariz, mostrar desrespeito ou desprezo; ridicularizar, zombar, escarnecer".
3. Lit. "ter ou reconhecer como justo, declarar justo (justificar)". Trata-se de terminologia forense, ligada à prática dos tribunais, cujo significado é "absolver, reconhecer como justo".
4. Lit. "o que provoca náuseas; detestável, abominável, abjeto, nojento".
5. Lit. "evangelizar, anunciar boas novas, dar boas notícias". O verbo significa, originalmente, anunciar as boas novas, dar uma boa notícia. Nessa passagem, está na voz passiva, o que significa que o Reino de Deus está sendo anunciado como uma boa notícia, uma novidade divina.
6. Vocábulo de difícil tradução, que provoca divisão entre os exegetas. O verbo pode ser encontrado na forma ativa (usar de força, de violência), na forma média (usar de violência; entrar

ou sair à força; tornar-se violento; violentar, maltratar; constranger) e passiva (sofrer violência, ser constrangido, ser maltratado). O grande problema reside no fato de não ser possível diferenciar a forma média da forma passiva do verbo, pois são formalmente iguais. Nesse caso, é preciso recorrer ao contexto da fala. Nessa passagem, o verbo está na forma média/passiva. Acreditamos que a expressão como um todo reflita uma expressão idiomática semítica, de colorido intenso, para expressar a força, a violência consigo mesmo exigida do discípulo para efetivar as mudanças internas necessárias, a fim de ser admitido ao Reino de Deus.

7. Lit. "passar ao lado de; decorrer; **desaparecer, perecer**; ignorar, negligenciar".
8. Lit. "chifre; ponta, extremidade; ponto, traço, parte diminuta".
9. Lit. "soltar, libertar; liberar de um vínculo ou encargo; divorciar, repudiar (liberar a mulher do vínculo conjugal); remir, perdoar, liberar a dívida; despedir, deixar partir"

PARÁBOLA DO RICO E DE LÁZARO

16:19 Havia um homem rico que se [1]vestia de púrpura e linho fino, deleitando-se[2] a cada dia esplendidamente. **16:20** E um pobre[3], de nome Lázaro, coberto de chagas, estava lançado junto ao portão[4] dele, **16:21** desejando saciar-se do que caía da mesa do rico. [5]Além disso, os cães vinham lamber-lhe as chagas. **16:22** E sucedeu que, ao morrer o pobre e ser levado pelos anjos para o seio[6] de Abraão, morreu também o rico e foi sepultado. **16:23** No hades[7], levantando os olhos, estando em tormentos, viu Abraão de longe, e Lázaro em seu seio. **16:24** Ele, chamando-o, disse: Pai Abraão, tem misericórdia de mim! Envia Lázaro para que mergulhe na água a ponta do seu dedo e me refresque a língua, porque estou aflito nesta chama. **16:25** Disse Abraão: Filho, lembra-te as tuas {coisas} boas, durante a tua vida; e Lázaro, [8]do mesmo modo, as {coisas} más. Agora, ele está sendo consolado aqui e tu estás aflito. **16:26** Além disso tudo, foi estabelecido um grande abismo entre nós e vós, a fim de que os que queiram atravessar daqui para vós não possam, nem atravessem de lá para nós. **16:27** Disse: Sendo assim, peço a ti, pai, que o envies para a casa de meu pai, **16:28** pois tenho cinco irmãos; para que lhes testemunhe, a fim de que eles também não venham para este lugar de tormentos. **16:29** Diz Abraão: Eles têm Moisés e os Profetas; ouçam a eles. **16:30** Ele disse: Não, pai Abraão; mas se alguém dentre os mortos for até eles, se arrependerão[9]. **16:31** Disse-lhe: Se não ouvem a Moisés e aos Profetas, mesmo se alguém se levantar[10] dentre os mortos, não serão persuadidos.

1. A veste exterior era tingida de púrpura, ao passo que a veste interior era de linho fino (fibras de linho).
2. Lit. "deleitar; alegrar, ficar satisfeito; encantar".
3. Lit. "mendicante, pedinte, pobre; oprimido". Expressa a situação de extrema penúria. Vocábulo derivado do verbo "mendigar; ser ou tornar-se pobre".
4. Lit. "pórtico, portão; vestíbulo".
5. As duas partículas "allá" e "kai" estão combinadas conferindo um sentido progressivo: "além disso", "além do mais".
6. Lit. "peito, seio (parte da frente do tórax, entre os braços)". Todavia, "estar no seio" constitui expressão idiomática semítica para se referir àqueles convidados de honra, em um banquete, que se reclinavam à mesa, próximos do anfitrião, de modo que a cabeça deles tampava o peito da pessoa que estava próxima. A veracidade deste significado (posicionamento na mesa) pode ser constatada na passagem referente à última ceia (Jo 13:23). No caso em exame, a referida expressão nos remete ao banquete do mundo vindouro (vida futura), no qual, segundo a tradição judaica, estarão os patriarcas e todos os profetas, além dos justos de todas as nações.
7. Trata-se do submundo, o mundo dos mortos, segundo a literatura grega.
8. Lit. "semelhantemente". Trata-se de um advérbio.
9. Lit. "mudar de mente, de opinião, de sentimentos, de vida".
10. Lit. "erguer-se, levantar-se". Expressão idiomática semítica que faz referência à ressurreição dos mortos. Para expressar a morte e a ressurreição, utilizavam as expressões "deitar-se" (morte) e "levantar-se" (ressurreição).

17 ENSINO E OBEDIÊNCIA (Mt 18:6-7, 21-22; Mc 9:42)

17:1 Disse aos seus discípulos: É impossível[1] não vir os escândalos[2], todavia ai {daquele} por meio de quem vêm {os escândalos}. **17:2** ³É mais vantajoso para ele se uma ⁴pedra de moinho estiver colocada ao redor do seu pescoço e ter sido atirado[5] ao mar, do que escandalizar[6] um só destes pequeninos. **17:3** Acautelai-vos! Se teu irmão pecar, repreende-o; se ele se arrepender[7], perdoa-lhe. **17:4** Se, sete vezes no dia, pecar contra ti e, sete vezes, retornar a ti, dizendo: Estou arrependido. Perdoa-lhe. **17:5** E os apóstolos disseram ao Senhor: Acrescenta-nos[8] fé. **17:6** Disse o Senhor: Se tivésseis fé como um grão de mostarda, diríeis a esta amoreira[9]: Desenraiza-te e seja plantada no mar! E {ela} vos obedeceria. **17:7** Qual dentre vós, tendo um servo que esteja arando ou apascentando[10], quando ele entrar {em casa}, {voltando} do campo, lhe dirá: Vem depressa, reclina-te {à mesa}. **17:8** Em vez disso, não lhe dirá: Prepara algo para eu ceiar[11] e, cingindo-te[12], serve-me[13], até que eu coma e beba; depois destas {coisas}, tu comerás e beberás. **17:9** Acaso ¹⁴terá gratidão[15] ao servo porque fez as {coisas} ordenadas? **17:10** Assim também vós, quando fizerdes tudo quanto vos foi ordenado, dizei: Somos servos inúteis[16]; fizemos o que devíamos[17] ter feito.

1. Lit. "impossível; inadmissível".
2. Lit. "pedra de tropeço", tropeço; vacilo ou erro; ofensa, choque. O substantivo "skandalon" significa armadilha de molas ou qualquer obstáculo que faça alguém tropeçar; um impedimento; algo que cause estrago, destruição, miséria e, via de consequência, aquilo que causa um choque, que repugna, que fere a sensibilidade.
3. Lit. "pagar imposto; compensar pelas despesas suportadas; ser vantajoso, ser lucrativo (sentido derivado por implicação)".
4. Trata-se da segunda pedra de um moinho, movida por um jumento.
5. Lit. "**lançado para baixo**; abandonado; **caído, arrojado**; prostrado (com bebida ou ferimento mortal)".
6. Lit. "fizer tropeçar; fizer vacilar ou errar; ofender; chocar. O substantivo "skandalon" significa armadilha de molas ou qualquer obstáculo que faça alguém tropeçar; um impedimento; algo que cause estrago, destruição, miséria e, via de consequência, aquilo que causa um choque, que repugna, que fere a sensibilidade.
7. Lit. "mudar de mente, de opinião, de sentimentos, de vida".
8. Lit. "acrescentar, adicionar, aumentar".
9. Lit. "sukáminos (árvore que produz amoras)". A amoreira negra (Morus nigra) é uma árvore

de aproximadamente nove metros de altura, muito cultivada na Palestina em razão do valor de suas folhas e de seus frutos. É utilizada também para a criação do bicho-da-seda. Há outra árvore, chamada "sukomoréa (sicômoro)", cujas folhas são muito parecidos com as da amoreira, porém produz uma espécie de figo bravo.

10. Exercer todas as funções do pastor, tais como guiar, levar ao pasto, nutrir, cuidar, vigiar.
11. Lit. "fazer a refeição principal do dia (geralmente o jantar)", cear; banquetear.
12. Lit. "cingir (erguer e fixar as vestes com um cinto); amarrar um cinto ao redor da cintura; cercar, circuncidar; **preparar-se/equipar-se para movimento e/ou esforço corporal (sentido idiomático)**".
13. Lit. "servir à mesa, serviço doméstico (pessoal); suprir, prover; cuidar; auxiliar, apoiar, ajudar".
14. Lit. "ter gratidão/graça". Trata-se de expressão idiomática que pode significar "dar graças", "ser grato a alguém", "ter gratidão para com alguém".
15. Lit. "graça; prazer, alegria; encanto exterior, beleza; benevolência, favor; respeito; desejo de agradar, condescendência; **reconhecimento, agradecimento**; recompensa, salário".
16. Lit. "inútil, não proveitoso; sem valor, não meritório; indigno".
17. Lit. "estar obrigado a, ser obrigatório; estar endividado (dever), ser devido (dívida)".

JESUS CURA DEZ LEPROSOS

17:11 E aconteceu que, ao partir para Jerusalém, ele passava[1] pelo meio da Samaria e da Galileia. **17:12** E, ao entrar em certa aldeia, [2]vieram ao encontro {dele} dez varões leprosos, que pararam [3]a distância. **17:13** Eles levantaram[4] a voz, dizendo: Jesus, Comandante[5], tem misericórdia de nós! **17:14** Ao vê-los, disse-lhes: Ide e mostrai-vos aos sacerdotes. E sucedeu que, ao saírem, foram purificados. **17:15** E um deles, vendo que estava curado, retornou, glorificando a Deus [6]em alta voz. **17:16** E prosternou-se[7] aos pés dele, rendendo-lhe graças; ele era samaritano. **17:17** Em resposta, disse Jesus: Não foram purificados dez? Onde {estão} os nove? **17:18** Não [8]se encontrou {ninguém} que voltasse para dar glória a Deus, senão este estrangeiro? **17:19** E disse-lhe: Levanta-te e vai; a tua fé te salvou.

1. Lit. "atravessar, ir/passar através de; percorrer até o fim; expor, referir, explicar; difundir-se, expandir-se".
2. Lit. "encontrar-se com alguém; vir ao encontro de alguém".
3. Lit. "de longe, a distância". Em razão da lepra, não era permitido a eles se aproximarem das demais pessoas.

4. Lit."levantar, suster, sustentar alguém/algo a fim de carregar; tirar, remover, levar".
5. Lit. "**comandante**, capitão; chefe, superintendente, supervisor". Nesse contexto, a palavra é utilizada em sua acepção técnica de termo náutico, que integra o vasto vocabulário de Lucas a respeito do tema.
6. Lit. "com grande voz". Expressão idiomática semítica para expressar "em alta voz".
7. Lit. "caiu sobre o rosto dele". Expressão idiomática semítica que significa prosternar-se (curvar-se ao chão em sinal de profundo respeito).
8. Lit. "foram encontrados retornando".

A VINDA DO REINO (Mt 24:23-28, 37-41)

17:20 Interrogado pelos fariseus sobre quando vem o Reino de Deus, em resposta, disse-lhes: O Reino de Deus não vem [1]de modo visível, **17:21** nem dirão: Vede aqui ou vede ali, pois o Reino de Deus está dentro de vós. **17:22** E disse aos discípulos: Dias virão em que desejareis ver um só dia do filho do homem e não vereis. **17:23** E vos dirão: Vede aqui! Vede ali! Não saiam nem persigam[2]. **17:24** Pois assim como o relâmpago, relampejando, brilha [3]de um extremo a outro do céu, assim será o filho do homem [4]{no seu dia}. **17:25** Primeiro, porém, é necessário ele padecer muitas {coisas} e ser rejeitado por esta geração. **17:26** Assim como ocorreu nos dias de Noé, assim também será nos dias do filho do homem. **17:27** Comiam, bebiam, casavam, eram dadas em casamento, até o dia em que Noé entrou na arca e veio o cataclismo[5]; e destruiu a todos. **17:28** [6]De forma semelhante, ocorreu nos dias de Lot: comiam, bebiam, compravam, vendiam, plantavam, construíam. **17:29** {No} dia, porém, em que Lot saiu de Sodoma, choveu[7] fogo e enxofre do céu, e destruiu a todos. **17:30** [8]Da mesma forma será no dia em que o filho do homem for revelado. **17:31** Naquele dia, quem estiver sobre o terraço[9], e os seus utensílios[10] dentro de casa, não desça para pegá-los[11]. [12]De forma semelhante, quem {estiver} no campo não retorne para {as coisas} {que ficam} para trás. **17:32** Lembrai-vos da mulher de Lot! **17:33** Aquele que buscar preservar a sua vida a perderá, e aquele que a tiver perdido, a manterá viva. **17:34** Eu vos digo {que} nessa noite estarão dois sobre um leito; um será tomado e outro será deixado. **17:35** Duas estarão moendo {grãos} no mesmo {lugar}; uma será tomada e {a} outra deixada. **17:36** ¹³{dois estarão no campo; um será tomado, e o outro deixado}. **17:37** Em resposta, dizem a ele: Onde, Senhor? Disse-lhes: Onde estiver o corpo, lá também se reunirão os abutres¹⁴.

1. Lit. "com observação, com visibilidade". Trata-se de expressão idiomática formada pela preposição "com" + substantivo "observação" (derivado do verbo observar, vigiar, espreitar), que provavelmente significa "de modo visível", "de modo a atrair a atenção", "de modo observável".
2. Lit. "perseguir; oprimir, molestar (sentido metafórico); seguir avidamente, empenhar-se para conseguir".
3. Lit. "de sob o céu a sob o céu". Expressão idiomática que reflete a crença da época, segundo a qual a cúpula do céu repousa sobre dois pontos da terra, chamados de horizontes.
4. A Crítica Textual contemporânea tem dúvidas quanto à autenticidade desta frase, já que ela está ausente dos manuscritos mais antigos. Todavia optam por mantê-la entre parênteses, visto que sua omissão pode ser explicada por um dos tipos (homeoteleuton) de erro de cópia.
5. Lit. "inundação, cataclismo; dilúvio".
6. Lit. "semelhantemente". Trata-se de um advérbio.
7. Lit. "molhar, umedecer; chover".
8. Lit. "segundo estas {coisas}".
9. Lit. "terraço, telhado". Nas residências da Palestina do primeiro século, era comum utilizar-se o telhado ou terraço como uma espécie de cobertura dos apartamentos atuais. Era costume fazerem-se orações (At 10:9), proclamações e comunicações públicas (Mt 10:27; Lc 12:3) neste local. Nas tardes quentes, as mulheres costumavam subir para o terraço a fim de preparar pão, tecer, secar o linho ou frutas, catar cereais, estender roupas.
10. Lit. "utensílio, vasilha, instrumento, mobília; equipamento, armadura, arma; mastro/vela de navio; bagagem".
11. Lit. "erguer (com as mãos) para carregar; levantar um objeto a fim de transportá-lo".
12. Lit. "semelhantemente". Trata-se de um advérbio.
13. A Crítica Textual contemporânea rejeita esse versículo por inteiro, já que está ausente dos manuscritos mais antigos. Todavia optam por mantê-lo entre parênteses, visto que sua omissão pode ser explicada por um dos tipos (homeoteleuton) de erro de cópia.
14. Lit. "águia", mas utilizado para qualquer ave de rapina, como o abutre, o urubu.

18 A PARÁBOLA DA VIÚVA E DO JUIZ

18:1 E contava-lhes uma parábola sobre a necessidade de orar sempre e não desanimar, **18:2** dizendo: Havia em uma cidade um juiz que não temia a Deus, nem respeitava[1] homem {algum}. **18:3** Havia naquela cidade também uma viúva, que vinha a ele, dizendo: ²Faze-me justiça contra meu litigante[3]. **18:4** Durante um tempo, ele não queria. Depois disso, ele disse a si mesmo: Apesar de não temer a Deus nem respeitar homem {algum}, **18:5** por me dar[4] trabalho[5] essa viúva, ⁶farei justiça a ela, para que não venha, por fim, a me importunar[7]. **18:6** Disse o Senhor: Ouvi o que diz o ⁸juiz da injustiça. **18:7** Acaso Deus não ⁹fará justiça aos seus escolhidos[10], que bradam dia e noite, sendo longânime[11] para com eles? **18:8** Eu vos digo que lhes fará justiça com rapidez. Todavia, quando vier o filho do homem, encontrará a fé sobre a terra?

1. Lit. "dar uma volta em torno de si mesmo (sentido etimológico); envergonhar-se, ser envergonhado (sentido normal); respeitar, honrar, reverenciar (sentido expandido)".
2. Lit. "vingar, fazer justiça (executar o direito e a justiça), punir (crime); tomar a defesa de alguém".
3. Lit. "parte contrária em um processo judicial; adversário (por extensão)".
4. Lit. "oferecer, ofertar, presentear; conceder, dar, fornecer; exibir; ser a causa de".
5. Lit. "labor/trabalho fatigante, lida, labuta; aflição, sofrimento, fadiga, cansaço, desconforto (decorrentes da labuta); golpe, pena".
6. Vide nota 2.
7. Lit. "golpear alguém nas partes da face abaixo dos olhos (**esbofetear**); espancar, surrar, bater muito; **cansar, importunar** (sentido metafórico)". É difícil dizer se o verbo está sendo utilizado, nesta passagem, em seu sentido comum "esbofetear" ou em seu sentido metafórico "importunar". Considerando a dificuldade de uma viúva agredir um magistrado, esbofeteando-o na face, optamos pelo sentido metafórico nesta tradução.
8. Expressão idiomática semítica que utiliza o conhecido expediente de colocar lado a lado dois substantivos, em relação de construto, com a finalidade de produzir neologismos. Em analogia ao texto de **Lc 16:8-13** podemos postular que há uma oposição entre a justiça/riqueza deste mundo e a justiça/riqueza do Reino de Deus (verdadeira justiça/riqueza). Nesse caso, o juiz deste mundo seria uma espécie de "juiz da injustiça".
9. Vide nota 2.
10. Lit. "escolhido, selecionado".
11. Lit. "ser paciente, perseverante; ser longânimo, clemente ou benigno".

PARÁBOLA DO FARISEU E DO PUBLICANO

18:9 E contou também esta parábola para alguns que, persuadidos em si mesmos de serem justos, desprezavam os restantes: **18:10** Dois homens subiram ao templo para orar: um, fariseu; e o outro, publicano. **18:11** O fariseu, de pé, orava {dizendo} a si mesmo estas {coisas}: Ó Deus, eu te dou graças porque não sou como os demais homens, exploradores[1], injustos e adúlteros, nem também como este publicano. **18:12** Jejuo duas vezes por semana[2], [3]pago o dízimo de tudo quanto adquiro. **18:13** O publicano, porém, de pé, a distância, não queria nem levantar os olhos para o céu, mas batia no seu peito, dizendo: Ó Deus, tem compaixão[4] de mim, pecador. **18:14** Digo-vos: Este desceu para casa justificado[5]. Porque todo aquele que exalta[6] a si mesmo será diminuído[7], e aquele que diminui a si mesmo será exaltado.

1. Lit. "devorador voraz, devastador", por extensão: explorador, opressor, dado à extorsão e ao roubo.
2. Lit. "sábado". A palavra "sábado" neste versículo é uma tradução do hebraico/aramaico "shabat" que significa semana/sábado, razão pela qual a tradução pode ser "duas vezes por semana".
3. Lit. "pagar/dar a décima parte de". Refere-se à obrigação de dar a décima parte dos produtos colhidos da terra (Lv 27:30-32; Nm 18:20-32).
4. Lit. "mostrar bondade, compaixão; ter piedade, perdoar, esquecer".
5. Lit. "ter ou reconhecer como justo, declarar justo (justificar)". Trata-se de terminologia forense, ligada à prática dos Tribunais, cujo significado é "absolver, reconhecer como justo".
6. Lit. "alçar, elevar, engrandecer; exaltar (em sentido metafórico)".
7. Lit. "se rebaixar, se diminuir, se humilhar".

AS CRIANÇAS E O REINO DOS CÉUS (Mt 19:13-15; Mc 10:13-16)

18:15 Traziam-lhe recém-nascidos para que os tocasse. Ao vê-los, os discípulos os[1] repreenderam. **18:16** Jesus as [2]chamou para si, dizendo: Deixai vir a mim as criancinhas e não as impeçais[3], pois delas é o Reino de Deus. **18:17** Amém[4] vos digo: Quem não receber o Reino de Deus como uma criancinha, de modo nenhum entrará nele.

1.

LUCAS 18

1. Os que traziam as crianças.
2. Lit. "convocar, citar, intimar; chamar para si mesmo, reunir, convidar; evocar".
3. Lit. "impedir, pôr obstáculos; separar".
4. ἀμην (amém), transliteração do vocábulo hebraico אָמֵן. Trata-se de um adjetivo verbal (ser firme, ser confiável). O vocábulo é frequentemente utilizado de forma idiomática (partícula adverbial) para expressar asserção, concordância, confirmação (realmente, verdadeiramente, de fato, certamente, isso mesmo, que assim seja). Ao redigirem o Novo Testamento, os evangelistas mantiveram a palavra no original, fazendo apenas a transliteração para o grego, razão pela qual também optamos por mantê-la intacta, sem tradução.

O JOVEM RICO (Mt 19:16-22; Mc 10:17-22)

18:18 Certo chefe[1] o interrogou, dizendo: Bom Mestre, fazendo o que herdarei a vida eterna? **18:19** Disse-lhe Jesus: Por que me dizes "bom"? Ninguém é bom senão um, Deus. **18:20** Sabes os mandamentos: Não adulterarás, não matarás, não roubarás, não prestarás falso testemunho, honra teu pai e tua mãe. **18:21** Ele lhe disse: Guardei todas estas {coisas} desde a minha juventude. **18:22** Ao ouvir {isso}, Jesus lhe disse: Uma[2] {coisa} ainda te falta. Vende {o} quanto tens, distribui aos pobres e terás um tesouro no céu; vem e segue-me. **18:23** Quando ele ouviu essas {coisas}, ficou muito triste, pois era extremamente rico.

1. Lit. "comandante, chefe, rei", na Atenas democrática, cada um dos nove governantes eleitos anualmente era chamado "arconte". Nesta passagem, possivelmente, a referência seja a um chefe de sinagoga.
2. Trata-se do numeral cardinal "um", no sentido de que falta uma coisa, não duas.

AS POSSES E REINO DOS CÉUS (Mt 19:23-30; Mc 10:23-31)

18:24 Vendo-o, disse Jesus: Quão dificilmente os que [1]possuem riquezas entram no Reino de Deus. **18:25** Pois é mais fácil entrar um camelo pelo orifício de uma agulha[2], do que um rico entrar no Reino de Deus. **18:26** Os que ouviram disseram: E quem poderá ser salvo?

18:27 Ele disse: As {coisas} impossíveis para os homens são possíveis para Deus. **18:28** Disse Pedro: Eis que nós, deixando as próprias {coisas}, te seguimos. **18:29** Ele lhes disse: Amém[3], vos digo que não há ninguém que tenha deixado casa, ou mulher, ou irmãos, ou genitores ou filhos por causa do Reino de Deus, **18:30** que não receba, [4]neste tempo[5], muitas vezes mais, e [6]na era[7] vindoura, a vida eterna.

1. Lit. "os que têm riquezas/bens abundantes".
2. Nesse contexto, a palavra é utilizada em sua acepção técnica de termo médico, que integra o vasto vocabulário de Lucas a respeito do tema, indicando a agulha cirúrgica utilizada em operações.
3. ἀμην (amém), transliteração do vocábulo hebraico אָמֵן. Trata-se de um adjetivo verbal (ser firme, ser confiável). O vocábulo é frequentemente utilizado de forma idiomática (partícula adverbial) para expressar asserção, concordância, confirmação (realmente, verdadeiramente, de fato, certamente, isso mesmo, que assim seja). Ao redigirem o Novo Testamento, os evangelistas mantiveram a palavra no original, fazendo apenas a transliteração para o grego, razão pela qual também optamos por mantê-la intacta, sem tradução.
4. Trata-se da expressão hebraica "olam hazeh", comumente traduzida como "era presente", ou "mundo presente" para destacar a situação atual do mundo em comparação com a era vindoura.
5. Lit. "um ponto no tempo, um período de tempo; tempo fixo, definido; oportunidade".
6. Trata-se da expressão hebraica "olam haba", comumente traduzida como "mundo vindouro", "era vindoura", em oposição à "era presente". No judaísmo rabínico, essa expressão ganhou importante destaque por estar relacionada ao Messias de Israel. Nesse sentido, as expressões "fim dos dias", "dias do Messias", "Ressurreição dos Mortos" e "Mundo Vindouro" se identificam, e fazem referência conjunta às profecias hebraicas que prometem um mundo de paz, justiça e felicidade sem mácula, inclusive com a ressurreição dos mortos, a ser inaugurado pelo Messias.
7. Lit. "era, idade, século; tempo muito longo".

TERCEIRA PREVISÃO DO CALVÁRIO (Mt 20:17-19; Mc 10:32-34)

18:31 Tomando consigo os doze, disse-lhes: Eis que estamos subindo para Jerusalém, e serão consumadas[1] todas as {coisas} escritas através dos profetas sobre o filho do homem. **18:32** Pois será entregue aos gentios[2], será ridicularizado[3], insultado[4], cuspido, **18:33** e depois de açoitá-lo[5], o matarão ; mas se levantará[6] ao terceiro dia. **18:34** Eles, porém, não compreenderam nada destas {coisas}; esta palavra estava escondida[7] e não sabiam o que estava sendo dito.

1. Lit. "terminar, acabar, consumar; completar, chegar ao fim (atingir a finalidade)".

2. Lit. "povos de outras nações que não o povo hebreu". Os hebreus chamavam todos os outros povos de gentios.
3. Lit. "ridicularizar, zombar; tratar com escárnio; iludir, enganar".
4. Lit. "tratar arrogantemente ou com desrespeito; ultrajar, maltratar; insultar".
5. Lit. "espancar, açoitar, castigar, punir".
6. Lit. "erguer-se, levantar-se; colocar-se de pé". Expressão idiomática semítica que faz referência à ressurreição dos mortos. Para expressar a morte e ressurreição, utilizavam as expressões "deitar-se" (morte) e "levantar-se" (ressurreição).
7. Lit. "esconder, ocultar; tornar secreto".

O CEGO DE JERICÓ (Mt 20:29-34; Mc 10:46-52)

Lucas 18:35 E sucedeu que, ao aproximar-se de Jericó, um cego que estava sentado[1] à beira do caminho mendigando, **18:36** ouvindo a turba passando[2], informava-se[3] sobre o que seria isso. **18:37** E relataram-lhe que Jesus, o Nazareno, passava[4] ao lado. **18:38** Ele bradou, dizendo: Jesus, filho de Davi, tem misericórdia de mim. **18:39** Os que iam à frente o repreendiam para que se calasse[5]. Ele, porém, gritava muito mais: Filho de Davi, tem misericórdia de mim. **18:40** Jesus, parando, ordenou que fosse conduzido até ele. Quando ele se aproximou, perguntou-lhe: **18:41** Que queres que eu te faça? Ele disse: Senhor, que eu volte a ver[6]. **18:42** Disse-lhe Jesus[7]: Volta a ver, a tua fé te salvou. **18:43** Imediatamente[8] voltou a ver, e o seguia, glorificando a Deus. Vendo {isso}, todo o povo deu louvor a Deus.

1. Lit. "junto/ao lado do caminho".
2. Lit. "passar por, atravessar".
3. Lit. "informar-se (perguntando), investigar; estar informado, saber, apreender; notar".
4. Lit. "passar ao lado de; decorrer; desaparecer, perecer; **ignorar, deixar de lado, negligenciar**".
5. Lit. "calar-se; guardar segredo".
6. Lit. "levantar os olhos; recobrar a vista, tornar a abrir os olhos". A preposição "aná", prefixada ao verbo "ver", confere-lhe dois sentidos: 1) a direção para onde se esta olhando, no caso para o alto; 2) o sentido de repetição ou retorno da ação, no caso voltar a ver, recobrar a vista.
7. Vide nota 42.
8. Vide nota 42.

JESUS E ZAQUEU   19

19:1 Entrando {na cidade}, atravessava[1] Jericó. **19:2** E eis que um varão chamado pelo nome de Zaqueu, que era chefe dos publicanos e rico, **19:3** procurava ver quem era[2] Jesus, mas não podia, por causa da turba, porque era pequeno na estatura. **19:4** E, [3]correndo adiante[4], subiu em um sicômoro[5], a fim de vê-lo, porque estava prestes a [6]passar por aquele {lugar}. **19:5** E, quando chegou ao local, [7]olhando para cima, disse Jesus para ele: Zaqueu, apressando-te[8], desce, pois hoje é necessário[9] permanecer em tua casa. **19:6** Ele, apressando-se, desceu e o hospedou com alegria. **19:7** Ao verem {isso}, todos murmuravam, dizendo: Ele foi pernoitar[10] com um varão pecador. **19:8** Ficando de pé, disse Zaqueu ao Senhor: Senhor, eis que dou metade dos meus bens aos pobres[11] e, se extorqui[12] algo de alguém, restituo[13] em quádruplo. **19:9** Disse-lhe Jesus: Hoje, houve salvação nesta casa, porque este também é filho de Abraão. **19:10** Pois o filho do homem veio buscar e salvar o que está perdido.

1. Lit. "atravessar, ir/passar através de; percorrer até o fim; expor, referir, explicar; difundir-se, expandir-se".
2. Lit. "é". O verbo está no presente, mas trata-se do chamado presente histórico, com função de passado.
3. Lit. "correr adiante, passar (correndo), correr mais".
4. Lit. "para diante de".
5. Lit. "sukomorea (sicômoro)". É uma árvore da espécie da figueira, com frutos semelhantes, mas com folhas parecidas com as da amoreira. Esta árvore se alastra ocupando uma área de 18 a 24 metros de diâmetro. Era cultivada às margens da estrada, sendo adequada para os propósitos de Zaqueu nesta passagem.
6. Vide nota 1.
7. Lit. "levantar os olhos; recobrar a vista; tornar a abrir os olhos". A preposição "aná", prefixada ao verbo "ver", confere-lhe dois sentidos: 1) a direção para onde se está olhando, no caso para o alto; 2) o sentido de repetição ou retorno da ação, no caso voltar a ver, recobrar a vista.
8. Lit. "estar com pressa, apressar-se; ser diligente/solícito; dedicar-se com seriedade, empenhar-se seriamente; aspirar, esforçar-se".
9. Lit. "ter necessidade de, faltar (algo), não ter (algo); é necessário, é preciso (sentido impessoal do verbo)".
10. Lit. "destruir, derrubar, demolir, derribar (lançar abaixo); dissolver; interromper, parar durante a noite, pernoitar (no sentido metafórico de interromper a viagem); anular, revogar (no sentido metafórico de interromper a vigência da lei).

11. Lit. "mendicante, pedinte, pobre; oprimido". Expressa a situação de extrema penúria. Vocábulo derivado do verbo "mendigar; ser ou tornar-se pobre".
12. Lit. "sacudir violentamente, agitar, abalar"; extorquir, espoliar, roubar.
13. Lit. "devolver, restituir; pagar; vender, dar em troca".

PARÁBOLA DAS MINAS (Mt 25:14-30)

19:11 Enquanto eles ouviam estas {coisas}, [1]dando continuidade, contou uma parábola, por ele estar perto de Jerusalém e {por} eles pensarem que o Reino de Deus estava prestes a aparecer, imediatamente. **19:12** Portanto, disse: Certo homem [2]de nobre nascimento partiu para uma região distante, a fim de [3]tomar para si um reino e voltar. **19:13** Chamando seus dez servos, deu-lhes dez minas[4] e disse-lhes: Negociai [5]até que eu venha. **19:14** Porém os seus cidadãos o odiavam e enviaram uma embaixada[6] atrás dele, dizendo: Não queremos que este reine sobre nós. **19:15** E sucedeu que, ao retornar, após receber o reino, [7]mandou chamar esses servos, a quem tinha dado a prata[8] a fim de saber o que lucraram[9]. **19:16** Veio o primeiro, dizendo: Senhor, a tua mina rendeu dez minas. **19:17** Disse-lhe: Excelente, bom servo, porque te tornaste fiel no mínimo, [10]sejas investido de autoridade sobre dez cidades. **19:18** Veio o segundo, dizendo: Senhor, a tua mina fez cinco minas. **19:19** Disse também a este: Tu, também, [11]sejas {constituído} sobre cinco cidades. **19:20** Veio também o outro, dizendo: Senhor, eis a tua mina, que mantive guardada em um sudário[12], **19:21** pois te temia, já que és um homem austero, que removes[13] o que não colocastes e ceifas o que não semeastes. **19:22** Diz a ele: Por tua boca te julgarei, servo mau[14]. Sabias que eu sou um homem austero, que removo o que não coloquei e ceifo o que não semeei. **19:23** Porque não deste a minha prata[15] ao banco[16]? E eu, ao vir, a exigiria[17] com juros. **19:24** E disse aos presentes: Tirai[18] dele a mina e dai ao que tem dez minas – **19:25** disseram-lhe: Senhor, tem dez minas – **19:26** eu vos digo que a todo aquele que tem será dado, mas daquele que não tem, até o que tem lhe será tirado[19]. **19:27** Todavia, esses meus inimigos, que não queriam que eu reinasse sobre eles, trazei-os aqui e degolai-os diante de mim.

1. Lit. "acrescentar, adicionar, aumentar". Vocábulo utilizado para reproduzir um hebraísmo: "outra vez", "dando continuidade", "em acréscimo".
2. Lit. "bem nascido (família renomada), de nobre linhagem".
3. Expressão idiomática que pode significar "tomar posse de um Reino (conquistar)", "ser investido com Rei", "ser nomeado Rei".
4. Lit. "mina". Palavra de origem semítica utilizada tanto para uma unidade de peso quanto para uma unidade monetária. Cem dracmas equivaliam a uma **"mina"** de prata, e sessenta **"minas"** de prata correspondiam a um "talento" (moeda romana). Uma dracma era o preço de uma ovelha ou a quinta parte de um boi. Desse modo, convém lembrar que "dracma" (medida padrão para a prata na Grécia antiga) ou "dracma" (moeda feita de prata) são termos equivalentes. A dracma (moeda) pesava 4,37 gramas de prata, o equivalente a quatro dracmas (peso padrão para prata na Grécia), ou seja, esse termo também era utilizado tanto para uma unidade de peso quanto para uma unidade monetária.
5. Lit. "no que venho". Expressão idiomática que pode significar "até que eu volte", "até que eu venha".
6. Lit. "embaixada, delegação; anciãos, embaixadores; senilidade, velhice".
7. Lit. "disse para serem chamados a ele".
8. Referência à "mina", que era confeccionada com prata (metal precioso).
9. Lit. "obter (mediante negociação), ganhar (nos negócios), lucrar (no comércio)".
10. Lit. "sê tendo autoridade". Expressão idiomática com o sentido de "seja constituído em autoridade", "seja investido de autoridade", "tenha autoridade".
11. Lit. "torne-se sobre cinco cidades". Expressão idiomática (vide nota 9).
12. Lit. "sudário". Vocábulo proveniente do latim, que significa pano utilizado para limpar a face ou enxugar o suor do rosto, equivalente ao nosso lenço.
13. Lit."levantar, suster, sustentar alguém/algo a fim de carregar; tirar, remover, levar".
14. Lit. "mal; mau, malvado, malevolente; maligno, malfeitor, perverso; criminoso, ímpio". No grego clássico, a expressão significava "sobrecarregado", "cheio de sofrimento", "desafortunado", "miserável", "indigno", como também "mau", "causador de infortúnio", "perigoso". No Novo Testamento refere-se tanto ao "mal" quanto ao "malvado", "mau", "maligno", sendo que em alguns casos substitui a palavra hebraica "satanás" (adversário).
15. Referência à "mina", que era confeccionada com prata (metal precioso).
16. Lit. "mesa de quatro pés", mesa (de jantar), mesa (de cambista, de banco); banco (sentido ampliativo); questões financeiras (sentido ampliativo); refeição (sentido ampliativo).
17. Lit. "fazer, executar, realizar, praticar; cumprir, obedecer, observar (lei), realizar; exigir, requerer, coletar (tributos)".
18. Lit."levantar, suster, sustentar alguém/algo a fim de carregar; tirar, remover, levar".
19. Vide nota 18.

ENTRADA DO MESSIAS EM JERUSALÉM
(Mt 21:1-11; Mc 11:1-11; Jo 12:12-19)

19:28 Após dizer estas {coisas}, ia adiante, subindo para Jerusalém. **19:29** E aconteceu que, quando se aproximou de Betfagé e Betânia, junto ao monte chamado das oliveiras, enviou dois dos discípulos, **19:30** dizendo: Ide à aldeia defronte; e, entrando nela, encontrareis um jumentinho amarrado, sobre o qual nenhum homem jamais sentou. Soltai-o e conduzi-o. **19:31** E se alguém vos perguntar: Por que {o} soltais? Assim direis: O Senhor tem necessidade dele. **19:32** Depois de partirem, os enviados encontraram como lhes havia dito. **19:33** Enquanto eles soltavam o jumentinho, disseram-lhes os donos dele: Por que soltais o jumentinho? **19:34** Eles disseram: O Senhor tem necessidade dele. **19:35** E o conduziram a Jesus. Lançando sobre o jumentinho as suas vestes, [1]fizeram Jesus subir {nele}. **19:36** Enquanto ele passava, estendiam suas vestes pelo caminho. **19:37** Quando ele já estava próximo da descida do monte das oliveiras, toda a multidão dos discípulos, alegrando-se, começou a louvar a Deus, [2]em alta voz, por todos os prodígios[3] que tinham visto, **19:38** dizendo: Bendito o Rei que vem em nome do Senhor! Paz no céu e glória nas alturas! **19:39** E alguns dos fariseus, da turba, disseram para ele: Mestre, repreende os teus discípulos. **19:40** Em resposta, disse: Eu vos digo: Se eles silenciarem, as pedras gritarão.

1. Lit. "fazer subir; fazer embarcar".
2. Lit. "com grande voz". Expressão idiomática semítica para expressar "em alta voz".
3. Lit. "poder, força, habilidade". Trata-se de um substantivo utilizado como objeto do verbo "fazer", o que requer um esforço para recuperar a força da expressão.

LAMENTO POR JERUSALÉM (Mt 23:37-39; Lc 13:31-35)

19:41 Quando se aproximou, ao ver a cidade, chorou por ela, **19:42** dizendo: Se soubesses, também tu, neste dia, as {coisas} que [1]{conduzem} para paz! Agora, porém, estão escondidas[2] dos teus olhos. **19:43** Porque dias virão sobre ti, e os teus inimigos te cercarão com paliçada³, te sitiarão⁴ e te apertarão⁵ de todos os lados; **19:44** deitarão por terra a ti e a teus filhos, no meio de ti, e não deixarão em ti pedra sobre pedra, porque não {re}conhecestes o tempo⁶ da tua visitação.

1. A preposição grega "prós (para, em direção a)" indica o movimento, razão pela qual acrescentamos o verbo "conduzir", por julgá-lo subentendido no texto. É verdade que a construção como um todo reflete uma expressão idiomática semítica de difícil tradução.
2. Lit. "esconder, ocultar; tornar secreto".
3. Lit. "estaca, paliçada, trincheira". Referência ao muro feito de estacas, erigido pelos soldados romanos durante o cerco de Jerusalém.
4. Lit. "envolver, rodear; cercar, circundar; sitiar (sentido militar)".
5. Lit. "comprimir, manter apertado, confinar; reter, manter reunido; reunir-se, estar junto; oprimir, pressionar, dominar".
6. Lit. "um ponto no tempo, um período de tempo; tempo fixo, definido; oportunidade".

EXPULSÃO DOS VENDILHÕES DO TEMPLO
(Mt 21:12-17; Mc 11:15-19; Jo 2:13-22)

19:45 Entrando no templo, começou a expulsar os que vendiam, **19:46** dizendo-lhes: Está escrito: *A minha casa será casa de oração*. Mas vós fizestes dela um covil de assaltantes¹. **19:47** Ele estava ensinando diariamente no templo. Os sumos sacerdotes, os escribas e os principais² do povo procuravam matá-lo, **19:48** mas não encontravam o que fazer, pois todo o povo ³pendia para ele, ouvindo-o.

1. Lit. "assaltante (de estrada), saqueador; pirata; salteador".
2. Lit. "primeiros".
3. Lit. "estar dependurado; estar apegado a; estar entregue a".

20 A AUTORIDADE DE JESUS (Mt 21:23-27; Mc 11:27-33)

20:1 E aconteceu que, num dos dias, enquanto ele ensinava o povo no templo e evangelizava¹, aproximaram-se² os sumos sacerdotes, os escribas e os anciãos, **20:2** e ³disseram-lhe: Dize-nos: Com que autoridade fazes estas {coisas}? Quem é que te deu esta autoridade? **20:3** Em resposta, disse-lhes: Eu também vos perguntarei uma coisa⁴, e dizei-me: **20:4** O batismo de João era do céu ou dos homens? **20:5** Eles avaliavam⁵ entre si, dizendo: Se dissermos do céu, ele dirá: {Então}, por que não crestes nele? **20:6** Se dissermos dos homens, todo o povo nos apedrejará, pois estão persuadidos de ser João um profeta. **20:7** E responderam não saber de onde. **20:8** Disse-lhes Jesus: Nem eu vos digo com que autoridade faço estas {coisas}.

1. Lit. "evangelizar, anunciar boas novas, dar boas notícias". O verbo significa, originalmente, anunciar as boas novas, dar uma boa notícia.
2. Lit. "pôr/colocar sobre/próximo de, estar/permanecer ao lado/próximo de".
3. Lit. "disseram, dizendo a ele".
4. Lit. "palavra; assunto, matéria; coisa".
5. Lit. "fazer a conta, calcular; deliberar, avaliar (junto); raciocinar, tirar conclusões, considerar".

PARÁBOLA DOS VINHATEIROS HOMICIDAS
(Mt 21:33-46; Mc 12:1-12)

20:9 E começou a dizer ao povo esta parábola: Um homem plantou uma vinha, arrendou-a a agricultores e ¹ausentou-se {do seu país}, durante bastante tempo. **20:10** No ²tempo {oportuno}, enviou um servo aos agricultores, para que lhe dessem do fruto da vinha. Os agricultores, porém, açoitando-{o}³, o despacharam⁴, {de mão} vazia. **20:11** ⁵Dando continuidade, enviou outro servo. Eles, porém, açoitando-{o}⁶ e insultando-o⁷, também a este despacharam, {de mão} vazia. **20:12** Dando continuidade, enviou um terceiro. Eles, porém, expulsaram também a este, depois de feri-lo⁸. **20:13** E disse o senhor da vinha: Que farei? Enviarei o meu filho amado; talvez a este respeitarão[9]. **20:14** Ao vê-lo, porém, os agricultores arrazoavam[10] uns com os outros, dizendo: Este é o herdeiro. Matemo-lo para que a herança se torne nossa. **20:15** E, lançando-o para fora da vinha, o mataram. Portanto, o que lhes fará o senhor da vinha? **20:16** Virá, [11]fará perecer os agricultores e dará a vinha a outros. Ao ouvirem {isto}, disseram: Não aconteça! **20:17** Ele, fitando-os[12], disse: Que é isto, pois, que está escrito: *A pedra que os construtores rejeitaram, essa se tornou* [13]*cabeça de ângulo*. **20:18** Todo aquele que cair sobre esta pedra ficará despedaçado; sobre quem ela cair, o esmagará. **20:19** Os escribas e os sumos sacerdotes buscavam lançar as mãos sobre ele, nesta hora, mas temeram o povo. Pois sabiam que esta parábola fora dita para eles.

1. Lit. "ausentar-se do próprio país, viajar ao estrangeiro".
2. Lit. "um ponto no tempo, um período de tempo; tempo (fixo, definido, oportuno); oportunidade".
3. Lit. "esfolar, tirar a pele; castigar, maltratar; bater, açoitar".
4. Lit. "despedir, despachar, liberar; enviar (de volta), remeter".
5. Lit. "acrescentar, adicionar, aumentar". Vocábulo utilizado para reproduzir um hebraísmo: "outra vez", "dando continuidade", "em acréscimo".
6. Vide nota 3.
7. Lit. "insultar, ofender; desonrar, desprezar, julgar indigno".
8. Lit. "machucar, ferir, causar um trauma (ferida, contusão, fratura)".
9. Lit. "dar uma volta em torno de si mesmo; envergonhar, tornar envergonhado (sentido metafórico); respeitar, reverenciar, honrar (sentido metafórico – voz passiva); sentir vergonha, ser envergonhado".
10. Lit. "pensar, opinar, raciocinar; disputar, arrazoar, argumentar, considerar; planejar, cogitar, ter um desígnio".
11. Lit. "fará perecer
12. Lit. "fixar os olhos em alguém/algo, fitar, focar (pessoa/objeto); olhar incisivamente, minuciosamente, pormenorizadamente, atentamente; distinguir, discernir". A preposição "em", prefixada ao verbo "ver", confere-lhe o sentido de foco, penetração.
13. Lit. "cabeça de esquina, de canto, de quina, de ângulo". A pedra colocada no ângulo onde se encontram dois muros, ou paredes era conhecida como pedra angular. A principal pedra angular da construção era chamada de "cabeça do ângulo, de esquina, de quina"

LUCAS 20 — O TRIBUTO A CÉSAR (Mt 22:15-22; Mc 12:13-17)

20:20 Observando-o[1], enviaram {emissários} subornados, encenando[2] serem eles próprios justos, a fim de [3]o apanharem nalguma palavra, de modo a entregá-lo ao poder e autoridade do governador[4]. **20:21** E lhe perguntaram, dizendo: Mestre, sabemos que falas e ensinas retamente, e não [5]aceitas a aparência, mas ensinas, [6]verdadeiramente, o caminho de Deus. **20:22** É lícito ou não, a nós, dar tributo[7] a César? **20:23** Percebendo[8] a astúcia[9] deles, disse-lhes: **20:24** Mostrai-me um denário[10]. De quem tem a imagem e a inscrição[11]? Eles disseram: De César. **20:25** Ele lhes disse: Pois bem, restituí[12] a César {as coisas} de César, e a Deus {as coisas} de Deus. **20:26** E não [13]foram capazes de [14]apanhá-lo nalguma palavra diante do povo; maravilhados com a resposta dele, calaram-se[15].

1. Lit. "observar, espiar, vigiar, espreitar".
2. Lit. "**interpretar, representar um papel, ser ator, encenar; recitar, declamar, dialogar (no teatro)**; responder, explicar". Lucas, mais uma vez, dando mostras do seu vastíssimo vocabulário, utiliza expressão típica da linguagem do teatro grego.
3. Lit. "capturarem/apanharem palavra dele". Trata-se de uma expressão idiomática com o sentido de preparar uma armadilha para o interlocutor, em um diálogo, a fim de acusá-lo de algo.
4. Lit. "Aquele que lidera". Referência ao domínio romano sobre as províncias ou cidades de uma região.
5. Lit. "receber/aceitar a face/aparência". Trata-se de expressão idiomática semítica com o sentido de "julgar pelas aparências".
6. Lit. "em/sobre verdade". Expressão idiomática semítica, cujo significado é provavelmente o advérbio "verdadeiramente".
7. Lit. "tributo (imposto, taxa). Termo relacionado estritamente ao tributo pago pelos povos dependentes e dominados pelo Império Romano.
8. Lit. "observar; notar, perceber; entender, apreender; discernir".
9. Lit. "astúcia, perspicácia; desonestidade, malícia (dolo, ardil)".
10. Moeda de prata romana correspondente ao salário pago por um dia de trabalho no campo.
11. Lit. "epígrafe", inscrição.
12. Lit. "devolver, restituir; pagar; vender, dar em troca".
13. Lit. "ser forte, capaz, poderoso; ser válido; ser capaz; prestar, servir (utilidade)".
14. Lit. "capturarem/apanharem palavra dele". Trata-se de uma expressão idiomática com o sentido de preparar uma armadilha para o interlocutor, em um diálogo, a fim de acusá-lo de algo.
15. Lit. "calar-se; guardar segredo".

A RESSURREIÇÃO DOS MORTOS (Mt 22:23-33; Mc 12:18-27)

20:27 Aproximando-se alguns dos saduceus, que dizem não existir ressurreição[1], o interrogaram, **20:28** dizendo: Mestre, Moisés escreveu-nos: Se o irmão de alguém morrer, tendo mulher, mas sem ter filho, que o seu irmão tome[2] a mulher dele e suscite[3] descendência[4] ao seu irmão. **20:29** Portanto, havia sete irmãos. O primeiro, depois de [5]tomar uma mulher, morreu sem filhos. **20:30** O segundo **20:31** e o terceiro tomaram a mesma {mulher}. Do mesmo modo, os sete também não deixaram filhos e morreram. **20:32** Posteriormente, morreu também a mulher. **20:33** A mulher, portanto, na ressurreição, se torna mulher de qual deles? Pois os sete a tiveram por mulher. **20:34** Disse-lhes Jesus: Os filhos desta era[6] casam e são dados em casamento, **20:35** mas os que forem considerados dignos de alcançar aquela era[7] e a ressurreição dentre os mortos não casam nem são dados em casamento, **20:36** uma vez que não podem mais morrer, pois são iguais aos anjos e são filhos de Deus, sendo filhos da ressurreição. **20:37** Que os mortos são levantados[8], Moisés também revelou {no texto} sobre a sarça, quando diz: Senhor, o Deus de Abraão, o Deus de Isaac e o Deus de Jacó. **20:38** Ele não é Deus de mortos, mas [9]de vivos, pois para ele todos vivem. **20:39** Em resposta, alguns dos escribas disseram: Mestre, disseste bem. **20:40** Assim, ninguém mais ousava interrogá-lo.

1. Lit. "elevação, levantamento, reerguimento, ascensão; estado de quem foi colocado de pé". Expressão idiomática semítica que faz referência à ressurreição dos mortos. Para expressar a morte e a ressurreição, utilizavam os verbos "deitar-se" (morte) e "levantar-se" (ressurreição). Nesse caso, o substantivo descreve o estado de quem foi reerguido, foi colocado de pé, após ter-se deitado (morrido).
2. Lit. "tomar, receber", no sentido de desposar. Referência explícita à lei do levirato (Dt 25:5-10), segundo a qual o cunhado desposa a viúva do próprio irmão, caso ele não tenha deixado filhos, com o objetivo de garantir a perpetuação do nome da família, mediante o nascimento de um herdeiro.
3. Lit. "fazer levantar, reerguer, colocar de pé, ascender; fazer sair, arrojar". Trata-se do verbo que dá origem à palavra "ressurreição" em composição com o prefixo "ek" (de dentro). Essa etimologia dos vocábulos levou os saduceus a associarem o texto do levirato com a questão da ressurreição dos mortos, procedimento muito comum na hermenêutica dos fariseus (Midrash).
4. Lit. "semente, esperma, descendência".
5. Vide nota 2.
6. Lit. "era, idade, século; tempo muito longo".

7. Lit. "era, idade, século; tempo muito longo". Neste trecho, há uma referência implícita ao mundo vindouro.
8. Lit. "erguer-se, levantar-se". Expressão idiomática semítica que faz referência à ressurreição dos mortos. Para expressar a morte e ressurreição, utilizavam as expressões "deitar-se" (morte) e "levantar-se" (ressurreição).
9. Lit. "dos que vivem; de viventes".

O MESSIAS, FILHO E SENHOR DE DAVI (Mt 22:41-46; Mc 12:35-37)

20:41 Disse-lhes: Como dizem ser o Cristo filho de Davi? **20:42** Pois o próprio Davi diz no livro dos salmos: *Disse o Senhor ao meu Senhor: Senta-te à minha direita,* **20:43** *até que eu ponha os teus inimigos {por} estrado dos teus pés.* **20:44** Portanto, {se} Davi o chama "Senhor", como ele é seu filho?

ENSINO E PRÁTICA (Mt 23:1-12; Mc 12:38-40; Lc 11: 37-54)

20:45 Enquanto todo o povo ouvia, disse aos {seus} discípulos: **20:46** Acautelai-vos dos escribas que querem andar com estolas[1], amam as saudações nas praças, as primeiras cadeiras[2] nas sinagogas, os [3]primeiros reclinatórios nas ceias[4]; **20:47** que devoram as casas das viúvas, orando longamente como pretexto[5]. Esses receberão condenação excedente.

1. Traje longo utilizado pelos sacerdotes, doutores da lei, reis e pessoas distintas.
2. Lit. "cátedra", que significa "cadeira". Nas sinagogas era comum reservar-se um assento macio com encosto para que o mestre, autorizado, pudesse ensinar. Estes assentos ficavam na plataforma, de frente para a congregação, e de costas para a arca na qual eram guardados os rolos da Torah.
3. Lugar de honra em um jantar, ao lado do dono da casa ou do anfitrião. No Oriente, é relevante o local na mesa, onde o convidado se reclinar para comer, pois evidencia a reputação, posição social do convidado.
4. Lit. "refeição principal do dia (geralmente o jantar)", banquete.
5. Lit. "pretexto, desculpa, escusa, falso motivo".

O ÓBOLO DA VIÚVA (Mc 12:41-44)

21:1 ¹Levantando os olhos, viu os ricos colocando² as suas ofertas no gazofilácio³. **21:2** Viu também uma viúva pobre⁴ colocando ali dois leptos⁵, **21:3** e disse: Verdadeiramente vos digo que esta viúva pobre colocou mais do que todos. **21:4** Pois todos eles colocaram do que lhes está sobrando nas {caixas} de ofertas; ela, porém, das {coisas} que lhe faltam, colocou tudo quanto tinha {para} o seu sustento.

1. Lit. "levantar os olhos; recobrar a vista, tornar a abrir os olhos". A preposição "aná", prefixada ao verbo "ver", confere-lhe dois sentidos: 1) a direção para onde se esta olhando, no caso para o alto; 2) o sentido de repetição ou retorno da ação, no caso voltar a ver, recobrar a vista. Esta passagem, possivelmente, reflete um uso idiomático do verbo, dando a entender que Jesus olhava repetidas vezes ou observava.
2. Lit. "lançar; colocar".
3. Lit. "caixa de tesouro; sala do tesouro; caixa de ofertas no templo". No templo de Jerusalém, havia treze caixas em formato de trombetas, colocadas nas paredes do átrio das mulheres, com a finalidade de recolher doações.
4. Lit. "aquele que trabalha pelo seu próprio pão, pobre, necessitado".
5. A menor das moedas judaicas. Era uma moeda de cobre que valia aproximadamente ⅛ (um oitavo) de um centavo.

GRANDES TRIBULAÇÕES (Mt 24:1-31; Mc 13:1-27; Lc 12:25-27)

21:5 Enquanto alguns falavam a respeito do templo, que estava adornado¹ com belas pedras e oferendas consagradas {a Deus}, ele disse: **21:6** Estas {coisas} que contemplais, dias virão em que não será deixada pedra sobre pedra que não seja derribada². **21:7** Eles o interrogaram, dizendo: Mestre, então, quando serão essas coisas e qual o sinal de quando tudo {isso} ³estiver prestes a acontecer? **21:8** Ele disse: Vede, não sejais enganados⁴! Pois, muitos virão em meu nome, dizendo: "Sou eu" e "Está próximo o tempo"⁵. Não vades atrás deles. **21:9** Quando ouvirdes de guerras e distúrbios⁶, não vos atemorizeis, pois é necessário, primeiro, acontecerem {essas coisas}, mas o fim⁷ não {será} logo. **21:10** Então dizia a eles: Se levantará nação⁸ contra nação, reino contra reino;

21:11 haverá grandes terremotos, fomes e pestes, ⁹em todos os lugares; e haverá também ¹⁰coisas que inspiram medo e grandes sinais {vindos} do céu. **21:12** Antes de todas estas {coisas}, porém, lançarão suas mãos sobre vós e {vos} perseguirão, entregando-vos às sinagogas e às prisões, conduzindo-vos até reis e governantes, por causa do meu nome. **21:13** {Isso} vos sucederá para testemunho. **21:14** Portanto, ponde em vossos corações não ensaiar¹¹ para vos defender¹². **21:15** Pois eu vos darei boca e sabedoria, a que todos os vossos opositores não poderão contestar¹³ ou se opor¹⁴. **21:16** Sereis entregues até pelos genitores, irmãos, parentes e amigos; e matarão {alguns} de vós. **21:17** E sereis odiados por todos, por causa do meu nome. **21:18** Mas nenhum {fio de} cabelo da vossa cabeça se perderá¹⁵. **21:19** Com a vossa perseverança adquiram as vossas almas. **21:20** Quando virdes Jerusalém sitiada¹⁶ pelos exércitos¹⁷, então sabeis que está próxima a sua devastação¹⁸. **21:21** Então, os {que estiverem} na Judeia fujam para os montes; os {que estiverem} no meio dela {Jerusalém} emigrem¹⁹ e os {que estiverem} nos arredores²⁰ não entrem nela {Jerusalém}, **21:22** porque estes dias são de punição²¹, para que ²²se preencham todas as {coisas} escritas. **21:23** Ai das grávidas²³ e das que amamentarem naqueles dias! Pois haverá grande necessidade²⁴ sobre a terra e ira contra este povo. **21:24** Cairão ao ²⁵fio da espada e serão levados cativos para todas as nações²⁶. E Jerusalém será pisada pelas nações até se completar²⁷ o tempo²⁸ das nações. **21:25** Haverá sinais no sol, na lua e nas estrelas; e, sobre a terra, opressão²⁹ das nações, perplexidade³⁰ {diante} do barulho³¹ do mar e das ondas³²; **21:26** homens desfalecendo³³ de medo e expectativa pelo que sobrevirá³⁴ à {terra} habitada, pois os poderes dos céus serão abalados³⁵. **21:27** Então verão o filho do homem vindo em nuvem, com muito poder e glória. **21:28** Assim que começarem a acontecer estas {coisas}, endireitai-vos³⁶ e levantai as vossas cabeças, porque está próxima da vossa redenção³⁷.

1. Lit. "adornada, decorada, embelezada; em ordem, organizada".
2. Lit. "destruir, derrubar, demolir, derribar (lançar abaixo); dissolver; interromper", e em sentido metafórico: anular, revogar. Nesta passagem, o verbo está na voz passiva.
3. Lit. "estar para, estar a ponto de (indicando a iminência do acontecimento)".
4. Lit. "desviar, extraviar; enganar, iludir, seduzir; desencaminhar ou desviar do caminho". O vocábulo é constantemente utilizado no Novo Testamento para se referir ao desvio da ovelha que se desgarra do rebanho.
5. Lit. "um ponto no tempo, um período de tempo; tempo fixo, definido; oportunidade".

6. Lit. "instabilidade, intranquilidade, agitação; distúrbio, desordem, perturbação, tumulto, sedição, revolução".
7. Lit. "término, cessação, conclusão; fim, alvo, resultado".
8. Lit. "povos de outras nações que não o povo hebreu". Os hebreus chamavam todos os outros povos de gentios.
9. Trata-se de uso distributivo da preposição grega "kata".
10. Lit. "algo que inspira medo; espantalho".
11. Lit. "praticar, exercitar, ensaiar (previamente); premeditar".
12. Lit. "defender-se (de uma acusação); fazer uma defesa (oral ou escrita)".
13. Lit. "contestar, contradizer, objetar; falar contra, negar, opor-se".
14. Lit. "levantar-se contra", opor-se, resistir; colocar-se em oposição ou manter-se contra.
15. Lit. "estar perdido; perecer, morrer; estar arruinado". O termo gera uma ambiguidade proposital entre os dois significados "perdido" e "morto".
16. Lit. "envolver, rodear; cercar, circundar; sitiar (sentido militar)".
17. Lit. "exército, frota (marinha); acampamento militar; campo em que está estacionado um exército".
18. Lit. "que se tornou deserto, devastado; ruína, devastação, desolação".
19. Lit. "emigrar; sair de, retirar-se".
20. Lit. "região, província, distrito, território, arredores; habitantes de uma região (metonímia)".
21. Lit. "vingança, concretização da justiça (execução do direito e da justiça), punição (crime); defesa de alguém". Referência ao ato que executa uma sentença judicial condenatória, razão pela qual escolhemos a palavra punição.
22. Lit. "ser enchido, preenchido".
23. Lit. "as que tiverem no ventre".
24. Lit. "necessidade, miséria, pobreza; constrangimento, sofrimento, prova, aflição".
25. Lit. "na boca da espada". Trata-se de uma expressão idiomática intraduzível, razão pela qual somos obrigados a substituí-la por outra mais adequada ao idioma português: "ao fio da espada".
26. Lit. "povos de outras nações que não o povo hebreu". Os hebreus chamavam todos os outros povos de gentios.
27. Lit. "encher, tornar cheio; completar; realizar, cumprir". Visto que a exegese rabínica evita uma abordagem puramente abstrata das escrituras, era comum perguntar-se: "Quem cumpriu esse trecho da escritura"? Essa indagação levava os intérpretes a citar personagens, sobretudo os patriarcas, com o objetivo de demonstrar o cumprimento da escritura em suas vidas, e a escritura sendo cumprida (vivenciada) por suas vidas. No presente texto, há uma alusão ao cumprimento das profecias referentes à sorte de Jerusalém.
28. Lit. "um ponto no tempo, um período de tempo; tempo fixo, definido; oportunidade".
29. Lit. "opressão, confinamento, compressão; angústia, aflição, agonia (sentido metafórico)".
30. Lit. "perplexidade, dúvida, incerteza".
31. Lit. "som, barulho, ruído; notícia, rumor, fama (sentido metafórico)".
32. Lit. "agitação, movimentação, oscilação (especialmente do mar); excitação, perturbação (mental, social)".
33. Lit. "expirar, desfalecer, morrer".

34. Lit. "vir sobre/em cima; vir depois de/a seguir; vir inesperadamente; atacar (repentinamente), assaltar".
35. Lit. "sacudir, agitar, abalar".
36. Lit. "levantar a cabeça; desencurvar-se, levantar-se (ficar ereto)".
37. Lit. "resgate de um cativo, escravo (mediante o pagamento do preço do resgate), redenção (libertação, resgate)". Trata-se de um vocábulo rico que evoca toda a experiência do êxodo, ocasião em que o povo hebreu foi resgatado, libertado da escravidão no Egito. Impossível não relacionar esse texto como o de **Lc 9:31**.

PARÁBOLA DA FIGUEIRA (Mt 24:32-36; Mc 13:28-32)

21:29 Disse-lhes uma parábola: Vede a figueira e todas as árvores. **21:30** Quando já brotaram, vendo por vós mesmos, sabeis que já está próximo o verão. **21:31** Assim também vós, quando virdes estas {coisas} acontecerem, sabeis que está próximo o Reino de Deus. **21:32** Amém[1], vos digo que não passará esta geração até que todas essas {coisas} aconteçam. **21:33** O céu e a terra passarão, mas as minhas palavras não passarão.

1. ἀμην (amém), transliteração do vocábulo hebraico אָמֵן. Trata-se de um adjetivo verbal (ser firme, ser confiável). O vocábulo é frequentemente utilizado de forma idiomática (partícula adverbial) para expressar asserção, concordância, confirmação (realmente, verdadeiramente, de fato, certamente, isso mesmo, que assim seja). Ao redigirem o Novo Testamento, os evangelistas mantiveram a palavra no original, fazendo apenas a transliteração para o grego, razão pela qual também optamos por mantê-la intacta, sem tradução.

NECESSIDADE DE VIGIAR

21:34 Acautelai-vos para que vossos corações não [1]estejam pesados na ressaca[2], embriaguez e ansiedade[3] da vida {física}, e aquele dia venha[4], repentino, sobre vós. **21:35** Pois, como laço[5], sobrevirá a todos os que estão sentados sobre a face de toda a terra. **21:36** Vigiai[6] por todo tempo[7], rogando para que possais[8] escapar de todas as {coisas} que estão prestes a acontecer e permanecer de pé diante do filho do homem.

21:37 Durante o dia, ensinava no templo; à noite, saía e pernoitava no chamado Monte das Oliveiras. **21:38** E todo o povo madrugava junto com ele, no templo, para ouvi-lo.

1. Lit. "sobrecarregado (de peso, de fardo); estar pesado (de sono, de vinho)". Expressão idiomática que se refere ao sono difícil de suportar.
2. Lit. "aturdimento, enxaqueca, ressaca (resultantes do consumo de vinho em excesso), náusea causada pelo excesso de bebida".
3. Lit. "ansiedade, preocupação".
4. Lit. "pôr/colocar sobre, próximo de; estar/permanecer ao lado de, próximo de; vir sobre".
5. Lit. "laço, aquilo que enlaça, prende (armadilha)".
6. Lit. "estar acordado (em vigília); estar atento, vigilante".
7. Lit. "um ponto no tempo, um período de tempo; tempo fixo, definido; oportunidade".
8. Lit. "dominar, ter o controle; prevalecer, predominar".

22 CONSPIRAÇÃO PARA MATAR JESUS
(Mt 26:1-5; Mc 14:1-2; Jo 11:45-53)

22:1 Aproximava-se a festa dos {pães} Ázimos[1], a chamada Páscoa; **22:2** e os sumos sacerdotes e os escribas procuravam como eliminá-lo, pois temiam o povo. **22:3** Satanás[2] entrou em Judas, chamado Iscariotes, o qual era do número dos doze. **22:4** Depois de partir, conversou com os sumos sacerdotes e [3]comandantes da guarda sobre como o entregaria a eles. **22:5** Alegraram-se e concordaram[4] em lhe dar prata[5]. **22:6** Ele consentiu[6], e procurava uma boa ocasião para entregá-lo, [7]longe da turba.

1. Trata-se do pão sem fermento, que não foi submetido a nenhum processo de fermentação, ainda que natural. A festa dos pães ázimos durava sete dias, geralmente de um sábado a outro, sendo que no primeiro dia era comido o cordeiro pascal, momento em que era celebrada a ceia ritual intitulada Páscoa.
2. Lit. "adversário". Palavra de origem semítica.
3. Lit. "líder/comandante de um exército, general; pretor romano, magistrado provincial; **comandante, capitão da guarda do templo (Chefe dos Levitas que mantinham a guarda dentro e ao redor do Templo de Jerusalém)**.
4. Lit. "colocar junto; concordar, chegar a um entendimento mútuo; barganhar, comprometer-se; apoiar (uma declaração)".
5. Referência ao denário que era confeccionado com prata (metal precioso).
6. Lit. "confessar (publicamente), reconhecer, admitir; concordar, prometer, consentir; exaltar, enaltecer, louvar, agradecer".
7. Lit. "sem turba {junto} a eles".

OS PREPARATIVOS PARA A PÁSCOA (Mt 26:17-19; Mc 14:12-16)

22:7 Chegou o dia {da festa} dos {pães} Ázimos[1], [2]no qual era necessário sacrificar[3] a Páscoa. **22:8** Ele enviou Pedro e João, dizendo: Ide e preparai-nos a Páscoa, para que {a} comamos. **22:9** Eles lhe disseram: Onde queres que a preparemos? **22:10** Ele lhes disse: Eis que, ao entrardes na cidade, vos encontrareis[4] com um homem que carrega um cântaro[5] de água, segui-o até a casa em que ele entrar, **22:11** e direis ao ⁶senhor da casa: O Mestre te diz: Onde está o ⁷quarto de hóspedes, no qual hei de comer a Páscoa com meus discípulos. **22:12** E aquele {homem} vos mostrará uma grande ⁸sala {no terraço}, arrumada⁹; preparai ali {a ceia}. **22:13** Ao partirem, encontraram como ele lhes tinha dito e prepararam a Páscoa.

1. Trata-se do pão sem fermento, que não foi submetido a nenhum processo de fermentação, ainda que natural. A festa dos pães ázimos durava sete dias, geralmente de um sábado a outro, sendo que no primeiro dia era comido o cordeiro pascal, momento em que era celebrada a ceia ritual intitulada Páscoa.
2. Referência à imolação do cordeiro pascal, feita no primeiro dia da festa.
3. Lit. "sacrificar, imolar, matar".
4. Lit. "encontrar-se com, reunir-se a; suceder, sobrevir".
5. Lit. "vasilha de barro, de cerâmica; jarro, vaso de barro".
6. Lit. "senhor, dono da casa, chefe de família".
7. Lit. "hospedaria, estalagem, alojamento; quarto de hóspedes". Durante a festa da Páscoa, Jerusalém recebia incontáveis viajantes, sendo dever dos habitantes hospedá-los em suas casas, fornecendo-lhes o necessário para a imolação e preparação do cordeiro pascal.
8. Lit. "sala ou aposento do andar superior/terraço, utilizado para guardar frutas, cereais". Durante as festas de peregrinação (Páscoa, Pentecostes e Tendas), esse local era utilizado para hospedar os peregrinos.
9. Lit. "estender, espalhar; arrumar (cama, mesa)". Possível referência aos preparativos específicos da mesa na qual seria celebrada a ceia pascal.

A ÚLTIMA CEIA PASCAL (Mt 26:20-29; Mc 14:17-25; Jo 13:21-30)

22:14 Quando chegou a hora, recostou-se¹, e os apóstolos com ele. **22:15** E disse-lhes: ²Desejei ardentemente comer esta Páscoa convosco, antes do meu padecer. **22:16** Pois eu vos digo que não mais a comerei até que se cumpra³ no Reino de Deus. **22:17** Depois de receber um cálice e dar graças, disse: Tomai isto e reparti entre vós. **22:18** Pois eu vos digo: Não mais beberei, a partir de agora, do fruto da videira, até que venha o Reino de Deus. **22:19** Depois de tomar o pão, rendeu graças, partiu-os e lhes deu, dizendo: Isto é o meu corpo, que é dado por⁴ vós. Fazei isto para minha memória⁵. **22:20** Do mesmo modo, o cálice {erguido} depois de cear⁶, dizendo: Este cálice é a Nova Aliança⁷

LUCAS 22

no meu sangue, derramado por[8] vós. **22:21** Todavia, eis que a mão daquele que me entrega {está} comigo sobre a mesa, **22:22** porque o filho do homem vai {ser entregue}, segundo o que está definido[9], contudo aí daquele homem através do qual está sendo entregue. **22:23** E eles começaram a debater[10] entre si qual dentre eles estava prestes a fazer isto.

1. Lit. "cair para trás, recostar-se; posicionar-se para comer, reclinar-se à mesa".
2. Lit. "desejei com desejo". Trata-se de expressão idiomática semítica típica, na qual o substantivo reforça o sentido do verbo, conferindo-lhe intensidade.
3. Lit. "encher, tornar cheio; completar; realizar, cumprir". Visto que a exegese rabínica evita uma abordagem puramente abstrata das escrituras, era comum perguntar-se: "Quem cumpriu esse trecho da escritura"? Essa indagação levava os intérpretes a citar personagens, sobretudo os patriarcas, com o objetivo de demonstrar o cumprimento da escritura em suas vidas, e a escritura sendo cumprida (vivenciada) por suas vidas.
4. Lit. "no interesse de, a favor de, em nome de, para o auxílio de".
5. Lit. "memória, lembrança, recordação".
6. Lit. "fazer a refeição principal do dia (geralmente o jantar)", cear; banquetear.
7. Lit. "testamento, disposição de última vontade (sentido jurídico relacionado ao direito sucessório); contrato, ajuste, tratado, acordo, convenção (sentido jurídico ligado ao aspecto contratual); aliança, pacto (sentido típico da Literatura Bíblica)".
8. Lit. "no interesse de, a favor de, em nome de, para o auxílio de".
9. Lit. "limitar, separar, dividir (definir limites); definir, determinar".
10. Lit. "procurar, buscar, indagar, inquirir com outras pessoas; debater; deliberar". O verbo faz remissão aos debates rabínicos em que se reuniam os estudiosos para debater algum ponto das Escrituras. Trata-se de expressão técnica da tradição rabínica.

O GRANDE SERVIDOR (Mt 19:28, 20:24-27; Mc 10:41-45)

22:24 Houve também entre eles uma contenda[1] {sobre} qual deles parece ser o maior. **22:25** Ele lhes disse: Os Reis das nações[2] as dominam[3] e os que exercem autoridade são chamados benfeitores. **22:26** Vós, porém, não {sereis} assim, mas o maior entre vós seja como o mais novo, e o que comanda[4] como o que serve[5]. **22:27** Pois quem {é} o maior, o reclinado {à mesa} ou quem serve[6]? Eu, porém, no meio de vós, sou como aquele que serve. **22:28** Vós sois os que permanecem[7] comigo em minhas provações[8]. **22:29** Eu também vos disponho[9] {o} Reino, assim como meu Pai {o} dispôs para mim, **22:30** para que comais e bebais à minha mesa, em meu Reino, e vos senteis em tronos para julgar as doze tribos de Israel.

1. Lit. "amor a contendas/disputas; contenda, disputa".
2. Lit. "povos de outras nações que não o povo hebreu". Os hebreus chamavam todos os outros povos de gentios.
3. Lit. "ser senhor, autoridade; exercer domínio, poder; governar".
4. Lit. "conduzir, guiar, dar o exemplo; comandar (como chefe militar), governar; exercer hegemonia, ter proeminência".
5. Lit. "servir à mesa, serviço doméstico (pessoal); suprir, prover; cuidar; auxiliar, apoiar, ajudar".
6. Vide nota 5.
7. Lit. "permanecer, persistir; manter-se firme; suportar com paciência".
8. Lit. "prova, teste; experimentação, ensaio; provação, tentação (teste no sentido moral)".
9. Lit. "dispor (segundo a vontade, em testamento), dispor de, vender; estabelecer (em acordo, aliança, testamento); distribuir, repartir; organizar, regular; expor, referir".

A PREDIÇÃO DA NEGAÇÃO DE PEDRO
(Mt 26:30-35; Mc 14:26-31; Jo 13:36-38)

22:31 Simão, Simão! Eis que Satanás[1] vos requisitou[2] para joeirar[3] como o trigo. **22:32** Eu, porém, roguei por ti para que não cesse[4] a tua fé; e tu, quando voltares[5], apóia[6] os teus irmãos. **22:33** Ele, porém, lhe disse: Senhor, estou preparado para ir contigo tanto para a prisão quanto para a morte. **22:34** Mas ele disse: Pedro, eu te digo {que}, hoje, [7]não cantará o galo até que negues três vezes me conhecer.

1. Lit. "adversário". Palavra de origem semítica.
2. Lit. "pedir, reclamar, reivindicar, requisitar, solicitar".
3. Lit. "passar pela peneira, coador; peneirar, joeirar, filtrar; peneirar por meio de provas e tentações (sentido metafórico)".
4. Lit. "**cessar, desaparecer**, eclipsar-se, morrer; deixar, abandonar". Referência ao caráter efêmero das riquezas terrenas.
5. Lit. "retornar, voltar". Expressão técnica do judaísmo (teshuva) que significa o processo integral de arrependimento: restauração do mal cometido, ressarcimento dos prejuízos e mudança de

conduta.

6. Lit. "colocar (em certa posição ou direção), cravar, apoiar; permanecer imóvel, firme, estático; estar resolvido, resoluto (sentido metafórico); confirmar (apoiar no sentido metafórico)".
7. O canto do galo marcava a terceira vigília romana, que durava de 0h (meia-noite) às 3h da manhã.

BOLSA, ALFORGE E ESPADA

22:35 E disse-lhes: Quando vos enviei sem bolsa[1], nem alforje[2], nem sandálias, não [3]sentistes falta de algo? Eles, porém, disseram: De nada. **22:36** Disse-lhes: Mas, agora, o que tem bolsa[4] tome-a[5]; [6]de forma semelhante, também {o} alforje[7]; e, quem não tem, venda a sua veste[8] e compre espada. **22:37** Pois eu vos digo que é necessário se consumar[9] em mim isto que está escrito: *E entre transgressores*[10] *foi contado*. Pois o que me diz respeito tem um fim[11]. **22:38** Eles disseram: Senhor, eis aqui duas espadas! Ele lhes disse: É suficiente[12].

1. Lit. "pequena bolsa para carregar dinheiro".
2. Lit. "saco ou bolsa de couro para levar provisões".
3. Lit. "**passar necessidade, sofrer falta, estar falto de**; estar atrasado, chegar tarde; ser inferior, não estar à altura".
4. Lit. "pequena bolsa para carregar dinheiro".
5. Lit. "erguer (com as mãos) para carregar; levantar um objeto a fim de transportá-lo".
6. Lit. "semelhantemente". Trata-se de um advérbio.
7. Lit. "saco ou bolsa de couro para levar provisões".
8. Veste externa, manto, peça de vestuário utilizada sobre a peça interna. Pode ser utilizada como sinônimo do vestuário completo de uma pessoa. O termo também aparece em Mt 5:40, traduzido como "manto".
9. Lit. "terminar, acabar, consumar; completar, chegar ao fim (atingir a finalidade)".
10. Lit. "sem lei ou fora da lei". O termo "anomia" (sem lei) significa ausência de lei, lacuna legislativa, ausência de regra. No caso, "transgressor, iníquo" transmite parcialmente o sentido.
11. Lit. "término, cessação, conclusão; fim, alvo, resultado".
12. Lit. "apropriado, adequado, digno; adequado, condizente, suficiente, bastante; considerável, numerosa, grande".

NO GETSÊMANI (Mt 26:36-46; Mc 14:32-42)

22:39 Após sair, segundo o costume, foi para o Monte das Oliveiras; e os discípulos o seguiram. **22:40** Chegando ao lugar, disse-lhes: Orai para que ¹não entreis em tentação. **22:41** Ele separou-se² deles, cerca de um arremesso de pedra, e tendo posto {no chão} os joelhos, orava, **22:42** dizendo: Pai, se quiseres, afasta de mim esta taça; contudo, não se faça a minha vontade, mas a tua. **22:43** ³{Apareceu-lhe um anjo do céu, que o fortalecia. **22:44** Estando em agonia, orava intensamente. E o seu suor tornou-se como coágulos de sangue caindo sobre a terra.} **22:45** E, levantando-se da oração, dirigiu-se aos discípulos, e os encontrou adormecidos de tristeza. **22:46** Disse-lhes: Por que dormis? Orai para que ⁴não entreis em tentação.

1. Expressão idiomática que pode significar "para que não sucumbam à tentação, para que não caiam em tentação". Em português, costumamos dizer "não entra nessa".
2. Lit. "extrair de, puxar, tirar; separar-se".
3. A Crítica Textual contemporânea é unânime em reconhecer que estes dois versículos não fazem parte do texto original de Lucas, representando uma adição posterior. No entanto, postulam que o texto é antigo e estava tão arraigado na tradição das comunidades cristãs que inúmeros Pais da Igreja (Justino, Irineu, Hipólito, Eusébio) fazem citação dele, razão pela qual optaram por manter os referidos versículos, mas entre colchetes para ressaltar sua adição posterior.
4. Expressão idiomática que pode significar "para que não sucumbam à tentação, para que não caiam em tentação". Em português, costumamos dizer "não entra nessa".

A PRISÃO DE JESUS (Mt 26:47-56; Mc 14:43-52; Jo 18:1-11)

22:47 Enquanto ele ainda falava, eis que {surge} uma turba, e o chamado Judas, um dos doze, {que} vinha à frente deles, aproximou-se de Jesus para beijá-lo. **22:48** Jesus, porém, lhe disse: Judas, com um beijo entregas o filho do homem? **22:49** Os que {estavam} ao redor dele, vendo o que sucederia, disseram: Senhor, feriremos¹ com espada? **22:50** E um deles feriu² o servo do sumo sacerdote e tirou-lhe³ a orelha direita. **22:51** Em resposta, disse Jesus: Permitam até isto! E, tocando-lhe a orelha, o curou. **22:52** Disse Jesus aos sumos sacerdotes, ⁴comandantes da guarda e anciãos, que vieram contra ele: Saístes com espadas e porretes, como {se procede} contra um assaltante⁵. **22:53** Diariamente, eu estou convosco no templo, e não estendestes a mão sobre mim, mas esta é a vossa hora e a autoridade da treva.

1. Lit. "bater, espancar; ferir, machucar".
2. Vide nota 1.
3. Lit. "tirar, remover; roubar; afastar, separar".
4. Lit. "líder/comandante de um exército, general; pretor romano, magistrado provincial; **comandante, capitão da guarda do templo (Chefe dos levitas que mantinha a guarda dentro e ao redor do Templo de Jerusalém)**.
5. Lit. "assaltante (de estrada), saqueador; pirata; salteador".

AS TRÊS NEGAÇÕES DE PEDRO (Mt 26:69-75; Mc 14:66-72; Jo 18:12-27)

22:54 Após prendê-lo¹, conduziram-no e o fizeram entrar na casa do sumo sacerdote. Pedro o seguia de longe. **22:55** Ao acenderem um fogo no meio do ²pátio interior {da residência} e se sentarem juntos, Pedro sentou-se no meio deles. **22:56** Certa criada³, ao vê-lo sentado junto da luz, fixando-o⁴, disse: Este também estava com ele. **22:57** Ele, porém, negou, dizendo: Mulher, não o conheço. **22:58** Pouco depois, vendo-o outro, disse: Tu também és {um} deles. Pedro, porém, disse: Homem, não sou. **22:59** Transcorrendo cerca de uma hora, um outro insistiu, dizendo: Em verdade, este também estava com ele, pois também é galileu. **22:60** Disse Pedro: Homem, não sei o que dizes. Imediatamente, enquanto ele ainda falava, o galo cantou. **22:61** E, voltando-se o Senhor, ⁵fitou Pedro, e Pedro lembrou-se da palavra do Senhor, como lhe dissera que, hoje, antes do ⁶galo cantar, três vezes me negarás. **22:62** E, saindo⁷, chorou amargamente.

1. Lit. "tomar consigo", agarrar, capturar, prender; apreender; conceber, engravidar".
2. Lit. "espaço descoberto ao redor de uma casa, cercado por uma parede, onde ficavam os estábulos, aprisco; pátio de uma casa; pátio interno das habitações de pessoas prósperas. Nas residências orientais, geralmente construídas em forma de quadrado, havia um pátio interior, descoberto, bem como um pátio exterior (uma espécie de varanda). Esse vocábulo também

pode ser utilizado para se referir à residência ou palácio como um todo.
3. Lit. "criada, escrava, serva; garota, senhorita, donzela".
4. Lit. "cravar os olhos em alguém, olhar de modo fixo".
5. Lit. "fixar os olhos em alguém/algo, fitar, focar (pessoa/objeto); olhar incisivamente, minuciosamente, pormenorizadamente, atentamente; distinguir, discernir". A preposição "em", prefixada ao verbo "ver", confere-lhe o sentido de foco, penetração.
6. O canto do galo marcava a terceira vigília romana, que durava de 0h (meia-noite) às 3h da manhã.
7. Lit. "saindo para fora".

JESUS DIANTE DO SINÉDRIO
(Mt 26:57-68; Mc 14:53-65; Lc 22:54; Jo 18:12-27)

22:63 Os varões que o detinham[1], açoitando-o[2], zombavam[3] dele. **22:64** Após vendá-lo, interrogavam-no, dizendo: Profetiza! Quem é que te bateu? **22:65** E lhe diziam muitas outras {coisas}, blasfemando[4]. **22:66** E quando se [5]tornou dia, reuniram-se o conselho de anciãos do povo, sumos sacerdotes e escribas, e o conduziram ao Sinédrio deles, **22:67** dizendo: Se tu és o Cristo, dize-nos. Disse-lhes: Se eu vos disser, não crereis; **22:68** se eu vos perguntar, não respondereis. **22:69** Mas, a partir de agora o filho do homem estará sentado à direita do Poder de Deus. **22:70** Disseram todos: Então, tu és o filho de Deus? Ele disse para eles: Vós dizeis que eu sou. **22:71** Eles, porém, disseram: Por que ainda temos necessidade de testemunho? Pois nós mesmos ouvimos da boca dele.

1. Lit. "comprimir, manter apertado, confinar; reter, manter reunido; reunir-se, estar junto; oprimir, pressionar, dominar".
2. Lit. "esfolar, tirar a pele; castigar, maltratar; bater, açoitar".
3. Lit. "ridicularizar, zombar; tratar com escárnio; iludir, enganar".
4. Lit. "caluniar, censurar; dizer palavra ofensiva, insultar; falar sobre Deus ou sobre as coisas divinas de forma irreverente; irreverência".
5. Lit. "tornou-se dia/manhã (última (4ª) vigília da noite)". O período entre 18h e 6h da manhã, do dia seguinte, era dividido em quatro vigílias de três horas cada uma (1ª– 18h – 21h; 2ª –22h – 24h; 3ª – 1h – 3h; 4ª– 4h – 6h). Esta passagem faz referência a algum momento entre 4 – 6h da manhã.

23 JESUS DIANTE DE PILATOS E HERODES
(Mt 27:11-26; Mc 15:1-15; Jo 18:28-19:16)

23:1 E, levantando-se toda a multidão deles, conduziram-no perante Pilatos. **23:2** Começaram a acusá-lo, dizendo: A este encontramos pervertendo[1] a nossa nação, impedindo[2] de dar tributo[3] a César, e dizendo ser ele mesmo o Cristo, o Rei. **23:3** Pilatos o interrogou, dizendo: Tu és o rei dos judeus? Em resposta, disse: Tu dizes. **23:4** Disse Pilatos aos sumos sacerdotes e às turbas: Não encontro nenhuma culpa neste homem. **23:5** Eles insistiam, dizendo: {Ele} instiga[4] o povo, ensinando por toda a Judeia, começando desde a Galileia até aqui. **23:6** Ao ouvir {isso}, Pilatos perguntou se o homem era galileu. **23:7** Ao saber que era da jurisdição de Herodes, ele o enviou para Herodes, que também estava em Jerusalém, naqueles dias. **23:8** E Herodes, ao ver Jesus, alegrou-se muito, pois há bastante[5] tempo queria vê-lo, por ouvir a seu respeito; esperava também ver surgir algum sinal da parte dele. **23:9** Ele o interrogou com bastantes[6] palavras, mas ele nada lhe respondeu. **23:10** Os sumos sacerdotes e os escribas estavam presentes, acusando-o veementemente. **23:11** Herodes, com suas tropas, desprezando-o e zombando[7] {dele}, vestindo-lhe uma túnica brilhante, o devolveu a Pilatos. **23:12** Neste mesmo dia, Herodes e Pilatos se tornaram amigos um do outro, pois havia antes inimizade entre eles. **23:13** Pilatos, convocando os sumos sacerdotes, autoridades[8] e o povo, **23:14** disse para eles: Vós me trouxestes este homem como {alguém} que esta desviando[9] o povo; eis que eu, interrogando-o diante de vós, não encontrei neste homem nenhuma culpa daquilo que acusais contra ele. **23:15** Nem tampouco Herodes, pois o devolveu para nós; vede, não há nada digno de morte {naquilo} realizado[10] por ele. **23:16** Portanto, após corrigi-lo[11], o soltarei. **23:17** [12]{Havia necessidade de soltar um preso durante a festa}. **23:18** Mas gritaram todos juntos, dizendo: Leva[13] este! Solta para nós Barrabás! **23:19** O qual fora lançado na prisão por causa de uma rebelião[14] ocorrida na cidade, e de um homicídio. **23:20** Pilatos, querendo soltar a Jesus, novamente os chamou[15]. **23:21** Eles, porém, gritavam, dizendo: Crucifica-o! Crucifica-o! **23:22** Ele, pela terceira vez, disse para eles: Mas que mal ele fez? Nenhuma [16]culpa de morte encontrei nele. Portanto, após corrigi-lo[17], o soltarei. **23:23** Eles, porém, pressionavam[18] [19]em alta voz, pedindo para ele ser crucificado.

E prevaleciam[20] as vozes deles. **23:24** E Pilatos decidiu ser realizado o pedido deles. **23:25** Soltou o que tinha sido lançado na prisão por causa da rebelião[21] e do homicídio, que era o que pediam; e entregou Jesus à vontade deles.

1. Lit. "entortar (perverter, corromper, desviar – no sentido metafórico), desviar".
2. Lit. "impedir, pôr obstáculos; separar".
3. Lit. "tributo (imposto, taxa). Termo relacionado estritamente ao tributo pago pelos povos dependentes e dominados pelo Império Romano.
4. Lit. "instigar, incitar".
5. Lit. "apropriado, adequado, digno; adequado, condizente, suficiente, bastante; considerável, numerosa, grande".
6. Lit. "apropriado, adequado, digno; adequado, condizente, suficiente, bastante; considerável, numerosa, grande".
7. Lit. "ridicularizar, zombar; tratar com escárnio; iludir, enganar".
8. Lit. "comandante, chefe, rei". Na Atenas democrática, cada um dos nove governantes eleitos anualmente era chamado "arconte". Nesta passagem, trata-se das autoridades locais.
9. Lit. "fazer voltar, retornar (algo/alguém); voltar, retornar (a si próprio); **desviar, apartar**".
10. Lit. "fazer, executar, realizar, praticar; cumprir, obedecer, observar (lei), realizar; exigir, requerer, coletar (tributos)".
11. Lit. "instruir, ensinar, educar (pessoas); domesticar, domar (animais); corrigir (aplicar corrigendas, bater), castigar".
12. A Crítica Textual contemporânea é unânime em afirmar que todo esse versículo constitui uma glosa (interpolação explicativa), adicionada por escribas posteriores, visto que está ausente nos mais antigos manuscritos.
13. Lit. "erguer (com as mãos) para carregar; levantar um objeto a fim de transportá-lo".
14. Lit. "rebelião, motim, insurreição". Possível referência aos rebeldes que estavam dispostos a lutar pela libertação do povo hebreu da dominação romana.
15. Lit. "chamar para si; discursar, fazer um longo discurso".
16. Expressão idiomática, ligada ao campo judicial, que se refere à culpabilidade e autoridade de determinado delito, capaz de redundar na condenação à morte, segundo a legislação dos hebreus e romanos.
17. Lit. "instruir, ensinar, educar (pessoas); domesticar, domar (animais); corrigir (aplicar corrigendas, bater), castigar".
18. Lit. "deitar sobre, ser colocado sobre; apertar, espremer, pressionar; ser inoportuno; ser urgente; ser imposto pela Lei, pela necessidade".
19. Lit. "com grande voz". Expressão idiomática semítica para expressar "em alta voz".
20. Lit. "dominar, ter o controle; prevalecer, predominar".
21. Lit. "rebelião, motim, insurreição". Possível referência aos rebeldes que estavam dispostos a lutar pela libertação do povo hebreu da dominação romana.

LUCAS 23 — MARTÍRIO E CRUCIFICAÇÃO
(Mt 27:27-44; Mc 15:16-32; Jo 19:17-27)

23:26 E, quando o conduziram, tomando[1] a Simão, um cirineu[2], que vinha do campo, puseram sobre ele a cruz, para levá-la atrás de Jesus. **23:27** Seguia-o numerosa multidão do povo e de mulheres, as quais lamentavam[3] e [4]entoavam lamentações por ele. **23:28** Voltando-se para elas, Jesus disse: Filhas de Jerusalém, não choreis por mim! Todavia, chorai por vós mesmas e por vossos filhos! **23:29** Porque eis que vêm dias nos quais dirão: Bem-aventuradas as estéreis e os ventres que não geraram e os seios que não amamentaram! **23:30** Então começaram a dizer aos montes "Caí sobre nós" e às colinas "Encobri-nos"! **23:31** Porque se fazem essas {coisas} ao lenho[5] viçoso[6], o que acontecerá ao seco[7]? **23:32** Outros dois malfeitores também eram conduzidos com ele para serem eliminados. **23:33** Quando chegaram ao lugar chamado "Crânio", ali crucificaram a ele e também aos malfeitores, um à direita, outro à esquerda. **23:34** [8]{Jesus, porém, dizia: Pai, perdoa-lhes, pois não sabem o que fazem}. Repartindo as suas vestes, lançaram sorte[9]. **23:35** O povo permanecia de pé, observando. As autoridades[10] também o ridicularizavam[11], dizendo: Salvou a outros, {que} salve a si mesmo, se este é o Cristo de Deus, o Escolhido[12]. **23:36** Os soldados também o ridicularizaram[13]; aproximando-se, trouxeram para ele vinagre, **23:37** dizendo: Se tu és o rei dos judeus, salva a ti mesmo. **23:38** Havia também sobre ele uma epígrafe: *ESTE {É} O REI DOS JUDEUS*. **23:39** Um dos malfeitores pendurados blasfemava[14] dele, dizendo: Não és tu o Cristo? Salva a ti mesmo e a nós. **23:40** Em resposta, disse o outro, repreendendo-o: Nem tu, que estás na mesma condenação, temes a Deus? **23:41** Nós, com justiça, pois estamos recebendo {coisas} dignas do que praticamos[15]; ele, porém, nada praticou de impróprio[16]. **23:42** E dizia: Jesus, lembra-te de mim quando entrares no teu Reino. **23:43** Disse-lhe: Amém[17], te digo que hoje estarás comigo no paraíso.

1. Lit. "apoderar-se de; tomar, agarrar, segurar, prender; obter (em razão de captura ou combate)".
2. Lit. "Cirineu (habitante de Cirene)".
3. Lit. "bater no peito", ato que expressava tristeza, luto, dor.
4. Lit. "entoar canções típicas de um funeral, cantar canções fúnebres (lamentar)".

5. Lit. "toras de madeira, porrete, clava".
6. Lit. "molhado, úmido (objetos); cheio de seiva, viçoso, verde (plantas, árvores)".
7. Lit. "seco, ressequido, murcho (planta); atrofiada (mãos)".
8. A Crítica Textual contemporânea é unânime em reconhecer que esse trecho do versículo não faz parte do texto original de Lucas, representando uma adição posterior. No entanto, postulam que o texto é antigo e estava arraigado na tradição oral, tendo se propagado, muito provavelmente, na mesma época da redação do terceiro Evangelho.
9. Lit. "objeto utilizado para tirar a sorte (pedra); sorteio; parte de herança, herdade; parte, porção".
10. Lit. "comandante, chefe, rei". Na Atenas democrática, cada um dos nove governantes eleitos anualmente era chamado "arconte". Nesta passagem, trata-se das autoridades locais.
11. Lit. "levantar o nariz, mostrar desrespeito ou desprezo; ridicularizar, zombar, escarnecer".
12. Lit. "escolhido, selecionado".
13. Lit. "ridicularizar, zombar; tratar com escárnio; iludir, enganar".
14. Lit. "caluniar, censurar; dizer palavra ofensiva, insultar; falar sobre Deus ou sobre as coisas divinas de forma irreverente; irreverência".
15. Lit. "fazer, executar, realizar, praticar; cumprir, obedecer, observar (lei), realizar; exigir, requerer, coletar (tributos)".
16. Lit. "fora de lugar (sentido literal); inoportuno, inadequado, impróprio, fora de ordem (da lei)".
17. ἀμην (amém), transliteração do vocábulo hebraico אָמֵן. Trata-se de um adjetivo verbal (ser firme, ser confiável). O vocábulo é frequentemente utilizado de forma idiomática (partícula adverbial) para expressar asserção, concordância, confirmação (realmente, verdadeiramente, de fato, certamente, isso mesmo, que assim seja). Ao redigirem o Novo Testamento, os evangelistas mantiveram a palavra no original, fazendo apenas a transliteração para o grego, razão pela qual também optamos por mantê-la intacta, sem tradução.

MORTE DE JESUS (Mt 27:45-56; Mc 15:33-41; Jo 19:28-37)

23:44 Já era quase a hora sexta[1], e houve treva sobre toda a terra até a hora nona, **23:45** tendo o sol se eclipsado[2], e o véu[3] do santuário se rasgado ao meio. **23:46** E, chamando [4]em alta voz, disse Jesus: Pai, em tuas mãos entrego o meu espírito. Ao dizer {isso}, expirou. **23:47** Vendo o centurião o que havia ocorrido, glorificava a Deus, dizendo: Realmente esse homem era justo. **23:48** E todas as turbas aglomeradas para este espetáculo[5], observando as {coisas} ocorridas, voltavam, [6]batendo no peito. **23:49** Estavam de pé, ao longe, vendo estas {coisas}, todos dos conhecidos dele bem como as mulheres que o haviam seguido desde a Galileia.

1. Os hebreus computavam as horas do dia de forma diversa da nossa. Para eles, o dia se iniciava às

18 horas da tarde, e era divido em doze horas de luz (dia) e doze horas de treva (noite). As doze horas de luz (dia) eram contadas das 6 horas da manhã às 18 horas (crepúsculo), ao passo que as doze horas de treva tinham início às 18 horas e terminavam às 6 horas da manhã. Sendo assim, segundo o relato do Evangelho de Lucas, os fatos acima narrados ocorreram entre 12 horas (hora sexta) e 15 horas da tarde (hora nona).
2. Lit. "**cessar, desaparecer,** eclipsar-se, morrer; deixar, abandonar". Referência ao caráter efêmero das riquezas terrenas.
3. Lit. "o que está espalhado antes; véu, cortina". A única referência das Escrituras (2Cr 3:14) ao véu do Santuário o descreve como de "tecido azul, roxo, vermelho e linho fino, com querubins desenhados". A função do véu era separar o lugar do Templo chamado "Santo" do outro local chamado "Santo dos Santos".
4. Lit. "com grande voz". Expressão idiomática semítica para expressar "em alta voz".
5. Lit. "ação de observar, de ver uma festa solene; espetáculo, festa solene (olimpíada); teoria, meditação, estudo".
6. Trata-se de gesto característico do luto, na Palestina do primeiro século.

O SEPULTAMENTO (Mt 27:57-61; Mc 15:42-47; Jo 19:38-42)

23:50 Eis que um varão, de nome José, que era conselheiro {do Sinédrio}, varão bom e justo – **23:51** ele não havia concordado com a decisão e com a ação deles – de Arimateia, cidade dos judeus, o qual aguardava o Reino de Deus, **23:52** aproximando-se de Pilatos, pediu o corpo de Jesus; **23:53** depois de descê-lo {da cruz}, envolveu-o num lençol de linho fino e o colocou em um sepulcro talhado na rocha, onde ninguém havia sido colocado. **23:54** Era o dia da preparação[1], e o sábado raiava. **23:55** Ao segui-lo, as mulheres que tinham vindo junto com ele {Jesus}, desde a Galileia, observaram o sepulcro e como foi colocado o corpo dele. **23:56** Após retornarem, prepararam aromas[2] e unguentos[3]. E repousaram[4] no sábado, segundo o mandamento.

1. Lit. "preparação". Diz respeito ao dia anterior ao sábado, no qual deveriam ser realizados todos os preparativos para o Shabat, como também para a Páscoa, visto ser proibido realizar qualquer trabalho no sábado.
2. Lit. "aroma, especiaria; planta aromática". Possivelmente, a referência seja a óleos aromatizados, perfumados, mais do que a ervas aromáticas.
3. Lit. "unguento aromático, óleo de mirra". Palavra de origem semítica, derivada de "mirra". Trata-se

de uma essência aromática extraída de árvores, utilizada especialmente na preparação do corpo para o sepultamento.

4. Lit. "estar em repouso, imóvel; estar tranquilo, em paz; ficar em silêncio". Nessa passagem, o verbo alude claramente ao repouso do sábado, prescrito pela Lei Mosaica.

24 AS MULHERES VISITAM O TÚMULO (Mc 16:1-8; Jo 20:1-10)

24:1 Na ¹primeira ²madrugada da semana, foram ao sepulcro, levando aromas³ que haviam preparado, **24:2** e encontraram a pedra removida do sepulcro. **24:3** Ao entrarem, não encontraram o corpo do Senhor Jesus. **24:4** E sucedeu que, enquanto estavam perplexas a respeito disso, eis que se aproximaram⁴ delas dois varões com túnicas que relampejavam. **24:5** Ficando atemorizadas e inclinando as faces para a terra, {eles} disseram para elas: Por que procurais entre os mortos aquele que vive? **24:6** Não está aqui, mas se levantou⁵. Lembrai-vos do que vos falou quando ainda estava na Galileia, **24:7** dizendo: E necessário o filho do homem ser entregue nas mãos dos homens pecadores, ser crucificado e levantar-se⁶ no terceiro dia. **24:8** E se lembraram das palavras dele. **24:9** Quando retornaram do sepulcro, relataram todas essas {coisas} aos onze, e a todos os restantes. **24:10** Eram {elas}: Maria Magdalena⁷ e Joana; Maria, {mãe} de Tiago e as demais {que estavam} com elas. Diziam essas {coisas} aos apóstolos, **24:11** mas, diante deles, essas palavras pareceram como que tolice⁸, e não acreditaram nelas. **24:12** Pedro, porém, levantando-se, correu para o sepulcro. E, inclinando-se para frente, viu apenas as ⁹bandagens de linho; e foi para {a} própria {casa}, maravilhado com o que havia ocorrido.

1. Lit. "na primeira aurora profunda dos sábados". A palavra "sábados" neste versículo é uma tradução do hebraico/aramaico "shabatot" que significa semanas, razão pela qual a tradução poderia ser "na primeira madrugada/aurora da semana". É preciso considerar que o "dia" para os hebreus começa no pôr-do-sol (18h), de modo que o primeiro dia da semana inclui a noite de sábado. Nesta passagem, o evangelista, ao que tudo indica, está se referindo ao "entardecer" de uma semana e ao "raiar" de outra semana. Desse modo, o objetivo é fazer referência à manhã de domingo, que representa o raiar do primeiro dia da semana, ou seja, o primeiro amanhecer da semana.
2. Lit. "aurora/amanhecer profundo". Expressão idiomática utilizada para descrever a alta madrugada, o alvorecer, o raiar do dia.
3. Lit. "aroma, especiaria; planta aromática". Possivelmente, a referência seja a óleos aromatizados, perfumados, mais do que a ervas aromáticas.
4. Lit. "pôr/colocar sobre/próximo de, estar/permanecer ao lado/próximo de".
5. Lit. "erguer-se, levantar-se". Expressão idiomática semítica que faz referência à ressurreição dos mortos. Para expressar a morte e ressurreição, utilizavam as expressões "deitar-se" (morte) e "levantar-se" (ressurreição).

6. Lit. "erguer-se, levantar-se". Expressão idiomática semítica que faz referência à ressurreição dos mortos. Para expressar a morte e a ressurreição, utilizavam as expressões "deitar-se" (morte) e "levantar-se" (ressurreição).
7. Lit. "magdalena (habitante feminina da cidade de Magdala)".
8. Lit. "palavras sem sentido; conversa tola, fútil".
9. Lit. "faixa, pano, bandagem de linho (utilizadas para envolver o cadáver)".

NO CAMINHO DE EMAÚS (Mc 16:12-13)

24:13 Eis que dois deles, neste mesmo dia, estavam caminhando para uma aldeia, distante sessenta estádios[1] de Jerusalém, cujo nome {era} Emaús. **24:14** Eles conversavam[2] entre si a respeito de todas estas {coisas} que haviam sucedido[3]. **24:15** E sucedeu que, enquanto eles conversavam e debatiam[4], o próprio Jesus, aproximando-se, caminhava junto com eles. **24:16** Os seus olhos, porém, estavam impedidos de reconhecê-lo. **24:17** Disse {Jesus} para eles: Que palavras {são} estas que trocais[5] entre vós, enquanto caminhais? E pararam entristecidos[6]. **24:18** Em resposta, um {deles}, de nome Cleopas, disse para ele: Tu és o único peregrino[7] em Jerusalém que não sabes as {coisas} ocorridas nela nestes dias? **24:19** Disse-lhes: Quais? Eles lhe disseram as {coisas} a respeito de Jesus Nazareno, que se tornou varão profeta, poderoso em obra e palavra, diante de Deus e de todo o povo, **24:20** e como os sumos sacerdotes e as nossas autoridades[8] o entregaram a uma condenação de morte e o crucificaram. **24:21** Ora, nós esperávamos que ele fosse quem haveria de redimir[9] Israel; mas, com todas estas {coisas}, este {é} o terceiro dia que se passa desde que estas {coisas} aconteceram. **24:22** Mas, também, dentre os nossos, algumas mulheres nos extasiaram[10], as quais estiveram de madrugada no sepulcro, **24:23** e não encontrando o corpo dele, vieram dizendo terem visto também uma visão de anjos, os quais dizem que ele vive. **24:24** Alguns dos que {estavam} conosco partiram para o sepulcro e encontraram assim como as mulheres também haviam dito; não o viram. **24:25** Disse-lhes ele: Ó tolos[11] e lentos[12] de coração para crer em todas as {coisas} que falaram os profetas! **24:26** Porventura, não era necessário o Cristo padecer estas {coisas} e entrar em sua glória? **24:27** E, começando por Moisés e por todos os profetas, interpretou-lhes[13], em todas as Escrituras, as {coisas} a respeito dele mesmo. **24:28** Ao se aproximarem da aldeia para onde estavam indo, ele simulou ir {para} mais longe. **24:29** Eles o pressionaram[14], dizendo: Permanece conosco, porque está para anoitecer e o dia já declinou. Ele entrou para permanecer com eles. **24:30** E sucedeu que, ao reclinar-se {à mesa} com eles, tomando o pão, abençoou-o e, depois de parti-lo, dava a eles. **24:31** Seus olhos foram abertos e o reconheceram; mas ele se tornou invisível a eles. **24:32** E disseram um ao outro: Porventura não estava nosso coração queimando [15]{em nós}, quando nos falava pelo caminho, quando nos abria[16] as Escrituras? **24:33** E, na mesma hora, levantando-se, voltaram para Jerusalém; e encontraram reunidos os onze e os {que estavam} com eles, **24:34** dizendo que, realmente, o Senhor se levantou[17] e tornou-se visível a Simão. **24:35** Eles explicaram[18] as {coisas ocorridas} no caminho, e como o haviam reconhecido pelo partir do pão.

1. Medida equivalente à oitava parte da milha romana, o que corresponde a aproximadamente 184 metros. Sendo assim, a aldeia de Emaús distava aproximadamente 11,1 Km de Jerusalém.
2. Lit. "estar em companhia de, associar-se com; comunicar-se, conversar, falar".
3. Lit. "permanecer com os pés juntos, caminhar junto; reunir-se; acontecer, suceder, resultar (trata-se de um evento que se sobrepõe a outro)".
4. Lit. "buscar, investigar, indagar, inquirir (junto com alguém); debater, deliberar; arguir, questionar, contestar, debater, disputar".
5. Lit. "lançar/arremessar de um para o outro; trocar palavras, discutir um assunto; agitar (sentido metafórico)".
6. Lit. "sombrio, pesaroso, grave, severo; com um semblante triste, pesaroso, sombrio, desanimado, zangado, grave, austero, carrancudo".
7. Lit. "residir/habitar temporariamente em um lugar (como estrangeiro); ser peregrino/residente temporário".
8. Lit. "comandante, chefe, rei". Na Atenas democrática, cada um dos nove governantes eleitos anualmente era chamado "arconte". Nesta passagem, trata-se das autoridades locais.
9. Lit. "libertar/liberar (mediante o pagamento de resgate); pagar o resgate; redimir, livrar, libertar (sentido metafórico)".
10. Lit. "deixar fora de si".
11. Lit. "pessoa sem entendimento, ignorante, tolo (oposto de sábio); insensato, imprudente".
12. Lit. "lento, tardio; indolente (sentido metafórico)".
13. Lit. "interpretar, explicar; traduzir".
14. Lit. "forçar, constranger; pressionar (com súplicas), persuadir (sentido metafórico)".
15. A Crítica Textual contemporânea tem dúvidas quanto à autenticidade dessa expressão, ausente de antigos manuscritos, pois parece ser repetitiva. Todavia, ela se encontra presente em diversos

manuscritos, levando os estudiosos a postularem que sua ausência talvez seja fruto de erro dos copistas.

16. O verbo "abrir", utilizado nesta passagem, faz referência a um dos métodos de interpretação das Escrituras, muito utilizado pelos Sábios de Israel na Literatura Judaica (Mishna, Talmud, Midrash). Trata-se de uma espécie de homilia pronunciada antes da leitura de uma passagem do Pentateuco (Torah), com o objetivo de preparar o público para a escuta. Começa com um versículo, geralmente retirado da terceira parte da Escritura Hebraica (Escritos), aparentemente sem nenhuma relação com o texto principal do Pentateuco, a ser lido naquele dia na sinagoga. A arte do orador consiste em incitar o público, despertando sua curiosidade, e construindo uma rede de relações entre a passagem, aparentemente desconexa, e o texto da Torah. A "abertura" deve terminar onde o texto da Torah se inicia. Há milhares de exemplos desse procedimento nas fontes judaicas, todos revelando um senso acurado e um profundo conhecimento dos textos.

17. Lit. "erguer-se, levantar-se". Expressão idiomática semítica que faz referência à ressurreição dos mortos. Para expressar a morte e ressurreição, utilizavam as expressões "deitar-se" (morte) e "levantar-se" (ressurreição).

18. Lit. "conduzir, guiar, dirigir, governar; interpretar, explicar detalhadamente; ordenar, prescrever, aconselhar".

APARIÇÃO DE JESUS NA GALILEIA
(Mt 28:16-20; Mc 16:9-20; Jo 20:11-23; At 1:6-11)

24:36 Enquanto falavam estas {coisas}, ele fica em pé no meio deles e lhes diz: Paz para vós! **24:37** Atemorizados, pensavam estar contemplando um espírito e ficaram amedrontados. **24:38** E ele lhes disse: Por que estais perturbados, e por que sobem tais pensamentos ao vosso coração? **24:39** Vede as minhas mãos e os meus pés: Sou eu mesmo! Tocai-me e vede, porque um espírito não tem carne e ossos como observais que eu tenho. **24:40** Dizendo isto, mostrou-lhes as mãos e os pés. **24:41** Maravilhando-se[1], e ainda não acreditando nele por causa da alegria, disse-lhes: Tendes aqui algo para comer? **24:42** Eles lhe deram uma porção[2] de peixe assado; **24:43** tomando-o, ele comeu na presença deles. **24:44** E disse para eles: Estas {são} as minhas palavras que vos falei, estando ainda convosco: É necessário cumprirem-se[3] todas as {coisas} escritas na Lei de Moisés, nos Profetas e nos Salmos a respeito de mim. **24:45** Então o entendimento deles foi aberto e compreenderam as Escrituras. **24:46** Disse-lhes: Assim está escrito {deve} o Cristo padecer e levantar-se[4] dos mortos no terceiro dia, **24:47** e {que} no seu nome seja proclamado[5] *o arrependimento*[6] *a todas as* nações⁷, começando por Jerusalém, para perdão⁸ dos pecados. **24:48** Vós {sois} testemunhas destas {coisas}. **24:49** Eu envio sobre vós a promessa⁹ do meu Pai. Vós, porém, permanecei¹⁰ na cidade, até que sejais revestidos de poder pelo alto. **24:50** Ele os conduziu até Betânia e, erguendo as mãos, os abençoou. **24:51** E sucedeu que, ao abençoá-los, apartou-se deles e foi elevado ao céu. **24:52** E eles, após reverenciá-lo, voltaram para Jerusalém, com grande alegria, **24:53** e estavam no templo por todo {tempo}, bendizendo a Deus.

1. Lit. "maravilhar-se, impressionar-se, surpreender-se, espantar-se".
2. Lit. "parte, porção, divisão (parte de um todo); partilha, sorte (parte que cabe a alguém por sorteio ou divisão)".
3. Lit. "encher, tornar cheio; completar; realizar, cumprir". Visto que a exegese rabínica evita uma abordagem puramente abstrata das escrituras, era comum perguntar-se: "Quem cumpriu esse trecho da escritura"? Essa indagação levava os intérpretes a citar personagens, sobretudo os patriarcas, com o objetivo de demonstrar o cumprimento da escritura em suas vidas, e a escritura sendo cumprida (vivenciada) por suas vidas.
4. Lit. "erguer-se, levantar-se". Expressão idiomática semítica que faz referência à ressurreição dos mortos. Para expressar a morte e a ressurreição, utilizavam as expressões "deitar-se" (morte) e "levantar-se" (ressurreição).
5. Lit. "proclamar como arauto, agir como arauto". Sugere a gravidade e a formalidade do ato, bem como a autoridade daquele que anuncia em voz alta e solenemente a mensagem.
6. Lit. "mudança de mente, de opinião, de sentimentos, de vida".
7. Lit. "povos de outras nações que não o povo hebreu". Os hebreus chamavam todos os outros povos de gentios.
8. Lit. "perdão (pecado, ofensa, mal); remissão (dívida, pena); libertação (escravidão, prisão); liberação (permitir a saída)".
9. Lit. "anúncio, declaração; acordo, promessa, compromisso, aliança".
10. Lit. "sentai-vos, permaneçam sentados".

απατέ με, τὰς ἐντολὰς
ς τηρήσετε·
ρωτήσω τὸν πατέρα καὶ
ταράκλητον δώσει ὑμῖν,
 ὑμῶν εἰς τὸν αἰῶνα ᾖ,
μα τῆς ἀληθείας, ὃ ὁ
 οὐ δύναται λαβεῖν, ὅτι
ρεῖ αὐτὸ οὐδὲ γινώσκει·
νώσκετε αὐτό, ὅτι παρ᾽
νει καὶ ἐν ὑμῖν ἔσται.
ράκλητος, τὸ πνεῦμα
ν, ὃ πέμψει ὁ πατὴρ ἐν
ιατί μου, ἐκεῖνος ὑμᾶς
πάντα καὶ ὑπομνήσει
ἄντα ἃ εἶπον ὑμῖν.

joão

KATA ΙΩΑΝΝΗΝ

joão

PRÓLOGO 1

1:1 No princípio havia o Verbo[1], e o Verbo estava junto[2] de Deus, e o Verbo era[3] Deus. **1:2** Ele estava, no princípio, junto de Deus. **1:3** Todas as coisas foram feitas por meio dele, e sem ele nada que se encontra feito se faria. **1:4** Nele havia vida, e a vida era a luz dos homens **1:5** e a luz brilha na treva, e a treva não a reteve[4]. **1:6** Houve um homem, enviado da parte de Deus, cujo nome era João, **1:7** que veio para testemunho, a fim de testemunhar a respeito da luz, para que todos cressem por meio dele; **1:8** não era a luz, mas {veio} para que testemunhasse a respeito da luz. **1:9** Ele {Jesus} era a luz verdadeira, que ilumina todo homem que vem para o mundo. **1:10** Estava no mundo, e o mundo por meio dele foi feito, e o mundo não o conheceu. **1:11** Veio para suas próprias coisas, mas os seus não o acolheram. **1:12** Mas a todos que o receberam, deu-lhes, aos que creem no seu nome, o poder de se tornarem filhos de Deus, **1:13** os que não foram gerados nem de sangue, nem da vontade da carne, nem da vontade de homem, mas de Deus. **1:14** E o Verbo se fez carne e tabernaculou[5] entre nós, e contemplamos a sua glória, semelhante à de Unigênito junto do Pai, pleno de graça e verdade. **1:15** João testemunha a respeito dele e tem clamado dizendo: "Este era aquele de quem eu disse: O que vem depois de mim é antes de mim, porque existia primeiro do que eu, **1:16** pois da sua plenitude todos nós recebemos graça sobre graça. **1:17** Porque a Lei foi dada por meio de Moisés; a graça e a verdade vieram por meio de Jesus Cristo. **1:18** Ninguém jamais viu Deus; o que está no seio do Pai, [6]deus unigênito, este o explicou.

1. λόγος (lógos) – **palavra, verbo, discurso, narrativa; razão, raciocínio, inteligência; conta, cálculo** – O vocábulo λόγος (lógos) deriva do verbo λέγω **(légo – narrar, dizer; reunir; contar, enumerar)**, e apresenta ampla gama de significados, tanto na literatura clássica (grega), quanto nos escritos do Novo Testamento. A ideia subjacente, neste versículo, é de personificação do λόγος **(lógos)**. A literatura sapiencial (Pr 1:20-33; 3:13-19; **8:22-36**; Sab 7:22-30, 8:1; Ecl 1:1-10, 4:11-19, 14:20-27, 15:10, 24:1-34) e do judaísmo helenístico (Sirácida 1:1-10, 24:1-22), ensaiou essa personificação ao tratar da **Sabedoria/Palavra** como sendo uma **personagem poética** dotada de autonomia, uma espécie de mensageira e conselheira de Deus, com encargos específicos na obra divina. Por esta razão, alguns estudiosos chegaram a afirmar que a **"Palavra"**, nesta coletânea de textos, indica **Deus em ação**, especialmente na criação, na revelação e na libertação do povo hebreu. Assim, a sua presença junto de Deus, seu papel na criação, o fato de

ter sido enviada ao mundo com a missão de revelar e/ou ensinar representam um conjunto de temas ligados tanto à **Sabedoria** quanto à **Palavra**. Inicialmente, os textos da bíblia hebraica repetem expressões como: "Disse Deus ... e assim se fez" (Gn 1: 3-26) ou "Disse o Eterno a Isaías" (Is 7:3). De modo semelhante, ao lado dessas afirmações, encontramos "Os céus por sua Palavra se fizeram" (Sl 33:6) ou "veio a Palavra do Eterno a Isaías" (Is 38:4), demonstrando uma clara personificação, ainda que literária, da **"Palavra"**, que passa a ser entendida como um agente da criação ou mensageiro enviado ao profeta. Com o tempo, surgem textos (bíblia hebraica) que desenvolvem de forma mais completa a ideia de personificação, como no caso do Mensageiro enviado para curar (Sl 107:20), do anjo que feriu de morte os primogênitos (Sab 18:14-19), ou ainda, o mensageiro enviado ao profeta (Is 55:11). O evangelista João, por sua vez, ultrapassa a personificação meramente literária atribuindo existência real ao Verbo. Neste evangelho, de modo especial, λόγος **(lógos)** é visto como o próprio Jesus Cristo, mediador da revelação divina, Palavra encarnada, desempenhando todas as funções outrora conferidas à **Sabedoria/Palavra** nos textos da bíblia hebraica. Considerando que a obra foi produzida em Éfeso, importante cidade grega do Império Romano, não se pode desconsiderar, também, a influência da cultura helenística, ou mesmo do judaísmo helenístico, nesta formulação joanina, ainda que se atribua papel secundário a esta influência. Desse modo, é conveniente registrar que, na filosofia grega, λόγος **(lógos)** é concebido como (1) Regra, Princípio, Lei; (2) Substância ou Causa do mundo; (3) Razão, Raciocínio, Faculdade racional, Teoria abstrata, Raciocínio discursivo; (4) Proposição, Explicação, Tese, Argumento; (5) Medida, Relação, Proporção; (6) Valor.

2. πρός (prós) - **A) sentido geral : para, em direção a, rumo a (movimentação); diante de, na presença de, voltado para (interrupção da movimentação); B) empregada com acusativo : com, junto de, perto de (pessoa/coisa); em relação a, a respeito de (assunto)** – Essa preposição, empregada com diversos casos (acusativo, genitivo ou dativo), apresenta um leque enorme de significados, todos ligados à ideia de movimento em direção a algo/alguém (movimentação), ou, à ideia de posição/estado de quem olha em direção a algo/alguém, ou seja, a posição de quem está diante do objeto em direção ao qual houve o deslocamento (resultado da movimentação). Por outro lado, quando utilizada com acusativo, ela transmite a ideia de proximidade imediata (com, junto de). Nesse caso específico, embora a ideia de direção, movimento não se perca inteiramente, permanece mais ou menos enfraquecida. É verdade que na literatura clássica grega não é comum usar-se πρός **(prós)** com este sentido *(com, junto de)*, mas nos evangelhos encontramos muitas ocorrências desse uso, sobretudo quando a referida preposição é precedida de verbos que indicam permanência, residência, estadia, especialmente do verbo ser/estar (Mt 13:56; Mc 6:3, 9:19, 14:49; Lc 9:41; João 1:1; I João 1:2; I Tes 3:4; II Tes 2:5, 3:10). Esse emprego peculiar de πρός (prós) no Novo Testamento sugere que a proximidade *(com, junto de)*, expressada pela preposição, é decorrência de se estar sempre voltado na direção de alguém ou de sempre se dirigir àquela pessoa. O relacionamento, a comunhão, a intimidade, a proximidade entre eles (Verbo e Deus), por sinal, é um tema frequente no Evangelho de João (João 5:17-30), o que reforçou a nossa opção pela tradução: "e o Verbo estava junto de Deus".

3. θεὸς ἦν *(Theós ên)* - **era Deus** – Verbo no imperfeito do indicativo grego (ação durativa no passado), ligando dois substantivos na relação sujeito-predicativo (Deus e Verbo). Trata-se, claramente, de predicação nominal (sujeito + verbo "ser" + predicativo do sujeito), cuja estrutura sintática seria predicativo do sujeito (Deus) + verbo (era) + sujeito (o Verbo), numa típica inversão dos termos, à moda grega, utilizada com a função de imprimir destaque especial ao predicativo, disposto como primeiro elemento da oração. Seguindo as regras gramaticais

gregas, o sujeito é precedido de artigo definido, ao passo que o predicativo não possui artigo. Vale ressaltar que a função de predicativo do sujeito, nessa oração, é exercida por um substantivo (θεὸς – **Theós**), o que não altera, de forma alguma, sua função sintática. Nesse caso, o predicativo (θεὸς – **Theós**) não pretende individualizar (λόγος – **lógos**) – afirmando ser ele **um Deus** – mas qualificar, especificar sua natureza – indicando-lhe a essência divina. Do contrário, haveria um rompimento irreconciliável com o monoteísmo judaico, ideia difícil de ser aceita, mesmo no ambiente do judaísmo helenizado de Éfeso. A questão, posta nestes termos, nos permite concluir que a identificação de Jesus com Deus somente foi possível no ambiente greco-romano, no qual histórias de deuses e filhos de deuses, que se corporificavam na Terra, eram muito comuns. Para um judeu, ainda que helenizado, soaria como idolatria a ideia de fracionar o "Deus de Abraão, Isaque e Jacó". A ideia de identidade substancial entre Jesus de Nazaré e o Todo-Poderoso (Deus) é obra, intricada e laboriosa, de intérpretes tardios, que expuseram suas teologias muitas décadas após a crucificação. A questão foi motivo de muitas disputas no segundo século do Cristianismo, motivando os quatro principais concílios Nicéia (325d.C), Constantinopla (381d.C), Éfeso (431d.C) e Calcedônia (451d.C) que terminaram por dogmatizar a referida interpretação, classificando como hereges aqueles que defendiam posição contrária.

4. Lit. "tomar posse, segurar; obter, conseguir; encontrar subitamente, surpreender; depreender, apanhar (mentalmente), detectar no ato; compreender, apreender (sentido metafórico)". O Evangelista utiliza um vocábulo polissêmico com o objetivo de criar uma ambiguidade proposital: a treva não compreendeu nem subjugou Jesus. Por esta razão escolhemos o verbo "reteve" que mantém parcialmente esse duplo sentido em nossa língua.

5. Lit. "habitar em tendas, acampar, aquartelar; residir, habitar (sentido ampliativo); armar a tenda/tabernáculo; receber alguém em sua tenda". A palavra "tenda/tabernáculo", na língua grega, também pode significar metaforicamente o "corpo" de uma pessoa, razão pela qual João utiliza mais uma vez o expediente de criar ambiguidades. Ao mesmo tempo em que se refere à encarnação de Jesus, também nos remete à peregrinação do povo hebreu no deserto, ocasião em que habitaram em tendas, por serem peregrinos naquela terra.

6. A Crítica Textual contemporânea se divide quanto à autenticidade destas duas palavras, consideradas em conjunto. Nos papiros mais antigos não consta o termo "unigênito", ao passo que diversos manuscritos ora mantém o termo "deus", ora o termo "unigênito", o que dificulta um pronunciamento seguro a respeito do tema. Todos os textos que se manifestam sobre a natureza de Jesus apresentam esses delicados problemas textuais (divergência entre manuscritos antigos), o que nos leva a adotar o máximo de prudência quanto ao tema.

O TESTEMUNHO DE JOÃO BATISTA (Mt 3:1-12; Mc 1:2-8; Lc 3:15-17)

1:19 Este é o testemunho de João, quando os judeus lhe enviaram sacerdotes e levitas de Jerusalém, para o interrogarem: Quem és tu? **1:20** Ele confessou e não negou; confessou: Eu não sou o Cristo. **1:21** E interrogaram-no: Então, quem {és}? Tu és Elias? Ele diz: Não sou. Tu

JOÃO 1

és o Profeta? Respondeu: Não. **1:22** Disseram-lhe, então: Quem és, para darmos uma resposta aos que nos enviaram? Que dizes a respeito de ti mesmo? **1:23** Disse: Eu sou *Voz que clama no deserto: Endireitai o caminho do Senhor*, como disse o profeta Isaías. **1:24** E os que tinham sido enviados eram dos fariseus. **1:25** Interrogaram-no, e disseram-lhe: Então por que batizas, se não és o Cristo, nem Elias, nem o Profeta? **1:26** Respondeu-lhes João, dizendo: Eu mergulho[1] na água. No meio de vós, está quem vós não conheceis, **1:27** aquele que vem depois de mim, do qual não sou digno de desatar a correia das sandálias. **1:28** Estas {coisas} ocorreram em Betânia, além do Jordão, onde João estava batizando[2]. **1:29** No {dia} seguinte, ele vê Jesus vindo até ele, e diz: Eis o cordeiro de Deus, que remove[3] o pecado do mundo! **1:30** Este é {aquele} acerca de quem eu disse: Após mim vem um varão que está adiante de mim, porque existia primeiro do que eu. **1:31** E eu não o conhecia, mas por isso é que eu vim batizando com água: para que ele fosse manifestado a Israel. **1:32** João testemunhou, dizendo: Contemplei o espírito descendo como pomba do céu; e permaneceu sobre ele. **1:33** E eu não o conhecia, mas aquele que me enviou para batizar com água, esse me disse: Sobre quem vires o espírito descendo e permanecendo sobre ele, este é o que batiza com o Espírito Santo. **1:34** E eu vi e tenho testemunhado que este é o filho de Deus.

1. Lit. "lavar, imergir, mergulhar". Posteriormente, a Igreja conferiu ao termo uma nuance técnica e teológica para expressar o sacramento do batismo.
2. Vide nota 1.
3. Lit. "erguer (com as mãos) para carregar; levantar um objeto a fim de transportá-lo".

OS PRIMEIROS DISCÍPULOS DE JESUS

1:35 No {dia} seguinte, novamente, João, com dois dos seus discípulos, estava de pé {ali}. **1:36** Ao ver Jesus circulando[1], diz: Eis o cordeiro de Deus. **1:37** Os seus dois discípulos ouviram-no falando {isto}, e seguiram a Jesus. **1:38** E Jesus, voltando-se e vendo que eles o seguiam, diz-lhes: Que buscais? Eles lhe disseram: Rabbi[2] – que se diz ao ser traduzido "Mestre" – onde moras[3]? **1:39** Diz a eles: Vinde e vede. Então foram e viram onde mora, e permaneceram com ele naquele dia. Era aproximadamente a hora décima[4]. **1:40** André, o irmão de Simão Pedro, era um dos dois que ouviram {isso} da parte de João, e seguiram a ele {Jesus}. **1:41** Ele encontrou primeiro o seu próprio irmão, Simão, a quem disse: Encontramos o Messias – que ao ser traduzido é "Cristo" – **1:42** e o conduziu a Jesus. Ao fitá-lo[5], disse Jesus: Tu és Simão, o filho de João; tu serás chamado Cefas, que interpretado {é} Pedro[6].

1. Lit. "andar ao redor; vagar, perambular; circular, passear; viver (seguir um gênero de vida)".
2. Em aramaico, significa "meu Mestre".
3. Lit. "onde permaneces". Trata-se de expressão idiomática que pode ser substituída por: "onde moras".
4. Os hebreus computavam as horas do dia de forma diversa da nossa. Para eles, o dia se iniciava às 18 horas da tarde, e era divido em doze horas de luz (dia) e doze horas de treva (noite). As doze horas de luz (dia) eram contadas das 6 horas da manhã às 18 horas (crepúsculo), ao passo que as doze horas de treva tinham início às 18 horas e terminavam às 6 horas da manhã. Sendo assim, os fatos acima narrados ocorreram por volta das 16 horas da tarde (hora décima).
5. Lit. "fixar os olhos em alguém/algo, fitar, focar (pessoa/objeto); olhar incisivamente, minuciosamente, pormenorizadamente, atentamente; distinguir, discernir". A preposição "em", prefixada ao verbo "ver", confere-lhe o sentido de foco, penetração.
6. Lit. "pedra". Costumamos utilizar o nome Pedro, nos esquecendo que em grego significa "pedra".

JESUS CHAMA FILIPE E NATANAEL

1:43 No {dia} seguinte, Jesus quis sair para a Galileia, encontra Filipe e lhe diz: Segue-me. **1:44** Filipe era de Betsaida, cidade de André e de Pedro. **1:45** Filipe encontra Natanael e lhe diz: Encontramos aquele {a respeito de quem} Moisés escreveu, na Lei, bem como os Profetas: Jesus, filho de José, de Nazaré. **1:46** Disse-lhe Natanael: De Nazaré, [1]pode sair algo bom? Disse-lhe Filipe: Vem e vê. **1:47** Jesus viu Natanael, que vinha até ele, e diz a seu respeito: Eis um verdadeiro israelita, em quem não há malícia[2]. **1:48** Natanael lhe diz: Donde me conheces? Em resposta, disse-lhe Jesus: Antes de Filipe te chamar, enquanto estavas sob a figueira, eu te vi. **1:49** Respondeu-lhe Natanael: Rabbi[3], tu és o filho de Deus, tu és o Rei de Israel! **1:50** Em resposta, disse-lhe Jesus: Porque {eu} te disse que te vi debaixo da figueira, crês? Maiores {coisas} do que essas verás. **1:51** E diz a ele: Amém[4], amém, {eu} vos digo: Vereis o céu aberto e os anjos de Deus subindo e descendo sobre o filho do homem.

1. Lit. "pode ser algo bom". Expressão idiomática semelhante àquela utilizada no português "pode vir algo bom".
2. Lit. "armadilha ou estratagema para capturar", astúcia, malícia; engano, fraude, trapaça.
3. Em aramaico, significa "meu Mestre".
4. ἀμην (amém), transliteração do vocábulo hebraico אָמֵן. Trata-se de um adjetivo verbal (ser firme, ser confiável). O vocábulo é frequentemente utilizado de forma idiomática (partícula adverbial) para expressar asserção, concordância, confirmação (realmente, verdadeiramente, de fato, certamente, isso mesmo, que assim seja). Ao redigirem o Novo Testamento, os evangelistas mantiveram a palavra no original, fazendo apenas a transliteração para o grego, razão pela qual também optamos por mantê-la intacta, sem tradução.

AS BODAS EM CANÁ DA GALILEIA 2

2:1 No terceiro dia, houve bodas[1] em Caná da Galileia, e a mãe de Jesus estava lá. **2:2** Foram convidados[2] também Jesus e os seus discípulos, para as bodas. **2:3** Tendo [3]faltado vinho, diz a mãe de Jesus para ele: {eles} não têm vinho. **2:4** Jesus lhe diz: Mulher, [4]o que queres de mim? Minha hora ainda não chegou. **2:5** Diz a mãe dele aos servidores[5]: Fazei o que ele vos disser. **2:6** Havia ali seis talhas[6] de pedra, postas para a purificação dos judeus, contendo[7], cada qual, duas ou três metretas[8]. **2:7** Jesus lhes diz: Enchei as talhas de água. E encheram as talhas até a borda. **2:8** E {ele} lhes diz: Agora, tirai[9] {o líquido} e levai ao mestre-de-cerimônias[10]. E eles levaram. **2:9** Quando o mestre-de-cerimônias provou a água transformada em vinho – ele não sabia donde era, mas os servidores[11], que haviam tirado a água, sabiam – o mestre-de-cerimônias chama o noivo, **2:10** e lhe diz: Todo homem põe[12] primeiro o bom vinho e, quando estão embriagados, {serve} o inferior. Tu conservaste[13] o bom vinho até agora. **2:11** Jesus fez esse princípio dos sinais em Caná da Galileia, manifestou a sua glória, e os seus discípulos creram nele. **2:12** Depois disso, desceram para Cafarnaum ele, sua mãe, seus irmãos e seus discípulos; e ali permaneceram não muitos dias.

1. Lit. "festa ou banquete com que se celebram as núpcias". As festividades de casamento, na Palestina, duravam muitos dias.
2. Lit. "chamado". Também em português utilizamos o verbo "chamar" como sinônimo de convidar.
3. Lit. "passar necessidade, sofrer falta, estar falto de; **faltar, estar em falta, ter acabado (coisas)**; estar atrasado, chegar tarde; ser inferior, não estar à altura".
4. Lit. "o que para mim e para ti". Trata-se de expressão idiomática.
5. Lit. "aquele que serve, que presta serviço, que executa tarefas".
6. Lit. "pote de água, jarro, cântaro".
7. Lit. "obter um espaço; abrir caminho; armazenar, conter, oferecer espaço para", e metaforicamente admitir, concordar, compreender (oferecer um espaço mental para).
8. Trata-se de uma medida de líquidos, utilizada pelos hebreus, equivalente a 1,5 ânforas (medida romana), que corresponde a aproximadamente 34 litros.
9. Lit. "extrair, puxar, tirar (líquido)".
10. Lit. "mestre-sala, chefe do cerimonial, superintendente do banquete (cujo dever era dispor as mesas, a comida e a bebida, além de organizar a recepção).
11. Lit. "aquele que serve, que presta serviço, que executa tarefas".
12. Expressão idiomática com o sentido de "servir, oferecer aos convidados".

13. Lit. "velar, guardar; espiar; praticar, observar; conservar".

EXPULSÃO DOS VENDILHÕES DO TEMPLO
(Mt 21:12-17; Mc 11:15-19; Lc 19:45-48)

2:13 Estava próxima a Páscoa dos judeus, e Jesus subiu para Jerusalém. **2:14** Encontrou no templo os vendedores de bois, ovelhas e pombas, e os cambistas[1] sentados. **2:15** Fez um açoite[2] de cordas[3], expulsou todos do templo: tanto as ovelhas quanto os bois; também espalhou as moedas[4] e virou as mesas dos cambistas. **2:16** E disse aos que vendiam as pombas: Tirai estas {coisas} daqui. Não façais da casa de meu Pai casa de comércio[5]. **2:17** Recordaram-se os seus discípulos do que está escrito: [6]*O zelo por tua casa me devorará*. **2:18** Então interrogaram-no os judeus e lhe disseram: Que sinal nos mostras para fazeres estas {coisas}? **2:19** Em resposta, disse-lhes Jesus: Destruirei este santuário[7] e o levantarei em três dias. **2:20** Então os judeus lhe disseram: Este santuário foi edificado em quarenta e seis anos e tu, em três dias, o levantarás? **2:21** Ele, porém, dizia a respeito do santuário do seu corpo. **2:22** Portanto, quando foi levantado[8] dentre os mortos, recordaram-se os seus discípulos de que falava disto; e creram na Escritura e na palavra dita por Jesus.

1. Considerando o sentido etimológico do vocábulo, aquele que troca moedas mais valiosas por outras de menor valor, já que o radical "kerma" significa troco pequeno, pequenas quantias de dinheiro, moedas de pequeno valor.
2. Lit. "flagellum" (latim), açoite, chicote.
3. Lit. "corda (inclusive a feita de juncos), cabo". Considerando que era proibida a entrada no templo portando qualquer tipo de arma (vara, pedaço de madeira, espada), provavelmente foi utilizado junco para a confecção improvisada deste açoite.
4. Lit. "moedas de pequeno valor; troco miúdo, pequenas quantias em dinheiro; alguma coisa reduzida".
5. Lit. "empório", comércio, mercado.
6. (Salmo 69:9).
7. Lit. "habitação, habitação de um Deus, templo". No Novo Testamento, esse vocábulo se refere com frequência ao santuário do Templo de Jerusalém, conhecido pelo nome de "Santo", local onde eram encontradas várias peças de ouro.
8. Lit. "erguer-se, levantar-se". Expressão idiomática semítica que faz referência à ressurreição dos

mortos. Para expressar a morte e ressurreição, utilizavam as expressões "deitar-se" (morte) e "levantar-se" (ressurreição).

JESUS CONHECE OS HOMENS

2:23 Quando estava em Jerusalém, na festa da Páscoa, muitos creram no nome dele, ao virem os sinais que ele fazia; **2:24** o próprio Jesus, porém, não confiava neles, visto que conhecia a todos, **2:25** e não tinha necessidade que alguém testemunhasse a respeito do homem, pois ele mesmo sabia o que havia no homem.

3 JESUS E NICODEMOS

3:1 Havia entre os fariseus um homem, cujo nome {era} Nicodemos, líder[1] dos judeus. **3:2** Ele veio até ele {Jesus}, de noite, e lhe disse: Rabbi[2], sabemos que vieste de Deus, {como} Mestre, pois ninguém faz estes sinais que tu fazes, se Deus não estiver com ele. **3:3** Em resposta, Jesus lhe disse: Amém[3], amém, {eu} te digo que se alguém não for gerado[4] de novo[5] {ou do alto} não pode ver o Reino de Deus. **3:4** Nicodemos diz para ele: Como pode um homem, sendo velho, ser gerado? Porventura pode entrar {pela} segunda vez no ventre de sua mãe e ser gerado? **3:5** Jesus respondeu: Amém[6], amém, {eu} te digo que se alguém não for gerado de[7] água e espírito, não pode entrar no Reino de Deus. **3:6** O que foi gerado[8] da carne é carne, o que foi gerado do espírito é espírito. **3:7** Não te maravilhes[9] de que eu lhe tenha dito: É necessário a vós ser gerado de novo {ou do alto}. **3:8** O espírito[10] sopra onde quer, ouves a sua voz, mas não sabes de onde vem nem para onde vai; assim é todo aquele que foi gerado[11] do espírito. **3:9** Em resposta, Nicodemos lhe disse: Como pode ocorrer estas {coisas}? **3:10** Em resposta, Jesus lhe disse: Tu és Mestre de Israel e não sabes estas {coisas}? **3:11** Amém[12], amém, {eu} te digo que "O que sabemos falamos, e o que vimos testemunhamos", mas não acolhes o nosso testemunho. **3:12** Se vos falei das {coisas} terrestres e não credes, como crereis se vos falar das {coisas} celestiais? **3:13** Ninguém subiu ao céu senão o que desceu do céu – o filho do homem. **3:14** E como Moisés levantou a serpente no deserto, assim é necessário ser levantado o filho do homem, **3:15** a fim de que todo aquele que nele crê tenha a vida eterna[13]. **3:16** Pois Deus amou de tal modo o mundo que deu seu filho unigênito, a fim de que todo aquele que nele crê não pereça, mas tenha a vida eterna. **3:17** Porquanto Deus enviou o seu filho ao mundo não para que julgue o mundo, mas para que o mundo seja salvo por ele. **3:18** Quem nele crê não é julgado, mas quem não crê já está julgado, já que não crê no nome do filho unigênito de Deus. **3:19** O julgamento é este: que a luz veio ao mundo e os homens amaram mais a treva do que a luz, pois as suas obras eram más[14]. **3:20** Pois todo aquele que pratica {coisas} malévolas odeia a luz, e não vem para a luz, a fim de não serem reprovadas[15] as suas obras. **3:21** Quem pratica[16] a verdade vem para a luz, a fim de que as suas obras sejam manifestadas, porque foram trabalhadas em Deus.

1. Lit. "comandante, chefe, rei", na Atenas democrática, cada um dos nove governantes eleitos anualmente era chamado "arconte". Nesta passagem, o termo é utilizado para se referir ao cargo ocupado por Nicodemos, enquanto membro do Sinédrio (Supremo Tribunal do povo hebreu).

2. Em aramaico, significa "meu Mestre".

3. ἀμην (amém), transliteração do vocábulo hebraico אָמֵן. Trata-se de um adjetivo verbal (ser firme, ser confiável). O vocábulo é frequentemente utilizado de forma idiomática (partícula adverbial) para expressar asserção, concordância, confirmação (realmente, verdadeiramente, de fato, certamente, isso mesmo, que assim seja). Ao redigirem o Novo Testamento, os evangelistas mantiveram a palavra no original, fazendo apenas a transliteração para o grego, razão pela qual também optamos por mantê-la intacta, sem tradução.

4. ἐγέννησεν (egénnesen) – gerar (ser ou tornar-se pai de alguém); dar à luz; causar, produzir – Verb. Indicativo Aoristo Ativo (44-97), **conjugação do verbo** γεννάω **(gennáo – gerar; dar à luz; causar)**. Neste versículo, o verbo está na voz passiva.

5. Lit. "do alto, de cima, de um lugar mais alto (dimensão espacial do advérbio); do começo, da origem; novamente, de novo (dimensão temporal do advérbio)". O Evangelista João costuma utilizar palavras semanticamente ambíguas para criar efeitos estilísticos em seus textos. Nesse caso, a utilização deste advérbio (do alto/de novo) provoca uma ambiguidade proposital, impossível de ser reproduzida na tradução, razão pela qual optamos por explicitá-la entre parênteses para que o leitor não seja privado do efeito estilístico cuidadosamente articulado pelo autor deste Evangelho.

6. Vide nota 3.

7. Trata-se de uma preposição que indica a origem, o material, a substância de algo.

8. ἐγέννησεν (egénnesen) – gerar (ser ou tornar-se pai de alguém); dar à luz; causar, produzir – Verb. Indicativo Aoristo Ativo (44-97), **conjugação do verbo** γεννάω **(gennáo – gerar; dar à luz; causar)**. Neste versículo, o verbo está na voz passiva e perfeito, indicando uma ação realizada no passado, cujos efeitos perduram no presente, ou seja, foi gerado e continua vivo.

9. Lit. "maravilhar-se, encher-se de admiração/assombro, espantar-se, surpreender-se, ficar deslumbrado".

10. Lit. "espírito (ser); vento (coisa)". Tanto na língua grega quanto nos idiomas hebraico/aramaico uma única palavra é utilizada para designar dois elementos: espírito e vento. Mais uma vez, o Evangelista empregou o efeito estilístico da ambiguidade para dizer "o espírito/vento sopra onde quer". É impossível conservar essa riqueza literária na tradução sem recorrer a notas explicativas.

11. Vide nota 8.

12. Vide nota 3.

13. Lit. "de duração indeterminada; eterno, sem fim".

14. Lit. "mal; mau, malvado, malevolente; maligno, malfeitor, perverso; criminoso, ímpio". No grego clássico, a expressão significava "sobrecarregado", "cheio de sofrimento", "desafortunado", "miserável", "indigno", como também "mau", "causador de infortúnio", "perigoso". No Novo Testamento refere-se tanto ao "mal" quanto ao "malvado", "mau", "maligno", sendo que em alguns casos substitui a palavra hebraica "satanás" (adversário). No caso em tela, trata-se do **adjetivo**, derivado diretamente do substantivo acima explicado.

15. Lit. "pôr à prova, testar, arguir; culpar, condenar; reprovar, repreender; disciplinar, castigar".
16. Lit. "faz (do verbo fazer)".

JESUS E JOÃO BATISTA

3:22 Depois disso, Jesus veio para a terra da Judeia, e seus discípulos também; ali permanecia com eles e batizava[1]. **3:23** João também estava batizando em Enom, perto de Salém, porque havia muita água lá; {eles} vinham e eram batizados, **3:24** pois João ainda não havia sido lançado na prisão. **3:25** Então houve um debate[2] entre os discípulos de João e um judeu, a respeito da purificação. **3:26** {Eles} vieram até João e lhe disseram: Rabbi[3], aquele que estava contigo, do outro lado do Jordão – de quem tu testemunhaste – eis que ele batiza e todos vêm até ele. **3:27** Em resposta, disse João: Não pode um homem receber nem uma só {coisa} se não lhe for dada do céu. **3:28** Vós mesmos me testemunhais que {eu} disse: Eu não sou o Cristo, mas que sou aquele que foi enviado adiante dele. **3:29** O que tem a noiva é o noivo. O amigo do noivo, que está presente e o ouve, [4]se alegra profundamente por causa da voz do noivo. Portanto, esta alegria se completou[5] em mim. **3:30** É necessário ele crescer e eu diminuir[6].

1. Lit. "lavar, imergir, mergulhar". Posteriormente, a Igreja conferiu ao termo uma nuance técnica e teológica para expressar o sacramento do batismo.
2. Lit. "inquirição, pesquisa, investigação; debate, discussão (investigativa, filosófica)".
3. Em aramaico, significa "meu Mestre".
4. Lit. "se alegra com alegria". Trata-se de uma expressão idiomática tipicamente semítica, que consiste em colocar dois vocábulos com o mesmo radical, um ao lado do outro (geralmente substantivo + verbo), com a finalidade de reforçar o sentido do primeiro termo. Neste caso, foram colocados lado a lado alegrar-se (verbo) + alegria (substantivo), o que reforça o sentido do verbo, motivo pelo qual traduzimos o segundo termo por profundamente.
5. Lit. "encher, tornar cheio; completar; realizar, cumprir".
6. Lit. "fazer/ser feito menor ou inferior; diminuir, decair em importância".

AQUELE QUE VEM DO ALTO

3:31 Quem vem do alto está acima de todos. Quem é da terra é da terra, e fala da terra. Quem vem do céu ¹{está acima de todos} **3:32** testemunha isto: o que viu e ouviu. Mas ninguém acolhe o seu testemunho. **3:33** Quem acolhe o testemunho dele certifica² que Deus é verdadeiro. **3:34** Pois aquele que Deus enviou fala as palavras de Deus, já que Deus não dá o espírito ³com limitação. **3:35** O Pai ama o filho e deu todas {as coisas} em suas mãos. **3:36** Quem crê no filho tem vida eterna; mas quem desobedece o filho não verá a vida, mas a ira de Deus permanece sobre ele.

1. A Crítica Textual contemporânea se divide quanto à manutenção ou exclusão deste trecho do referido versículo, já que não é possível uma decisão definitiva com base na análise dos manuscritos, razão pela qual optaram por manter o texto entre parênteses.
2. Lit. "selar, imprimir com um selo, distinguir por meio de uma marca; atestar, certificar".
3. Lit. "por/de medida/limitação/porção (definida, delimitada)". Trata-se de uma expressão idiomática para expressar a abundância dos dons divinos, que não são dados com limitação ou como algo medido, contado, delimitado.

4 JESUS E A MULHER SAMARITANA

4:1 Assim, quando Jesus soube que os fariseus tinham ouvido que Jesus fazia e batizava[1] mais discípulos do que João – **4:2** ainda que Jesus mesmo não batizasse, mas os seus discípulos – **4:3** {ele} deixou a Judeia e partiu novamente para a Galileia. **4:4** Era necessário ele [2]passar pela Samaria. **4:5** Assim, dirigiu-se a uma cidade da Samaria, chamada Sicar, próximo do lugar[3] que Jacó deu a José, seu filho. **4:6** Estava ali o fonte[4] de Jacó. Desse modo, Jesus, cansado[5] da jornada, estava sentado sobre a fonte; era quase a hora sexta[6]. **4:7** Vem uma mulher de Samaria tirar[7] água. Jesus lhe diz: Dá-me de beber. **4:8** Pois os seus discípulos haviam ido à cidade, a fim de comprarem alimentos. **4:9** Assim, a mulher samaritana lhe diz: Como tu, sendo judeu, pedes de beber a mim, que sou mulher samaritana? – pois judeus não se associam[8] com samaritanos. **4:10** Em resposta, Jesus lhe disse: Se conhecesses o dom de Deus, e quem é aquele que te diz "Dá-me de beber", tu lhe pedirias e {ele} te daria água viva. **4:11** {Ela} lhe diz: Senhor, nem tens vasilha[9] e o poço[10] é profundo; portanto, donde tens a água viva? **4:12** Porventura tu és maior do que nosso pai Jacó, que nos deu do poço[11], do qual ele mesmo bebeu, como também seus filhos, e seu rebanho[12]? **4:13** Em resposta, disse-lhe Jesus: Todo aquele que bebe desta água terá sede novamente. **4:14** Mas, quem beber da água que eu lhe der, nunca mais terá sede; ao contrário, a água que eu lhe der se tornará, nele, uma fonte[13] de água jorrando[14] para a vida eterna. **4:15** A mulher diz para ele: Senhor, dá-me desta água, para que {eu} não tenha sede, nem percorra[15] até aqui para tirar[16] {água}. **4:16** {Ele} lhe diz: Vai, chama o teu varão e vem aqui. **4:17** Em resposta, disse-lhe a mulher: Não tenho varão. Jesus lhe diz: Disseste bem "Não tenho varão", **4:18** pois tiveste cinco varões, e o que agora tens não é teu varão. Nisto disseste {a} verdade. **4:19** A mulher lhe diz: Senhor, observo que tu és profeta. **4:20** Nossos pais adoraram neste monte, mas vós dizeis que em Jerusalém é o lugar onde é necessário adorar. **4:21** Jesus lhe diz: Crede em mim, mulher, porque vem a hora quando nem neste monte nem em Jerusalém adorareis ao Pai. **4:22** Vós adorais o que não conheceis; nós adoramos o que conhecemos, porque a salvação é dos judeus. **4:23** Mas vem a hora – e é agora – quando os verdadeiros adoradores adorarão ao Pai em espírito e verdade, pois também o Pai busca os que assim o adoram. **4:24** Deus é espírito, e aqueles que o adoram devem adorá-lo em espírito e verdade. **4:25** A mulher lhe diz: Sei que vem o Messias, chamado Cristo. Quando ele vier, nos anunciará[17] todas {as coisas}. **4:26** Jesus lhe diz: Sou eu – o que te fala. **4:27** Neste {momento}, chegaram os seus discípulos e se maravilhavam de que estivesse falando com uma mulher; todavia, ninguém disse: "Que buscais?" ou "Por que falas com ela?". **4:28** Assim, a mulher deixou seu cântaro[18], partiu para a cidade e dizia aos homens:**4:29** Vinde e vede um homem que me disse tudo quanto fiz. Porventura não é ele o Cristo? **4:30** Saindo da cidade, vieram até ele. **4:31**Nesse ínterim, os discípulos lhe rogavam, dizendo: Rabbi[19], come. **4:32** Ele, porém, lhes disse: Eu tenho para comer uma comida que vós não conheceis. **4:33** Diziam, então, os discípulos uns aos outros: Porventura alguém lhe trouxe algo de comer? **4:34** Jesus lhes diz: A minha comida é: que {eu} faça a vontade daquele que me enviou e complete[20] sua obra. **4:35** Não dizeis vós que há ainda quatro meses até vir a colheita[21]? Eis que {eu} vos digo: Levantai os vossos olhos e contemplai os campos que já estão brancos para a colheita. **4:36** Quem colhe recebe recompensa e recolhe fruto para a vida eterna, para que se alegre tanto o que semeia quanto o que colhe. **4:37** Pois neste {caso} é verdadeira a palavra: Um é o semeador e outro {é} o ceifeiro. **4:38** Eu vos enviei para colher o que não labutastes[22]; outros labutaram, e vós entrastes na labuta deles. **4:39** E muitos dos samaritanos daquela cidade creram nele, por causa da palavra da mulher, que testemunhou: {Ele} me disse todas {as coisas} que fiz. **4:40** Os samaritanos, então, vieram até ele, rogando-lhe para permanecer com eles; {ele} permaneceu ali dois dias. **4:41**E muitos mais creram, por causa da sua palavra. **4:42** Diziam à mulher: Não mais por causa da tua fala; cremos por nós mesmos, pois ouvimos e sabemos que é verdadeiramente o salvador do mundo.

1. Lit. "lavar, imergir, mergulhar". Posteriormente, a Igreja conferiu ao termo uma nuance técnica e teológica para expressar o sacramento do batismo.
2. Lit. "atravessar, ir/passar através de; percorrer até o fim; expor, referir, explicar; difundir-se, expandir-se".
3. Lit. "lugar, campo, pedaço de terra".
4. Lit. "poço; fonte, nascente".

5. Lit. "exausto, fatigado em razão do trabalho".
6. Os hebreus computavam as horas do dia de forma diversa da nossa. Para eles, o dia se iniciava às 18 horas da tarde, e era divido em doze horas de luz (dia) e doze horas de treva (noite). As doze horas de luz (dia) eram contadas das 6 horas da manhã às 18 horas (crepúsculo), ao passo que as doze horas de treva tinham início às 18 horas e terminavam às 6 horas da manhã. Sendo assim, segundo o relato do Evangelho de João, os fatos acima narrados ocorreram por volta das 12 horas (hora sexta).
7. Lit. "extrair, puxar, tirar (líquido)".
8. Lit. "usar ao mesmo tempo (algo) com outra pessoa; associar-se, ter relacionamento social".
9. Lit. "vasilha, balde, vaso (utilizado para tirar água do poço)".
10. Lit. "poço, cisterna, mina".
11. Vide nota 10..
12. Lit. "aquilo que é criado/alimentado, cria (coletivo para designar animais tais como ovelhas, gados, entre outros)".
13. Lit. "poço; fonte, nascente".
14. Lit. "saltar, pular, sobressaltar; jorrar (para água)".
15. Lit. "atravessar, ir/passar através de; percorrer até o fim; expor, referir, explicar; difundir-se, expandir-se".
16. Vide nota 7.
17. Lit. "trazer de volta (um relato, palavra), anunciar de novo; anunciar, relatar, declarar, expor, apresentar, ensinar (sentido religioso)".
18. Lit. "pote de água, jarro, cântaro".
19. Em aramaico, significa "meu Mestre".
20. Lit. "levar a termo, terminar, completar (concluir, levar à perfeição); executar, cumprir, realizar".
21. Lit. "colheita; tempo da colheita".
22. Lit. "trabalhar duramente, arduamente", esforçar-se.

CURA DO SERVO DO CENTURIÃO (Mt 8:5-13; Lc 7:1-10)

4:43 Depois de dois dias, saiu dali para a Galileia. **4:44** Pois o próprio Jesus testemunhou que um profeta não tem honra em sua própria pátria. **4:45** Portanto, quando veio para a Galileia, os galileus o receberam porquanto tinham visto tudo quanto fizera na festa em Jerusalém, pois também eles foram à festa. **4:46** Dirigiu-se novamente para Caná da Galileia, onde da água fizera vinho. E havia {lá} certo oficial {real}, cujo filho estava enfermo em Cafarnaum. **4:47** Ele, ao ouvir que Jesus viera da Judeia para a Galileia, foi até ele e rogava-lhe que descesse e curasse seu filho, pois estava prestes a morrer. **4:48** Então disse-lhe Jesus: Se não virdes sinais e prodígios, não crereis. **4:49** O oficial {real} diz para ele: Senhor, desce antes que meu filho morra. **4:50** Jesus lhe diz: Vai, o teu filho vive. O homem acreditou na palavra que Jesus lhe havia dito e partiu. **4:51** Ele já estava descendo, quando os servos o encontraram, dizendo que o filho dele vive. **4:52** Ele, então, informava-se[1] junto deles a que hora teve melhora. Disseram-lhe: Ontem, à hora sétima, a febre o deixou. **4:53** O pai reconheceu que naquela hora Jesus lhe dissera: O teu filho vive. Ele creu e toda a sua casa. **4:54** Jesus fez este segundo sinal, novamente, vindo da Judeia para a Galileia.

---

1. Lit. "informar-se (perguntando), investigar; estar informado, saber, apreender; notar".

5 A CURA DO ENFERMO NO TANQUE DE BETHZATHA

5:1 Depois dessas {coisas}, havia uma festa dos judeus e Jesus subiu para Jerusalém. **5:2** Há em Jerusalém, perto da {Porta} das Ovelhas, um tanque chamado em hebraico "Bethzatha"[1], que tem cinco pórticos. **5:3** Nestes {pórticos}, estava deitada[2] uma multidão de enfermos[3], cegos, coxos e atrofiados[4], **5:4** [5]{esperando que se movesse a água, porquanto um anjo descia, em certo tempo, agitando-a; e o primeiro que entrava no tanque, uma vez agitada a água, era curado de qualquer enfermidade que tivesse}. **5:5** Estava ali um homem [6]que se encontrava enfermo há trinta e oito anos. **5:6** Jesus, vendo-o deitado e sabendo que {estava assim} há muito tempo, lhe diz: Queres tornar-te são? **5:7** Respondeu-lhe o enfermo: Senhor, não tenho umapessoa[7] que me jogue no tanque, quando a água for agitada; enquanto eu estou indo, outro desce antes de mim. **5:8** Disse-lhe Jesus: Levanta-te, toma[8] o teu catre[9] e anda[10]. **5:9** O homem logo ficou são; tomou o seu catre e andava. E aquele dia era sábado. **5:10** Assim, diziam os judeus ao que fora curado: É sábado, e não te é lícito tomar[11] o teu catre. **5:11** Ele lhes respondeu: Aquele que me fez são me disse: Toma o teu catre e anda. **5:12** Perguntaram-lhe: Quem é o homem que te disse: Toma {teu catre} e anda? **5:13** O que fora curado não sabia quem era, pois havendo uma turba naquele lugar, Jesus retirou-se. **5:14** Depois dessas {coisas}, encontrando-o no Templo, Jesus lhe disse: Eis que te tornaste são, não {mais} peques para que não te suceda algo pior. **5:15** O homem partiu e anunciou[12]aos judeus que fora Jesus quem o fez são. **5:16** E, por causa disso, os judeus perseguiam Jesus, que fazia essas {coisas} no sábado. **5:17** Ele, porém, lhes respondeu: O meu Pai trabalha até agora, eu também trabalho. **5:18** Portanto, por causa disso, os judeus ainda mais procuravam matá-lo, porque não somente quebrava[13] o sábado, mas também dizia que Deus {era} seu próprio Pai, fazendo-se a si mesmo igual a Deus.

---

1. A crítica textual contemporânea se divide quanto ao verdadeiro nome deste tanque. Alguns manuscritos apresentam o nome "Bethsaidá", outros grafam "Bethesdá". Mantivemos o nome adotado pela comissão que editou o texto grego utilizado atualmente em todo o mundo (Nestle/Aland e UBS).
2. Lit. "ser lançado; ser posto, colocado, depositado; estar deitado".

3. Lit. "os que estão fracos (fisicamente), enfermos".
4. Lit. "seco, ressequido, murcho (planta); atrofiada (mãos)".
5. A Crítica Textual contemporânea sustenta que todo esse versículo constitui uma glosa (comentário de escribas posteriores), já que todo o referido trecho está ausente dos principais e mais antigos manuscritos. Em alguns poucos manuscritos, esse versículo aparece com marcas indicando tratar-se de acréscimo, o que reforça ainda mais a tese de que constitui acréscimo tardio. Por fim, a linguagem utilizada (vocabulário e sintaxe) difere profundamente do estilo do Evangelista.
6. Lit. "tendo a sua doença há trinta e oito anos". Trata-se de uma expressão idiomática que pode ser substituída, sem grandes perdas, por outra em português: "que se encontrava enfermo há trinta e oito anos".
7. Lit. "um homem", no sentido de um ser humano, uma pessoa.
8. Lit. "erguer (com as mãos) para carregar; levantar um objeto com o propósito de transportá-lo".
9. Palavra de origem macedônica, traduzida para o latim como *"grabatus"*. Trata-se de um leito rústico e pobre, uma espécie de colchão dobrável para viagem bastante rústico. A palavra "catre" talvez reflita melhor a rusticidade e pobreza desse leito portátil usado pelas pessoas muito pobres da Palestina.
10. Lit. "andar ao redor; vagar, perambular; circular, passear; viver (seguir um gênero de vida)".
11. Lit. "erguer (com as mãos) para carregar; levantar um objeto com o propósito de transportá-lo". Segundo a Torah, interpretada pela tradição milenar dos hebreus, não era permitido fazer qualquer trabalho no dia de sábado. Nesse caso, o enfermo havia levantado e transportado o seu próprio leito.
12. Lit. "trazer de volta (um relato, palavra), anunciar de novo; anunciar, relatar, declarar, expor, apresentar, ensinar (sentido religioso)".
13. Lit. "desligar, romper; libertar, deixar ir".

DISCURSO SOBRE A OBRA DO FILHO

5:19 Em resposta, então, dizia-lhes Jesus: Amém[1], amém, vos digo: Não pode o filho fazer nada de si mesmo, senão o que vir o Pai fazendo; pois as {coisas} que ele fizer, essas {coisas} também o filho faz [2]de forma semelhante. **5:20** Pois o Pai ama o filho, e lhe mostra tudo o que ele faz; e lhe mostrará obras maiores do que essas, para que vos maravilheis. **5:21** Pois assim como o Pai levanta[3] e vivifica os mortos, assim também o filho vivifica aquem quer. **5:22** Pois o Pai não julga a ninguém, mas deu todo o juízo[4] ao filho, **5:23** para que todos honrem o filho como honram o Pai. Quem não honra o filho, não honra o Pai que o enviou. **5:24** Amém[5], amém, {eu} vos digo: Quem ouve a minha palavra e crê em quem me enviou, tem a vida eterna e não vai a julgamento[6], mas passou[7] da morte para a vida. **5:25** Amém[8], amém, {eu} vos digo: Vem a hora – e é agora – quando os mortos ouvirão a voz do filho de Deus, e os que ouvirem viverão. **5:26** Pois assim como o Pai tem vida em si mesmo, assim também deu ao filho ter vida em si mesmo. **5:27** E lhe deu autoridade de exercer[9] o juízo[10], porque é o filho do homem. **5:28** Não vos maravilheis[11] disso, pois vem a hora em que todos os {que estão} nos sepulcros[12] ouvirão a sua voz **5:29** e sairão: os que fizeram {coisas} boas para a ressurreição[13] da vida e os que praticaram {coisas} malévolas para a ressurreição do juízo. **5:30** Eu não posso fazer nada por mim mesmo; como ouço, assim julgo. O meu juízo é justo porque não busco a minha vontade, mas a vontade de quem me enviou. **5:31** Se eu testemunho a respeito de mim mesmo, o meu testemunho não é verdadeiro; **5:32** o que testemunha a respeito de mim é outro, e sei que o seu testemunho a meu respeito é verdadeiro. **5:33** Vós enviaste {mensageiros} para João, e ele deu testemunho da verdade. **5:34** Eu, porém, não aceito testemunho da parte de homem, mas digo essas {coisas} para que vós sejais salvos. **5:35** Ele era a candeia[14] acesa[15] que brilha, e vós quisestes regozijar-vos[16], por uma hora, com sua luz. **5:36** Eu, porém, tenho testemunho maior que o de João, pois as obras que o Pai me deu para que eu as complete[17] – as próprias obras que {eu} faço – testemunham a meu respeito, que o Pai me enviou. **5:37** O Pai, que me enviou, também testemunhou a meu respeito. Nunca ouvistes sua voz, nem vistes sua aparência, **5:38** e não tendes a sua palavra permanentemente[18] em vós, porque vós não credes naquele a quem ele enviou. **5:39** Examinai[19] as Escrituras, porque vós supondes ter nelas vida eterna, e são elas que testemunham a meu respeito. **5:40** Mas não quereis vir a mim para terdes vida. **5:41** {Eu} não recebo glória da parte de homem, **5:42** mas {eu} vos conheço: Não tendes o amor de Deus em vós mesmos. **5:43** Eu vim em nome de meu Pai e não me recebeis; mas, se outro vier em seu próprio nome, o recebereis. **5:44** Como podeis crer, vós que recebeis glória uns dos outros, e não buscais a glória da parte do Deus único? **5:45** Não penseis que eu vos acusarei perante o Pai; o vosso acusador é Moisés, em quem vós tendes esperado[20]. **5:46** Pois, se crêsseis em Moisés, creríeis em mim, já que ele escreveu a meu respeito. **5:47** Se, porém, não credes naqueles escritos, como crereis nas minhas palavras?

1. ἀμην (amém), transliteração do vocábulo hebraico אָמֵן. Trata-se de um adjetivo verbal (ser firme, ser confiável). O vocábulo é frequentemente utilizado de forma idiomática (partícula adverbial) para expressar asserção, concordância, confirmação (realmente, verdadeiramente, de fato, certamente, isso mesmo, que assim seja). Ao redigirem o Novo Testamento, os evangelistas mantiveram a palavra no original, fazendo apenas a transliteração para o grego, razão pela qual também optamos por mantê-la intacta, sem tradução.
2. Lit. "semelhantemente". Trata-se de um advérbio.
3. Lit. "erguer-se, levantar-se". Expressão idiomática semítica que faz referência à ressurreição dos mortos. Para expressar a morte e ressurreição, utilizavam as expressões "deitar-se" (morte) e "levantar-se" (ressurreição).
4. Lit. "juízo, julgamento". Trata-se de expediente linguístico em que se utiliza um vocábulo que nomeia a parte para fazer referência ao todo. No caso, o termo "julgamento, juízo" diz respeito à justiça como um todo. É também uma prática comum na exegese rabínica.
5. Vide nota 1.
6. Vide nota 4.
7. Lit. "ir ou passar de um lugar para outro; ser removido".
8. Vide nota 1.
9. Lit. "fazer". O verbo, possivelmente, integra uma expressão idiomática: "fazer julgamento/juízo", no sentido de julgar, exercer o juízo (poder de julgar).
10. Vide nota 4.
11. Lit. "maravilhar-se, encher-se de admiração/assombro, espantar-se, surpreender-se, ficar deslumbrado".
12. Lit. "memorial, monumento; sepulcro, túmulo".
13. Lit. "elevação, levantamento, reerguimento, ascensão; estado de quem foi colocado de pé". Expressão idiomática semítica que faz referência à ressurreição dos mortos. Para expressar a morte e a ressurreição, utilizavam os verbos "deitar-se" (morte) e "levantar-se" (ressurreição). Nesse caso, o substantivo descreve o estado de quem foi reerguido, foi colocado de pé, após ter se deitado (morrido).
14. Lâmpada de barro alimentada por óleo (azeite de oliva), utilizada nas residências e no templo.
15. Lit. "queimar, incendiar; consumir (o sol, a febre, o amor – sentido idiomático); pôr fogo, queimar (a candeia – acendendo seu pavio)".
16. Lit. "regozijar-se, exultar, estar cheio de alegria", comumente utilizado no contexto de festa religiosa ou culto.
17. Lit. "levar a termo, terminar, completar (concluir, levar à perfeição); executar, cumprir, realizar".
18. Lit. "permanecendo". Trata-se de um particípio utilizado com função adverbial.
19. Lit. "examinar, investigar, indagar; buscar, procurar, explorar, seguir".
20. Lit. "esperar, aguardar; confiar, depositar esperança/confiança".

6

PRIMEIRA MULTIPLICAÇÃO DOS PÃES
(Mt 14:13-21; Mc 6:30-44; Lc 9:10-17)

6:1 Depois dessas {coisas}, Jesus partiu para o outro lado do Tiberíades, o mar da Galileia. **6:2** Uma turba numerosa o seguia, porque observavam os sinais que {ele} fazia sobre os enfermos[1]. **6:3** E Jesus subiu ao monte e sentou-se ali com os seus discípulos. **6:4** Estava próxima a Páscoa, a festa dos judeus. **6:5** Então, Jesus, levantando os olhos e observando que numerosa turba vinha até ele, diz a Filipe: Onde compraremos pães para eles comerem? **6:6** Dizia isso, porém, testando-o[2], pois ele sabia o que estava prestes a fazer. **6:7** Respondeu-lhe Filipe: Duzentos denários[3] de pães não lhes bastariam, para que cada qual recebesse um pouco. **6:8** Disse-lhe André, um dos seus discípulos, irmão de Simão Pedro: **6:9** Está aqui um menino que tem cinco pães de cevada e dois peixes[4], mas que é isso para tantos? **6:10** Disse Jesus: Fazei recostarem-se[5] os homens – havia muita grama no lugar. Então, recostaram-se os varões, em número de quase cinco mil. **6:11** Jesus, então, tomou os pães, rendeu graças, distribuiu aos reclinados[6]; [7]de forma semelhante, também os peixes[8], quantos {eles} queriam. **6:12** E, como estavam fartos, diz aos seus discípulos: Recolhei os pedaços {de pães} que sobraram, para que nada se perca. **6:13** Assim, recolheram e encheram doze cestos de vime[9] de pedaços dos cinco pães de cevada, que sobraram do que havia sido comido. **6:14** Vendo, portanto, os homens os sinais que fizera, diziam: Este é, verdadeiramente, o profeta que havia de vir ao mundo. **6:15** Jesus, então, sabendo que estavam prestes a vir e se apoderar[10] dele, para o fazerem rei, retirou-se, ele só, para o monte.

1. Lit. "os que estão fracos (fisicamente), enfermos".
2. Lit. "tentar, experimentar; testar, pôr à prova; desafiar".
3. Moeda de prata romana correspondente ao salário pago por um dia de trabalho no campo.
4. Lit. "alimento cozido (especialmente o peixe na salmoura); peixe (pequeno)".
5. Lit. "cair para trás, recostar-se; posicionar-se para comer, reclinar-se à mesa".
6. As refeições eram consumidas após as pessoas se reclinarem à mesa para comer.
7. Lit. "semelhantemente". Trata-se de um advérbio.
8. Lit. "alimento cozido (especialmente o peixe na salmoura); peixe (pequeno)".
9. Lit. "cesta feita de vime".
10. Lit. "agarrar, tomar pela força, arrebatar, capturar, apropriar-se".

JESUS CAMINHA SOBRE AS ÁGUAS (Mt 14:22-33; Jo 6:16-21)

6:16 Quando chegou o fim da tarde, os seus discípulos desceram para o mar. **6:17** Ao [1]entrarem no barco, foram para Cafarnaum, do outro lado do mar. Já havia treva e Jesus ainda não viera até eles. **6:18** E o mar se agitava[2], porque um grande vento soprava. **6:19** Então, tendo remado cerca de vinte e cinco ou trinta estádios[3], observam Jesus, caminhando sobre o mar e chegando perto do barco, e temeram. **6:20** Ele lhes diz: Sou eu. Não temais. **6:21** Então queriam recebê-lo no barco; o barco logo chegou na terra, para a qual estavam indo.

1. Lit. "embarcar no barco".
2. Lit. "despertar, acordar (completamente); animar, estimular; agitar (mar)".
3. Medida equivalente à oitava parte da milha romana, o que corresponde a aproximadamente 184 metros. É preciso lembrar que o lago do Tiberíades possui aproximadamente 20,8 km de cumprimento e 12,8 km de largura.

O PÃO DA VIDA – ENSINO NA SINAGOGA DE CAFARNAUM

6:22 No {dia} seguinte, a turba que ficara de pé do outro lado do mar viu que não havia outro barquinho ali, senão um {somente}, e que Jesus não entrara no barco com seus discípulos, mas somente os seus discípulos partiram. **6:23** Entretanto, outros barcos vieram do Tiberíades, próximo do lugar onde haviam comido o pão, rendendo graças ao Senhor. **6:24** Assim, quando a turba viu que Jesus não estava ali, nem os seus discípulos, eles [1]entraram nos barquinhos e foram para Cafarnaum à procura de Jesus. **6:25** Encontrando-o do outro lado do mar, disseram-lhe: Rabbi[2], quando chegaste aqui? **6:26** Em resposta a eles, disse Jesus: Amém[3], amém, vos digo: Buscais a mim não porque vistes sinais mas porque comestes dos pães e vos saciastes[4]. **6:27** Trabalhai, não pela comida que perece, mas pela comida que permanece para a vida eterna, a qual o filho do homem vos dará, pois Deus, o Pai, o certifica[5]. **6:28** Então disseram a ele: Que faremos para realizar[6] as obras de Deus? **6:29** Em resposta, disse-lhes Jesus: Esta é a obra de Deus, que creiais naquele que {ele} enviou. **6:30** Então disseram-lhe: Que sinal, pois, fazes tu para que vejamos e creiamos em ti? Que realizas? **6:31** Nossos Pais comeram o maná[7] no deserto, como está escrito: *Deu-lhes para comer pão do céu*[8]. **6:32** Então disse-lhes Jesus: Amém[9], amém, vos digo {que} Moisés não vos deu o pão do céu, mas meu Pai vos dá o verdadeiro pão do céu; **6:33** pois o pão de Deus é o que desce do céu e dá vida ao mundo. **6:34** Então disseram a ele: Senhor, dá-nos sempre este pão. **6:35** Disse-lhes Jesus: Eu sou o pão da vida. Quem vem a mim não terá fome e quem crê em mim não terá sede jamais. **6:36** Mas eu vos disse que também me vistes e não credes. **6:37** Tudo o que o Pai me dá virá a mim, e o que vem a mim não lançarei fora, **6:38** porque desci do céu não para fazer a minha vontade, mas a vontade de quem me enviou. **6:39** E a vontade de quem me enviou é esta: que tudo o que me deu não pereça fora dele, mas ele ressuscite[10] no último dia. **6:40** Pois esta é a vontade de meu Pai: que todo aquele que contempla o filho e crê nele tenha vida eterna; e eu o ressuscitarei no último dia. **6:41** Então murmuravam os judeus, a respeito dele, porque dissera: Eu sou o pão que desceu do céu. **6:42** E diziam: Este não é Jesus, o filho de José, cujo pai e a mãe nós conhecemos? Como diz agora que desceu do céu? **6:43** Em resposta, disse-lhes Jesus: Não murmureis entre vós. **6:44** Ninguém pode vir a mim, se o Pai, que me enviou, não o atrair[11]; e eu o ressuscitarei no último dia. **6:45** Está escrito nos Profetas: *E todos serão ensinados por Deus*[12]; todo aquele que ouve do Pai e aprende vem a mim. **6:46** Não que alguém tenha visto o Pai, senão o que está junto de Deus – este viu o Pai. **6:47** Amém[13], amém, vos digo: Quem crê tem vida eterna. **6:48** Eu sou o pão da vida. **6:49** Os vossos pais comeram o maná no deserto e morreram. **6:50** Este é o pão que desce do céu, a fim de que não morra quem dele comer. **6:51** Eu sou o pão vivo que desceu do céu; se alguém comer deste pão viverá para sempre[14]. E o pão que eu darei pela vida do mundo é a minha carne. **6:52** Então os judeus disputavam[15] uns com os outros, dizendo: Como ele pode nos dar a {sua} carne para comer? **6:53** Assim disse-lhes Jesus: Amém[16], amém, vos digo: Se não comerdes a carne do filho do homem e não beberdes do seu sangue, não tendes vida em vós mesmos. **6:54** Quem come a minha carne e bebe o meu sangue tem vida eterna, e eu o ressuscitarei no último dia. **6:55** Pois a minha carne é comida verdadeira e o meu sangue é bebida verdadeira. **6:56** Quem come a minha carne e bebe o meu sangue permanece em mim e eu nele. **6:57** Assim como o Pai, que vive, me enviou – e eu vivo através do Pai – também quem come a mim viverá, este também, através de mim. **6:58** Este é o pão que desceu do céu, não como {aquele que} os pais comeram e morreram. Quem come este pão viverá para sempre. **6:59** Disse estas {coisas} enquanto ensinava na sinagoga de Cafarnaum.

1. Lit. "embarcar no barco".
2. Em aramaico, significa "meu Mestre".
3. ἀμην (amém), transliteração do vocábulo hebraico אָמֵן. Trata-se de um adjetivo verbal (ser firme, ser confiável). O vocábulo é frequentemente utilizado de forma idiomática (partícula adverbial) para expressar asserção, concordância, confirmação (realmente, verdadeiramente, de fato, certamente, isso mesmo, que assim seja). Ao redigirem o Novo Testamento, os evangelistas mantiveram a palavra no original, fazendo apenas a transliteração para o grego, razão pela qual também optamos por mantê-la intacta, sem tradução.
4. Lit. "saciar-se, satisfazer-se, fartar-se, estar satisfeito".
5. Lit. "selar, imprimir com um selo, distinguir por meio de uma marca; atestar, certificar".
6. Lit. "trabalhar, executar, realizar, fazer, agir".
7. Lit. "manná". Nome do alimento que desceu do céu, como orvalho, durante os quarenta anos de peregrinação do povo hebreu pelo deserto. Pela manhã, logo que desaparecia o orvalho, o chão ficava coberto de granulações brancas, em forma de semente de coentro, e de sabor semelhante à farinha com mel. Cada pessoa somente poderia colher o necessário para a alimentação de um dia, sob pena de apodrecimento da substância. Após moer a substância e cozinhá-la em uma panela, eram feitas tortas cujo sabor se aproximava do pão amassado com azeite.
8. (Ex 16; Nm 11:7-9; Sl 78:24; Sab 16:20-21).
9. Vide nota 3.
10. Lit. "erguer-se, levantar-se". Expressão idiomática semítica que faz referência à ressurreição dos mortos. Para expressar a morte e a ressurreição, utilizavam as expressões "deitar-se" (morte) e "levantar-se" (ressurreição).
11. Lit. "puxar, tirar, extrair; desembainhar (espada); trazer, atrair (sentido metafórico)".
12. (Is 54:13; Jr 31:33-34).
13. Vide nota 3.
14. Lit. "para sempre (era, idade, século; tempo muito longo)".
15. Lit. "lutar, brigar; contender, disputar".
16. Vide nota 3.

PALAVRAS DE VIDA ETERNA

6:60 Então, muitos dos seus discípulos, ouvindo {isto}, disseram: Dura é esta palavra; quem pode ouvi-la? **6:61** Jesus, porém, sabendo por si mesmo que os seus discípulos murmuravam a respeito disso, disse-lhes: Isto vos escandaliza[1]? **6:62** Se, então, virdes o filho do homem subindo para onde estava anteriormente... **6:63** O espírito é o que vivifica, a carne não auxilia[2] em nada; as palavras que eu vos disse são espírito e são vida. **6:64** Contudo, há entre vós alguns que não creem, pois Jesus sabia, desde o princípio, quais eram os que não crêem, e quem o entregaria {à prisão}. **6:65** E dizia: Por causa disso vos tenho dito que ninguém pode vir a mim, se não lhe for concedido pelo Pai. **6:66** Por isso, muitos dos seus discípulos [3]voltaram atrás e não andavam mais com ele. **6:67** Então disse Jesus aos doze: Porventura vós também quereis partir? **6:68** Respondeu-lhe Simão Pedro: Senhor, a quem iremos? Tens palavras de vida eterna, **6:69** e nós cremos e sabemos que tu és o Santo de Deus. **6:70** Respondeu-lhes Jesus: Não vos escolhi, os doze? Contudo, um de vós é o diabo[4]. **6:71** Falava de Judas, {filho} de Simão Iscariotes, pois este, sendo um dos doze, iria entregá-lo.

1. Lit. "fazer tropeçar; fazer vacilar ou errar; ser ofendido; estar chocado". O substantivo "skandalon" significa armadilha de molas ou qualquer obstáculo que faça alguém tropeçar; um impedimento; algo que cause estrago, destruição, miséria.
2. Lit. "ser útil, proveitoso; auxiliar, ajudar".
3. Lit. "partiram para as {coisas} atrás". Trata-se de expressão idiomática que pode ser substituída, sem prejuízo, por outra em português: "voltar atrás".
4. Aquele que desune (inspirando ódio, inveja, orgulho); caluniador, maledicente. Vocábulo derivado do verbo "diaballo" (separar, desunir; atacar, acusar; caluniar; enganar), do qual deriva também o substantivo "diabolé" (desavença, inimizade; aversão, repugnância; acusação; calúnia).

JESUS NA FESTA DOS TABERNÁCULOS 7

7:1 Depois dessas {coisas}, Jesus andava¹ na Galileia, pois não queria andar na Judeia já que os judeus procuravam matá-lo. **7:2** Estava próxima a festa dos tabernáculos², dos judeus. **7:3** Disseram-lhe, então, os seus irmãos: Retira-te³ daqui e vai para a Judeia, para que também os teus discípulos vejam as obras que fazes. **7:4** Pois ninguém {que} procura estar em público faz algo em oculto. Se fazes essas {coisas}, manifesta-te ao mundo. **7:5** Pois nem os seus irmãos criam nele. **7:6** Então Jesus lhes diz: O meu tempo⁴ ainda não chegou⁵, mas o vosso tempo está sempre pronto. **7:7** O mundo não pode vos odiar, porém me odeia, porque eu testemunho a respeito dele – que as obras dele são más⁶. **7:8** Subi vós para a festa; eu não subo para esta festa porque o meu tempo ainda não se completou⁷. **7:9** Dizendo ele estas {coisas}, permaneceu na Galileia. **7:10** Mas, quando os seus irmãos subiram para a festa, então ele também subiu, não publicamente, mas em oculto. **7:11** Contudo, os judeus o procuravam na festa e diziam: Onde ele está? **7:12** E havia muita murmuração a respeito dele entre as turbas. Uns diziam que ele é bom, outros diziam: Não, ao contrário, engana⁸ a turba. **7:13** Todavia, ninguém falava a respeito dele publicamente, por medo dos judeus. **7:14** Jesus subiu ao templo, já em meio à festa, e ensinava. **7:15** Então os judeus se maravilhavam, dizendo: Como ele sabe {as} letras, sem ter estudado⁹? **7:16** Em resposta a eles, então disse Jesus: O meu ensino não é meu, mas de quem me enviou. **7:17** Se alguém quiser fazer a vontade dele, saberá a respeito do ensino, se é de Deus ou se eu falo por mim mesmo. **7:18** Quem fala por si mesmo procura a sua própria glória. Quem, porém, procura a glória daquele que o enviou, esse é verdadeiro e não há injustiça nele. **7:19** Não vos deu Moisés a Lei? Mas ninguém dentre vós executa a Lei. Por que procurais matar-me? **7:20** Respondeu a turba: Tens daimon¹⁰. Quem procura te matar? **7:21** Em resposta, disse-lhes Jesus: Realizei uma {só} obra e todos vos admirais. **7:22** Em razão de Moisés vos ter dado a circuncisão – não que seja de Moisés, mas dos Pais – também circuncidais um homem no sábado. **7:23** Se um homem recebe a circuncisão no sábado para que não se quebre¹¹ a Lei de Moisés, estais irados comigo porque tornei são um homem inteiro no sábado?¹² **7:24** Não julgueis segundo a aparência, mas ¹³julgai o

JOÃO 7

justo juízo. **7:25** Então, diziam alguns de Jerusalém: Não é a este que procuram matar? **7:26** Eis que fala publicamente e nada lhe dizem. Porventura reconheceram as autoridades[14] que este é, verdadeiramente, o Cristo? **7:27** Todavia sabemos de onde ele é. O Cristo, porém, quando vier, ninguém saberá de onde é. **7:28** Então Jesus gritou, enquanto ensinava no templo, dizendo: Tanto me conheceis quanto sabeis de onde sou; não vim de mim mesmo, mas quem me enviou, que não conheceis, é verdadeiro. **7:29** Eu o conheço, porque sou da parte dele e ele me enviou. **7:30** Então buscavam prendê-lo, mas ninguém lançou a mão sobre ele porque ainda não havia chegado a sua hora. **7:31** Muitos da turba creram nele, e diziam: Quando vier o Cristo, porventura fará maiores sinais do que os que ele fez? **7:32** Os fariseus ouviram a turba murmurando essas {coisas} a respeito dele. Os sumos sacerdotes e os fariseus enviaram servidores[15] para o prenderem. **7:33** Então disse Jesus: Ainda por pouco tempo estou convosco, mas {depois} partirei para aquele que me enviou. **7:34** {Vós} me buscareis e não me encontrareis; onde eu estou vós não podeis ir. **7:35** Assim disseram os judeus entre si: Para onde ele está prestes a ir que nós não o encontraremos? Porventura está prestes a ir para a diáspora[16] dos gregos, para ensinar aos gregos? **7:36** Que palavra é esta que {ele} disse: "{Vós} me buscareis e não me encontrareis" e "onde eu estou vós não podeis ir"? **7:37** E no último dia, o grande {dia} da festa, Jesus estava de pé e gritou, dizendo: Se alguém tem sede, venha até mim e beba. **7:38** Quem crê em mim, como disse a Escritura, fluirão do seu ventre[17] rios de água viva. **7:39** {Ele} disse isso a respeito do espírito que haviam de receber aqueles que creram nele, pois ainda não havia espírito porque Jesus ainda não havia sido glorificado. **7:40** Assim, aqueles dentre a turba que ouviram estas palavras diziam: Este é verdadeiramente o Profeta. **7:41** Outros diziam: Este é o Cristo. Outros, porém, diziam: Porventura o Cristo vem da Galileia? **7:42** Não disse a Escritura que o Cristo vem da semente de Davi e da aldeia de Belém, de onde era Davi? **7:43** Assim, houve uma divisão na turba por causa dele. **7:44** Alguns dentre eles queriam prendê-lo, mas ninguém lançou as mãos sobre ele. **7:45** Então voltaram os servidores aos sumos sacerdotes e fariseus, que lhes disseram: Por que não o conduzistes? **7:46** Os servidores responderam: Nunca um homem falou assim. **7:47** Responderam-lhes, pois, os fariseus: Vós também fostes enganados? **7:48** Porventura alguém dentre as autoridades[18] ou dentre os fariseus creu nele? **7:49** Mas essa turba, que não conhece a Lei, é maldita. **7:50** Nicodemos – o que primeiro viera até ele – sendo um deles, lhes diz: **7:51** Acaso nossa Lei julga um homem sem antes ouvi-lo e saber o que fez? **7:52** Em resposta, lhe disseram: Porventura também tu és da Galileia? Examinai[19] e vede que não se levanta profeta da Galileia. **7:53** [20]{E cada um foi para sua casa}.

1. Lit. "andar ao redor; vagar, perambular; circular, passear; viver (seguir um gênero de vida)".
2. Lit. "festa das tendas/tabernáculos". Era a última das três grandes festas anuais do povo hebreu (festas de peregrinação), a que todo homem israelita estava obrigado a comparecer em Jerusalém para sua celebração. Durante a sua realização, o povo devia se abrigar em tendas (Lev 23:40-42), que eram armadas nos lugares abertos da cidade, nos telhados, nos átrios das habitações, bem como no próprio templo. Sua celebração ocorria no sétimo mês do ano judaico, no final da estação das colheitas, razão pela qual era também conhecida por festa das ceifas.
3. Lit. "passar de um lugar para outro; mudar, ir embora, partir".
4. Lit. "um ponto no tempo, um período de tempo; tempo (fixo, definido, oportuno); oportunidade".
5. Lit. "estar presente; estar ao lado; ter chegado".
6. Lit. "mal; mau, malvado, malevolente; maligno, malfeitor, perverso; criminoso, ímpio". No grego clássico, a expressão significava "sobrecarregado", "cheio de sofrimento", "desafortunado", "miserável", "indigno", como também "mau", "causador de infortúnio", "perigoso". No Novo Testamento refere-se tanto ao "mal" quanto ao "malvado", "mau", "maligno", sendo que em alguns casos substitui a palavra hebraica "satanás" (adversário).
7. Lit. "encher, tornar cheio; completar; realizar, cumprir".
8. Lit. "desviar, extraviar; enganar, iludir, seduzir; desencaminhar ou desviar do caminho". O vocábulo é constantemente utilizado no Novo Testamento para se referir ao desvio da ovelha que se desgarra do rebanho.
9. Lit. "aprender, estudar".
10. Lit. "deus pagão, divindade; gênio, espírito; mau espírito, demônio".
11. Lit. "desligar, romper; libertar, deixar ir".
12. Segundo a tradição rabínica de interpretação da Lei Mosaica, a circuncisão era considerada uma espécie de "cura" de determinado membro do corpo do homem, razão pela qual podia ser praticada no sábado. No caso em tela, Jesus utiliza o raciocínio rabínico de interpretação legal conhecido como "qal wah homer (leve para o pesado – inferência do menor para o maior) ", segundo o qual "se é permitida a cura de um membro do corpo no sábado, também é permitida a cura do corpo inteiro".
13. Expressão idiomática semítica que coloca lado a lado verbo e substantivo com o mesmo radical a fim de reforçar a ideia básica do termo.
14. Lit. "comandante, chefe, rei". Na Atenas democrática, cada um dos nove governantes eleitos anualmente era chamado "arconte". Nesta passagem, trata-se das autoridades locais.
15. ὑπηρέται (huperétai) - **remador, marinheiro, navegador; servidor; assistente, auxiliar**

– Sub (2-20), **composto pela preposição** ὑπέρ **(hupér – em composição pode indicar ênfase, excesso) + substantivo** ἐρέτης **(erétes – remador), que por sua vez deriva do verbo** ἐρέσσω **(erésso – remar).** Trata-se de um humilde servidor, e não de um escravo, já que o indivíduo conserva sua autonomia, sua liberdade. A preposição ὑπέρ **(hupér)** sugere a ideia de alguém que está na fronteira que separa o servidor do servo. Em resumo, a palavra grega indica o servidor, na mais exata acepção do termo. O vocábulo foi empregado, no Novo Testamento, para designar diversos tipos de servidores: os assistentes do rei, os oficiais do sinédrio, os assistentes dos magistrados, as sentinelas do templo de Jerusalém. Na literatura grega, a palavra é empregada para designar remador, marujo, todos os homens de uma tripulação, soldado da marinha (fuzileiro naval); todo homem sob as ordens de outro, um servidor comum, um servidor que acompanha o soldado de infantaria (na Grécia antiga); ajudante de um general; servidor de Deus.

16. Lit. "dispersão (sobretudo de sementes); dispersão dos judeus (instalados em diversos lugares do mundo, inclusive na Grécia)".
17. Expressão idiomática semítica para significar o interior mais profundo de uma criatura.
18. Lit. "comandante, chefe, rei". Na Atenas democrática, cada um dos nove governantes eleitos anualmente era chamado "arconte". Nesta passagem, trata-se das autoridades locais.
19. Lit. "examinar, investigar, indagar; buscar, procurar, explorar, seguir".
20. A Crítica Textual Contemporânea postula que esse versículo representa uma adição posterior, já que está ausente dos principais e mais antigos manuscritos.

A MULHER ADÚLTERA

8

8:1 Jesus, porém, foi para o Monte das Oliveiras. **8:2** De ¹madrugada, {ele} foi novamente para o templo. Todo o povo vinha até ele; e após sentar-se, os ensinava. **8:3** Os escribas e fariseus conduzem uma mulher apanhada² em adultério, e a colocam de pé no meio. **8:4** Dizem a ele: Mestre, esta mulher foi apanhada, em flagrante, adulterando. **8:5** Na Lei, nos ordenou Moisés serem apedrejadas tais {mulheres}. Portanto, que dizes tu? **8:6** Diziam isto, testando-o³, para terem de que o acusar. Jesus, porém, curvando-se para baixo, escrevia⁴ na terra com o dedo. **8:7** Mas como continuavam a interrogá-lo, desencurvou-se⁵ e lhes disse: Quem dentre vós estiver sem pecado atire sobre ela a primeira pedra. **8:8** E, inclinando-se novamente, escrevia na terra. **8:9** Os que tinham ouvido saíam um por um, começando pelos mais velhos; {ele} foi deixado sozinho, e a mulher estava no meio. **8:10** Desencurvando-se⁶, Jesus disse a ela: Mulher, onde estão? Ninguém te condenou? **8:11** Disse ela: Ninguém, Senhor! Disse Jesus: Nem eu te condeno. Vai, e a partir de agora não peques mais.

1. Lit. "aurora/amanhecer". Expressão utilizada para descrever o alvorecer, o raiar do dia.
2. Lit. "tomar posse, segurar; obter, conseguir; encontrar subitamente, surpreender; depreender, apanhar (mentalmente), detectar no ato; compreender, apreender (sentido metafórico)".
3. Lit. "tentar, experimentar; testar, pôr à prova; desafiar".
4. Lit. "fazer um traço, desenhar, descrever; pintar; gravar, registrar, inscrever, listar (os soldados); contar, calcular".
5. Lit. "levantar a cabeça; desencurvar-se, levantar-se (ficar ereto)".
6. Vide nota 5.

O TESTEMUNHO DE JESUS

8:12 Então novamente Jesus lhes falou, dizendo: Eu sou a Luz do mundo; quem me segue não anda¹ em treva, mas terá a luz da vida. **8:13** Disseram-lhe, então, os fariseus: Tu testemunhas a respeito de ti mesmo. O teu testemunho não é verdadeiro. **8:14** Em resposta, disse-lhes Jesus: Embora eu testemunhe a respeito de mim mesmo, o meu testemunho é verdadeiro, porque sei ²de onde vim e para onde vou. Vós, porém, não sabeis de onde venho nem para onde vou. **8:15** Vós julgais ³segundo a carne, eu não julgo ninguém. **8:16** E se eu julgo, o meu julgamento é verdadeiro, porque não estou sozinho, mas eu e o Pai que me enviou. **8:17** Está escrito também em vossa Lei que ⁴o testemunho de dois homens é verdadeiro. **8:18** Eu sou aquele que testemunha a respeito de mim mesmo, como também o Pai, que me enviou, testemunha a respeito de mim. **8:19** Diziam-lhe, então: Onde está o teu Pai? Respondeu Jesus: Não conheceis nem a mim nem ao meu Pai; se conhecêsseis a mim também conheceríeis a meu Pai. **8:20** {Ele} falou estas palavras no {lugar do} gazofilácio⁵, enquanto ensinava no templo; e ninguém o prendeu porque ainda não havia chegado a sua hora. **8:21** Assim disse-lhes novamente: Eu vou e me buscareis, mas morrereis em vosso pecado; para onde eu vou vós não podereis ir. **8:22** Diziam, então, os judeus: Porventura matará a si mesmo, já que diz "para onde eu vou vós não podereis ir"? **8:23** Dizia-lhes: Vós sois das {coisas} de baixo, eu sou das {coisas} de cima. Vós sois deste mundo, eu não sou deste mundo. **8:24** Desse modo, eu vos disse que morrereis em vossos pecados. Pois se não crerdes que eu sou, morrereis em vossos pecados. **8:25** Diziam-lhe, então: Quem és tu? Disse-lhes Jesus: O que vos falo também desde o princípio? **8:26** Muitas {coisas} tenho para falar e julgar a vosso respeito, mas o que me enviou é verdadeiro; e eu falo ao mundo essas {coisas} que ouvi dele. **8:27** Não entenderam que {ele} lhes falava do Pai. **8:28** Disse-lhes, então, Jesus: Quando tiverdes elevado⁶o filho do homem, então sabereis que eu sou e que nada faço de mim mesmo, mas falo estas {coisas} como o Pai me ensinou. **8:29** E aquele que me enviou está comigo, não me deixou sozinho, porque eu sempre faço para ele as {coisas} agradáveis. **8:30** Ao falar estas {coisas}, muitos creram nele.

1. Lit. "andar ao redor; vagar, perambular; circular, passear; viver (seguir um gênero de vida)".
2. Expressão idiomática semítica utilizada em perguntas feitas com o objetivo de descobrir a identidade de uma pessoa, sobretudo de um estrangeiro (Gn 16:8; Jz 19:17). Esta pergunta remete à origem de alguém, sua tribo, sua família, sua pátria. Naturalmente, Jesus desloca a conversa para os desdobramentos de sua origem espiritual, muito além da sua identidade meramente social, histórica e cultural.
3. Expressão idiomática semítica que apresenta uma enorme riqueza semântica, prestando-se aos mais diversos usos. Pode ser interpretada, ao menos neste contexto, sem grandes perdas, por "segundo a aparência, de acordo com o físico (oposto de espiritual)".

4. A confiança depositada nas testemunhas e em sua probidade era total e irrevogável, no sistema judicial hebreu. Depois que duas testemunhas tivessem prestado depoimento no Tribunal de Israel, e um veredicto final fosse emitido, elas não poderiam voltar atrás em seus depoimentos. Para os rabinos não era possível apresentar uma nova prova contradizendo um depoimento prestado anteriormente, nem mesmo provas circunstanciais mais conclusivas. Por esta razão, as testemunhas deviam se submeter a investigações (***bedicot***) e pesquisas (***chakirot***), detalhadamente descritas na **Mishná**, antes que seu depoimento fosse aceito pelo Tribunal. Para a condenação ou absolvição de um acusado bastavam, desse modo, o testemunho de dois homens (sexo masculino).

5. Lit. "caixa de tesouro; sala do tesouro; caixa de ofertas no templo". No templo de Jerusalém, havia treze caixas em formato de trombetas, colocadas nas paredes do átrio das mulheres, com a finalidade de recolher doações.

6. Lit. "alçar, elevar, engrandecer; exaltar (em sentido metafórico)".

JESUS E ABRAÃO

8:31 Dizia Jesus, então, aos judeus que haviam crido nele: Se vós permanecerdes na minha palavra, sois verdadeiramente meus discípulos. **8:32** E conhecereis a Verdade e a Verdade vos libertará. **8:33** Responderam-lhe: Somos descendência[1] de Abraão[2] e nunca nos tornamos escravos de ninguém. Como tu dizes que "Sereis livres"? **8:34** Respondeu-lhes Jesus: Amém[3], amém vos digo que todo aquele que pratica[4] o pecado é escravo do pecado. **8:35** O escravo não permanece para sempre na casa, o filho permanece para sempre. **8:36** Se, portanto, o filho vos libertar, sereis realmente livres. **8:37** Sei que sois descendência de Abraão, mas buscais me matar porque a minha palavra não encontra lugar em vós. **8:38** Eu falo das {coisas} que vi junto do Pai, mas vós, no entanto, fazeis as {coisas} que ouvistes do vosso pai. **8:39** Em resposta, lhe disseram: O nosso pai é Abraão. Jesus lhes diz: Se fôsseis filhos de Abraão, {vós} estaríeis realizando[5] as obras de Abraão. **8:40** Mas agora buscais me matar, um homem que vos tem falado a Verdade que ouviu junto de Deus. Abraão não fez isto. **8:41** Vós realizais[6] as obras do vosso pai. Disseram-lhe: Nós não fomos gerados de infidelidade[7], temos um Pai, {que é} Deus. **8:42** Disse-lhes Jesus: Se Deus fosse vosso Pai, amaríeis a mim, pois eu saí de Deus e conduzo[8] {a ele}, já que não vim de mim mesmo, mas daquele que me enviou. **8:43** Por qual razão não entendeis a minha fala? Porque não podeis ouvir a minha palavra. **8:44** Vós sois do diabo[9], {vosso} pai, e quereis realizar[10] os desejos do vosso pai. Ele foi homicida desde o princípio, e não permaneceu na verdade, porque não existe verdade nele. Quando {ele} fala mentira, fala de si mesmo, porque é mentiroso e [11]pai dela {mentira}. **8:45** Eu, porém, digo a verdade e não credes em mim. **8:46** Quem, dentre vós, me acusa de pecado? Se digo a verdade, por qual razão vós não credes em mim? **8:47** Quem é de Deus ouve as palavras de Deus, por isso vós não me ouvis, porque não sois de Deus. **8:48** Em resposta, disseram-lhe os judeus: Não dizemos, como razão, que és samaritano e tens daimon[12]? **8:49** Respondeu Jesus: Eu não tenho daimon, mas honro a meu Pai, e vós me desonrais. **8:50** Eu não busco a minha glória; há quem a busque e julgue. **8:51** Amém[13], amém vos digo: Se alguém observar[14] a minha palavra, [15]nunca mais, por todo sempre, verá a morte. **8:52** Disseram-lhe os judeus: Agora sabemos que tens daimon. Abraão morreu, os profetas também, e tu dizes: "Se alguém observar a minha palavra [16]nunca mais, por todo sempre, provará da morte". **8:53** Porventura és maior que nosso pai Abraão, que morreu? Os Profetas também morreram. [17]Quem pretendes ser? **8:54** Respondeu Jesus: Se eu glorifico a mim mesmo, a minha glória não é nada. Quem me glorifica é meu Pai, que vós dizeis ser vosso Deus. **8:55** Mas não o conheceis. Eu, porém, o conheço. E se eu disser que não o conheço, serei mentiroso como vós. Mas {eu} o conheço e observo a sua palavra. **8:56** Abrão, vosso pai, exultou[18] para ver o meu dia; {ele} o viu e alegrou-se. **8:57** Então disseram-lhe os judeus: Ainda não tens cinquenta anos e vistes Abraão? **8:58** Disse-lhes Jesus: Amém[19], amém vos digo: Antes {dele} se tornar Abraão, eu sou. **8:59** Então tomaram[20] pedras a fim de lançarem sobre ele. Jesus, porém, ocultou-se e saiu do templo.

1. Lit. "semente, esperma, descendência".
2. Ἀβραάμ (Abraám) – **Abraão (forma grega e/ou transliteração do nome hebreu Abraham)** – *Sub (7-73)*, **derivado do vocábulo hebraico** אַבְרָהָם (Abraham – Abraão), **resultado da modificação do nome mais curto** אַבְרָם (Abram – Abrão). **No primeiro caso, trata-se de nome antigo formado pela justaposição das palavras** אַב (ab – pai) + רָהָם (raham – **multidão; numeroso). No segundo caso, refere-se ao nome composto pelas palavras** אַב (ab – pai) + רָם (rûm – alto; exaltado). A narrativa bíblica (Gn 11:27 – 12:8) apresenta Abraão como o primeiro dos Patriarcas, o ancestral do povo de Israel. Personagem emblemática que exprime a mais profunda experiência profética daquele povo, visto que, renunciando

integralmente sua segurança pessoal, atendeu ao chamado de Deus, confiando na promessa divina de uma posteridade abundante. A história evoca o tema da graça e solicitude de Deus, que chamou um pagão, na cidade de Ur dos caldeus, a fim de, por seu intermédio, abençoar todas as nações da Terra (Gn 12:3, 18:18). A genealogia conecta Jesus a essa imponente figura do passado de Israel, buscando salientar o fato de que, como descendente de Abraão, Jesus promulga, em definitivo, a bênção de Deus sobre todas as nações da Terra. Dito de outra forma, o texto sugere que em Jesus se concretiza a promessa feita a Abraão.

JOÃO 8

3. ἀμην (amém), transliteração do vocábulo hebraico אָמֵן. Trata-se de um adjetivo verbal (ser firme, ser confiável). O vocábulo é frequentemente utilizado de forma idiomática (partícula adverbial) para expressar asserção, concordância, confirmação (realmente, verdadeiramente, de fato, certamente, isso mesmo, que assim seja). Ao redigirem o Novo Testamento, os evangelistas mantiveram a palavra no original, fazendo apenas a transliteração para o grego, razão pela qual também optamos por mantê-la intacta, sem tradução.
4. Lit. "trabalhar, executar, realizar, fazer, agir".
5. Vide nota 3.
6. Vide nota 3.
7. Lit. "fornicação, prostituição; infidelidade, adultério". Termo genérico para práticas sexuais ilícitas.
8. Lit. "vir, chegar; ter chegado, ter vindo; achar-se em; conduzir a, referir-se a, relacionar-se com, pertencer a". O Evangelista, como de costume, utiliza vocábulo polissêmico com o objetivo de explorar as múltiplas possibilidades interpretativas do texto. Nesse caso, Jesus poderia estar dizendo: "saí e venho do Pai", "saí e conduzo ao Pai", "saí e pertenço ao Pai".
9. Aquele que desune (inspirando ódio, inveja, orgulho); caluniador, maledicente. Vocábulo derivado do verbo "diaballo" (separar, desunir; atacar, acusar; caluniar; enganar), do qual deriva também o substantivo "diabolé" (desavença, inimizade; aversão, repugnância; acusação; calúnia).
10. Vide nota 3.
11. Lit. "pai da mentira". Expressão idiomática semítica, na qual o termo "pai" pode ser entendido, em português, como causa, origem, "aquele que gera".
12. Lit. "deus pagão, divindade; gênio, espírito; mau espírito, demônio".
13. Vide nota 3
14. Lit. "velar, guardar; espiar; praticar, observar; conservar".
15. Lit. "não mais (nunca mais) para sempre".
16. Vide nota 3.
17. Lit. "quem fazes a ti mesmo?". Expressão idiomática que pode ser traduzido, sem maiores perdas, por "que pretendes ser?".
18. Lit. "regozijar-se, exultar, estar cheio de alegria", comumente utilizado no contexto de festa religiosa ou culto.
19. Vide nota 3.
20. Lit."levantar, suster, sustentar alguém/algo a fim de carregar; tirar, remover, levar".

9 A CURA DO CEGO DE NASCENÇA

9:1 Ao passar, viu um homem cego de nascença. **9:2** E os seus discípulos o interrogaram, dizendo: Rabbi[1], quem pecou, ele ou seus genitores, para que fosse gerado[2] cego? **9:3** Respondeu Jesus: Nem ele pecou nem seus genitores, mas para que fossem manifestadas nele as obras de Deus. **9:4** É necessário realizarmos[3] as obras daquele que me enviou, enquanto é dia; a noite vem, quando ninguém pode trabalhar[4]. **9:5** Enquanto estiver no mundo, sou luz {a} do mundo. **9:6** Ao dizer estas {coisas}, cuspiu na terra, fez barro[5] com a saliva, e aplicou[6] o barro sobre os olhos dele. **9:7** E disse-lhe: Vai, lava-te no tanque de Siloam[7], que interpretado é "Enviado". Então, {ele} partiu, se lavou e voltou vendo. **9:8** Então os vizinhos e aqueles que o viam, porque era pedinte[8], diziam: Não é este o que ficava sentado mendigando? **9:9** Uns diziam: É este. Outros diziam: Não, mas é semelhante a ele. Ele mesmo, porém, dizia: Sou eu. **9:10** Diziam-lhe, portanto: Como os teus olhos foram abertos? **9:11** Ele respondeu: O homem chamado Jesus fez barro, aplicou em meus olhos e me disse: Vai ao {tanque de} Siloam e lava-te. Assim, depois de partir e me lavar, [9]recobrei a visão. **9:12** Disseram-lhe: Onde está ele? {Ele} diz: Não sei. **9:13** {Eles} conduzem o que antes {fora} cego aos fariseus. **9:14** E era um sábado o dia em que Jesus fez o barro e lhe abriu os olhos. **9:15** Novamente, então, também os fariseus lhe perguntaram como [10]recobrara a visão. Ele lhes disse: Aplicou barro sobre os meus olhos, lavei-me e estou vendo. **9:16** Alguns dos fariseus, então, diziam: Este homem não está junto de Deus, porque não observa[11] o sábado. Outros diziam: Como pode um homem pecador fazer tais sinais? E havia divisão entre eles. **9:17** Assim, diziam novamente ao cego: O que tu dizes a respeito dele, já que abriu os teus olhos? Ele disse: É profeta. **9:18** No tocante a ele, então, não creram os judeus que fora cego e recobrara a visão, até que chamaram os genitores daquele que recobrara a visão, **9:19** e os interrogaram, dizendo: Este é o vosso filho, o qual vós dizeis ter sido gerado cego? Como, então, está vendo agora? **9:20** Desse modo, em resposta, disseram os genitores dele: Sabemos que este é nosso filho e que foi gerado cego. **9:21** Como está vendo agora, porém, não sabemos. Ou, quem lhe abriu os olhos nós não sabemos. Interrogai-o, tem idade[12], falará por si mesmo. **9:22** Os genitores dele disseram isso porque estavam com medo dos judeus; pois os judeus já haviam acordado[13] que se alguém o declarasse[14] Cristo, se tornaria um excluído da sinagoga. **9:23** Por isso, os genitores dele disseram: Tem idade, interrogai-o. **9:24** Então, chamaram, pela segunda vez, o homem que fora cego e lhe disseram: [15]Dá glória a Deus. Nós sabemos que esse homem é pecador. **9:25** Então ele respondeu: Se é pecador não sei; uma {coisa} sei: Era cego e agora estou vendo. **9:26** Disseram-lhe, pois: Que te fez? Como abriu os teus olhos? **9:27** Respondeu-lhes: {Eu} já vos disse e não ouviste. Que quereis ouvir novamente? Porventura vós quereis tornar-vos discípulos dele? **9:28** {Eles} o insultaram e disseram: Tu és discípulo dele, mas nós somos discípulos de Moisés. **9:29** Nós sabemos que Deus falou a Moisés, não sabemos, porém, de onde este é. **9:30** Em resposta, o homem lhes disse: Nisto, pois, está o maravilhoso, que vós não saibais donde {ele} é, e {ele} tenha aberto os meus olhos. **9:31** Sabemos que Deus não ouve pecadores, mas se alguém é adorador de Deus e faz a sua vontade, a esse {ele} ouve. **9:32** Desde sempre[16], não se ouviu que alguém tenha aberto os olhos de um cego de nascença. **9:33** Se este homem não estivesse junto de Deus, não poderia fazer nada. **9:34** Em resposta, disseram-lhe: Tu fostes gerado todo em pecado, e nos ensinas? E o expulsaram. **9:35** Jesus ouviu que o haviam expulsado e, encontrando-o, lhe disse: Tu crês no filho do homem? **9:36** Em resposta, ele disse: Quem é, Senhor, para que {eu} creia nele? **9:37** Disse-lhe Jesus: {Já} o tens visto, e é aquele que fala contigo. **9:38** Ele disse: Creio, Senhor; e o reverenciou. **9:39** E Jesus disse: Eu vim a este mundo para juízo, a fim de que os que não veem vejam e os que veem se tornem cegos. **9:40** Os que estavam com ele, dentre os fariseus, ouviram estas {coisas} e lhe disseram: Porventura também nós somos cegos? **9:41** Disse-lhes Jesus: Se fôsseis cegos não teríeis pecado; agora, porém, que dizeis "vemos", permanece o vosso pecado.

1. Em aramaico, significa "meu Mestre".
2. ἐγέννησεν (egénnesen) – **gerar (ser ou tornar-se pai de alguém); dar à luz; causar, produzir** – Verb. Indicativo Aoristo Ativo (44-97), **conjugação do verbo** γεννάω **(gennáo – gerar; dar à luz; causar)**. Neste versículo, o verbo está na voz passiva.
3. Lit. "trabalhar, executar, realizar, fazer, agir".
4. Vide nota 3.

JOÃO 9

5. Lit. "terra úmida, lama, barro; argila de oleiro".
6. Lit. "ungir, untar (sobre)".
7. Durante a festa das Tendas, as águas deste tanque eram utilizadas nos rituais de purificação. Essas águas eram consideradas símbolo das bênçãos messiânicas, razão pela qual o tanque se chamava "Enviado (Siloam)".
8. Lit. "pedinte, mendigo".
9. Lit. "levantar os olhos; recobrar a vista, tornar a abrir os olhos". A preposição "aná", prefixada ao verbo "ver", confere-lhe dois sentidos: **1)** a direção para onde se está olhando, no caso para o alto; **2)** o sentido de repetição ou retorno da ação, no caso voltar a ver, recobrar a vista.
10. Vide nota 9.
11. Lit. "velar, guardar; espiar; praticar, observar; conservar".
12. Lit. "estatura ou tamanho da pessoa; idade, tempo de vida, duração da vida". Expressão ambígua, utilizada com a intenção de explorar o duplo sentido do termo. Em português, a expressão pode ser traduzida por "tem tamanho (já é crescido)" ou "tem idade".
13. Lit. "colocar junto; concordar, chegar a um entendimento mútuo; barganhar, comprometer-se; apoiar (uma declaração)".
14. Lit. "homologar, concordar, assentir; reconhecer, confessar; declarar-se,
15. Trata-se de uma fórmula bíblica de caráter jurídico, uma espécie de juramento ou termo de compromisso da testemunha, pelo qual a pessoa se comprometia a dizer a verdade ou reparar alguma ofensa dita contra o Criador (Js 7:19; 1Sm 6:5).
16. Lit. "era, idade, século; tempo muito longo".

O BOM PASTOR

10

10:1 Amém[1], amém, vos digo: Quem não entra pela porta do aprisco[2] das ovelhas, mas sobe por outro lugar, esse é ladrão e salteador[3]. **10:2** Aquele, porém, que entra pela porta é o pastor das ovelhas. **10:3** A este o porteiro abre, e as ovelhas ouvem sua voz; {ele} chama pelo nome as ovelhas[4] que são suas e as conduz para fora. **10:4** Quando retira todas [5]as que são suas, vai adiante delas; e as ovelhas o seguem, porque conhecem a sua voz. **10:5** Jamais seguirão a um estranho[6]; antes, fugirão dele porque não conhecem a voz de estranhos. **10:6** Jesus lhes disse esta parábola[7], mas eles não entenderam o que estava lhes falando. **10:7** Então Jesus novamente disse: Amém[8], amém vos digo: Eu sou a porta das ovelhas. **10:8** Todos quantos vieram [9]{antes de mim} são ladrões e salteadores, mas as ovelhas não os ouviram. **10:9** Eu sou a porta. Se alguém entrar por mim, será salvo; entrará, e sairá, e encontrará pastagem. **10:10** O ladrão não vem senão a fim de roubar, matar e destruir. Eu vim para que tenham vida, e a tenham [10]em abundância. **10:11** Eu sou o bom pastor. O bom pastor entrega sua vida pelas ovelhas. **10:12** O assalariado[11] – que não é pastor e cujas ovelhas não são as suas próprias – observa o lobo vindo, deixa as ovelhas e foge; e o lobo as captura[12] e dispersa. **10:13** Porque é assalariado e não se importa com as ovelhas. **10:14** Eu sou o bom pastor e conheço as minhas {ovelhas}, e as minhas {ovelhas} me conhecem. **10:15** Assim como o Pai me conhece, eu também conheço o Pai e entrego a minha vida pelas ovelhas. **10:16** Tenho também outras ovelhas que não são deste aprisco; é preciso que eu conduza também a elas; ouvirão a minha voz e haverá um {só} rebanho e um {só} pastor. **10:17** Por isso, o Pai me ama, porque eu entrego a minha vida para recebê-la novamente. **10:18** Ninguém a tira de mim, mas eu a entrego por mim mesmo. Tenho autoridade para entregá-la e tenho autoridade para novamente recebê-la. Esse mandamento recebi [13]do meu Pai. **10:19** Novamente houve divisão entre os judeus por causa destas palavras. **10:20** Muitos deles diziam: {Ele} tem daimon[14] e enlouqueceu. Por que o ouvis? **10:21** Outros diziam: Estas palavras não são de endaimoniado[15]. Porventura pode um daimon abrir os olhos dos cegos?

1. ἀμην (amém), transliteração do vocábulo hebraico אָמֵן. Trata-se de um adjetivo verbal (ser firme, ser confiável). O vocábulo é frequentemente utilizado de forma idiomática (partícula adverbial) para expressar asserção, concordância, confirmação (realmente, verdadeiramente, de fato, certamente, isso mesmo, que assim seja). Ao redigirem o Novo Testamento, os evangelistas mantiveram a palavra no original, fazendo apenas a transliteração para o grego, razão pela qual também optamos por mantê-la intacta, sem tradução.

2. Lit. "espaço descoberto ao redor de uma casa, cercado por uma parede, onde ficavam os estábulos, aprisco; pátio de uma casa; pátio interno das habitações de pessoas prósperas. Nas residências orientais, geralmente construídas em forma de quadrado, havia um pátio interior, descoberto, bem como um pátio exterior (uma espécie de varanda). Esse vocábulo também pode ser utilizado para se referir à residência ou palácio como um todo.

3. Lit. "assaltante (de estrada), saqueador; pirata; salteador".

4. Lit. "as próprias". Expressão idiomática com o sentido de "as que são suas", "suas próprias".

5. Vide nota 3.

6. Lit. "outro, alheio, estrangeiro; pertinente a outro".

7. Lit. "comparação, provérbio, parábola (Novo Testamento)".

8. Vide nota 1.

9. A Crítica Textual contemporânea se divide quanto à autenticidade destas palavras, já que estão ausentes de muitos manuscritos antigos.

10. Lit. "excedente, extraordinário (além do ordinário), que supera a medida costumeira; especial, digno de nota; importante, excelente, especial, magnífico.

11. Lit. "assalariado, jornaleiro (que recebe por jornada de trabalho), empregado".

12. Lit. "agarrar, tomar pela força, arrebatar, capturar, apropriar-se".

13. Lit. "da parte de".

14. Lit. "deus pagão, divindade; gênio, espírito; mau espírito, demônio".

15. Lit. "sob a ação dos daimon". Trata-se dos obsedados, pessoas sujeitas à influência perniciosa de espíritos sem esclarecimento, magoados ou malévolos, razão pela qual se optou pela transliteração do termo grego.

A IDENTIDADE DE JESUS

10:22 Então houve a {festa da} Dedicação[1] em Jerusalém. Era inverno, **10:23** e Jesus andava[2] pelo templo, sob o [3]pórtico de Salomão. **10:24** Os judeus, então, o rodearam e lhe diziam: Até quando [4]nos manterá na expectativa? Se tu és o Cristo, dize-nos publicamente. **10:25** Respondeu-lhes Jesus: {Eu} vos disse e não credes. As obras que eu realizo[5] em nome do meu Pai testemunham estas {coisas} a meu respeito. **10:26** Mas vós não credes, porque não sois das minhas ovelhas.

10:27 As minhas ovelhas ouvem a minha voz, eu as conheço e {elas} me seguem. **10:28** Eu lhes dou a vida eterna. [6]Nunca mais, por todo sempre, {elas} perecerão e ninguém as arrebatará[7] da minha mão. **10:29** O meu Pai, que {as} deu para mim, é maior que tudo, e ninguém pode arrebatar da mão do Pai. **10:30** Eu e o Pai somos um[8]. **10:31** Os judeus, novamente, tomaram pedras para o apedrejarem. **10:32** Respondeu-lhes Jesus: Muitas obras boas do Pai vos mostrei. Por qual destas obras me apedrejais? **10:33** Responderam-lhe os judeus: Não te apedrejamos por {alguma} boa obra, mas por blasfêmia[9];porque tu, sendo homem, fazes Deus a ti mesmo. **10:34** Respondeu-lhes Jesus: Não está escrito em vossa Lei: *Eu disse: Sois deuses*[10]? **10:35** Se {ele} disse "deuses" com relação a quem a palavra de Deus veio – e a Escritura não pode ser violada[11] – **10:36** a quem o Pai santificou e enviou ao mundo vós dizeis que "{Tu} blasfemas", porque disse: Sou filho de Deus?[12] **10:37** Se não realizo[13] as obras de meu Pai, {então} não credes em mim. **10:38** Se, porém, realizo e não credes em mim, crede nas obras a fim de [14]reconhecerdes definitivamente que o Pai {está} em mim e eu no Pai. **10:39** Então, procuravam prendê-lo novamente; mas {ele} escapou das mãos deles. **10:40** Novamente {ele} partiu para outro lado do Jordão, para o lugar onde João estava batizando inicialmente, e lá permaneceu. **10:41** Muitos vieram até ele, e diziam: João não realizou nenhum sinal, mas tudo quanto João disse a respeito dele {Jesus} era verdadeiro. **10:42** E muitos ali creram nele.

1. Lit. "renovar, consagrar de novo". Neste versículo, o vocábulo representa uma abreviação do nome completo "festa da Renovação/Dedicação/Reconsagração (do templo de Jerusalém)". Trata-se de uma festa anual instituída por Judas Macabeu (165 a.C) para comemorar a purificação e renovação do templo, após sua profanação por Antíoco Epifanes (1Mac 4:52-59), também conhecida como "festa das Luzes". Sua celebração era muita parecida com a da "festa dos Tabernáculos" (2Mac 10:6-7), começando no dia 25 de Quisleu (dezembro) e durante oito dias. Nos dias atuais, os judeus celebram essa festa na época do Natal cristão e lhe dão o nome hebraico de "Chanuká".
2. Lit. "andar ao redor; vagar, perambular; circular, passear; viver (seguir um gênero de vida)".
3. Trata-se de uma esplêndida colunata, cuja construção foi atribuída ao rei Salomão, situada no lado oriental do templo, sobre um alicerce artificial que se erguia do Vale de Cedrom (Flávio Josefo, Ant. 20. 9,7; Guerras 5.5,1).
4. Lit. "sustentas (levantar, suster, sustentar alguém/algo a fim de carregar; tirar, remover, levar) a nossa alma". Expressão idiomática semítica que pode ser traduzida para o português, sem maiores perdas, por "manter alguém na expectativa (suspenso)".

5. Lit. "trabalhar, executar, realizar, fazer, agir".
6. Lit. "não mais (nunca mais) para sempre".
7. Lit. "agarrar, tomar pela força, arrebatar, capturar, apropriar-se".
8. Trata-se do numeral ordinal 1 (um).
9. Lit. "calúnia, censura; palavra ofensiva, insulto; falar sobre Deus ou sobre as coisas divinas de forma irreverente; irreverência".
10. Sl 82:6. O texto original deste Salmo utiliza o vocábulo "elohim (deuses)" com respeito às divindades inferiores chamadas a prestar contas ante o Deus Supremo, algumas inclusive sendo condenadas por sua administração injusta. Mais tarde, a exegese judaica, procurando extirpar todo traço de politeísmo, identificou os "elohim" do referido salmo com os juízes (governantes), cuja missão era receber e transmitir a palavra de Deus aos israelitas, decidindo os litígios ocorridos no seio do povo.
11. Lit. "desligar, romper; libertar, deixar ir".
12. No caso em tela, Jesus utiliza o raciocínio rabínico de interpretação legal conhecido como "qal wah homer (leve para o pesado – inferência do menor para o maior) ", segundo o qual "se os juízes eram chamados "deuses" quanto mais o Enviado (Messias)".
13. Vide nota 5.
14. Lit. "para que saibais e continueis sabendo". Trata-se, possivelmente, de expressão idiomática que pode ser traduzida em português por "saber/reconhecer definitivamente", "saber/reconhecer de uma vez por todas".

A RESSURREIÇÃO DE LÁZARO 11

11:1 Estava enfermo um certo Lázaro, de Betânia, aldeia de Maria e sua irmã Marta. **11:2** Maria, cujo irmão Lázaro estava enfermo, era a {mesma} que tinha ungido o Senhor com unguento[1] e enxugado os pés dele com seus cabelos. **11:3** Assim, as irmãs foram enviadas a ele, dizendo: Senhor, eis que está enfermo aquele que amas. **11:4** Ao ouvir {isso}, disse Jesus: Esta enfermidade[2] não é para morte, mas para a glória de Deus, a fim de que seja glorificado o filho de Deus por meio dela. **11:5** Jesus amava a Marta, bem como a irmã dela e a Lázaro. **11:6** Quando, portanto, ouviu que estava enfermo, ainda permaneceu dois dias no lugar onde estava. **11:7** Depois disso, então, diz aos discípulos: Vamos novamente para a Judeia. **11:8** Diziam-lhe os discípulos: Rabbi[3], {ainda} agora os judeus procuravam te apedrejar, e vais novamente para lá? **11:9** Respondeu Jesus: Não são doze as horas do dia? Se alguém anda[4] durante o dia, não tropeça[5], porque vê a luz deste mundo. **11:10** Mas, se alguém anda durante a noite, tropeça, porque nele não há luz. **11:11** Disse estas {coisas}, mas depois diz a eles isto: Lázaro, o nosso amigo, adormeceu, mas vou despertá-lo. **11:12** Disseram-lhe, então, os discípulos: Senhor, se adormeceu, será salvo. **11:13** Jesus tinha falado a respeito da morte dele, mas eles supunham que estivesse falando a respeito do repouso do sono. **11:14** Assim, disse-lhes Jesus abertamente: Lázaro morreu, **11:15** e me alegro[6], por vós, de que {eu} não estivesse lá, para que creiais. Todavia, vamos até ele. **11:16** Então disse Tomé, chamado Dídimo[7], aos condiscípulos: Vamos nós também a fim de morrermos com ele. **11:17** Assim que chegou, Jesus o encontrou no sepulcro, já há quatro dias. **11:18** Ora, Betânia estava próxima de Jerusalém cerca de quinze estádios[8]. **11:19** Muitos dentre os judeus tinham vindo até Marta e Maria, para confortá-las[9] a respeito do irmão. **11:20** Assim que Marta ouviu que Jesus estava vindo, saiu ao encontro dele. Maria, porém, estava sentada em casa. **11:21** Então Marta disse a Jesus: Senhor, se {tu} estivesses aqui, meu irmão não teria morrido. **11:22** Sei também que tudo quanto pedires a Deus agora, Deus te dará. **11:23** Jesus lhe diz: Teu irmão se levantará[10]. **11:24** Marta lhe diz: Sei que ressuscitará na ressurreição do último dia. **11:25** Disse-lhe Jesus: Eu sou a ressurreição e a vida. Quem crê em mim, mesmo se morrer, viverá. **11:26** E todo o que vive e crê em mim [11]jamais morrerá, por todo sempre. Crês nisto? **11:27** {Ela} diz a ele: Sim, Senhor, eu creio que tu és o Cristo, o filho de Deus que vem ao mundo. **11:28** Ao dizer isso, {ela} partiu e chamou secretamente Maria, sua irmã, dizendo: O Mestre chegou[12] e te chama. **11:29** Ela, quando ouviu {isso}, levantou-se depressa e foi até ele. **11:30** Jesus ainda não havia entrado na aldeia, mas estava no lugar onde Marta fora encontrá-lo. **11:31** Os judeus que estavam com Maria em casa e a confortavam, vendo que Maria levantava-se depressa e saía, seguiram-na, supondo que fora ao sepulcro, a fim de chorar lá. **11:32** Então, quando Maria chegou onde estava Jesus, ao vê-lo, prosternou-se[13] junto aos pés dele, dizendo-lhe: Senhor, se {tu} estivesses aqui, meu irmão não teria morrido. **11:33** Assim, quando Jesus a viu chorando, e também chorando todos os judeus que vieram com ela, agitou-se[14] em espírito, perturbou-se[15] **11:34** e disse: Onde o colocaste? Dizem-lhe: Senhor, vem e vê. **11:35** Jesus chorou. **11:36** Então diziam os judeus: Vede como o amava! **11:37** Alguns dentre eles disseram: Ele, que abriu os olhos do cego, não podia fazer também com que este não morresse? **11:38** Jesus, então, agitando-se novamente, dirigiu-se ao sepulcro. Era uma gruta e uma pedra estava posta sobre ela. **11:39** Jesus diz: Tirai a pedra. Marta, a irmã do que estava morto, diz a ele: Senhor, já cheira {mal}, pois é {o} quarto {dia}. **11:40** Jesus lhe diz: Não te disse que, se creres, verás a glória de Deus? **11:41** Tiraram, então, a pedra. E Jesus levantou os olhos para cima e disse: Pai, te dou graças porque me ouviste. **11:42** Eu sei que sempre me ouves, mas disse {isso} por causa da multidão que está ao redor, para que creiam que tu me enviaste. **11:43** Ao dizer essas {coisas}, gritou [16]em alta voz: Lázaro, vem para fora. **11:44** O que estivera morto saiu, {com} os pés amarrados, as mãos enfaixadas e o rosto envolto em um sudário[17]. Jesus lhes diz: Soltai-o e deixai-o ir.

1. Lit. "unguento aromático, óleo de mirra". Palavra de origem semítica, derivada de "mirra". Trata-se de uma essência aromática extraída de árvores, utilizada especialmente na preparação do corpo para o sepultamento.
2. Lit. "fraqueza orgânica", enfermidade.
3. Em aramaico, significa "meu Mestre".
4. Lit. "andar ao redor; vagar, perambular; circular, passear; viver (seguir um gênero de vida)".

5. Lit. "bater contra, chocar-se; bater os pés, tropeçar; arrojar, espancar".
6. Lit. "alegrar-se, regozijar-se, contentar-se (estar contente)".
7. Lit. "dídimo (gêmeo)".
8. Medida equivalente à oitava parte da milha romana, o que corresponde a aproximadamente 184 metros.
9. Lit. "exortar, aconselhar; animar; consolar, tranquilizar, confortar, acalmar (com palavras), atenuar (com explicações)".
10. Lit. "erguer-se, levantar-se; colocar-se de pé". Expressão idiomática semítica que faz referência à ressurreição dos mortos. Para expressar a morte e ressurreição, utilizavam as expressões "deitar-se" (morte) e "levantar-se" (ressurreição).
11. Lit. "não mais (nunca mais) para sempre".
12. Lit. "estar presente; estar ao lado; ter chegado".
13. Lit. "caiu junto aos pés dele"; Expressão idiomática semítica que significa prosternar-se (curvar-se ao chão em sinal de profundo respeito).
14. Lit. "irritar-se, enfurecer-se; falar em tom severo, censurar; comover-se, agitar-se, perturbar-se (de emoção)".
15. Lit. "agitar-se, perturbar-se; revoltar-se".
16. Lit. "com grande voz". Expressão idiomática semítica para expressar "em alta voz".
17. Lit. "sudário". Vocábulo proveniente do latim, que significa pano utilizado para limpar a face ou enxugar o suor do rosto, equivalente ao nosso lenço.

CONSPIRAÇÃO PARA MATAR JESUS (Mt 26:1-5; Mc 14:1-2; Lc 22:1-6)

11:45 Então muitos dentre os judeus, que tinham vindo até Maria, observando o que {ele} fizera, creram nele. **11:46** Mas alguns deles foram até os fariseus, e disseram a eles o que fizera Jesus. **11:47** Então os sumos sacerdotes e fariseus reuniram o Sinédrio e diziam: Que fazemos, porque este homem realiza muitos sinais? **11:48** Se o deixarmos assim, todos crerão nele; virão os romanos e nos tomarão tanto o lugar quanto a nação. **11:49** E Caifás, um deles, que era sumo sacerdote naquele ano, lhes disse: Vós não sabeis nada, **11:50** nem considerais que [1]é melhor para nós que morra um {só} homem pelo povo, do que pereça a nação inteira. **11:51** Ora, não disse isso de si mesmo, mas, sendo sumo sacerdote daquele ano, profetizou que Jesus estava prestes a morrer pela nação; **11:52** e não somente pela nação, mas também para que os filhos de Deus, dispersos, se reúnam em um {só}. **11:53** Assim, desde aquele dia, deliberaram[2] que o matariam. **11:54** Jesus, então, não mais andava[3] em público entre os judeus. Ao contrário, partiu para uma cidade chamada Efraim, região próxima do deserto; e ali permaneceu com os discípulos.

1. Lit. "é preferível, é melhor; é útil, proveitoso".
2. Lit. "deliberar (consigo ou com outros); aconselhar-se; ser membro de um conselho".
3. Lit. "andar ao redor; vagar, perambular; circular, passear; viver (seguir um gênero de vida)".

A PÁSCOA

11:55 Estava próxima a Páscoa dos judeus, e muitos da região subiram para Jerusalém, antes da Páscoa, a fim de purificarem a si mesmos. **11:56** Buscavam, portanto, a Jesus e diziam uns aos outros, enquanto estavam no templo: Que vos parece? Que não virá à festa? **11:57** Os sumos sacerdotes e os fariseus haviam dado ordens para que, se alguém soubesse onde ele estava, denunciassem, a fim de o prenderem.

A UNÇÃO EM BELÉM (Mt 26: 6-13; Mc 14:3-9) 12

12:1 Assim, seis dias antes da Páscoa, Jesus veio para Betânia, onde estava Lázaro, a quem Jesus ergueu dentre os mortos. **12:2** Então fizeram, ali, um jantar[1] para ele; Marta servia[2], e Lázaro era um dos que estava reclinado[3] {à mesa} com ele. **12:3** Então Maria, tomando uma litra[4] de unguento[5] de nardo[6] puro, caro[7], ungiu os pés de Jesus e enxugou com os seus cabelos os pés dele. A casa encheu-se do aroma do unguento. **12:4** Judas Iscariotes, um dos seus discípulos, que estava prestes a entregá-lo, diz: **12:5** Por que este unguento não foi vendido por trezentos denários[8] e dado aos pobres? **12:6** {Ele} disse isso, não porque [9]se importasse com os pobres, mas porque era ladrão e, [10]estando com ele a bolsa[11] {de dinheiro}, carregava[12] o que era lançado {nela}. **12:7** Então disse Jesus: Deixai-a, que {ela} guarde isto para o dia do meu sepultamento[13]; **12:8** pois sempre tendes os pobres convosco, mas a mim não tendes sempre.

1. Lit. "refeição principal do dia (geralmente o jantar)", banquete.
2. Lit. "servir à mesa, serviço doméstico (pessoal); suprir, prover; cuidar; auxiliar, apoiar, ajudar".
3. As refeições eram consumidas após as pessoas se reclinarem à mesa para comer.
4. Lit. "litras". Trata-se de uma moeda siciliana, equivalente a uma libra ou asse latina. No NT é utilizada para medidas de peso (325 gramas), tanto sólidos quanto líquidos, donde surgiu a medida "litro".
5. Lit. "unguento aromático, óleo de mirra". Palavra de origem semítica, derivada de "mirra". Trata-se de uma essência aromática extraída de árvores, utilizada especialmente na preparação do corpo para o sepultamento.
6. Lit. "nardo". Espécie de planta aromática, cujos melhores exemplares se encontram na Índia. O óleo de nardo, extraído dessa planta, é utilizado como unguento, quer seja puro, quer seja misturado com outras substâncias.
7. Lit. "caro; precioso". Esse unguento foi estimado em 300 denários, ou seja, o equivalente ao salário pago pelo trabalho de um ano no campo, aproximadamente.
8. Moeda de prata romana correspondente ao salário pago por um dia de trabalho no campo.
9. Lit. "ele se importasse a respeito dos pobres". Trata-se de expressão idiomática.
10. Lit. "tendo a bolsa".
11. Lit. "caixa para guardar partes de instrumentos musicais (línguas, linguetas, palhetas); qualquer tipo de caixa ou receptáculo; bolsa (dinheiro)".
12. Lit. "levar, carregar; tirar, pegar".
13. Lit. "preparativos costumeiros do sepultamento, preparação de um corpo para ser sepultado".

JOÃO 12 — O PLANO PARA MATAR LÁZARO

12:9 Numerosa turba dos judeus soube que estava lá, e foram não somente por causa de Jesus, mas também para verem a Lázaro que se ergueu dentre os mortos. **12:10** Mas os sumos sacerdotes deliberaram matar também a Lázaro, **12:11** porque muitos dentre os judeus estavam partindo e crendo em Jesus.

ENTRADA DO MESSIAS EM JERUSALÉM
(Mt 12: 1-11; Mc 11:1-11; Lc 19:28-40)

12:12 No {dia} seguinte, numerosa turba que viera para a festa, ao ouvir que Jesus vinha para Jerusalém, **12:13** tomou ramos de palmeiras e saiu ao seu encontro, gritando: Hosana[1]! Bendito o que vem em nome do Senhor, o Rei de Israel![2] **12:14** E Jesus, encontrando um jumentinho, sentou-se sobre ele, como está escrito: **12:15** *Não temas, filha de Sião, eis que o teu Rei vem, sentado sobre um filhote de jumenta.* **12:16** Os discípulos, inicialmente, não entenderam essas {coisas} {a respeito} dele, mas quando Jesus foi glorificado, então se lembraram que essas {coisas}, relativas a ele, estavam escritas e que lhe fizeram essas {coisas}. **12:17** Assim, a turba que esteve com ele, quando chamou Lázaro do sepulcro e o ergueu dentre os mortos, estava testemunhando. **12:18** Por causa disso, a turba encontrou-se com ele, porque ouviu que ele havia realizado este sinal. **12:19** Então disseram os fariseus entre si: Vede que nada é proveitoso[3]! Eis que o mundo vai atrás dele.

---

1. Expressão hebraica (Sl 118:25), originalmente com o sentido de "ajuda", "Salva, eu rogo". O Salmo 118 era usado liturgicamente na festa dos Tabernáculos, festa da Dedicação, Páscoa.
2. (Sl 118:25-26).
3. Lit. "ser útil, proveitoso; auxiliar, ajudar".

A GLORIFICAÇÃO DO FILHO DO HOMEM

12:20 Havia alguns gregos, dentre aqueles que subiram para adorarem na festa. **12:21** Eles, então, se dirigiram a Filipe, de Betsaida da Galileia, e lhe rogaram, dizendo: Senhor, queremos ver Jesus. **12:22** Filipe foi dizer a André. André e Filipe foram e disseram a Jesus. **12:23** Respondeu-lhes Jesus, dizendo: É chegada a hora de ser glorificado o filho do homem. **12:24** Amém[1], amém vos digo: Se o grão de trigo, ao cair na terra, não morrer, ele permanece sozinho; porém, se morrer, produz muito fruto. **12:25** Quem ama a sua vida[2] a perde, mas quem odeia a sua vida neste mundo, guarda-a para sempre. **12:26** Se alguém me serve[3], siga-me; e onde eu estiver, lá também estará o meu servidor[4]. Se alguém me servir, o Pai o honrará. **12:27** Agora a minha alma está perturbada[5], e o que direi? Pai, salva-me desta hora? Mas, para isso, vim a esta hora. **12:28** Pai, glorifica o teu nome. Então veio uma voz do céu: Tanto o glorifiquei como novamente o glorificarei. **12:29** A turba, que estava {ali} e que ouvira, dizia "houve um trovão"; outros diziam: um anjo lhe falou. **12:30** Em resposta, disse Jesus: Veio essa voz não por minha causa, mas por vossa causa. **12:31** O julgamento deste mundo é agora; o líder[6] deste mundo [7]será expulso agora. **12:32** E eu, quando for levantado da terra, atrairei[8] todos para mim. **12:33** Dizia isto, indicando[9] o tipo de morte que estava prestes a morrer. **12:34** Então respondeu-lhe a turba: Nós ouvimos da Lei que o Cristo permanece para sempre, e como tu dizes ser necessário o filho do homem ser levantado? Quem é esse filho do homem? **12:35** Disse-lhes Jesus: Por pouco tempo ainda a luz está [10]entre vós. Andai[11] enquanto tendes a luz, para que a treva não vos retenha[12]; quem anda na treva não sabe para onde vai. **12:36** Enquanto tendes a luz, crede na luz, para que vos torneis filhos da luz. Jesus disse essas {coisas} e, partindo, ocultou-se deles. **12:37** Embora tivesse realizado tantos sinais diante deles, não creram nele, **12:38** para que se cumprisse[13] a palavra do profeta Isaías, que disse: *Senhor, quem creu em nosso relato*[14], *e a quem foi revelado o braço do Senhor*[15]? **12:39** Por isso não podiam crer, pelo que Isaías disse novamente: **12:40** *Cegou os olhos deles e endureceu o coração deles, para que não vejam com os olhos, nem compreendam com o coração e se voltem*[16], *e {eu} os cure*[17]. **12:41** Isaías disse essas {coisas} porque viu a glória dele, e falou a respeito dele. **12:42** Entretanto, ainda assim, também muitos, dentre os líderes, creram nele, mas, por causa dos fariseus, não declaravam[18] para que não fossem expulsos da sinagoga. **12:43** Pois amaram mais a glória dos homens do que a glória de Deus. **12:44** Jesus gritou e disse: Quem crê em mim, não crê em mim, mas em quem me enviou. **12:45** E quem me contempla, contempla a quem me enviou. **12:46** Eu vim {como} luz para o mundo, a fim de que todo aquele que crê em mim não permaneça em treva. **12:47** Se alguém ouvir as minhas palavras e não guardá-las, eu não o julgo; pois não vim para julgar o mundo, mas para salvar o mundo. **12:48** Quem me rejeita e não recebe as minhas palavras tem quem o julgue; a palavra que falei, ela o julgará no último dia. **12:49** Porque eu não falei de mim mesmo, mas o Pai que me enviou, ele me deu um mandamento {quanto ao} que digo e ao que falo. **12:50** E sei que o seu mandamento é a vida eterna. Portanto, as {coisas} que eu falo, como o Pai me tem dito, assim {eu} falo.

1. ἀμην (amém), transliteração do vocábulo hebraico אָמֵן. Trata-se de um adjetivo verbal (ser firme, ser confiável). O vocábulo é frequentemente utilizado de forma idiomática (partícula adverbial) para expressar asserção, concordância, confirmação (realmente, verdadeiramente, de fato, certamente, isso mesmo, que assim seja). Ao redigirem o Novo Testamento, os evangelistas mantiveram a palavra no original, fazendo apenas a transliteração para o grego, razão pela qual também optamos por mantê-la intacta, sem tradução.
2. Lit. "alma; vida".
3. Lit. "servir à mesa, serviço doméstico (pessoal); suprir, prover; cuidar, auxiliar, apoiar, ajudar".
4. Lit. "aquele que serve, que presta serviço, que executa tarefas".
5. Lit. "agitar-se, perturbar-se; revoltar-se".
6. Lit. "comandante, chefe, líder, rei", na Atenas democrática, cada um dos nove governantes eleitos anualmente era chamado "arconte".
7. Lit. "será expelido para fora".
8. Lit. "puxar, tirar, extrair; trazer, atrair".
9. Lit. "indicar (por meio de sinal), sinalizar, comunicar; tornar conhecido, especificar".
10. Lit. "em vós; convosco; entre vós". As três traduções são possíveis.
11. Lit. "andar ao redor; vagar, perambular; circular, passear; viver (seguir um gênero de vida)".
12. Lit. "tomar posse, segurar; obter, conseguir; encontrar subitamente, surpreender; depreender, apanhar (mentalmente), detectar no ato; compreender, apreender (sentido metafórico)".
13. Lit. "encher, tornar cheio; completar; realizar, cumprir". Visto que a exegese rabínica evita uma abordagem puramente abstrata das escrituras, era comum perguntar-se: "Quem cumpriu esse trecho da escritura"? Essa indagação levava os intérpretes a citar personagens, sobretudo os patriarcas, com o objetivo de demonstrar o cumprimento da escritura em suas vidas, e a escritura sendo cumprida (vivenciada) por suas vidas.

14. Lit. "ato de ouvir, audição; coisa ouvida; relato; reputação, fama".
15. (Is 53:1).
16. Lit. "voltar-se", mudar-se interiormente, converter-se. Essa palavra faz uma alusão ao "teshuva" hebraico.
17. (Is 6:9).
18. Lit. "homologar, concordar, assentir; reconhecer, confessar; declarar-se.

13 JESUS LAVA OS PÉS DOS DISCÍPULOS

13:1 Antes da festa da Páscoa, sabendo Jesus que chegara a sua hora de partir[1] deste mundo para o Pai, tendo amado os seus {próprios}, que {estavam} no mundo, amou-os até o fim[2]. **13:2** Enquanto ocorria a ceia[3], já tendo o diabo[4] lançado no coração de Judas Iscariotes, {filho} de Simão, para que o entregasse, **13:3** sabendo que o Pai lhe deu todas {as coisas} nas mãos; e que ele viera de Deus e partia para Deus, **13:4** levanta-se da ceia, depõe aveste[5] e, tomando um pano {de linho}[6], cingiu-se. **13:5** Então, jogando água na bacia, começou a lavar os pés dos discípulos e enxugá-los com o pano com o qual estava cingido. **13:6** Vindo, pois, até Simão Pedro, {esse} lhe diz: Senhor, tu lavas os meus pés? **13:7** Em resposta, Jesus lhe disse: O que eu te faço agora não sabes, mas depois saberás estas {coisas}. **13:8** Pedro lhe diz: [7]Jamais lavarás os meus pés, por todo sempre. Respondeu-lhe Jesus: Se {eu} não te lavar, não tens parte[8] comigo. **13:9** Simão Pedro lhe diz: Senhor, não somente meus pés, mas também as mãos e a cabeça. **13:10** Jesus lhe diz: Quem foi banhado, não tem necessidade de lavar senão os pés, já que está inteiramente limpo[9], e vós estais limpos, mas não todos. **13:11** Pois sabia quem o entregaria. Por isso disse: Nem todos estais limpos. **13:12** Assim, depois que lavou os pés deles, tomou a sua veste, e novamente se recostou[10]. Disse-lhes: Sabeis o que vos fiz? **13:13** Vós me chamais "o Mestre" e "o Senhor", e dizeis bem, pois {eu} sou. **13:14** Portanto, se eu, {sendo} o Mestre e o Senhor, lavei os vossos pés, também vós deveis[11] lavar os pés uns dos outros. **13:15** Pois {eu} vos dei o exemplo para que, assim como eu fiz, façais vós também. **13:16** Amém[12], amém vos digo: O servo não é maior do que seu senhor, nem o enviado[13] maior do que aquele que o enviou. **13:17** Se sabeis essas {coisas}, bem-aventurados sois se as fizerdes. **13:18** Não digo {isso} a respeito de todos vós, pois eu sei quais escolhi, mas para que se cumpra[14] a Escritura: *Aquele que come o meu pão levantou contra mim seu calcanhar*[15]. **13:19** Desde agora vos digo, antes de acontecer, para que, quando acontecer, creiais que eu sou. **13:20** Amém[16], amém vos digo: Quem recebe aquele que eu enviei recebe a mim; e quem recebe a mim, recebe aquele que me enviou.

1. Lit. "passar de um lugar para outro; mudar, ir embora, partir".
2. Lit. "término, cessação, conclusão; fim, alvo, resultado".

3. Lit. "refeição principal do dia (geralmente o jantar)", banquete.
4. Aquele que desune (inspirando ódio, inveja, orgulho); caluniador, maledicente. Vocábulo derivado do verbo "diaballo" (separar, desunir; atacar, acusar; caluniar; enganar), do qual deriva também o substantivo "diabolé" (desavença, inimizade; aversão, repugnância; acusação; calúnia).
5. Veste externa, manto, peça de vestuário utilizada sobre a peça interna. Pode ser utilizada como sinônimo do vestuário completo de uma pessoa.
6. Lit. "linteum (do latim)", tecido grosseiro (normalmente de linho) com o qual os servos de uma casa se cingiam, toalha, avental.
7. Lit. "não mais (nunca mais) para sempre".
8. Lit. "parte, porção, divisão (parte de um todo); partilha, sorte (parte que cabe a alguém por sorteio ou divisão)".
9. Lit. "limpo, purificado", do verbo "limpar, lavar, purificar".
10. Lit. "cair para trás, recostar-se; posicionar-se para comer, reclinar-se à mesa".
11. Lit. "estar obrigado a, estar endividado (dever); ser devido (dívida), ser obrigatório". Fórmula para um juramento obrigatório "deve (está obrigado a cumprir)". Uma expressão idiomática utilizada nos juramentos em que a pessoa se obrigava legalmente a cumpri-los.
12. ἀμην (amém), transliteração do vocábulo hebraico אָמֵן. Trata-se de um adjetivo verbal (ser firme, ser confiável). O vocábulo é frequentemente utilizado de forma idiomática (partícula adverbial) para expressar asserção, concordância, confirmação (realmente, verdadeiramente, de fato, certamente, isso mesmo, que assim seja). Ao redigirem o Novo Testamento, os evangelistas mantiveram a palavra no original, fazendo apenas a transliteração para o grego, razão pela qual também optamos por mantê-la intacta, sem tradução.
13. Lit. "apóstolo", enviado.
14. Lit. "encher, tornar cheio; completar; realizar, cumprir". Visto que a exegese rabínica evita uma abordagem puramente abstrata das escrituras, era comum perguntar-se: "Quem cumpriu esse trecho da escritura". Essa indagação levava os intérpretes a citar personagens, sobretudo os patriarcas, com o objetivo de demonstrar o cumprimento da escritura em suas vidas, e a escritura sendo cumprida (vivenciada) por suas vidas.
15. (Sl 41:10).
16. Vide nota 12.

A ÚLTIMA CEIA PASCAL (Mt 26:20-29; Mc 14:17-25; Lc 22:14-23)

13:21 Ao dizer essas {coisas}, Jesus agitou-se[1] em espírito, testemunhou e disse: Amém[2], amém vos digo que um dentre vós me entregará. **13:22** Os discípulos olhavam uns aos outros, estando em dúvida a respeito de quem {ele} estava falando. **13:23** Estava reclinado[3] {à mesa}, [4]no seio de Jesus, um dos seus discípulos, aquele a quem Jesus amava. **13:24** Simão Pedro, então, acena[5] para ele para perguntar quem seria aquele a respeito de quem {ele} está falando. **13:25** Desse modo, recostando-se[6] sobre o peito de Jesus, diz a ele: Senhor, quem é? **13:26** Responde Jesus: É aquele a quem eu [7]mergulhar o pedaço {de pão} e lhe der. Assim, tendo mergulhado o pedaço {de pão}, deu a Judas Iscariotes, {filho} de Simão. **13:27** Então, depois de {mergulhar} o pedaço {de pão}, entrou nele {Judas} Satanás[8]. Assim lhe diz Jesus: O que fazes, faze-o depressa. **13:28** Nenhum dos que estavam reclinados {à mesa} entendeu por que disse isto para ele. **13:29** Pois, visto que Judas [9]estava com a bolsa[10] {de dinheiro}, supunham alguns que Jesus lhe tivesse dito: "Compra aquilo de que temos necessidade para a festa", ou que desse algo aos pobres. **13:30** Assim, ao receber o pedaço {de pão}, ele saiu logo. Era noite.

1. Lit. "irritar-se, enfurecer-se; falar em tom severo, censurar; comover-se, agitar-se, perturbar-se (de emoção)".
2. ἀμην (amém), transliteração do vocábulo hebraico אָמֵן. Trata-se de um adjetivo verbal (ser firme, ser confiável). O vocábulo é frequentemente utilizado de forma idiomática (partícula adverbial) para expressar asserção, concordância, confirmação (realmente, verdadeiramente, de fato, certamente, isso mesmo, que assim seja). Ao redigirem o Novo Testamento, os evangelistas mantiveram a palavra no original, fazendo apenas a transliteração para o grego, razão pela qual também optamos por mantê-la intacta, sem tradução.
3. As refeições eram consumidas após as pessoas se reclinarem à mesa para comer.
4. Expressão idiomática de difícil interpretação. Possivelmente uma referência ao local especial do seu assento, junto à Jesus, naquele dia.
5. Lit. "acenar (com a cabeça)".
6. Lit. "cair para trás, recostar-se; posicionar-se para comer, reclinar-se à mesa".
7. No Oriente Médio, era costume colocar-se uma tigela de molho, feito de frutas cozidas, sobre a mesa, para que os convivas mergulhassem o pão. Nessa cultura, compartilhar a refeição em uma mesa é um sinal de profunda amizade, de confiança plena. Nesse caso, jamais se espera que o companheiro de refeição venha a prejudicá-lo, tendo em vista a enorme intimidade que este ato implica. Transportando a imagem para a cultura ocidental, seria o equivalente a ser traído por alguém que frequenta sua casa, ou desfruta de sua intimidade.
8. Lit. "adversário". Palavra de origem semítica.
9. Lit. "tendo a bolsa".
10. Lit. "caixa para guardar partes de instrumentos musicais (línguas, linguetas, palhetas); qualquer tipo de caixa ou receptáculo; bolsa (dinheiro)".

O NOVO MANDAMENTO

13:31 Desse modo, quando {ele} saiu, diz Jesus: Agora foi glorificado o filho do homem, e Deus foi glorificado [1]nele. **13:32** [2]{Se Deus foi glorificado nele}, Deus também glorificará a si mesmo nele, e o glorificará imediatamente. **13:33** Filhinhos, ainda por um pouco estou convosco; buscareis a mim e, como disse aos judeus, também vos digo agora que: {Para} onde eu vou, vós não podeis ir. **13:34** Um novo mandamento vos dou: "que vos ameis uns aos outros"; assim como vos amei, que também vos ameis uns aos outros. **13:35** Nisto todos conhecerão que sois meus discípulos, se tiverdes amor uns aos outros.

1. Lit. "em ele (nele); com ele". As duas traduções são possíveis.
2. A Crítica Textual contemporânea tem dúvidas quanto à autenticidade deste trecho entre colchetes, tendo em vista sua ausência dos manuscritos mais antigos. Alguns explicam essa ausência com base em erro de copistas que teriam pulado a frase passando para a seguinte, cujo início é idêntico.

A PREDIÇÃO DA NEGAÇÃO DE PEDRO
(Mt 26:30-35; Mc 14:26-31; Lc 22:31-34)

13:36 Simão Pedro lhe diz: Senhor, {para} onde vais? Respondeu Jesus: {Para} onde vou não podes me seguir agora, mas depois {me} seguirás. **13:37** Pedro lhe diz: Senhor, por que não posso seguir-te agora? Entregarei a minha vida[1] por ti. **13:38** Responde Jesus: Entregarás a tua vida por mim? Amém[2], amém te digo: Não cantará o galo até que me negues três vezes.

1. Lit. "alma; vida".
2. ἀμην (amém), transliteração do vocábulo hebraico אָמֵן. Trata-se de um adjetivo verbal (ser firme, ser confiável). O vocábulo é frequentemente utilizado de forma idiomática (partícula adverbial) para expressar asserção, concordância, confirmação (realmente, verdadeiramente, de fato, certamente, isso mesmo, que assim seja). Ao redigirem o Novo Testamento, os evangelistas mantiveram a palavra no original, fazendo apenas a transliteração para o grego, razão pela qual também optamos por mantê-la intacta, sem tradução.

14 JESUS É O CAMINHO, E A VERDADE E A VIDA

14:1 Não se perturbe[1] o vosso coração. Credes em Deus, crede também em mim. **14:2** Na casa de meu Pai há muitas moradas. Se {não fosse assim} não teria dito que vou preparar um lugar para vós. **14:3** E se eu for e preparar um lugar para vós, venho novamente, e vos tomarei para mim mesmo, a fim de que onde eu estiver, vós estejais também. **14:4** Sabeis o caminho aonde {eu} vou. **14:5** Tomé lhe diz: Senhor, não sabemos aonde vais, como podemos saber o caminho? **14:6** Jesus lhe diz: Eu sou o Caminho, e a Verdade, e a Vida. Ninguém vem[2] ao Pai senão por mim. **14:7** Se me conheceis, conhecereis também ao meu Pai. Desde agora o conheceis e o contemplais. **14:8** Filipe lhe diz: Senhor, mostra-nos o Pai, {isso} nos é suficiente. **14:9** Jesus lhe diz: Filipe, por tanto tempo estou convosco, e não me conheceis? Quem me vê, vê o Pai. Como dizes tu "mostra-nos o Pai"? **14:10** Não crês que eu {estou} no Pai e o Pai está em mim? As palavras que eu vos digo, não falo de mim mesmo, mas o Pai, que permanece em mim, realiza as suas obras. **14:11** Crede em mim porque eu {estou} no Pai, e o Pai {está} em mim. Crede, ao menos, por causa das mesmas obras. **14:12** Amém[3], amém vos digo: Aquele que crê em mim, as obras que eu faço, ele também fará, e fará maiores do que estas, porque eu vou para o Pai. **14:13** E o que pedirdes em meu nome, isso farei, a fim de que o Pai seja glorificado no filho. **14:14** Se me pedirdes algo, em meu nome, eu farei. **14:15** Se me amardes, observareis[4] os meus mandamentos. **14:16** E eu rogarei ao Pai, e {ele} vos dará outro Paracleto[5], a fim de que esteja convosco para sempre. **14:17** O espírito da Verdade, que o mundo não pode receber, porque não o contemplou nem o conhece; vós o conheceis porque permanece junto de vós e estará [6]entre vós. **14:18** Não vos deixarei órfãos, venho para vós. **14:19** Ainda um pouco, e o mundo não mais me contempla; vós me contemplais, porque eu vivo e vós vivereis. **14:20** Naquele dia, vós sabereis que eu {estou} em meu Pai, vós {estais} em mim, e eu em vós. **14:21** Quem possui os meus mandamentos e os observa[7], esse é quem me ama. Quem me ama, será amado por meu Pai, e eu o amarei e me manifestarei a ele. **14:22** Judas – não o Iscariotes – lhe diz: Senhor, o que sucede para que estejas prestes a te manifestar a nós, e não ao mundo? **14:23** Em resposta, disse-lhe Jesus: Se alguém me ama, observará[8] a minha palavra; o meu Pai o amará, e viremos até ele e faremos morada junto a ele. **14:24** Quem não me ama não observa as minhas palavras; a palavra que ouvis não é minha, mas do Pai, que me enviou. **14:25** Tenho vos falado essas {coisas}, enquanto permaneço junto a vós, **14:26** mas o Paracleto⁹, o Espírito Santo que o Pai enviará em meu nome, esse vos ensinará todas {as coisas} e vos lembrará todas {as coisas} que vos disse. **14:27** Deixo-vos a paz, a minha paz vos dou. Eu não vos dou como o mundo {a} dá. Não se perturbe¹⁰ o vosso coração, nem se atemorize. **14:28** Ouvistes o que eu vos disse. Vou e venho para vós. Se me amásseis, vos teríeis alegrado por eu ir para Pai, porque o Pai é maior do que eu. **14:29** E {eu} vos disse agora, antes que aconteça, para que, quando acontecer, creiais. **14:30** Não mais falarei muitas {coisas} convosco, pois está vindo o líder¹¹ do mundo, e {ele} não possui nada em mim. **14:31** Mas, para que o mundo saiba que amo o Pai e que faço assim como o Pai me ordenou: Levantai-vos! Saiamos daqui.

1. Lit. "irritar-se, enfurecer-se; falar em tom severo, censurar; comover-se, agitar-se, perturbar-se (de emoção)".
2. O verbo grego "erkhomai (dirigir-se)" significa primordialmente a ação de deslocar-se, seja indo, seja voltando, motivo pelo qual é frequentemente traduzido pelos verbos ir/vir (português). É a preposição (que acompanha o verbo) e o contexto que indicam a melhor tradução em cada caso. Nessa passagem, Jesus disse anteriormente que iria a um lugar. É natural concluir que ele já estivesse lá, quando os discípulos se dispusessem a fazer o mesmo percurso. Sendo assim, "ninguém vem ao Pai" nos parece a melhor tradução nesta passagem.
3. ἀμην (amém), transliteração do vocábulo hebraico אָמֵן. Trata-se de um adjetivo verbal (ser firme, ser confiável). O vocábulo é frequentemente utilizado de forma idiomática (partícula adverbial) para expressar asserção, concordância, confirmação (realmente, verdadeiramente, de fato, certamente, isso mesmo, que assim seja). Ao redigirem o Novo Testamento, os evangelistas mantiveram a palavra no original, fazendo apenas a transliteração para o grego, razão pela qual também optamos por mantê-la intacta, sem tradução.
4. Lit. "velar, guardar; espiar; praticar, observar; conservar".
5. Lit. "parákletos", alguém chamado ou enviado para prestar auxílio, consolar, confortar; defensor do réu (advogado); intercessor; alguém que exorta, instrui.
6. Lit. "em vós; convosco; entre vós". As três traduções são possíveis.
7. Vide nota 4.
8. Vide nota 4.
9. Vide nota 5.
10. Vide nota 1.
11. Lit. "comandante, chefe, líder, rei", na Atenas democrática, cada um dos nove governantes eleitos anualmente era chamado "aronte".

15 JESUS, A VIDEIRA VERDADEIRA

15:1 Eu sou a videira verdadeira, e meu Pai é o agricultor. **15:2** Todo ramo[1] em mim que não produz fruto, {ele} o tira; e todo aquele que produz fruto, {ele} o limpa[2], para que produza mais fruto. **15:3** Vós já estais limpos pela palavra que vos tenho falado. **15:4** Permanecei em mim, e eu {permanecerei} em vós. Assim como o ramo não pode produzir fruto de si mesmo, se não permanece na videira, assim {também} nenhum de vós, se não permanecerdes em mim. **15:5** Eu sou a videira, vós os ramos. Quem permanece em mim, e eu nele, esse produz muito fruto, porque sem mim não pode produzir nada. **15:6** Se alguém não permanece em mim, é lançado fora como o ramo: seca, recolhem-no, lançam-no no fogo e {ele} queima. **15:7** Se permanecerdes em mim e as minhas palavras permanecerem em vós, pedireis o que quiserdes, e vos acontecerá. **15:8** Nisto foi glorificado meu Pai, para que estejais produzindo muito fruto e vos torneis meus discípulos. **15:9** Assim como o Pai me amou, eu também vos amei. Permanecei no meu amor. **15:10** Se observardes[3] os meus mandamentos, permanecereis no meu amor, assim como eu tenho observado os mandamentos do meu Pai e permaneço no seu amor. **15:11** Tenho-vos falado essas {coisas} para que a minha alegria esteja em vós, e a vossa alegria se cumpra[4]. **15:12** Este é o meu mandamento: Que ameis uns aos outros como {eu} vos amei. **15:13** Ninguém tem maior amor do que este: ter alguém entregado sua vida[5] por amor. **15:14** Vós sois meus amigos, se fazeis o que eu vos ordeno. **15:15** Não mais vos chamo de servos, porque o servo não sabe o que faz o seu senhor. {Eu} vos tenho chamado de amigos, porque todas {as coisas} que ouvi junto do meu Pai vos dei a conhecer. **15:16** Vós não me escolhestes, mas eu vos escolhi; e vos constituí[6] para que partais e produzais fruto, e o vosso fruto permaneça; a fim de que aquilo que pedirdes ao Pai, em meu nome, {ele} vos dê. **15:17** Essas {coisas} ordeno a vós: que vos ameis uns aos outros.

1. Lit. "ramo, broto, galho, vara (da videira)".
2. Lit. "limpar, purificar (sentido físico, espiritual, moral e religioso); podar, cortar os ramos (árvores)". O Evangelista explora a riqueza semântica do vocábulo para alcançar certo grau de ambiguidade: os ramos são limpos (física, moral, espiritual) e/ou podados com o objetivo de produzirem ainda mais frutos.
3. Lit. "velar, guardar; espiar; praticar, observar; conservar".
4. Lit. "encher, tornar cheio; completar; realizar, cumprir". Visto que a exegese rabínica evita uma

abordagem puramente abstrata das escrituras, era comum perguntar-se: "Quem cumpriu esse trecho da escritura"? Essa indagação levava os intérpretes a citar personagens, sobretudo os patriarcas, com o objetivo de demonstrar o cumprimento da escritura em suas vidas, e a escritura sendo cumprida (vivenciada) por suas vidas.

5. Lit. "alma; vida".
6. Lit. "colocar, por, deitar, depositar; designar, estabelecer, constituir.

OS DISCÍPULOS E O MUNDO

15:18 Se o mundo vos odeia, sabei que odiou a mim antes[1] do que vós. **15:19** Se fôsseis do mundo, o mundo amaria o que lhe é próprio; mas, porque não sois do mundo – ao contrário, eu vos escolhi do mundo –o mundo, por causa disso, vos odeia. **15:20** Lembrai-vos da palavra que eu vos disse: O servo não é maior do que seu senhor. Se me perseguiram, também perseguirão a vós; se {eles} observarem[2] a minha palavra, também observarão a vossa. **15:21** Mas {eles} vos farão todas essas {coisas} por causa do meu nome, porque não sabem quem me enviou. **15:22** Se {eu} não tivesse vindo, nem tivesse vos falado, {eles} não teriam pecado. Agora, porém, {eles} não têm desculpa[3] quanto ao pecado deles. **15:23** Quem me odeia, também odeia meu Pai. **15:24** Se {eu} não tivesse realizado as obras entre eles – as quais nenhum outro realizou – não teriam pecado. Agora, porém, tanto contemplaram quanto odiaram a mim e a meu Pai. **15:25** Mas é para que se cumpra[4] o que está escrito na Lei deles: *Odiaram-me gratuitamente*[5]. **15:26** Quando vier o Paracleto[6], que eu vos enviarei da parte do Pai, o espírito da Verdade, que procede do Pai, esse testemunhará a meu respeito. **15:27** Testemunhai também vós, porque estais comigo desde o princípio.

1. Lit. "primeiro".
2. Lit. "velar, guardar; espiar; praticar, observar; conservar".
3. Lit. "pretexto, desculpa, escusa, falso motivo".
4. Lit. "encher, tornar cheio; completar; realizar, cumprir". Visto que a exegese rabínica evita uma abordagem puramente abstrata das escrituras, era comum perguntar-se: "Quem cumpriu esse trecho da escritura"? Essa indagação levava os intérpretes a citar personagens, sobretudo os patriarcas, com o objetivo de demonstrar o cumprimento da escritura em suas vidas, e a escritura sendo cumprida (vivenciada) por suas vidas.
5. (Sl 69:40).
6. Lit. "parákletos", alguém chamado ou enviado para prestar auxílio, consolar, confortar; defensor do réu (advogado); intercessor; alguém que exorta, instrui.

16

OS DISCÍPULOS E O MUNDO (Continuação)

16:1 Tenho vos dito essas {coisas} para que não vos escandalizeis[1]. **16:2** {Eles} [2]vos expulsarão da sinagoga, mas vem a hora em que todo aquele que vos tenha matado suponha estar oferecendo[3] serviço[4] a Deus. **16:3** E farão essas {coisas} porque não conhecem o Pai nem a mim. **16:4** Mas vos tenho falado essas {coisas} a fim de que, quando vier a hora delas, vos lembreis de que eu vos disse {a respeito} delas. Não vos disse essas {coisas} desde o princípio, porque {eu} estava convosco.

1. Lit. "fazer tropeçar; fazer vacilar ou errar; ser ofendido; estar chocado". O Substantivo "skandalon" significa armadilha de molas ou qualquer obstáculo que faça alguém tropeçar; um impedimento; algo que cause estrago, destruição, miséria.
2. Lit. "farão de vós expulsos da sinagoga".
3. Lit. "levar perante, levar para, oferecer, apresentar".
4. Lit. "serviço (religioso, especialmente aqueles ligado ao culto no templo de Jerusalém); adoração, culto. Possível referência às oferendas de animais para serem sacrificados.

O PARACLETO[1]

16:5 Agora, porém, vou para aquele que me enviou, e nenhum de vós me interroga: Aonde vais? **16:6** Todavia, porque vos falei essas {coisas}, a tristeza encheu[2] o vosso coração. **16:7** Mas eu vos digo a verdade: [3]É melhor para vós que eu vá. Pois, se eu não partir, o paracleto não vem para vós; se, porém, eu for, o enviarei para vós. **16:8** Quando ele vier, vai arguir[4] o mundo a respeito do pecado, a respeito da justiça e a respeito do juízo. **16:9** A respeito do pecado porque não creem em mim. **16:10** A respeito da justiça porque estou indo para o Pai, e não mais me contemplareis. **16:11** A respeito do juízo porque o líder[5] deste mundo está julgado. **16:12** Ainda tenho muitas {coisas} para vos dizer, mas não podeis carregar[6] agora. **16:13** Quando, porém, aquele vier – o Espírito de Verdade – vos guiará em toda a Verdade, pois não falará de si mesmo, mas falará o quanto ele ouvir, e vos anunciará[7] [8]o que há de vir. **16:14** Ele me glorificará porque receberá do que {é} meu, e vos anunciará. **16:15** Tudo quanto o Pai possui é meu; por isso {eu} disse que {ele} está recebendo do que {é} meu e vos anunciará. **16:16** Um pouco, e não mais me contemplais; novamente um pouco e me vereis. **16:17** Então disseram os seus discípulos uns aos outros: Que é isto que {ele} nos diz: "Um pouco, e não me contemplais; novamente um pouco e me vereis" e "vou para o Pai"? **16:18** Então, diziam: Que é isto "um pouco"? Não sabemos o que fala. **16:19** Jesus percebeu que queriam interrogá-lo, e lhes disse: A respeito disso, buscais[9] entre vós, porque {eu} disse "um pouco, e não me contemplais; novamente um pouco e me vereis"? **16:20** Amém[10], amém vos digo que vós chorareis e [11]entoareis lamentações; o mundo se alegrará, vós estareis entristecidos, mas a vossa tristeza se tornará alegria. **16:21** A mulher, quando {esta prestes a} dar à luz, tem tristeza porque sua hora chegou; quando, porém, a criancinha é gerada não mais se lembra da provação[12], por causa da alegria, uma vez que foi gerado um ser humano para o mundo. **16:22** Assim, vós também, agora, tendes tristeza, mas vos verei novamente e o vosso coração se alegrará; e a vossa alegria ninguém tira de vós. **16:23** Naquele dia, nada me perguntareis. Amém[13], amém vos digo: O que pedirdes ao Pai em meu nome, {ele} vos dará. **16:24** Até agora, não pedistes nada em meu nome. Pedi e recebereis a fim de que a vossa alegria esteja completa[14]. **16:25** {Eu} vos falei essas {coisas} por parábolas[15]; vem a hora em que não mais vos falarei por parábolas, mas vos relatarei abertamente a respeito do Pai. **16:26** Naquele dia pedireis em meu nome; e não vos digo que eu rogarei ao Pai por vós, **16:27** pois o próprio Pai vos ama, porque me amastes e crestes que eu sai [16]de Deus. **16:28** {Eu} sai [17]do Pai e vim para o mundo; agora, deixo o mundo e vou para o Pai. **16:29** Dizem os seus discípulos: Eis que agora falas abertamente, e falas sem nenhuma parábola. **16:30** Agora entendemos que sabes todas {as coisas}, e não tens necessidade de que alguém te interrogue. Por isso, cremos que saíste de Deus. **16:31** Respondeu-lhes Jesus: Credes agora? **16:32** Eis que vem a hora, e chegou, para que sejais espalhados cada um para as próprias {coisas}, e me deixeis sozinho; mas não estou sozinho, porque o Pai está comigo. **16:33** Tenho vos falado essas {coisas} para que tenhais paz em mim. No mundo tereis provações[18]; mas animai-vos[19], eu venci[20] o mundo.

1. Lit. "parákletos", alguém chamado ou enviado para prestar auxílio, consolar, confortar; defensor do réu (advogado); intercessor; alguém que exorta, instrui.

JOÃO 16

2. Lit. "encher, tornar cheio; completar; realizar, cumprir".
3. Lit. "é preferível, é melhor; é útil, proveitoso".
4. Lit. "pôr à prova, testar, arguir; culpar, condenar; reprovar, repreender; disciplinar, castigar".
5. Lit. "comandante, chefe, líder, rei". Na Atenas democrática, cada um dos nove governantes eleitos anualmente era chamado "arconte".
6. Lit. "carregar, transportar, levar; sustentar; levantar, suspender (geralmente com o intuito de transportar)".
7. Lit. "trazer de volta (um relato, palavra), anunciar de novo; anunciar, relatar, declarar, expor, apresentar, ensinar (sentido religioso)".
8. Lit. "as {coisas} que vem".
9. O verbo "buscar", nesse trecho, está sendo utilizado no sentido do verbo hebraico "darash (interpretar, buscar o sentido), que caracteriza a singular e extraordinária maneira de lidar o povo hebreu com as Escrituras.
10. ἀμην (amém), transliteração do vocábulo hebraico אָמֵן. Trata-se de um adjetivo verbal (ser firme, ser confiável). O vocábulo é frequentemente utilizado de forma idiomática (partícula adverbial) para expressar asserção, concordância, confirmação (realmente, verdadeiramente, de fato, certamente, isso mesmo, que assim seja). Ao redigirem o Novo Testamento, os evangelistas mantiveram a palavra no original, fazendo apenas a transliteração para o grego, razão pela qual também optamos por mantê-la intacta, sem tradução.
11. Lit. "entoar canções típicas de um funeral, cantar canções fúnebres (lamentar)".
12. Lit. "pressão, compressão (sentido estrito); aflição, tribulação, provação (sentido metafórico)".
13. Vide nota 10.
14. Vide nota 2.
15. Lit. "comparação, provérbio, parábola (Novo Testamento)".
16. Lit. "de junto do".
17. Vide nota 18.
18. Lit. "pressão, compressão (sentido estrito); aflição, tribulação, provação (sentido metafórico)".
19. Lit. "Ânimo! Coragem!". Verbo utilizado apenas no imperativo, com o sentido de ter coragem, bom ânimo, confiança, esperança.
20. Lit. "vencer, conquistar; dominar, subjugar, submeter; prevalecer". O termo é comumente utilizado em sua acepção técnica militar, fazendo referência ao ataque bem sucedido no qual o inimigo é completamente subjugado, vencido, dominado.

A ORAÇÃO DE JESUS 17

17:1 Jesus falou estas {coisas} e, levantando os olhos para o céu, disse: Pai, chegou a hora. Glorifica o teu filho para que o filho te glorifique, **17:2** uma vez que lhe deste autoridade sobre [1]toda a carne, para que dê a vida eterna a todos os que lhe deste. **17:3** E a vida eterna é esta: Conheçam a ti, o único Deus verdadeiro, e ao Cristo Jesus, que enviaste. **17:4** Eu te glorifiquei sobre a terra, consumando[2] a obra que me deste para fazer. **17:5** Agora, glorifica-me tu, Pai, junto de ti mesmo, com a glória que eu tinha junto de ti, antes de o mundo existir. **17:6** Manifestei o teu nome aos homens do mundo, os quais me deste. Eram teus e os deste a mim; e {eles} têm observado[3] a tua palavra. **17:7** Agora {eles} sabem que todas as {coisas} que me deste [4]vêm de ti, **17:8** [5]porque dei a eles as palavras que me deste, e eles as receberam; sabem que verdadeiramente saí de ti e creram que tu me enviaste. **17:9** Eu rogo por eles, não rogo pelo mundo, mas por aqueles que me deste, porque são teus. **17:10** Todas as minhas {coisas} são tuas e as tuas {coisas} são minhas; e estou glorificado nelas. **17:11** Não estou mais no mundo, mas eles estão no mundo, e eu estou indo para ti. Pai Santo, guarda-os[6] em teu nome, o qual me deste, para que sejam um[7] como nós {somos}. **17:12** Quando {eu} estava com eles, eu os guardei em teu nome, o qual me deste; guardei-os e nenhum deles se perdeu[8], a não ser o [9]filho da perdição[10] para que se cumprisse[11] a Escritura. **17:13** Mas, agora, estou indo para junto de ti, e falo essas {coisas} no mundo, a fim de que tenham a minha alegria cumprida[12] neles. **17:14** Eu lhes tenho dado a tua palavra, mas o mundo os odiou porque não são do mundo, como eu também não sou do mundo. **17:15** Não rogo que os tires do mundo, mas que os guardes[13] do mal[14]. **17:16** {Eles} não são do mundo, como eu também não sou do mundo. **17:17** Santifica-os na Verdade. A tua palavra é Verdade. **17:18** Assim como me enviaste ao mundo, eu também os enviei ao mundo. **17:19** {Eu} santifico a mim mesmo por eles, a fim de que eles também sejam santificados na Verdade. **17:20** Não rogo somente por eles, mas também pelos que creem em mim, através da palavra deles, **17:21** para que todos sejam um. E assim como tu, Pai, {estás} em mim, e eu em ti, que também eles estejam em nós, a fim de que o mundo creia que tu me enviaste. **17:22** A glória que deste

JOÃO 17

a mim, eu também dei a eles, para que sejam um, como {nós} somos um. **17:23** Eu {estou} neles e tu {estás} em mim, a fim de que sejam aperfeiçoados[15] na unidade[16], para que o mundo conheça que tu me enviaste e os amaste, como amaste a mim. **17:24** Pai, quero que onde eu estou, lá estejam comigo os que me deste, para que contemplem a minha glória, a que me deste, porque me amaste antes da fundação do mundo. **17:25** Pai Justo, o mundo não te conheceu; eu, porém, te conheci, e eles entenderam que tu me enviaste. **17:26** {Eu} os fiz conhecer teu nome e o farei conhecer, para que o amor com que me amaste esteja neles, e eu {esteja} neles.

1. Expressão idiomática semítica largamente utilizada na Bíblia Hebraica com o sentido de "todo ser humano", "todo ser de carne".
2. Lit. "levar a termo, terminar, completar (concluir, levar à perfeição); executar, cumprir, realizar".
3. Lit. "velar, guardar; espiar; praticar, observar; conservar".
4. Lit. "são de junto de ti".
5. Nesta passagem, o Evangelista utiliza expressão técnica da tradição rabínica "dar/receber" ou "transmitir/receber", que remete à relação Mestre/Discípulo, e evoca toda a cadeia de transmissão da tradição oral.
6. Vide nota 3.
7. "um" (número ordinal).
8. Lit. "estar perdido; perecer, morrer; estar arruinado". O termo gera uma ambiguidade proposital entre os dois significados "perdido" e "morto".
9. Expressão idiomática semítica muito utilizada na Bíblia Hebraica. A palavra "filho" é usada com o sentido de "o que é derivado de", "o fruto de", "o que provém de".
10. Substantivo derivado do verbo mencionado na nota 8.
11. Lit. "encher, tornar cheio; completar; realizar, cumprir". Visto que a exegese rabínica evita uma abordagem puramente abstrata das escrituras, era comum perguntar-se: "Quem cumpriu esse trecho da escritura"? Essa indagação levava os intérpretes a citar personagens, sobretudo os patriarcas, com o objetivo de demonstrar o cumprimento da escritura em suas vidas, e a escritura sendo cumprida (vivenciada) por suas vidas.
12. Vide nota 11.
13. Vide nota 3.
14. Lit. "mal; mau, malvado, malevolente; maligno, malfeitor, perverso; criminoso, ímpio". No grego clássico, a expressão significava "sobrecarregado", "cheio de sofrimento", "desafortunado", "miserável", "indigno", como também "mau", "causador de infortúnio", "perigoso". No Novo Testamento refere-se tanto ao "mal" quanto ao "malvado", "mau", "maligno", sendo que em alguns casos substitui a palavra hebraica "satanás" (adversário).
15. Vide nota 2.
16. Lit. "no um (número ordinal)".

A PRISÃO DE JESUS (Mt 26:47-56; Mc 14:43-52; Lc 22:47-53)

18:1 Ao dizer essas {coisas}, Jesus saiu com os seus discípulos para o outro lado do ribeiro[1] do Cedrom, onde havia um horto[2], no qual ele entrou com seus discípulos. **18:2** E Judas, que o entregou, também conhecia o lugar, porque muitas vezes reuniu-se Jesus ali com os seus discípulos. **18:3** Judas, então, depois de receber a coorte[3] e os guardas[4] dos sumos sacerdotes e fariseus, chega ali com tochas, lâmpadas[5] e armas[6]. **18:4** Jesus, então, sabendo todas as {coisas} que estavam para lhe sobrevir, sai e diz a eles: A quem buscais? **18:5** Responderam-lhe: Jesus, o Nazareno. Diz-lhes: Sou eu. E Judas, que o entregava, estava com eles. **18:6** Assim, quando lhes disse: "Sou eu", recuaram[7] e caíram por terra. **18:7** Então, novamente, {ele} lhes interrogou: A quem buscais? Eles disseram: Jesus, o Nazareno. **18:8** Respondeu Jesus: {Já} vos disse que sou eu. Portanto, se buscais a mim, deixai-os partir, **18:9** para que se cumpra[8] a palavra que {eu} disse: "Não perdi nenhum dos que me deste". **18:10** Então Simão Pedro, tendo puxado[9] uma espada, golpeou[10] o servo do sumo sacerdote e cortou-lhe a orelhinha[11] direita; o nome do servo era Malco. **18:11** Então disse Jesus a Pedro: Lança a espada na bainha. Porventura {eu} não beberia o cálice que o meu Pai me deu?

1. Lit. "ribeiro, riacho (torrente que corre no inverno, mas seca durante o verão)".
2. Lit. "jardim, horto (lugar onde foram plantadas árvores, ervas, plantas)".
3. Lit. "um destacamento militar romano de aproximadamente 600 soldados".
4. ὑπηρέται (huperétai) – **remador, marinheiro, navegador; servidor; assistente, auxiliar** – Sub (2-20), **composto pela preposição** ὑπέρ **(hupér – em composição pode indicar ênfase, excesso) + substantivo** ἐρέτης **(erétes – remador), que por sua vez deriva do verbo** ἐρέσσω **(erésso – remar).** Trata-se de um humilde servidor, e não de um escravo, já que o indivíduo conserva sua autonomia, sua liberdade. A preposição ὑπέρ **(hupér)** sugere a ideia de alguém que está na fronteira que separa o servidor do servo. Em resumo, a palavra grega indica o servidor, na mais exata acepção do termo. O vocábulo foi empregado, no Novo Testamento, para designar diversos tipos de servidores: os assistentes do rei, os oficiais do sinédrio, os assistentes dos magistrados, as sentinelas do templo de Jerusalém. Na literatura grega, a palavra é empregada para designar remador, marujo, todos os homens de uma tripulação, soldado da marinha (fuzileiro naval); todo homem sob as ordens de outro, um servidor comum, um servidor que acompanha o soldado de infantaria (na Grécia antiga); ajudante de um general; servidor de Deus.
5. Lit. "lâmpada pequena, tocha, archote". Trata-se de um pequeno recipiente feito de barro, provido de uma tampa móvel na parte superior, no centro do qual havia um orifício para

se colocar o óleo de oliva. Havia também outro orifício, ao lado, por onde saia a chama. Era utilizada para iluminação do ambiente doméstico. A destruição de uma lâmpada doméstica, em sentido figurado, representava a extinção de uma família (Pv 13:9).
6. Lit. "utensílio, implemento; armas, armadura (instrumentos de guerra, ofensivos e defensivos)".
7. Lit. "foram para trás".
8. Lit. "encher, tornar cheio; completar; realizar, cumprir". Visto que a exegese rabínica evita uma abordagem puramente abstrata das escrituras, era comum perguntar-se: "Quem cumpriu esse trecho da escritura"? Essa indagação levava os intérpretes a citar personagens, sobretudo os patriarcas, com o objetivo de demonstrar o cumprimento da escritura em suas vidas, e a escritura sendo cumprida (vivenciada) por suas vidas.
9. Lit. "puxar, tirar, extrair; trazer, atrair".
10. Lit. "golpear, bater (com o punho, com uma espada); atacar".
11. Possível referência à ponta da orelha, vez que o substantivo está no diminutivo.

JESUS DIANTE DO SINÉDRIO E AS NEGAÇÕES DE PEDRO
(Mt 26:57-75; Mc 14:53-65; Lc 22:54, 63-71)

18:12 Assim a coorte[1], o quiliarca[2] e os guardas[3] dos judeus apoderaram-se de Jesus, o amarraram[4], **18:13** e o conduziram primeiramente para Anás[5]; pois era sogro de Caifás[6], sumo sacerdote naquele ano. **18:14** Caifás era quem havia deliberado pelos judeus [7]ser melhor morrer um {só} homem pelo povo. **18:15** Seguiu a Jesus Simão Pedro e outro discípulo. E este discípulo, sendo conhecido do sumo sacerdote, entrou com Jesus para o [8]pátio interior {da residência} do sumo sacerdote. **18:16** Pedro, porém, permaneceu em pé {do lado de} fora da porta. Então saiu o outro discípulo, conhecido do sumo sacerdote, falou à porteira, e conduziu para dentro Pedro. **18:17** Então a criada[9] porteira diz a Pedro: Não és tu, também, um dos discípulos deste homem? Ele diz: Não sou. **18:18** Estavam {ali} os servos e guardas[10], {que} haviam feito uma fogueira[11] e se aqueciam, porque estava frio. Pedro também estava com eles, e estava de pé se aquecendo. **18:19** Então o sumo sacerdote interrogou Jesus a respeito dos seus discípulos e a respeito do seu ensino. **18:20** Respondeu-lhe Jesus: Eu tenho falado publicamente ao mundo; eu sempre ensinei na sinagoga e no templo, onde todos os judeus se reúnem, e nada disse em oculto. **18:21** Por que me interrogas? Interroga os que ouviram o que lhes falei; eis que eles sabem as {coisas} que eu lhes disse. **18:22** Quando ele disse essas {coisas}, um dos guardas¹² presentes deu uma bofetada¹³ em Jesus, dizendo: {É} assim que respondes ao sumo sacerdote? **18:23** Respondeu-lhe Jesus: Se falei mal, ¹⁴testemunha a respeito do mal; se {falei} bem, porque me açoitas¹⁵? **18:24** Então Anás o enviou, amarrado¹⁶, para o sumo sacerdote Caifás. **18:25** Simão Pedro estava em pé, aquecendo-se. Disseram-lhe, então: Não és tu, também, um dos discípulos dele? Ele negou, e disse: Não sou. **18:26** Um dos servos do sumo sacerdote, que era parente daquele a quem Pedro cortara a orelha, diz: Eu não te vi no horto¹⁷ com ele? **18:27** Novamente, então, Pedro negou; e, imediatamente, o galo cantou.

1. Lit. "um destacamento militar romano de aproximadamente 600 soldados".
2. Lit. "líder/comandante de mil". Trata-se de um cargo relacionado ao exército romano, que dava ao titular a responsabilidade de comandar mil homens (uma coorte).
3. ὑπηρέται (huperétai) – **remador, marinheiro, navegador; servidor; assistente, auxiliar** – Sub (2-20), composto pela preposição ὑπέρ (**hupér** – em composição pode indicar ênfase, excesso) + substantivo ἐρέτης (**erétes** – remador), que por sua vez deriva do verbo ἐρέσσω (**eréssο** – remar). Trata-se de um humilde servidor, e não de um escravo, já que o indivíduo conserva sua autonomia, sua liberdade. A preposição ὑπέρ (**hupér**) sugere a ideia de alguém que está na fronteira que separa o servidor do servo. Em resumo, a palavra grega indica o servidor, na mais exata acepção do termo. O vocábulo foi empregado, no Novo Testamento, para designar diversos tipos de servidores: os assistentes do rei, os oficiais do sinédrio, os assistentes dos magistrados, as sentinelas do templo de Jerusalém. Na literatura grega, a palavra é empregada para designar remador, marujo, todos os homens de uma tripulação, soldado da marinha (fuzileiro naval); todo homem sob as ordens de outro, um servidor comum, um servidor que acompanha o soldado de infantaria (na Grécia antiga); ajudante de um general; servidor de Deus.
4. Lit. "amarrar, atar, prender, ligar".
5. Lit. "Hannas (forma grega do nome hebraico "Hananiah – Deus é gracioso")". Trata-se do sogro de Caifás (sumo sacerdote na época de Jesus). Anás foi nomeado sumo sacerdote no ano 7 d.C, por Quirino (governador da Síria), e deposto no ano 16 d.C por Valerius Gratus (procurador da Judeia). Embora não fosse mais o sumo sacerdote, era muito respeitado e exercia grande influência sobre o seu genro.
6. Caifás (sumo sacerdote na época de Jesus) foi nomeado sumo sacerdote no ano 18 d.C, por Valerius Gratus (procurador da Judeia), e deposto no ano 36 d.C por Vitélio (procurador romano na Síria).
7. Lit. "é preferível, é melhor; é útil, proveitoso".
8. Lit. "espaço descoberto ao redor de uma casa, cercado por uma parede, onde ficavam os estábulos, aprisco; pátio de uma casa; pátio interno das habitações de pessoas prósperas. Nas residências orientais, geralmente construídas em forma de quadrado, havia um pátio interior, descoberto, bem como um pátio exterior (uma espécie de varanda). Esse vocábulo também pode ser utilizado para se referir à residência ou palácio como um todo.

JOÃO 18

9. Lit. "criada, escrava, serva; garota, senhorita, donzela".
10. Vide nota 3.
11. Lit. "carvão, brasa".
12. Vide nota 3.
13. Lit. "bater com um bastão (rápis); golpear com a palma da mão; esmurrar, esbofetear".
14. Expressão idiomática semítica, provavelmente, empregada em contexto jurídico com a ideia de "diga a razão", "diga o motivo".
15. Lit. "esfolar, tirar a pele; castigar, maltratar; bater, açoitar".
16. Vide nota 4.
17. Lit. "jardim, horto (lugar onde foram plantadas árvores, ervas, plantas)".

JESUS DIANTE DE PILATOS (Mt 27:11-26; Mc 15:1-15; Lc 23:1-25, 13-25)

18:28 Então conduziram Jesus de Caifás para o pretório[1].[2]Era cedo, e eles não entraram no pretório, para que não se [3]tornassem impuros, mas {pudessem} comer a Páscoa. **18:29** Então Pilatos se dirigiu para fora, em direção a eles, e diz: Que acusação trazeis contra este homem? **18:30** Em resposta, disseram-lhe: Se ele não fosse malfeitor, não te entregaríamos ele. **18:31** Disse-lhes, então, Pilatos: Tomai-o vós e julgai-o segundo a vossa Lei. Disseram-lhe os judeus: Não nos é lícito matar ninguém; **18:32** para que se cumprisse a palavra de Jesus, que dissera indicando[4] o tipo de morte que estava prestes a morrer. **18:33** Pilatos, então, entrou novamente no pretório[5], chamou a Jesus e lhe disse: Tu és o rei dos judeus. **18:34** Respondeu Jesus: Tu dizes isso de ti mesmo ou outros te disseram {isso} a respeito de mim? **18:35** Respondeu Pilatos: Acaso eu sou judeu? O teu povo e os sumos sacerdotes te entregaram a mim. Que fizeste? **18:36** Respondeu Jesus: O meu reino não é deste mundo. Se o meu reino fosse deste mundo, os meus servidores[6] teriam combatido[7] para que {eu} não fosse entregue aos judeus. Agora, porém, o meu reino não é daqui. **18:37** Disse-lhe, então, Pilatos: Sendo assim, tu és rei? Respondeu Jesus: Tu dizes que sou rei. Eu fui gerado para isso, e para isso vim ao mundo, a fim de testemunhar a Verdade. Todo aquele que é da Verdade ouve a minha voz. **18:38** Diz-lhe Pilatos: Que é a Verdade? Ao dizer isso, novamente saiu em direção aos judeus, e diz a eles: Eu não encontro nenhum motivo {de condenação}. **18:39** É costume entre vós que {eu} vos solte um[8] {prisioneiro} na Páscoa. Quereis, então, que vos solte o rei dos judeus? **18:40** Gritaram, então, novamente, dizendo: Não este, mas Barrabás. Barrabás, porém, era salteador⁹.

1. Originalmente significava a "tenda do general (pretor)". Mais tarde, passou a ser aplicado ao "conselho de oficiais militares", até ser tornar o nome da "residência oficial do governador romano", uma vez que lá, além de residir o governador, era o local ocupado pela guarnição do exército romano.
2. Lit. "de madrugada/manhã; na última (4ª) vigília da noite". O período entre 18h e 6h da manhã, do dia seguinte, era dividido em quatro vigílias de três horas cada uma (1ª – 18h – 21h; 2ª – 22h – 24h; 3ª – 1h – 3h; 4ª – 4h – 6h). Esta passagem faz referência a algum momento entre 4 – 6h da manhã.
3. Lit. "manchar (de sangue, de pó); tornar-se impuro (física e cerimonialmente), macular, corromper". Entrar na residência de um gentio acarretava impureza legal (At 11:3; Mt 8:8), impedindo a pessoa de celebrar a Páscoa.
4. Lit. "indicar (por meio de sinal), sinalizar, comunicar; tornar conhecido, especificar".
5. Originalmente significava a "tenda do general (pretor)". Mais tarde, passou a ser aplicado ao "conselho de oficiais militares", até ser tornar o nome da "residência oficial do governador romano", uma vez que lá, além de residir o governador, era o local ocupado pela guarnição do exército romano.
6. ὑπηρέται (huperétai) – **remador, marinheiro, navegador; servidor; assistente, auxiliar** – Sub (2-20), **composto pela preposição** ὑπέρ **(hupér – em composição pode indicar ênfase, excesso) + substantivo** ἐρέτης **(erétes – remador), que por sua vez deriva do verbo** ἐρέσσω **(eréssō – remar).** Trata-se de um humilde servidor, e não de um escravo, já que o indivíduo conserva sua autonomia, sua liberdade. A preposição ὑπέρ **(hupér)** sugere a ideia de alguém que está na fronteira que separa o servidor do servo. Em resumo, a palavra grega indica o servidor, na mais exata acepção do termo. O vocábulo foi empregado, no Novo Testamento, para designar diversos tipos de servidores: os assistentes do rei, os oficiais do sinédrio, os assistentes dos magistrados, as sentinelas do templo de Jerusalém. Na literatura grega, a palavra é empregada para designar remador, marujo, todos os homens de uma tripulação, soldado da marinha (fuzileiro naval); todo homem sob as ordens de outro, um servidor comum, um servidor que acompanha o soldado de infantaria (na Grécia antiga); ajudante de um general; servidor de Deus.
7. Lit. "esforçar-se por; disputar um prêmio, participar de competição esportiva; combater, lutar; sustentar um litígio; falar em público".
8. Trata-se do numeral "1".
9. Lit. "assaltante (de estrada), saqueador; pirata; salteador".

19

JESUS DIANTE DE PILATOS (Continuação)
(Mt 27:11-26; Mc 15:1-15; Lc 23:1-25, 13-25)

19:1 Sendo assim, Pilatos tomou a Jesus e o açoitou. **19:2** E os soldados, trançando[1] uma coroa de espinhos, puseram-na em sua cabeça e vestiram-no com um manto[2] púrpura. **19:3** Vinham até ele e diziam: Salve[3] o rei dos judeus! E davam-lhe bofetadas[4]. **19:4** Novamente Pilatos dirigiu-se para fora, e diz a eles: Eis que o conduzo para fora {até} vós, para que saibais que não encontro nenhum motivo {de condenação} nele. **19:5** Então Jesus se dirigiu para fora, trazendo a coroa de espinhos e o manto púrpura. Diz a eles {Pilatos}: Eis o homem. **19:6** Assim que o viram, os sumos sacerdotes e os guardas[5] gritaram, dizendo: Crucifica-o! Crucifica-o! Pilatos lhes diz: Tomai-o vós e crucificai-o, pois eu não encontro nele motivo {de condenação}. **19:7** Responderam-lhe os judeus: Nós temos uma Lei, e segundo a Lei deve[6] morrer, porque se fez filho de Deus. **19:8** Quando, então, Pilatos ouviu esta palavra, mais atemorizado ficou. **19:9** Entrou no pretório[7] novamente, e diz a Jesus: Donde és tu? Jesus, porém, não lhe deu resposta. **19:10** Então Pilatos lhe diz: Não falas comigo? Não sabes que tenho autoridade para te soltar e tenho autoridade para te crucificar? **19:11** Respondeu Jesus: Não terias nenhuma autoridade sobre mim se do alto não te fosse dada. Por isso, quem me entregou a ti tem maior pecado. **19:12** Desde então, Pilatos buscava soltá-lo; os judeus, porém, gritavam, dizendo: Se soltas este, não és amigo de César! Todo aquele que se faz rei contesta[8] César. **19:13** Então, ao ouvir estas palavras, Pilatos conduziu Jesus para fora, sentou-se no estrado[9], no lugar chamado "Litóstrotos" {Pavimento de Pedra}, em hebraico[10] Gabatá. **19:14** Era a preparação[11] da Páscoa, por volta da hora sexta[12]; {Pilatos} diz aos judeus: Eis o vosso rei. **19:15** Eles, então, gritaram: Tira! Tira! Crucificai-o! Pilatos lhes diz: Crucificarei o vosso rei? Responderam os sumos sacerdotes: Não temos rei senão César! **19:16** Sendo assim, o entregou para eles, a fim de que fosse crucificado. Então tomaram a Jesus.

1. Lit. "tecer, trançar".
2. Veste externa, manto, peça de vestuário utilizada sobre a peça interna. Pode ser utilizada como sinônimo do vestuário completo de uma pessoa.

3. Lit. "alegra-te". Trata-se de uma saudação, portanto, deve ser traduzida como "salve", "olá".
4. Lit. "bater com um bastão (rápis); golpear com a palma da mão; esmurrar, esbofetear".
5. ὑπηρέται (huperétai) – **remador, marinheiro, navegador; servidor; assistente, auxiliar** – Sub (2-20), **composto pela preposição** ὑπέρ **(hupér – em composição pode indicar ênfase, excesso) + substantivo** ἐρέτης **(erétes – remador), que por sua vez deriva do verbo** ἐρέσσω **(erésso – remar)**. Trata-se de um humilde servidor, e não de um escravo, já que o indivíduo conserva sua autonomia, sua liberdade. A preposição ὑπέρ (hupér) sugere a ideia de alguém que está na fronteira que separa o servidor do servo. Em resumo, a palavra grega indica o servidor, na mais exata acepção do termo. O vocábulo foi empregado, no Novo Testamento, para designar diversos tipos de servidores: os assistentes do rei, os oficiais do sinédrio, os assistentes dos magistrados, as sentinelas do templo de Jerusalém. Na literatura grega, a palavra é empregada para designar remador, marujo, todos os homens de uma tripulação, soldado da marinha (fuzileiro naval); todo homem sob as ordens de outro, um servidor comum, um servidor que acompanha o soldado de infantaria (na Grécia antiga); ajudante de um general; servidor de Deus.
6. Lit. "estar obrigado a, estar endividado (dever); ser devido (dívida), ser obrigatório".
7. Originalmente significava a "tenda do general (pretor)". Mais tarde, passou a ser aplicado ao "conselho de oficiais militares", até se tornar o nome da "residência oficial do governador romano", uma vez que lá, além de residir o governador, era o local ocupado pela guarnição do exército romano.
8. Lit. "contestar, contradizer, objetar; falar contra, negar, opor-se".
9. Lit. "lugar elevado acessível por meio de degraus; plataforma, estrado; tribuna do julgador".
10. Na verdade a palavra é de origem aramaica, todavia, é muito comum nos livros do Novo Testamento englobar tanto o hebraico quanto o aramaico na designação "hebraico". Talvez, a proximidade entre os idiomas levasse a pensar que o aramaico era um mero dialeto variante do hebraico.
11. Lit. "preparação". Diz respeito ao dia anterior ao sábado, no qual deveriam ser realizados todos os preparativos para o Shabat, como também para a Páscoa, visto ser proibido realizar qualquer trabalho no sábado.
12. Os hebreus computavam as horas do dia de forma diversa da nossa. Para eles, o dia se iniciava às 18 horas da tarde, e era divido em doze horas de luz (dia) e doze horas de treva (noite). As doze horas de luz (dia) eram contadas das 6 horas da manhã às 18 horas (crepúsculo), ao passo que as doze horas de treva tinham início às 18 horas e terminavam às 6 horas da manhã. Sendo assim, segundo o relato do Evangelho de Lucas, os fatos acima narrados ocorreram entre 12 horas (hora sexta) e 15 horas da tarde (hora nona).

JOÃO
19

MARTÍRIO E CRUCIFICAÇÃO (Mt 27:27-44; Mc 15:16-32; Lc 23:26-43)

19:17 E carregando ele próprio a cruz, saiu em direção a um local chamado "{lugar} do Crânio", que se diz em hebraico "Gólgota", **19:18**

JOÃO 19

onde o crucificaram, e com ele outros dois, de um lado e do outro, e Jesus no meio. **19:19** Pilatos também escreveu um título[1] e o colocou sobre a cruz; o que estava escrito era: *JESUS NAZARENO, O REI DOS JUDEUS*. **19:20** Muitos judeus leram este título, porque o lugar onde Jesus fora crucificado era próximo da cidade, e estava escrito em hebraico, latim e grego. **19:21** Diziam, então, a Pilatos os sumos sacerdotes dos judeus: Não escrevas "O Rei dos Judeus", mas que ele disse "Sou o Rei dos Judeus". **19:22** Respondeu Pilatos: O que escrevi, escrevi. **19:23** Os soldados, quando crucificaram Jesus, tomaram as suas vestes[2] e fizeram quatro partes[3], uma parte para cada soldado, e também a túnica[4]. A túnica, porém, era sem costura[5], tecida por inteiro, de alto {a baixo}. **19:24** Disseram, então, uns aos outros: Não a rasguemos, mas lancemos a sorte sobre ela {para saber} de quem será, a fim de que fosse cumprida[6] a Escritura: *Repartiram entre si as minhas vestes[7], e sobre a minha vestimenta lançaram sorte[8]*. Assim, portanto, fizeram os soldados. **19:25** Estavam de pé, junto à cruz, a sua mãe, a irmã de sua mãe, Maria {mulher} de Clopas, e Maria Magdalena[9]. **19:26** Então, ao ver Jesus a {sua} mãe e, de pé ao seu lado, o discípulo que {ele} amava, diz à {sua} mãe: Mulher, eis o teu filho. **19:27** A seguir, diz ao discípulo: Eis a tua mãe. Desde aquela hora, o discípulo a recebeu em sua própria {casa}.

1. Lit. "título, sobrescrito, registro escrito".
2. Veste externa, manto, peça de vestuário utilizada sobre a peça interna. Pode ser utilizada como sinônimo do vestuário completo de uma pessoa.
3. Lit. "parte, porção, divisão (parte de um todo); partilha, sorte (parte que cabe a alguém por sorteio ou divisão)".
4. Peça de vestuário interno, utilizada junto ao corpo, logo acima da pele, sobre a qual era costume colocar outra peça ou manto. Trata-se de uma espécie de veste interna, íntima.
5. Segundo a tradição judaica, a túnica do sumo sacerdote devia ser tecida por inteiro, sem costuras ou remendos.
6. Lit. "encher, tornar cheio; completar; realizar, cumprir". Visto que a exegese rabínica evita uma abordagem puramente abstrata das escrituras, era comum perguntar-se: "Quem cumpriu esse trecho da escritura"? Essa indagação levava os intérpretes a citar personagens, sobretudo os patriarcas, com o objetivo de demonstrar o cumprimento da escritura em suas vidas, e a escritura sendo cumprida (vivenciada) por suas vidas.
7. Veste externa, manto, peça de vestuário utilizada sobre a peça interna. Pode ser utilizada como sinônimo do vestuário completo de uma pessoa.
8. (Sl 22:18).
9. Lit. "magdalena (habitante feminina da cidade de Magdala)".

MORTE DE JESUS (Mt 27:45-56; Mc 15:33-41; Lc 23:44-49)

19:28 Depois disso, vendo Jesus que todas {as coisas} já estão consumadas[1], a fim de que se consumasse[2] a Escritura, diz: Tenho sede![3] **19:29** Estava colocado {ali} um vaso[4] cheio de vinagre. Após colocarem uma esponja cheia de vinagre em um {talo de} hissopo, o aproximaram da sua boca. **19:30** Quando Jesus tomou o vinagre, disse: Está consumado[5]! E, inclinando a cabeça, entregou o espírito. **19:31** Então, visto que era preparação[6], para que os corpos não permanecessem sobre a cruz no sábado – pois era grande aquele dia de sábado – os judeus rogaram a Pilatos que as pernas deles fossem quebradas, e {eles} retirados. **19:32** Vieram, então, os soldados e quebraram as pernas do primeiro e do outro crucificado com ele. **19:33** Ao chegarem a Jesus, como viram que ele já havia morrido, não quebraram as pernas dele, **19:34** mas um dos soldados furou a pleura {dele} com sua lança, e imediatamente saiu sangue e água. **19:35** Quem viu {isso} testemunhou, e seu testemunho é verdadeiro; ele sabe que diz a verdade, para que também vós creais. **19:36** Pois isso aconteceu para que se cumprisse[7] o escrito: *Nenhum osso dele será quebrado*[8]. **19:37** E, novamente, outro escrito diz: *{Eles} verão a quem traspassaram*[9].

1. Lit. "terminar, acabar, consumar; completar, chegar ao fim (atingir a finalidade)".
2. Vide nota 1.
3. (Sl 22:16, 69:22).
4. Lit. "vaso, utensílio (de casa, mobília, bens), instrumento".
5. Vide nota 1.
6. Lit. "preparação". Diz respeito ao dia anterior ao sábado, no qual deveriam ser realizados todos os preparativos para o Shabat, como também para a Páscoa, visto ser proibido realizar qualquer trabalho no sábado.
7. Lit. "encher, tornar cheio; completar; realizar, cumprir". Visto que a exegese rabínica evita uma abordagem puramente abstrata das escrituras, era comum perguntar-se: "Quem cumpriu esse trecho da escritura"? Essa indagação levava os intérpretes a citar personagens, sobretudo os patriarcas, com o objetivo de demonstrar o cumprimento da escritura em suas vidas, e a escritura sendo cumprida (vivenciada) por suas vidas.
8. (Êx 12:46; Nm 9:12; Sl 34:20).
9. (Zc 12:10).

O SEPULTAMENTO (Mt 27:57-61; Mc 15:42-47; Lc 23:50-56)

19:38 Depois disto, José de Arimatéia – sendo discípulo de Jesus, mas ocultando-se por medo dos judeus – rogou a Pilatos para que tirasse o corpo de Jesus; e Pilatos permitiu. Então {ele} veio e tirou o corpo dele. **19:39** Veio também Nicodemos – aquele que anteriormente se dirigiu de noite a ele {Jesus} – trazendo quase cem litras[1] de uma mistura de mirra e aloés. **19:40** Tomaram, então, o corpo de Jesus e o ataram em [2]bandagens de linho junto com aromas[3], como é costume entre os judeus, [4]ao prepararem o sepultamento. **19:41** No lugar onde Jesus foi crucificado havia um horto, e neste horto {havia} um sepulcro novo, no qual ninguém havia sido colocado ainda. **19:42** Ali, portanto, por causa da preparação[5] dos judeus e por estar próximo o sepulcro, colocaram Jesus.

1. Lit. "litras". Trata-se de uma moeda siciliana, equivalente a uma libra ou asse latina. No NT é utilizada para medidas de peso (325 gramas), tanto sólidos quanto líquidos, donde surgiu a medida "litro".
2. Lit. "faixa, pano, bandagem de linho (utilizadas para envolver o cadáver)".
3. Lit. "aroma, especiaria; planta aromática". Possivelmente, a referência seja a óleos aromatizados, perfumados, mais do que a ervas aromáticas.
4. Lit. "fazer as preparações costumeiras do sepultamento, preparar um corpo para ser sepultado".
5. Lit. "preparação". Diz respeito ao dia anterior ao sábado, no qual deveriam ser realizados todos os preparativos para o Shabat, como também para a Páscoa, visto ser proibido realizar qualquer trabalho no sábado.

AS MULHERES VISITAM O TÚMULO
(Mt 28:1-10; Mc 16:1-8; Lc 24:1-10)

20

20:1 E no primeiro [1]{dia} da semana, Maria Magdalena[2] veio cedo[3], estando ainda escuro, para o sepulcro, e vê a pedra removida do sepulcro. **20:2** Então {ela} corre e se dirige a Simão Pedro e ao outro discípulo, que Jesus amava, e lhes diz: Removeram o Senhor do sepulcro, e não sabemos onde o colocaram. **20:3** Então saiu Simão Pedro e outro discípulo, e chegaram ao sepulcro. **20:4** Os dois corriam juntos, mas o outro discípulo correu adiante de Pedro, apressadamente, e chegou primeiro ao sepulcro. **20:5** E, inclinando-se para frente, viu as [4]bandagens de linho depostas, contudo não entrou. **20:6** Então Simão Pedro, seguindo-o, também chega, entra no sepulcro, observa as bandagens de linho depostas, **20:7** e o sudário[5] que estivera sobre a cabeça dele, {o qual} não {estava} com as bandagens de linho depostas, mas enrolado num lugar à parte. **20:8** Sendo assim, o outro discípulo, que chegara primeiro ao sepulcro, entrou também, viu e creu. **20:9** Pois ainda não haviam entendido o escrito, segundo o qual é necessário ele se levantar[6] dos mortos. **20:10** Então os discípulos partiram novamente [7]para casa.

1. Lit. "primeiro {dia} dos sábados". A palavra "sábados" neste versículo é uma tradução do hebraico/aramaico "shabatot" que significa semanas, razão pela qual a tradução pode ser "no primeiro {dia} da semana". É preciso considerar que o "dia" para os hebreus começa no pôr-do-sol (18h), de modo que o primeiro dia da semana inclui a noite de sábado. Nesta passagem, o evangelista, ao que tudo indica, está se referindo ao "entardecer" de uma semana e ao "raiar" de outra semana. Desse modo, o objetivo é fazer referência à manhã de domingo, que representa o raiar do primeiro dia da semana, ou seja, o primeiro amanhecer da semana.
2. Lit. "magdalena (habitante feminina da cidade de Magdala)".
3. Lit. "de madrugada/manhã cedo; na última (4ª) vigília da noite". O período entre 18h e 6h da manhã, do dia seguinte, era dividido em quatro vigílias de três horas (1ª – 18h – 21h; 2ª – 22h – 24h; 3ª – 1h – 3h; 4ª – 4h – 6h). Esta passagem faz referência a algum momento entre 4h e 6h da manhã.
4. Lit. "faixa, pano, bandagem de linho (utilizadas para envolver o cadáver)".
5. Lit. "sudário". Vocábulo proveniente do latim, que significa pano utilizado para limpar a face ou enxugar o suor do rosto, equivalente ao nosso lenço.
6. Lit. "erguer-se, levantar-se". Expressão idiomática semítica que faz referência à ressurreição dos mortos. Para expressar a morte e a ressurreição, utilizavam as expressões "deitar-se" (morte) e "levantar-se" (ressurreição).
7. Lit. "para eles mesmos". Expressão idiomática que significa "para casa", "para suas próprias coisas", "para seus afazeres".

APARIÇÕES DE JESUS

(Mt 28:9-10, 16-20; Mc 16:9-20; Lc 24:13-53; Jo 20:11-23; At 1:6-11)

20:11 Maria, porém, permanecia de pé junto à saída do sepulcro, chorando. Assim, enquanto chorava, inclinou-se para frente do sepulcro, **20:12** e observa dois anjos em {vestes} brancas, sentados onde estivera deposto o corpo de Jesus, um junto à cabeça e um junto aos pés. **20:13** E eles dizem a ela: Mulher, por que choras? {Ela} lhes diz: Porque levaram o meu Senhor, e não sei onde o colocaram. **20:14** Ao dizer essas {coisas}, voltou-se para trás e viu Jesus em pé, mas não reconheceu que era Jesus. **20:15** Jesus lhe diz: Mulher, por que choras? A quem buscas? Ela, supondo ser o jardineiro, lhe diz: Senhor, se tu o carregaste, dizei-me onde o colocaste, e eu o levarei. **20:16** Jesus lhe diz: Maria! Voltando-se, ela lhe diz em hebraico "Rabbuni", que se diz "Mestre". **20:17** Jesus lhe diz: Não me toques, pois ainda não subi ao Pai. Vai aos meus irmãos e dize a eles: "Subo para o meu Pai e vosso Pai, {para} meu Deus e vosso Deus". **20:18** Maria Magdalena[1] sai anunciando aos discípulos: Vi o Senhor! E que lhe dissera essas {coisas}. **20:19** Então, sendo tarde naquele primeiro [2]dia da semana, e estando fechada a porta do lugar onde os discípulos estavam, por medo dos judeus, veio Jesus, pôs de pé no meio deles e lhes diz: Paz convosco! **20:20** Ao dizer isto, mostrou-lhes as mãos e a pleura. Alegraram-se, então, os discípulos ao verem o Senhor. **20:21** Disse-lhes novamente: Paz convosco! Assim como o Pai me enviou, eu também vos envio. **20:22** Ao dizer isto, soprou {neles} e lhes diz: Recebei o Espírito Santo. **20:23** Se perdoardes os pecados de alguns, {os pecados} lhes são perdoados; se retiverdes de alguns, estão retidos.

1. Lit. "magdalena (habitante feminina da cidade de Magdala)".
2. Lit. "primeiro dia dos sábados". A palavra "sábados" neste versículo é uma tradução do hebraico/aramaico "shabatot" que significa semanas, razão pela qual a tradução pode ser "no primeiro dia da semana". É preciso considerar que o "dia" para os hebreus começa no pôr-do-sol (18h), de modo que o primeiro dia da semana inclui a noite de sábado. Nesta passagem, o evangelista, ao que tudo indica, está se referindo ao "entardecer" do domingo.

JESUS E TOMÉ

20:24 Tomé, chamado Dídimo[1], um dos doze, não estava com eles quando veio Jesus. **20:25** Diziam-lhe, então, os outros discípulos: Vimos o Senhor. Ele, porém, lhes disse: Se {eu} não vir em suas mãos a marca dos cravos, {não} puser o meu dedo na marca dos cravos e {não} puser a minha mão em sua pleura, não crerei. **20:26** Depois de oito dias, novamente os discípulos estavam dentro {da casa}, e Tomé com eles. Estando fechadas as portas, veio Jesus, ficou de pé no meio deles e disse: Paz convosco! **20:27** Então diz a Tomé: Traz o teu dedo aqui e vê as minhas mãos; traz também a tua mão e põe na minha pleura; não te tornes incrédulo, mas crente. **20:28** Em resposta, disse-lhe Tomé: Meu Senhor e meu Deus! **20:29** Jesus lhe diz: Porque me viste, creste? Bem-aventurados os que não viram e creram. **20:30** Assim, Jesus realizou muitos sinais diante dos discípulos que não estão escritos neste livro. **20:31** Esses foram escritos para que creiais que Jesus é o Cristo, o filho de Deus, e para que, crendo, tenhais vida em seu nome.

1. Lit. "dídimo (gêmeo)".

21 JESUS APARECE A SETE DISCÍPULOS

21:1 Depois disso, Jesus manifestou-se aos discípulos no mar de Tiberíades; e manifestou-se assim: **21:2** Estavam juntos Simão Pedro, Tomé, chamado Dídimo[1], Natanael, que era de Caná da Galileia, os {filhos} de Zebedeu, e mais dois dos seus discípulos. **21:3** Simão Pedro lhes diz: Vou pescar. Dizem-lhe: Nós também vamos contigo. Saíram, [2]entraram no barco, e naquela noite nada apanharam. **21:4** [3]Ao raiar do dia, Jesus estava na praia, todavia os discípulos não sabiam que era Jesus. **21:5** Então Jesus diz a eles: Criancinhas, acaso tendes algo para comer? Responderam-lhe: Não. **21:6** Ele lhes disse: Lançai a rede para a parte[4] direita do barco, e encontrareis. Lançaram, então, e já não podiam puxar devido à grande quantia de peixes. **21:7** Aquele discípulo, a quem Jesus amava, diz a Pedro: É o Senhor! Simão Pedro, ao ouvir que era o Senhor, vestiu a roupa {externa}, pois estava nu; e lançou-se ao mar. **21:8** Os outros discípulos, porém, vieram no barquinho puxando a rede de peixes, pois não estavam longe da terra, mas a cerca de duzentos côvados[5]. **21:9** Assim que desembarcaram em terra, viram uma fogueira[6] posta, peixes[7] colocados sobre {ela} e pão. **21:10** Jesus lhes diz: Trazei agora os peixes[8] que apanhastes. **21:11** Então, Simão Pedro [9]entrou {no barco} e puxou a rede para a terra, cheia de cento e cinquenta e três grandes peixes; mesmo sendo tantos, a rede não se rompeu. **21:12** Jesus lhes diz: Vinde, comei[10]. Nenhum dos discípulos ousava interrogá-lo "Quem és tu?", sabendo que era o Senhor. **21:13** Vem Jesus, toma o pão e dá a eles; e, igualmente, os peixes[11]. **21:14** E esta já era a terceira vez que Jesus se manifestava aos discípulos, depois de levantar-se[12] dos mortos.

1. Lit. "dídimo (gêmeo)".
2. Lit. "embarcar no barco".
3. Lit. "tornando-se madrugada/manhã (última (4ª) vigília da noite)". O período entre 18h e 6h da manhã, do dia seguinte, era dividido em quatro vigílias de três horas cada uma (1ª – 18h – 21h; 2ª – 22h – 24h; 3ª – 1h – 3h; 4ª – 4h – 6h). Esta passagem faz referência a algum momento entre 4h e 6h da manhã.
4. Lit. "parte, porção, divisão (parte de um todo); partilha, sorte (parte que cabe a alguém por sorteio ou divisão)".
5. Medida de comprimento (do latim cubitum, "cotovelo") baseada no antebraço, cujo valor aproximado variava entre 46,2 e 66 cm, de acordo com a região (Roma, Babilônia, Palestina).

6. Lit. "carvão, brasa".
7. Lit. "alimento cozido (especialmente o peixe na salmoura); peixe (pequeno)".
8. Vide nota 7.
9. Lit. "embarcar no barco".
10. Lit. "fazer a primeira refeição da manhã ou fazer a refeição do meio-dia (almoço)". O vocábulo também diz respeito ao ato de participar do banquete, de grandes proporções, oferecido em ocasiões festivas, tais como as festas de núpcias.
11. Vide nota 7.
12. Lit. "erguer-se, levantar-se". Expressão idiomática semítica que faz referência à ressurreição dos mortos. Para expressar a morte e a ressurreição, utilizavam as expressões "deitar-se" (morte) e "levantar-se" (ressurreição).

JESUS E PEDRO

21:15 Assim que comeram[1], Jesus diz a Simão Pedro: Simão, {filho de} João[2], {tu} me amas mais do que a estes? {Ele} lhe diz: Sim, Senhor, tu sabes que te amo. {Jesus} diz a ele: Alimenta[3] os meus cordeiros. **21:16** Novamente, {ele} lhe diz pela segunda vez: Simão, {filho de} João, {tu} me amas? {Ele} lhe diz: Sim, Senhor, tu sabes que te amo. {Jesus} diz a ele: Apascenta[4] as minhas ovelhas. **21:17** {Jesus} diz a ele pela terceira vez: Simão, {filho de} João, {tu} me amas? Pedro entristeceu-se por lhe ter dito pela terceira vez "tu me amas?", e lhe diz: Senhor, tu sabes todas {as coisas}, tu sabes que te amo. {Jesus} lhe diz: Alimenta[5] as minhas ovelhas. **21:18** Amém[6], amém te digo: Quando eras jovem, cingias a ti mesmo e andavas[7] onde querias; quando envelheceres, estenderás as tuas mãos e outro te cingirá, e {te} levará aonde não queres. **21:19** Disse isto, indicando[8] com que tipo de morte glorificaria a Deus. Depois de dizer isto, diz-lhe: Segue-me.

1. Lit. "fazer a primeira refeição da manhã ou fazer a refeição do meio-dia (almoço)". O vocábulo também diz respeito ao ato de participar do banquete, de grandes proporções, oferecido em ocasiões festivas, tais como as festas de núpcias.
2. A Crítica Textual contemporânea, com base nos manuscritos mais antigos e representativos do texto alexandrino, escolheu o termo "filho de João". Nesse caso, a expressão "filho de Jonas" foi rejeitada, considerando-se sua ausência nos manuscritos antigos.
3. Lit. "alimentar, levar para pastar, oferecer pasto".
4. Exercer todas as funções do pastor, tais como guiar, levar ao pasto, nutrir, cuidar, vigiar.

JOÃO 21

5. Vide nota 3.
6. ἀμην (amém), transliteração do vocábulo hebraico אָמֵן. Trata-se de um adjetivo verbal (ser firme, ser confiável). O vocábulo é frequentemente utilizado de forma idiomática (partícula adverbial) para expressar asserção, concordância, confirmação (realmente, verdadeiramente, de fato, certamente, isso mesmo, que assim seja). Ao redigirem o Novo Testamento, os evangelistas mantiveram a palavra no original, fazendo apenas a transliteração para o grego, razão pela qual também optamos por mantê-la intacta, sem tradução.
7. Lit. "andar ao redor; vagar, perambular; circular, passear; viver (seguir um gênero de vida)".
8. Lit. "indicar (por meio de sinal), sinalizar, comunicar; tornar conhecido, especificar".

JESUS E O DISCÍPULO AMADO

21:20 Voltando-se, Pedro viu que {os} estava seguindo o discípulo que Jesus amava, o qual se recostara[1] sobre o peito dele na ceia[2] e dissera: Senhor, quem está te entregando? **21:21** Ao ver isto, Pedro diz a Jesus: Senhor, e quanto a este? **21:22** Jesus lhe diz: Se quero que ele permaneça até que {eu} venha, [3]que te importa? Segue-me tu. **21:23** Então espalhou-se entre os irmãos esta palavra de que aquele discípulo não morreria. Jesus, porém, não lhe disse que não morreria, mas "Se quero que ele permaneça até que {eu} venha, [4]{que te importa?}". **21:24** Este é o discípulo que testemunha a respeito disso, e que escreveu essas {coisas}; sabemos que o seu testemunho é verdadeiro. **21:25** Há, porém, ainda muitas outras {coisas} que Jesus realizou, que se fossem escritas uma por uma, nem mesmo – suponho – o mundo teria lugar para os livros escritos.

1. Lit. "cair para trás, recostar-se; posicionar-se para comer, reclinar-se à mesa".
2. Lit. "refeição principal do dia (geralmente o jantar)", banquete.
3. Lit. "que para ti?". Expressão idiomática semítica.
4. A Crítica Textual contemporânea está dividida quanto à autenticidade desta frase neste trecho, tendo em vista sua ausência em muitos manuscritos antigos.

ῷ συμπληροῦσθαι τὴν
τῆς πεντηκοστῆς ἦσαν
ὁμοῦ ἐπὶ τὸ αὐτό.
νετο ἄφνω ἐκ τοῦ
ῦ ἦχος ὥσπερ
νης πνοῆς βιαίας καὶ
ῥσεν ὅλον τὸν οἶκον οὗ
αθήμενοι
θησαν αὐτοῖς
ζόμεναι γλῶσσαι ὡσεὶ
καὶ ἐκάθισεν ἐφ᾽ ἕνα
ν αὐτῶν,
ἤσθησαν πάντες
:τος ἁγίου καὶ ἤρξαντο
:τέραις γλώσσαις
τὸ πνεῦμα ἐδίδου
:γγεσθαι αὐτοῖς.
ὲ εἰς Ἰερουσαλὴμ
ῦντες Ἰουδαῖοι, ἄνδρες
ς ἀπὸ παντὸς ἔθνους
ὸ τὸν οὐρανόν.
ης δὲ τῆς φωνῆς
ϋυνῆλθεν τὸ πλῆθος
εχύθη, ὅτι ἤκουον
τος τῇ ἰδίᾳ διαλέκτῳ
των αὐτῶν.
το δὲ καὶ ἐθαύμαζον
ς· οὐχ ἰδοὺ ἅπαντες
ϋιν οἱ λαλοῦντες
ΐ;
ἡμεῖς ἀκούομεν
τῇ ἰδίᾳ διαλέκτῳ ἡμῶν
ννήθημεν;
καὶ Μῆδοι καὶ Ἐλαμῖται
τοικοῦντες τὴν
ταμίαν, Ἰουδαίαν τε καὶ
ϳοκίαν, Πόντον καὶ τὴν

τε καὶ Παμφυλίαν,
ν καὶ τὰ μέρη τῆς
ῆς κατὰ Κυρήνην, καὶ
ϳοῦντες Ῥωμαῖοι,
τε καὶ προσήλυτοι,
καὶ Ἄραβες, ἀκούομεν
ων αὐτῶν ταῖς
ς γλώσσαις τὰ
τοῦ θεοῦ

atos

ΠΡΑΧΕΙΣ

473

PRÓLOGO

1:1 Fiz o primeiro relato¹, ó Teófilo, a respeito de todas {as coisas} que Jesus começou a realizar e também a ensinar, **1:2** até o dia em que foi elevado, depois de haver dado ordens aos apóstolos que escolheu², através do Espírito Santo. **1:3** Aos quais também, depois de ter padecido, se apresentou vivo, com muitas provas³, ⁴tornando-se visível a eles durante quarenta dias, e dizendo as {coisas} relativas ao Reino de Deus. **1:4** Reunindo-se {com eles}, ordenou-lhes não se afastarem de Jerusalém, mas aguardarem a promessa⁵ do Pai, que ouvistes de mim. **1:5** Porque João mergulhou⁶ na água, mas vós sereis mergulhados no Espírito Santo, não muito depois destes dias.

1. Lit. "palavra; assunto, discurso".
2. Lit. "escolhido, selecionado".
3. Lit. "sinal, prova (clara, indubitável), evidência; prova demonstrativa (terminologia filosófica); evidência demonstrativa (terminologia médica)".
4. Lit. "tornar-se visível; ser visto".
5. Lit. "anúncio, declaração; acordo, promessa, compromisso, aliança".
6. Lit. "lavar, imergir, mergulhar". Posteriormente, a Igreja conferiu ao termo uma nuance técnica e teológica para expressar o sacramento do batismo.

ASCENSÃO DE JESUS

1:6 Assim, os que estavam reunidos o interrogaram, dizendo: Senhor, {é} neste tempo que estás restaurando o reino a Israel? **1:7** Disse para eles: Não ¹cabe a vós conhecer tempos² ou épocas³, que o Pai estabeleceu com sua própria autoridade. **1:8** Mas recebereis poder⁴, quando o Espírito Santo vier⁵ sobre vós, e sereis minhas testemunhas tanto em Jerusalém como em toda a Judeia e Samaria, até aos confins da terra. **1:9** Ao dizer essas {coisas}, enquanto eles olhavam, {ele} foi elevado, e uma nuvem o encobriu⁶ aos olhos deles. **1:10** E enquanto estavam fitando⁷ o céu e ele {Jesus} partia, eis que dois varões vestidos de branco se apresentaram para eles, **1:11** os quais também disseram: Varões galileus, por que estais de pé olhando para o céu? Esse Jesus, que foi elevado ao céu no meio de vós, virá da mesma forma que o vistes partir para o céu.

1. Lit. "não é para vós conhecer". Expressão idiomática.
2. Lit. "tempo (no sentido de duração temporal)". **Trata-se do aspecto quantitativo do tempo**.
3. Lit. "um ponto no tempo, um período de tempo; tempo fixo, definido, determinado; oportunidade, ocasião, ciclo". **Trata-se do aspecto qualitativo do tempo (ciclos)**.
4. Lit. "poder, força, habilidade".
5. Lit. "vir sobre/em cima; vir depois de/a seguir; vir inesperadamente; atacar (repentinamente), assaltar". O termo é utilizado, com frequência, em sua acepção técnica militar de ataque inesperado, repentino.
6. Lit. "tomar/levantar pela parte de baixo, tomar de baixo para cima; tomar (para ocultar), encobrir, envolver; apoderar-se (secretamente, furtivamente); suceder, sobrevir, seguir; supor, ser de opinião de".
7. Lit. "cravar os olhos em alguém, olhar de modo fixo".

A SUBSTITUIÇÃO DE JUDAS

1:12 Então regressaram para Jerusalém, a partir do monte chamado das Oliveiras, que está próximo de Jerusalém ¹o caminho de um sábado. **1:13** Quando entraram {ali}, subiram para a ²parte superior {da casa}, onde ³permaneciam tanto Pedro quanto João, Tiago, André, Filipe, Tomé, Bartolomeu, Mateus, Tiago {filho de} Alfeu, Simão, o Zelote, e Judas {filho de} Tiago. **1:14** Todos eles estavam perseverando⁴ unânimes⁵ em oração, com as mulheres, {com} Maria, a mãe de Jesus, e {com} os irmãos dele. **1:15** Naqueles dias, levantando-se Pedro no meio dos irmãos – havia um ⁶turba de nomes no mesmo {lugar} de aproximadamente cento e vinte – disse: **1:16** Varões Irmãos, era necessário cumprir-se⁷ a Escritura que o Espírito Santo predisse pela boca de Davi, a respeito de Judas, que se tornou o guia dos que prenderam⁸ Jesus, **1:17** porque {ele} era contado entre nós e obteve⁹ a porção¹⁰ deste serviço¹¹. **1:18** Pois ele adquiriu um terreno¹² do salário¹³ da injustiça e, precipitando-se¹⁴, arrebentou-se ao meio e todas as suas entranhas se derramaram. **1:19** E {isso} tornou-se conhecido de todos os habitantes de Jerusalém, a ponto daquele terreno ser chamado no próprio dialeto deles "Akeldamar", isto é, "terreno¹⁵ de sangue". **1:20** Pois está escrito no Livro dos Salmos: *Torne-se deserta a sua morada*¹⁶, *e não exista quem habite nela*¹⁷ e *Tome outro o seu* ¹⁸*cargo de supervisão*¹⁹.

1:21 Portanto, é necessário – dos varões que nos acompanharam[20] todo tempo em que o Senhor Jesus [21]entrou e saiu entre nós, **1:22** começando desde o mergulho[22] de João até o dia em que foi elevado dentre nós – um destes se tornar conosco testemunha da ressurreição dele. **1:23** Estabeleceram dois: José, chamado Barsabás, cognominado Justo, e Matias. **1:24** E, orando, disseram: Tu, Senhor, que conheces o coração de todos, mostra[23] qual destes dois escolheste **1:25** para receber o lugar deste serviço[24] e apostolado, do qual Judas se desviou[25], indo para o seu próprio lugar. **1:26** [26]Lançaram sorte[27] {sobre} eles, e a sorte caiu sobre Matias, {que} foi contado com os onze apóstolos.

1. A distância que era permitida percorrer no dia de sábado, ou seja, aproximadamente 1 km. Trata-se de terminologia típica da linguagem rabínica, utilizada com frequência pelos doutores da Lei em seus debates.
2. Referência ao cômodo construído no terraço das residências judaicas, sobretudo em Jerusalém, destinadas a dormitório de peregrinos durante as "festas de peregrinação", bem como aposento comum dos moradores, sala de estudos.
3. Lit. "estavam permanecendo". Frase ambígua que pode significar "onde se hospedavam", "onde se reuniam", "onde ficavam".
4. Lit. "permanecer constantemente num lugar, estar constantemente presente, continuar junto; persistir, perseverar".
5. Lit. "unânimes, de pleno acordo (mentalmente); junto, ao mesmo tempo".
6. Expressão idiomática semítica para expressar o grande número de pessoas reunidas, fazendo referência ao "nome" como sinônimo do próprio indivíduo, talvez uma reminiscência do capítulo primeiro do Livro Êxodo, no qual todos os filhos de Jacó são chamados pelo nome.
7. Lit. "encher, tornar cheio; completar; realizar, cumprir". Visto que a exegese rabínica evita uma abordagem puramente abstrata das escrituras, era comum perguntar-se: "Quem cumpriu esse trecho da escritura"? Essa indagação levava os intérpretes a citar personagens, sobretudo os patriarcas, com o objetivo de demonstrar o cumprimento da escritura em suas vidas, e a escritura sendo cumprida (vivenciada) por suas vidas.
8. Lit. "tomar consigo", agarrar, capturar, prender; apreender; conceber, engravidar".
9. Lit. "obter, receber; ser designado; tirar a sorte, obter por sorteio; sortear".
10. Lit. "objeto utilizado para tirar a sorte (pedra); sorteio; parte de herança, herdade; parte, porção".
11. Lit. "serviço, ato de atender ou servir (serviço doméstico, servir à mesa); ajudar, socorrer".
12. Lit. "lugar, campo, pedaço de terra".
13. Lit. "salário, remuneração, pagamento; recompensa".
14. Lit. "ficando inclinado para diante". Expressão idiomática que pode significar "caiu de cabeça", "precipitou-se".
15. Vide nota 26.
16. Lit. "morada, residência, estábulo; lugar para pernoitar".
17. (Sl 69:25).

18. Lit. "inspeção, visitação, supervisão; cargo ou encargo de supervisão".
19. Sl 109:8.
20. Lit. "ir/vir junto, acompanhar; coabitar, conviver".
21. Lit. "entrou e saiu". Trata-se de expressão idiomática semítica que pode ser entendida como "conviveu", "permaneceu", "andou".
22. Lit. "lavar, imergir, mergulhar". Posteriormente, a Igreja conferiu ao termo uma nuance técnica e teológica para expressar o sacramento do batismo.
23. Lit. "exibir, mostrar algo (levantando-o), apontar por meio de sinais, manifestar; indicar, designar, constituir".
24. Lit. "serviço, ato de atender ou servir (serviço doméstico, servir à mesa); ajudar, socorrer".
25. Lit. "caminhar para o lado de, desviar", e metaforicamente: transgredir.
26. Lit. "deram sorte para eles". Expressão idiomática com o sentido de "realizaram um sorteio com o nome deles", expediente já anteriormente utilizado na história do povo hebreu (Ex 33:7; 1Sm 14:41; Lc 1:9), que cederá lugar, na comunidade cristã, a outros métodos (At 6:3-6, 13:2-3).
27. Lit. "objeto utilizado para tirar a sorte (pedra); sorteio; parte de herança, herdade; parte, porção".

PENTECOSTES

2

2:1 Ao se completar o dia de Pentecostes[1], estavam todos juntos no mesmo {lugar}. **2:2** De repente, surgiu um som[2] do céu, semelhante ao que traz a ventania[3] violenta[4], e encheu toda a casa onde estavam sentados. **2:3** E se tornaram visíveis línguas como de fogo, que se distribuíam para eles; e sobre cada um deles sentou {uma delas}. **2:4** Todos ficaram cheios do Espírito Santo, e começaram a falar em outras línguas, segundo o espírito lhes concedia declarar[5]. **2:5** Estavam residindo[6] em Jerusalém judeus, varões piedosos[7] de todas as nações dos {que estão} debaixo do céu. **2:6** Ao surgir esta voz, reuniu-se a multidão e ficou confusa, porque cada um os ouvia falar em seu próprio dialeto. **2:7** Extasiados[8] e maravilhados, diziam: Vede! Não são todos galileus esses que estão falando? **2:8** E como nós estamos ouvindo cada um [9]em nosso próprio dialeto materno? **2:9** [10]Partos, medos, elamitas, habitantes da Mesopotâmia, Judeia, Capadócia, Ponto e Ásia; **2:10** da Frígia, Panfília, Egito e das regiões da Líbia, perto de Cirene, e romanos que {aqui} residem; **2:11** tanto judeus quanto prosélitos[11], cretenses e árabes, estamos ouvindo eles falando em nossas próprias línguas as grandezas de Deus? **2:12** Todos, extasiados e confusos, diziam uns aos outros: Que quer dizer isto? **2:13** Outros, porém, ridicularizando, diziam: [12]Estão cheios de mosto[13]. **2:14** Pedro, pondo-se de pé, com os onze, levantou a sua voz e lhes declarou[14]: Varões judeus e todos os habitantes de Jerusalém, [15]tomai conhecimento disto e atentai[16] nas minhas palavras. **2:15** Pois esses {homens} não estão embriagados, como vós suponde, já que é a terceira hora[17] do dia. **2:16** Mas isto é o que foi dito através do Profeta Joel: **2:17** *E será {que} nos últimos dias, diz Deus, derramarei do meu espírito sobre toda carne; vossos filhos e vossas filhas profetizarão, vossos jovens* [18]*verão visões e vossos anciãos* [19]*sonharão sonhos.* **2:18** *E, mesmo sobre os meus servos e sobre as minhas servas, naqueles dias, derramarei do meu espírito, e profetizarão.* **2:19** *Concederei prodígios em cima, no céu, e sinais embaixo, sobre a terra: sangue, fogo e exalação de fumo.* **2:20** *O Sol se transformará em treva, e a Lua em sangue, antes de vir o grande e notável*[20] *dia do Senhor.* **2:21** *E será que todo aquele que invocar o nome do Senhor será salvo.*[21] **2:22** Varões israelitas, ouvi estas palavras: Jesus, o Nazareno, varão aprovado por Deus para vós com poderes[22], prodígios e sinais, os quais Deus realizou através dele, no meio de vós, como {vós} mesmos sabeis. **2:23** A este – entregue segundo o desígnio[23] definido[24] e presciência de Deus, crucificado pelas mãos de transgressores[25] – eliminastes. **2:24** Deus, {porém}, o levantou[26], rompendo[27] as [28]dores de parto da morte, porquanto não era possível ser retido por ela. **2:25** Pois Davi diz a ele: *Via[29] o Senhor diante de mim, durante todo {tempo}, porque está à minha direita, para que {eu} não seja abalado*[30]. **2:26** *Por isso, deleitou-se*[31]*o meu coração, exultou-se*[32] *a minha língua, e ainda a minha carne habitará na esperança,* **2:27** *porque não abandonarás*[33] *a minha alma no hades*[34]*, nem concederás ao teu justo*[35] *ver {a} dissolução*[36]. **2:28** *Deste-me a conhecer caminhos de vida, e com tua presença me encherás de* [37]*júbilo.*[38] **2:29** Varões Irmãos, é lícito dizer-vos abertamente a respeito do Patriarca Davi: {Ele} tanto faleceu quanto foi sepultado, e o seu sepulcro está entre nós, até este dia. **2:30** Assim, sendo Profeta e sabendo o [39]juramento que Deus lhe fez de que o [40]fruto de seus quadris[41] se sentaria sobre o seu trono – **2:31** prevendo[42] {isso} – falou a respeito da ressurreição[43] do Cristo, o qual nem foi abandonado no hades, nem sua carne viu a dissolução. **2:32** Deus ressuscitou a este Jesus, do que todos nós somos testemunhas. **2:33** Elevado, portanto, à direita de Deus, recebendo a promessa[44] do Espírito Santo junto do Pai, derramou isto que vós estais vendo e ouvindo. **2:34** Pois Davi não subiu aos céus, porém, ele diz: *Disse o Senhor ao meu Senhor: Senta-te à minha direita,* **2:35** *até que eu ponha os teus inimigos por estrado dos teus pés*[45]. **2:36** Portanto, saiba, com certeza, toda a casa de Israel que a este Jesus que vós crucificastes Deus o fez Senhor e Cristo. **2:37** Ao ouvirem {isso}, tiveram traspassado o coração, e disseram a Pedro e aos demais apóstolos: Que faremos, varões irmãos? **2:38** E {disse}-lhes Pedro: Arrependei-vos[46], e cada um de vós seja mergulhado[47] em nome de Jesus Cristo para perdão[48] dos vossos pecados, e recebereis o dom do Espírito Santo. **2:39** Pois a promessa[49] é para vós, para vossos filhos e para todos os que {estão} longe, tantos quantos o Senhor, nosso Deus, convocar[50]. **2:40** Com muitas outras palavras testemunhou, e os exortava[51], dizendo: Salvai-vos desta geração tortuosa[52]. **2:41** Assim, os que acolheram[53] a sua palavra foram mergulhados[54]; foram acrescentadas {a eles} cerca de três mil almas, naquele dia. **2:42** Estavam perseverando[55] no ensino dos apóstolos, na comunhão, no partir do pão e nas orações.

ATOS 2

1. Festa judaica celebrada cinquenta dias (7 semanas) após a Páscoa. Em hebraico, seu nome é "Shavuot (semanas)" uma vez que sua celebração deve ocorrer sete semanas depois da Páscoa (Ex 23:14). Inicialmente, tinha o caráter de uma festa agrícola, celebrando-se a colheita dos primeiros frutos (primícias), mas posteriormente passou a ser celebração do "Dom da Torah (recebimento da Torah no Sinai)".
2. Lit. "som, barulho, ruído; eco; notícia, rumor, fama (sentido metafórico)".
3. Lit. "ventania, rajada de vento, brisa; fôlego, respiração".
4. Lit. "violento; forçado, constrangido; involuntário, não natural".
5. Lit. "falar alto, declarar (discursos solenes)".
6. Referência aos peregrinos que permaneciam em Jerusalém durante os sete dias da festa de Pentecostes, hospedados na casa de familiares, amigos ou judeus que se dispunham a recebê-los.
7. Lit. "prudente, precavido; piedoso, devoto, cauteloso, temente (cheio de reverência a Deus)".
8. Lit. "fora de si".
9. Lit. "em nosso próprio dialeto no qual fomos gerados".
10. Essa enumeração dos povos do mundo mediterrâneo (norte, sul, leste, oeste) representa uma descrição do chamado "mundo habitado (oikouméne)", mas também reflete um antigo calendário astrológico, no qual os doze povos mencionados (exceto os judeus) eram associados aos signos do Zodíaco e enumerados segundo a sua ordem. (Vide artigo de Bruce M. Metzger no livro "Apostolic History and Gospel").
11. Aquelas pessoas que, não sendo judeus de nascimento, se converteram ao judaísmo, adotando suas práticas religiosas e incorporando suas tradições.
12. Expressão idiomática para dizer que uma pessoa estava embriagada, já que o vinho novo (mosto), por ser muito doce, provocava a embriaguez de forma rápida.
13. Lit. "mosto". Trata-se de um sumo de uvas frescas que não passaram pelo processo de fermentação (vinho novo, doce).
14. Lit. "falar alto, declarar (discursos solenes)".
15. Lit. "seja conhecido de vós isto".
16. Lit. "dar ouvidos, ouvir, escutar".
17. Os hebreus computavam as horas do dia de forma diversa da nossa. Para eles, o dia se iniciava às 18 horas da tarde, e era dividido em doze horas de luz (dia) e doze horas de treva (noite). As doze horas de luz (dia) eram contadas das 6 horas da manhã às 18 horas (crepúsculo), ao passo que as doze horas de treva tinham início às 18 horas e terminavam às 6 horas da manhã. Sendo assim, segundo esse relato, os fatos acima narrados ocorreram por volta das 9 horas (hora terceira) da manhã.
18. Expressão idiomática semítica que consiste em emparelhar verbo e substantivo de mesmo radical (sentido equivalente), para produzir efeito linguístico de reforço, ênfase, intensidade.
19. Vide nota 18.
20. Lit. "visível, manifesto; evidente, notável, ilustre; esplêndido, glorioso (sentido metafórico)".
21. (Joel 2:28-32).
22. Lit. "poder, força, habilidade". Trata-se de um substantivo utilizado como objeto do verbo

23. Lit. "desígnio, plano, projeto; vontade, determinação; deliberação (tomada em assembléia, conselho)".
24. Lit. "limitar, separar, dividir (definir limites); definir, determinar".
25. Lit. "sem lei ou fora da lei". O termo "anomia" (sem lei) significa ausência de lei, lacuna legislativa, ausência de regra. No caso, "transgressor, iníquo" transmite parcialmente o sentido.
26. Lit. "erguer-se, levantar-se". Expressão idiomática semítica que faz referência à ressurreição dos mortos. Para expressar a morte e a ressurreição, utilizavam as expressões "deitar-se" (morte) e "levantar-se" (ressurreição).
27. Lit. "desligar, romper; libertar, deixar ir".
28. Lit. "dores de parto (sentido literal)", angústias, tormentos (sentido metafórico). Trata-se de expressão idiomática significando as dores, angústias, tormentos que envolvem a morte.
29. Lit. "ver (diante de); antever, prever".
30. Lit. "sacudir, agitar, abalar".
31. Lit. "deleitar; alegrar, ficar satisfeito; encantar".
32. Lit. "regozijar-se, exultar, estar cheio de alegria", comumente utilizado no contexto de festa religiosa ou culto.
33. Lit. "deixar para trás, abandonar".
34. Trata-se do submundo, o mundo dos mortos, segundo a literatura grega.
35. Lit. "justo (sancionado pela suprema Lei de Deus); santo, devotado, dedicado (pessoa que vive retamente diante de Deus); santo, sagrado, divino (aquilo que é inerente a Deus)".
36. Lit. "dissolução, corrupção (física, moral e espiritual)". Referência ambígua tanto a dissolução física operada pela morte física, quanto a dissolução moral operada pela morte espiritual.
37. Lit. "júbilo, satisfação, regozijo, alegria".
38. (Sl 16:8-11).
39. Lit. "o juramento que lhe jurou". Expressão idiomática semítica que consiste em emparelhar verbo e substantivo de mesmo radical (sentido equivalente), para produzir efeito linguístico de reforço, ênfase, intensidade.
40. Lit. "fruto de seus quadris/de sua genitália". Expressão idiomática semítica que significa "seu descendente".
41. Lit. "quadris (lombo, região dos rins), cintura; rins (sentido idiomático para fertilidade do aparelho reprodutor); genitália (sentido idiomático); geração (metonímia).
42. Vide nota 29.
43. Vide nota 26.
44. Lit. "anúncio, declaração; acordo, promessa, compromisso, aliança".
45. Sl 110:1.
46. Lit. "mudar de mente, de opinião, de sentimentos, de vida".
47. Lit. "lavar, imergir, mergulhar". Posteriormente, a Igreja conferiu ao termo uma nuance técnica e teológica para expressar o sacramento do batismo.
48. Lit. "perdão (pecado, ofensa, mal); remissão (dívida, pena); libertação (escravidão, prisão); liberação (permitir a saída)".
49. Vide nota 44.
50. Lit. "exortar, admoestar, persuadir; implorar, suplicar, rogar; animar, encorajar, confortar,

consolar; requerer, convidar para vir, mandar buscar".
51. Vide nota 50.
52. Lit. "tortuoso, oblíquo, desigual; desleal, injusto (sentido metafórico)".
53. Lit. "receber (gentilmente, de coração, dar boas-vindas), aceitar; aprovar; compreender".
54. Vide nota 47.
55. Lit. "permanecer constantemente num lugar, estar constantemente presente, continuar junto; persistir, perseverar".

A VIDA DOS PRIMEIROS CRISTÃOS

2:43 Havia temor em cada alma; muitos prodígios e sinais eram realizados através dos apóstolos. **2:44** Todos os que criam estavam no mesmo {lugar}, e possuíam todas {as coisas} em comum. **2:45** Vendiam as propriedades[1] e os meios de subsistência[2] e os distribuíam entre todos, conforme [3]a necessidade de cada um. **2:46** A cada dia, perseverando[4] unânimes[5] no templo, partindo o pão em casa, recebiam o alimento com alegria e simplicidade de coração, **2:47** louvando a Deus e [6]tendo graça[7] junto a todo o povo. E o Senhor, a cada dia, acrescentava à igreja os que estavam sendo salvos.

1. Lit. "propriedade, posse, bens".
2. Lit. "meios de subsistência, bens".
3. Lit. "o que alguém tinha necessidade".
4. Lit. "permanecer constantemente num lugar, estar constantemente presente, continuar junto; persistir, perseverar".
5. Lit. "unânimes, de pleno acordo (mentalmente); junto, ao mesmo tempo".
6. Lit. "ter gratidão/graça". Trata-se de expressão idiomática que pode significar "dar graças", "ser grato a alguém", "ter gratidão para com alguém" e **"cair nas graças de alguém"**.
7. Lit. "graça; prazer, alegria; encanto exterior, beleza; benevolência, favor; respeito; desejo de agradar, condescendência; **reconhecimento, agradecimento**; recompensa, salário".

3 A CURA DE UM COXO

3:1 Pedro e João subiram ao templo por volta da hora da oração, a {hora} nona[1]. **3:2** Estava sendo carregado um homem, que era coxo [2]desde o ventre da sua mãe, o qual era colocado diariamente junto à porta do templo, chamada Formosa, para pedir esmola[3] aos que entravam no templo. **3:3** Ao ver que Pedro e João estavam prestes a entrar no templo, pediu que {lhe} dessem esmola. **3:4** Fitando-o[4], juntamente com João, disse Pedro: Olha para nós. **3:5** Ele os observava[5], esperando receber algo deles. **3:6** Disse Pedro: Não tenho prata[6] nem ouro, mas o que tenho, isto te dou; em nome de Jesus Cristo, o Nazareno, [7]{levanta-te e} anda[8]. **3:7** E, segurando-o pela mão direita, levantou-o; imediatamente os seus pés e tornozelos se firmaram[9]. **3:8** Saltando, pôs-se de pé, e andava[10]; entrou com eles no templo, andando, saltando e louvando a Deus. **3:9** Todo o povo o viu, andando e louvando a Deus, **3:10** reconhecendo que ele era o que ficava sentado junto à porta do Templo, a {porta} Formosa, para {pedir} esmola; e se encheram de assombro[11] e de êxtase[12] a respeito do que lhe havia sucedido[13].

1. Os hebreus computavam as horas do dia de forma diversa da nossa. Para eles, o dia se iniciava às 18 horas da tarde, e era divido em doze horas de luz (dia) e doze horas de treva (noite). As doze horas de luz (dia) eram contadas das 6 horas da manhã às 18 horas (crepúsculo), ao passo que as doze horas de treva tinham início às 18 horas e terminavam às 6 horas da manhã. Sendo assim, segundo esse relato, os fatos acima narrados ocorreram por volta das 15 horas (hora nona).
2. Expressão idiomática semítica para designar o portador de uma doença congênita.
3. Lit. "piedade, compaixão, misericórdia; dádiva, oferta de caridade, esmola (significados típicos do NT)".
4. Lit. "cravar os olhos em alguém, olhar de modo fixo".
5. Lit. "observar, prestar a atenção em; exibir, mostrar, apresentar; permanecer, demorar".
6. Referência ao denário que era confeccionado com prata (metal precioso).
7. A Crítica Textual contemporânea está em dúvida quanto à autenticidade destas palavras, devido à sua ausência em manuscritos antigos. Argumentam que esse trecho pode representar uma tentativa de harmonização de escribas posteriores, que teriam utilizado conhecida fórmula de cura (Mt 9:5; Mc 2:9; Lc 5:23; Jo 5:8).
8. Lit. "andar ao redor; vagar, perambular; circular, passear; viver (seguir um gênero de vida)".
9. Lit. "firmar, fortalecer".
10. Vide nota 8.
11. Lit. "assombro, admiração, estupefação".
12. Lit. "fora de si; êxtase, arroubo; espanto, assombro".

13. Lit. "permanecer com os pés juntos, caminhar junto; reunir-se; **acontecer, suceder, resultar** (trata-se de um evento que se sobrepõe a outro)".

O DISCURSO DE PEDRO

3:11 Agarrando-se ele a Pedro e a João, todo o povo, [1]assombrado, acorreu para eles, no chamado [2]pórtico de Salomão. **3:12** Ao ver {isso}, Pedro respondeu ao povo: Varões israelitas, por que vos maravilhais[3] disso ou por que nos fitais[4], como se por nosso próprio poder[5] e piedade[6] tivéssemos feito ele andar[7]? **3:13** O Deus de Abrão, de Isaque e de Jacó, o Deus de nossos Pais glorificou seu filho[8] Jesus, que vós entregastes e negastes [9]perante Pilatos, quando ele havia decidido soltá-lo. **3:14** Vós, porém, negastes o Santo e Justo, e pedistes para vós fosse agraciado um varão assassino. **3:15** E matastes o iniciador[10] da vida, que Deus ergueu[11] dentre os mortos, do que nós somos testemunhas. **3:16** Pela fé[12] em seu nome, o nome dele {Jesus}, fortaleceu a este {coxo} que observais e conheceis; e a fé, através dele, lhe deu esta saúde completa, diante de todos vós. **3:17** E, agora, irmãos, sei que fizestes[13] por ignorância, como também vossas autoridades[14]. **3:18** Deus, porém, assim cumpriu[15] as {coisas} que havia predito pela boca de todos os Profetas: o seu Cristo {haveria de} padecer. **3:19** Arrependei-vos[16], portanto, e retornai[17] para serem removidos[18] os vossos pecados, **3:20** para que venham da face do Senhor tempos[19] de refrigério[20], e envie Jesus Cristo, previamente designado para vós. **3:21** A quem é necessário o céu receber, até os tempos da restauração de todas {as coisas}, das quais falou Deus pela boca dos seus santos Profetas, desde a antiguidade[21]. **3:22** Moisés, de fato, disse: *O Senhor, vosso Deus, suscitará*[22] *para vós, dentre os vossos irmãos, um Profeta como eu; a ele ouvireis em tudo quanto vos disser.* **3:23** *E será {que} toda alma que não ouvir aquele Profeta, será exterminada dentre o povo*[23]. **3:24** E todo os Profetas, desde Samuel, todos quantos falaram depois {dele} também anunciaram estes dias. **3:25** Vós sois os filhos dos Profetas e {filhos} da aliança[24] que Deus estabeleceu com vossos Pais, dizendo a Abraão: *Na tua descendência*[25], *serão abençoadas todas as pátrias da terra*[26]. **3:26** Tendo Deus ressuscitado[27] seu filho[28], o enviou primeiramente para vós, abençoando-vos, {na medida em que} cada um afastar-se das suas maldades.

ATOS 1. Lit. "assombro, admiração, estupefação".
3
2. Trata-se de uma esplêndida colunata, cuja construção foi atribuída ao rei Salomão, situada no lado oriental do templo, sobre um alicerce artificial que se erguia do vale de Cedrom (Flávio Josefo, Ant. 20. 9,7; Guerras 5.5,1).
3. Lit. "maravilhar-se, encher-se de admiração/assombro, espantar-se, surpreender-se, ficar deslumbrado".
4. Vide nota 4.
5. Lit. "poder, força, habilidade". Trata-se de um substantivo utilizado como objeto do verbo "fazer", o que requer um esforço para recuperar a força da expressão.
6. Lit. "piedade, devoção, reverência, amor (filial)".
7. Vide nota 8.
8. Lit. "menino; filho; escravo jovem".
9. Lit. "diante da face de". Expressão idiomática semítica.
10. Lit. "alguém que trilha pela primeira vez um caminho; líder (príncipe, rei), guia, pioneiro; iniciador, fundador, aquele que dá origem, pioneiro (alguém que inicia ou funda algo)".
11. Lit. "erguer-se, levantar-se". Expressão idiomática semítica que faz referência à ressurreição dos mortos. Para expressar a morte e ressurreição, utilizavam as expressões "deitar-se" (morte) e "levantar-se" (ressurreição).
12. Lit. "fé/fidelidade".
13. Lit. "fazer, executar, realizar, praticar; cumprir, obedecer, observar (lei), realizar; exigir, requerer, coletar (tributos)".
14. Lit. "comandante, chefe, rei". Na Atenas democrática, cada um dos nove governantes eleitos anualmente era chamado "arconte". Nesta passagem, trata-se das autoridades locais.
15. Lit. "encher, tornar cheio; completar; realizar, cumprir".
16. Lit. "mudar de mente, de opinião, de sentimentos, de vida".
17. Lit. "retornar, voltar". Expressão técnica do judaísmo (teshuva) que significa o processo integral de arrependimento: restauração do mal cometido, ressarcimento dos prejuízos e mudança de conduta.
18. Lit. "limpar, secar (lágrima); anular, abolir, apagar (escrito, lei, decreto); remover, eliminar (crime, pecado)"
19. Lit. "um ponto no tempo, um período de tempo; tempo fixo, definido; oportunidade".
20. Lit. "ato de recobrar a respiração (sentido literal); refrigério (clima refrescante após o calor); lazer, descanso, relaxamento (sentido metafórico)". Trata-se de uma referência à Era Messiânica, marcada por um período de descanso, refrigério.
21. Lit. "era, idade, século; tempo muito longo".
22. Lit. "levantar, reerguer, colocar de pé, ascender". Trata-se do verbo que dá origem à palavra "ressurreição". Essa etimologia dos vocábulos levou Simão Pedro a associar o texto do Deuteronômio, a respeito do Profeta que viria, com a questão da ressurreição dos mortos, especialmente a ressurreição de Jesus, procedimento muito comum na hermenêutica dos fariseus (Midrash).
23. (Dt 18:15-16).

24. Lit. "testamento, disposição de última vontade (sentido jurídico relacionado ao direito sucessório); contrato, ajuste, tratado, acordo, convenção (sentido jurídico ligado ao aspecto contratual); aliança, pacto (sentido típico da Literatura Bíblica)".
25. Lit. "semente, esperma, descendência".
26. (Gn 12:3, 22:18).
27. Vide nota 11.
28. Lit. "menino; filho; escravo jovem".

4 PEDRO E JOÃO DIANTE DO SINÉDRIO

4:1 Enquanto eles falavam ao povo, aproximaram-se[1] deles os sacerdotes, o [2]comandante da guarda do templo e os saduceus, **4:2** exauridos[3] por eles ensinarem ao povo e anunciarem, em Jesus, a ressurreição[4] dos mortos, **4:3** lançaram as mãos sobre eles, e os colocaram em custódia[5] até o [6]dia seguinte, pois já era tarde. **4:4** Porém muitos dos que ouviram a palavra creram, tornando-se o número dos varões {aproximadamente} cinco mil. **4:5** E aconteceu, no [7]dia seguinte, {de} estarem reunidos em Jerusalém as autoridades[8], os anciãos e os escribas, **4:6** o sumo sacerdote Anás[9], Caifás[10], João, Alexandre e {todos} quantos eram da linhagem do sumo sacerdote. **4:7** Colocando-os de pé, no meio {deles}, investigavam[11]: Com que poder[12] ou em nome de quem vós fizestes isso? **4:8** Então Pedro, cheio do Espírito Santo, disse para eles: Autoridades[13] do povo e anciãos, **4:9** se hoje nós somos interrogados sobre um benefício {feito a} um homem enfermo[14]: por quem ele foi salvo? **4:10** [15]Tomai conhecimento todos vós e todo o povo de Israel: {foi} em nome de Jesus Cristo, o Nazareno, a quem vós crucificastes, a quem Deus ergueu[16] dentre os mortos; neste {nome}, este {homem} se apresenta curado[17], diante de vós. **4:11** Ele {Jesus} é: *A pedra desprezada por vós, os edificadores; o que se tornou* [18]*cabeça de ângulo*[19]. **4:12** E não há salvação em nenhum outro, pois não há nenhum outro nome sob o céu, que tenha sido dado aos homens, no qual é necessário nós sermos salvos. **4:13** Ao verem a franqueza de Pedro e de João, e percebendo[20] que eram homens iletrados e sem instrução, maravilhavam-se, reconhecendo que eles estiveram com Jesus. **4:14** Vendo o homem que fora curado, de pé[21], com eles, nada tinham a contestar[22]. **4:15** Depois de ordenar que eles saíssem do Sinédrio, deliberavam[23] entre si, **4:16** dizendo: Que faremos a estes homens? Pois, de fato, {é} visível[24] a todos os habitantes de Jerusalém que foi realizado por eles um sinal notório, e não podemos negar, **4:17** mas para que {isso} não se espalhe[25] ainda mais entre o povo, ameacemos a eles para não mais falarem sobre este nome a nenhum homem. **4:18** Chamando-os, ordenaram-lhes terminantemente não falar nem ensinar em nome de Jesus. **4:19** Em resposta, porém, Pedro e João disseram para eles: Julgai se é justo, diante de Deus, ouvir mais a vós do que a Deus. **4:20** Pois nós não podemos deixar de falar das {coisas} que vimos e ouvimos. **4:21** Após eles fazerem mais ameaças, os soltaram, não encontrando como castigá-los, por causa do povo, já que todos glorificavam a Deus pelo que havia acontecido. **4:22** Pois o homem, em quem se realizou este sinal de cura, tinha mais de quarenta anos.

1. Lit. "pôr/colocar sobre/próximo de, estar/permanecer ao lado/próximo de".
2. Lit. "líder/comandante de um exército, general; pretor romano, magistrado provincial; **comandante, capitão da guarda do templo (Chefe dos levitas que mantinham a guarda dentro e ao redor do templo de Jerusalém)**.
3. Lit. "exaurido, fatigado (em razão do trabalho); indignado, perturbado (espécie de exaurimento em razão de contrariedade);
4. Lit. "erguer-se, levantar-se". Expressão idiomática semítica que faz referência à ressurreição dos mortos. Para expressar a morte e a ressurreição, utilizavam as expressões "deitar-se" (morte) e "levantar-se" (ressurreição).
5. Lit. "guarda, manutenção, custódia; lugar de custódia, prisão, cárcere (metonímia); observância prática, cumprimento estrito (sentido metafórico)".
6. Lit. "no amanhã".
7. Vide nota 6.
8. Lit. "comandante, chefe, rei". Na Atenas democrática, cada um dos nove governantes eleitos anualmente era chamado "aronte". Nesta passagem, trata-se das autoridades locais.
9. Lit. "Hannas (forma grega do nome hebraico "Hananiah – Deus é gracioso")". Trata-se do sogro de Caifás (sumo sacerdote na época de Jesus). Anás foi nomeado sumo sacerdote no ano 7 d.C, por Quirino (governador da Síria), e deposto no ano 16 d.C por Valerius Gratus (procurador da Judeia). Embora não fosse mais o sumo sacerdote, era muito respeitado e exercia grande influência sobre o seu genro.
10. Caifás (sumo sacerdote na época de Jesus) foi nomeado sumo sacerdote no ano 18 d.C, por Valerius Gratus (Procurador da Judeia), e deposto no ano 36 d.C por Vitélio (procurador romano na Síria).
11. Lit. "informar-se (perguntando), investigar; estar informado, saber, apreender; notar".
12. Lit. "poder, força, habilidade". Trata-se de um substantivo utilizado como objeto do verbo "fazer", o que requer um esforço para recuperar a força da expressão.
13. Vide nota 8.
14. Lit. "mole", fraco, enfermo.
15. Lit. "seja conhecido de todos vós".
16. Vide nota 4.
17. Lit. "saudável, são (com saúde)".
18. Lit. "cabeça de esquina, de canto, de quina, de ângulo". A pedra colocada no ângulo onde se encontram dois muros, ou paredes era conhecida como pedra angular. A principal pedra angular da construção era chamada de "cabeça do ângulo, de esquina, de quina"
19. (Sl 118:22).

20. Lit. "tomar posse, segurar; obter, conseguir; encontrar subitamente, surpreender; depreender, apanhar (mentalmente), detectar no ato; compreender, apreender (sentido metafórico)".
21. Lit. "estar de pé; estar erguido; colocar, por, estabelecer; estar parado, deter-se".
22. Lit. "contestar, contradizer, objetar; falar contra, negar, opor-se".
23. Lit. "deliberar (consigo ou com outros); aconselhar-se; ser membro de um conselho".
24. Lit. "manifesto, público, visível".
25. Lit. "ser distribuído; ser dividido; difundir-se, espalhar-se, propagar-se".

ORAÇÃO DOS APÓSTOLOS NA PERSEGUIÇÃO

4:23 Depois de serem soltos, foram para os seus e relataram tudo quanto disseram para eles os sumos sacerdotes e anciãos. **4:24** Ao ouvirem {isso}, unânimes[1], ergueram a voz a Deus e disseram: Soberano, tu que fizeste o céu, a terra, o mar e todas as {coisas} que {há} neles, **4:25** que disseste, através do Espírito Santo, pela boca de Davi, nosso Pai, teu filho[2]: *Por que razão nações[3] relincharam[4], e povos se ocuparam[5] com {coisas} vãs.* **4:26** *Apresentaram-se os reis da terra, e as autoridades[6] reuniram-se [7]em conselho, contra o Senhor e contra o seu Cristo[8].* **4:27** Pois, na verdade, Herodes e Pôncio Pilatos, com nações e povos de Israel, reuniram-se, nesta cidade, contra o teu Santo Filho[9], Jesus, o qual ungiste, **4:28** para fazer tudo quanto a tua mão e o {teu} desígnio[10] predeterminou ocorrer. **4:29** Agora, Senhor, contempla as ameaças deles, e concede a teus servos falar a tua palavra com toda franqueza, **4:30** enquanto estendes a tua mão para curar, e realizar sinais e prodígios, através do nome do teu Santo Filho[11], Jesus. **4:31** E, tendo eles orado, foi abalado[12] o lugar em que estavam reunidos; todos se encheram do Espírito Santo, e falavam a palavra de Deus com franqueza.

1. Lit. "unânimes, de pleno acordo (mentalmente); junto, ao mesmo tempo".
2. Lit. "menino; filho; escravo jovem".
3. Lit. "povos de outras nações que não o povo hebreu". Os hebreus chamavam todos os outros povos de gentios.
4. Lit. "relinchar, resfolegar, bufar (como um cavalo agitado); vociferar, tumultuar, ser barulhento, enfurecer-se (sentido metafórico)".
5. Lit. "importar-se com, cuidar de algo (no sentido de ocupar-se), ter atenção com; exercitar-se (na declamação, na oratória)".

6. Lit. "comandante, chefe, rei". Na Atenas democrática, cada um dos nove governantes eleitos anualmente era chamado "aronte". Nesta passagem, trata-se das autoridades locais.
7. Lit. "sobre o próprio/mesmo". Trata-se de uma expressão idiomática que reforça o verbo "reunir-se", que já se encontra na voz passiva; talvez para transmitir a ideia de que se reunião em conselho, em grupo.
8. (Sl 2:1-2).
9. Lit. "menino; filho; escravo jovem".
10. Lit. "desígnio, plano, projeto; vontade, determinação; deliberação (tomada em assembléia, conselho)".
11. Lit. "menino; filho; escravo jovem".
12. Lit. "sacudir, agitar, abalar".

A PRIMEIRA COMUNIDADE CRISTÃ

4:32 O coração e a alma da multidão dos que creram eram um {só}, e ninguém dizia ser somente seu algo do que possuía, mas todas as {coisas} lhes eram comuns. **4:33** Os apóstolos davam testemunho, com grande poder[1], da ressurreição[2] do Senhor Jesus, e havia em todos eles grande graça[3]. **4:34** Pois nenhum necessitado havia entre eles; já que todos os que eram proprietários de terrenos[4] ou casas, vendendo-os, traziam os valores das coisas vendidas **4:35** e colocavam junto aos pés dos apóstolos; e era distribuído a cada qual conforme [5]a necessidade de cada um.

1. Lit. "poder, força, habilidade".
2. Lit. "erguer-se, levantar-se". Expressão idiomática semítica que faz referência à ressurreição dos mortos. Para expressar a morte e a ressurreição, utilizavam as expressões "deitar-se" (morte) e "levantar-se" (ressurreição).
3. Lit. "graça, prazer, alegria; benevolência, desejo de agradar; benefício, favor; reconhecimento, agradecimento; recompensa, salário".
4. Lit. "lugar, campo, pedaço de terra".
5. Lit. "o de que alguém tinha necessidade".

BARNABÉ

4:36 José, chamado Barnabé pelos apóstolos – que traduzido é "Filho da Consolação – levita, natural de Chipre, **4:37** possuindo ele um campo, ao vendê-lo, trouxe a soma de dinheiro, e colocou aos pés dos apóstolos.

5

A FRAUDE DE ANANIAS E SAFIRA

5:1 Certo varão, {cujo} nome {era} Ananias, com sua mulher Safira, vendeu uma propriedade[1]. **5:2** Mas, em conivência com sua mulher, reteve {parte} do valor, e trazendo uma porção[2], colocou aos pés dos apóstolos. **5:3** Disse Pedro: Ananias, por que Satanás[3] encheu o teu coração, para mentires ao Espírito Santo, retendo {parte} do valor do terreno[4]? **5:4** Porventura, mantendo-o, não permaneceria teu? E, vendido, não estaria sob tua autoridade? Por que puseste em teu coração este ato? Não mentiste aos homens, mas a Deus. **5:5** Ao ouvir estas palavras, Ananias caiu e expirou. E sobreveio grande temor a todos os ouvintes. **5:6** Levantando-se os mais moços, o cobriram; e, levando-o para fora, o sepultaram. **5:7** E sucedeu que, num intervalo de quase três horas, entrou a mulher dele, não sabendo o que havia ocorrido. **5:8** Pedro perguntou para ela: Dize-me se vendeste[5] por tanto o terreno? Disse ela: Sim, por tanto. **5:9** Pedro {disse} para ela: Por que se ajustou[6] entre vós testar[7] o Espírito do Senhor? Eis que {estão} à porta os pés dos que sepultaram teu varão, e te levarão para fora. **5:10** {Ela} caiu, imediatamente, aos pés dele e expirou. Ao entrarem os jovens, a encontraram morta, e levando-a para fora, a sepultaram junto do varão dela. **5:11** E sobreveio grande temor sobre a igreja[8] inteira, e sobre todos os que ouviram estas {coisas}.

1. Lit. "propriedade, posse, bens".
2. Lit. "parte, porção, divisão (parte de um todo); partilha, sorte (parte que cabe a alguém por sorteio ou divisão)".
3. Lit. "adversário". Palavra de origem semítica.
4. Lit. "lugar, campo, pedaço de terra".
5. Lit. "devolver, restituir; pagar; vender, dar em troca".
6. Lit. "ressoar ao mesmo tempo, estar em harmonia; estar de acordo, acordar, ajustar; adequar, ajustar".
7. Lit. "tentar, experimentar; testar, pôr à prova; desafiar".
8. Lit. "assembleia (popular, dos anfitriões em Delfos, de soldados, etc...); lugar da assembleia", e por extensão: a congregação dos filhos de Israel; a comunidade cristã; o local das reuniões (igreja).

SINAIS E PRODÍGIOS PELOS APÓSTOLOS

5:12 Muitos sinais e prodígios eram feitos pelas mãos dos apóstolos. E estavam todos {reunidos} unânimes[1] sob o [2]pórtico de Salomão. **5:13** Nenhum dos restantes ousava associar-se[3] a eles, mas o povo os enaltecia[4]. **5:14** Eram acrescentados, ainda mais, aos que criam no Senhor, multidões de homens e também de mulheres, **5:15** a ponto de também levarem os enfermos[5] para as ruas[6] e os colocarem sobre pequenos leitos e catres[7], a fim de que, vindo Pedro, ao menos a sombra cobrisse[8] alguns deles. **5:16** Reuniam-se também multidões das cidades circunvizinhas de Jerusalém, trazendo enfermos e atormentados[9] por espíritos impuros, os quais eram todos curados.

1. Lit. "unânimes, de pleno acordo (mentalmente); junto, ao mesmo tempo".
2. Trata-se de uma esplêndida colunata, cuja construção foi atribuída ao rei Salomão, situada no lado oriental do Templo, sobre um alicerce artificial que se erguia do vale de Cedrom (Flávio Josefo, Ant. 20. 9,7; Guerras 5.5,1).
3. Lit. "colar, soldar; aderir a". Em sentido metafórico: ligar-se, atar-se, juntar-se, unir-se, associar-se.
4. Lit. "aumentar, ampliar, engrandecer (sentido estrito); exaltar, enaltecer (sentido metafórico)".
5. Lit. "mole", fraco, enfermo (ocasional).
6. Lit. "ruas, estradas largas; praça".
7. Palavra de origem macedônica, traduzida para o latim como *grabatus*. Trata-se de um leito rústico e pobre, uma espécie de colchão dobrável para viagem bastante rústico. A palavra "catre" talvez reflita melhor a rusticidade e pobreza desse leito portátil usado pelas pessoas muito pobres da Palestina.
8. Lit. "fazer sombra sobre, cobrir com sombra, sombrear".
9. Lit. "perturbar, atormentar, molestar". Trata-se de termo técnico utilizado pelos escritores médicos.

OS APÓSTOLOS DIANTE DO SINÉDRIO

5:17 Levantando-se, porém, o sumo sacerdote e todos os que {estavam} com ele, que eram do partido[1] dos saduceus, se encheram de inveja[2], **5:18** lançaram as mãos sobre os apóstolos e os colocaram em custódia[3] pública. **5:19** Um anjo do Senhor, porém, durante a noite, abrindo as portas da prisão e conduzindo-os para fora, disse: **5:20** Ide e,

⁴colocando-se de pé, falai no templo ao povo todas as palavras desta vida. **5:21** Ao ouvirem {isso}, entraram no templo de ⁵madrugada, e ensinavam. Vindo o sumo sacerdote e os que {estavam} com ele, convocaram o Sinédrio e todo o Conselho de Anciãos dos filhos de Israel, e enviaram {guardas} ao cárcere para conduzi-los. **5:22** Os servidores⁶, chegando {lá}, não os encontraram na prisão; retornando, relataram, **5:23** dizendo: Encontramos o cárcere fechado com toda segurança e as sentinelas ⁷postadas de pé junto à porta; mas, abrindo, não encontramos ninguém dentro. **5:24** Quando o ⁸comandante da guarda do templo e os sumos sacerdotes ouviram estas palavras, ficaram confusos a respeito delas {palavras} e do que viria a ser isto. **5:25** Vindo alguém, relatou-lhes: Vede, os homens que pusestes na prisão estão ⁹postados de pé no templo, ensinando o povo. **5:26** Então, indo o ¹⁰comandante da guarda do templo, com os servidores¹¹, os conduziram sem violência, pois temiam ser apedrejados pelo povo. **5:27** Após conduzi-los, os ¹²colocaram de pé no Sinédrio. E o sumo sacerdote os interrogou, **5:28** dizendo: Acaso não vos ¹³ordenamos terminantemente não ensinarem em nome deste? Eis que enchestes Jerusalém do vosso ensino e quereis ¹⁴trazer sobre nós o sangue deste homem. **5:29** Em resposta, Pedro e os apóstolos disseram: É necessário obedecer mais a Deus que aos homens. **5:30** O Deus de nossos Pais ergueu¹⁵ Jesus, a quem vós matastes¹⁶, pendurando-o no madeiro¹⁷. **5:31** A este Deus elevou a Guia¹⁸ e Salvador, com a sua destra, a fim de conceder a Israel arrependimento¹⁹ e perdão²⁰ dos pecados. **5:32** E nós somos testemunhas destas palavras, como também o Espírito Santo que Deus deu àqueles que o obedecem. **5:33** Os que ouviram {isso} estavam enfurecidos²¹ e queriam eliminá-los. **5:34** Mas, levantando-se no Sinédrio um fariseu, de nome Gamaliel, mestre da Lei, estimado por todo o povo, ordenou que ²²pusessem para fora os homens, por um pouco, **5:35** e disse para eles: Varões israelitas, acautelai-vos a respeito do que estais prestes a fazer a estes homens. **5:36** Pois, antes destes dias, levantou-se Teudas, ele mesmo dizendo ser alguém, ao qual se inclinaram o número de aproximadamente quatrocentos homens, mas que foi eliminado, bem como todos quantos foram persuadidos por ele, sendo dispersados e tornando-se nada. **5:37** Depois deste, levantou-se Judas, o galileu, nos dias do censo, e o povo afastou-se atrás dele; também ele pereceu, bem como todos quantos foram persuadidos por

ele, sendo espalhados. **5:38** E agora vos digo: Afastai-vos destes homens e deixai-os, porque se este propósito ou esta obra for de homens, será destruído, **5:39** mas, se é de Deus, não podereis destruí-los, e também para que não sejais considerados[23] {homens} que lutam contra Deus. E foram persuadidos por ele. **5:40** Chamando os apóstolos, depois de açoitá-los[24], ordenaram-lhes não falar em nome de Jesus, e os soltaram. **5:41** Então eles partiram, alegrando-se diante[25] do Sinédrio, porque foram considerados dignos de serem desonrados por causa do nome {de Jesus}. **5:42** E todos os dias, no templo e em cada casa, não cessavam de ensinar e evangelizar[26] o Cristo Jesus.

1. Lit. "escolha, opção (sentido estrito); partido, escola, grupo, seita (sobretudo os separatistas)".
2. Lit. "zelo, ardor; rivalidade, emulação; inveja".
3. Lit. "guarda, manutenção, custódia; lugar de custódia, prisão, cárcere (metonímia); observância prática, cumprimento estrito (sentido metafórico)".
4. Lit. "estar de pé; estar erguido; estar parado, deter-se; colocar, pôr, estabelecer".
5. Lit. "aurora/amanhecer". Expressão utilizada para descrever o alvorecer, o raiar do dia.
6. ὑπηρέται *(huperétai)* – **remador, marinheiro, navegador; servidor; assistente, auxiliar** – *Sub (2-20)*, **composto pela preposição** ὑπέρ **(hupér – em composição pode indicar ênfase, excesso) + substantivo** ἐρέτης **(erétes – remador), que por sua vez deriva do verbo** ἐρέσσω **(erésso – remar)**. Trata-se de um humilde servidor, e não de um escravo, já que o indivíduo conserva sua autonomia, sua liberdade. A preposição ὑπέρ **(hupér)** sugere a ideia de alguém que está na fronteira que separa o servidor do servo. Em resumo, a palavra grega indica o servidor, na mais exata acepção do termo. O vocábulo foi empregado, no Novo Testamento, para designar diversos tipos de servidores: os assistentes do rei, os oficiais do Sinédrio, os assistentes dos magistrados, as sentinelas do templo de Jerusalém. Na literatura grega, a palavra é empregada para designar remador, marujo, todos os homens de uma tripulação, soldado da marinha (fuzileiro naval); todo homem sob as ordens de outro, um servidor comum, um servidor que acompanha o soldado de infantaria (na Grécia antiga); ajudante de um general; servidor de Deus.
7. Vide nota 4.
8. Lit. "líder/comandante de um exército, general; pretor romano, magistrado provincial; **comandante, capitão da guarda do templo (Chefe dos levitas que mantinha a guarda dentro e ao redor do templo de Jerusalém)**.
9. Vide nota 4.
10. Vide nota 8.
11. Vide nota 6.
12. Vide nota 4.
13. Lit. "ordenamos com uma ordem". Trata-se de expressão idiomática semítica em que se utiliza verbo e substantivo de mesmo radical, com o objetivo de reforçar o sentido da ação descrita pelo verbo, conferindo-lhe intensidade.

14. Expressão idiomática semítica que significa, possivelmente, imputar a alguém a prática de um crime.
15. Lit. "erguer-se, levantar-se". Expressão idiomática semítica que faz referência à ressurreição dos mortos. Para expressar a morte e ressurreição, utilizavam as expressões "deitar-se" (morte) e "levantar-se" (ressurreição).
16. Lit. "ter nas mãos, pôr as mãos em (sentido estrito); matar (sentido ampliativo)".
17. Lit. "toras de madeira, porrete, clava".
18. Lit. "alguém que trilha pela primeira vez um caminho; líder (príncipe, rei), guia, pioneiro; iniciador, fundador, aquele que dá origem, pioneiro (alguém que inicia ou funda algo)".
19. Lit. "mudança de mente, de opinião, de sentimentos, de vida".
20. Lit. "perdão (pecado, ofensa, mal); remissão (dívida, pena); libertação (escravidão, prisão); liberação (permitir a saída)".
21. Lit. "serrar ao meio, em partes (sentido estrito); ranger os dentes (sentido idiomático); estar com o coração partido, estar enfurecido (sentido metafórico)".
22. Lit. "fazer para fora". Expressão idiomática que pode ser substituída por outra em português: "pôr para fora".
23. Lit. "encontrados". Possível expressão idiomática na qual se utiliza o verbo "encontrar" com o sentido de "ser considerado", "ser tido em conta de".
24. Lit. "esfolar, tirar a pele; castigar, maltratar; bater, açoitar".
25. Lit. "a partir da face do Sinédrio". Expressão idiomática semítica que significa: "na presença do Sinédrio", "diante do Sinédrio".
26. Lit. "evangelizar, anunciar boas novas, dar boas notícias". O verbo significa, originalmente, anunciar as boas novas, dar uma boa notícia.

6 OS SETE AUXILIARES DOS APÓSTOLOS

6:1 Nesses dias, multiplicando-se[1] os discípulos, houve murmuração dos helenistas contra os hebreus, porque as suas viúvas eram desprezadas[2] no serviço[3] diário. **6:2** Os doze, convocando a multidão dos discípulos, disseram: Não é razoável[4] que nós deixemos a palavra de Deus para servir[5] {às} mesas. **6:3** Irmãos, selecionai[6], dentre vós, sete varões atestados[7], cheios de espírito e sabedoria, os quais constituiremos[8] sobre esta necessidade. **6:4** Nós perseveraremos[9] na oração e no serviço[10] da palavra. **6:5** A palavra foi agradável à vista de todos da multidão, e escolheram Estêvão, varão cheio de fé e do Espírito Santo, Filipe, Próchoro, Nicanor, Timão, Pármenas e Nicolau, prosélito de Antioquia, **6:6** os quais se [11]colocaram de pé diante dos apóstolos, que, orando, lhes impuseram as mãos. **6:7** A palavra de Deus crescia[12], e se multiplicava[13] enormemente o número de discípulos em Jerusalém; numerosa multidão de sacerdotes obedecia à fé.

1. Lit. "aumentar, multiplicar, acumular".
2. Lit. "olhar de lado (sentido estrito); desprezar, negligenciar, fazer vistas grossas; comparar".
3. Lit. "serviço, ato de atender ou servir (serviço doméstico, servir à mesa); ajudar, socorrer".
4. Lit. "agradável, aceitável; razoável, adequado".
5. Lit. "servir à mesa, serviço doméstico (pessoal); suprir, prover; cuidar; auxiliar, apoiar, ajudar". O verbo se encontra no imperfeito ingressivo, transmitindo a ideia de início da ação no passado.
6. Lit. "escolher, selecionar com base em investigação cuidadosa (sentido estrito); observar, inspecionar; visitar (para confortar)".
7. Lit. "testemunhados (sentido estrito); atestados, que têm boa reputação, aprovados".
8. Lit. "constituir, nomear; estabelecer, colocar na administração de".
9. Lit. "permanecer constantemente num lugar, estar constantemente presente, continuar junto; persistir, perseverar".
10. Vide nota 3.
11. Lit. "estar de pé; estar erguido; estar parado, deter-se; colocar, por, estabelecer".
12. Lit. "aumentar, crescer".
13. Vide nota 1.

A PRISÃO DE ESTEVÃO

6:8 Estevão, cheio de graça e poder, realizava prodígios e grandes sinais entre o povo. **6:9** Levantaram-se alguns dos {que eram} da sinagoga chamada dos Libertos, dos cirineus, dos alexandrinos, dos {provenientes} da Cilícia e da Ásia, e debatiam[1] com Estevão. **6:10** E não podiam resistir[2] à sabedoria e ao espírito com que falava. **6:11** Então subornaram varões que diziam: Temos ouvido este {homem} falando palavras blasfemas contra Moisés e contra Deus. **6:12** Instigaram[3] o povo, os anciãos e os escribas e, aproximando-se[4], o arrebataram[5] e o conduziram ao Sinédrio. **6:13** Apresentaram[6] testemunhas falsas, que diziam: Este homem não cessa de falar palavras contra o lugar santo e contra a Lei. **6:14** Pois {nós} o ouvimos dizer que esse Jesus, o Nazareno, destruirá este lugar e mudará os costumes que Moisés nos transmitiu[7]. **6:15** Todos os que estavam sentados no Sinédrio, fixando os olhos[8] nele, viram o rosto dele como {se fosse} rosto de anjo.

1. Lit. "buscar com, pesquisar junto (sentido estrito); discutir, debater; argumentar; disputar".
2. Lit. "levantar-se contra", opor-se, resistir; colocar-se em oposição ou manter-se contra.
3. Lit. "mover junto, agitar (sentido estrito); comover, instigar, excitar".
4. Lit. "pôr/colocar sobre/próximo de, estar/permanecer ao lado/próximo de".
5. Lit. "agarrar/arrebatar subitamente/com força/tudo ao mesmo tempo; tornar cativo".
6. Lit. "estar de pé; estar erguido; estar parado, deter-se; colocar, por, estabelecer".
7. παρέδοσαν (parédosan) – **transmitir (ensino oral ou tradição escrita); dar, entregar, confiar (algo à alguém)** – Verb. Indicativo Aoristo Ativo (17-119), **composto pela preposição** παρά (pará – junto a; para; em) + verbo δίδωμι (dídomi – dar; entregar; conceder). Lucas utiliza um termo técnico para destacar que sua obra se embasa na tradição, oral e escrita, da comunidade cristã. A primeira etapa da transmissão da vida e do ensino de Jesus foi eminentemente oral. A maioria desse material narrativo se perdeu com o tempo. Parte desta pregação, porém, assumiu formas fixas e padronizadas, à medida que as histórias e os ditos eram narrados. Essa padronização facilitava a retenção do relato na memória do ouvinte e reflete uma prática comum dos rabinos (sábios da Palestina do Séc. I) que tinham o costume de compor seus ensinos em formas propícias à memorização, exigindo que seus alunos as decorassem. A própria composição do Talmud (200d.C a 500d.C) reflete essa prática. Ao longo do desenvolvimento da tradição oral, houve a condensação e concretização desse material memorizado na forma escrita, sendo perfeitamente possível identificar os padrões narrativos (curas, milagres, ditos notáveis, pregação apostólica) no Novo Testamento, trabalho realizado, embora de modo incompleto, pela Crítica das Formas (ramo da pesquisa bíblica que estuda os padrões narrativos).
8. Lit. "cravar os olhos em alguém, olhar de modo fixo".

7 A DEFESA DE ESTEVÃO

7:1 E disse o sumo sacerdote: [1]As coisas são mesmo assim? **7:2** Ele disse: Varões, irmãos e pais, ouvi. O Deus da glória se tornou visível ao nosso Pai Abraão, enquanto estava na Mesopotâmia, antes de habitar em Harã, **7:3** e disse para ele: *Sai da tua terra e da tua parentela, e vem para a terra que {eu} te mostrar*[2]. **7:4** Então, saindo da terra dos caldeus, habitou em Harã. E dali, depois da morte do seu pai, {Deus} fez com que ele imigrasse para esta terra, na qual vós agora habitais. **7:5** E não lhe deu herança nela, nem estrado[3] de pé; mas prometeu *dar-lhe a posse dela e, depois dele, à sua descendência*[4], [5]*não tendo ele filho {ainda}*[6]. **7:6** E assim falou Deus: *A descendência*[7] *dele será peregrina em terra estrangeira*[8]*, por quatrocentos anos a escravizarão e maltratarão*. **7:7** Disse Deus: *Eu julgarei a nação que os escravizará, e depois destas {coisas} sairão e me* [9]*prestarão culto neste lugar*[10]. **7:8** E deu-lhe a aliança[11] da circuncisão; assim gerou a Isaac[12] e o circuncidou ao oitavo dia; Isaac {gerou} a Jacob[13], e Jacob aos doze Patriarcas[14]. **7:9** Os Patriarcas, invejando José[15], o entregaram ao Egito, mas Deus estava com ele, **7:10** retirou-o de todas as suas provações[16], deu-lhe graça e sabedoria perante o faraó, rei do Egito, que o constituiu[17] condutor[18] sobre o Egito e sobre a sua casa. **7:11** Veio, porém, fome e grande provação[19] sobre o Egito inteiro e {sobre} Canaã, e nossos Pais não encontravam alimento[20]. **7:12** Jacob, ouvindo que havia cereais[21] no Egito, enviou para lá, pela primeira vez, os nossos Pais. **7:13** Na segunda vez, José se deu a conhecer a seus irmãos, e [22]se tornou pública ao faraó a origem de José. **7:14** Ao enviá-los, José mandou chamar seu pai, e toda a sua parentela, {composta de} setenta e cinco almas. **7:15** Jacob desceu ao Egito, e {lá} morreu, ele e nossos Pais. **7:16** Foram transferidos para Siquém e colocados no sepulcro que Abraão havia comprado a preço de prata[23], junto aos filhos de Hemmor, [24]em Siquém. **7:17** Como se aproximava o tempo da promessa[25] que Deus havia declarado[26] a Abraão, o povo cresceu[27] e se multiplicou[28] no Egito. **7:18** Até que *se levantou outro Rei que não conhecera José*[29]. **7:19** Este {rei}, ludibriando[30] a nossa raça, maltratou os Pais, ao fazê-los abandonar os recém-nascidos, a fim de que não sobrevivessem. **7:20** Nesse tempo[31], foi gerado Moisés, que era formoso[32] para Deus, o qual foi criado[33] na casa do pai por três meses. **7:21** Ao ser abandonado, a filha do faraó o recolheu, e o criou[34] como seu próprio filho. **7:22** Moisés foi educado[35] em toda a sabedoria dos egípcios, e era poderoso em suas palavras e obras. **7:23** Quando se completou[36] para ele o tempo de quarenta anos, subiu ao seu coração visitar[37] os seus irmãos, os filhos de Israel. **7:24** E ao ver alguém sendo injustiçado, defendeu[38] e [39]fez justiça ao oprimido, ferindo[40] o egípcio. **7:25** Supunha[41] estarem compreendendo seus irmãos que Deus, através das mãos dele, concedia-lhes salvação. Eles, porém, não compreenderam. **7:26** No dia seguinte, foi visto pelos que estavam brigando[42] e os reconciliava para a paz, dizendo: Varões, {vós} sois irmãos, porque [43]fazeis injustiça uns aos outros? **7:27** Mas o que [44]fazia injustiça ao próximo o repeliu, dizendo: *Quem te constituiu*[45] *autoridade*[46] *e juiz sobre nós?* **7:28** *Acaso, tu queres me eliminar da maneira como eliminaste, ontem, o egípcio?* [47] **7:29** A estas palavras, Moisés fugiu e tornou-se estrangeiro[48] na terra de Madiam, onde gerou dois filhos.[49] **7:30** Completados[50] quarenta anos, *no deserto do Monte Sinai, foi visto por ele um anjo, na chama de fogo de uma sarça*[51]. **7:31** Ao ver {isso}, Moisés ficou maravilhado com a visão e, aproximando-se para observar[52], surgiu uma voz do Senhor: **7:32** *Eu sou o Deus de teus Pais, o Deus de Abraão, de Isaac e de Jacob*[53]. Moisés, ficando trêmulo, não ousava observar. **7:33** *Disse-lhe o Senhor: Tira a sandália dos teus pés, pois o lugar sobre o qual* [54]*estás de pé é terra santa.* **7:34** *Vendo, {eu} vi a opressão*[55] *do meu povo no Egito, ouvi o seu gemido*[56]*, e desci para retirá-los. Agora vem, e te enviarei ao Egito.*[57] **7:35** Este Moisés, a quem negaram, dizendo: *Quem te constituiu*[58] [59]*autoridade?*[60]. A este, Deus enviou {como} autoridade[61] e redentor[62], com a mão do anjo que foi visto por ele na sarça. **7:36** Ele os retirou, realizando prodígios e sinais na terra do Egito, bem como no Mar Vermelho e no deserto, por quarenta anos. **7:37** Este é Moisés, o que disse aos filhos de Israel: *Deus suscitará*[63] *para vós, dentre os vossos irmãos, um Profeta como eu.*[64] **7:38** Este é o que esteve na congregação[65] no deserto, com o anjo que lhe falava no monte Sinai e com nossos Pais, o qual recebeu palavras vivas para nos dar. **7:39** A quem nossos Pais não quiseram ser obedientes; ao contrário, o repeliram e, em seus corações, retornaram para o Egito, **7:40** dizendo a Aarão: *Faze para nós deuses, os quais seguirão adiante de nós, pois este Moisés, que nos retirou da terra do Egito, não sabemos o que lhe sucedeu.*[66] **7:41** Naqueles dias, fizeram um bezerro, conduziram oferenda[67] ao ídolo e se deleitaram[68] com as obras das mãos deles. **7:42** Deus, porém, retornou e os entregou ao [69]culto do [70]exército do céu, como está escrito no Livro dos Profetas: *Acaso {foi} a* mim que oferecestes sacrifícios⁷¹ e oferendas⁷² durante quarenta anos, ó Casa de Israel? **7:43** E levantaste a tenda⁷³ de Moloch e a estrela do deus Renfan, as figuras que fizestes para as adorar. [Por isso] vos farei imigrar para o outro lado da Babilônia.⁷⁴ **7:44** Havia para nossos Pais, no deserto, a tenda do testemunho, como ordenou fazê-la aquele que fala a Moisés, segundo o tipo que [Moisés] havia visto. **7:45** Ao recebê-la, nossos Pais, com Josué, também a levaram na desapropriação das nações⁷⁵ que Deus expulsou da face dos nossos Pais – até aos dias de Davi. **7:46** Ele encontrou graça diante de Deus, e pediu para encontrar uma tenda para casa de Jacó. **7:47** Salomão, porém, lhe edificou uma casa, **7:48** mas o Altíssimo não habita no que foi feito por mãos [humanas], como diz o Profeta: **7:49** *O céu é meu trono, e a terra estrado dos meus pés; que tipo de casa me edificareis, diz o Senhor, ou qual o lugar do meu repouso?* **7:50** *Porventura, a minha mão não fez todas essas [coisas]?*⁷⁶ **7:51** [Homens] de dura cerviz e incircuncisos nos corações e nos ouvidos, vós sempre resistis ao Espírito Santo; como os vossos Pais, [sois] também vós. **7:52** Qual dos Profetas vossos Pais não perseguiram? Mataram os que haviam predito sobre a vinda do Justo, do qual vos tornastes agora traidores e assassinos, **7:53** vós que recebestes a Lei em preceitos de anjos, e não guardastes.

1. Lit. "se estas [coisas] assim têm?". Trata-se de expressão idiomática que pode ser substituída, sem maiores perdas, por: "isso é verdade?", "as coisas são mesmo assim?".
2. (Gn 12:1).
3. Lit. "lugar elevado acessível por meio de degraus; plataforma, estrado; tribuna do julgador".
4. Lit. "semente, esperma, descendência".
5. Lit. "não havendo para ele filho". Expressão idiomática.
6. (Gn 15:1-8).
7. Vide nota 4.
8. Lit. "outro, alheio, estrangeiro; pertinente a outro".
9. Lit. "servir, executando deveres religiosos, sobretudo os ligados ao culto". Trata-se dos serviços do culto, das "obras da lei".
10. (Gn 15:14; Ex 3:12).
11. Lit. "testamento, disposição de última vontade (sentido jurídico relacionado ao direito sucessório); contrato, ajuste, tratado, acordo, convenção (sentido jurídico ligado ao aspecto contratual); aliança, pacto (sentido típico da Literatura Bíblica)".
12. Ἰσαάκ (Isaác) – **Isaac (forma grega e/ou transliteração do nome hebreu Yitshaq)** – *Sub* (3-20), **nome hebraico** יִצְחָק **(Yitshaq – Isaac), derivado do verbo** צָחַק **(Tsahaq – rir), significando literalmente "ele riu".** Esse verbo aparece pela primeira vez (grau Qal) na bíblia hebraica descrevendo as reações de Abraão (Gn 17:17) e de sua esposa Sara (Gn 18:12-13), que

riram incredulamente da promessa divina de que teriam um filho. Após o cumprimento da promessa, Sara exclamou: "Deus me deu motivo de riso e todo aquele que ouvir isso vai rir-se juntamente comigo (yitshaq-lî)" (Gn 21:6), razão pela qual o nome da criança passou a ser Isaac.

13. Ἰακώβ (Iakób) – **Jacó (forma grega e/ou transliteração do nome hebreu Y'aqov)** – Sub (5-27), **nome hebraico** יַעֲקֹב **(Y'aqov – Jacó), derivado dos substantivos** עָקֵב **('aqeb – calcanhar; casco; retaguarda; pegadas) e** עָקֵב **('aqeb – aquele que vence em astúcia), que por sua vez dão origem ao verbo** עָקַב **('aqab – pegar pelo calcanhar; suplantar).** Partindo da ideia literal de calcanhar, esses vocábulos apresentam um desdobramento semântico, descrevendo "cascos de cavalo", "a parte de trás de alguma coisa", "as nádegas", "a retaguarda de uma tropa", "os passos de alguém". O emprego metafórico da expressão "levantar o calcanhar" ou "iniquidade no meu calcanhar" inclui ideias tais como a de um traidor que demonstra infidelidade ou de alguém que persegue impiedosamente. Jacó, segundo filho de Isaac, neto de Abraão, nasceu "segurando o calcanhar" de seu irmão Esaú (Gn 25:26). Quando Jacó adquiriu o direito de primogenitura (Gn 25:29-34), ao roubar a bênção proferida por Isaac (Gn 27:1-29), seu irmão Esaú, injustamente preterido, exclamou: "Não é com razão que se chama ele Jacó? Pois já duas vezes me enganou: tirou-me o direito de primogenitura e agora usurpa a bênção que era minha" (Gn 27:36). Esse nome, quando empregado como um coletivo, refere-se às tribos de Israel que descenderam dos 12 filhos de Jacó.

14. (Gn 17:10, 21:4).

15. Ἰωσήφ (Ioséph) – **José (forma grega e/ou transliteração do nome hebreu Yôsef)** – Sub (7-14), **nome hebraico** יוֹסֵף**(Yôsef – Deus ajuda), derivado do verbo** יָסַף **(āzār – adicionar, acrescentar;).** José, filho de Jacó, é apontado como membro da família real de Judá (Mt 1:15), embora seu nome tenha sido omitido da genealogia de **1Cr 3:19**. Trata-se do marido de Maria, mãe de Jesus. Sua resumida história pode ser encontrada nas narrativas da infância (Mt 1:16-25, 2:1-23 ; Lc 2:1-40).

16. Lit. "pressão, compressão (sentido estrito); aflição, tribulação, provação (sentido metafórico)".

17. Lit. "constituir, nomear; estabelecer, colocar na administração de".

18. Lit. "conduzir, guiar, dar o exemplo; comandar (como chefe militar), governar; exercer hegemonia, ter proeminência".

19. Vide nota 16.

20. Lit. "pastagem, alimento para o gado, silagem (sentido estrito); alimento, comida, provisão humana restrita (sentido extensivo)".

21. Lit. "diminutivo de grãos (trigo, milho, cereal); provisão de cereais; alimento (sentido extensivo)".

22. Lit. "se tornou manifesto/público/visível".

23. Referência ao denário, que era confeccionado com prata (metal precioso).

24. O relato segue uma tradição oral diferente da que consta no texto escrito da Bíblia Hebraica, mesclando a descrição de duas transações comerciais imobiliárias: **1)** Abraão comprou de Efron, o hitita, um terreno onde estava situada a gruta de Macpela e os carvalhos de Mambré, sendo que Sara, Abraão, Isaac, Rebeca, Léa e Jacob foram enterrados na referida gruta (Gn 23:1-20); **2)** Jacob comprou um terreno em Siquém, dos filhos de Hemmor (pai de Siquém), por cem moedas de prata (Gn 33:18-20). Nesse local, foram enterrados os ossos de José que haviam sido trasladados do Egito (Js 24:32).

25. Lit. "anúncio, declaração; acordo, promessa, compromisso, aliança".

26. Lit. "homologar, concordar, assentir; reconhecer, confessar; declarar-se,

27. Lit. "aumentar, crescer".
28. Lit. "aumentar, multiplicar, acumular".
29. (Ex 1:22).
30. Lit. "usar de astúcia, ludibriar; enganar, iludir (mediante sutileza, ardil, astúcia, esperteza)".
31. Lit. "um ponto no tempo, um período de tempo; tempo fixo, definido; oportunidade".
32. Lit. "pertencente ou relativo a uma cidade (sentido estrito); bem educado, polido, elegante, fino (sentido ampliativo); formoso, belo".
33. Lit. "amamentar, nutrir (sentido estrito); cuidar, criar, educar".
34. Vide nota 33.
35. Lit. "instruir, ensinar, educar (pessoas); domesticar, domar (animais); corrigir (aplicar corrigendas, bater), castigar".
36. Lit. "encher, tornar cheio; completar; realizar, cumprir".
37. Lit. "escolher, selecionar com base em investigação cuidadosa (sentido estrito); observar, inspecionar; visitar (para confortar)".
38. Lit. "apartar, repelir; defender, ajudar, proteger".
39. Lit. "vingar, fazer justiça (executar o direito e a justiça), punir (crime); tomar a defesa de alguém".
40. Lit. "bater, espancar; ferir, machucar".
41. Lit. "supor, crer; pensar, considerar".
42. Lit. "lutar, brigar; contender, disputar".
43. Lit. "fazer/praticar injustiça; proceder ilegalmente; tratar mal, molestar, prejudicar".
44. Vide nota 43.
45. Vide nota 17.
46. Lit. "comandante, chefe, rei, autoridade (judicial)". Na Atenas democrática, cada um dos nove governantes eleitos anualmente era chamado "arconte". O substantivo deriva do verbo "conduzir, guiar, dar o exemplo; comandar (como chefe militar), governar; exercer hegemonia, ter proeminência".
47. (Ex 2:13-14).
48. Vide nota 8.
49. O relato segue uma tradição oral diferente da que consta no texto escrito da Bíblia Hebraica. Segundo o texto de Ex 2:15, Moisés fugiu por medo do faraó, que descobrira o assassinato, e não pela rejeição dos seus compatriotas.
50. Lit. "encher, tornar cheio; completar; realizar, cumprir".
51. (Ex 3:1-2).
52. Lit. "observar; notar, perceber; entender, apreender; discernir".
53. (Ex 3:5).
54. Lit. "estar de pé; estar erguido; estar parado, deter-se; colocar, por, estabelecer".
55. Lit. "maltrato (sentido estrito); miséria, opressão".
56. Lit. "sussurro, suspiro; gemido".
57. (Ex 3:7-10).
58. Vide nota 17.
59. Vide nota 46.
60. (Ex 2:14).

61. Vide nota 59.
62. Lit. "libertar/liberar (mediante o pagamento de resgate); pagar o resgate; redimir, livrar, libertar (sentido metafórico)".
63. Lit. "levantar, reerguer, colocar de pé, ascender". Trata-se do verbo que dá origem à palavra "ressurreição". Essa etimologia dos vocábulos levou Simão Pedro a associar o texto do Deuteronômio, a respeito do Profeta que viria, com a questão da ressurreição dos mortos, especialmente a ressurreição de Jesus, procedimento muito comum na hermenêutica dos fariseus (Midrash).
64. (Dt 18:15).
65. Lit. "assembleia (popular, dos anfitriões em Delfos, de soldados, etc...); lugar da assembleia", e por extensão: a congregação dos filhos de Israel; a comunidade cristã; o local das reuniões (igreja).
66. (Ex 32:1-6).
67. Lit. "sacrifício (coisa sacrificada), oferta, oferenda ou serviço do culto". Todas as oferendas prescritas na Torah, inclusive o sacrifício de animais, bem como o serviço para manutenção do culto prestado pelos sacerdotes.
68. Lit. "deleitar; alegrar, ficar satisfeito; encantar".
69. Vide nota 9.
70. Designação dos astros, muito comum na Bíblia Hebraica (Dt 4:19, 17:3; 2Rs 21:3-5; Jr 8:2, 19:3).
71. Lit. "vítima abatida em sacrifício".
72. Vide nota 67.
73. Lit. "tenda, tabernáculo".
74. (Am 5:25-27).
75. O plural (nações) frequentemente se refere às nações pagãs, aos gentios, ou seja, não-judeus.
76. (Is 66:1-2).

A MORTE DE ESTÊVÃO

7:54 Ao ouvirem essas {coisas}, estavam enfurecidos[1] em seus corações, e rangiam os dentes contra ele. **7:55** {Ele}, porém, estando cheio do Espírito Santo, fitando[2] o céu, viu a glória de Deus, e Jesus em pé à direita de Deus. **7:56** E disse: Eis que contemplo os céus abertos e o filho do homem, em pé, à direita de Deus. **7:57** [3]Gritando com grande voz, apertaram[4] os seus ouvidos e arremeteram-se, unânimes, contra ele. **7:58** Lançando-o para fora da cidade, o apedrejaram. As testemunhas depuseram[5] as suas vestes junto aos pés de um jovem, chamado Saulo. **7:59** E apedrejaram a Estêvão, que invocava dizendo: Senhor Jesus, recebe o meu espírito. **7:60** Pondo-se de joelhos, [6]gritou

ATOS 7 com grande voz: Senhor, não lhes imputes este pecado. E, tendo dito isto, adormeceu.

1. Lit. "serrar ao meio, em partes (sentido estrito); ranger os dentes (sentido idiomático); estar com o coração partido, estar enfurecido (sentido metafórico)".
2. Lit. "cravar os olhos em alguém, olhar de modo fixo".
3. Expressão idiomática semítica utilizada para reforçar o sentido do verbo.
4. Lit. "comprimir, manter apertado, confinar; reter, manter reunido; reunir-se, estar junto; oprimir, pressionar, dominar".
5. Lit. "tirar e colocar abaixo; colocar de lado, deixar, abandonar; colocar no (lugar) abaixo (prisão)".
6. Vide nota 3.

SAULO PERSEGUE A IGREJA

8:1 Saulo estava concordando com a eliminação dele. Naquele dia, houve uma grande perseguição contra a igreja¹ de Jerusalém; e todos foram dispersos pelas regiões da Judeia e Samaria, exceto os apóstolos. **8:2** Varões piedosos² sepultaram Estêvão e fizeram grande lamentação³ por ele. **8:3** Saulo assolava a igreja: entrando pelas casas, arrastando varões e mulheres, entregava-os à prisão.

1. Lit. "assembleia (popular, dos anfitriões em Delfos, de soldados, etc...); lugar da assembleia", e por extensão: a congregação dos filhos de Israel; a comunidade cristã; o local das reuniões (igreja).
2. Lit. "prudente, precavido; piedoso, devoto, cauteloso, temente (cheio de reverência a Deus)".
3. Lit. "batida no peito (gesto simbólico do luto, da tristeza e da lamentação)".

FILIPE ANUNCIA O EVANGELHO NA SAMARIA

8:4 No entanto, os que foram dispersos atravessaram {regiões}, evangelizando¹ a Palavra². **8:5** Filipe, descendo para uma cidade de Samaria, proclamava-lhes³ o Cristo. **8:6** As turbas, atentando para o que era dito por Filipe, {estavam} unânimes em ouvir e ver os sinais que {ele} fazia. **8:7** Pois muitos que tinham espírito impuro, bradando ⁴em alta voz, saíam; muitos paralisados⁵ e coxos foram curados. **8:8** Houve muita alegria naquela cidade. **8:9** Certo homem, de nome Simão, que estivera antes na cidade, estava praticando magia e extasiando⁶ a nação⁷ dos samaritanos, ele próprio dizendo ser alguém grande. **8:10** A ele, todos davam atenção, do menor ao maior, dizendo: Este é o poder de Deus, chamado Grande. **8:11** Davam atenção a ele, por causa do longo tempo com que os extasiava⁸ com as magias. **8:12** Quando, porém, creram em Filipe, que evangelizava⁹ a respeito do reino de Deus e do nome de Jesus Cristo, mergulhando¹⁰ homens e mulheres, **8:13** o próprio Simão creu e, sendo mergulhado, mantinha-se {ao lado}¹¹ de Filipe, observando extasiado os sinais e grandes prodígios que se realizavam. **8:14** Os apóstolos que {estavam} em Jerusalém, ao ouvirem que a Samaria recebera a palavra de Deus, enviaram-lhes Pedro e João,

8:15 os quais, descendo {para lá}, oraram por eles, para que recebessem o Espírito Santo, **8:16** porquanto ainda não havia caído sobre nenhum deles; tinham sido somente mergulhados[12] em nome de Jesus Cristo. **8:17** Então impunham as mãos sobre eles, e recebiam o Espírito Santo. **8:18** Simão, vendo que pela imposição das mãos dos apóstolos era dado o espírito, trouxe-lhes {uma soma de} dinheiro, **8:19** dizendo: Dai também a mim esta autoridade, para que aquele sobre quem eu impuser as mãos receba o Espírito Santo. **8:20** Pedro, porém, disse para ele: A tua prata[13] permaneça junto a ti para ruína[14], porque supondes[15] adquirir o dom de Deus mediante {uma soma de} dinheiro. **8:21** Não há para ti parte nem porção[16] neste assunto, pois o teu coração não é reto diante de Deus. **8:22** Portanto, arrepende-te[17] desta tua maldade e roga ao Senhor; talvez te seja perdoado o propósito do teu coração, **8:23** pois vejo que estás em fel de amargura e laço[18] de injustiça. **8:24** Em resposta, Simão disse: Rogai vós por mim ao Senhor para que nada do que dissestes venha sobre mim. **8:25** Eles, então, depois de testemunharem e falarem a palavra do Senhor, retornaram para Jerusalém, evangelizando[19] muitas aldeias dos samaritanos.

1. Lit. "evangelizar, anunciar boas novas, dar boas notícias". O verbo significa, originalmente, anunciar as boas novas, dar uma boa notícia.
2. O vocábulo "Palavra" era comumente utilizado como sinônimo de Jesus, considerado o verbo, a palavra de Deus.
3. Lit. "proclamar como arauto, agir como arauto". Sugere a gravidade e a formalidade do ato, bem como a autoridade daquele que anuncia em voz alta e solenemente a mensagem.
4. Lit. "com grande voz". Expressão idiomática semítica para expressar "em alta voz".
5. Trata-se de terminologia médica. Lucas, seguindo o padrão literário dos escritos médicos da época, utiliza o verbo "paralisar, paralisado" para se referir à doença, evitando o uso do adjetivo "paralítico", que reflete o uso popular do termo.
6. Lit. "fora de si".
7. Lit. "povos de outras nações que não o povo hebreu". Os hebreus chamavam todos os outros povos de gentios.
8. Vide nota 8.
9. Vide nota 1.
10. Lit. "lavar, imergir, mergulhar". Posteriormente, a Igreja conferiu ao termo uma nuance técnica e teológica para expressar o sacramento do batismo.
11. Lit. "permanecer constantemente num lugar, estar constantemente presente, continuar junto; persistir, perseverar".
12. Vide nota 10.

13. Referência ao denário, que era confeccionado com prata (metal precioso).
14. Lit. "destruição, ruína, perdição; dissipação, desperdício".
15. Lit. "supor, crer; pensar, considerar".
16. Lit. "objeto utilizado para tirar a sorte (pedra); sorteio; parte de herança, herdade; parte, porção".
17. Lit. "mudança de mente, de opinião, de sentimentos, de vida".
18. Lit. "aquilo que liga, junta; ligadura, laço; maço, feixe".
19. Vide nota 1.

FILIPE E O EUNUCO ETÍOPE

8:26 Um anjo do Senhor falou a Filipe, dizendo: Levanta-te e vai para o sul[1], pelo caminho que desce de Jerusalém para Gaza, que está deserto. **8:27** Ao levantar-se, partiu. E eis que um varão etíope, eunuco[2], oficial da Corte[3] de Candace, rainha dos etíopes, o qual era {superintendente} sobre todo o tesouro dela, e que viera adorar em Jerusalém, **8:28** retornando, estava sentado sobre a sua carruagem, e lia o Profeta Isaías. **8:29** Disse o espírito a Filipe: Aproxima-te e junta-te[4] a esta carruagem. **8:30** Após correr para {lá}, Filipe o ouviu lendo o Profeta Isaías, e disse: Será que entendes o que estás lendo? **8:31** Ele disse: Pois como poderia, se alguém não me guiar[5]? E rogou a Filipe para subir e sentar-se com ele. **8:32** Ora, a perícope[6] da Escritura que estava lendo era esta: *Como ovelha foi conduzido para matança, e como cordeiro mudo perante o que o tosquia, assim não abriu a sua boca*. **8:33** *No rebaixamento[7], o seu julgamento foi tirado. Quem descreverá[8] a sua geração? Porque a sua vida é tirada da terra*. **8:34** Em resposta, o eunuco disse a Filipe: Rogo-te! A respeito de quem o Profeta diz isto? A respeito dele mesmo ou a respeito de algum outro? **8:35** Filipe, [9]abrindo a sua boca, começou a partir deste escrito, e evangelizou-lhe[10] Jesus. **8:36** Como iam pelo caminho, chegaram a um certo {local} em que {havia} água. Disse o eunuco: Eis {aqui} água; que me impede[11] de ser mergulhado[12]? **8:37** {Filipe respondeu: É lícito se crês de todo o coração. Em resposta, ele disse: Creio que Jesus Cristo é o filho de Deus}[13]. **8:38** E mandou parar a carruagem; ambos desceram até a água, tanto Filipe quanto o eunuco, e {ele} o mergulhou[14]. **8:39** Quando subiram da água, o espírito do Senhor se apoderou[15] de Filipe, e o eunuco não mais o viu, pois ia alegre¹⁶ pelo seu caminho. **8:40** Filipe foi encontrado em Azoto e, atravessando {a região}, evangelizava¹⁷ todas as cidades até chegar a Cesareia.

1. Lit. "meio-dia (tempo); Sul (lugar)". Frase ambígua que pode ser traduzida de duas maneiras: "vai para o sul" e "vai ao meio-dia".
2. Lit. "o que tem (custódia) do leito, do aposento, o que guarda o aposento". No Oriente, os indivíduos incapazes para as funções matrimoniais se empregavam no ofício de guardiães dos aposentos íntimos. Alguns eunucos, porém, eram casados.
3. Lit. "administrador, governador, soberano, poderoso (aquele que está em posição de comando); oficial da Corte, alto oficial".
4. Lit. "colar, soldar; aderir a". Em sentido metafórico: ligar-se, atar-se, juntar-se, unir-se, associar-se.
5. Lit. "guiar, conduzir (sentido estrito); instruir, ensinar, guiar no aprendizado (sentido metafórico)".
6. Lit. "o que rodeia, borda, contorno, envoltório (sentido estrito); passagem, período, trecho de um escrito (perícope, passagem)".
7. Lit. "se rebaixar, se diminuir, se humilhar".
8. Lit. "narrar, relatar, descrever, expor com pormenores".
9. Expressão idiomática semítica, utilizada para introduzir algum discurso formal, para indicar comunicação solene ou confidencial (Is 53:7; Ez 3:27; Sl 78:2).
10. Lit. "evangelizar, anunciar boas novas, dar boas notícias". O verbo significa, originalmente, anunciar as boas novas, dar uma boa notícia.
11. Lit. "impedir, pôr obstáculos; separar".
12. Lit. "lavar, imergir, mergulhar". Posteriormente, a Igreja conferiu ao termo uma nuance técnica e teológica para expressar o sacramento do batismo.
13. A Crítica Textual contemporânea considera esse versículo uma adição tardia, tendo em vista sua ausência dos manuscritos mais antigos. Ademais, a fórmula batismal utilizada reflete prática posterior da comunidade cristã.
14. Vide nota 33.
15. Lit. "agarrar, tomar pela força, arrebatar, capturar, apropriar-se".
16. Lit. "alegrando-se (sentido estrito do verbo); alegre; alegremente". Trata-se do particípio grego utilizado como adjetivo (alegre) ou advérbio (alegremente). As duas traduções são possíveis.
17. Vide nota 10.

A CONVERSÃO DE SAULO   9

9:1 E Saulo, ainda respirando ameaça e homicídio contra os discípulos do Senhor, aproximando-se do sumo sacerdote, **9:2** pediu-lhe cartas para as sinagogas de Damasco, a fim de que, caso encontrasse alguns que eram do Caminho, tanto homens quanto mulheres, os conduzisse presos para Jerusalém. **9:3** Ao ¹prosseguir {a jornada}, sucedeu que, ao se aproximar de Damasco, repentinamente², uma luz do céu brilhou ao redor dele. **9:4** E, caindo sobre a terra, ouviu uma voz que lhe disse: Saul³, Saul, por que me persegues? **9:5** {Ele} disse: Quem és, Senhor? Ele {disse}: Eu sou Jesus a quem tu perseges. **9:6** Mas levanta-te e entra na cidade, {lá} te será dito o que é necessário fazer. **9:7** Os varões que caminhavam com ele estavam de pé emudecidos, ouvindo a voz, mas não vendo ninguém. **9:8** Saulo levantou-se⁴ da terra e, abrindo os seus olhos, não via nada. Guiando-o pela mão, o conduziram para Damasco. **9:9** Esteve três dias sem ver, e não comeu nem bebeu. **9:10** Havia em Damasco um discípulo de nome Ananias, e o Senhor lhe disse em visão: Ananias! Ele disse: ⁵Vede-me {aqui}, Senhor! **9:11** {Disse} o Senhor para ele: Levanta-te, vai pela viela⁶ chamada "Direita⁷", e procura, na casa de Judas, pelo nome Saulo de Tarso, pois eis que {ele} está orando, **9:12** e viu um varão de nome Ananias entrando e impondo-lhe as mãos, a fim de que ⁸recobre a visão. **9:13** Ananias, porém, respondeu: Senhor, de muitos tenho ouvido a respeito deste varão, quantos males fez aos teus santos⁹ em Jerusalém. **9:14** Aqui, {ele} tem autoridade dos sumos sacerdotes para prender¹⁰ a todos que invocam o teu nome. **9:15** O Senhor disse para ele: Vai, porque este é para mim um vaso¹¹ escolhido para carregar o meu nome diante das nações¹², dos reis e dos filhos de Israel. **9:16** Pois eu lhe mostrarei o quanto é necessário ele padecer pelo meu nome. **9:17** Ananias partiu, entrou na casa e, impondo as mãos sobre ele, disse: Saul¹³, irmão, o Senhor – Jesus, que se tornou visível para ti no caminho em que vinhas – me enviou, para que ¹⁴recobres a visão e fiques cheio do Espírito Santo. **9:18** E logo lhe caíram dos olhos como que escamas, e recobrou a visão. Levantando-se, foi mergulhado¹⁵. **9:19** Ao tomar alimento, recuperou as forças. Permaneceu com os discípulos, que {estavam} em Damasco, por alguns dias.

1. Lit. "no ir ele". Essa expressão, difícil de ser traduzida em português, faz referência implícita ao fato de que Saulo estava em viagem para Damasco. A ideia é de que "seguiu viagem".
2. Lit. "repentinamente, inesperadamente". Alguns autores sugerem que esse vocábulo era utilizado na literatura médica da época para crises repentinas de afonia, espasmos, epilepsia.
3. Versão aramaica do nome de Saulo.
4. Lit. "erguer-se, levantar-se". Expressão idiomática semítica que faz referência à ressurreição dos mortos. Para expressar a morte e ressurreição, utilizavam as expressões "deitar-se" (morte) e "levantar-se" (ressurreição).
5. Lit. "Eis/Vede eu, Senhor". Trata-se de uma expressão idiomática
6. Lit. "viela, rua estreita, caminho apertado, travessa".
7. Lit. "direita/reta"
8. Lit. "levantar os olhos; recobrar a vista, tornar a abrir os olhos". A preposição "aná", prefixada ao verbo "ver", confere-lhe dois sentidos: 1) a direção para onde se está olhando, no caso para o alto; 2) o sentido de repetição ou retorno da ação, no caso voltar a ver, recobrar a vista.
9. No livro Atos dos Apóstolos são utilizados diversos termos para designar os seguidores de Jesus: os Irmãos (At 1:15); os crentes (At 2:44); os discípulos (At 6:1); o caminho (At 9:2); os **Santos**; os Cristãos (At 11:26). A expressão "santos" é utilizada tanto em Atos (At 9:32,41; 26:10,18), quanto nos escritos de Paulo (Rm 1:7; 1Cor 1:2, 6:1-2, 14:35). No Judaísmo esse termo designava Deus, o Santo por excelência (Is 6:3); os que se consagram aos seus serviços eram chamados "santos" (Lv 17:1). Esse termo passou a ser aplicado ao povo de Israel (Ex 19:6), em especial aos membros da comunidade messiânica futura (Dn 7:18), embora o grupo de Qumram tenha avocado esse título por antecipação, mesmo entendendo que a era messiânica ainda não chegara. Os cristãos, por sua vez, convictos de que Jesus inaugurara essa era, tinham consciência de que já integravam a comunidade messiânica, por estarem ao redor do Messias Jesus, o "Santo".
10. Lit. "amarrar, atar, prender, ligar".
11. Lit. "vaso, utensílio (de casa, mobília, bens), instrumento".
12. O plural (nações) frequentemente se refere às nações pagãs, aos gentios, ou seja, não-judeus.
13. Vide nota 3.
14. Vide nota 8.
15. Lit. "lavar, imergir, mergulhar". Posteriormente, a Igreja conferiu ao termo uma nuance técnica e teológica para expressar o sacramento do batismo.

SAULO EM DAMASCO

9:20 E logo estava proclamando[1] Jesus nas sinagogas, {dizendo} que este é o filho de Deus. **9:21** Todos os que ouviam ficavam extasiados[2], e diziam: Não é este o que devastava em Jerusalém os que invocam este nome, tendo vindo aqui para isto – para conduzi-los presos ao sumo sacerdote. **9:22** Saulo, porém, era ainda mais fortalecido, e confundia os judeus que habitavam em Damasco, demonstrando³ que este é o Cristo. **9:23** Quando se completaram⁴ consideráveis dias, os judeus deliberaram eliminá-lo, **9:24** mas o complô deles se tornou conhecido por Saulo. Dia e noite vigiavam⁵ também as portas, a fim de o eliminarem. **9:25** Mas os seus discípulos, tomando-o de noite, desceram-no pelo muro, depois de o colocarem⁶ em um cesto redondo⁷.

1. Lit. "proclamar como arauto, agir como arauto". Sugere a gravidade e a formalidade do ato, bem como a autoridade daquele que anuncia em voz alta e solenemente a mensagem.
2. Lit. "fora de si".
3. Lit. "unir, atar, fazer vir para junto (sentido estrito); deduzir, inferir, concluir; provar, demonstrar; ensinar, instruir (sentidos figurativos)".
4. Lit. "encher, tornar cheio; completar; realizar, cumprir".
5. Lit. "observar, espiar, vigiar, espreitar".
6. Lit. "afrouxar, abrandar; deixar ir; descer, abaixar (redes de pesca)".
7. Lit. "algo redondo, trançado ou dobrado; qualquer coisa enrolada em um círculo; cesta de junco, trançada, espaçosa, em forma de círculo, capaz de conter um homem".

SAULO EM JERUSALÉM

9:26 Ao chegar a Jerusalém, tentava¹ associar-se² aos discípulos, mas todos o temiam, não acreditando que fosse discípulo. **9:27** Barnabé, porém, tomando-o, o conduziu aos apóstolos e relatou-lhes³ como {ele} vira o Senhor no caminho; e falou-lhes também como {ele} ⁴falara abertamente, em Damasco, no nome de Jesus. **9:28** Esteve com eles, entrando e saindo em Jerusalém, falando abertamente no nome do Senhor. **9:29** Não só falava como debatia⁵ com os helenistas, mas eles procuravam⁶ eliminá-lo. **9:30** Quando os irmãos souberam, o conduziram⁷ para Cesareia e {de lá} o enviaram⁸ para Tarso. **9:31** Assim, a igreja⁹ tinha paz em toda a Judeia, Galileia e Samaria; edificando-se, caminhando no temor do Senhor e consolando-se no Espírito Santo, {ela} se multiplicava¹⁰.

1. Lit. "tentar, experimentar; testar, pôr à prova; desafiar".
2. Lit. "colar, soldar; aderir a". Em sentido metafórico: ligar-se, atar-se, juntar-se, unir-se, associar-se.
3. Lit. "narrar, relatar, descrever, expor com pormenores".

ATOS 9

4. Lit. "falar livremente, abertamente, corajosamente".
5. Lit. "buscar com, pesquisar junto (sentido estrito); discutir, debater; argumentar; disputar".
6. ἐπεχείρησαν (epekheíresan) – lit. "pôr a mão sobre", pôr mãos (à obra), empreender (um trabalho); tratar de, procurar fazer algo; tentar – Verb. Indicativo Aoristo Ativo (1 – 3), formado pela junção da preposição ἐπί (epí – sobre) + χείρ (kheír – mão). O verbo permite duas ilações: 1) inúmeras pessoas se lançaram ao trabalho; 2) muitos tentaram (sem êxito). No caso, preferimos traduzir por "empreender", que, de certo modo, deixa em aberto a questão do êxito da empreitada.
7. Lit. "conduzir/levar para baixo".
8. Lit. "enviar para fora (de um lugar para outro)".
9. Lit. "assembleia (popular, dos anfitriões em Delfos, de soldados, etc...); lugar da assembleia", e por extensão: a congregação dos filhos de Israel; a comunidade cristã; o local das reuniões (igreja).
10. Lit. "no ir ele". Essa expressão, difícil de ser traduzida em português, faz referência implícita ao fato de que Saulo estava em viagem para Damasco. A ideia é de que "seguiu viagem".

AS CURAS DE PEDRO EM LIDA E JOPE

9:32 E sucedeu que, atravessando Pedro todos {os lugares}, desceu também até os santos[1] que habitavam em Lida. **9:33** Encontrou ali certo homem, de nome Eneias, o qual estava paralisado[2], e estava deitado[3] no catre[4] há oito anos. **9:34** Disse-lhe Pedro: Eneias, Jesus Cristo te cura! Levanta-te e arruma {a cama}[5] para ti mesmo. E logo se levantou. **9:35** Todos os que habitavam em Lida e Sarona o viram, os quais se voltaram[6] para o Senhor. **9:36** Havia em Jope uma discípula, de nome Tabita, que traduzido[7] se diz "Dorcas". Ela estava repleta das boas obras e das dádivas[8] que realizava. **9:37** E sucedeu que, naqueles dias, ficando ela enferma, {veio a} morrer. Após ser lavada[9], foi colocada na [10]parte superior {da casa}. **9:38** Como Lida estava próxima de Jope, ao ouvirem que Pedro estava lá, os discípulos enviaram até ele dois varões, que o chamavam[11]: Não demores para vir[12] até nós. **9:39** Levantando-se, Pedro reuniu-se com eles. Assim que chegou, o conduziram para a [13]parte superior {da casa}; todas as viúvas se apresentaram a ele, chorando e mostrando as túnicas[14] e vestes[15] que Dorcas fizera enquanto estava com elas. **9:40** Pedro, [16]fazendo todos saírem, e colocando-se de joelhos, orou; voltando-se para o corpo, disse: Tabita, levanta-te! Ela abriu os seus olhos e, ao ver Pedro, sentou-se. **9:41** Dando-lhe as mãos, levantou-a; chamando os santos[17] e as viúvas, apresentou-a viva. **9:42** {Isto} se tornou conhecido por toda Jope, e muitos creram no Senhor. **9:43** E sucedeu que, por consideráveis dias, permaneceu em Jope, junto de um certo Simão, curtidor[18].

1. No livro Atos dos Apóstolos são utilizados diversos termos para designar os seguidores de Jesus: os Irmãos (At 1:15); os crentes (At 2:44); os discípulos (At 6:1); o caminho (At 9:2); os **Santos**; os Cristãos (At 11:26). A expressão "santos" é utilizada tanto em Atos (At 9:32,41; 26:10,18), quanto nos escritos de Paulo (Rm 1:7; 1Cor 1:2, 6:1-2, 14:34). No Judaísmo esse termo designava Deus, o Santo por excelência (Is 6:3); os que se consagram aos seus serviços eram chamados "santos" (Lv 17:1). Esse termo passou a ser aplicado ao povo de Israel (Ex 19:6), em especial aos membros da comunidade messiânica futura (Dn 7:18), embora o grupo de Qumram tenha avocado esse título por antecipação, mesmo entendendo que a era messiânica ainda não chegara. Os cristãos, por sua vez, convictos de que Jesus inaugurara essa era, tinham consciência de que já integravam a comunidade messiânica, por estarem ao redor do Messias Jesus, o "Santo".
2. Trata-se de terminologia médica. Lucas, seguindo o padrão literário dos escritos médicos da época, utiliza o verbo "paralisar, paralisado" para se referir à doença, evitando o uso do adjetivo "paralítico", que reflete o uso popular do termo.
3. Lit. "ser lançado; ser posto, colocado, depositado; estar deitado".
4. Palavra de origem macedônica, traduzida para o latim como *"grabatus"*. Trata-se de um leito rústico e pobre, uma espécie de colchão dobrável para viagem bastante rústico. A palavra "catre" talvez reflita melhor a rusticidade e pobreza desse leito portátil usado pelas pessoas muito pobres da Palestina.
5. Lit. "estender, espalhar; arrumar (cama, mesa)". Possível referência aos preparativos específicos da mesa na qual seria celebrada a ceia pascal.
6. Lit. "retornar, voltar". Expressão técnica do judaísmo (teshuva) que significa o processo integral de arrependimento: restauração do mal cometido, ressarcimento dos prejuízos e mudança de conduta.
7. Lit. "interpretar, explicar; traduzir".
8. Lit. "piedade, compaixão, misericórdia; dádiva, oferta de caridade, esmola (significados típicos do NT)".
9. Lit. "limpo, purificado", do verbo "limpar, lavar, purificar".
10. Referência ao cômodo construído no terraço das residências judaicas, sobretudo em Jerusalém, destinadas a dormitório de peregrinos durante as "festas de peregrinação", bem como aposento comum dos moradores, sala de estudos.
11. Lit. "convocar, citar, intimar; chamar para si mesmo, reunir, convidar; evocar".
12. Lit. "atravessar". O sentido é de atravessar as cidades até chegar a Jerusalém, local onde estavam os demais discípulos.
13. Referência ao cômodo construído no terraço das residências judaicas, sobretudo em Jerusalém, destinadas a dormitório de peregrinos durante as "festas de peregrinação", bem como aposento comum dos moradores, sala de estudos.
14. Peça de vestuário interno, utilizada junto ao corpo, logo acima da pele, sobre a qual era costume

15. colocar outra peça ou manto. Trata-se de uma espécie de veste interna, íntima.
15. Veste externa, manto, peça de vestuário utilizada sobre a peça interna. Pode ser utilizada como sinônimo do vestuário completo de uma pessoa.
16. Lit. "fazendo todos saírem para fora".
17. Vide nota 1.
18. Lit. "aquele que prepara, amacia, alisa o couro de animais". Trabalho considerado impuro pela tradição judaica.

PEDRO NA CASA DO CENTURIÃO CORNÉLIO   10

10:1 Certo homem, de nome Cornélio, {que habitava} em Cesareia, centurião[1] da coorte[2] chamada Italiana, **10:2** piedoso[3] e temente a Deus, com toda a sua casa, que [4]dava muitas dádivas[5] ao povo, e rogava a Deus por todo {o tempo}, **10:3** viu claramente, em uma visão, [6]por volta da hora nona[7] do dia, um anjo de Deus, que se dirigia a ele e lhe dizia: Cornélio! **10:4** Ele, fitando-o[8] e ficando atemorizado, disse: Que é, Senhor? E {o anjo} lhe disse: As tuas orações e as tuas dádivas[9] subiram para memória diante de Deus. **10:5** Agora, envia varões para Jope e manda chamar certo Simão, chamado Pedro. **10:6** Ele está hospedado com certo Simão, curtidor, que tem uma casa junto ao mar. **10:7** Assim que o anjo que lhe falava saiu, chamou dois [10]servos {domésticos} e um soldado piedoso, dentre os que se mantinham {ao lado}[11] dele. **10:8** E, explicando[12] todas {as coisas} a eles, os enviou para Jope. **10:9** No {dia} seguinte, enquanto eles viajavam e se aproximavam da cidade, Pedro subiu ao terraço[13] para orar, [14]por volta da hora sexta[15]. **10:10** {Ele} ficou faminto e queria provar {algo}. Enquanto eles preparavam {a comida}, veio sobre ele um êxtase[16], **10:11** e contemplou o céu aberto e um vaso[17] que descia, como uma grande [18]bandagem de linho, baixada à terra pelas quatro pontas, **10:12** na qual estavam todos os quadrúpedes, répteis da terra e aves do céu. **10:13** Surgiu uma voz [19]que se levantou para ele: Pedro, sacrifica[20] e come. **10:14** Pedro, porém, disse: De modo nenhum, Senhor! Porque jamais comi coisa alguma comum[21] e impura. **10:15** Novamente, pela segunda vez, a voz {se dirigiu} a ele: As {coisas} que Deus purificou não {as tornes} tu comuns. **10:16** E aconteceu isto por três vezes; e logo o vaso[22] foi elevado ao céu. **10:17** Enquanto Pedro estava confuso sobre o que seria a visão [23]que tivera, eis que dois varões, que tinham sido enviados por Cornélio, perguntado pela casa de Simão, [24]pararam junto ao portão[25]. **10:18** E, chamando, indagavam se Simão, chamado Pedro, estava hospedado ali. **10:19** Enquanto Pedro refletia a respeito da visão, disse-lhe o espírito: Eis que três varões te buscam; **10:20** levantando-te, mas sem discriminar[26], desce e vai com eles, porque eu os enviei. **10:21** E, descendo Pedro para junto dos varões, disse: Vede, sou eu a quem buscais; por qual motivo estais {aqui}? **10:22** Eles disseram: Cornélio, {o} centurião, varão justo e temente a Deus, tendo o testemunho de toda a nação dos judeus, foi aconselhado[27] por um anjo santo a te chamar para casa dele e a ouvir as tuas palavras. **10:23** Assim, convidando-os a entrar, os hospedou. No {dia} seguinte, levantando-se, saiu com eles; alguns dos irmãos de Jope reuniram-se também a ele. **10:24** No {dia} seguinte, entrou em Cesareia. Cornélio estava esperando por ele, tendo reunido seus parentes e amigos íntimos. **10:25** E sucedeu que, ao entrar Pedro, Cornélio encontrou-se[28] com ele e, prostrando-se[29] aos pés {dele}, o reverenciou. **10:26** Pedro, porém, o ergueu, dizendo: Levanta-te, eu próprio também sou homem. **10:27** [30]Em companhia dele, entrou, encontrando muitos {ali} reunidos. **10:28** E disse para eles: Vós compreendeis como é ilegal um varão judeu associar-se[31] e aproximar-se de um estrangeiro[32], mas Deus me mostrou {que não se deve} declarar nenhum homem comum[33] ou impuro. **10:29** Por isso, tendo sido chamado, vim sem objeção. Pergunto, portanto, por que mandastes me chamar? **10:30** Cornélio disse: Há quatro dias, estava eu orando à hora nona, em minha casa, até esta hora; e eis que um varão com túnica brilhante pôs-se de pé diante de mim, **10:31** e disse: Cornélio, a tua oração foi ouvida, e as tuas dádivas[34] estão memorizadas diante de Deus. **10:32** Portanto, envia {alguém} para Jope e manda chamar Simão, chamado Pedro; ele está hospedado na casa de Simão, curtidor, junto ao mar. **10:33** Assim, imediatamente, enviei {alguém} a ti, e tu fizeste bem em vir. Agora, portanto, todos nós estamos presentes, diante de Deus, para ouvir todas {as coisas} ordenadas a ti pelo Senhor. **10:34** Pedro, [35]abrindo a boca, disse: Na verdade, percebo[36] que Deus não é parcial, **10:35** mas, em toda nação, aquele que o teme e [37]pratica a justiça lhe é aceitável[38]. **10:36** A palavra que enviou aos filhos de Israel, evangelizando[39] a paz, através de Jesus Cristo – este é o Senhor de todos – **10:37** vós sabeis as coisas ocorridas por toda a Judeia, começando pela Galileia, depois do mergulho[40] que João proclamou[41], **10:38** como Deus ungiu a Jesus de Nazaré com Espírito Santo e poder, o qual atravessou {as regiões}, fazendo o bem e curando todos os oprimidos pelo diabo[42], porque Deus estava com ele. **10:39** E nós {somos} testemunhas de todas {as coisas} que {ele} fez tanto na região dos judeus quanto em Jerusalém, a quem também eliminaram, pendurando-o no madeiro[43]. **10:40** A ele, Deus ergueu[44] em três dias, e concedeu que se tornasse visível, **10:41** não a todo o povo, mas às testemunhas previamente escolhidas[45] por Deus – nós, que comemos e bebemos juntos com ele, depois de levantar-se[46] ele dentre os mortos – **10:42** e nos prescreveu[47] proclamar[48] ao povo e testemunhar que é ele quem foi definido[49] por Deus juiz de vivos e de mortos. **10:43** Todos os profetas testemunham dele receber perdão dos pecados, por meio do seu nome, todos os que creem nele. **10:44** Ainda estava falando Pedro estas palavras, caiu o Espírito Santo sobre todos os que ouviam a palavra. **10:45** E os crentes da circuncisão, que vieram com Pedro, extasiaram-se[50], porque foi derramado, também sobre os gentios, o dom do espírito santo, **10:46** já que os ouviam falando em línguas e engrandecendo a Deus. Então respondeu Pedro: **10:47** Porventura, pode alguém recusar[51] a água, para não serem mergulhados[52] estes que receberam o Espírito Santo, como nós também {recebemos}? **10:48** E ordenou que eles fossem mergulhados, em nome de Jesus Cristo. Então rogaram-lhe permanecer alguns dias.

1. Lit. "centurião (oficial do Exército Romano que comandava um destacamento de cem homens)".
2. Lit. "um destacamento militar romano de aproximadamente 600 soldados".
3. Lit. "piedoso, devoto, reverente; que tem amor (filial)".
4. Lit. "fazer/praticar atos de beneficência, misericórdia".
5. Lit. "piedade, compaixão, misericórdia; dádiva, oferta de caridade, esmola (significados típicos do NT)".
6. Lit. "como que ao redor da hora nona". Expressão idiomática que significa "por volta da hora nona".
7. Os hebreus computavam as horas do dia de forma diversa da nossa. Para eles, o dia se iniciava às 18 horas da tarde, e era divido em doze horas de luz (dia) e doze horas de treva (noite). As doze horas de luz (dia) eram contadas das 6 horas da manhã às 18 horas (crepúsculo), ao passo que as doze horas de treva tinham início às 18 horas e terminavam às 6 horas da manhã. Sendo assim, segundo esse relato, os fatos acima narrados ocorreram por volta das 15 horas (hora nona).
8. Lit. "cravar os olhos em alguém, olhar de modo fixo".
9. Vide nota 5.
10. Lit. "servo doméstico, escravo que trabalha no lar". Alguns pesquisadores (Oesterley, Bailey) identificam três níveis de servos numa propriedade judaica do século I, como segue: **1)** Servos (douloi) que como escravos faziam parte da propriedade, e de fato quase faziam parte da família; **2)** Escravos de classe inferior (paides), que eram subordinados aos servos; **3)** Servos assalariados (misthioi) que era um homem livre e recebia um salário pelo serviço prestado. Certamente, nessa passagem, Lucas se refere a um tipo de servo que pode ser enquadrado na primeira ou segunda categoria, cuja função era o trabalho doméstico.
11. Lit. "permanecer constantemente num lugar, estar constantemente presente, continuar junto; persistir, perseverar".

12. Lit. "conduzir, guiar, dirigir, governar; interpretar, explicar detalhadamente; ordenar, prescrever, aconselhar".
13. Lit. "teto, cobertura de uma casa, telhado". Na Palestina, o teto era formado, ao que tudo indica, por vigas e pranchas de madeira, por cima das quais eram colocados ramos, galhos e esteiras, cobertos por terra batida, argila.
14. Lit. "ao redor da hora sexta". Expressão idiomática que significa "por volta da hora sexta".
15. Os hebreus computavam as horas do dia de forma diversa da nossa. Para eles, o dia se iniciava às 18 horas da tarde, e era divido em doze horas de luz (dia) e doze horas de treva (noite). As doze horas de luz (dia) eram contadas das 6 horas da manhã às 18 horas (crepúsculo), ao passo que as doze horas de treva tinham início às 18 horas e terminavam às 6 horas da manhã. Sendo assim, segundo esse relato, os fatos acima narrados ocorreram por volta das 12 horas (hora sexta).
16. Lit. "estar fora de si; êxtase, arroubo; espanto, assombro".
17. Lit. "vaso, utensílio (de casa, mobília, bens), instrumento".
18. Lit. "faixa, pano, bandagem de linho (utilizadas para envolver o cadáver)".
19. Expressão idiomática semítica com o sentido de "se dirigiu a ele", "tornou-se audível para ele".
20. Lit. "sacrificar, imolar, matar".
21. Lit. "comum". Neste trecho, é estabelecido um contraste entre o estado de impureza ritual (**comum**) e o estado de pureza ritual (**santificação**), que tornavam os alimentos aptos para serem comidos. A ideia subjacente é de que o lar é um templo, a mesa de refeições o altar, a comida representa a oferta/sacrifício, ao passo que o homem é o sacerdote. Uma vez que a Torah exigia pureza ritual do sacerdote antes do oferecimento dos sacrifícios, igualmente, a tradição desenvolveu um conjunto de exigências relativas ao ato de se alimentar. Em resumo, antes de serem submetidas ao ritual de purificação (lavação), as mãos, os objetos são comuns, não santificados (não reservados/separados para Deus e para o culto), portanto, impuros.
22. Vide nota 17.
23. Lit. "que viu".
24. Lit. "pôr/colocar sobre/próximo de, estar/permanecer ao lado/próximo de".
25. Lit. "pórtico, portão; vestíbulo".
26. Lit. "separar, afastar, desligar; distinguir, fazer distinção; examinar, escrutinar, estimar, avaliar; disputar, contender".
27. Aconselhar, consultar sobre questões públicas; oferecer uma resposta autorizada; o ato de responder, aconselhar levado a efeito pelo Oráculo; ordem ou advertência dada por Deus.
28. Lit. "encontrar-se com, reunir-se a; suceder, sobrevir".
29. Lit. "caído".
30. Lit. "estar em companhia de".
31. Lit. "colar, soldar; aderir a". Em sentido metafórico: ligar-se, atar-se, juntar-se, unir-se, associar-se.
32. Referência ao que não são judeus, pertencentes a qualquer outra nação. A restrição não era absoluta, proibiam-se apenas aqueles contatos que tornavam o judeu cerimonialmente impuro, tais como entrar numa casa gentia, manusear objetos de gentios.
33. Vide nota 21.
34. Vide nota 5.
35. Expressão idiomática semítica, utilizada para introduzir algum discurso formal, para indicar comunicação solene ou confidencial (Is 53:7; Ez 3:27; Sl 78:2).

36. Lit. "tomar posse, segurar; obter, conseguir; encontrar subitamente, surpreender; depreender, apanhar (mentalmente), detectar no ato; compreender, apreender (sentido metafórico)".
37. Lit. "trabalha/obra a justiça".
38. Lit. "aprovado, marcado pela aprovação divina; aceitável, agradável"
39. Lit. "evangelizar, anunciar boas novas, dar boas notícias". O verbo significa, originalmente, anunciar as boas novas, dar uma boa notícia.
40. Lit. "lavar, imergir, mergulhar". Posteriormente, a Igreja conferiu ao termo uma nuance técnica e teológica para expressar o sacramento do batismo.
41. Lit. "proclamar como arauto, agir como arauto". Sugere a gravidade e a formalidade do ato, bem como a autoridade daquele que anuncia em voz alta e solenemente a mensagem.
42. Aquele que desune (inspirando ódio, inveja, orgulho); caluniador, maledicente. Vocábulo derivado do verbo "diaballo" (separar, desunir; atacar, acusar; caluniar; enganar), do qual deriva também o substantivo "diabolé" (desavença, inimizade; aversão, repugnância; acusação; calúnia).
43. Lit. "toras de madeira, porrete, clava".
44. Lit. "erguer-se, levantar-se". Expressão idiomática semítica que faz referência à ressurreição dos mortos. Para expressar a morte e ressurreição, utilizavam as expressões "deitar-se" (morte) e "levantar-se" (ressurreição).
45. Lit. "designar com a mão (escolher) previamente".
46. Vide nota 44
47. Lit. "anunciar; dar ordens, prescrever, dar instruções".
48. Vide nota 41.
49. Lit. "limitar, separar, dividir (definir limites); definir, determinar".
50. Lit. "fora de si".
51. Lit. "impedir, pôr obstáculos; separar".
52. Vide nota 40.

11 O RELATÓRIO DE PEDRO EM JERUSALÉM

11:1 Os apóstolos e os irmãos que estavam em toda a Judeia ouviram que os gentios também haviam recebido a palavra de Deus. **11:2** Quando Pedro subiu para Jerusalém, os que {eram} da circuncisão o discriminaram[1], **11:3** dizendo: {Te} dirigiste a varões que são da incircuncisão e comeste com eles. **11:4** Começando pela ordem[2], Pedro lhes explicava, dizendo: **11:5** Eu estava na cidade de Jope orando e, num êxtase[3], tive uma visão em que estava descendo um vaso[4], como uma grande [5]bandagem de linho, baixada do céu pelas quatro pontas, que vinha até mim. **11:6** Ao fitá-lo[6], fiquei observando, e vi quadrúpedes da terra, feras, répteis e aves do céu. **11:7** Ouvi também uma voz me dizendo: Pedro, levanta-te, sacrifica[7] e come. **11:8** {Eu}, porém, disse: De modo nenhum, Senhor! Porque jamais entrou em minha boca coisa alguma comum[8] ou impura. **11:9** A voz do céu respondeu, pela segunda vez: As {coisas} que Deus purificou não {as tornes} tu comuns. **11:10** E aconteceu isto por três vezes; e novamente tudo foi recolhido ao céu. **11:11** E eis que três varões, enviados de Cesareia até mim, se aproximaram[9] da casa em que estávamos. **11:12** O espírito me disse para reunir-me com eles, sem discriminar[10]. Foram comigo também estes seis irmãos, e entramos na casa do varão. **11:13** {Ele} nos relatou como viu um anjo que se colocara de pé em sua casa e lhe dissera: Envia {alguém} a Jope e manda chamar a Simão, chamado Pedro, **11:14** o qual te falará palavras, pelas quais serás salvo, tu e toda a tua casa. **11:15** Ao começar a falar, caiu o Espírito Santo sobre eles, como também sobre nós {caiu} no princípio. **11:16** E lembrei-me das palavras do Senhor, quando dizia: João mergulhou[11] na água, mas vós sereis mergulhados no Espírito Santo. **11:17** Portanto, se Deus lhes concedeu o mesmo dom que a nós, que cremos no Senhor Jesus Cristo, quem era eu para poder impedir [12] a Deus? **11:18** Ao ouvirem essas {coisas}, ficaram em silêncio e glorificaram a Deus, dizendo: Então também aos gentios foi concedido o arrependimento[13] para a vida.

1. Lit. "separar, afastar, desligar; distinguir, fazer distinção; examinar, escrutinar, estimar, avaliar; disputar, contender".
2. καθεξῆς (kathecses) – **em ordem, ordenadamente; em sequência, um depois do outro (do ponto de vista temporal, espacial ou lógico); em seguida, depois disso** – *Adv.* (2 – 5),

composto pela preposição κατά (katá – em composição indica sucessão e distribuição; realização, efetividade) + advérbio ἑξῆς (hecses – sucessivamente; seguinte).

3. Lit. "estar fora de si; êxtase, arroubo; espanto, assombro".
4. Lit. "vaso, utensílio (de casa, mobília, bens), instrumento".
5. Lit. "faixa, pano, bandagem de linho (utilizadas para envolver o cadáver)".
6. Lit. "cravar os olhos em alguém, olhar de modo fixo".
7. Lit. "sacrificar, imolar, matar".
8. Lit. "comum". Neste trecho, é estabelecido um contraste entre o estado de impureza ritual (**comum**) e o estado de pureza ritual (**santificação**), que tornavam os alimentos aptos para serem comidos. A ideia subjacente é de que o lar é um templo, a mesa de refeições o altar, a comida representa a oferta/sacrifício, ao passo que o homem é o sacerdote. Uma vez que a Torah exigia pureza ritual do sacerdote antes do oferecimento dos sacrifícios, igualmente, a tradição desenvolveu um conjunto de exigências relativas ao ato de se alimentar. Em resumo, antes de serem submetidas ao ritual de purificação (lavação), as mãos, os objetos são comuns, não santificados (não reservados/separados para Deus e para o culto), portanto, impuros.
9. Lit. "pôr/colocar sobre/próximo de, estar/permanecer ao lado/próximo de".
10. Lit. "separar, afastar, desligar; distinguir, fazer distinção; examinar, escrutinar, estimar, avaliar; disputar, contender".
11. Lit. "lavar, imergir, mergulhar". Posteriormente, a Igreja conferiu ao termo uma nuance técnica e teológica para expressar o sacramento do batismo.
12. Lit. "impedir, pôr obstáculos; separar".
13. Lit. "mudança de mente, de opinião, de sentimentos, de vida".

A IGREJA DE ANTIOQUIA

11:19 Então aqueles que foram dispersos desde a provação[1] que sobreveio a Estêvão atravessaram {as regiões} até a Fenícia, Chipre e Antioquia, não falando a ninguém a palavra, senão somente aos judeus. **11:20** Havia entre eles alguns homens de Chipre e de Cirene, os quais, ao chegarem em Antioquia, falavam também aos helenistas, evangelizando[2] o Senhor Jesus. **11:21** A mão do Senhor estava com eles, e grande número dos que creram se voltaram[3] para o Senhor. **11:22** [4]O relato chegou aos ouvidos da igreja[5] que estava em Jerusalém, e enviaram Barnabé até Antioquia, **11:23** o qual, chegando e vendo a graça de Deus, alegrou-se; e exortava[6] a todos permanecerem no Senhor, com o propósito do coração. **11:24** Porque era homem bom, cheio do Espírito Santo e fé[7]. Muitas turbas foram acrescentadas ao

Senhor. **11:25** {Barnabé} partiu para Tarso, a fim de buscar Saulo **11:26** e, ao encontrá-lo, o conduziu para Antioquia. E sucedeu que, por um ano inteiro, eles se reuniram na igreja[8] e ensinaram considerável turba. Em Antioquia, os discípulos, pela primeira vez, foram aconselhados[9] {a se chamarem} cristãos. **11:27** Naqueles dias, desceram profetas de Jerusalém para Antioquia. **11:28** Levantando-se um deles, de nome Agabo, indicou[10] pelo espírito que estava prestes a haver grande fome em toda terra habitada – a qual ocorreu {no dias} de Cláudio. **11:29** Os discípulos, conforme os recursos que alguns tinham, resolveram[11] cada um deles enviar suprimentos[12] aos irmãos que habitam na Judeia. **11:30** O que, de fato, fizeram, enviando aos anciãos, pelas mãos de Barnabé e Saulo.

1. Lit. "pressão, compressão (sentido estrito); aflição, tribulação, provação (sentido metafórico)".
2. Lit. "evangelizar, anunciar boas novas, dar boas notícias". O verbo significa, originalmente, anunciar as boas novas, dar uma boa notícia.
3. Lit. "retornar, voltar". Expressão técnica do judaísmo (teshuva) que significa o processo integral de arrependimento: restauração do mal cometido, ressarcimento dos prejuízos e mudança de conduta.
4. Lit. "a palavra foi ouvida nos ouvidos da igreja". Expressão idiomática semítica que pode ser substituída por outra em português: "o relato chegou aos ouvidos da igreja".
5. Lit. "assembleia (popular, dos anfitriões em Delfos, de soldados, etc...); lugar da assembleia", e por extensão: a congregação dos filhos de Israel; a comunidade cristã; o local das reuniões (igreja).
6. Lit. "exortar, admoestar, persuadir; implorar, suplicar, rogar; animar, encorajar, confortar, consolar; requerer, convidar para vir, mandar buscar".
7. Lit. "fé, fidelidade".
8. Vide nota 4.
9. Aconselhar, consultar sobre questões públicas; oferecer uma resposta autorizada; o ato de responder, aconselhar levado a efeito pelo oráculo; ordem ou advertência dada por Deus.
10. Lit. "indicar (por meio de sinal), sinalizar, comunicar; tornar conhecido, especificar".
11. Lit. "limitar, separar, dividir (definir limites); definir, determinar".
12. Lit. "serviço à mesa, serviço doméstico (pessoal); suprimento, provimento; auxílio, apoio, ajuda".

A MORTE DE TIAGO E A PRISÃO DE PEDRO   12

12:1 Por aquele tempo[1], o rei Herodes[2] lançou as mãos sobre alguns dos que {eram} da igreja[3], para maltratá-los. **12:2** Eliminou a Tiago, irmão de João, com espada. **12:3** Ao ver que {isso} era agradável[4] aos judeus, [5]deu continuidade para capturar[6] também a Pedro – eram os dias dos {pães} Ázimos[7] – **12:4** a quem, depois de deter, colocou na prisão, entregando-o a quatro quaternos[8] de soldados, para o guardarem, querendo depois da Páscoa [9]conduzi-lo ao povo. **12:5** Assim, Pedro era mantido na prisão, mas pela igreja[10] estava intensamente sendo feita oração a favor dele junto a Deus.

1. Lit. "um ponto no tempo, um período de tempo; tempo fixo, definido; oportunidade".
2. Herodes Agripa I, filho mais novo de Herodes Magno (Herodes, o Grande), foi condecorado com o título real pelo Imperador romano Calígula no ano 37 d.C, mas somente reinou, efetivamente, a partir do ano 41 d.C. Os historiadores divergem quanto à data da sua morte, especulando que ela tenha ocorrido entre setembro/outubro de 43 d.C e fevereiro de 44 d.C.
3. Lit. "assembleia (popular, dos anfitriões em Delfos, de soldados, etc...); lugar da assembleia", e por extensão: a congregação dos filhos de Israel; a comunidade cristã; o local das reuniões (igreja).
4. Lit. "agradável, aceitável; razoável, adequado".
5. Lit. "acrescentar, adicionar, aumentar". Vocábulo utilizado para reproduzir um hebraísmo: "outra vez", "dando continuidade", "em acréscimo".
6. Lit. "tomar consigo, agarrar, capturar, prender; apreender; conceber, engravidar".
7. Trata-se do pão sem fermento, que não foi submetido a nenhum processo de fermentação, ainda que natural. A festa dos pães amos durava sete dias, geralmente de um sábado a outro, sendo que no primeiro dia era comido o cordeiro pascal, momento em que era celebrada a ceia ritual intitulada Páscoa.
8. Lit. "quaterno (grupo de quatro)". Trata-se de um destacamento de quatro homens, encarregados da guarda de prisioneiros. Dois soldados eram algemados ao preso, ao passo que os outros dois se encarregavam da vigilância (guarda). A noite era dividida em quatro vigílias de três horas cada uma, razão pela qual havia um "quaterno" para cada vigília da noite.
9. Lit. "conduzir para o alto, para cima; fazer subir; elevar, levantar".
10. Vide nota 3.

ATOS 12 — PEDRO É LIBERTADO

12:6 Quando Herodes estava prestes a conduzi-lo, naquela noite, Pedro estava dormindo entre dois soldados, atado com duas correntes; e sentinelas diante da porta guardavam a prisão. **12:7** Eis que se aproximou[1] um anjo do Senhor, e uma luz iluminou a cela. Batendo[2] na pleura de Pedro, o despertou, dizendo: Levanta-te, depressa! E as correntes caíram-lhe das mãos. **12:8** Disse o anjo para ele: Cinge-te e calça as tuas sandálias. {Ele} assim o fez. E {o anjo} lhe disse: Veste o teu manto[3] e segue-me. **12:9** E, saindo, o seguia, não sabendo que era verdadeiro o que estava sendo feito por meio do anjo; supunha [4]ter uma visão. **12:10** Depois de passarem pela primeira e pela segunda guarda, chegaram ao portão de ferro que conduz à cidade, o qual se abriu, por si mesmo, para eles; após saírem, prosseguiram por uma viela[5], e logo o anjo se afastou dele. **12:11** Então Pedro, [6]caindo em si, disse: Agora, sei verdadeiramente que o Senhor enviou o seu anjo e retirou-me das mãos de Herodes e de toda expectativa do povo judeu. **12:12** Percebendo {isso}, veio para a casa de Maria, mãe de João, cognominado Marcos, onde muitos estavam reunidos e orando. **12:13** Quando ele bateu à porta do pórtico[7], aproximou-se uma criada[8], que atende pelo nome de Rode, **12:14** e, reconhecendo a voz de Pedro, de alegria não abriu o pórtico, mas, correndo para dentro, anunciou que Pedro estava de pé junto ao pórtico. **12:15** Eles disseram para ela: Estás louca! Ela, porém, insistia [9]ser assim. Eles diziam: É o anjo dele. **12:16** E Pedro continuou batendo; ao abrirem, o viram e extasiaram-se[10]. **12:17** Fazendo um sinal com as mãos para se calarem[11], relatou-lhes[12] como o Senhor o conduzira para fora da prisão, e disse: Anunciai essas {coisas} a Tiago e aos irmãos. E, saindo, partiu para outro lugar. **12:18** Tornando-se dia, houve alvoroço não pequeno entre os soldados, sobre o que teria acontecido a Pedro. **12:19** Herodes, buscando-o mas não encontrando, após interrogar as sentinelas, mandou que fossem levadas {para a morte}. Descendo da Judeia para a Cesareia, {lá} permaneceu.

1. Lit. "pôr/colocar sobre/próximo de, estar/permanecer ao lado/próximo de".
2. Lit. "bater, espancar; ferir, machucar".
3. Veste externa, manto, peça de vestuário utilizada sobre a peça interna. Pode ser utilizada como sinônimo do vestuário completo de uma pessoa.

4. Lit. "ver uma visão". Trata-se de expressão hebraica muito comum, na qual se coloca um verbo ao lado de um substantivo de mesmo radical com a finalidade de reforçar a ação exprimida pelo verbo.
5. Lit. "viela, rua estreita, caminho apertado, travessa".
6. Lit. "tornando em si mesmo". Expressão idiomática que pode ser substituída por outra equivalente em português "caindo em si".
7. Lit. "pórtico, portão; vestíbulo".
8. Lit. "criada, escrava, serva; garota, senhorita, donzela".
9. Lit. "ter assim". Expressão idiomática que pode ser substituída em português por: "ser assim", "ser verdade", "ser isso".
10. Lit. "ficar fora de si".
11. Lit. "calar-se; guardar segredo".
12. Lit. "narrar, relatar, descrever, expor com pormenores".

A MORTE DE HERODES AGRIPA I

12:20 {Ele} estava, porém, furioso com os de Tiro e Sidom; de comum acordo[1], se apresentaram a ele e, após persuadir a Blasto, o [2]camarista do rei, pediam paz porque a região deles se abastecia do {território} do rei. **12:21** No dia fixado, Herodes, vestido da túnica real e sentado sobre o estrado[3], discursava para eles, **12:22** e o povo gritava: Voz de Deus e não de homem! **12:23** Imediatamente, um anjo do Senhor o feriu[4], por não haver dado a glória a Deus; e, sendo comido por vermes, expirou. **12:24** A palavra de Deus crescia[5] e se multiplicava[6]. **12:25** Barnabé e Saulo, tendo cumprido[7] o serviço[8], regressaram de Jerusalém, levando consigo a João, cognominado Marcos.

1. Lit. "unânimes, de pleno acordo (mentalmente); junto, ao mesmo tempo".
2. Lit. "aquele que está sobre o quarto do rei". Expressão utilizada para se referir ao camarista, a pessoa que cuidava dos aposentos do rei.
3. Lit. "lugar elevado acessível por meio de degraus; plataforma, estrado; tribuna do julgador".
4. Lit. "bater, espancar; ferir, machucar".
5. Lit. "aumentar, crescer".
6. Lit. "um ponto no tempo, um período de tempo; tempo fixo, definido; oportunidade".
7. Lit. "encher, tornar cheio; completar; realizar, cumprir".
8. Lit. "serviço à mesa, serviço doméstico (pessoal); suprimento, provimento; auxílio, apoio, ajuda".

13 A ESCOLHA DE BARNABÉ E SAULO

13:1 Havia na igreja[1] de Antioquia profetas e mestres: Barnabé, Simeão, chamado Níger, Lúcio de Cirene, Manaém, que fora criado com Herodes o Tetrarca, e Saulo. **13:2** Enquanto eles serviam[2] ao Senhor e jejuavam, disse o Espírito Santo: Separai para mim a Barnabé e Saulo, para a obra que os tenho chamado. **13:3** Então, após jejuarem, orarem e imporem as mãos sobre eles, {os} soltaram.

1. Lit. "assembleia (popular, dos anfitriões em Delfos, de soldados, etc...); lugar da assembleia", e por extensão: a congregação dos filhos de Israel; a comunidade cristã; o local das reuniões (igreja).
2. Lit. "prestar um serviço público às suas próprias custas, voluntariamente (sentido estrito); prestar serviço, oficiar como um sacerdote; prestar serviço (ministrar, assistir, socorrer) na igreja cristã".

EM CHIPRE

13:4 Eles, então, enviados pelo Espírito Santo, desceram para a Selêucia, e dali navegaram para Chipre. **13:5** Ao chegarem a Salamina, anunciaram a palavra de Deus nas sinagogas judaicas; tinham também a João {como} servidor[1]. **13:6** Ao atravessarem a ilha inteira, até Pafos, encontraram um homem judeu, mago, falso profeta, cujo nome {era} Barjesus, **13:7** que estava com o procônsul[2] Sérgio Paulo, homem inteligente. Ele, convocando[3] Barnabé e Saulo, buscava ouvir a palavra de Deus. **13:8** Elimas, o mago – pois assim é traduzido o seu nome – se opunha[4] a eles, buscando desviar o procônsul da fé. **13:9** Todavia Saulo, que também {se chama} Paulo, cheio do Espírito Santo, fitando-o[5], **13:10** disse: Ó filho do diabo[6], cheio de todo ardil[7] e de toda malícia, inimigo de toda a justiça, não cessarás de desviar os retos caminhos do Senhor? **13:11** E agora, vede a mão do Senhor sobre ti, ficarás cego, [8]sem ver o sol até o [9]momento {oportuno}. Imediatamente caiu sobre ele nebulosidade[10] e treva; perambulando, buscava quem o guiasse pela mão. **13:12** Então, vendo o que sucedera, o procônsul creu, estando maravilhado[11] sobre o ensino do Senhor.

1. ὑπηρέται (huperétai) – **remador, marinheiro, navegador; servidor; assistente, auxiliar** – Sub (2 – 20), **composto pela preposição** ὑπέρ **(hupér – em composição pode indicar ênfase, excesso) + substantivo** ἐρέτης **(erétes – remador), que por sua vez deriva do verbo** ἐρέσσω **(erésso – remar)**. Trata-se de um humilde servidor, e não de um escravo, já que o indivíduo conserva sua autonomia, sua liberdade. A preposição ὑπέρ **(hupér)** sugere a ideia de alguém que está na fronteira que separa o servidor do servo. Em resumo, a palavra grega indica o servidor, na mais exata acepção do termo. O vocábulo foi empregado, no Novo Testamento, para designar diversos tipos de servidores: os assistentes do rei, os oficiais do sinédrio, os assistentes dos magistrados, as sentinelas do templo de Jerusalém. Na literatura grega, a palavra é empregada para designar remador, marujo, todos os homens de uma tripulação, soldado da marinha (fuzileiro naval); todo homem sob as ordens de outro, um servidor comum, um servidor que acompanha o soldado de infantaria (na Grécia antiga); ajudante de um general; servidor de Deus.
2. Alguém que representava o cônsul em uma província senatorial (administrada pelo senado), possuindo um exército permanente, funções administrativas, tributárias e judiciais.
3. Lit. "convocar, citar, intimar; chamar para si mesmo, reunir, convidar; evocar".
4. Lit. "levantar-se contra", opor-se, resistir; colocar-se em oposição ou manter-se contra.
5. Lit. "cravar os olhos em alguém, olhar de modo fixo".
6. Aquele que desune (inspirando ódio, inveja, orgulho); caluniador, maledicente. Vocábulo derivado do verbo "diabollo" (separar, desunir; atacar, acusar; caluniar; enganar), do qual deriva também o substantivo "diabolé" (desavença, inimizade; aversão, repugnância; acusação; calúnia).
7. Lit. "com traição, astúcia, ardil". Este vocábulo deriva do verbo que significa "capturar em uma armadilha, enganar, utilizar um artifício traiçoeiro".
8. Lit. "não vendo".
9. Lit. "um ponto no tempo, um período de tempo; tempo fixo, definido; oportunidade".
10. Lit. "nuvem, neblina; sombra, obscuridade". O termo era utilizado pelos escritores médicos para designar uma espécie de inflamação, que deixava o olho com aparência nebulosa.
11. Lit. "maravilhar-se, impressionar-se, surpreender-se, espantar-se".

EM ANTIOQUIA DA PSÍDIA

13:13 E, ¹fazendo-se {ao mar} de Pafos, Paulo e os {que estavam} ao redor foram para Perge da Panfília. João, porém, apartando-se deles, regressou para Jerusalém. **13:14** Eles, passando por Perge, chegaram a Antioquia da Psídia; e, indo à sinagoga, num dia de sábado, sentaram-se. **13:15** Depois da leitura da Lei e dos Profetas, os chefes da sinagoga enviaram {comunicado} para eles, dizendo: Varões, Irmãos, se há em vós alguma palavra de exortação² para o povo, dizei. **13:16** Paulo, levantando-se e ³fazendo sinal com a mão, disse: Varões israelitas e os que temem a Deus, ouvi. **13:17** O Deus deste povo de Israel escolheu[4] os nossos Pais e elevou o povo durante a peregrinação no Egito. E, com braço erguido, o conduziu para fora dele {Egito}. **13:18** Por um período de quarenta anos, suportou-lhes {os hábitos} no deserto. **13:19** E, fazendo cair sete nações[5] na terra de Canaã, distribuiu por herança a terra deles, **13:20** por quatrocentos e cinquenta anos; após estas {coisas}, deu-lhes juízes, até o Profeta Samuel. **13:21** Então pediram um rei, e Deus lhes deu Saul, filho de Kis, varão da tribo de Benjamin, por quarenta anos. **13:22** Depois de removê-lo, ergueu-lhes Davi para {ser} rei, de quem também disse, testemunhando: *Encontrei Davi, o filho de Jessé, varão segundo o meu coração, que fará toda a minha vontade*[6]. **13:23** Da descendência[7] dele, segundo a promessa[8], Deus conduziu para Israel o Salvador Jesus. **13:24** Tendo João proclamado {previamente}[9] a Israel, [10]antes da entrada[11] dele, o mergulho[12] do arrependimento[13]. **13:25** Enquanto João completava[14] a sua carreira[15], dizia: Quem me supondes ser, eu não sou. Todavia, eis que vem depois de mim {aquele} do qual não sou digno de desatar as sandálias dos pés. **13:26** Varões irmãos, filhos da geração de Abraão, e vós que temeis a Deus, a nós foi enviada a Palavra desta salvação. **13:27** Pois os habitantes de Jerusalém e as suas autoridades[16], desconhecendo isto e as vozes dos Profetas que são lidos todos os sábados, julgando-o, cumpriram[17] {as profecias}; **13:28** embora não encontrando nenhum motivo {de condenação} à morte, pediram a Pilatos para o eliminarem. **13:29** Assim que se consumaram[18] todas as {coisas} escritas a respeito dele, descendo-o do madeiro[19], o colocaram no sepulcro. **13:30** Deus, porém, o ergueu[20] dentre os mortos. **13:31** Ele se tornou visível, durante muitos dias, aos que subiram com ele da Galileia para Jerusalém, os quais são testemunhas dele perante o povo. **13:32** E nós vos evangelizamos[21] a promessa[22] feita aos Pais. **13:33** Porque esta {promessa} Deus cumpriu {plenamente}[23] para nós, os filhos, erguendo[24] Jesus, como está escrito no segundo Salmo: *Tu és meu Filho, eu hoje te gerei*[25]. **13:34** Porque o levantou[26] dos mortos, jamais devendo retornar para a dissolução[27], assim disse: *{Eu} vos darei as {coisas} santas*[28] *e fiéis de David*[29]. **13:35** Por isso, também diz em outro {Salmo}: *Não concederás ao teu justo*[30] *ver {a}* [31]*dissolução*[32]. **13:36** Pois {bem}, tendo Davi servido[33] ao desígnio[34] de Deus, em sua própria geração, [35]adormeceu e foi acrescentado aos seus pais; e viu a dissolução[36]. **13:37** Aquele, porém, a quem Deus ergueu[37], não viu a dissolução. **13:38** Portanto, [38]tomai vós conhecimento que, por meio dele, vos foi anunciado perdão[39] dos pecados e de todas {as coisas} que não pudestes ser justificados[40] na Lei de Moisés. **13:39** Nele, todo aquele que crê é justificado. **13:40** Vede, portanto, que não venha sobre vós o que está dito nos Profetas: **13:41** *Ó desprezadores, vede! Maravilhai-vos*[41] *e desfigurai-vos*[42]*, porque estou* [43]*realizando um obra em vossos dias; obra que não crereis se alguém vos descrever*[44]. **13:42** Ao saírem eles, rogaram-lhes fossem faladas essas palavras no sábado seguinte. **13:43** Dissolvida {a reunião} da sinagoga, muitos dos judeus e dos adoradores prosélitos seguiram Paulo e Barnabé, o quais, falando-lhes, os persuadiam a permanecerem na graça de Deus. **13:44** No sábado [45]seguinte, quase toda a cidade estava reunida para ouvir a palavra de Deus. **13:45** Os judeus, porém, vendo as turbas, se encheram de inveja[46], e contestavam as {coisas} faladas por Paulo, blasfemando[47]. **13:46** Paulo e Barnabé, [48]falando abertamente, disseram: Era necessário[49] falar a palavra de Deus, primeiramente a vós; visto que a repelis e a vós mesmos não julgais dignos da vida eterna, eis que nos voltamos para as nações[50]. **13:47** Pois assim nos ordenou o Senhor: *{Eu} te estabeleci para seres luz das nações e salvação até aos confins da terra*[51]. **13:48** Ouvindo {isto}, os gentios[52] se alegraram[53] e glorificaram a palavra do Senhor; e creram tantos quantos estavam nomeados[54] para a vida eterna. **13:49** E a palavra do Senhor se difundia por toda a região. **13:50** Os judeus incitaram as mulheres adoradoras proeminentes e os principais da cidade, e levantaram uma perseguição contra Paulo e Barnabé, expulsando-os do território[55] deles. **13:51** Eles, sacudindo o pó dos pés sobre eles, foram para Icônio. **13:52** Os discípulos estavam cheios de alegria e do Espírito Santo.

1. Lit. "conduzir; levar de um lugar mais baixo para um lugar mais alto; apresentar, ofertar; **estender as velas, conduzir da costa para o mar, conduzir por mar**. Nesse contexto, a palavra é utilizada em sua acepção técnica de termo náutico, que integra o vasto vocabulário de Lucas a respeito do tema, indicando o ato de conduzir o barco da costa para o alto mar.
2. Lit. "para prestar auxílio, consolar, confortar; defender o réu (advogado); interceder; exortar, instruir". No presente caso, foi utilizado o substantivo derivado (mesma raiz) deste verbo.
3. Trata-se de gesto habitual (estender a mão direita, dobrando os dois dedos menores e estendo os outros três) dos oradores antigos, adotado no início do discurso para chamar a atenção da plateia (At 19:33, 21:40, 26:1).
4. Lit. "escolhido, selecionado".
5. Lit. "povos de outras nações que não o povo hebreu". Os hebreus chamavam todos os outros

povos de gentios.
6. (1Sm 13:14).
7. Lit. "semente, esperma, descendência".
8. Lit. "anúncio, declaração; acordo, promessa, compromisso, aliança".
9. Lit. "proclamar como arauto, agir como arauto (previamente, antecipadamente)". Sugere a gravidade e a formalidade do ato, bem como a autoridade daquele que anuncia em voz alta e solenemente a mensagem.
10. Lit. "diante da face da entrada dele". Expressão idiomática semítica, que pode ser traduzida para o português, sem maiores perdas, por: "antes do começo dele", "antes da sua entrada".
11. Lit. "lugar de entrada ou ato de entrar (sentido estrito); recepção, admissão; chegada, abordagem, acesso, entrada; entrada em um ofício, começo de uma tarefa, missão".
12. Lit. "lavar, imergir, mergulhar". Posteriormente, a Igreja conferiu ao termo uma nuance técnica e teológica para expressar o sacramento do batismo.
13. Lit. "mudança de mente, de opinião, de sentimentos, de vida".
14. Lit. "encher, tornar cheio; completar; realizar, cumprir".
15. Lit. "percurso, corrida, rota, carreira (sentido estrito); curso (da vida ou do ministério), carreira (sentido metafórico)".
16. Lit. "comandante, chefe, rei". Na Atenas democrática, cada um dos nove governantes eleitos anualmente era chamado "aronte". Nesta passagem, trata-se das autoridades locais.
17. Lit. "encher, tornar cheio; completar; realizar, cumprir". Visto que a exegese rabínica evita uma abordagem puramente abstrata das escrituras, era comum perguntar-se: "Quem cumpriu esse trecho da escritura"? Essa indagação levava os intérpretes a citar personagens, sobretudo os patriarcas, com o objetivo de demonstrar o cumprimento da escritura em suas vidas, e a escritura sendo cumprida (vivenciada) por suas vidas.
18. Lit. "terminar, acabar, consumar; completar, chegar ao fim (atingir a finalidade)".
19. Lit. "toras de madeira, porrete, clava".
20. Lit. "erguer-se, levantar-se". Expressão idiomática semítica que faz referência à ressurreição dos mortos. Para expressar a morte e ressurreição, utilizavam as expressões "deitar-se" (morte) e "levantar-se" (ressurreição).
21. Lit. "evangelizar, anunciar boas novas, dar boas notícias". O verbo significa, originalmente, anunciar as boas novas, dar uma boa notícia.
22. Lit. "anúncio, declaração; acordo, promessa, compromisso, aliança".
23. Vide nota 17.
24. Vide nota 20.
25. (Sl 2:7).
26. Vide nota 20.
27. Lit. "dissolução, corrupção (física, moral e espiritual)". Referência ambígua tanto a dissolução física operada pela morte física, quanto a dissolução moral operada pela morte espiritual.
28. Lit. "{coisas} justas (sancionadas pela suprema Lei de Deus); santas, devotadas, dedicadas (pessoas que vivem retamente diante de Deus); santas, sagradas, divinas (aquilo que é inerente a Deus)".
29. (Is 55:3).

30. Lit. "justo (sancionado pela suprema Lei de Deus); santo, devotado, dedicado (pessoa que vive retamente diante de Deus); santo, sagrado, divino (aquilo que é inerente a Deus)".
31. Vide nota 27.
32. (Sl 16:10).
33. Trata-se do verbo que deu origem ao substantivo comentado na nota 3.
34. Lit. "desígnio, plano, projeto; vontade, determinação; deliberação (tomada em assembleia, conselho)".
35. Lit. "adormeceu e foi adicionado/acrescentado aos seus pais". Trata-se de expressão idiomática semítica para se referir à morte e ao sepultamento de uma pessoa.
36. Vide nota 27.
37. Vide nota 20.
38. Lit. "seja conhecido de vós".
39. Lit. "perdão (pecado, ofensa, mal); remissão (dívida, pena); libertação (escravidão, prisão); liberação (permitir a saída)".
40. Lit. "ter ou reconhecer como justo, declarar justo (justificar)". Trata-se de terminologia forense, ligada à prática dos tribunais, cujo significado é "absolver, reconhecer como justo".
41. Lit. "maravilhar-se, encher-se de admiração/assombro, espantar-se, surpreender-se, ficar deslumbrado".
42. Lit. "destruir, consumir; fazer desaparecer, esvaecer; desfigurar (com cinzas, deixando os cabelos e a barba descuidados, ou colorir o rosto para parecer pálido, a fim de evidenciar a marca do jejum), deformar; obscurecer; manchar; tornar irreconhecível".
43. Lit. "obrando uma obra". Expressão idiomática semítica que consiste em emparelhar duas palavras de mesmo radical (verbo + substantivo) com a finalidade de reforçar o sentido do verbo.
44. (Hab 1:5).
45. Lit. "vindouro (aquele que vem)". Expressão idiomática que pode ser adaptada em português, utilizando o adjetivo "seguinte".
46. Lit. "zelo, ardor; rivalidade, emulação; inveja".
47. Lit. "caluniar, censurar; dizer palavra ofensiva, insultar; falar sobre Deus ou sobre as coisas divinas de forma irreverente; irreverência".
48. Lit. "falar livremente, abertamente, corajosamente".
49. Lit. "necessário, obrigatório, indispensável (sentido estrito); íntimo, próximo (sentido extensivo)".
50. Lit. "povos de outras nações que não o povo hebreu". Os hebreus chamavam todos os outros povos de gentios.
51. (Is 49:6).
52. Vide nota 50.
53. Lit. "alegrar-se, regozijar-se, contentar-se (estar contente)"
54. Lit. "arranjar, organizar; colocar; designar, nomear (em determinada posição ou posto); servir, dedicar (a certa atividade, cargo ou função)". Possivelmente, trata-se de terminologia técnica ligada ao exército romano, que faz referência ao ato de investidura do oficial romano em seu cargo.
55. Lit. "limite, fronteira".

14

PAULO E BARNABÉ EM ICÔNIO

14:1 E sucedeu que, em Icônio, eles entraram juntos na sinagoga dos judeus e falaram de tal modo que creu grande multidão, tanto de judeus quanto de gregos. **14:2** Porém os judeus que não se persuadiram, excitaram e exasperaram a alma dos gentios¹ contra os irmãos. **14:3** Assim, {eles} permaneceram bastante tempo, ²falando abertamente sobre o Senhor, que testemunhava a palavra da sua graça, concedendo fossem realizados sinais e prodígios pelas mãos deles. **14:4** Dividiu-se a multidão da cidade: os que estavam com os judeus e os que {estavam} com os apóstolos. **14:5** {Foi} quando ocorreu um motim dos gentios e dos judeus, com as suas autoridades³, para ultrajá-los⁴ e apedrejá-los. **14:6** Percebendo {isso}, fugiram para as cidades da Licaônia, Listra e Derbe, e circunvizinhança⁵. **14:7** Ali permaneceram evangelizando⁶.

1. Lit. "povos de outras nações que não o povo hebreu". Os hebreus chamavam todos os outros povos de gentios.
2. Lit. "falar livremente, abertamente, corajosamente".
3. Lit. "comandante, chefe, rei". Na Atenas democrática, cada um dos nove governantes eleitos anualmente era chamado "aronte". Nesta passagem, trata-se das autoridades locais.
4. Lit. "tratar arrogantemente ou com desrespeito; ultrajar, maltratar; insultar".
5. Lit. "circunvizinhança, arredores, região".
6. Lit. "evangelizar, anunciar boas novas, dar boas notícias". O verbo significa, originalmente, anunciar as boas novas, dar uma boa notícia.

EM LISTRA

14:8 Em Listra, estava sentado certo varão, fraco¹ dos pés, coxo ²desde o ventre da sua mãe, o qual jamais havia caminhado³. **14:9** Ele ouviu Paulo falando, o qual, fitando-o⁴ e vendo que tinha fé para ser salvo, **14:10** disse, ⁵em alta voz: Levanta-te direito sobre teus pés! {Ele} saltou e caminhava. **14:11** As turbas, vendo o que Paulo fizera, levantaram a voz, dizendo em {língua} licaônica: Os deuses, que se assemelham a homens, desceram a nós. **14:12** E chamavam a Barnabé de Zeus, e a Paulo de Hermes, visto que ele era o que comanda⁶ a palavra. **14:13**

O sacerdote de Zeus, cujo {templo} estava diante da cidade, trazendo touros e coroas[7] para os portões[8], queria, com as turbas, sacrificá-los[9]. **14:14** Os apóstolos Barnabé e Paulo, ao ouvir {isso}, [10]rasgando as suas vestes[11], correram para a turba, gritando **14:15** e dizendo: Varões, por que fazeis estas {coisas}? Nós também somos homens [12]sujeitos aos mesmos males que vós, e estamos evangelizando[13]a fim de vos voltardes[14]destas {coisas} vãs ao Deus vivo, que fez o céu, a terra, o mar e todas as {coisas} que {há} neles. **14:16** Aquele que, nas gerações passadas, permitiu todas as nações andarem nos seus próprios caminhos. **14:17** No entanto, não deixou a si mesmo sem testemunho, [15]fazendo o bem, dando-vos chuvas do céu e estações[16] frutíferas, e enchendo os vossos corações de alimento e [17]júbilo. **14:18** Dizendo isso, {ainda} com dificuldade impediram as turbas de lhes [18]oferecer sacrifícios. **14:19** Chegaram[19] judeus de Antioquia e Icônio e, persuadindo as turbas, depois de apedrejarem Paulo, o arrastaram para fora da cidade, supondo[20] que ele estava morto. **14:20** Após os discípulos o rodearem[21], levantou-se e entrou na cidade. No {dia} seguinte, saiu com Barnabé em direção a Derbe.

ATOS 14

1. Lit. "sem força, fraco, impotente; impossível". No presente caso, Lucas utiliza o termo em sua acepção médica.
2. Expressão idiomática semítica para designar o portador de uma doença congênita.
3. Lit. "andar ao redor; vagar, perambular; circular, passear; viver (seguir um gênero de vida)".
4. Lit. "cravar os olhos em alguém, olhar de modo fixo".
5. Lit. "com grande voz". Expressão idiomática semítica para expressar "em alta voz".
6. Lit. "conduzir, guiar, dar o exemplo; comandar (como chefe militar), governar; exercer hegemonia, ter proeminência".
7. Lit. "coroa (feita de flores ou lã); guirlanda, grinalda".
8. Lit. "pórtico, portão; vestíbulo".
9. Lit. "sacrificar, imolar, matar".
10. Na Mishna, Seder Nezikin, Tratado Sanhedrin 7:5, aqueles que julgavam um blasfemo deveriam ficar de pé e rasgar suas vestes, ao ouvirem uma blasfêmia. Nesse caso, parece que Barnabé e Paulo, diante da blasfêmia ouvida, repetiram esse mesmo ato.
11. Veste externa, manto, peça de vestuário utilizada sobre a peça interna. Pode ser utilizada como sinônimo do vestuário completo de uma pessoa.
12. Lit. "sujeito aos mesmos incidentes, males, fraquezas; semelhante nos sentimentos, nas fraquezas".
13. Lit. "evangelizar, anunciar boas novas, dar boas notícias". O verbo significa, originalmente, anunciar as boas novas, dar uma boa notícia.

14. Lit. "retornar, voltar". Expressão técnica do judaísmo (teshuva) que significa o processo integral de arrependimento: restauração do mal cometido, ressarcimento dos prejuízos e mudança de conduta.
15. Lit. "fazer {o} bom, {a} bondade, {o} bem; agir com benevolência, com bondade; beneficiar alguém".
16. Lit. "um ponto no tempo, um período de tempo; tempo fixo, definido, determinado; oportunidade, ocasião, ciclo". **Trata-se do aspecto qualitativo do tempo (ciclos)**.
17. Lit. "júbilo, satisfação, regozijo, alegria".
18. Vide nota 9.
19. Lit. "vir sobre/em cima; vir depois de/a seguir; vir inesperadamente; atacar (repentinamente), assaltar". O termo é utilizado, com frequência, em sua acepção técnica militar de ataque inesperado, repentino.
20. Lit. "supor, crer; pensar, considerar".
21. Lit. "envolver, rodear; cercar, circundar; sitiar (sentido militar)".

O RETORNO PARA ANTIOQUIA DA SÍRIA

14:21 Evangelizando[1] naquela cidade e fazendo bastantes discípulos, voltaram para Listra, Icônio e Antioquia, **14:22** [2]tornando resolutas as almas dos discípulos, exortando-os[3] a permanecerem na fé[4], já que, através de muitas provações[5], nos é necessário entrar no Reino de Deus. **14:23** E após escolherem[6] para eles anciãos, em cada igreja[7], orando com jejuns, os confiaram[8] ao Senhor, em quem haviam crido. **14:24** E atravessando a Psídia, dirigiram-se a Panfília. **14:25** Depois de falarem a palavra em Perge, desceram para Atália, **14:26** e dali navegaram para Antioquia {da Síria}, onde foram entregues à graça de Deus para a obra que haviam cumprido[9]. **14:27** Ao chegarem e reunirem a igreja[10], relataram[11] quantas {coisas} fizera Deus com eles, e que abrira a porta da fé aos gentios. **14:28** E permaneceram não pouco tempo com os discípulos.

1. Lit. "evangelizar, anunciar boas novas, dar boas notícias". O verbo significa, originalmente, anunciar as boas novas, dar uma boa notícia.
2. Lit. "estabelecer, colocar algo sobre; permanecer imóvel, estático, em repouso sobre (sentido estrito); tornar alguém/estar resoluto, firme (apoiado, firmado)".
3. Lit. "exortar, admoestar, persuadir; implorar, suplicar, rogar; animar, encorajar, confortar, consolar; requerer, convidar para vir, mandar buscar".

4. Lit. "fé, fidelidade". Em hebraico, a palavra possui os dois sentidos.
5. Lit. "pressão, compressão (sentido estrito); aflição, tribulação, provação (sentido metafórico)".
6. Lit. "apontar com as mãos, escolher (erguendo as mãos e apontando a pessoa)".
7. Lit. "assembleia (popular, dos anfitriões em Delfos, de soldados, etc...); lugar da assembleia", e por extensão: a congregação dos filhos de Israel; a comunidade cristã; o local das reuniões (igreja).
8. Lit. "colocar ao lado de; colocar diante de", propor; demonstrar (por extensão); apresentar; **confiar, depositar/colocar/entregar algo aos cuidados de alguém**; recomendar".
9. Lit. "encher, tornar cheio; completar; realizar, cumprir". Visto que a exegese rabínica evita uma abordagem puramente abstrata das escrituras, era comum perguntar-se: "Quem cumpriu esse trecho da escritura"? Essa indagação levava os intérpretes a citar personagens, sobretudo os patriarcas, com o objetivo de demonstrar o cumprimento da escritura em suas vidas, e a escritura sendo cumprida (vivenciada) por suas vidas.
10. Vide nota 7.
11. Lit. "trazer de volta (um relato, palavra), anunciar de novo; anunciar, relatar, declarar, expor, apresentar, ensinar (sentido religioso)".

15 A REUNIÃO EM JERUSALÉM

15:1 Alguns que tinham descido da Judeia ensinavam os irmãos: Se não fordes circuncidados, conforme costume de Moisés, não podeis ser salvos. **15:2** Tendo havido dissensão[1] e não pouca discussão[2] de Paulo e Barnabé com eles, os apóstolos e anciãos designaram[3] Paulo, Barnabé e {mais} alguns outros dentre eles para subirem a Jerusalém, com respeito a esta controvérsia[4]. **15:3** Assim, [5]providos {para viagem} pela igreja[6], eles atravessaram tanto a Fenícia quanto a Samaria, e descrevendo {minuciosamente} a conversão[7] dos gentios[8], davam grande alegria a todos os irmãos. **15:4** Ao chegarem a Jerusalém, foram recebidos pela igreja[9], pelos apóstolos e anciãos, relataram[10] quantas {coisas} fizera Deus com eles. **15:5** Levantaram-se, porém, alguns do partido[11] dos fariseus, que haviam crido, dizendo: É necessário circuncidá-los e prescrever[12] que observem[13] a Lei de Moisés. **15:6** Os apóstolos e os anciãos se reuniram para [14]considerar este assunto. **15:7** Havendo muita discussão[15], levantou-se Pedro e disse para eles: Varões Irmãos, vós compreendeis que desde {os} primeiros dias Deus {me} escolheu[16], dentre vós, para ouvirem através da minha boca a palavra do evangelho, e crerem. **15:8** E Deus, que conhece os corações, testemunhou, dando-lhes o Espírito Santo como também a nós {foi dado}. **15:9** {Em} nada distinguiu[17] entre nós e eles, purificando os corações deles pela fé. **15:10** Agora, portanto, por que testais[18] a Deus, ao colocar sobre o pescoço dos discípulos um jugo que nem nossos Pais nem nós pudemos carregar. **15:11** Mas cremos ter sido salvos pela graça do Senhor Jesus, do mesmo modo que eles. **15:12** Toda a multidão se calou[19] e ouviu Barnabé e Paulo explicando[20] quantos sinais e prodígios Deus fizera entre os gentios, através deles. **15:13** Depois que eles se calaram, respondeu Tiago, dizendo: Varões Irmãos, ouvi-me! **15:14** Simeão[21] explicou[22] como Deus, primeiramente, visitou[23] para tomar, dentre os gentios, um povo para o seu nome. **15:15** E com isto se ajusta[24] as palavras dos Profetas, conforme está escrito: **15:16** *Depois destas {coisas}, retornarei e edificarei a tenda[25] caída de David, reconstruirei as suas ruínas e a restaurarei[26]*, **15:17** *a fim de que os homens remanescentes busquem ao Senhor, e todos os gentios[27] sobre os quais foi invocado o meu nome sobre eles – diz o Senhor que fez estas {coisas}[28]*, **15:18** conhecidas desde a antiguidade[29]. **15:19** Por isso eu julgo que não {devemos} importunar[30] os que, dentre os gentios, estão retornando[31] para Deus, **15:20** mas escrever-lhes para se [32]absterem das contaminações[33] dos ídolos, da infidelidade[34], do {animal} estrangulado e do sangue. **15:21** Pois Moisés tem, em cada cidade, desde os tempos antigos, os que o proclamam[35] nas sinagogas, {onde} é lido todos os sábados.

1. Lit. "colocação, posição; reunião, grupo; agrupamento tumultuoso, erupção popular, motim, revolta; discórdia, disputa, dissensão".
2. Lit. "inquirição, pesquisa, investigação; debate, discussão (investigativa, filosófica)".
3. Lit. "arranjar, organizar; colocar; designar, nomear (em determinada posição ou posto); servir, dedicar (a certa atividade, cargo ou função)". Possivelmente, trata-se de terminologia técnica ligada ao exército romano, que faz referência ao ato de investidura do oficial romano em seu cargo.
4. Lit. "questão, controvérsia, assunto de debate".
5. Lit. "enviar antes; acompanhar (por cortesia, respeito) ou escoltar até certa distância alguém que inicia uma viagem; prover, fornecer o necessário para uma viagem".
6. Lit. "assembleia (popular, dos anfitriões em Delfos, de soldados, etc...); lugar da assembleia", e por extensão: a congregação dos filhos de Israel; a comunidade cristã; o local das reuniões (igreja).
7. Lit. "retornar, voltar". Expressão técnica do judaísmo (teshuva) que significa o processo integral de arrependimento: restauração do mal cometido, ressarcimento dos prejuízos e mudança de conduta.
8. Lit. "povos de outras nações que não o povo hebreu". Os hebreus chamavam todos os outros povos de gentios.
9. Vide nota 6.
10. Lit. "trazer de volta (um relato, palavra), anunciar de novo; anunciar, relatar, declarar, expor, apresentar, ensinar (sentido religioso)".
11. Lit. "escolha, opção (sentido estrito); partido, escola, grupo, seita (sobretudo os separatistas)".
12. Lit. "anunciar; dar ordens, prescrever, dar instruções".
13. Lit. "velar, guardar; espiar; praticar, observar; conservar".
14. Lit. "ver a respeito de, ver em torno de".
15. Lit. "inquirição, pesquisa, investigação; debate, discussão (investigativa, filosófica)".
16. Lit. "escolhido, selecionado".
17. Lit. "separar, afastar, desligar; distinguir, fazer distinção; examinar, escrutinar, estimar, avaliar; disputar, contender".
18. Lit. "tentar, experimentar; testar, pôr à prova; desafiar".
19. Lit. "calar-se; guardar segredo".
20. Lit. "conduzir, guiar, dirigir, governar; interpretar, explicar detalhadamente; ordenar, prescrever, aconselhar".
21. Trata-se do nome semítico de Simão Pedro (2Pd 1:1).
22. Vide nota 20.

ATOS
15

23. Lit. "escolher, selecionar com base em investigação cuidadosa (sentido estrito); observar, inspecionar; visitar (para confortar)".
24. Lit. "ressoar ao mesmo tempo, estar em harmonia; estar de acordo, acordar, ajustar; adequar, ajustar".
25. Lit. "tenda, tabernáculo".
26. Lit. "restaurar (a retidão, a firmeza, a higidez, o estado original), restabelecer, revigorar; reconstruir, reerguer".
27. Vide nota 8.
28. (Amós 9:11-12).
29. Lit. "era, idade, século; tempo muito longo".
30. Lit. "perturbar, importunar, aborrecer, causar incômodo, inquietar, atormentar".
31. Vide nota 7.
32. Lit. "ficarem distantes".
33. O contato com objetos e pessoas ligadas a idolatria (adoração a outros deuses) era considerado elemento de impureza ritual, que devia ser evitado.
34. Lit. "fornicação, prostituição; infidelidade, adultério". Termo genérico para práticas sexuais ilícitas.
35. Lit. "proclamar como arauto, agir como arauto". Sugere a gravidade e a formalidade do ato, bem como a autoridade daquele que anuncia em voz alta e solenemente a mensagem.

A CARTA AOS GENTIOS

15:22 Então, pareceu {bem} aos apóstolos e aos anciãos, com toda a igreja, depois de escolher varões entre eles, enviar para Antioquia, com Paulo e Barnabé, Judas, chamado Barsabás, e Silas, varões que eram líderes[1] entre os irmãos. **15:23** Tendo escrito pelas mãos deles: *Os apóstolos e os irmãos anciãos, aos irmãos, dentre os gentios, que {estão} em Antioquia, Síria, e Cilícia, saudações!* **15:24** *Visto sabermos que alguns {que saíram} dentre nós, aos quais não ordenamos, vos censuraram[2] com palavras, pervertendo[3] vossas almas,* **15:25** *nos pareceu {bem}, estando unânimes[4], escolher varões e enviá-los para vós, com os nossos amados Barnabé e Paulo,* **15:26** *homens que entregaram suas almas pelo nome de nosso Senhor Jesus Cristo.* **15:27** *Portanto, enviamos Judas e Silas, que anunciam, eles mesmos, essas {coisas} por palavra.* **15:28** *Pois, pareceu {bem} ao Espírito Santo e a nós {não} ser imposto mais nenhum peso[5] sobre vós, senão essas {coisas} necessárias:* **15:29** [6]*absterem-se das coisas sacrificadas aos ídolos, do sangue, do {animal} estrangulado, e da infidelidade[7]. Fareis bem, guardando* *a vós mesmos destas coisas. Saúde*[8]! **15:30** Assim, os que haviam sido despedidos desceram para Antioquia e, reunida a multidão, entregaram a epístola. **15:31** Depois de lerem, alegraram-se com a exortação[9]. **15:32** Judas e Silas, sendo eles próprios profetas, exortaram[10] e fortaleceram os irmãos [11]através de uma fala longa. **15:33** Passado {algum} tempo, foram despedidos em paz pelos irmãos, e {retornaram} para aqueles que os tinham enviado. **15:34** [12]{Mas, pareceu bem a Silas permanecer ali}. **15:35** Paulo e Barnabé permaneceram em Antioquia, ensinando e evangelizando[13], com muitos outros, a palavra do Senhor.

1. Lit. "conduzir, guiar, dar o exemplo; comandar (como chefe militar), governar; exercer hegemonia, ter proeminência".
2. Lit. "irritar-se, enfurecer-se; falar em tom severo, censurar; comover-se, agitar-se, perturbar-se (de emoção)".
3. Lit. "recolher (objetos ou bagagem de alguém); destruir, devastar, vencer, derrubar o que havia sido construído (usado na linguagem militar para derrubada de uma cidade); alterar, perverter, subverter (sentido metafórico)".
4. Lit. "unânimes, de pleno acordo (mentalmente); junto, ao mesmo tempo".
5. Lit. "peso, carga, fardo (sentido estrito); qualquer coisa difícil de ser tolerada ou dolorosa (sentido metafórico); influência, dignidade, honra (sentido ampliativo)".
6. Lit. "ficarem distantes".
7. Lit. "fornicação, prostituição; infidelidade, adultério". Termo genérico para práticas sexuais ilícitas.
8. Lit. "esteja bem, goze de boa saúde, esteja forte (sentido literal)". Utilizado no final de cartas como uma saudação: "Saudações", "Saúde".
9. Lit. "exortação, admoestação, persuasão; súplica, rogo; encorajamento, conforto, consolação; requerimento, convite (para vir), mandar buscar".
10. Lit. "exortar, admoestar, persuadir; implorar, suplicar, rogar; animar, encorajar, confortar, consolar; requerer, convidar para vir, mandar buscar".
11. Lit. "através de uma muita palavra". Expressão idiomática para expressar um longo discurso, uma fala longa.
12. A Crítica Textual contemporânea considera esse versículo um acréscimo feito tardiamente para explicar a presença de Silas em Antioquia (conforme narrado nos versículos seguintes), já que está ausente dos mais antigos manuscritos.
13. Lit. "evangelizar, anunciar boas novas, dar boas notícias". O verbo significa, originalmente, anunciar as boas novas, dar uma boa notícia.

ATOS 15 — A SEPARAÇÃO DE PAULO E BARNABÉ

15:36 Alguns dias depois, disse Paulo a Barnabé: ¹Tornemos a visitar os irmãos por todas as cidades nas quais anunciamos a palavra do Senhor, {para ver} como estão. **15:37** Barnabé queria levar consigo também a João, chamado Marcos. **15:38** Paulo, porém, julgava digno tomar consigo aquele que se afastou deles desde Panfília e não foi junto com eles para o trabalho. **15:39** Houve discórdia, a ponto de se separarem um do outro e Barnabé navegar para Chipre, tomando a Marcos. **15:40** Paulo, entregue pelos irmãos à graça do Senhor, escolhendo a Silas, saiu. **15:41** Atravessava a Síria e a Cilícia, ²tornando resolutas as igrejas³.

1. Lit. "voltando/retornando, visitemos".
2. Lit. "estabelecer, colocar algo sobre; permanecer imóvel, estático, em repouso sobre (sentido estrito); tornar alguém/estar resoluto, firme (apoiado, firmado)".
3. Lit. "assembleia (popular, dos anfitriões em Delfos, de soldados, etc...); lugar da assembleia", e por extensão: a congregação dos filhos de Israel; a comunidade cristã; o local das reuniões (igreja).

TIMÓTEO ASSOCIA-SE A PAULO E SILAS   16

16:1 Chegou¹ a Listra e a Derbe. Eis que havia ali um discípulo, de nome Timóteo, filho de uma mulher judia crente, mas de pai grego, **16:2** o qual era {bem} testemunhado pelos irmãos de Listra e de Icônio. **16:3** Paulo quis que este partisse com ele e, tomando, circuncidou-o, por causa dos judeus que estavam naqueles lugares, pois todos sabiam que o pai dele era grego. **16:4** Ao atravessarem² as cidades, entregavam-lhes as prescrições³ aprovadas⁴ pelos apóstolos e anciãos de Jerusalém, para que as guardassem. **16:5** Assim, as igrejas⁵ eram fortalecidas⁶ na fé e excediam em número a cada dia.

1. Lit. "chegar a, ir, vir; acontecer, suceder; alcançar, atingir (sentido metafórico)".
2. Lit. "passar por, atravessar".
3. Lit. "decisão, sentença; decreto, estatuto, ordenança, prescrição; dogma, opinião, sistema de crenças".
4. Lit. "julgar, decidir, aprovar; administrar, governar".
5. Lit. "assembleia (popular, dos anfitriões em Delfos, de soldados, etc...); lugar da assembleia", e por extensão: a congregação dos filhos de Israel; a comunidade cristã; o local das reuniões (igreja).
6. Lit. "firmar, fortalecer".

O CHAMADO PARA A MACEDÔNIA

16:6 Atravessaram a Frígia e a região da Galácia, tendo sido impedidos¹ pelo Espírito Santo de falar sobre Palavra na Ásia. **16:7** Ao chegarem a Mísia, tentavam² seguir para a Bitínia, mas o espírito de Jesus não lhes permitiu. **16:8** Passando³ pela Mísia, desceram para Trôade. **16:9** Numa visão, durante a noite, tornou-se visível para Paulo um varão da Macedônia, que estava de pé, rogando-lhe e dizendo: Ao atravessar a Macedônia, socorre-nos⁴. **16:10** E como ⁵teve a visão, imediatamente buscou dirigir-se para a Macedônia, concluindo⁶ que Deus nos tem chamado para evangelizá-los⁷.

1. Lit. "impedir, pôr obstáculos; separar".
2. Lit. "tentar, experimentar; testar, pôr à prova; desafiar".
3. Lit. "passar ao lado de; decorrer; **desaparecer, perecer**; ignorar, negligenciar".

4. Lit. "correr em socorro, socorrer, auxiliar".
5. Lit. "viu a visão". Trata-se de recurso estilístico da língua hebraica/aramaica em que são colocados lado a lado o verbo e o substantivo de mesmo radical com a intenção de reforçar o sentido da ação.
6. Lit. "unir, atar, fazer vir para junto (sentido estrito); deduzir, inferir, concluir; provar, demonstrar; ensinar, instruir (sentidos figurativos)".
7. Lit. "evangelizar, anunciar boas novas, dar boas notícias". O verbo significa, originalmente, anunciar as boas novas, dar uma boa notícia.

A CONVERSÃO DE LÍDIA EM FILIPOS

16:11 E, ¹fazendo-nos {ao mar} de Trôade, ²navegamos em rota direta para a Samotrácia e, no {dia} seguinte, para Neápolis. **16:12** E dali para Filipos, que é {uma} cidade do primeiro distrito³ da Macedônia, uma ⁴colônia {romana}. Estivemos nesta cidade, permanecendo {nela} alguns dias. **16:13** No dia de sábado, saímos para fora do portão, junto ao rio, onde supúnhamos⁵ haver um {lugar de} oração; e, sentando-nos, falamos às mulheres {ali} reunidas. **16:14** E uma mulher, de nome Lídia, vendedora de púrpura da cidade de Tiatira, que adorava a Deus, a qual o Senhor abrira o coração para atentar ao que estava sendo falado por Paulo, {nos} ouvia. **16:15** Depois de ser batizada, {ela} e sua casa, rogou, dizendo: Se me julgais ser fiel ao Senhor, após entrar, permanecei na minha casa. E nos pressionou⁶ {para isto}.

1. Lit. "conduzir; levar de um lugar mais baixo para um lugar mais alto; apresentar, ofertar; **estender as velas, conduzir da costa para o mar, conduzir por mar**. Nesse contexto, a palavra é utilizada em sua acepção técnica de termo náutico, que integra o vasto vocabulário de Lucas a respeito do tema, indicando o ato de conduzir o barco da costa para o alto mar.
2. Lit. "percorrer um curso direto, reto; velejar/navegar em uma única direção ou num curso reto/direto". Trata-se também de termo náutico, indicando que possivelmente encontraram um vento nordeste que os conduziu em linha reta ao destino.
3. Lit. "objeto utilizado para tirar a sorte (pedra); sorteio; parte de herança, herdade; parte, porção". A Macedônica era dividida em quatro porções/distritos, sendo que a cidade de Filipos estava incluída no primeiro distrito.
4. Lit. "colônia". Uma colônia romana era como um pedaço da própria Itália transplantado para outra região, pois gozavam dos privilégios da própria cidade imperial, tais como liberdade, propriedade da terra, isenção de tributos. Em sua maioria eram estabelecidas nas regiões costeiras, consistindo em postos de observação do Estado Romano, razão pela qual se organizavam segundo o modelo administrativo da própria Roma. As colônias romanas

se dividiam em três classes: 1) Colônias da República – anteriores ao ano 100 a.C, que eram simplesmente centros de influência romana no território conquistado; 2) Colônias Agrárias – estabelecidas para ampliação territorial, destinada a receber o excesso da população de Roma; 3) Colônias Militares – destinadas ao assentamento de soldados licenciados durante as guerras civis ou mesmo no curso do desenvolvimento do Império Romano. Eram criadas pelo próprio Imperador, que designava um "legado" para o exercício das funções administrativas. Filipos era uma colônia militar, localizada no primeiro distrito da Macedônia.

5. Lit. "supor, crer; pensar, considerar".
6. Lit. "forçar, constranger; pressionar (com súplicas), persuadir (sentido metafórico)".

A PRISÃO DE PAULO E SILAS EM FILIPOS

16:16 E sucedeu que, indo nós para o {lugar de} oração, veio a nosso encontro certa criada[1], que tinha um espírito de Píton[2], a qual proporcionava[3] muito trabalho aos seus senhores [4]fazendo oráculos. **16:17** Ela, seguindo a Paulo e a nós, gritava, dizendo: Estes homens são servos do Deus Altíssimo, os quais vos anunciam o caminho da salvação. **16:18** {Ela} fez isso por muitos dias. Paulo, indignado[5], voltou-se para o espírito e disse: Em nome de Jesus Cristo, {eu} te ordeno[6] sair dela. E {ele} saiu na mesma hora. **16:19** Vendo os senhores dela que se [7]acabou a esperança de trabalho deles, tomando[8] a Paulo e a Silas, os arrastaram para a praça, perante as autoridades[9] **16:20** e, conduzindo-os aos pretores[10], disseram: Estes homens, sendo judeus, perturbam a nossa cidade, **16:21** anunciando costumes que não nos é lícito receber nem praticar, por sermos romanos. **16:22** Levantou-se a turba contra eles, e os pretores[11], rasgando as vestes[12] deles, mandaram açoitá-los com varas. **16:23** Tendo [13]imposto sobre eles muitos golpes, os lançaram na prisão, ordenando[14] ao carcereiro guardá-los com segurança. **16:24** Ele, recebendo tal ordem, lançou-os na prisão {mais} interna, e prendeu os pés deles no tronco[15]. **16:25** Por {volta da} meia-noite, Paulo e Silas estavam orando e [16]entoando {hinos/salmos}, e os prisioneiros escutavam[17] a eles. **16:26** De repente, ocorreu um grande terremoto, a ponto de serem sacudidos os alicerces do cárcere; abriram-se imediatamente todas as portas, e todas as amarras[18] foram soltas. **16:27** Despertando[19], e vendo as portas da prisão abertas, o carcereiro, puxando[20] a espada, estava prestes a eliminar a si mesmo, supondo[21] terem fugido os prisioneiros. **16:28** Paulo, porém, bradou

²²em alta voz, dizendo: Não te faças nenhum mal, pois todos estamos aqui. **16:29** Depois de pedir luzes, correu para dentro; ficando trêmulo, prosternou-se²³ {diante de} Paulo e Silas. **16:30** E conduzindo-os para fora, disse: Senhores, que é necessário fazer para que {eu} seja salvo? **16:31** Eles disseram: Crê no Senhor Jesus e serás salvo, tu e a tua casa. **16:32** E falaram a palavra do Senhor com todos os que {estavam} na sua casa. **16:33** Tomando eles consigo, naquela {mesma} hora da noite, lavou-lhes as feridas e, imediatamente, ele foi batizado, {como} também todos os seus. **16:34** Após ²⁴conduzi-los para a {própria} casa, preparou²⁵ a mesa; e exultou-se²⁶ com toda a sua casa, por terem crido em Deus. **16:35** ²⁷Ao amanhecer, os pretores²⁸ enviaram os lictores²⁹, dizendo: Soltai aqueles homens. **16:36** O carcereiro anunciou a Paulo {essas} palavras: Os pretores {nos} enviaram para que sejais soltos. Agora, portanto, saí e ide em paz. **16:37** Paulo, porém, disse para eles: Depois de nos açoitar³⁰ publicamente, sendo {nós} ³¹cidadãos romanos, nos lançaram na prisão, e agora nos expulsam secretamente? Nada disso, que venham eles mesmos e nos conduzam para fora. **16:38** Relataram essas palavras aos pretores e lictores; ao ouvirem que {eles} eram romanos, ficaram com medo. **16:39** Vindo {eles}, rogaram a eles; e, conduzindo-os para fora, pediram que partissem da cidade. **16:40** Tendo saído da prisão, dirigiram-se para a {casa} de Lídia; vendo os irmãos, os confortaram³², e partiram.

1. Lit. "criada, escrava, serva; garota, senhorita, donzela".
2. Lit. "Python". Nome da serpente mitológica (dragão pítico ou serpente pítica) que habitava em Pitos, ao pé do monte Parnaso, e guardava o oráculo de Delfos. Foi morta por Apolo, que passou a usufruir dos seus poderes. Posteriormente, a palavra foi aplicada aos adivinhos, que se diziam inspirados por Apolo. No oráculo de Delfos, havia mulheres (pitonisas) que praticavam essa espécie de adivinhação, numa espécie de culto a Apolo.
3. Lit. "manter ao lado de; oferecer, ofertar, presentear; conceder, dar; fornecer, exibir; ocasionar".
4. Lit. "fazer oráculos, predizer; consultar um oráculo; interpretar um oráculo; adivinhar".
5. Lit. "exaurido, fatigado (em razão do trabalho); indignado, perturbado (espécie de exaurimento em razão de contrariedade);
6. Lit. "anunciar; dar ordens, prescrever, dar instruções".
7. Lit. "saiu a esperança". Expressão idiomática com o sentido de "acabou-se", "foi-se embora".
8. Lit. "apoderar-se de; tomar, agarrar, segurar, prender; obter (em razão de captura ou combate)".
9. Lit. "comandante, chefe, rei". Na Atenas democrática, cada um dos nove governantes eleitos anualmente era chamado "aconte". Nesta passagem, trata-se das autoridades locais.
10. Lit. "líder/comandante de um exército, general; pretor romano, magistrado provincial;

comandante, capitão da guarda do templo (chefe dos levitas que mantinham a guarda dentro e ao redor do Templo de Jerusalém).

11. Vide nota 10.
12. Veste externa, manto, peça de vestuário utilizada sobre a peça interna. Pode ser utilizada como sinônimo do vestuário completo de uma pessoa.
13. Lit. "colocar sobre (alguém) golpe/pancada, cobrir alguém de pancadas, espancar". Expressão idiomática muito semelhante àquela utilizada em português "cobrir de pancada, encher de pancada". A ideia é de uma verdadeira sucessão de golpes que vão se acumulando sobre a vítima.
14. Lit. "anunciar; dar ordens, prescrever, dar instruções".
15. Lit. "toras de madeira, porrete, clava".
16. Lit. "ação de cantar/entoar hinos/salmos".
17. Lit. "escutar, ouvir, prestar atenção". Verbo utilizado na linguagem médica da época para o ato de colocar os ouvidos no corpo humano, a fim de detectar algum distúrbio. Possível referência ao fato de os prisioneiros terem colocado os ouvidos nas paredes da cela para ouvir as orações e os hinos.
18. Lit. "algo utilizado para amarrar, atar; corda, corrente, ligadura, ligamento; empecilho, impedimento (sentido metafórico)".
19. Lit. "tornando-se desperto".
20. Lit. "puxar, arrancar".
21. Lit. "supor, crer; pensar, considerar".
22. Lit. "com grande voz". Expressão idiomática semítica para expressar "em alta voz".
23. Lit. "cair sobre, coligir com, lançar-se contra; precipitar-se sobre; cair diante de". No caso a expressão "precipitar-se diante dele" pode ser corretamente traduzida por "prosternou-se diante dele".
24. Lit. "conduzir para o alto, para cima; fazer subir; elevar, levantar". Neste trecho, Paulo e Silas foram retirados do interior da prisão, que ficava provavelmente no subsolo, e conduzidos para a residência do carcereiro, localizada evidentemente em local superior ao cárcere.
25. Lit. "colocar ao lado de; colocar diante de", propor; demonstrar (por extensão); apresentar; confiar, depositar/colocar/entregar algo aos cuidados de alguém; recomendar".
26. Lit. "regozijar-se, exultar, estar cheio de alegria", comumente utilizado no contexto de festa religiosa ou culto.
27. Lit. "tornando-se dia".
28. Lit. "líder/comandante de um exército, general; pretor romano, magistrado provincial; comandante, capitão da guarda do templo (chefe dos levitas que mantinham a guarda dentro e ao redor do templo de Jerusalém).
29. Lit. "os que castigam com varas (lictores)". Eram assistentes que serviam aos magistrados (pretores), executando as punições e advertências, num misto de oficial de justiça e carrasco.
30. Lit. "esfolar, tirar a pele; castigar, maltratar; bater, açoitar".
31. Lit. "homens romanos".
32. Lit. "exortar, admoestar, persuadir; implorar, suplicar, rogar; animar, encorajar, confortar, consolar; requerer, convidar para vir, mandar buscar".

17 PAULO E SILAS EM TESSALÔNICA

17:1 Percorrendo[1] Anfípolis e Apolônia, chegaram a Tessalônica, onde havia uma sinagoga dos judeus. **17:2** Paulo, segundo seu costume, dirigiu-se a eles e, por três sábados, dialogou[2] com eles, a partir das Escrituras, **17:3** abrindo[3] e demonstrando[4] que era necessário o Cristo padecer e levantar-se[5] dentre os mortos; e {dizendo} que: "Este é o Cristo Jesus que eu vos anuncio". **17:4** Alguns deles foram persuadidos e se associaram a Paulo e Silas, assim como numerosa multidão de gregos adoradores e não poucas mulheres proeminentes. **17:5** Os judeus, porém, tomados de inveja, reunindo[6] alguns varões maus[7] das praças e formando uma turba, alvoroçavam a cidade; aproximando-se[8] da casa de Jason, buscavam conduzi-los para o povo. **17:6** Porém não os encontrando, arrastaram Jason e alguns irmãos à presença dos magistrados[9], bradando: Estes {são} os que têm perturbado a terra habitada. Eles estão presentes também aqui, **17:7** os quais Jason hospedou. Todos eles procedem contra os decretos[10] de César, dizendo haver outro rei: Jesus. **17:8** Ao ouvirem essas {coisas}, tanto a turba quanto os magistrados se perturbaram[11]. **17:9** Tendo recebido a fiança[12] de Jason e dos demais, os soltaram.

1. Lit. "viajar por; atravessar, percorrer".
2. Lit. "discursar; dialogar, debater (mediante perguntas e respostas)".
3. O verbo "abrir", utilizado nesta passagem, faz referência a um dos métodos de interpretação das Escrituras, muito utilizado pelos Sábios de Israel na Literatura Judaica (Mishna, Talmud, Midrash). Trata-se de uma espécie de homilia pronunciada antes da leitura de uma passagem do Pentateuco (Torah), com o objetivo de preparar o público para a escuta. Começa com um versículo, geralmente retirado da terceira parte da Escritura Hebraica (Escritos), aparentemente sem nenhuma relação com o texto principal do Pentateuco, a ser lido naquele dia na sinagoga. A arte do orador consiste em incitar o público, despertando sua curiosidade, e construindo uma rede de relações entre a passagem, aparentemente desconexa, e o texto da Torah. A "abertura" deve terminar onde o texto da Torah se inicia. Há milhares de exemplos desse procedimento nas fontes judaicas, todos revelando um senso acurado e um profundo conhecimento dos textos.
4. Lit. "colocar ao lado de; colocar diante de", propor; demonstrar (por extensão); apresentar; confiar, depositar/colocar/entregar algo aos cuidados de alguém; recomendar".
5. Lit. "erguer-se, levantar-se". Expressão idiomática semítica que faz referência à ressurreição dos mortos. Para expressar a morte e a ressurreição, utilizavam as expressões "deitar-se" (morte) e "levantar-se" (ressurreição).
6. Lit. "tomando consigo".

7. Lit. "mal; mau, malvado, malevolente; maligno, malfeitor, perverso; criminoso, ímpio". No grego clássico, a expressão significava "sobrecarregado", "cheio de sofrimento", "desafortunado", "miserável", "indigno", como também "mau", "causador de infortúnio", "perigoso". No Novo Testamento refere-se tanto ao "mal" quanto ao "malvado", "mau", "maligno", sendo que em alguns casos substitui a palavra hebraica "satanás" (adversário).
8. Lit. "pôr/colocar sobre/próximo de, estar/permanecer ao lado/próximo de".
9. Lit. "Politarca (governante da cidade)". Esse título macedônico era utilizado para designar os magistrados não-romanos que atuavam nas cidades da Macedônia. Inscrições arqueológicas descobertas na Tessalônica atestam a existência dos politarcas, sendo que algumas delas mencionam os nomes "Sosípatro", "Segundo" e "Gaio".
10. Lit. "decisão, sentença; decreto, estatuto, ordenança, prescrição; dogma, opinião, sistema de crenças".
11. Lit. "irritar-se, enfurecer-se; falar em tom severo, censurar; comover-se, agitar-se, perturbar-se (de emoção)".
12. Lit. "apropriado, adequado, digno; adequado, condizente, suficiente, bastante; considerável, numerosa, grande". Neste caso, a palavra está sendo empregada na acepção técnica de "fiança", cujo equivalente em latim era "satis accipere". Trata-se de uma quantia em dinheiro paga em procedimentos civis e criminais do Império Romano, como condição para reaver a liberdade, ou seja, o equivalente à fiança em nosso procedimento criminal atual.

PAULO E SILAS EM BEREIA

17:10 Imediatamente, os irmãos, durante a noite, enviaram Paulo e Silas para a Bereia, os quais, chegando {lá}, se dirigiram à sinagoga dos judeus. **17:11** Eles eram [1]mais nobres do que os {habitantes} de Tessalônica, já que receberam a palavra com toda solicitude[2], perscrutando[3] cada dia as Escrituras [4]{para ver} se essas {coisas} eram assim. **17:12** Assim, muitos dentre eles creram, mulheres gregas proeminentes e não poucos varões. **17:13** Mas, quando os judeus de Tessalônica souberam que a palavra de Deus fora anunciada por Paulo também na Bereia, foram {até} lá, agitando e perturbando[5] as turbas. **17:14** Então, imediatamente os irmãos enviaram Paulo para que fosse até o mar, permanecendo ali Silas e Timóteo. **17:15** Os que acompanhavam[6] Paulo o conduziram até Atenas; e, recebendo ordem[7] para que Silas e Timóteo viessem o mais rápido {possível} até ele, partiram.

1. Lit. "bem nascido (família renomada), de nobre linhagem". Nesse caso, foi utilizado o adjetivo comparativo.
2. Lit. "zelo, ardor; solicitude, presteza, prontidão, diligência".

3. Lit. "examinar, perscrutar, questionar, estudar cuidadosamente (processo de avaliação); investigar, interrogar, colher depoimento (processo judicial de investigação); criticar, julgar, pedir explicações, contas (julgamento geral)".
4. Lit. "se tinham essas {coisas} assim".
5. Lit. "irritar-se, enfurecer-se; falar em tom severo, censurar; comover-se, agitar-se, perturbar-se (de emoção)".
6. Lit. "constituir, nomear; estabelecer, colocar na administração de". Nesta passagem, o verbo é utilizado para designar as pessoas que foram escolhidas para receber, hospedar, acompanhar o hóspede (Paulo).
7. Lit. "ordem, preceito, prescrição; mandato".

PAULO EM ATENAS

17:16 Enquanto Paulo esperava por eles em Atenas, [1]o seu espírito se indignava[2] ao contemplar [3]a cidade cheia de ídolos. **17:17** Assim, dialogava[4] na Sinagoga com os judeus e com os adoradores; e todos os dias, na praça, com os que {lá} estivessem presentes. **17:18** Alguns dos filósofos epicuristas e estoicos deliberavam[5] em {relação} a ele; alguns diziam: O que quer dizer esse [6]tagarela? E outros: Parece ser anunciador de daimones[7] estrangeiros, porque {ele} evangelizava[8] Jesus e a ressurreição[9]. **17:19** E, tomando-o[10], o conduziram ao Areópago[11], dizendo: Poderemos saber que novo ensino {é} esse que está sendo falado por ti? **17:20** Pois trazes aos nossos ouvidos algumas {coisas} que são estranhas. Portanto, queremos saber [12]o que vem a ser isso. **17:21** Ora, todos os atenienses e os estrangeiros que {lá} residem em nenhum outra {coisa} [13]gastavam o tempo senão em dizer ou ouvir algo novo. **17:22** Paulo, levantando-se no meio do Areópago, disse: Varões atenienses, em todas {as coisas} vos contemplo como [14]os mais tementes aos deuses, **17:23** pois, atravessando {essa região} e observando os vossos objetos de adoração, encontrei também um altar no qual está inscrito: *AO DEUS DESCONHECIDO*. Assim, aquele que adorais[15], desconhecendo, esse eu vos anuncio. **17:24** O Deus que fez o mundo, e todas as {coisas} que {estão} nele, sendo Senhor do céu e da terra, não habita em santuários feitos por mãos {humanas}. **17:25** Nem é servido[16] por mãos de homens, {como se} tivesse necessidade de algo; ele próprio dá a todos vida, respiração e todas as {coisas}. **17:26** Fez de {apenas} um todas as nações dos homens, para habitar sobre toda a face da terra, demarcando os tempos[17] predeterminados[18] e os limites da habitação deles, **17:27** a fim de buscarem a Deus-se, porventura, o tivessem tateado e encontrado – mesmo não estando longe de cada um de nós. **17:28** Pois nele vivemos, nos movemos e existimos[19], como também alguns poetas dentre vós têm dito: "Pois também somos geração dele"[20]. **17:29** Portanto, sendo geração de Deus, não devíamos[21] supor ser a divindade semelhante ao ouro, à prata, à pedra, ao entalhe[22] da arte[23] e da imaginação[24] do homem. **17:30** Assim, não atentando para os tempos da ignorância, Deus ordena agora a todos os homens, em toda parte, que se arrependam[25]. **17:31** Porquanto estabeleceu um dia em que está prestes a julgar a terra habitada com justiça, por um varão que definiu[26], oferecendo a todos um crédito ao levantá-lo[27] dentre os mortos. **17:32** Ao ouvirem "ressurreição dos mortos", uns zombaram e outros disseram: A respeito disso te ouviremos também outra vez. **17:33** Desse modo, Paulo saiu do meio dele. **17:34** Alguns varões, associando-se[28] a ele, creram; entre eles {estava} Dionísio, o areopagita[29], uma mulher de nome Dâmaris e outros com eles.

1. Lit. "o seu espírito estava sendo afiado/irritado/provocado em si mesmo". Expressão idiomática que transmite a ideia básica de indignação.
2. Lit. "afiar, amolar, aguçar (sentido estrito); estimular, animar, excitar (sentido figurado positivo); provocar, irritar, (sentido figurado negativo)".
3. Lit. "a cidade estando cheia de ídolos". Não há necessidade de se traduzir o verbo "ser" nesta expressão.
4. Lit. "discursar; dialogar, debater (mediante perguntas e respostas)".
5. Lit. "deliberar (consigo ou com outros); aconselhar-se; ser membro de um conselho".
6. Lit. "recolhedor de grãos (sentido etimológico estrito); tagarela, palrador (gíria ateniense)". Designava o pássaro que recolhia grãos com o seu bico, talvez a gralha (detentora de um canto estridente e repetitivo). Em função dessas características, passou a designar tanto o mendigo que cata alimentos em qualquer lugar (ou pessoas que sempre compram produtos de segunda mão) quanto o tagarela/falador que repete as mesmas coisas o tempo todo. Em português, utilizamos uma expressão similar: "fala como um papagaio".
7. Lit. "deus pagão, divindade; gênio, espírito; mau espírito, demônio".
8. Lit. "evangelizar, anunciar boas novas, dar boas notícias". O verbo significa, originalmente, anunciar as boas novas, dar uma boa notícia.
9. Lit. "erguer-se, levantar-se". Expressão idiomática semítica que faz referência à ressurreição dos mortos. Para expressar a morte e a ressurreição, utilizavam as expressões "deitar-se" (morte) e "levantar-se" (ressurreição).
10. Lit. "apoderar-se de; tomar, agarrar, segurar, prender; obter (em razão de captura ou combate)".
11. Lit. "Areópago (colina de Ares)". A palavra designa tanto a colina do deus Ares (Marte), situado ao sul da ágora (praça, mercado), quanto o Supremo Tribunal de Atenas que realizava suas

ATOS 17

12. Lit. "o que quer (verbo querer) ser essa(s) {coisa(s)}". Expressão idiomática que pode ser substituída por outra similar em português: "o que vem a ser isso".
13. Lit. "ter tempo, ter oportunidade (sentido estrito); gastar o tempo, ocupar-se de (sentido figurado)".
14. Lit. "o mais temente aos deuses (sentido estrito); supersticioso, dogmático (sentido negativo); religioso, piedoso, temente e/ou reverente aos deuses (sentido positivo)".
15. Lit. "exercer a piedade; adorar, reverenciar, respeitar (os deuses); ser obediente, respeitar (os pais)".
16. Lit. "ter cuidado de, servir, ter solicitude por; prestar cuidados médicos, tratar, curar; adular, honrar".
17. Lit. "um ponto no tempo, um período de tempo; tempo fixo, definido, determinado; oportunidade, ocasião, ciclo". **Trata-se do aspecto qualitativo do tempo (ciclos)**.
18. Lit. "colocar/situar em (algum lugar) ou em direção a; impor, ordenar, comandar, dirigir, supervisionar; fixar, predeterminar, constituir, designar".
19. Frase inspirada no filósofo-poeta de Creta, Epimênides (Séc VI a.C), retomada por Platão em sua tríade: vida, movimento e ser. Trata-se do poema intitulado "Crética", no qual pode ser encontrada a seguinte estrofe: "Eles construíram uma tumba para ti, oh Santo e Excelso / os cretenses sempre mentirosos, feras malignas e preguiçosos glutões / mas tu não estás morto; / tu vives e permaneces para sempre, / pois em ti nós vivemos, nos movemos e existimos". Segundo Diógenes Laércio (Séc III d.C), no clássico "As Vidas de Filósofos Eminentes", Epimênides, um cretense, atendeu ao pedido de Atenas, feito por Nícias, a fim de aconselhar a cidade sobre como remover uma praga. Ao chegar a Atenas, providenciou um rebanho de ovelhas pretas e brancas e soltou-as na Colina de Marte (Areópago), dando instruções para que elas fossem seguidas, marcando-se o lugar onde qualquer delas viesse a se deitar. A ideia era que o deus responsável pela praga aceitaria as ovelhas deitadas, como sacrifício, aplacando o mal que caíra sobre Atenas. Conta-se que no local onde as referidas ovelhas se deitaram foram erguidos altares com a inscrição "Ao Deus desconhecido" (Pausânias, em "Descrição da Grécia"; e Filostrato, em "Apolônio de Tiana").
20. Trata-se do poema do poeta-filósofo Árates (315-240 a.C), intitulado "Phaenoma", cujos versos dizem: "Comecemos com Zeus, sobre quem nós, mortais, deixarem de falar. / Cada rua e cada praça estão plenas de Zeus. / Até o mar e os portos estão cheios de sua divindade. / Tudo o que existe é por causa de Zeus. / Nós somos descendência dele." Há também certa semelhança com o "Hino a Zeus", de Cleanto (331-233 a.C).
21. Lit. "estar obrigado a, ser obrigatório; estar endividado (dever), ser devido (dívida)".
22. Lit. "entalhe, gravação, sinal, marca impressa, escultura".
23. Lit. "arte, destreza, técnica; ofício, trabalho manual, artesanato".
24. Lit. "ato de pensar, cogitação, reflexão; imaginação, invenção".
25. Lit. "mudar de mente, de opinião, de sentimentos, de vida".
26. Lit. "limitar, separar, dividir (definir limites); definir, determinar".
27. Vide nota 9.
28. Lit. "colar, soldar; aderir a". Em sentido metafórico: ligar-se, atar-se, juntar-se, unir-se, associar-se.
29. Lit. "Areopagita (magistrado da corte do Areópago)".

PAULO EM CORINTO

18

18:1 Depois dessas {coisas}, retirando-se de Atenas, foi para Corinto. **18:2** E, encontrando certo judeu, de nome Áquila, pôntico[1] quanto à origem, recentemente chegado da Itália, e Priscila[2], sua mulher – por ter Cláudio[3] decretado[4] que todos os judeus se retirassem de Roma – aproximou-se deles. **18:3** Por serem do mesmo ofício[5], permanecia e trabalhava com eles, pois eram fabricantes de tendas, quanto ao ofício[6]. **18:4** Dialogava[7] na sinagoga todo sábado, persuadindo tanto judeus como gregos. **18:5** Assim que Silas e Timóteo desceram da Macedônia, Paulo era absorvido[8] pela palavra, testemunhando aos judeus ser Jesus o Cristo. **18:6** Opondo-se eles e blasfemando[9], [10]sacudindo as vestes[11], {Paulo} disse para eles: Sobre a vossa cabeça o vosso sangue[12]. Eu {estou} purificado[13]; a partir de agora irei aos gentios[14]. **18:7** Tendo partido dali, entrou na casa de alguém, de nome Tício Justo, adorador de Deus, cuja casa era contígua à sinagoga. **18:8** E Crispo, o chefe da sinagoga, creu no Senhor, com toda a sua casa; também muitos coríntios, ouvindo, criam e eram mergulhados[15]. **18:9** O Senhor disse a Paulo, à noite, através de uma visão: Não temas, mas fala e não silencies, **18:10** porque eu estou contigo; e ninguém te atacará para te fazer mal porque [16]tenho um povo numeroso nesta cidade. **18:11** Permaneceu[17] {ali} um ano e seis meses, ensinando entre eles a palavra de Deus. **18:12** Sendo Gálio[18] procônsul[19] da Acaia[20], os judeus levantaram-se, unânimes[21], contra Paulo, e o conduziram ao tribunal[22], **18:13** dizendo: Ele persuade os homens a adorarem Deus de {maneira} contrária à Lei. **18:14** Paulo estava prestes a abrir a boca, {quando} disse Gálio para os judeus: Se de fato houvesse alguma injustiça ou crime maligno[23], ó judeus, com razão vos suportaria. **18:15** Mas, se é discussão[24] a respeito de palavra, de [25]terminologia, e da vossa Lei, olhai vós mesmos! Eu não quero ser juiz dessas {coisas}. **18:16** E os expulsou do tribunal[26]. **18:17** Após todos se apoderarem[27] de Sóstenes, o chefe da sinagoga, batiam {nele} diante do tribunal; mas nada disso importava a Gálio.

---

1. Trata-se da província chamada Ponto, situada na região nordeste da Ásia Menor, ao redor do Mar Negro, entre a Bitínia e a Armênia. No livro de Atos (At 2:9) é mencionada como uma das doze regiões que compareceram ao Pentecostes.

ATOS 18

2. Prisca é o nome comumente utilizado para designá-la (Rm 16:3; 1Cor 16:19; 2Tm 4:19). Nesse trecho, foi utilizado o diminutivo desse nome (Priscila).
3. Imperador romano (41-54 d.C), cujo nome completo é Tibério Claudio Druso.
4. O decreto de expulsão dos judeus da capital romana foi lavrado, segundo o historiador Suetônio (A Vida dos Doze Césares), em razão dos "tumultos contínuos instigados por Cresto". Alguns historiadores sugerem que Cresto representa um erro de grafia do nome "Cristo", concluindo que o decreto foi lavrado para expulsar os judeus-cristãos que moram em Roma, atribuindo-lhe a origem dos tumultos sociais na cidade. Especula-se que o referido decreto tenha sido expedido por volta do ano 49-50 d.C.
5. Lit. "arte, destreza, técnica; ofício, trabalho manual, artesanato".
6. Vide nota 5.
7. Lit. "discursar; dialogar, debater (mediante perguntas e respostas)".
8. Lit. "comprimir, manter apertado, confinar; reter, manter reunido; reunir-se, estar junto; oprimir, pressionar, dominar".
9. Lit. "caluniar, censurar; dizer palavra ofensiva, insultar; falar sobre Deus ou sobre as coisas divinas de forma irreverente; irreverência".
10. Expressão idiomática semítica que indica ruptura, afastamento.
11. Veste externa, manto, peça de vestuário utilizada sobre a peça interna. Pode ser utilizada como sinônimo do vestuário completo de uma pessoa.
12. (Lv 20:9-16; 2Sm 1:16).
13. (Ez 3:17-21).
14. Lit. "povos de outras nações que não o povo hebreu". Os hebreus chamavam todos os outros povos de gentios.
15. Lit. "lavar, imergir, mergulhar". Posteriormente, a Igreja conferiu ao termo uma nuance técnica e teológica para expressar o sacramento do batismo.
16. Lit. "há para mim". Expressão idiomática que pode ser substituída pelo verbo "ter" devidamente conjugado, ou seja, "tenho".
17. Lit. "colocar, pôr, fazer sentar; sentar, assentar; nomear, colocar (para um cargo); ficar, permanecer, continuar". A ideia geral é de que há uma espécie de estabilização, tomada de posse, permanência no ato de "sentar-se". É preciso considerar também que o ato de "sentar-se" denota a postura apropriada dos Sábios hebreus quando desejavam transmitir ensinamentos aos seus discípulos. Tanto é assim que, na sequência, diz o versículo "ensinando entre eles a palavra de Deus".
18. Gálio, irmão de Sêneca (filósofo e preceptor de Nero), e filho de um orador espanhol, se chamava Marco Anéias Novato. Quando chegou a Roma, foi adotado na família de Lúcio Júnio Gálio, e tomou o nome de seu pai adotivo. Era admirado por sua excepcional equidade e calma. A descoberta de uma inscrição em Delfos revela que foi procônsul na Acaia aproximadamente entre 51-53 d.C.
19. Alguém que representava o cônsul em uma província senatorial (administrada pelo Senado), possuindo um exército permanente, funções administrativas, tributárias e judiciais.
20. Província romana que abrangia toda a Grécia, cuja capital era Corinto.
21. Lit. "unânimes, de pleno acordo (mentalmente); junto, ao mesmo tempo".
22. Lit. "lugar elevado acessível por meio de degraus; plataforma, estrado; tribuna do julgador".

23. Lit. "mal; mau, malvado, malevolente; maligno, malfeitor, perverso; criminoso, ímpio". No grego clássico, a expressão significava "sobrecarregado", "cheio de sofrimento", "desafortunado", "miserável", "indigno", como também "mau", "causador de infortúnio", "perigoso".
24. Lit. "inquirição, pesquisa, investigação; debate, discussão (investigativa, filosófica)".
25. Lit. "de nomes".
26. Vide nota 22.
27. Lit. "apoderar-se de; tomar, agarrar, segurar, prender; obter (em razão de captura ou combate)".

A VOLTA PARA ANTIOQUIA DA SÍRIA

18:18 Paulo, depois de permanecer ainda consideráveis dias entre os irmãos, apartou-se {deles} e navegou para a Síria – Priscila e Áquila com ele – tendo raspado[1] a cabeça em Cencreia, pois tinha {feito} um voto[2]. **18:19** Chegaram em Éfeso, e {Paulo} os deixou ali; porém dirigindo-se à sinagoga, ele mesmo dialogou[3] com os judeus. **18:20** E ao lhe pedirem para permanecer por mais tempo, não anuiu, **18:21** mas, apartando-se, disse: Querendo Deus, retornarei novamente para vós. E [4]fez-se {ao mar} de Éfeso. **18:22** Aportando[5] em Cesareia, depois de subir e saudar a igreja[6], desceu para Antioquia. **18:23** [7]Passado algum tempo, partiu, atravessando sucessivamente a região da Galácia e Frígia, [8]tornando resolutos todos os discípulos.

1. Lit. "tosar, tosquiar (animal); cortar o cabelo, raspar a cabeça, barbear".
2. Aquele que emitia um voto (fazia promessa) tornava-se um *Nazir* (Nm 6:1), enquanto perdurasse a promessa. Entre outras coisas, não podia cortar os cabelos durante esse período. Examinando apenas o texto, não é possível afirmar se Paulo fez o voto em Cencreia ou se a promessa teve seu fim naquele local.
3. Lit. "discursar; dialogar, debater (mediante perguntas e respostas)".
4. Lit. "conduzir; levar de um lugar mais baixo para um lugar mais alto; apresentar, ofertar; **estender as velas, conduzir da costa para o mar, conduzir por mar**. Nesse contexto, a palavra é utilizada em sua acepção técnica de termo náutico, que integra o vasto vocabulário de Lucas a respeito do tema, indicando o ato de conduzir o barco da costa para o alto mar.
5. Lit. "ir/vir para baixo (de um lugar mais alto para outro mais baixo); chegar, desembarcar, **aportar (termo náutico que significa descer do alto mar para a costa)**; cair sobre".
6. Lit. "assembleia (popular, dos anfitriões em Delfos, de soldados, etc...); lugar da assembleia", e por extensão: a congregação dos filhos de Israel; a comunidade cristã; o local das reuniões (igreja). **Nesse caso, trata-se da igreja de Jerusalém**.

7. Lit. "tendo feito algum tempo".
8. Lit. "estabelecer, colocar algo sobre; permanecer imóvel, estático, em repouso sobre (sentido estrito); tornar alguém/estar resoluto, firme (apoiado, firmado)".

APOLO EM ÉFESO

18:24 Um certo judeu, de nome Apolo, alexandrino quanto à origem, varão eloquente, sendo poderoso nas Escrituras, chegou[1] a Éfeso. **18:25** Ele era instruído[2] no caminho do Senhor e fervoroso de espírito; falava e ensinava acuradamente a respeito de Jesus, conhecendo[3] somente o mergulho[4] de João. **18:26** Ele começou a [5]falar abertamente na sinagoga. Depois de ouvi-lo, Priscila e Áquila, tomando-o consigo, explicaram-lhe[6] mais acuradamente o Caminho. **18:27** Querendo ele atravessar a Acaia, os irmãos, encorajando-o, escreveram para os discípulos o acolherem[7]. Ao chegar, aconselhava[8] muito aqueles que, mediante a graça, haviam crido, **18:28** pois refutava veementemente os judeus, publicamente, mostrando pelas Escrituras ser Jesus o Cristo.

1. Lit. "chegar a, ir, vir; acontecer, suceder; alcançar, atingir (sentido metafórico)".
2. κατηχήθης *(katekhéthes)* – **lit. "fazer ecoar no ouvido", instruir de viva voz; ensinar, instruir, catequizar** – Verb. Indicativo Aoristo Passivo (1-8), **composto pela preposição** κατά **(katá – que pode indicar "do alto para baixo", quando em composição com um verbo) + verbo** ηχέω **(ekhéo – ecoar, ribombar, ressoar), expressando a ideia de uma voz que, ressoando, desce da boca do transmissor para o ouvido do receptor**. O Evangelista, neste trecho, revela o processo de transmissão do ensino cristão nos primeiros tempos, confirmando a importância da tradição oral na Palestina do primeiro século. No mundo antigo, quase toda leitura, pública ou privada, era feita em voz alta, ou seja, os textos eram frequentemente convertidos para o modo oral. Em decorrência disso, os autores antigos escreviam tanto para o ouvido quanto para os olhos. Naqueles tempos a palavra falada reinava soberana, ao passo que o texto ocupava papel secundário. Platão menciona em sua obra (Fedro, 274c – 275) a advertência de Sócrates contra a substituição das tradições orais pela palavra escrita, porque as pessoas deixariam de usar a memória. Nesse contexto, não é difícil entender que, para os hebreus, as escrituras eram palavras, frases ditadas pelo Todo-Poderoso ao profeta, no monte Sinai. Moisés, por sua vez, após escutar todas as instruções, foi incumbido de registrá-las. A porção ditada era conhecida como Torah Oral, enquanto o registro em pergaminho (rolo) era conhecido como Torah Escrita (Pentateuco).
3. Lit. "conhecer, saber, compreender (no sentido de ser versado em alguma matéria); estar familiarizado com, lembrar".

4. Lit. "lavar, imergir, mergulhar". Posteriormente, a Igreja conferiu ao termo uma nuance técnica e teológica para expressar o sacramento do batismo.
5. Lit. "falar livremente, abertamente, corajosamente".
6. Lit. "colocar do lado de fora (sentido literal); expor, abandonar uma criança (sentido extensivo); explicar, explanar, declarar, apresentar (sentido metafórico)".
7. Lit. "receber (gentilmente, de coração, dar boas-vindas), aceitar; aprovar; compreender".
8. Lit. "deliberar (consigo ou com outros); aconselhar-se; ser membro de um conselho".

19 PAULO EM ÉFESO

19:1 E sucedeu que, estando Apolo em Corinto, Paulo desceu para Éfeso, depois de ter atravessado as regiões {mais} altas, encontrando alguns discípulos. **19:2** E disse para eles: Recebestes, porventura, o Espírito Santo quando crestes? Eles, porém, disseram para ele: Ao contrário, nem mesmo ouvimos que existe o Espírito Santo. **19:3** Disse {Paulo}: Em que, pois, fostes [1]mergulhados? Eles disseram: No mergulho[2] de João. **19:4** Disse Paulo: João [3]realizou o mergulho[4] do arrependimento[5], dizendo ao povo que cressem naquele que vinha depois dele, isto é, em Jesus. **19:5** Depois de ouvirem {isso}, foram mergulhados[6] em nome do Senhor Jesus. **19:6** E, impondo-lhes Paulo as mãos, o Espírito Santo veio sobre eles; falavam em línguas e profetizavam. **19:7** Eles eram, ao todo, cerca de doze varões. **19:8** E, entrando na sinagoga, [7]falou abertamente por três meses, dialogando[8] e persuadindo-{os} a respeito do reino de Deus. **19:9** Porém, como alguns estavam endurecidos e não se persuadiam, falando mal do Caminho diante da multidão, afastando-se deles, {Paulo} separou[9] os discípulos, dialogando[10] {com eles}[11]diariamente na escola de Tirano. **19:10** Isso aconteceu por dois anos, a ponto de todos os habitantes da Ásia ouvirem a Palavra do Senhor, tanto judeus quanto gregos.

1. Lit. "lavar, imergir, mergulhar". Posteriormente, a Igreja conferiu ao termo uma nuance técnica e teológica para expressar o sacramento do batismo.
2. Vide nota 1.
3. Lit. "mergulhou o mergulho do arrependimento". Expressão idiomática semítica que consiste em colocar lado a lado duas palavras de mesmo radical (verbo + substantivo) de modo a reforçar o sentido da ação descrita pelo verbo.
4. Vide nota 1.
5. Lit. "mudança de mente, de opinião, de sentimentos, de vida".
6. Vide nota 1.
7. Lit. "falar livremente, abertamente, corajosamente".
8. Lit. "discursar; dialogar, debater (mediante perguntas e respostas)".
9. Lit. "excluir, apartar, excomungar; despedir; delimitar, demarcar fronteira".
10. Lit. "discursar; dialogar, debater (mediante perguntas e respostas)".
11. Lit. "cada dia". Alguns Manuscritos Ocidentais mencionam que Paulo ensinava diariamente entre a quinta e a décima hora (11h às 16h).

OS SETE FILHOS DE CEVA

19:11 Deus fazia prodígios[1] incomuns[2] através das mãos de Paulo, **19:12** a ponto de serem levados aos enfermos[3] sudários[4] ou aventais[5] do seu [6]uso pessoal, a fim de serem afastadas[7] deles as doenças e saírem os espíritos malignos[8]. **19:13** Alguns dos judeus, exorcistas[9] ambulantes[10], também [11]tentaram [12]invocar o nome do Senhor Jesus sobre os que tinham espíritos malignos[13], dizendo: Conjuro-vos por Jesus, a quem Paulo proclama[14]. **19:14** Os que faziam isso eram sete filhos de Ceva, sumo sacerdote judeu. **19:15** Em resposta, o espírito maligno lhes disse: Conheço a Jesus e [15]estou familiarizado com Paulo; vós, porém, quem sois? **19:16** O homem, no qual estava o espírito maligno[16], saltando sobre eles e assenhoreando-se[17] de ambos, prevaleceu[18] contra eles, de modo a fugirem, desnudos e feridos[19], daquela casa. **19:17** E isso se tornou conhecido de todos os habitantes de Éfeso, tanto judeus quanto gregos; caiu temor sobre todos eles e o nome do Senhor Jesus era engrandecido. **19:18** Muitos dos que creram vinham confessando[20] e relatando[21] os seus atos. **19:19** E muitos dos que haviam praticado magia[22], após recolherem os livros, os queimavam diante de todos. Calcularam o valor deles, e acharam {que valiam} cinco miríades[23] de prata[24]. **19:20** Assim, com poder do Senhor, a palavra crescia e prevalecia[25].

1. Lit. "poder, força, habilidade". Trata-se de um substantivo utilizado como objeto do verbo "fazer", o que requer um esforço para recuperar a força da expressão.
2. Lit. "os que não ocorrem". A ideia é de algo que não acontece costumeiramente.
3. Lit. "os que estão fracos (fisicamente), enfermos".
4. Lit. "sudário". Vocábulo proveniente do latim, que significa pano utilizado para limpar a face ou enxugar o suor do rosto, equivalente ao nosso lenço.
5. Lit. "coisa cingida em volta da metade do corpo (sentido literal); avental (do latim semicinctium)". Trata-se de um avental estreito ou capa de linho usada por trabalhadores e servos.
6. Lit. "da sua pele". Expressão idiomática utilizada para indicar objeto do uso pessoal de alguém, já que está sobre a pele do possuidor.
7. Lit. "pôr fim a; apartar, afastar; reconciliar-se, libertar-se de, afastar-se de". Na acepção jurídica, o vocábulo tem o sentido de ficar desobrigado, conciliar, entrar em acordo, libertar-se da obrigação judicial. Na acepção médica, significa ser libertado, ser curado.
8. Lit. "mal; mau, malvado, malevolente; maligno, malfeitor, perverso; criminoso, ímpio". No grego clássico, a expressão significava "sobrecarregado", "cheio de sofrimento", "desafortunado",

"miserável", "indigno", como também "mau", "causador de infortúnio", "perigoso". No Novo Testamento refere-se tanto ao "mal" quanto ao "malvado", "mau", "maligno", sendo que, em alguns casos, substitui a palavra hebraica "satanás" (adversário).

9. Lit. "aquele que esconjura, lança uma maldição, faz um juramento (sentido estrito); aquele que expulsa entidades malignas".
10. Lit. "aqueles que perambulam, ambulantes, itinerantes".
11. ἐπεχείρησαν (epekheíresan) – **lit. "pôr a mão sobre", pôr mãos (à obra), empreender (um trabalho); tratar de, procurar fazer algo; tentar** – Verb. Indicativo Aoristo Ativo (1 – 3), formado pela junção da preposição ἐπί (epí – sobre) + χείρ (kheír – mão).
12. Lit. "nomear o nome". Expressão idiomática semítica que consiste em colocar lado a lado duas palavras de mesmo radical (verbo + substantivo) de modo a reforçar o sentido da ação descrita pelo verbo.
13. Vide nota 8.
14. Lit. "proclamar como arauto, agir como arauto". Sugere a gravidade e a formalidade do ato, bem como a autoridade daquele que anuncia em voz alta e solenemente a mensagem.
15. Lit. "conhecer, saber, compreender (no sentido de ser versado em alguma matéria); estar familiarizado com, lembrar".
16. Vide nota 8.
17. Lit. "exercer o domínio, assenhorear-se, subjugar".
18. Lit. "ser forte, capaz, poderoso; ser válido; ser capaz; prestar, servir (utilidade)".
19. Lit. "machucar, ferir, causar um trauma (ferida, contusão, fratura)".
20. Lit. "confessar (publicamente), reconhecer, admitir; concordar, prometer, consentir; exaltar, enaltecer, louvar, agradecer".
21. Lit. "trazer de volta (um relato, palavra), anunciar de novo; anunciar, relatar, declarar, expor, apresentar, ensinar (sentido religioso)".
22. Lit. "excessivamente cuidadoso, meticuloso, exagerado (sentido estrito do adjetivo); intrometido, bisbilhoteiro, importuno (pessoas); intrigante, fascinante, curioso (coisas); **magia, bruxaria, feitiçaria, futilidade (uso no Novo Testamento)**". O emprego deste vocábulo no NT sugere que a magia era vista pelos cristãos como intromissão inoportuna na vida alheia, já que os magos se ocupavam com futilidades, curiosidades, secundados por espíritos malignos. Em Éfeso, os livros de magia e suas práticas eram famosos.
23. Lit. "miríade (dez mil ou quantidade indefinida de pessoas)".
24. Referência ao denário, que era confeccionado com prata (metal precioso).
25. Lit. "ser forte, capaz, poderoso; ser válido; ser capaz; prestar, servir (utilidade)".

TUMULTO EM ÉFESO

19:21 Assim que essas {coisas} se cumpriram[1], Paulo colocou em seu espírito ir para Jerusalém, passando pela Macedônia e Acaia, dizendo: Depois que eu estiver ali, é necessário ver também Roma. **19:22** Depois de enviar para a Macedônia dois dos que lhe serviam[2] – Timóteo e Erasto – ele próprio permaneceu[3] {um} tempo na Ásia. **19:23** Por aquele tempo, aconteceu um alvoroço não pequeno a respeito do Caminho[4]. **19:24** Pois um ourives, de nome Demétrio, que fazia [5]santuários de prata de Ártemis, proporcionava[6] não pouco trabalho aos artesãos[7]. **19:25** Tendo reunido esses e os {outros} trabalhadores [8]do ramo, disse: Varões, compreendeis[9] que desse trabalho [10]vem a nossa prosperidade. **19:26** Estais observando e ouvindo que não somente em Éfeso, mas quase em toda Ásia, este Paulo persuadiu e desviou muitas turbas dizendo que não são deuses os que são {feitos} pelas mãos. **19:27** Não somente [11]há risco, para nós, deste ramo[12] {de negócio}[13] cair em descrédito[14], mas também de [15]ser menosprezado o grande templo da deusa Ártemis, a qual toda Ásia e {terra} habitada adoram, como também de estar prestes a ser derrubada[16] da sua magnificência. **19:28** Ouvindo {isso}, ficaram cheios de ira e gritavam, dizendo: Grande {é} a Ártemis dos efésios! **19:29** A cidade [17]se encheu do tumulto e arremeteram-se, unânimes, em direção ao teatro[18], arrebatando[19] os macedônios Gaio e Aristarco, companheiros de viagem de Paulo. **19:30** E, querendo Paulo [20]dirigir-se ao povo, os discípulos não lhe permitiram. **19:31** E também alguns dos asiarcas[21], que eram seus amigos, enviando para ele {um recado}, o exortavam[22] a [23]não se expor no Teatro. **19:32** Outros, no entanto, gritavam outra coisa, pois a assembleia[24] estava confusa; e a maioria não sabia por qual razão estavam reunidos. **19:33** {Alguns} da turba instruíram[25] Alexandre, quando os judeus lhe propuseram[26] {o problema}. Alexandre, [27]fazendo sinal com a mão, queria [28]apresentar defesa ao povo. **19:34** Ao reconhecerem que {ele} era judeu, surgiu de todos uma só voz, gritando por cerca de duas horas: Grande {é} a Ártemis dos efésios! **19:35** O escriba, tendo acalmado[29] a turba, disse: Varões efésios, quem há, pois, {dentre} os homens que não saiba ser a cidade dos efésios a guardiã do templo da grande Ártemis e da {estátua} caída de Zeus? **19:36** Portanto, sendo incontestável essas {coisas}, é necessário permanecerdes vós acalmados[30], nada fazendo precipitadamente[31]. **19:37** Pois conduzistes esses varões {que} não {são} sacrílegos[32] nem estão blasfemando[33] a nossa deusa. **19:38** Portanto, se Demétrio e os artesãos[34] que {estão} com ele têm {alguma} coisa contra alguém, há procônsules[35] e são conduzidas [36]sessões {da Corte de Justiça}: que se acusem uns aos outros! **19:39** Todavia, se buscais algo além {disso}, ³⁷será resolvido em assembleia³⁸ legal. **19:40** Pois também ³⁹corremos o risco de sermos acusados de motim⁴⁰, com respeito a hoje, não havendo nenhum motivo acerca do qual poderemos dar conta a respeito deste tumulto⁴¹. Dizendo estas {coisas}, dissolveu a assembleia.

1. Lit. "encher, tornar cheio; completar; realizar, cumprir".
2. Lit. "servir à mesa, serviço doméstico (pessoal); suprir, prover; **cuidar; auxiliar, apoiar, ajudar**". O verbo indica que Timóteo e Erasto eram auxiliares de Paulo.
3. Lit. "observar, prestar a atenção em; exibir, mostrar, apresentar; permanecer, demorar".
4. Designação do Cristianismo e dos Cristãos no primeiro século.
5. Provavelmente, seja uma referência aos relicários da deusa Ártemis (Diana) sentada em um nicho, ao lado dos seus leões.
6. Lit. "manter ao lado de; oferecer, ofertar, presentear; conceder, dar; fornecer, exibir; ocasionar".
7. Lit. "aquele que realiza trabalho de arte, destreza, técnica; quem se ocupa de um ofício, trabalho manual, artesanato".
8. Lit. "concernentes a essas {coisas}". Expressão idiomática para dizer "do ramo", "da área".
9. Lit. "conhecer, saber, compreender (no sentido de ser versado em alguma matéria); estar familiarizado com, lembrar".
10. Lit. "é a nossa prosperidade". Expressão idiomática construída em torno do verbo "ser". Em português temos a mesma expressão, porém construída em torno do verbo "vir", ou seja, "vem a nossa prosperidade".
11. Lit. "correr o risco de; estar em perigo".
12. Lit. "parte, porção, divisão (parte de um todo); partilha, sorte (parte que cabe a alguém por sorteio ou divisão)".
13. Lit. "vir para descrédito". Expressão idiomática que pode ser substituída em português por "cair em descrédito".
14. Lit. "refutação (sentido estrito); desprezo, descaso, desdém, descrédito".
15. Lit. "ser considerado/contado para nada".
16. Lit. "derrubar, lançar abaixo, demolir, destruir; degradar; causar a queda, pôr abaixo, conquistar".
17. Expressão idiomática utilizada para indicar que a cidade foi inteiramente envolvida pelo tumulto.
18. Lit. "Theatro". Era o local destinado à realização de assembleias populares e espetáculos artísticos (música, teatro). Em Éfeso, o teatro media aproximadamente 151m de diâmetro, sendo capaz de acomodar cerca de 24.500 pessoas.
19. Lit. "agarrar/arrebatar subitamente/com força/tudo ao mesmo tempo; tornar cativo".
20. Lit. "ir ao povo". Expressão idiomática que evoca o ato de comparecer à assembleia popular e tomar a palavra, dirigindo-se ao povo.
21. Oficiais da província da Ásia, escolhidos dentre os cidadãos mais ricos, para presidir os assuntos relativos à adoração religiosa e ao culto do Imperador Romano, bem como providenciar, às suas próprias custas, os jogos públicos anuais em honra aos deuses, da mesma forma como fazia o "edil" em Roma. Eram eleitos a cada três ou quatro anos, embora conservassem o título quando

se desligavam do cargo. Nas demais províncias orientais do Império Romano também eram recrutados indivíduos nas mesmas condições para o exercício dessas atividades.

22. Lit. "exortar, admoestar, persuadir; implorar, suplicar, rogar; animar, encorajar, confortar, consolar; requerer, convidar para vir, mandar buscar".
23. Lit. "não dar a si mesmo ao teatro". Expressão idiomática que pode ser substituída em português por "não se expor no teatro", "não se arriscar indo ao teatro".
24. Lit. "assembleia (popular, dos anfitriões em Delfos, de soldados, etc...); lugar da assembleia", e por extensão: a congregação dos filhos de Israel; a comunidade cristã; o local das reuniões (igreja).
25. Lit. "unir, atar, fazer vir para junto (sentido estrito); deduzir, inferir, concluir; provar, demonstrar; ensinar, instruir (sentidos figurativos)". Embora o texto grego seja confuso (em razão da influência semítica na construção sintática), pode-se deduzir que informaram/instruíram/demonstraram a Alexandre que o tumulto na cidade era decorrente de pregações dos cristãos, e não dos judeus, o que justificaria o fato de tomar ele a palavra para apresentar uma defesa (dos judeus) ao povo.
26. Lit. "impelir, empurrar/projetar para diante, arremessar; **apresentar, propor (uma defesa, um pedido, um problema)**; produzir, germinar, brotar (plantas)".
27. Trata-se de gesto habitual (estender a mão direita, dobrando os dois dedos menores e estendo os outros três) dos oradores antigos, adotado no início do discurso para chamar a atenção da plateia (At 19:33, 21:40, 26:1).
28. Lit. "defender-se (de uma acusação); fazer uma defesa (oral ou escrita)".
29. Lit. "pôr em ordem, arranjar, dispor; reprimir, conter; acalmar, apaziguar".
30. Vide nota 64.
31. Lit. "caindo para frente (sentido literal); precipitado, irrefletido, imprudente, impetuoso". Nesse caso, o adjetivo está exercendo a função de um advérbio.
32. Lit. "profanadores de lugares, objetos e pessoas que apresentam caráter sagrado; ladrões e saqueadores de templos religiosos".
33. Lit. "caluniar, censurar; dizer palavra ofensiva, insultar; falar sobre Deus ou sobre as coisas divinas de forma irreverente; irreverência".
34. Vide nota 7.
35. Alguém que representava o cônsul em uma província senatorial (administrada pelo Senado), possuindo um exército permanente, funções administrativas, tributárias e judiciais.
36. Lit. "os que permanecem/frequentam o mercado, pessoas do mercado; vagabundos, ociosos; dias de Corte (dias em que a Corte de Justiça realiza sessões de julgamento); sessões da Corte de Justiça".
37. Lit. "desatar; livrar, soltar; resolver; explicar".
38. Vide nota 24.
39. Lit. "correr o risco de; estar em perigo".
40. Lit. "colocação, posição; reunião, grupo; agrupamento tumultuoso, erupção popular, motim, revolta; discórdia, disputa, dissensão".
41. Lit. "tumulto, baderna, ajuntamento desordeiro; conspiração, trama".

20 PAULO NA MACEDÔNIA E NA GRÉCIA

20:1 Depois de cessar o tumulto, Paulo convocou os discípulos, exortou-os[1], saudou-os e saiu, indo para a Macedônia. **20:2** Passando por aquelas regiões e exortando-os[2] com muitas palavras, chegou à Grécia. **20:3** Transcorridos três meses, e ocorrendo um complô contra ele por {parte} dos judeus, estando prestes a navegar[3] para a Síria, surgiu a decisão de retornar pela Macedônia. **20:4** Acompanharam-no Sópatro, de Bereia, filho de Pirro; Aristarco e Secundo, de Tessalônica; Gaio, de Derbe, e Timóteo; Tíquico e Trófimo, da Ásia. **20:5** Eles, precedendo-nos, permaneceram em Trôade. **20:6** Após os dias dos {pães} ázimos[4], nós navegamos de Filipos e, dentro de cinco dias, chegamos até eles em Trôade, onde permanecemos sete dias.

1. Lit. "exortar, admoestar, persuadir; implorar, suplicar, rogar; animar, encorajar, confortar, consolar; requerer, convidar para vir, mandar buscar".
2. Vide nota 1.
3. Lit. "conduzir; levar de um lugar mais baixo para um lugar mais alto; apresentar, ofertar; **estender as velas, conduzir da costa para o mar, conduzir por mar**. Nesse contexto, a palavra é utilizada em sua acepção técnica de termo náutico, que integra o vasto vocabulário de Lucas a respeito do tema, indicando o ato de conduzir o barco da costa para o alto mar.
4. Trata-se do pão sem fermento, que não foi submetido a nenhum processo de fermentação, ainda que natural. A festa dos pães amos durava sete dias, geralmente de um sábado a outro, sendo que no primeiro dia era comido o cordeiro pascal, momento em que era celebrada a ceia ritual intitulada Páscoa.

PAULO EM TRÔADE

20:7 E no primeiro ¹{dia} da semana, quando nós estávamos reunidos para partir o pão, Paulo dialogava[2] com eles; estando prestes a partir no {dia} seguinte, prolongou a palavra até meia-noite. **20:8** Havia muitas lâmpadas[3] na [4]parte superior {da casa}, onde nós estávamos reunidos. **20:9** Um jovem, de nome Êutico, que estava sentado na janela, dominado por sono profundo, caiu do terceiro piso abaixo, dominado pelo sono, enquanto Paulo dialogava[5] por mais {tempo}; e foi removido⁶ morto. **20:10** Mas Paulo, descendo, ⁷inclinou-se {sobre} ele e, abraçando-o, disse: Não {vos} perturbeis, pois a alma dele está nele. **20:11** Depois de subir, partir o pão e prová-lo, conversou⁸ por muito {tempo}, até o alvorecer. E, assim, partiu. **20:12** E conduziram o menino⁹, que estava vivo, ficando confortados¹⁰ não moderadamente.

1. Lit. "primeiro {dia} dos sábados". A palavra "sábados" neste versículo é uma tradução do hebraico/aramaico "shabatot" que significa semanas, razão pela qual a tradução pode ser "no primeiro {dia} da semana". É preciso considerar que o "dia" para os hebreus começa no pôr-do-sol (18h), de modo que o primeiro dia da semana inclui a noite de sábado.
2. Lit. "discursar; dialogar, debater (mediante perguntas e respostas)".
3. Lit. "lâmpada pequena, tocha, archote". Trata-se de um pequeno recipiente feito de barro, provido de uma tampa móvel na parte superior, no centro da qual havia um orifício para se colocar o óleo de oliva. Havia também outro orifício, ao lado, por onde saía a chama. Era utilizada para iluminação do ambiente doméstico. A destruição de uma lâmpada doméstica, em sentido figurado, representava a extinção de uma família (Pv 13:9).
4. Referência ao cômodo construído no terraço das residências judaicas, sobretudo em Jerusalém, destinadas a dormitório de peregrinos durante as "festas de peregrinação", bem como aposento comum dos moradores, sala de estudos.
5. Vide nota 2.
6. Lit."levantar, suster, sustentar alguém/algo a fim de carregar; tirar, remover".
7. Lit. "caiu".
8. Lit. "estar em companhia de, associar-se com; comunicar-se, conversar, falar".
9. Lit. "menino; filho; escravo jovem".
10. Lit. "exortar, admoestar, persuadir; implorar, suplicar, rogar; animar, encorajar, confortar, consolar; requerer, convidar para vir, mandar buscar".

DE TRÔADE A MILETO

20:13 Nós, indo adiante para o navio, zarpamos¹ para Assós; lá estávamos prestes a receber Paulo, pois assim {ele} havia ordenado, quando ele estava prestes a viajar a pé. **20:14** Quando se reuniu conosco em Assós, ²recolhendo-o a bordo, fomos para Mitilene. **20:15** Navegando dali, chegamos³ defronte de Quios no {dia} seguinte; no outro {dia} aportamos em Samos, e no {dia} seguinte chegamos em Mileto. **20:16** Pois Paulo havia decidido costear Éfeso, a fim de não suceder de ele despender tempo na Ásia. Apressava-se, pois, para estar em Jerusalém, se lhe fosse possível, no dia de Pentecostes⁴.

1. Lit. "conduzir; levar de um lugar mais baixo para um lugar mais alto; apresentar, ofertar; **estender as velas, conduzir da costa para o mar, conduzir por mar.** Nesse contexto, a palavra é utilizada em sua acepção técnica de termo náutico, que integra o vasto vocabulário de Lucas a respeito do tema, indicando o ato de conduzir o barco da costa para o alto mar.
2. Lit. "elevando-o". O termo é utilizado nesse trecho em sua acepção técnica de termo náutico, significando o ato de receber alguém a bordo, o que implica uma espécie de elevação da pessoa até o nível do navio.
3. Lit. "chegar a, ir, vir; acontecer, suceder; alcançar, atingir (sentido metafórico)".
4. Festa judaica celebrada cinquenta dias (7 semanas) após a Páscoa. Em hebraico, seu nome é "Shavuot (semanas)" uma vez que sua celebração deve ocorrer sete semanas depois da Páscoa (Ex 23:14). Inicialmente, tinha o caráter de uma festa agrícola, celebrando-se a colheita dos primeiros frutos (primícias), mas posteriormente passou a ser celebração do "Dom da Torah (recebimento da Torah no Sinai)".

PAULO DESPEDE-SE DOS ANCIÃOS DE ÉFESO

20:17 De Mileto, enviou {alguém} para Éfeso, {que} convocou os anciãos da igreja[1]. **20:18** Assim que chegaram junto dele, disse-lhes: Vós compreendeis[2] como vivi convosco durante todo tempo, desde o primeiro dia em que aportei na Ásia, **20:19** servindo ao Senhor com toda a humildade, lágrimas e provações[3] que me sobrevieram pelos complôs dos judeus. **20:20** Como nada omiti das {coisas} [4]que são proveitosas, nem de vos anunciar[5] e ensinar, em público ou em cada casa, **20:21** testemunhando, tanto a judeus quanto a gregos, o arrependimento[6] em Deus e a fé em nosso Senhor Jesus. **20:22** E, agora, eis que eu, [7]amarrado ao espírito, vou para Jerusalém, sem saber as {coisas} que nela hão de me suceder[8], **20:23** exceto que o Espírito Santo testemunha, em cada cidade, dizendo a mim que amarras[9] e provações[10] me aguardam. **20:24** Contudo, em nada considero[11] estimada[12] a vida para mim mesmo, contanto que termine[13] a minha carreira[14] e o serviço[15] que recebi da parte do Senhor Jesus, para testemunhar o evangelho da graça de Deus. **20:25** Eis que agora eu sei que vós todos, entre os quais passei proclamando[16] o Reino, não mais vereis a minha face, **20:26** porque, no dia de hoje, testemunho a vós que eu estou purificado do sangue de todos. **20:27** Pois não me omiti, deixando de vos anunciar[17] todo o propósito de Deus. **20:28** Tende cuidado por vós mesmos e pelo rebanho sobre o qual o Espírito Santo vos constituiu vigias, para apascentar¹⁸ a igreja¹⁹ de Deus, a qual ²⁰{ele} adquiriu²¹ mediante o próprio sangue. **20:29** Eu sei que, depois da minha partida, lobos ferozes entrarão em vosso meio, não poupando o rebanho. **20:30** E que, dentre vós mesmos, se levantarão varões falando {coisas} pervertidas²² para arrastar os discípulos atrás deles. **20:31** Por isso, vigiai, lembrando que, por três anos, noite e dia, não cessei de advertir, com lágrimas, a cada um. **20:32** E agora vos entrego a Deus e à Palavra da sua graça, quem tem poder de edificar e dar a herança entre todos os santificados. **20:33** De ninguém desejei ouro, prata ou vestes²³. **20:34** {Vós} mesmos sabeis que estas mãos serviram às minhas necessidades e às dos que estavam comigo. **20:35** Em todas as {coisas}, vos mostrei que, labutando²⁴ dessa forma, é necessário socorrer os fracos²⁵, lembrando as palavras do próprio Senhor Jesus, que disse: "Mais bem-aventurado é dar que receber". **20:36** Dizendo estas {coisas}, tendo posto {no chão} os seus joelhos, orou com todos eles. **20:37** Houve muitas lágrimas entre todos; e, ²⁶lançando-se sobre o pescoço de Paulo, o ²⁷beijaram {repetidamente}. **20:38** Aflitos, especialmente pela palavra que dissera – que estavam prestes a não mais contemplar a face dele. E o acompanharam até o navio.

1. Lit. "assembleia (popular, dos anfitriões em Delfos, de soldados, etc...); lugar da assembleia", e por extensão: a congregação dos filhos de Israel; a comunidade cristã; o local das reuniões (igreja).
2. Lit. "conhecer, saber, compreender (no sentido de ser versado em alguma matéria); estar familiarizado com, lembrar".
3. Lit. "prova, teste; experimentação, ensaio; provação, tentação (teste no sentido moral)".
4. Lit. "é preferível, é melhor; é útil, proveitoso".
5. Lit. "trazer de volta (um relato, palavra), anunciar de novo; anunciar, relatar, declarar, expor, apresentar, ensinar (sentido religioso)".
6. Lit. "mudança de mente, de opinião, de sentimentos, de vida".
7. Expressão idiomática que pode ser entendida de diversas maneiras; "intimamente constrangido", "amarrado ao Espírito (espécie de prisioneiro do Espírito Santo)", "constrangido pelo Espírito (Santo)".
8. Lit. "encontrar-se com, reunir-se a; suceder, sobrevir".
9. Lit. "algo utilizado para amarrar, atar; corda, corrente, ligadura, ligamento; empecilho, impedimento (sentido metafórico)".
10. Lit. "pressão, compressão (sentido estrito); aflição, tribulação, provação (sentido metafórico)".
11. Lit. "faço conta". Expressão idiomática que pode ser entendida como "considero", "reputo".
12. Lit. "de grande preço, caro, precioso; honrado, venerado; cara, estimada (tida em alta conta)".

13. Lit. "levar a termo, terminar, completar (concluir, levar à perfeição); executar, cumprir, realizar".
14. Lit. "percurso, corrida, rota, carreira (sentido estrito); curso (da vida ou do ministério), carreira (sentido metafórico)".
15. Lit. "serviço à mesa, serviço doméstico (pessoal); suprimento, provimento; auxílio, apoio, ajuda".
16. Lit. "proclamar como arauto, agir como arauto". Sugere a gravidade e a formalidade do ato, bem como a autoridade daquele que anuncia em voz alta e solenemente a mensagem.
17. Lit. "trazer de volta (um relato, palavra), anunciar de novo; anunciar, relatar, declarar, expor, apresentar, ensinar (sentido religioso)".
18. Exercer todas as funções do pastor, tais como guiar, levar ao pasto, nutrir, cuidar, vigiar.
19. Vide nota 1.
20. Nesse trecho Lucas afirma expressamente a identidade entre o Espírito Santo e Jesus.
21. Lit. "preservar (para si mesmo), salvar; ganhar, adquirir, obter; pagar o preço para, adquirir com muito esforço".
22. Lit. "que está torto, desviado", metaforicamente: o que esta pervertido, corrompido.
23. Veste externa, manto, peça de vestuário utilizada sobre a peça interna. Pode ser utilizada como sinônimo do vestuário completo de uma pessoa.
24. Lit. "trabalhar duramente, arduamente", esforçar-se.
25. Lit. "os que estão fracos (fisicamente), enfermos".
26. Expressão idiomática semítica para descrever o abraço efusivo.
27. Lit. "beijar ternamente, afetuosamente; beijar repetidamente". Kenneth Bailey (Poets and Peasants) sugere que o vocábulo deva ser traduzido por "beijar repetidamente", o que condiz com os costumes do Oriente Médio. Sustenta ele que a expressão "beijar afetuosamente" transmite uma nuance feminina ao beijo, imprópria para a relação pai e filho, segundo os costumes da época e da região.

A VIAGEM PARA JERUSALÉM

21

21:1 E sucedeu que, separando-nos¹ deles, depois de zarpar² e ³seguir em rota direta, chegamos a Kós e, no {dia} seguinte, a Rodes, e dali a Pátara. **21:2** Encontrando um navio que atravessava a Fenícia, embarcamos {nele} e zarpamos. **21:3** Quando avistamos⁴ Chipre, deixando-a a esquerda, navegamos para a Síria e aportamos em Tiro, pois o navio costumava descarregar lá a {sua} carga. **21:4** E, encontrando os discípulos, permanecemos lá por sete dias; eles, através do espírito, diziam a Paulo para não embarcar para Jerusalém. **21:5** Quando ⁵se completou⁶ para nós os dias, saindo, caminhávamos; e todos nos acompanhavam com suas mulheres e filhos, até fora da cidade. Depois de nos colocar de joelhos sobre a praia e orar, **21:6** nos despedimos uns dos outros e subimos para o barco; e eles retornaram para suas próprias {coisas}. **21:7** E nós, terminando a navegação de Tiro, chegamos a Ptolemaida e, saudando os irmãos, permanecemos um dia com eles. **21:8** No dia seguinte, saímos e fomos para Cesareia; e, entrando na casa de Filipe, o evangelista, que era um dos sete, permanecemos com ele. **21:9** Ele tinha quatro filhas virgens, que profetizavam. **21:10** Permanecendo {ali} mais dias, desceu da Judeia um profeta, de nome Ágabo. **21:11** ⁷Vindo até nós, tomou⁸ o cinto⁹ de Paulo, amarrou seus próprios pés e mãos a ele, e disse: O Espírito Santo diz: "Assim os judeus amarrarão em Jerusalém o varão de quem é este cinto e o entregarão nas mãos dos gentios". **21:12** Assim que ouvimos essas {coisas}, tanto nós quanto os {habitantes} do lugar imploramos¹⁰ para ele não subir a Jerusalém. **21:13** Então Paulo respondeu: Que fazeis chorando e triturando o meu coração? Pois eu ¹¹estou preparado não somente para ser amarrado, mas também para morrer em Jerusalém pelo nome do Senhor Jesus. **21:14** Não sendo persuadido, silenciamos e dissemos: Seja feita a vontade do Senhor. **21:15** Depois desses dias, ¹²feitos os preparativos, subimos para Jerusalém. **21:16** E também foram conosco {alguns} dos discípulos de Cesareia, trazendo consigo Mnasom, um cipriota, velho discípulo, com o qual seríamos hospedados.

---

1. Lit. "extrair de, puxar, tirar; separar-se".
2. Lit. "conduzir; levar de um lugar mais baixo para um lugar mais alto; apresentar, ofertar; **estender as velas, conduzir da costa para o mar, conduzir por mar**. Nesse contexto, a palavra

é utilizada em sua acepção técnica de termo náutico, que integra o vasto vocabulário de Lucas a respeito do tema, indicando o ato de conduzir o barco da costa para o alto mar.

3. Lit. "percorrer um curso direto, reto; velejar/navegar em uma única direção ou num curso reto/direto". Trata-se também de termo náutico, indicando que possivelmente encontraram um vento nordeste que os conduziu em linha reta ao destino.
4. Termo náutico.
5. Lit. "veio a se completar".
6. Lit. "equipar, suprir de forma completa; completar (tempo)". Referência aos sete dias em que o navio precisava ficar ancorado a fim de ser descarregado.
7. Trata-se de uma profecia feita através de mímicas, de forma semelhante a que era feita pelos antigos Profetas hebreus (Jr 18:1).
8. Lit. "erguer (com as mãos) para carregar; levantar um objeto com o propósito de transportá-lo".
9. Lit. "cinto, cinturão", usado também para carregar dinheiro, pois a bolsa ficava presa nele.
10. Lit. "exortar, admoestar, persuadir; implorar, suplicar, rogar; animar, encorajar, confortar, consolar; requerer, convidar para vir, mandar buscar".
11. Lit. "tenho prontamente". Expressão idiomática utilizada para dizer "estou pronto", "estou preparado".
12. Lit. "fazer os preparativos, equipar-se (para uma jornada)".

O ENCONTRO COM TIAGO MENOR

21:17 Quando nós chegamos em Jerusalém, os irmãos nos receberam alegremente. **21:18** No {dia} seguinte, Paulo entrou conosco na {casa de} Tiago e todos os anciãos estavam presentes. **21:19** Depois de saudá-los, explicava[1], uma a uma, cada uma das {coisas} que Deus fizera entre os gentios através do seu serviço[2]. **21:20** Os que ouviram glorificavam a Deus; e lhe disseram: Observa irmão, quantas miríades[3] dos que creem há entre os judeus, e todos são zelosos da Lei. **21:21** Mas foram instruídos[4] a teu respeito, que ensinas a todos os judeus {que vivem} entre os gentios a apostasia de Moisés, dizendo para eles não circuncidarem os filhos nem andarem nos costumes. **21:22** [5]Portanto, o que fazer? [6]Sem dúvida, ouvirão que chegaste. **21:23** Desse modo, faze isto que estamos te dizendo: Há entre nós quatro varões [7]que estão fazendo voto[8]. **21:24** Toma-os, purifica-te com eles, paga as despesas por eles para rasparem a cabeça; e todos saberão que não há nada daquilo que foram instruídos[9] a teu respeito, mas que tu mesmo também andas guardando a Lei. **21:25** A respeito dos gentios que creram, nós {já} escrevemos, tendo decidido que eles evitem¹⁰ o {que é sacrificado} aos ídolos, o sangue, o {animal} estrangulado e a infidelidade¹¹. **21:26** Então, no dia seguinte, tomando os varões e purificando-se com eles, Paulo entrou no templo, anunciando o término dos dias da purificação até que fosse oferecida para cada um deles a oferta.

1. Lit. "conduzir, guiar, dirigir, governar; interpretar, explicar detalhadamente; ordenar, prescrever, aconselhar".
2. Lit. "serviço, ato de atender ou servir (serviço doméstico, servir à mesa); ajudar, socorrer".
3. Lit. "miríade (dez mil ou quantidade indefinida de pessoas)".
4. κατηχήθης (katekhéthes) – lit. **"fazer ecoar no ouvido", instruir de viva voz; ensinar, instruir, catequizar** – Verb. Indicativo Aoristo Passivo (1 – 8), **composto pela preposição κατά** (katá – que pode indicar "do alto para baixo", quando em composição com um verbo) + verbo ηχέω (ekhéo – ecoar, ribombar, ressoar), expressando a ideia de uma voz que, **ressoando, desce da boca do transmissor para o ouvido do receptor.**
5. Lit. "o que é, pois". Expressão idiomática que pode ser substituída por "o que será", "o que fazer", "e agora".
6. Lit. "certamente, seguramente, sem dúvidas; totalmente, completamente; de qualquer forma, absolutamente".
7. Lit. "têm {feito} voto sobre si mesmos (voluntariamente)".
8. Aquele que emitia um voto (fazia promessa) tornava-se um *Nazir* (Nm 6:1), enquanto perdurasse a promessa. Entre outras coisas, não podia cortar os cabelos durante esse período.
9. Vide nota 4.
10. Lit. "eles guardarem". Expressão técnica do Judaísmo para se referir à obrigação de guardar/observar o preceito que proíbe as condutas ali mencionadas.
11. Lit. "fornicação, prostituição; infidelidade, adultério". Termo genérico para práticas sexuais ilícitas.

A PRISÃO DE PAULO NO TEMPLO

21:27 Quando estava prestes a se consumar¹ os sete dias, os judeus da Ásia, vendo-o no templo, incitaram² toda a turba e lançaram as mãos sobre ele, **21:28** gritando: Varões israelitas, socorrei-{nos}³! Este é o homem que por toda parte está ensinando todos a {serem} contra o povo, {contra} a Lei e {contra} este lugar. E ainda introduziu gregos no templo e ⁴tornou comum este lugar santo. **21:29** Pois tinham visto Trófimo, o efésio, na cidade com ele, o qual supunham que Paulo havia introduzido no templo. **21:30** Agitou-se[5] toda a cidade, e houve aglomeração do povo. Depois de agarrarem a Paulo, o arrastaram para fora do templo e imediatamente foram fechadas as portas. **21:31** Estavam procurando matá-lo, quando [6]chegou o relato ao quiliarca[7] da coorte[8] que toda Jerusalém estava tumultuada[9]. **21:32** O qual, tomando logo consigo soldados e centuriões[10], desceu correndo até eles. Ao verem o quiliarca[11] e os soldados, eles pararam de bater em Paulo. **21:33** Então, aproximando-se o quiliarca, segurou-o e ordenou que fosse atado com duas correntes; e informava-se[12] sobre quem seria {ele} e o que teria feito. **21:34** Na turba, uns gritavam algo, outros outra {coisa}; não podendo ele saber com certeza por causa do tumulto, ordenou fosse ele conduzido à fortaleza[13]. **21:35** Quando chegou a escadaria, sucedeu de os soldados o carregarem por causa da violência da turba, **21:36** pois a multidão do povo o seguia, gritando: Leva-o[14]!

1. Lit. "ato ou efeito de completar, terminar; consumação, término".
2. Lit. "derramar/entornar/verter junto (sentido literal); misturar; confundir; provocar, incitar; causar medo".
3. Lit. "correr em socorro, socorrer, auxiliar".
4. Lit. "tornar comum". Na linguagem técnica dos fariseus, a expressão "tornar comum" significa subtrair o caráter santificado, consagrado, de uma pessoa ou coisa, ou seja "tornar impuro". A santificação ou consagração consistia num conjunto de rituais que visavam extrair as impurezas cultuais do objeto ou ser, de modo que ele estivesse pronto para o serviço cultual. No caso em tela, a discussão gira em torno da santificação do próprio templo, que não pode ser maculada pela presença de gentios.
5. Lit. "mover, agitar (sentido literal); mover, agitar, incitar, provocar (sentido figurado – mental, político e social)".
6. Lit. "subiu a notícia/relato". Expressão idiomática que reflete o posicionamento físico da Torre Antônia em relação ao Templo de Jerusalém. Pode ser substituída por "chegou a notícia/relato".
7. Lit. "líder/comandante de mil". Trata-se de um cargo relacionado ao exército romano, que dava ao titular a responsabilidade de comandar mil homens (uma coorte).
8. Lit. "um destacamento militar romano de aproximadamente 600 soldados".
9. Vide nota 2.
10. Lit. "centurião (oficial do Exército Romano que comandava um destacamento de cem homens)".
11. Vide nota 6.
12. Lit. "informar-se (perguntando), investigar; estar informado, saber, apreender; notar".
13. Lit. "o que está colocado ao lado de (sentido literal); manobra de um exército, acampamento, barraca (termo técnico militar); acampamento permanente, fortaleza, cidadela".
14. Lit. "erguer (com as mãos) para carregar; levantar um objeto a fim de transportá-lo". Neste caso, trata-se de um eufemismo para "Mata-o".

A DEFESA EM HEBRAICO

21:37 Estando prestes a ser conduzido para a fortaleza[1], Paulo diz ao quiliarca[2]: ³É lícito a mim dizer-te algo? Ele disse: Sabes {falar} em grego? **21:38** Não és tu, então, o egípcio que, antes destes dias, sublevou e conduziu para o deserto quatro mil varões dos sicários[4]? **21:39** Disse Paulo: Eu sou um homem judeu, de Tarso da Cilícia, cidadão de uma não insignificante cidade, e te peço me permitas falar ao povo. **21:40** Depois que lhe foi permitido, Paulo, colocando-se de pé sobre a escadaria e ⁵fazendo sinal com a mão ao povo, feito grande silêncio, discursou em dialeto hebraico, dizendo:

1. Lit. "informar-se (perguntando), investigar; estar informado, saber, apreender; notar".
2. Lit. "subiu a notícia/relato". Expressão idiomática que reflete o posicionamento físico da Torre Antônia em relação ao Templo de Jerusalém. Pode ser substituída por "chegou a notícia/relato".
3. Lit. "se é permitido/lícito para mim dizer algo a ti". Trata-se de uma oração condicional com o sentido de interrogativa.
4. Lit. "sicário, assassino, sedicioso". Os sicários eram assassinos armados com facas curtas (sicai) sob suas roupas, que se misturavam ao povo para ferir seus oponentes. Depois que feriam o adversário, cinicamente pediam ajuda para o ferido (Josefo, Guerras II, 13, 3). O egípcio mencionado nesta passagem era um judeu que se auto-proclamou profeta, reunindo uma grande multidão no Monte das Oliveiras, prometendo-lhes a tomada de Jerusalém. O grupo foi contido por Félix, embora o líder egípcio tenha escapado (Josefo, Guerras II, 13, 5; Antiguidades XX, 88, 6).
5. Trata-se de gesto habitual (estender a mão direita, dobrando os dois dedos menores e estendo os outros três) dos oradores antigos, adotado no início do discurso para chamar a atenção da plateia (At 19:33, 21:40, 26:1).

22 A DEFESA EM HEBRAICO (Continuação)

22:1 Varões, Irmãos e Pais, ouvi agora minha defesa perante vós. **22:2** Ao ouvirem que lhes falava em dialeto hebraico, ¹fizeram mais silêncio. E disse: **22:3** Eu sou um homem judeu, gerado em Tarso da Cilícia, mas criado² nesta cidade; educado³ junto aos pés de Gamaliel, segundo a exatidão da Lei dos Pais, sendo zeloso de Deus assim como todos vós sois hoje; **22:4** que persegui este Caminho até a morte, amarrando e entregando às prisões tanto varões quanto mulheres; **22:5** do que também me é testemunha o sumo sacerdote e todos os anciãos, junto dos quais recebi epístolas para os irmãos, indo a Damasco a fim de conduzir para Jerusalém os que lá estivessem amarrados, para serem punidos. **22:6** E sucedeu que, enquanto eu ia, estando próximo de Damasco, repentinamente⁴, por volta do meio-dia, brilhou ao meu redor uma grande luz do céu. **22:7** Caí no chão e ouvi uma voz me dizendo: Saul⁵, Saul, por que me persegues? **22:8** Eu respondi: Quem és, Senhor? {Ele} me disse: Eu sou Jesus, o Nazareno, a quem tu persegues. **22:9** Os que estavam comigo contemplaram a luz, mas não ouviram a voz daquele que estava falando comigo. **22:10** {Eu} disse: Senhor, que farei? O Senhor me disse: Levanta-te e vai para Damasco, lá te serão ditas todas as {coisas} a respeito das quais te foi ordenado fazer. **22:11** Como {eu} não via {pormenorizadamente}⁶, por causa da glória daquela luz, conduzido pelas mãos dos que estavam comigo, cheguei em Damasco. **22:12** E um certo Ananias, varão piedoso⁷ conforme a Lei, que tinha o testemunho de todos os habitantes judeus, **22:13** vindo e colocando-se⁸ junto a mim, me disse: Saul⁹, irmão, ¹⁰recobra a visão. E, na mesma hora, eu ¹¹ergui os olhos para ele. **22:14** Ele disse: O Deus dos nossos Pais previamente te designou para conhecer a sua vontade, ver o Justo e ouvir a voz da boca dele, **22:15** porque serás para ele uma testemunha, junto a todos os homens, das {coisas} que tens visto e ouvido. **22:16** E agora, ¹²o que estás esperando? Levanta-te, mergulha-te¹³ e lava-te dos teus pecados, invocando o nome dele. **22:17** E sucedeu que, depois de eu retornar para Jerusalém, enquanto eu orava no Templo, eu entrei em êxtase¹⁴ **22:18** e vi aquele que estava falando comigo: Apressa-te e sai depressa de Jerusalém, porque não receberão o teu testemunho a meu respeito. **22:19** E eu disse: Senhor, eles mesmos sabem¹⁵ que eu estava encarcerando e açoitando[16] nas sinagogas os que creem em ti. **22:20** E quando era derramado o sangue de Estêvão, a tua testemunha, eu também estava próximo[17], concordando e guardando as vestes dos que estavam eliminando-o. **22:21** Mas {ele} disse para mim: Vai, porque eu te enviarei para as nações[18] distantes.

1. Lit. "ofereceram mais silêncio". Expressão idiomática que pode ser substituída por "fizeram mais silêncio".
2. Lit. "amamentar, nutrir (sentido estrito); cuidar, criar, educar".
3. Lit. "instruir, ensinar, educar (pessoas); domesticar, domar (animais); corrigir (aplicar corrigendas, bater), castigar".
4. Lit. "repentinamente, inesperadamente". Alguns autores sugerem que esse vocábulo era utilizado na literatura médica da época para crises repentinas de afonia, espasmos, epilepsia.
5. Versão aramaica do nome de Saulo.
6. Lit. "fixar os olhos em alguém/algo, fitar, focar (pessoa/objeto); olhar incisivamente, minuciosamente, pormenorizadamente, atentamente; distinguir, discernir". A preposição "em", prefixada ao verbo "ver", confere-lhe o sentido de foco, penetração. Nesse caso, a ideia é de que o cego passou a ver de forma penetrante, fixa, incisiva, focalizada. Dizendo de maneira metafórica, ele adquiriu **discernimento (visão incisiva, focalizada)** das pessoas e das coisas.
7. Lit. "prudente, precavido; piedoso, devoto, cauteloso, temente (cheio de reverência a Deus)".
8. Lit. "pôr/colocar sobre, próximo de; estar/permanecer ao lado de, próximo de; vir sobre".
9. Vide nota 5.
10. Lit. "levantar os olhos; recobrar a vista, tornar a abrir os olhos". A preposição "aná", prefixada ao verbo "ver", confere-lhe dois sentidos: 1) a direção para onde se esta olhando, no caso para o alto; 2) o sentido de repetição ou retorno da ação, no caso voltar a ver, recobrar a vista.
11. Vide nota 10. É extremamente belo o jogo de palavras com o verbo "anablepo". Paulo não apenas recobra a visão (um dos sentidos do verbo), mas também precisa erguer o olhar/visão (outro sentido do verbo) para contemplar Ananias, antes visto como um cristão desprezível.
12. Lit. "por que/o que estás prestes". Expressão idiomática que pode ser substituída por "por que demoras", "o que estás esperando".
13. Lit. "lavar, imergir, mergulhar". Posteriormente, a Igreja conferiu ao termo uma nuance técnica e teológica para expressar o sacramento do batismo.
14. Lit. "estar fora de si; êxtase, arroubo; espanto, assombro".
15. Lit. "conhecer, saber, compreender (no sentido de ser versado em alguma matéria); estar familiarizado com, lembrar".
16. Lit. "esfolar, tirar a pele; castigar, maltratar; bater, açoitar".
17. Lit. "pôr/colocar sobre/próximo de, estar/permanecer ao lado/próximo de".
18. Lit. "povos de outras nações que não o povo hebreu". Os hebreus chamavam todos os outros povos de gentios.

PAULO E A CIDADANIA ROMANA

22:22 Ouviram-no até esta palavra, e levantaram a voz deles, dizendo: Leva[1] da terra o tal, pois não é adequado ele viver. **22:23** Enquanto eles estavam gritando, arrojando[2] as vestes e lançando poeira para o ar, **22:24** ordenou o Quiliarca[3] fosse ele conduzido para a fortaleza[4], tendo dito para ele ser interrogado[5] com açoites[6], a fim de saber por que causa assim clamavam contra ele. **22:25** Assim que o ataram com correias, Paulo disse para o centurião[7] de pé[8] se lhes era lícito açoitar um homem romano não julgado. **22:26** Ouvindo {isso}, o centurião, aproximando-se do quiliarca[9], anunciou, dizendo: O que estás prestes a fazer, pois este homem é romano. **22:27** Aproximando-se o quiliarca, disse-lhe: Dize para mim, tu és romano? E ele disse: Sim. **22:28** Respondeu-lhe o quiliarca: Eu adquiri esta cidadania com grande soma de dinheiro. E Paulo disse: [10]Eu, porém, nasci. **22:29** Imediatamente, então, os que estavam prestes a interrogá-lo[11] se afastaram dele, e o quiliarca teve medo, quando soube que era romano, porque o tinha amarrado.

---

1. Lit. "erguer (com as mãos) para carregar; levantar um objeto a fim de transportá-lo". Neste caso, trata-se de um eufemismo para "Mata-o".
2. Lit. "lançar para baixo, arrojar; abandonar; cair, prostrar (com bebida ou ferimento mortal)".
3. Lit. "líder/comandante de mil". Trata-se de um cargo relacionado ao exército romano, que dava ao titular a responsabilidade de comandar mil homens (uma coorte).
4. Lit. "o que está colocado ao lado de (sentido literal); manobra de um exército, acampamento, barraca (termo técnico militar); acampamento permanente, fortaleza, cidadela".
5. Lit. "examinar a fundo, questionar, interrogar (termo técnico-jurídico)". Termo muito utilizado para descrever o procedimento de tortura do acusado.
6. Lit. "açoite, flagelo; castigo, punição".
7. Lit. "centurião (oficial do Exército Romano que comandava um destacamento de cem homens)".
8. Lit. "estar de pé; estar erguido; colocar, por, estabelecer; estar parado, deter-se".
9. Vide nota 3.
10. Fórmula concisa que pode representar uma expressão proverbial, em uso naquela época.
11. Lit. "examinar a fundo, questionar, interrogar (termo técnico-jurídico)". Termo muito utilizado para descrever o procedimento de tortura do acusado.

PAULO DIANTE DO SINÉDRIO

22:30 No {dia} seguinte, querendo saber com certeza o {motivo} por que estava sendo acusado pelos judeus, soltou-o e ordenou que se reunissem os sumos sacerdotes e todo o sinédrio; e, conduzindo Paulo para baixo, colocou-o {de pé} perante eles.

23 PAULO DIANTE DO SINÉDRIO (Continuação)

23:1 Fitando[1] o Sinédrio, disse Paulo: Varões, Irmãos, eu [2]tenho sido um cidadão {diante} de Deus com toda boa consciência, até este dia. **23:2** Mas o sumo sacerdote Ananias[3] ordenou aos que estavam ao seu lado baterem na boca dele. **23:3** Então disse Paulo para ele: Deus está prestes a bater em ti, parede[4] caiada[5]! Tu estás sentado, julgando-me segundo a Lei, e ordena baterem em mim? **23:4** Os que estavam ao lado dele disseram: Insultas o sumo sacerdote de Deus? **23:5** Disse Paulo: Não sabia, irmãos, que é sumo sacerdote, pois está escrito que *Não falarás mal de uma autoridade[6] do teu povo*[7]. **23:6** Sabendo Paulo que uma parte era de saduceus e outra de fariseus, gritava ao sinédrio: Varões, irmãos, eu sou fariseu, filho de fariseus. Estou sendo julgado a respeito da esperança e ressurreição[8] dos mortos. **23:7** Quando ele disse isto, houve dissensão[9] entre fariseus e saduceus, e a multidão se dividiu. **23:8** Pois os saduceus dizem não haver ressurreição[10], nem anjo e espírito; ao passo que os fariseus reconhecem[11] ambos[12]. **23:9** Houve grande gritaria. E, levantando-se alguns escribas, da parte dos fariseus, diziam: Não encontramos nenhum mal neste homem, se um espírito ou anjo lhe falou. **23:10** Tornando-se grande a dissensão[13], e temendo o quiliarca[14] fosse Paulo despedaçado por eles, ordenou que, descendo a tropa, o retirassem[15] do meio deles, a fim de ser conduzido para a fortaleza[16]. **23:11** Na noite seguinte, colocando-se[17] junto dele, disse o Senhor: Anima-te[18], pois assim como testemunhantes a meu respeito em Jerusalém, assim também é necessário testemunhar em Roma.

---

1. Lit. "cravar os olhos em alguém, olhar de modo fixo".
2. Lit. "ser um cidadão, ordenar e conduzir sua vida como um cidadão; administrar, governar uma cidade".
3. Ananias, filho de Nebedeu, foi nomeado sumo sacerdote por volta do ano 47 d.C. Por volta do ano 51/52 d.C foi destituído, preso e enviado a Roma, mas recuperou o cargo. Todavia, no ano 66 d.C, durante a guerra judaica, foi assassinado.
4. Lit. "muro, parede de uma construção (diferente do muro de uma cidade)".
5. Lit. "branqueados com cal, tornados brancos". Antes da Páscoa, era costume caiar os sepulcros, para que as pessoas não os tocassem acidentalmente, ficando contaminadas cerimonialmente, em prejuízo da celebração da festa.

6. Lit. "comandante, chefe, rei, autoridade (judicial)". Na Atenas democrática, cada um dos nove governantes eleitos anualmente era chamado "arconte". O substantivo deriva do verbo "conduzir, guiar, dar o exemplo; comandar (como chefe militar), governar; exercer hegemonia, ter proeminência".
7. (Ex 22:27).
8. Lit. "erguer-se, levantar-se". Expressão idiomática semítica que faz referência à ressurreição dos mortos. Para expressar a morte e a ressurreição, utilizavam as expressões "deitar-se" (morte) e "levantar-se" (ressurreição).
9. Lit. "colocação, posição; reunião, grupo; agrupamento tumultuoso, erupção popular, motim, revolta; discórdia, disputa, dissensão".
10. Vide nota 8.
11. Lit. "homologar, concordar, assentir; reconhecer, confessar; declarar-se,
12. Ao utilizar a palavra "ambos", o autor faz referência aos dois tipos de fenômenos: de um lado a ressurreição dos mortos, de outro lado a existência de seres não corpóreos tais como anjos, espíritos.
13. Lit. "colocação, posição; reunião, grupo; agrupamento tumultuoso, erupção popular, motim, revolta; discórdia, disputa, dissensão".
14. Lit. "líder/comandante de mil". Trata-se de um cargo relacionado ao exército romano, que dava ao titular a responsabilidade de comandar mil homens (uma coorte).
15. Lit. "agarrar, tomar pela força, arrebatar, capturar, apropriar-se".
16. Lit. "o que está colocado ao lado de (sentido literal); manobra de um exército, acampamento, barraca (termo técnico militar); acampamento permanente, fortaleza, cidadela".
17. Lit. "pôr/colocar sobre, próximo de; estar/permanecer ao lado de, próximo de; vir sobre".
18. Lit. "Ânimo! Coragem!". Verbo utilizado apenas no imperativo, com o sentido de ter coragem, bom ânimo, confiança, esperança.

O PLANO PARA MATÁ-LO

23:12 Tornando-se dia, realizando um motim[1], os judeus anatematizaram[2] a si mesmos, dizendo não comer nem beber enquanto não matassem Paulo. **23:13** Eram mais de quarenta os que realizaram esta conspiração. **23:14** Alguns deles, aproximando-se dos sumos sacerdotes e anciãos, disseram: Anatematizamos[3] sob anátema[4] a nós mesmos, não comer nada, enquanto não matarmos Paulo. **23:15** Agora, portanto, manifesta ao Quiliarca[5], juntamente com o Sinédrio, a fim de que o conduza[6] até vós, como se estivessem prestes a decidir mais acuradamente as {coisas} a respeito dele; e nós, antes de ele se aproximar, estamos preparados para eliminá-lo. **23:16** O filho da irmã de Paulo, ouvindo a cilada, chegando e entrando na fortaleza[7], anunciou a Paulo. **23:17** Paulo, chamando[8] um dos centuriões[9], disse: Conduz este jovem ao quiliarca[10], pois tem algo para anunciar a ele. **23:18** Então, tomando-o, o conduziu ao quiliarca[11] e disse: O prisioneiro Paulo, chamando-me[12], pediu para conduzir este jovem a ti, {pois} tem algo a te dizer. **23:19** O quiliarca[13], tomando-o pela mão, e retirando-se em particular, inquiria: [14]O que tens para me anunciar? **23:20** {Ele} disse: Os judeus concordaram[15] em te pedir que amanhã conduzas[16] Paulo ao Sinédrio, como se estivessem prestes a investigar[17] algo mais acurado a respeito dele. **23:21** Portanto, não sejas tu persuadido por eles, pois mais de quarenta varões, dentre eles, [18]estão armando uma cilada {para ele}, os quais anatematizaram[19] a si mesmos, {dizendo} não comer nem beber enquanto não o eliminarem; e agora estão preparados, esperando de ti o anúncio[20]. **23:22** Então, o quiliarca[21] despediu o jovem, ordenando: A ninguém contes que me revelaste estas {coisas}.

1. Lit. "colocação, posição; reunião, grupo; agrupamento tumultuoso, erupção popular, motim, revolta; discórdia, disputa, dissensão".
2. Lit. "invocar a punição/maldição de Deus se algo que foi dito solenemente não for verdadeiro ou não se realizar (espécie de juramento sob pena de maldição)". No caso, os judeus invocaram essa maldição caso não lograssem êxito no seu intento de matar Paulo.
3. Vide nota 2.
4. Lit. "colocar no lugar, instalar (sentido estrito); aquilo que foi dedicado à divindade como oferta ou presente; maldição, amaldiçoado".
5. Lit. "líder/comandante de mil". Trata-se de um cargo relacionado ao exército romano, que dava ao titular a responsabilidade de comandar mil homens (uma coorte).
6. Lit. "conduzir/levar para baixo".
7. Lit. "o que está colocado ao lado de (sentido literal); manobra de um exército, acampamento, barraca (termo técnico militar); acampamento permanente, fortaleza, cidadela".
8. Lit. "convocar, citar, intimar; chamar para si mesmo, reunir, convidar; evocar".
9. Lit. "centurião (oficial do Exército Romano que comandava um destacamento de cem homens)".
10. Vide nota 6.
11. Vide nota 9.
12. Vide nota 7.
13. Vide nota 9.
14. Lit. "o que é que tens para me anunciar?"
15. Lit. "colocar junto; concordar, chegar a um entendimento mútuo; barganhar, comprometer-se; apoiar (uma declaração)".
16. Vide nota 6.

17. Lit. "informar-se (perguntando), investigar; estar informado, saber, apreender; notar".
18. Lit. "armar uma cilada, preparar uma emboscada (para capturar, enredar); estar/pôr-se em emboscada".
19. Vide nota 2.
20. Lit. "anúncio, declaração; acordo, promessa, compromisso, aliança".
21. Vide nota 5.

PAULO É ENVIADO AO GOVERNADOR FÉLIX

23:23 E, convocando[1] dois centuriões[2], disse: Preparai, a partir da terceira[3] hora da noite, duzentos soldados, setenta cavaleiros e duzentos lanceiros para irem a Cesareia. **23:24** Apresentem [4]animais {de carga} para que, montando[5] Paulo, {o} levem em segurança ao Governador Félix. **23:25** Tendo escrito uma carta desta forma: **23:26** "Cláudio Lísias. Ao Excelentíssimo governador Félix. Saudações! **23:27** Este homem, tendo sido capturado[6] pelos judeus e estando prestes a ser eliminado por eles, ao aproximar-me[7] com a tropa {e} ao saber que é romano, resgatei-o. **23:28** Querendo saber {melhor} o motivo {de condenação} pelo qual o acusavam, o conduzi[8] para o Sinédrio deles. **23:29** E o encontrei sendo acusado a respeito de controvérsia[9] da Lei deles, mas não havendo nenhuma acusação digna de morte ou amarras[10]. **23:30** Ao me relatarem que haveria um complô contra o homem, imediatamente o enviei a ti, ordenando também aos acusadores dizerem perante ti as {coisas} contra ele". **23:31** Então os soldados, conforme o que lhes fora ordenado, tomando a Paulo, o conduziram de noite para Antipátride. **23:32** No {dia} seguinte, permitindo que os cavaleiros partissem com ele, retornaram para a fortaleza[11], **23:33** os quais, chegando em Cesareia e entregando a carta ao governador, também lhe apresentaram Paulo. **23:34** Depois de ler e perguntar de qual província {ele} era – ao descobrir[12] que {era} da Cilícia – **23:35** disse: Ouvirei a ti quando também chegarem os teus acusadores. E ordenou fosse ele detido no pretório[13] de Herodes.

1. Lit. "convocar, citar, intimar; chamar para si mesmo, reunir, convidar; evocar".
2. Lit. "centurião (oficial do Exército Romano que comandava um destacamento de cem homens)".

3. Os hebreus computavam as horas do dia de forma diversa da nossa. Para eles, o dia se iniciava às 18 horas da tarde, e era divido em doze horas de luz (dia) e doze horas de treva (noite). As doze horas de luz (dia) eram contadas das 6 horas da manhã às 18 horas (crepúsculo), ao passo que as doze horas de treva tinham início às 18 horas e terminavam às 6 horas da manhã. Sendo assim, a escolta deveria estar pronta por volta das 9h da noite (hora terceira).
4. Lit. "animal, besta de carga; bens semoventes (rebanhos, gados); bens, possessões".
5. Lit. "fazer ascender/subir; colocar sobre; embarcar alguém".
6. Lit. "tomar consigo, agarrar, capturar, prender; apreender; conceber, engravidar".
7. Lit. "pôr/colocar sobre, próximo de; estar/permanecer ao lado de, próximo de; vir sobre".
8. Lit. "conduzir/levar para baixo".
9. Lit. "questão, controvérsia, assunto de debate".
10. Lit. "algo utilizado para amarrar, atar; corda, corrente, ligadura, ligamento; empecilho, impedimento (sentido metafórico)".
11. Lit. "o que está colocado ao lado de (sentido literal); manobra de um exército, acampamento, barraca (termo técnico militar); acampamento permanente, fortaleza, cidadela".
12. Lit. "informar-se (perguntando), investigar; estar informado, saber, apreender; notar".
13. Originalmente significava a "tenda do general (pretor)". Mais tarde, passou a ser aplicado ao "conselho de oficiais militares", até ser tornar o nome da "residência oficial do governador romano", uma vez que lá, além de residir o governador, era o local ocupado pela guarnição do exército romano.

O PROCESSO DIANTE DE FÉLIX

24

24:1 Depois de cinco dias, desceu o sumo sacerdote Ananias, com alguns anciãos e {com} certo orador[1], {chamado} Tértulo, os quais se manifestaram contra Paulo ao governador. **24:2** Depois que ele foi chamado, Tértulo começou a acusar, dizendo: Muita paz obtendo por meio de ti e ocorrendo reformas para esta nação, através da tua previdência, **24:3** por todos os modos e por toda parte, Excelentíssimo Félix, reconhecemos[2] {isto} com toda gratidão. **24:4** E para que não te detenhas por mais {tempo}, te rogamos[3] nos ouvir brevemente com tua equidade[4]. **24:5** Pois descobrimos {ser} este varão uma peste, provocando[5] também dissensão[6] entre todos os judeus por toda a terra habitada, {sendo} líder da seita[7] dos nazarenos, **24:6** o qual tentou profanar[8] o templo – a quem também prendemos[9] – **24:7** [10]{mas, vindo o quiliarca Lísias, o arrebatou das nossas mãos com grande violência}, **24:8** junto dele, tu mesmo poderás, após examinar, tomar conhecimento de todas estas {coisas} a respeito das quais nós o acusamos. **24:9** Os judeus, se unindo no ataque, asseveravam que estas {coisas} eram assim. **24:10** Paulo, acenando[11] para o governador a fim de lhe falar, respondeu: Sabendo que és juiz desta nação há muitos anos, animadamente defendo-me a respeito destas {coisas}. **24:11** Podendo tu saber: [12]Não se passaram mais de doze dias desde que subi a Jerusalém para adorar, **24:12** e não me encontraram no templo nem dialogando[13] com alguém, nem provocando a agitação do povo, nem em sinagogas, nem pela cidade, **24:13** nem podem te apresentar {provas} a respeito do que me acusam agora. **24:14** Mas confesso[14] a ti isto: Segundo o Caminho, o qual chamam[15] seita[16], [17]presto culto ao Deus de nossos Pais, crendo em todas as {coisas} conforme a Lei e ao que está escrito pelos Profetas. **24:15** Tendo esperança em Deus, como eles também aguardam, de que há de haver ressurreição tanto de justos quanto de injustos. **24:16** Em razão disso, também me esforço[18] para ter [19]constantemente uma consciência [20]sem tropeço diante de Deus e dos homens. **24:17** Ora, depois de muitos anos, vim à minha nação fazendo dádivas[21] e ofertas, **24:18** nas quais me encontraram no templo, purificado, não com a turba nem com tumulto, **24:19** alguns dos judeus da Ásia, aos quais era necessário se apresentarem diante de ti para me acusarem, se algo tivessem contra mim. **24:20** Ou digam eles mesmos se encontraram em mim alguma injustiça, quando estava diante do Sinédrio. **24:21** A não ser a respeito desta voz que bradei, estando de pé entre eles, hoje sou julgado acerca da ressurreição dos mortos.

1. Lit. "orador público; advogado, procurador (aquele que atua na Corte/Tribunal) responsável pela sustentação oral".
2. Lit. "receber (gentilmente, de coração, dar boas-vindas), aceitar; aprovar; compreender".
3. Lit. "exortar, admoestar, persuadir; implorar, suplicar, rogar; animar, encorajar, confortar, consolar; requerer, convidar para vir, mandar buscar".
4. Lit. "equidade, razoabilidade, racionalidade; gentileza, brandura, delicadeza; clemência".
5. Lit. "mover, agitar (sentido literal); mover, agitar, incitar, provocar (sentido figurado – mental, político e social)".
6. Lit. "colocação, posição; reunião, grupo; agrupamento tumultuoso, erupção popular, motim, revolta; discórdia, disputa, dissensão".
7. Lit. "escolha, opção (sentido estrito); partido, escola, grupo, seita (sobretudo os separatistas)".
8. Lit. "profanar, tornar comum (no sentido de retirar o caráter sagrado, especial); violar".
9. Lit. "agarrar, prender, arrastar".
10. A Crítica Textual contemporânea tem sérias dúvidas quanto à autenticidade de todo esse versículo, considerando-o um acréscimo explicativo feito por escribas da Idade Média, razão pela qual preferem omiti-lo.
11. Lit. "acenar (com a cabeça)".
12. Lit. "não há para mim mais do que doze dias". Expressão idiomática que pode ser substituída sem problemas por aquela equivalente em português "não se passaram mais de doze dias".
13. Lit. "discursar; dialogar, debater (mediante perguntas e respostas)".
14. Lit. "homologar, concordar, assentir; reconhecer, confessar; declarar-se,
15. Lit. "dizem".
16. Vide nota 7.
17. Lit. "servir, executando deveres religiosos, sobretudo os ligados ao culto". Trata-se dos serviços do culto, das "obras da lei".
18. Lit. "exercitar-se, esforçar-se".
19. Lit. "por todo {tempo}".
20. Lit. "sem tombos, quedas, tropeços (sentido literal); inculpável, limpa, pura; sem mancha".
21. Lit. "piedade, compaixão, misericórdia; dádiva, oferta de caridade, esmola (significados típicos do NT)".

A MANUTENÇÃO DA PRISÃO EM CESAREIA

ATOS 24

24:22 Conhecendo mais acuradamente as {coisas} referentes ao Caminho, Félix adiou {o julgamento} e disse: Quando descer Lísias, o quiliarca[1], decidirei as {coisas} a vosso respeito. **24:23** E ordenou ao centurião[2] que o mantivesse {na prisão}, tendo [3]livre-custódia, não impedindo[4] nenhum dos seus próprios de servi-lo[5]. **24:24** Depois de alguns dias, chegando Félix com Drusila, sua própria mulher, que é judia, mandou chamar Paulo, e ouviu dele a respeito da fé em Jesus Cristo. **24:25** Dialogando[6] ele sobre a justiça, o [7]auto-controle e o julgamento vindouro, Félix ficou amedrontado e respondeu: [8]Por agora, vai-te; [9]tendo ocasião, te chamarei; **24:26** ao mesmo tempo esperando que lhe seria dado dinheiro por Paulo. Por isso também mandava trazê-lo frequentemente para conversar com ele. **24:27** Ao se completarem dois anos, Félix recebeu como sucessor Pórcio Festo; querendo agradar com favores os judeus, Félix deixou Paulo encarcerado.

1. Lit. "líder/comandante de mil". Trata-se de um cargo relacionado ao exército romano, que dava ao titular a responsabilidade de comandar mil homens (uma coorte).
2. Lit. "centurião (oficial do Exército Romano que comandava um destacamento de cem homens)".
3. Lit. "livramento de um estado de coação (relaxamento da prisão); livre-custódia, prisão com privilégios; facilidade, descanso, tranquilidade".
4. Lit. "impedir, pôr obstáculos; separar".
5. Lit. "prestar um serviço público às suas próprias custas, voluntariamente (sentido estrito); prestar serviço, oficiar como um sacerdote; prestar serviço (ministrar, assistir, socorrer) na igreja cristã".
6. Lit. "discursar; dialogar, debater (mediante perguntas e respostas)".
7. Termo empregado com frequência para se referir ao controle das paixões e desejos sexuais.
8. Lit. "o agora tendo". Expressão idiomática que significa "por ora", "por enquanto", "por agora".
9. Lit. "recebendo tempo (oportunidade, ocasião, momento adequado)". Expressão idiomática que significa "tendo ocasião", "no momento oportuno".

25 O APELO PARA CÉSAR

25:1 Festo, assumindo[1] a província, subiu de Cesareia para Jerusalém, três dias depois. **25:2** Os sumos sacerdotes e os principais dos judeus apresentaram-lhe {acusações} contra Paulo, e rogaram-lhe – **25:3** pedindo um favor contra ele – que o enviasse para Jerusalém, preparando uma cilada para eliminá-lo no caminho. **25:4** Festo, então, respondeu que Paulo era mantido {na prisão} em Cesareia; ele próprio estando para partir {para lá} em breve. **25:5** Assim, diz: Os que dentre vós são poderosos, após descerem comigo, o acusem, se há algo impróprio[2] neste varão. **25:6** E, permanecendo entre eles não mais que oito ou dez dias, desceu para Cesareia. No dia seguinte, assentando-se sobre o estrado[3], ordenou que Paulo fosse conduzido. **25:7** Quando ele chegou, os judeus que haviam descido de Jerusalém o rodearam, trazendo muitas e pesadas acusações que não podiam provar[4]. **25:8** Paulo defendia-se: Nem contra a Lei dos judeus, nem contra o Templo, nem contra César pequei {em} algo. **25:9** Festo, porém, querendo prestar[5] um favor aos judeus, respondendo a Paulo, disse: Queres, depois de subir a Jerusalém, ali ser julgado por mim acerca dessas coisas? **25:10** Disse Paulo: Estou de pé diante da tribuna[6] de César, onde devo ser julgado; nenhuma [7]injustiça fiz aos judeus, como tu muito bem sabes. **25:11** Portanto, se [8]cometi injustiça ou pratiquei algo digno de morte, não {me} recuso {a} morrer, mas se nada há das {coisas} que me acusam, ninguém pode me entregar[9] a eles. Apelo para César. **25:12** Festo, então, depois de falar com o conselho, respondeu: Apelaste para César, para César irás.

1. Lit. "colocar os pés sobre (sentido literal); entrar, chegar em; assumir, entrar".
2. Lit. "fora de lugar (sentido literal); impróprio, inadequado".
3. Lit. "lugar elevado acessível por meio de degraus; plataforma, estrado; tribuna do julgador".
4. Lit. "demonstrar, exibir; provar".
5. Lit. "depositar, colocar".
6. Vide nota 3.
7. Lit. "fazer/praticar injustiça; proceder ilegalmente; tratar mal, molestar, prejudicar".
8. Vide nota 7.
9. Lit. "entregar, dar (gratuita ou graciosamente)".

PAULO DIANTE DE AGRIPA E BERENICE

25:13 Passados alguns dias, o Rei Agripa e Berenice chegaram em Cesareia para saudar a Festo. **25:14** Como permaneciam ali muitos dias, Festo apresentou ao rei as {coisas} relativas a Paulo, dizendo: Há um varão que foi deixado preso por Félix, **25:15** a respeito de quem, estando eu em Jerusalém, se manifestaram os sumos sacerdotes e anciãos dos judeus, pedindo contra ele uma condenação. **25:16** Respondi para eles que não é costume dos Romanos entregar[1] algum homem antes que o [2]acusado tenha presentes os acusadores e possa defender-se da acusação. **25:17** Assim, reunindo-se eles aqui, sem fazer dilação alguma, no {dia} seguinte, assentando-me na tribuna[3], ordenei que fosse trazido o varão; **25:18** a respeito do qual, levantando-se os acusadores, nenhum motivo {de condenação} trouxeram das {coisas} más que eu suspeitava. **25:19** Mas tinham contra ele algumas questões a respeito da própria religião e acerca de um certo Jesus, morto, que Paulo afirmava estar vivo. **25:20** Estando eu em dúvida a respeito desta investigação[4], perguntava[5] se {ele} queria ir a Jerusalém e ali ser julgado acerca destas {coisas}. **25:21** Mas, havendo Paulo apelado para ser mantido sob guarda para a decisão do Augusto, ordenei que {assim} fosse mantido até eu mesmo enviá-lo a César. **25:22** Agripa disse para Festo: Gostaria também de ouvir este homem. Amanhã, o ouvirás, disse {ele}. **25:23** Assim, no {dia} seguinte, vindo Agripa e Berenice, com grande pompa[6], depois de entrarem na sala de audiências com os quiliarcas[7] e varões eminentes da cidade, Paulo foi conduzido por ordem de Festo. **25:24** E Festo diz: Rei Agripa e todos os varões que estais presentes conosco, vede este acerca de quem toda a multidão dos judeus recorreu a mim, tanto em Jerusalém quanto aqui, clamando que não deve ele viver mais. **25:25** Eu, porém, descobri que ele nada fez digno de morte; no entanto, tendo ele apelado ao Augusto, decidi enviá-lo. **25:26** {Contudo}, a respeito dele, não tenho algo seguro para escrever ao Senhor[8]; por isso o conduzi até vós, e especialmente até ti, rei Agripa, a fim de que, ocorrendo a investigação[9], {eu} tenha o que escrever. **25:27** Pois não me parece razoável não indicar os motivos {de condenação} ao enviar um prisioneiro.

ATOS 25

1. Lit. "entregar, dar (gratuita ou graciosamente)".
2. Lit. "o acusado tenha face a face os acusadores e a defesa receba um lugar a respeito da acusação".
3. Lit. "lugar elevado acessível por meio de degraus; plataforma, estrado; tribuna do julgador".
4. Lit. "inquirição, pesquisa, investigação; debate, discussão (investigativa, filosófica)".
5. Lit. "dizia".
6. Lit. "fantasia (esplendor, fausto, pompa)".
7. Lit. "líder/comandante de mil". Trata-se de um cargo relacionado ao exército romano, que dava ao titular a responsabilidade de comandar mil homens (uma coorte).
8. Referência ao imperador romano.
9. Lit. "ação de avaliar; investigação, audiência preliminar, exame judicial (termos legais)".

DISCURSO DE PAULO PERANTE O REI AGRIPA   26

26:1 E Agripa disse a Paulo: ¹Tens permissão para falar em teu favor. Então Paulo, ²estendendo a mão, defendia-se: **26:2** Rei Agripa, considero-me bem-aventurado por estar prestes a defender-me, hoje, diante de ti, de todas as coisas das quais sou acusado pelos judeus, **26:3** sendo tu especialmente conhecedor de todos os costumes e controvérsias³ que {há} entre os judeus; por isso rogo ⁴que me ouças pacientemente. **26:4** Quanto ao meu modo de viver, desde a minha juventude, como tem sido desde o início, na minha nação e em Jerusalém, todos os judeus conhecem. **26:5** Conhecendo previamente a mim desde o princípio, se quiserem, {podem} testemunhar que vivi segundo a mais rigorosa seita⁵ do nosso culto⁶, {os} fariseus. **26:6** E, agora, estou de pé sendo julgado em razão da esperança na promessa⁷ que por Deus foi feita a nossos Pais, **26:7** que as nossas doze tribos, ⁸prestando culto assiduamente⁹, dia e noite, esperam alcançar; a respeito desta esperança, ó rei, sou acusado pelos judeus. **26:8** Por que se julga inacreditável entre vós que Deus levante¹⁰ os mortos? **26:9** Eu, no entanto, pensei comigo mesmo ser necessário fazer muitas {coisas} contrárias contra o nome de Jesus Nazareno. **26:10** O que de fato fiz em Jerusalém: Eu encerrei em prisões muitos dos santos, recebendo autoridade dos sumos sacerdotes; ao serem eliminados, ¹¹lançava contra eles as pedrinhas. **26:11** E, punindo-os muitas vezes, por todas as sinagogas, forçava-os a blasfemar¹²; e, enfurecendo-me ainda mais, {eu} os perseguia até mesmo nas cidades ¹³estrangeiras. **26:12** ¹⁴Nessas {circunstâncias}, indo para Damasco, com autoridade e permissão dos sumos sacerdotes, **26:13** ao meio dia, pelo caminho, {ó} rei, vi uma luz, {vinda} do céu e {mais} brilhante que o sol, que iluminou ao meu redor e {ao redor} dos que iam comigo. **26:14** E, caindo todos nós por terra, ouvi uma voz me dizendo em dialeto hebraico: Saul¹⁵, Saul, por que me persegues? Duro é para ti recalcitrar¹⁶ contra os aguilhões¹⁷. **26:15** Então eu disse: Quem és, Senhor? O Senhor disse: Eu sou Jesus, a quem tu persegues. **26:16** Mas levanta-te e põe-te de pé sobre os teus pés, pois para isso tornei-me visível a ti: para te constituir servidor¹⁸ e testemunha tanto das {coisas} que viste quanto das {coisas} que serão vistas por ti. **26:17** *Arrancando-te*¹⁹ *do povo e das nações*²⁰*, para as quais eu* te envio, **26:18** *a fim de abrir os olhos deles, para que retornem*[21] *das trevas para a luz*[22], da autoridade de Satanás[23] para Deus, de modo a receberem o perdão[24] dos pecados e a porção[25] dos que foram santificados pela fé em mim. **26:19** Portanto, {ó} rei Agripa, não me tornei desobediente à visão celestial, **26:20** mas anunciava, primeiramente aos de Damasco, aos de Jerusalém, a todos da região da Judeia, como também aos das nações[26], para se arrependerem[27] e retornarem[28] a Deus, praticando obras dignas de arrependimento[29]. **26:21** Por causa dessas {coisas}, os judeus, depois de me prenderem[30] no templo, tentavam me matar[31]. **26:22** No entanto, obtendo socorro de Deus, até este dia estou de pé testemunhando tanto a pequenos quanto a grandes, nada dizendo além das {coisas} que os Profetas e Moisés disseram estarem prestes a acontecer: **26:23** {sendo} o Cristo que padeceu e o primeiro dentre os que levantaram[32] dos mortos, deve anunciar a luz tanto ao povo quanto às nações[33]. **26:24** Defendendo-se ele com essas {palavras}, Festo disse com grande voz: Estás louco, Paulo, as muitas letras te levam[34] à loucura! **26:25** Paulo, porém, disse: Não estou louco, {ó} Excelentíssimo Festo! Pelo contrário, declaro[35] palavras verdadeiras e sensatas. **26:26** Pois o rei, diante de quem [36]falo abertamente, também compreende essas {coisas}, já que estou persuadido de que nenhuma dessas {coisas} lhe passam despercebidas, uma vez que isto não aconteceu em um canto. **26:27** Crês nos Profetas, rei Agripa? Sei que crês! **26:28** Agripa, porém, {se dirigiu} a Paulo: Por pouco me persuades a me fazer cristão! **26:29** E Paulo: {Eu} oraria a Deus que, [37]ou por pouco ou por muito, não apenas tu, mas todos os que me escutam hoje vós tornásseis tais como eu sou, exceto {no tocante} a essas amarras[38]. **26:30** Levantou-se o rei, o governador, Berenice e os que estavam assentados com eles; **26:31** e, depois de se retirarem, falavam uns aos outros, dizendo: Este homem nada fez digno de amarras[39] ou morte. **26:32** Então Agripa disse para Festo: Este homem podia ter sido libertado[40] se não tivesse apelado a César.

1. Lit. "É permitido a ti falar a favor de/sobre ti mesmo".
2. Trata-se de gesto habitual (estender a mão direita, dobrando os dois dedos menores e estendo os outros três) dos oradores antigos, adotado no início do discurso para chamar a atenção da plateia (At 19:33, 21:40, 26:1).
3. Lit. "questão, controvérsia, assunto de debate".

4. Lit. "ouvires a mim".
5. Lit. "escolha, opção (sentido estrito); partido, escola, grupo, seita (sobretudo os separatistas)".
6. Lit. "culto, religião (o lado prático da religião, tais como o culto, o ritual, as observâncias)".
7. Lit. "anúncio, declaração; acordo, promessa, compromisso, aliança".
8. Lit. "servir, executando deveres religiosos, sobretudo os ligados ao culto". Trata-se dos serviços do culto, das "obras da lei".
9. Lit. "de forma assídua, persistentemente; intensamente, ardentemente".
10. Lit. "erguer-se, levantar-se". Expressão idiomática semítica que faz referência à ressurreição dos mortos. Para expressar a morte e ressurreição, utilizavam as expressões "deitar-se" (morte) e "levantar-se" (ressurreição).
11. No processo judicial grego era comum o magistrado lançar uma pedrinha simbolizando o seu voto de absolvição ou condenação. As pedrinhas brancas eram utilizadas para absolvição, ao passo que as pedrinhas pretas eram usadas para a condenação. Nessa expressão utilizada pelo redator de "Atos dos Apóstolos", há uma referência a essa prática, salientando-se a posição de magistrado ocupada por Paulo.
12. Lit. "caluniar, censurar; dizer palavra ofensiva, insultar; falar sobre Deus ou sobre as coisas divinas de forma irreverente; irreverência".
13. Lit. "de fora". Referência às cidades localizadas fora do território da Judeia.
14. Lit. "nas quais, nestas". Expressão idiomática.
15. Versão aramaica do nome de Saulo.
16. Lit. "chutar, dar coices; recalcitrar (sentido figurado)".
17. Lit. "ponta fina, aguda; aguilhão, ferrão; pontada, estímulo, incentivo (sentido figurado)". Trata-se de uma vara bastante pontuda utilizada para atiçar o boi no arado.
18. ὑπηρέται (huperétai) – **remador, marinheiro, navegador; servidor; assistente, auxiliar** – Sub (2-20), **composto pela preposição** ὑπέρ **(hupér – em composição pode indicar ênfase, excesso) + substantivo** ἐρέτης **(erétes – remador), que por sua vez deriva do verbo** ἐρέσσω **(erésso – remar)**. Trata-se de um humilde servidor, e não de um escravo, já que o indivíduo conserva sua autonomia, sua liberdade. A preposição ὑπέρ **(hupér)** sugere a ideia de alguém que está na fronteira que separa o servidor do servo. Em resumo, a palavra grega indica o servidor, na mais exata acepção do termo. O vocábulo foi empregado, no Novo Testamento, para designar diversos tipos de servidores: os assistentes do rei, os oficiais do sinédrio, os assistentes dos magistrados, as sentinelas do templo de Jerusalém. Na literatura grega, a palavra é empregada para designar remador, marujo, todos os homens de uma tripulação, soldado da marinha (fuzileiro naval); todo homem sob as ordens de outro, um servidor comum, um servidor que acompanha o soldado de infantaria (na Grécia antiga); ajudante de um general; servidor de Deus.
19. Lit. "retirar de dentro de, arrancar fora, rasgar fora, romper; tirar de dentro de, selecionar, escolher".
20. O plural (nações) frequentemente se refere às nações pagãs, aos gentios, ou seja, não-judeus.
21. Lit. "retornar, voltar". Expressão técnica do judaísmo (teshuva) que significa o processo integral de arrependimento: restauração do mal cometido, ressarcimento dos prejuízos e mudança de conduta.
22. (Jr 1:4-10).

23. Lit. "adversário". Palavra de origem semítica.
24. Lit. "perdão (pecado, ofensa, mal); remissão (dívida, pena); libertação (escravidão, prisão); liberação (permitir a saída)".
25. Lit. "objeto utilizado para tirar a sorte (pedra); sorteio; parte de herança, herdade; parte, porção".
26. Vide nota 20.
27. Lit. "mudar de mente, de opinião, de sentimentos, de vida".
28. Lit. "retornar, voltar". Expressão técnica do judaísmo (teshuva) que significa o processo integral de arrependimento: restauração do mal cometido, ressarcimento dos prejuízos e mudança de conduta.
29. Lit. "mudança de mente, de opinião, de sentimentos, de vida".
30. Lit. "tomar consigo, agarrar, capturar, prender; apreender; conceber, engravidar".
31. Lit. "ter nas mãos, pôr as mãos em (sentido estrito); matar (sentido ampliativo)".
32. Vide nota 10.
33. O plural (nações) frequentemente se refere às nações pagãs, aos gentios, ou seja, não-judeus.
34. Lit. "virar, dar meia-volta; voltar a si, reanimar (sentido figurado)".
35. Lit. "falar alto, declarar (discursos solenes)".
36. Lit. "falar livremente, abertamente, corajosamente".
37. Trocadilho com a fala do rei Agripa.
38. Lit. "algo utilizado para amarrar, atar; corda, corrente, ligadura, ligamento; empecilho, impedimento (sentido metafórico)".
39. Vide nota 38.
40. Lit. "soltar, libertar; liberar de um vínculo ou encargo; divorciar, repudiar (liberar a mulher do vínculo conjugal); remir, perdoar, liberar a dívida; despedir, deixar partir"

A VIAGEM PARA ROMA 27

27:1 Quando foi decidido navegarmos para a Itália, entregaram Paulo e alguns outros prisioneiros a um centurião[1], de nome Júlio, da coorte[2] Augusta. **27:2** Embarcando em um navio de Adramítio, que iria navegar por lugares da {costa da} Ásia, zarpamos, estando conosco Aristarco, macedônio de Tessalônica. **27:3** No outro {dia}, aportamos[3] em Sidom; e Júlio, tratando Paulo com humanidade, permitiu-lhe ir aos amigos para receber cuidados[4]. **27:4** E dali, [5]fazendo-se {ao mar}, costeamos[6] Chipre, por serem os ventos contrários. **27:5** Atravessando o mar aberto ao longo da Cilícia e Panfília, descemos para Mirra, da Lícia. **27:6** O centurião[7], encontrando ali um barco de Alexandria que navegava para a Itália, nos embarcou nele. **27:7** Navegando lentamente por muitos dias e tendo chegado com dificuldade diante de Cnido, não nos permitindo o vento avançar, costeamos[8] Creta, defronte de Salmona. **27:8** [9]Costeando-a com dificuldade, chegamos a um lugar chamado Bons Portos, próximo do qual estava a cidade de Laseia. **27:9** Passado[10] muito tempo, e sendo já perigosa a navegação, em razão do jejum[11] também já ter passado, Paulo recomendava, **27:10** dizendo-lhes: Varões, vejo que a navegação há de ser com dano[12] e muita perda[13], não somente da carga e do navio, mas também das nossas vidas. **27:11** O centurião[14], porém, era persuadido mais pelo timoneiro[15] e pelo capitão[16] do que pelas {coisas} faladas por Paulo. **27:12** Sendo o porto impróprio para a invernada, a maioria [17]deliberou zarpar[18] dali, para invernar em Fenice, um porto de Creta – se de algum modo pudessem chegar {lá} – [19]que dava para sudoeste e para noroeste.

1. Lit. "centurião (oficial do Exército Romano que comandava um destacamento de cem homens)".
2. Lit. "um destacamento militar romano de aproximadamente 600 soldados".
3. Lit. "levar/conduzir de cima para baixo; **trazer do alto mar para o porto**; tornar a trazer, restaurar; **descer a terra, desembarcar, aportar**; residir (lançar o pé em terra), permanecer; tornar; remontar a". Nesta passagem, assume também o significado de um termo náutico, indicando o ato de conduzir os barcos do alto mar até o porto, e depois arrastá-lo até a terra.
4. Lit. "cuidado, atenção, ajuda".
5. Lit. "conduzir; levar de um lugar mais baixo para um lugar mais alto; apresentar, ofertar; **estender as velas, conduzir da costa para o mar, conduzir por mar**. Nesse contexto, a palavra é utilizada em sua acepção técnica de termo náutico, que integra o vasto vocabulário de Lucas a

		respeito do tema, indicando o ato de conduzir o barco da costa para o alto mar.
	6.	Lit. "costear, navegar pela costa (navegar rente à costa a fim de que ela proteja o barco dos ventos)".
	7.	Vide nota 1.
	8.	Vide nota 6.
	9.	Lit. "reunir ao longo de um curso; navegar por, costear".
	10.	Lit. "transcorrer o tempo, passar o tempo".
	11.	Referência ao jejum realizado no "Yom Kipur (Dia da Expiação)", em meados do segundo semestre do ano, por volta do mês de outubro. A navegação no Mar Mediterrâneo começava em abril e se encerrava em outubro, pois era extremamente perigoso navegar no inverno, em razão das tempestades e da impossibilidade de se orientar pelo sol e pelas estrelas.
	12.	Lit. "insulto, tratamento injurioso, afronta, insolência; prejuízo, dano (causado pelo mar – linguagem náutica)".
	13.	Lit. "perda, detrimento, dano, prejuízo".
	14.	Vide nota 1.
	15.	Lit. "timoneiro, piloto (oficial responsável pela navegação segura do navio e pela disciplina da tripulação)".
	16.	Lit. "capitão (normalmente era um mercador, proprietário do navio, que atuava como capitão de sua embarcação)".
	17.	Lit. "puseram decisão". Expressão idiomática que pode ser substituída pelo verbo "deliberar".
	18.	Vide nota 5.
	19.	Lit. "olhando para sudoeste e noroeste". Expressão idiomática ligada à terminologia náutica, cujo significado é incerto. Os intérpretes sugerem que o referido porto estava abrigado dos ventos em razão da sua localização geográfica.

TEMPESTADE E NAUFRÁGIO NO MAR

27:13 E, depois de soprar suavemente o vento sul, supondo haverem alcançado o objetivo, levantaram {âncora}, costeando Creta mais de perto. **27:14** Entretanto, não muito depois, lançou-se contra ela {Creta} um vento tufônico[1], chamado Euroaquilão[2]. **27:15** Sendo o navio arrebatado[3] e não podendo [4]fazer frente ao vento, rendendo-nos, éramos arrastados. **27:16** [5]Singrando sob a proteção de uma ilhota chamada Cauda[6], conseguimos com dificuldade [7]recolher o bote[8]. **27:17** Levantando-o, usaram [9]cordas de segurança para cingir o navio; e, temendo [10]ficarmos à deriva em Sirte[11], baixaram o aparelho[12], sendo assim arrastados. **27:18** No {dia} seguinte, violentamente sacudidos {pela tempestade}, ¹³faziam a descarga {do navio}. **27:19** E no terceiro {dia}, com as próprias mãos, arrojaram¹⁴ a armação¹⁵ do navio. **27:20** Não aparecendo nem o sol nem {as} estrelas durante muitos dias, e caindo sobre nós uma grande tempestade, dissipava-se, por fim, toda a esperança de sermos salvos. **27:21** Então, havendo muita abstinência de alimento, Paulo, pondo-se de pé no meio deles, disse: Ó Varões, era necessário terem-me obedecido, e não navegar¹⁶ de Creta, para ganhar¹⁷ este dano¹⁸ e perda¹⁹. **27:22** Mas, agora, vos recomendo ter ânimo, pois não haverá nenhuma perda de vida, entre vós, apenas do navio. **27:23** Pois, nesta noite, se apresentou a mim um anjo de Deus, de quem {eu} sou e a quem {eu} sirvo, **27:24** dizendo: Paulo, não temas! É necessário que te apresentes perante César, e eis que Deus concedeu-te {gratuitamente} todos quantos navegam contigo. **27:25** Por isso, animai-{vos}, Varões! Pois creio em Deus que assim sucederá, do modo como me foi dito. **27:26** É necessário, porém, ²⁰sairmos de curso em {direção a} alguma ilha. **27:27** Quando chegou a décima-quarta noite, enquanto ²¹estávamos à deriva no {Mar} Adriático²², por volta da meia-noite, os marinheiros suspeitaram aproximar-se deles alguma terra. **27:28** E, ²³lançando a sonda, encontraram vinte braças²⁴; passado um pouco mais {de tempo}, lançando a sonda novamente, encontraram quinze braças. **27:29** Temendo, porém, que ²⁵ficássemos à deriva, não em {algum} lugar, mas defronte a lugares rochosos, lançaram da popa²⁶ quatro âncoras, orando para chegar o dia. **27:30** Os marinheiros, porém, a pretexto de irem lançar âncoras da proa, procuravam fugir do navio, baixando o bote²⁷ no mar. **27:31** Paulo disse ao centurião²⁸ e aos soldados: Se eles não permanecerem no navio, vós não podereis ser salvos. **27:32** Então os soldados cortaram as cordas²⁹ do bote³⁰, deixando ele se afastar³¹. **27:33** Enquanto não ³²raiava o dia, Paulo exortava a todos a tomarem alimento, dizendo: Hoje {é} o décimo-quarto dia que permaneceis sem nada receber, esperando sem alimento. **27:34** Por isso, {eu} vos exorto³³ a tomarem alimento, pois isso é para a vossa salvação, já que nenhum fio da vossa cabeça se perderá³⁴. **27:35** Depois de dizer essas {coisas}, tomou o pão, rendeu graças a Deus na presença de todos, partiu-o e começou a comer. **27:36** Eles, ficando todos animados, também ingeriram alimento. **27:37** Éramos, todas as almas no navio, duzentos e setenta e seis. **27:38** Saciados de alimento, tornaram mais leve o navio, lançando o trigo no mar. **27:39** Quando ³⁵se fez dia, não reconheciam a terra, mas perceberam uma enseada com praia, para a qual deliberavam dirigir[36] o navio, se fosse possível. **27:40** Atirando as âncoras, deixaram-nas no mar, desatando ao mesmo tempo as amarras dos lemes[37]; e, içando ao vento a vela frontal[38], mantiveram firme {o navio} em direção à praia. **27:41** Enroscando-se em um lugar [39]entre duas correntes de água, encalharam a nau; a proa, fixando-se, permanecia imóvel, mas a popa[40] quebrava-se pela violência {das águas}. **27:42** O plano[41] dos soldados era matar todos os prisioneiros, para que nenhum deles fugisse, nadando. **27:43** O centurião[42], querendo salvar a Paulo, impediu-os desse plano, e ordenou sair para a terra, em primeiro lugar, lançando-se {ao mar}, [43]os que sabiam nadar. **27:44** E os demais, uns sobre tábuas, outros sobre [44]alguns destroços do navio. E sucedeu assim que todos chegaram salvos sobre a terra.

1. Lit. "semelhante a um tufão, furacão; tempestuoso".
2. Vento leste-nordeste que empurra o navio para a África.
3. Lit. "agarrar/arrebatar subitamente/com força/tudo ao mesmo tempo; tornar cativo".
4. Lit. "olhar de frente, olho a olho". Alguns comentadores sugerem que essa expressão náutica esteja relacionada com o costume de pintar um olho em cada lado da proa do navio. Nesse caso, o navio "olhava o vento de frente".
5. Lit. "correr abaixo (sentido estrito); navegar, velozmente, protegendo-se dos ventos (normalmente utilizando as ilhas como anteparo)".
6. Pequena ilha localizada a uns 32 km de Creta
7. Lit. "nos tornarmos senhores". Expressão idiomática que indica o ato de tomar posse de algo, de recolher (o bote).
8. Lit. "bote, batel, escaler (pequeno bote salva-vidas que era rebocado pelo navio, preso na traseira)". O bote possivelmente estava atrapalhando o andamento do navio e a aparelhagem do leme, sem falar no risco de ser arremessado pelo vento contra o navio, causando enormes estragos.
9. Lit. "ajuda, socorro (sentido estrito – utilizado no singular); dispositivos de segurança utilizados para o suporte do navio, como cordas, cintas (termo náutico – utilizado no plural)". Essas cintas, cordas, eram formadas de cabos que envolviam todo o navio para evitar o deslocamento das peças da sua estrutura (esqueleto da embarcação).
10. Lit. "dispersar, espalhar, debandar (sentido literal); afastar-se, cair fora; cair (folhas secas); desprender-se, afrouxar (algemas); **ser levado pela correnteza, sair de curso, flutuar à deriva (termo náutico)**".
11. Golfo da Sirenaica, na costa da África, próximo ao litoral da Tunísia e de Trípoli, formado por longa extensão de bancos de areia que representavam grande risco para as embarcações.
12. Lit. "vaso, utensílio (de casa, mobília, bens); instrumento, aparelho (equipamentos, apetrechos); aparelho ou armação do navio (mastro, prancha, vela principal, âncora)". O vocábulo, utilizado em sua acepção náutica, pode significar o conjunto da armação (mastro, velas, prancha) ou

algum tipo de âncora. Alguns comentadores sugerem que o termo, neste versículo, designa uma espécie de âncora flutuante, feita de madeira, que mantinha o navio na direção do vento, tendo em vista a repetição do termo no versículo dezenove.

ATOS 27

13. Termo técnico náutico utilizado para descrever o processo de lançar a carga do navio no mar, a fim de diminuir o seu peso.
14. Lit. "lançar para baixo, arrojar; abandonar; cair, prostrar (com bebida ou ferimento mortal)".
15. Vide nota 11. Ao que tudo indica, neste versículo há uma descrição do lançamento ao mar do conjunto da armação do navio.
16. Lit. "conduzir; levar de um lugar mais baixo para um lugar mais alto; apresentar, ofertar; **estender as velas, conduzir da costa para o mar, conduzir por mar.** Nesse contexto, a palavra é utilizada em sua acepção técnica de termo náutico, que integra o vasto vocabulário de Lucas a respeito do tema, indicando o ato de conduzir o barco da costa para o alto mar.
17. Lit. "tirar proveito, lucrar, poupar, ganhar". Nesta passagem, o verbo parece inadequado para a situação descrita (perdas e danos), todavia pode significar uma ironia destinada a censurar a ambição desvairada pelo lucro que acabou redundando no naufrágio.
18. Lit. "insulto, tratamento injurioso, afronta, insolência; prejuízo, dano (causado pelo mar – linguagem náutica)".
19. Lit. "perda, detrimento, dano, prejuízo".
20. Vide nota 10.
21. Lit. "conduzir através de, tomar diferentes caminhos; separar; **ser levado ou jogado de um lado para outro, estar à deriva (linguagem náutica)**; ser proclamado, divulgado; ser melhor, de maior valor; fazer a diferença, ser importante".
22. Trata-se do mar entre a Itália, Malta, Creta e Grécia, ou seja, o mar que abrangia toda a região entre a Grécia, Itália e África, razão pela qual era também chamado de "Mar Adriano".
23. Lit. "lançar a sonda ao mar, medir a profundidade do mar (desciam uma linha com um peso na ponta para medir a profundidade do mar)".
24. Lit. "orguia (termo náutico)". Trata-se de uma medida náutica de comprimento, também conhecida como "braça (um braço humano estendido)", equivalente a 1,829m. Nesse caso, inicialmente encontraram 37 metros (20 orguias/braças), e depois 27 metros (15 orguias/braças).
25. Vide nota 10.
26. Lit. "mais atrás, último, traseiro". Em relação ao barco, se refere à parte traseira, em contraste com a parte dianteira, chamada "proa".
27. Lit. "bote, batel, escaler (pequeno bote salva-vidas que era rebocado pelo navio, preso na traseira).
28. Lit. "corda (inclusive a feita de juncos), cabo". Considerando que era proibida a entrada no templo portando qualquer tipo de arma (vara, pedaço de madeira, espada), provavelmente foi utilizado junco para a confecção improvisada deste açoite.
29. Vide nota 27.
30. Vide nota 10.
31. Lit. "estava prestes a chegar/acontecer".
32. Lit. "exortar, admoestar, persuadir; implorar, suplicar, rogar; animar, encorajar, confortar, consolar; requerer, convidar para vir, mandar buscar".
33. Lit. "estar perdido; perecer, morrer; estar arruinado". O termo gera uma ambiguidade proposital

entre os dois significados "perdido" e "morto".
34. Lit. "tornou-se dia".
35. Lit. "expelir, desapropriar, pôr para fora: correr, dirigir-se para a terra/praia (termo náutico)".
36. Era necessário posicionar os lemes da popa para poderem conduzir o navio até a praia. Os navios antigos possuíam um remo (e seu respectivo leme) em cada lado da popa.
37. Lit. "vela da proa (vela situada no mastro dianteiro do navio)".
38. Lit. "entre dois mares, no encontro de duas correntes de água (marítima)". Alguns comentadores sugerem tratar-se de um recife ou banco de areias, capaz de dividir as águas e encalhar o navio.
39. Lit. "mais atrás, último, traseiro". Em relação ao barco, se refere à parte traseira, em contraste com a parte dianteira, chamada "proa".
40. Lit. "desígnio, plano, projeto; vontade, determinação; deliberação (tomada em assembleia, conselho)".
41. Lit. "centurião (oficial do Exército Romano que comandava um destacamento de cem homens)".
42. Lit. "os que podiam/eram capazes de nadar".
43. Lit. "algumas coisas do navio".

NA ILHA DE MALTA

28

28:1 Então, depois de termos sido salvos[1], soubemos que a ilha se chamava Malta. **28:2** Os bárbaros[2] nos mostraram[3] extraordinária humanidade[4], pois acolheram a todos nós, acendendo uma fogueira, por causa da chuva que chegara e por causa do frio. **28:3** Quando Paulo juntou um monte de gravetos e os colocou sobre a fogueira, uma víbora que saia do calor agarrou-se à sua mão. **28:4** Quando os bárbaros[5] viram a fera pendurada na mão dele, disseram uns aos outros: [6]Sem dúvida, este homem é um assassino que, tendo sido salvo do mar, a justiça não permitiu viver. **28:5** Ele, no entanto, sacudindo a fera em direção ao fogo, não sofreu nenhum mal. **28:6** Eles, porém, aguardavam que ele {Paulo} viesse a inchar ou a cair morto repentinamente. Depois de muito esperarem, vendo que nada de anormal lhe sucedia, mudando de opinião, diziam ser ele um deus. **28:7** Em derredor daquele lugar, havia terras[7] do chefe da ilha, de nome Públio, o qual, após nos receber, durante três dias nos hospedou amigavelmente. **28:8** E sucedeu que o pai de Públio estava deitado, [8]acometido de febres e disenteria; Paulo se dirigiu até ele e, orando, impôs-lhe as mãos e o curou. **28:9** Depois de acontecer isso, os demais [9]enfermos da ilha também vinham e eram curados. **28:10** Eles nos [10]prestaram muitas honras; e, ao navegarmos[11], nos [12]proveram das {coisas} necessárias.

1. Lit. "salvar (tirando alguém do perigo de morte); guardar, conservar". Lucas, seguindo o padrão literário dos escritos médicos da época, também utiliza o verbo com o significado de escapar de uma doença ou epidemia grave, passar pela crise.
2. Lit. "gago, gagueira, proferir sons ininteligíveis (sentido estrito – utilizado para designar as pessoas que não falavam o grego); bárbaro, estrangeiro, estranho, não civilizados (os povos que não pertenciam à cultura greco-romana eram considerados bárbaros)".
3. Lit. "manter ao lado de; oferecer, ofertar, presentear; conceder, dar; fornecer, exibir; ocasionar".
4. Lit. "filantropia, amor pela humanidade (sentido etimológico); benevolência, humanidade".
5. Vide nota 2.
6. Lit. "certamente, seguramente, sem dúvidas; totalmente, completamente; de qualquer forma, absolutamente".
7. Lit. "lugar, campo, pedaço de terra".
8. Lit. "comprimir, manter apertado, confinar; reter, manter reunido; reunir-se, estar junto, oprimir, pressionar, dominar".
9. Lit. "os que tinham fraqueza orgânica, enfermidade".

10. Lit. "nos honraram com muitas honras". Expressão idiomática que consiste em reforçar o verbo acrescentando-lhe um substantivo derivado da mesma raiz.
11. Lit. "conduzir; levar de um lugar mais baixo para um lugar mais alto; apresentar, ofertar; estender as velas, conduzir da costa para o mar, conduzir por mar. Nesse contexto, a palavra é utilizada em sua acepção técnica de termo náutico, que integra o vasto vocabulário de Lucas a respeito do tema, indicando o ato de conduzir o barco da costa para o alto mar.
12. Lit. "colocaram sobre {nós} as {coisas} para as {nossas} necessidades". Expressão idiomática.

PAULO EM ROMA

28:11 Três meses depois, embarcamos[1] em um navio alexandrino, com a insígnia Dióscuros[2], que invernara na ilha. **28:12** Aportando[3] em Siracusa[4], permanecemos {ali} três dias; **28:13** donde, lançando {as âncoras}, chegamos[5] a Régio[6]. Depois de um dia, surgiu o vento sul; no segundo dia, chegamos a Putéoli[7], **28:14** onde encontramos irmãos que nos rogaram permanecer com eles durante sete dias; e foi assim que nos dirigimos a Roma. **28:15** Os irmãos dali, ao ouvirem {coisas} a nosso respeito, vieram ao nosso encontro até ao Foro de Ápio e Três Tabernas. Paulo, ao vê-los, deu graças a Deus e tomou ânimo. **28:16** Quando entramos em Roma, foi permitido a Paulo [8]morar, por conta própria, com o soldado que o guardava. **28:17** E sucedeu que, três dias depois, ele convocou os judeus que eram proeminentes e, reunindo-se com eles, lhes dizia: Varões, irmãos, eu nada fiz contra o povo ou {contra} os costumes dos Pais, porém, desde Jerusalém, fui entregue prisioneiro nas mãos dos romanos; **28:18** os quais, depois de me interrogarem, queriam me soltar, por não haver em mim motivo {de condenação} à morte. **28:19** Depois de os Judeus contestarem[9], fui compelido a apelar para César, mesmo não tendo a minha nação algo do que me acusar. **28:20** Então, por esse motivo, vos chamei para ver e conversar, visto que por causa da esperança de Israel esta corrente me envolve. **28:21** Eles lhe disseram: Não recebemos cartas[10] da Judeia a teu respeito, nem chegou {aqui} algum irmão que anunciasse ou falasse algo de mal[11] a teu respeito. **28:22** Mas [12]julgamos oportuno ouvir de ti o que pensas, pois sabemos que esta seita[13] é contraditada[14] em todo lugar. **28:23** Após marcarem[15] com ele um dia, muitos vieram até ele, na hospedaria; aos quais expunha, dando um testemunho, o Reino de Deus, persuadindo-os a respeito de Jesus, a partir da Lei de Moisés e dos Profetas, desde [16]o raiar do dia até o entardecer. **28:24** Uns eram persuadidos, mas outros não criam. **28:25** Havendo desacordo entre eles, despediram-se, tendo Paulo dito uma só palavra: Bem falou o Espírito Santo a vossos Pais, através do Profeta Isaías, **28:26** dizendo: Vai a este povo e lhe diz: *Ouvireis com os ouvidos*[17], *e não compreendereis; vendo, vereis e não enxergareis,* **28:27** *pois o coração deste povo se tornou cevado*[18], *com ouvidos pesadamente ouviram, seus olhos se fecharam para que não vejam com os olhos, não ouçam com os ouvidos, não compreendam com o coração e se voltem*[19] *para eu os curar.* **28:28** Portanto, seja do vosso conhecimento que esta salvação de Deus foi enviada às nações[20]; e eles {a} ouvirão. **28:29** [21]{Ditas essas palavras, partiram os judeus, tendo entre si grande contenda}. **28:30** Permaneceu dois anos inteiros na {casa} alugada, e recebia todos os que se dirigiam até ele, **28:31** proclamando[22] o Reino de Deus, e ensinando as {coisas} a respeito do Senhor Jesus Cristo, com toda franqueza, sem impedimento.

1. Lit. "conduzir; levar de um lugar mais baixo para um lugar mais alto; apresentar, ofertar; **estender as velas, conduzir da costa para o mar, conduzir por mar**. Nesse contexto, a palavra é utilizada em sua acepção técnica de termo náutico, que integra o vasto vocabulário de Lucas a respeito do tema, indicando o ato de conduzir o barco da costa para o alto mar.
2. Trata-se de uma figura de proa, esculpida ou pintada, com a imagem de Castor e Pólux, protetores dos marinheiros.
3. Lit. "levar/conduzir de cima para baixo; **trazer do alto mar para o porto**; tornar a trazer, restaurar; **descer a terra, desembarcar, aportar**; residir (lançar o pé em terra), permanecer; tornar; remontar a". Nesta passagem, assume também o significado de um termo náutico, indicando o ato de conduzir os barcos do alto mar até o porto, e depois arrastá-lo até a terra.
4. Principal cidade da ilha da Sicília, situada no litoral leste.
5. Lit. "chegar a, ir, vir; acontecer, suceder; alcançar, atingir (sentido metafórico)".
6. Cidade situada no litoral da Itália, próxima ao estreito que liga esse país à Sicília, defronte de Messina.
7. Atual Puzzuoli, situada a 320 km de Régio, ao norte da baía de Nápoles.
8. Lit. "permanecer por si mesmo". Expressão idiomática que significa "morar por conta própria, às suas expensas".
9. Lit. "contestar, contradizer, objetar; falar contra, negar, opor-se".
10. Lit. "letras, escritos".
11. Lit. "mal; mau, malvado, malevolente; maligno, malfeitor, perverso; criminoso, ímpio". No grego clássico, a expressão significava "sobrecarregado", "cheio de sofrimento", "desafortunado", "miserável", "indigno", como também "mau", "causador de infortúnio", "perigoso".

12. Lit. "consideramos digno, julgamos oportuno".
13. Lit. "escolha, opção (sentido estrito); partido, escola, grupo, seita (sobretudo os separatistas)".
14. Vide nota 21.
15. Lit. "arranjar, apontar, assinalar".
16. Lit. "de madrugada/manhã; na última (4ª) vigília da noite". O período entre 18h e 6h da manhã, do dia seguinte, era dividido em quatro vigílias de três horas cada uma (1ª – 18h – 21h; 2ª– 22h – 24h; 3ª– 1h – 3h; 4ª– 4h – 6h). Esta passagem faz referência a algum momento entre 4h e 6h da manhã.
17. Lit. "audição, faculdade de ouvir", pode ser utilizado também como sinônimo do órgão da audição, ou seja, os ouvidos.
18. Lit. "tornar-se gordo, cheio de gordura, corpulento, grosso".
19. Lit. "retornar, voltar". Expressão técnica do judaísmo (teshuva) que significa o processo integral de arrependimento: restauração do mal cometido, ressarcimento dos prejuízos e mudança de conduta.
20. O plural (nações) frequentemente se refere às nações pagãs, aos gentios, ou seja, não-judeus.
21. A crítica textual contemporânea rejeita esse versículo, tendo em vista a sua ausência dos principais e mais antigos manuscritos gregos.
22. Lit. "proclamar como arauto, agir como arauto". Sugere a gravidade e a formalidade do ato, bem como a autoridade daquele que anuncia em voz alta e solenemente a mensagem.

bibliografia

ALAND, Kurt; ALAND, Barbara. **The Text of the New Testament – An Introduction to the Critical Editions and to the Theory and Practice of Modern Textual Criticism**. Translated by Erroll f. Rhodes. 3. ed. Grand Rapids: EERDMANS, 1995.

BAILEY, Kenneth. **As Parábolas de Lucas**.

BAILLY, Anatole. **Dictionnaire Grec Français**. Edition revue par L. Séchan et P. Chantraine. 4. ed. Paris: Hachette, 2000.

BALZ, Horst; SCHNEIDER, Gerhard. **Exegetical Dictionary of the New Testament**. 2. ed. Grand Rapides: WM. B. Eerdmans Plublising Company, 1999.

BAUERS, Walter; DANKER, F. W.; ARNDT, W. F.; GINGRICH, F. W. **Greek-English Lexicon of the New Testament and other Early Christian Literature (BDAG)**. 3. ed. Chicago and London: The University of Chicago Pres, 2000.

BÍBIA Sagrada. Tradução de João Ferreira de Almeida – Revista e Corrigida. São Paulo: Sociedade Bíblica do Brasil, 1995.

BÍBLIA de Estudo NVI – Nova Versão Internacional. Tradução de Gordon Chown. São Paulo: Editora Vida, 2000.

BÍBLIA de Jerusalém. Coordenada por Gilberto da Silva G.; Ivo Storniolo e Ana Flora Anderson. 3. ed. São Paulo: PAULUS, 2004.

BÍBLIA do Peregrino. Tradução de Luís Alonso Schökel. São Paulo: PAULUS, 2002.

BÍBLIA Tradução Ecumênica – TEB. São Paulo: Edições Loyola, 1994.

BOTTERWECK, G. J.; RINGGREN, Helmer; FABRY, Heinz-Josef. **Theological Dictionary of the Old Testament**. 1. ed. Grand Rapids: EERDMANS, 1997.

BROWN, F.; DRIVER, S.; BRIGGS, C. **The Brown Driver-Briggs Hebrew and English Lexicon – Coded with Strong's Concordance Numbers**. 9. ed. Peabody: HENDRICKSON, 2005.

CHANTRAINE, Pierre. **Dictionnaire étymologique de la langue grecque**. 2. ed. Paris: Klincksieck, 1999.

COENEN, Lothar; BROWN, Colin. **Dicionário Internacional de Teologia do Novo Testamento**. 2. ed. São Paulo: Vida Nova, 2000.

DAVIDSON, Benjamim. **The Analytical Hebrew and Chaldee Lexicon**. 12. ed. Peabody: HENDRICKSON, 2006.

DOUGLAS, J. D. **O Novo Dicionário da Bíblia**. 3.ed. São Paulo: Vida Nova, 2006.

EVANS, Craig A. (Ed.). **Encyclopedia of the Historical Jesus**. New York: ROUTLEDGE, [20...].

EVANS, Craig A.; PORTER, Stanley E. **Dictionary of New Testament Background**. Dowmers Grove: IVP, 2000.

FLUSSER, David. **Judaism of the Second Temple Period**. Translated by Azzan Yadin. Grand Rapids: Eerdmans; Magnes Press; Jerusalem Perspective, 2007.

FRIBERG, Timothy; FRIBERG, Barbara; MILLER, Neva F. **Analytical Lexicon of the New Testament.** 1. ed. Canada: Trafford Publishing, 2005.

GOLDWURM, Hersh; (Ed.). **The Artscrol Series / Shotteistein Daf Yomi edition – Tractate Shekalim.** 2. ed. New York: MESORAH PUBLICATIONS, 2006.

HARRIS, R. Laird; JR. Gleason L. A.; WALTKE, Bruce K. **Dicionário Internacional de Teologia do Antigo Testamento.** 1. ed. São Paulo: Vida Nova, 1999.

HERCZEG, Yisrael Isser Zvi (Ed.). **Rashi / Commentary on the Torah.** 9. ed. New York: MESORAH PUBLICATIONS, 2007. (Artscroll series / The Sapirstein edition).

JASTROW, Marcus. **Dictionary of the Targumim, Talmud Bavli, Talmud Yerushalmi and Midrashic Lterature.** 2. ed. New York: JUDAICA Treasury, 2004.

JEREMIAS, Joachim. **Estudos no Novo Testamento.** São Paulo: Academia Cristã, 2006.

JEREMIAS, Joachim. **Teologia do Novo Testamento.** 2. ed. São Paulo: TEOLÓGICA / PAULUS, 2004.

KITTEL, Gerhard (Ed.). **Thelogical Dictionary of the New Testament.** Translated by Geoffrey W. Bromiley. 2. ed. Grand Rapides: WM. B. Eerdmans Plublising Company, 2006.

LA BIBLE. Traduction de Lemaitre de Sacy. 10. ed. Paris: Éditions Robert Laffont, 1994.

LIDDELL, Henry George; SCOOT, Robert. **A Greek-English Lexicon – whit a revised supplement.** 9. ed. New Supplement. New York: Claredon Prees, 1996.

LIGHTFOOT, John. **A Commentary on the New Testament from the Talmud and Hebraica.** 4. ed. [S.l.]: HENDRICKSON, 2003.

LUST, Johan; EYNIKEL, Erik; HAUSPIE, Katrin. **Greek-English Lexicon of the Septuagint.** 1. ed. Stuttgart: DEUTSCH BIBELGESELLSCHAFT, 2003.

MANNS, Frédéric. **Les raciness juivesdu christianisme.** Paris: Presses de La Renaissance, 2006.

MEIER. John P. **Um Judeu Marginal – Repensando o Jesus Histórico.** Rio de Janeiro: IMAGO, 1998.

METZGER, Bruce M. **A Textual Commentary on the Greek New Testament.** 2. ed. Edmonds: Deutsche Bibelgesellschaft / United Bible Societies, 2007.

METZGER, Bruce M. **The Canon of the New Testament – Its Origin, Development and Significance.** New York: OXFORD, 1997.

MOUNCE, Willian D. **The Analytical Lexicon to the Greek New Testament.** (Zondervan Greek Reference Series). Grand Rapids: ZONDERVAN, 2000.

MOUTON, Harold K. São Paulo: Cultura Cristã, 2007.

SCHERMAN, Nosson; ZLOTOWITZ, Meir (Ed.). **The Artscrol Mishnah Series.** New York: MESORAH PUBLICATIONS, 2001.

SCHÖKEL, Luis Alonso. **Dicionário Bíblico Hebraico-Português.** Tradução de Ivo Storniolo e José Bortolini. São Paulo: PAULUS, 1997.

SOKOLOFF, Michael. **A Dictionary of Jewish Babylonian Aramaic.** 1. ed. Baltimore: Bar Ilan University Press and The Johns Hopkins University Press, 2002.

SOKOLOFF, Michael. **A Dictionary of Jewish Palestinian Aramaic.** 2. ed. Baltimore: Bar Ilan University Press and The Johns Hopkins University Press, 2002.

SPICQ, Ceslas. **Theological Lexicon of the New Testament**. Translated and edited by James D. Ernest. 3. ed. Peabody: HENDRICKSON, 2008.

THAYER, Joseph H. **Thayer's Greek-English Lexicon or the New Testament – Coded with Strong's Concordance Numbers**. 7. ed. Peabody: HENDRICKSON, 2005.

VINE, W. E.; UNGER, Mrril F.; JR. Willian White. **Dicionário Vine – Significado Exegético e Expositivo das Palavras do Antigo e do Novo Testamento**. 7. ed. Rio de Janeiro: CPAD, 2006.

WESTCOTT, B. F.; HORT, F. J. A. **Introduction to the New Testament in the Original Greek – with notes on selected readings**. 2. ed. Eugene: WIPF and STOCK, 2003.

ZODHIATES, Spiros (Ed.). **The Complete Word Study Dictionary New Testament**. 2. ed. (revised edition). Chattanooga: AMG Publishers, 1993.

FEB editora
Livro espírita para um novo mundo
www.febeditora.com.br
@febeditoraoficial
@febeditora

Conselho Editorial:
Carlos Roberto Campetti
Cirne Ferreira de Araújo
Evandro Noleto Bezerra
Geraldo Campetti Sobrinho – Coord. Editorial
Jorge Godinho Barreto Nery – Presidente
Maria de Lourdes Pereira de Oliveira
Miriam Lúcia Herrera Masotti Dusi

Produção Editorial:
Elizabete de Jesus Moreira

Revisão:
Cleber Varandas de Lima

Capa:
Zed Martins

Projeto Gráfico e Diagramação:
Nathalia Mendes
Zed Martins

Normalização Técnica:
Biblioteca de Obras Raras e Documentos Patrimoniais do Livro

Esta edição foi impressa pela Plenaprint Gráfica e Editora Ltda, Guarulhos, SP, com tiragem de 2 mil exemplares, todos em formato fechado de 150x210 mm e com mancha de 110x170 mm. Os papéis utilizados foram o Off white bulk 58 g/m² para o miolo e o Cartão 250 g/m² para a capa. O texto principal foi composto em fonte ITC Stone Serif Std 9,5/13 e os títulos em Cronos Pro Light 13/15,6. Impresso no Brasil. *Presita en Brazilo.*

FSC
www.fsc.org
MISTO
Papel | Apoiando o manejo florestal responsável
FSC® C140275